D1124795

J.R. FORBES

L.ES. L., D.E.S., F.I.L.

DICTIONNAIRE

DES TECHNIQUES ET TECHNOLOGIES MODERNES

MODERN DICTIONARY OF ENGINEERING
AND TECHNOLOGY

FRANÇAIS ANGLAIS

Technique & Documentation
Lavoisier

11, rue Lavoisier
F-75384 Paris Cedex 08

Lavoisier Publishing Inc.

44 Hartz Way
Secaucus, N.J. 07096, USA

Du même auteur :

DICTIONNAIRE D'ARCHITECTURE ET DE CONSTRUCTION
DICTIONARY OF ARCHITECTURE AND CONSTRUCTION
- 23 000 entrées -
français / anglais - anglais / français

Préface de M. Brackenbury

432 p., 15,5 x 24, 2ᵉ édition revue et augmentée, 2ᵉ tirage 1990.
ISBN : 2-85206-706-4

DICTIONNAIRE DES TECHNIQUES ET TECHNOLOGIES MODERNES
- 40 000 entrées -
anglais / français

608 p., 15,5 x 24, 2ᵉ édition revue et augmentée 1993.
ISBN : 2-85206-888-5

© Technique et Documentation - Lavoisier, 1993
11, rue Lavoisier - F 75384 Paris Cedex 08

ISBN : 2-85206-880-X

SOMMAIRE

CONTENTS

AVANT-PROPOS

FOREWORD

Ce nouveau dictionnaire technique général reflète, parmi ses quelque 40 000 entrées, l'importance croissante de nouvelles techniques et technologies comme l'informatique, les télécommunications, la robotique, les fibres optiques, les industries alimentaires, les techniques de l'eau, la biologie moléculaire et le génie génétique. Il intéressera donc de nombreux industriels, chercheurs, techniciens, traducteurs et interprètes soucieux d'élargir leurs connaissances.

This new general technical dictionary reflects in its 40 000 or so entries the growing importance of new engineering and technological fields such as information technology, telecommunications, robotics, fibre optics, food production and processing, water engineering, molecular biology and genetic engineering. It will be of interest to many industrialists, researchers, technicians, translators and interpreters having to widen their skills.

PRESENTATION GENERALE ET NOTES EXPLICATIVES

GENERAL PRESENTATION AND EXPLANATORY NOTES

Les **lettres grasses** sont utilisées pour les entrées.

Deux mots ayant une même orthographe mais des genres et sens différents font l'objet de deux entrées séparées.

Lorsque le pluriel d'un mot peut appeler une traduction particulière, il figure au mot-clé; lorsque plusieurs expressions comportent le mot au pluriel, → renvoie à une entrée séparée.

Lorsqu'une *abréviation* est couramment utilisée pour remplacer une entrée elle figure, également en gras, après l'entrée et en est séparée par ▶

Les lettres *GB* et *NA* établissent la distinction entre l'usage anglais et l'usage Nord Américain.

m, f et *adj* dénotent respectivement un nom masculin, un nom féminin et un adjectif.

Les *symboles typographiques* utilisés sont:

~ : la tilde remplace le mot-clé

[ ] : les crochets encadrent des mots ou lettres fréquemment omis dans la langue courante

( ) : les indications entre parenthèses donnent des exemples types mais non limitatifs des différents emplois d'un mot ou expression afin de distinguer entre les différentes traductions possibles; la liste des abréviations utilisées entre parenthèses se trouve à la page IX.

→ : renvoie à une autre entrée.

Bold letters are used for the entries.

When two words with the same spelling *have different genders and meanings, there are two separate entries.*

When the plural of a word *may require a different translation, it is given under the key word; when the plural is part of several expressions* → *refers to a separate entry.*

When an abbreviation *is frequently used to replace an entry it is shown, also in bold, after the entry and separated from it by* ▶.

The letters GB *and* NA *distinguish between British and North American usage.*

m, f *and* adj *denote respectively a masculine noun, a feminine noun and an adjective.*

The graphic symbols *used are:*

~ : *it replaces the key word*

[ ] : *the words or letters in square brackets are often omitted in everyday language*

( ) : *in ordinary brackets are given typical but not exhaustive examples of different uses of a word or phrase, in order to facilitate the choice between the various possible translations; the list of abbreviations used in brackets is given on page IX.*

→ : *refers to another entry*

ABREVIATIONS
ENTRE PARENTHESES

ABBREVIATIONS
IN BRACKETS

aéro	aéronautique	inf	informatique
alim	industries alimentaires	lab	laboratoire
arch	architecture	mar	marine
astron	astronautique	maths	mathématiques
autom	automobile	méc	mécanique
bio	bioscience, bio-industrie	men	menuiserie
bot	botanique	métall	métallurgie
chdef	chemins de fer	mil	militaire
chim	chimie	m-o	machine-outil
c.i.	circuits imprimés	nucl	nucléaire
cin	cinéma	opt	optique
clim	climatisation	pap	papeterie
constr	construction	pétr	industrie pérolière
él	électricité	phot	photographie
éon	électronique	phys	physique
f.o.	fibres optiques	plast	plastiques
gén	général	rob	robotique
géogr	géographie	s.c.	semi-conducteurs
géol	géologie	sdge	soudage
gg/bm	génie génétique/	tc	tube cathodique
	biologie moléculaire	tcm	télécommunications
graph	arts graphiques	tél	téléphone
hydr	hydraulique	text	textiles
IA	intelligence artificielle	tv	télévision

A

abaca *m* : abaca

abaissement *m* : decrease, lowering, reducing, reduction
~ **d'une touche:** key depression, key press

abaisser: (gén) to lower; (réduire) to decrease, to reduce, to lower; (une touche) to depress, to press [down], to push down
~ **la tension:** (transformateur) to step down
~ **les volets:** (aéro) to extend the flaps

abaisseur *m* : depressant
~ **de fréquence:** down converter
~ **de point d'écoulement:** pour point depressant
~ **de tension:** step-down transformer, buck transformer

abandon *m* : (inf, astron) abort
~ **d'appel:** abandoned call

abandonner: (un essai, un projet) to give up; (astron) to abort

abaque *m* : [calculation] chart; (arch) abacus
~ **[de conversion]:** alignment chart

abats *m* : (bœuf, porc) offal, (volaille) giblets

abattage *m* : (de charbon, de minerai) mining, winning; (d'arbres) felling, cutting down; (de bétail) slaughter[ing]
~ **à ciel ouvert:** opencast mining
~ **à la poudre:** blasting
~ **aux explosifs:** blasting
~ **de la pierre:** stoneworking, quarrying
~ **de la poussière:** dust laying
~ **du charbon:** coal getting

~ **en carrière:** quarrying
~ **en gradins:** stoping

abattant *m* : drop leaf, hinged leaf, flap

abatteur *m* : [coal] getter, hewer

abattoir *m* : slaughterhouse

abattre: (gén) to pull down, to bring down; (un boulon, clou, rivet) to clinch; (un angle, une arête): to chamfer; (un arbre) to cut down, to fell, to hew
~ **des angles vifs:** to remove sharp edges
~ **de la pierre:** to quarry stone
~ **du charbon:** to get coal, to win coal
~ **la poussière:** to lay the dust
~ **sur une aile:** (aéro) to roll off

abattu: brought down; (angle) chamfered; (charbon) cut, got, won; (pierre) quarried; (par le tir) blasted

abduction *f* : (IA) abduction, abductive reasoning

aberration *f* : aberration
~ **chromatique:** chromatic aberration

abiogénique: abiogenic

abiose *f* : abiosis

abiotique: abiotic

ablater, s'~: to ablate

ablation *f* : (astron, géol) ablation

ablatir, s'~: to ablate

abondance *f* : (nucl) abundance

abonné *m* : (él) consumer, customer; (tél) subscriber
~ **appelant:** caller, calling subscriber, originator
~ **au téléphone:** telephone subscriber
~ **de ligne partagée:** party line subscriber
~ **demandé:** called subscriber, called party
~ **demandeur:** caller, calling subscriber, originator

abordage *m* : (accident) collision; (attaque) boarding; (manœuvre) coming alongside
~ **à quai:** berthing

aborder: (mar) to reach land, to touch land; (un endroit) to approach, to

reach; (une question) to approach
~ **un navire:** (mil) to board a ship;
(heurter) to collide with a ship

abouchement *m* : jointing, joining (of
pipes)

about *m* : butt [end]

aboutement *m* : joining end to end

aboutissement *m* : issue, outcome
~ **d'un câble:** shore end section,
shore terminal

abraser: to abrade

abrasif *m* : abradant, abrasive; *adj* :
abrasive
~ **aggloméré:** bonded abrasive
~ **appliqué:** coated abrasive
~ **de décapage:** grit

abrasimètre *m* : abrasiometer, abrasion
tester

abrasion *f* : abrasion

abrasivité *f* : abrasivity

abréger: to abbreviate; (résumer) to
summarize, to abstract

abreuvage *m* : (fonderie) metal
penetration

abreuvé d'eau: (sol) sodden,
waterlogged

abreuver: to soak; to seal (a porous
surface)

abri *m* : shelter; (de sous-marins) pen
~ **de quai:** (chdef) platform shelter,
canopy
à l'~ de: (protégé): secure, safe from
à l'~ de la pluie: under cover
à l'~ des intempéries: unexposed,
protected from the weather

abrité: (él) drip-proof, drip-tight

abscisse *f* : abscissa

absence *f* : absence; (manque) lack (of)
~ **d'étincelle:** failure of the spark
~ **de biais:** unbiasedness
~ **de courant:** lack of current
~ **de frappe:** (imprimante) printing
holiday

absent *m* : absentee; *adj* : (personnel)
away; (chose) missing, lacking

absinthe *f* : (bot) wormwood; (boisson)
absinth[e]

absolu: absolute

absorbant *m* : absorbent; *adj* :
absorbent, absortive
~ **coulant:** sinking agent
~ **flottant:** floating absorbent, oil
sorbent product

absorber: to absorb; (un liquide) to soak
in, to soak up
~ **de la saleté:** to pick up dirt
~ **un son:** to absorb a sound, to
deaden a sound
~ **une force:** to absorb a load, to take
up a force

absorbeur *m* : (nucl) absorber
~ **de neutrons:** neutron absorber
~ **solaire:** collector panel, collector
plate

absorptiométrie *f* : absorptiometry

absorption *f* : absorption; (d'une matière
étrangère) pick-up
~ **acoustique:** sound absorption
~ **d'humidité:** moisture pick-up
~ **dans l'infrarouge:** infrared
absorption
~ **dans l'ultraviolet:** ultraviolet
absorption
~ **de carbone:** carbon pick-up
~ **par le sol:** ground absorption

absorptivité *f* : absorptivity

abstraction *f* : (IA) abstraction

abstrait *m*, *adj* : abstract

abyssal: abyssal

AC → **antichar**

acajou *m* : mahogany

acarien *m* : acarid[an], mite; *adj* :
acaridan

accaparer: to take up (a lot of time, of
space)
~ **la mémoire:** (inf) to absorb the
memory

accastillage *m* : superstructure (of a
ship), upperworks, deadworks,
topsides

accéder à: (inf) to access

accélérateur *m* : (autom, chim, phot) accelerator; (aéro) booster, booster engine; (chauffage central) circulating pump; (pédale d'accélérateur) accelerator [pedal] (GB), gas pedal (NA)
~ **à impulsions**: impulse accelerator
~ **de particules**: particle accelerator
~ **de vulcanisation**: curing accelerator
~ **intermédiaire**: (nuc) booster

accélération *f* : (véhicule) acceleration; (vitesse de machine) stepping up
~ **à pleine vitesse**: run-up
~ **au démarrage**: acceleration from dead stop
~ **de la pesanteur**: acceleration due to gravity

accélérer: to accelerate, to speed up

accéléromètre *m* : acceleration meter, accelerometer

accent *m* : accent
~ **séparé**: floating accent, loose accent
~ **superposé**: floating accent, loose accent

accentuation *f* : emphasis

acceptabilité *f* **de la marque**: brand acceptance

acceptation *f* : acceptance
~ **d'appel**: call accept[ance]
~ **de la marque**: brand acceptance

accepteur *m* : (atome, s.c., gg/bm) acceptor
~ **d'ions**: ion acceptor

accès *m* : access, entry
~ **au fichier**: file access
~ **filtré**: controlled access
~ **interdit**: access barred
~ **multiple**: multiple access
~ **multiple par répartition dans le temps ▶ AMRT**: time division multiple access
~ **par clé [d'index]**: keyed access
~ **par file d'attente**: queued access
~ **réservé**: (inf) accredited users only
~ **séquentiel**: sequential access
à ~ multiple: (inf) multiport
d'~ facile: easy to reach
d'~ restreint: (inf) closed

accessibilité *f* : accessibility
~ **facile**: easy reach

accessible: accessible; (inf) retrievable
~ **au public**: (inf) open (network)

accessoire *m* : accessory, attachment; (de ligne électrique) fitting; *adj* : ancillary; → aussi **accessoires**
~ **d'automobile**: automotive accessory

accessoires: ancillary equipment; (inf) bells and whistles
~ **de chaudière**: boiler fittings, boiler mountings
~ **pour câbles**: cable equipment

accident *m* : accident; (d'avion, de voiture) crash
~ **de conception**: (nucl) design basis accident
~ **de référence**: (nucl) design basis accident
~ **de terrain**: ground feature
~ **du bleu**: (fromage) blue mold defect
~ **du travail**: occupational accident

acclimatation *f* : acclimatization, acclimatation, acclimation

accolade *f* : curly bracket, brace
en ~: bracketed

accoler: to put side by side; to strap on; (graph) to bracket

accommodation *f* : (opt) accommodation

accord *m* : (radio) tuning; (music) chord
~ **à commande unique**: ganged tuning
~ **approximatif**: coarse tuning, rough tuning
~ **décalé**: stagger tuning, staggering
~ **étalé**: broad tuning
~ **fin**: fine tuning
~ **flou**: broad tuning
~ **par noyau plongeur**: slug tuning
~ **précis**: fine tuning
~ **silencieux**: quiet tuning
~ **sur deux réglages**: double spot tuning
à ~ décalé: stagger-tuned
à ~ fixe: fixe-tuned
à ~ par noyau plongeur: slug-tuned

accordable: tunable

accordé: in tune

accorder: to tune; **s'~**: to tune in
s'~ sur: to tune in to

accostage *m* : (mar) coming alongside; (astron) docking

accoster: (mar) to come alongside; (astron) to dock
  ~ **proue en avant**: to berth head out

accotement *m* : verge
  ~ **non stabilisé**: soft verge (GB), soft shoulder (NA)

accouplement *m* : (méc) coupling; clutch; (zoologie) mating
  ~ **à clabots**: dog coupling, claw coupling
  ~ **à coquilles**: split [muff] coupling
  ~ **à crabots**: dog coupling, claw coupling
  ~ **à déconnexion par traction**: pull-off coupling
  ~ **à disques**: flange coupling
  ~ **à douille**: sleeve coupling
  ~ **à manchon**: muff coupling, sleeve coupling
  ~ **à plateaux**: flange coupling
  ~ **à rotule**: ball coupling
  ~ **à ruban**: band coupling
  ~ **à surcharge**: torque limiting clutch
  ~ **baïonnette**: bayonet coupling
  ~ **élastique**: elastic coupling, flexible coupling, flexible connection
  ~ **hydraulique**: fluid coupling, liquid coupling
  ~ **mécanique**: (él) ganging
  ~ **mobile**: mov[e]able coupling, loose coupling
  ~ **par courroie**: belt coupling
  ~ **par engrenages**: gear coupling
  ~ **raisonné**: (bio) planned mating
  ~ **rigide**: rigid coupling, positive coupling

accoupler: (él) to connect [up]; (méc) to couple [up]; (des wagons, une remorque) to hitch up
  ~ **en commun**: (él) to common

accouvage *m* : artificial incubation

accrétion *f* : accretion

accrochage *m* : (gén) hanging; hook engagement; (petite collision) bump; (mil) encounter, engagement; (d'encre, de peinture) anchoring, bonding; (mine) landing, pit bottom; (forage) hooking on, hanging
  ~ **d'alternateurs**: putting into step
  ~ **de machine synchrone**: paralleling
  ~ **de train d'atterrissage**: landing gear latching, locking of landing gear
  ~ **de faisceau**: (tcm) beam capture
  ~ **de machine asynchrone**: synchronization, pulling into synchronization
  ~ **d'un interrupteur**: latch of a switch

  ~ **d'un alternateur**: coming into step
  ~ **de la charge au cubilot**: bridging, scaffolding
  ~ **de phase**: phase locking
  ~ **mécanique**: (béton) mechanical bond

accrocher: (suspendre) to hang [up]; (méc) to engage; (des wagons, une remorque) to couple, to hitch; **s'~**: (él) come into step

accrocheur *m* : (forage) grab [iron], derrick man

accrocheuse-sécheuse: festoon dryer, loop drier

accroissemement *m* : increase, rise, rising, build-up; (de la vitesse, de la tension) stepping up
  ~ **brusque du courant**: rush of current
  ~ **de la viscosité**: bodying
  ~ **des réserves d'une nappe souterraine**: groundwater accretion
  ~ **par dépôt**: accretion

accroître: to increase

accumulateur *m* : (él) accumulator, battery, storage cell; (pneumatique) pressure vessel, accumulator (NA)
  ~ **à oxyde d'argent**: silver oxide battery
  ~ **à piston plongeur**: piston accumulator
  ~ **à poche d'air**: (accumulateur hydraulique) bladder accumulator
  ~ **au fer-nickel**: iron-nickel accumulator, NiFe accumulator
  ~ **au plomb**: lead storage battery
  ~ **d'air comprimé**: air accumulator
  ~ **de démarrage**: booster battery
  ~ **inversable**: non-spill battery
  ~ **thermique**: heat store

accumulation *f* : accumulation, build-up
  ~ **de chaleur**: build-up of heat; (chauffage) heat storage
  ~ **de porteurs de charge**: charge carrier storage
  ~ **par pompage**: (centrale électrique) pumped storage

accusé *m* **de réception**: (de marchandises, inf) acknowledgment

acescence *f* : (vin) acescence, acescency

acétal *m* : acetal
  ~ **polyvinylique**: polyvinyl acetal

acétate m : acetate; (transparent en ~):
[acetate] overlay
~ **de cellulose**: cellulose acetate
~ **de polyvinyle**: polyvinyl acetate

acétifier: to acetify

acétimètre m : acetimeter

acétocellulose f : cellulose acetate

acétogène: (fermentation, bactéries)
acetogenic

acétomètre m : acetimeter

acétone f : acetone

acétyle m : acetyl

acétyler: to acetylate

acétylène m : acetylene

acétylure m : acetylide

achat m : purchase
~ **groupé**: (audiovisuel) package

acheminement m : transport; (de
marchandises) sending, forwarding,
conveyance; (de câbles, de
messages) routing
~ **des appels**: (tél) call handling
~ **du trafic**: (tcm) traffic handling
~ **le plus économique**: least cost
routing
~ **par voie détournée**: alternative
routing

acheminer: (des marchandises) to
convey, to transport; (information) to
channel
~ **une communication**: to advance a
call

acheté: bought, purchased
~ **au dehors**: other source, external

achromatine f : achromatin

achromatique: achromatic

achromobacter m : achromobacter

aciculaire: acicular, needle-shaped

acide m : acid; adj : acid, sour
~ **chlorhydrique**: hydrochloric acid
~ **désoxyribonucléique ▶ ADN**: DNA;
→ aussi **ADN**
~ **gras**: fatty acid

~ **gras polyinsaturé**: polyunsaturated
fatty acid
~ **gras volatil**: volatile fatty acid
~ **humique**: humic acid
~ **hypochloreux**: hypochlorous acid
~ **insaturé**: unsaturated acid
~ **nucléique**: nucleic acid
~ **ramifié**: branched acid
~ **ribonucléique**: ribonucleic acid
~ **sulfurique**: sulphuric acid (GB),
sulfuric acid (NA)

acidifiant m : acidifier; adj : acidifying

acidification f : acidification

acidimètre m : acidometer

acidogène: acid-producing, acid-forming

acidogénèse f : acid formation,
acidogenesis

acidolyse f : acidolysis

acidophile: acidophil[e], acidophilic

acier m : steel; → aussi **aciers**
~ **à cémenter**: case-hardening steel
~ **à coupe rapide**: highspeed steel
~ **à haute teneur en carbone**: high-
carbon steel
~ **à haute élasticité**: high-yield steel
~ **à haute résistance**: high-tensile
steel
~ **à l'oxygène**: oxygen-refined steel
~ **à moyenne teneur en carbone**:
medium-carbon steel
~ **à repliure**: lapped steel
~ **à structure aciculaire**: scorched
steel
~ **affiné au vent**: air-refined steel
~ **affiné à l'oxygène**: oxygen-refined
steel
~ **allié**: alloy steel
~ **au carbone**: carbon steel
~ **au carbone non allié**: plain carbon
steel
~ **au chrome**: chrome steel
~ **au cobalt**: cobalt steel
~ **au creuset**: crucible steel, pot steel
~ **au molybdène**: molybdenum steel
~ **au silicium**: silicon steel
~ **au tungstène**: tungsten steel
~ **auto-trempant**: air-hardening steel,
self-hardening
~ **Bessemer**: bessemer steel (GB);
acid steel (NA)
~ **brut**: crude steel, raw steel
~ **calmé**: dead steel, killed steel, quiet
steel
~ **cémenté**: case-hardened steel,
cement steel

~ **centrifugé**: spun steel
~ **clair**: bright steel
~ **commercial ordinaire**: tonnage steel
~ **composite**: compound steel
~ **coulé**: cast steel
~ **cuivré**: copper-bearing steel, copper clad steel
~ **d'affinage**: refined steel
~ **de boulonnerie**: screw stock
~ **de cémentation**: cement steel, case-hardening steel
~ **de construction**: structural steel
~ **de couture**: tie bar
~ **de décolletage**: machining steel
~ **de grosse production**: tonnage steel
~ **doux** ▸ **AD**: mild steel; soft steel, low carbon steel (NA)
~ **ébonité**: ebonite-coated steel, rubber-coated steel
~ **effervescent**: rim[med] steel, rimming steel, unkilled steel
~ **embouti**: pressed steel
~ **en attente**: (béton armé) starter bar
~ **en barres**: bar steel
~ **faiblement allié**: low-alloy steel
~ **fondu au creuset**: crucible steel
~ **forgé**: hammered steel
~ **inoxydable**: stainless steel
~ **maraging**: maraging steel
~ **marchand**: merchant bar
~ **Martin**: open-hearth steel
~ **Martin sur sole acide**: acid open-hearth steel
~ **moulé**: cast steel
~ **non calmé**: unkilled steel, rim[med] steel
~ **ordinaire**: carbon steel
~ **patinable**: weathering steel
~ **plaqué**: clad steel, plated steel
~ **plombé étamé**: terne plate
~ **pour nitruration**: nitriding steel
~ **pré-revêtu d'étain plomb**: terne plate
~ **prélaqué**: coated steel, organic-coated steel
~ **profilé**: rolled [steel] section, rolled shape
~ **raffiné**: refined steel
~ **rapide**: high speed steel
~ **réfractaire**: heat resisting steel
~ **rond**: round reinforcing bar
~ **semi-calmé**: balanced steel, semikilled steel
~ **semi-effervescent**: balanced steel, semirimming steel
~ **soudable**: weld[ing] steel
~ **soufflé à l'oxygène**: oxygen-blown converter steel
~ **sur sole acide**: acid open-hearth steel

~ **sur sole basique**: basic open-hearth steel
~ **surfin**: superrefined steel
~ **Thomas**: basic bessemer steel
~ **trempant à l'huile**: oil hardening steel
~ **trempé**: hardened steel

aciérage m : acierage

aciération f : acieration

aciers m, ~ **de couture**: (béton armé) continuity reinforcement
~ **de répartition**: distribution bars
~ **en attente**: stub bars
~ **plats**: flats

aciéreux: steely

aciérie f : steel mill, steelworks
~ **Martin**: open-hearth plant

ACM → **anticorps monoclonal**

à-côté m **de fabrication**: side run

à-coup m : surging, impact load
~ **de courant**: rush of current
~ **de courant de commutation**: switching surge
~ **de pression**: pressure surge

acoustique f : acoustics; adj : acoustic, sonic

acquisition f : (gén) acquisition; (achat) purchase
~ **d'une cible**: target acquisition
~ **de données**: data acquisition, data capture
~ **des connaissances**: (IA) knowledge acquisition

acquittement m : (inf) acknowledgment

acridine f : acridine

acrotère m : parapet, wall above roof level

acrylonitrile-butadiène-styrène m : acrylonitrile butadiene styrene

action f : action, actuation
~ **brusque**: snap action
~ **conjuguée**: interaction
~ **continue**: continuous action
~ **en retour**: feedback
~ **instantanée**: quick action, snap action
~ **par dérivation**: derivation action

~ **par plus ou moins**: positive-negative control
~ **par tout ou rien**: on-off action, positive-negative action
~ **progressive**: continuous action
à ~ **conjuguée**: interacting
à ~ **différée**: delayed-action, time-lag
à ~ **rapide**: snap-action; (commutateur) quick-make, quick-break
à ~ **réciproque**: interworking
à ~ **retardée**: time-lag, time-delay, delayed-action
à ~ **temporisée**: time-lag, delayed-action

actionné: operated, actuated
~ **à la main**: hand-operated, hand-actuated
~ **par moteur**: motor-driven

actionnement _m_ : activation, actuation

actionner: to activate, to actuate, to control, to operate, to work
~ **un relais**: to attract a relay

actionneur _m_ : actuator, operating gear
~ **à servomoteur**: servomotor actuator
~ **à vérin à vis**: jackscrew actuator

activant _m_ : activating agent, activator

activateur _m_ : (bio) activator, enhancer
~ **du plasminogène**: plasminogen activator
~ **polyclonal**: polyclonal activator

activation _f_ : activation; (gg/bm) activation, enhancement
~ **des aminoacides**: amino acid activation
~ **des boues d'égout**: sludge activation
~ **neutronique**: neutron activation
~ **transcriptionnelle**: transcriptional activation

activimètre _m_ : activity meter

activité _f_ : (gén, radiation) activity; (inf) job step
~ **du laser**: lasing
~ **enzymatique**: enzymatic activity, enzymic activity
~ **fictive**: (chemin critique) dummy activity
~ **inhibitrice**: blocking activity
~ **ionique**: ion activity
~ **sans dépenses**: zero cost activity

actomyosine _f_ : actomyosin

actualisation _f_ : update

actualiser: to update

actuateur _m_ : (mécanique des fluides) actuator

acumètre _m_ : q-meter

acutance _f_ : acutance

acutangle: acutangular

acyclique: acyclic

acylation _f_ : acylation

acyle _m_ : acyl

AD → **acier doux**

ADAC → **avion à décollage et atterrissage courts**

adacport _m_ : stolport

adaptable: flexible

adaptateur _m_ : (pour prise de courant) adapter, adaptor; (gg/bm) adaptator, adaptor
~ **à bras**: stub tuner
~ **d'impédance**: impedance matching set, matching network
~ **d'indice**: (f.o.) index matching
~ **de phase**: phase adapter
~ **graphique couleur**: color graphics adapter
~ **mâle/femelle**: (inf) sex changer, gender changer

adaptation _f_ : adapting, matching
~ **à l'usager**: customization, tailoring
~ **à un pays particulier**: localizing
~ **aux prescriptions militaires**: militarization
~ **d'impédance**: impedance matching
~ **sur le matériel existant**: on-site retrofit
~ **vers le bas de gamme**: downgrading

adapté aux besoins: purpose-made, tailor-made, tailored

adapter: (gén) to adapt; (él) to match
~ **sur un matériel existant**: to retrofit

adatome _m_ : adatom

ADAV → **avion à décollage et atterrissage verticaux**

additif *m* : addition agent, additive
~ **abaissant le point d'écoulement**:
pour point depressant
~ **alimentaire**: food additive
~ **anti-boue**: sludge dispersal agent
~ **anti-mousse**: defoamer
~ **anticorrosif**: corrosion inhibitor
~ **antioxydant**: oxidation inhibitor
~ **d'adhésivité**: antistripping agent
~ **hydrofuge**: waterproofing additive

addition *f* : addition
~ **avec effacement**: destructive
addition
~ **de la queue**: (sur ARNm) tailing
~ **en bout de chaîne**: (gg/bm) tailing
~ **en virgule flottante**: floating
add[ition]
~ **sans effacement**: non-destructive
add, addition
~ **sans report**: false add[ition]

additionnel: additional, supplementary,
add-on

additionneur *m* : adder, summer; *adj* :
summing
~ **à deux entrées**: two-input adder
~ **complet**: full adder
~ **en cascade**: ripple-carry adder
~**-soustracteur**: adder-subtracter

addressage *m* : addressing

adduction d'eau *f*: [piped] water supply
~ **d'eau potable**: supply of potable
water
~ **gravitaire**: gravity water supply
~ **par refoulement**: pumped water
supply

adénine ▶ A *f*: adenine

adénosine *f* : adenosine
~ **monophosphate ▶ AMP**: adenosine monophosphate
~ **monophosphate cyclique**: cyclic
adenosine monophosphate
~ **triphosphate ▶ ATP**: adenosine
triphosphate

adénovirus *m* : adenovirus

adhérence *f* : adhesion, bond, sticking;
(d'un pneu) grip
~ **à la route**: road grip
~ **de contact**: (plast) blocking;
(enduction) blocking resistance
~ **de sable**: (fonderie) scab
~ **des armatures**: reinforcement bond
~ **des couches**: (contre-plaqué) ply
bond

adhésif *m* : adhesive, adhesive cement;
adj : adhesive, stick-on
~ **à action directe**: close contact
adhesive
~ **à prise instantanée**: impact
adhesive
~ **de contact**: contact adhesive
~ **de remplissage**: gap-filling adhesive
~ **durcissable à froid**: cold-setting
adhesive

adhésivité *f* : adhesiveness, tackiness
~ **résiduelle**: residual tack

adiabatique: adiabatic

adipocyte *m* : adipocyte, lipocyte, fat cell

adjonction *f* : addition; (inf) add-on
facility

adjudicataire *m* : successful bidder,
successful contractor, successful
tenderer

adjuvant *m* : additive
~ **de filtrage**: filter aid

admis: allowable, allowed, accepted,
legal; (à admettre) design

admissible: acceptable, allowable,
admissible; (charge) safe

admission *f* : admission, induction;
(moteur) inlet (GB), intake (NA)
~ **au-dessus de l'échappement**: inlet
over exhaust
~ **et extraction**: (climatisation) supply
and exhaust
~ **évasée**: intake flare

admittance *f* : admittance
~ **mutuelle**: transadmittance

ADN *m*: DNA; → aussi **acide
désoxyribonucléique**
~ **à simple brin**: single-stranded DNA
~ **amorce**: primer DNA
~ **bactérien**: bacterial DNA
~ **bicaténaire**: double-stranded DNA,
duplex DNA
~ **chimère**: chimeric DNA
~ **chloroplastique ▶ ADNcp**:
chloroplastic DNA
~ **chromosomique**: chromosomal
DNA
~ **cible**: target DNA
~ **circulaire**: circular DNA
~ **circulaire fermé**: closed circular
DNA
~ **complémentaire ▶ ADNc**:
complementary DNA

~ **copie unique**: single-copy DNA, non-repetitive DNA, unique DNA, unique-sequence DNA
~ **de liaison**: linker DNA
~ **double brin**: double-stranded DNA, duplex DNA
~ **espaceur**: spacer DNA
~ **étranger**: foreign DNA
~ **eucaryote**: eukaryotic DNA
~ **extrachromosomique**: extrachromosomal DNA
~ **gyrase**: DNA gyrase
~ **homologue**: homologous DNA
~ **hybride**: hybrid DNA
~ **inutile**: junk DNA
~ **lourd**: heavy DNA
~ **mitochondrial** ▶ **ADNmT**: mitochondrial DNA
~ **modérément répétitif**: moderately repetitive DNA, middle repetitive DNA
~ **monocaténaire**: single-stranded
~ **non répétiteur**: single-copy DNA, non-repetitive DNA, unique DNA, unique-sequence DNA
~ **non répétitif**: single-copy DNA, non-repetitive DNA, unique DNA, unique-sequence DNA
~ **photolyase**: photolyase DNA
~ **plasmidique**: plasmid DNA
~ **polymérase**: DNA polymerase
~ **recombinant**: recombinant DNA, rec DNA
~ **répétitif**: repetitive DNA
~ **ribosomique** ▶ **ADNr**: ribosomal DNA
~ **satellite**: satellite DNA
~ **sauvage**: wild-type DNA
~ **superenroulé**: supercoiled DNA, supercoil, superhelix
~ **superhélicoïdal**: supercoiled DNA, supercoil, superhelix
~ **surenroulé**: supercoiled DNA, supercoil, superhelix
~ **tueur**: killer DNA
~ **vecteur**: vector DNA
~ **zigzag** ▶ **ADN-Z**: zigzag DNA, Z-DNA

ADNc → **ADN complémentaire**

ADNcp → **ADN chloroplastique**

ADNmt → **ADN mitochondrial**

ADNr → **ADN ribosomique**

adobe *m* : adobe

adoption *f* **du système métrique**: metrication

adouci: (angle, arête) bullnose[d]; (distillat) sweet

adoucir: (des rugosités) to smooth; (l'eau, un tissu) to soften; (la lumière) to dim; (du verre) to polish; (une courbe) to ease; (un métal) to temper; (aliment) to sweeten

adoucissage *m* : (verre) polishing

adoucissement *m* : (d'une courbe) easing, smoothing; (pétr) sweetening
~ **à chaud**: hot-lime softening
~ **à la chaux**: lime softening
~ **chaux-soude**: lime-soda softening
~ **de l'eau**: water softening
~ **des couleurs**: toning down
~ **par la chaux en excès**: excess-lime softening

adoucisseur *m* : (text) fabric conditioner
~ **d'eau**: water softener

adragante: tragacanth

adrénaline *f* : adrenalin

adressage *m* : addressing
~ **à progression automatique**: stepped addressing, one-ahead addressing
~ **à progression chronologique**: stepped addressing
~ **étendu**: augmented addressing, extended addressing
~ **par coordonnées**: coordinate addressing
~ **par page**: page addressing

adresse *f* : address
~ **absolue**: machine address, specific address
~ **calculée**: generated address
~ **complète**: address complete
~ **d'entrée**: entrance (NA), entry (GB)
~ **de lancement**: entry point, entry address
~ **de recherche**: seek address
~ **machine**: absolute address, actual address, machine address
~ **postale**: mailing address (NA), postal address (GB)
~ **réelle**: effective address, actual address
~ **relative**: floating address
~ **télégraphique**: cable address
~ **translatable**: relocatable address
à une ~: single-address

adsorbant: adsorbent, adsorptive

adsorbat *m* : adsorbate

adsorbeur *m* : adsorber

adsorption *f* : adsorption

adultérer: to adulterate, to doctor

advection *f* : advection

AEP → **alimentation en eau potable**

aérage *m* : forced ventilation (in a mine)
~ **aspirant**: exhaust ventilation
~ **soufflant**: blowing ventilation

aérateur *m* : aerator; air exchanger, air mover; (constr) [room] ventilator; (reniflard) breather valve
~ **à chicanes**: baffle aerator
~ **à coke**: coke-tray aerator
~ **à déversoir**: weir aerator
~ **de toit**: roof ventilator
~ **en cascade**: cascade aerator
~ **exutoire**: smoke-and-heat vent

aération *f* : (constr) ventilation (of a building); (traitement de l'eau) aeration
~ **à petites bulles**: fine bubbles aeration
~ **à réduction progressive**: tapered aeration
~ **décroissante**: tapered aeration
~ **mécanique**: mechanical aeration
~ **naturelle**: (d'un bâtiment) through ventilation
~ **par contact**: contact aeration
~ **par diffusion [d'air]**: diffused air aeration
~ **par étapes**: stage aeration
~ **par roues à aubes**: paddle-wheel aeration
~ **par roues à palettes**: paddle-wheel aeration
~ **par surface**: surface aeration
~ **prolongée**: extended aeration
~ **transversale**: cross ventilation

aéraulique *f* : aeraulics

aérenchyme *m* : aerenchyma

aéricole: aerial (plant)

aérien: aerial, air; (él, tcm) overground, overhead; (chaux, mortier) non-hydraulic

aérobie *m* : aerobe, aerobium; *adj* : aerobic
~ **facultatif**: facultative aerobe
~ **strict**: obligate aerobe

aérobiose *f* : aerobiosis

aérochloration *f* : aerochlorination

aéroclassification *f* : air classification

aéro-club *m* : flying club

aérocontaminant *m* : air contaminant

aérodynamique *f* : aerodynamics; *adj* : (phys) aerodynamic; (forme) streamlined

aérodyne *m* : aerodyne

aérofrein *m* : air brake

aérogare *f* : air terminal

aérogénérateur *m* : aerogenerator

aéroglisseur *m* : air-cushion vehicle, hovercraft
~ **guidé**: tracked air-cushion vehicle, tracked hovercraft
~ **terrestre**: land air-cushion vehicle

aéroglissière *f* : aeroslide, air slide

aérographe *m* : (nom déposé) air brush

aéromètre *m* : aerometer

aéromodélisme *m* : model aircraft (as a hobby)

aéromoteur *m* : (éolienne) wind-driven motor, wind motor, wind power unit; (moteur) aeroengine, air engine

aéronavale *f* : Fleet Air Arm

aéronef *m* : aircraft
~ **à voilure fixe**: fixed-wing aircraft
~ **à voilure tournante**: rotary-wing aircraft

aéroport *m* : airport

aéroporté: airborne (troops)

aéroréfrigérant *m* : air-cooler

aéroréfrigéré: air-cooled

aéroscope *m* : aeroscope

aérosol *m* : aerosol

aérospatial: aerospace

aérospatiale *f* : aircraft and space industry

aérostat *m* : lighter-than-air

aéroterrestre: (mil) land-and-air

aérotherme *m* : fan convector

aérotrain *m* : hovercraft train, hovertrain

aérotransporté: airlifted

aéroturbine *f* : wind turbine

AF → audio fréquence

affaiblir: to lessen; (des vibrations, un choc) to damp; **s'~**: to fade

affaiblissement *m* : weakening, lessening; (d'un signal) fading, decay; (d'un choc) damping; (en quantité, qualité, intensité) impairment; (tél) attenuation; (du sol) sinking, subsidence
　~ **à la réception**: receive loss
　~ **acoustique**: sound reduction
　~ **aux bornes**: terminal loss
　~ **d'acuité auditive**: hearing loss
　~ **d'impulsion**: (radar) pulse decay
　~ **dans le circuit**: circuit loss
　~ **de câble**: cable attenuation
　~ **de couplage**: coupling loss
　~ **de courbure**: bend loss
　~ **de diffusion**: scattering loss
　~ **de filtrage**: filter loss
　~ **des freins**: brake fading
　~ **diaphonique**: cross talk attenuation
　~ **dû à l'absorption**: absorption loss
　~ **dû au câble**: cable attenuation
　~ **extrinsèque de raccordement**: (f.o.) extrinsic joint loss
　~ **intrinsèque de raccordement**: (f.o.) intrinsic joint loss
　~ **linéique**: attenuation coefficient
　~ **net de commutation**: net switching loss
　~ **par rayonnement**: radiation loss
　~ **passif d'équilibrage**: passive return loss
　~ **progressif**: fade-down
　~ **sonore**: sound transmission loss
　~ **sur images**: image attenuation constant, image attenuation coefficient

affaiblisseur *m* : attenuator, fader, killer
　~ **à guillotine**: guillotine attenuator
　~ **à lame rotative**: rotary attenuator
　~ **à quart d'onde**: quarter wave attenuator
　~ **fixe**: (guide d'ondes) pad

affaissement *m* : (du sol) sinking, subsidence; (sous charge) sagging, yielding; (d'un mur) cave in; (d'une structure) collapse; (béton) slump
　~ **de terrain**: ground subsidence

affaisser, s': to cave in, to sag, to sink, to yield, to give way

affectation *f* : allocation, allotment, assignment
　~ **à la demande**: demand assignment
　~ **des câbles**: cable assignment
　~ **des ressources**: resource allocation

affecté: allocated, allotted, assigned
　~ **à demeure**: dedicated

affermir: to make firm[er]

affichage *m* : visual indication; (sur tableau d'affichage) posting; (radar) display; (inf) readout, screen display
　~ **à cristaux liquides**: liquid-crystal display
　~ **à décharge gazeuse**: gas-discharge display
　~ **à distance**: remote indication
　~ **graphique**: graphic display
　~ **graphique avec trame**: raster-mode graphic display
　~ **numérique**: digital readout, digital display
　~ **par cristal liquide**: liquid-crystal display
　~ **plasma**: plasma display
　~ **publicitaire**: billposting, billsticking
　~ **radar**: radar display
　~ **restreint**: thin-window display
　~ **sauvage**: fly posting

affiche *f* : bill, poster

afficher: to post, to display

afficheur *m* : billposter, billsticker

affichiste *m* : poster designer, poster artist

affiler: (un outil) to sharpen, to whet

affinage *m* : (métall) refining, purifying; (fromage) ripening, maturing
　~ **à cœur**: (fromage) full ripeness
　~ **au creuset**: crucible refining
　~ **au vent**: air refining, air blowing, blast refining
　~ **complet**: (fromage) full ripeness
　~ **du cuivre par convertisseurs**: copper conversion
　~ **du grain**: grain refinement
　~ **par soufflage au-dessus du bain**: top blowing
　~ **sur sole**: hearth refining

affinité *f* : affinity

affleuré: flush with

affleurement *m* : (géol) outcrop

affleurer: to make flush, to trim flush; to show on the surface; (géol) to crop out, to outcrop

affluent *m* : tributary

afflux *m* : (d'air, de gaz) inflow

affolement *m* : (d'un mécanisme) dancing; (d'une aiguille) oscillation; (d'un instrument) disturbance, flutter, hunting; (du compas) spinning; (d'une soupape) flutter
~ **de l'aiguille du compas**: disturbed needle

affouillement *m* : erosion, undermining (by water), subsurface erosion; (de rives) scouring, underwashing
~ **du talus**: washout of embankment

affouiller: to erode, to scour, to undermine, to wash out

affranchir: (une barre) to crop; (un bord, une extrémité) to trim; (dégager) to give a clearance
~ **un défaut**: to burn out a fault

affranchissement *m* : cropping, trimming

affrètement *m* : chartering
~ **à forfait**: lump sum charter
~ **à temps**: time charter
~ **au jour le jour**: spot rate
~ **au voyage**: voyage charter
~ **coque nue**: bareboat charter
~ **pour services réguliers**: liner charter

affronter: (des panneaux) to join edge to edge

affût *m* : stand, rest; (mil) carriage, mount, mounting
~ **de canon**: gun carriage, gun mount
~ **de perforatrice**: drill carriage

affûtage *m* : grinding
~ **de fraise**: cutter grinding

affûter: to sharpen, to grind

agar-agar *m* : agar-agar

agence *f* : branch [office], agency
~ **de publicité**: advertising agency

agencement *m* : (disposition) arrangement, layout
~ **de magasin**: shop fitting
~ **intérieur**: (d'un bâtiment) fitting out

agenda *m* : (inf) memo pad

agénésie *f* : agenesis

agent *m* : agent
~ **antiadhérent**: release agent
~ **antifloculant**: deflocculation agent
~ **commercial**: sales representative
~ **complexant**: chelating agent
~ **d'activation**: activator (chem)
~ **d'addition**: additive
~ **d'adhésivité**: adhesion promoter
~ **d'attaque**: etchant
~ **d'azurage optique**: brightening agent, optical brightener
~ **d'expansion**: blowing agent
~ **d'isotonie**: isotonizer
~ **d'oxydation**: oxidizer, oxidant
~ **de blanchiment**: bleach, bleaching agent
~ **de blanchiment optique**: optical bleaching agent, brightening agent, optical brightener
~ **de conservation**: preservative
~ **de cuisson**: curing agent
~ **de décoffrage**: stripping agent, parting agent, release agent
~ **de démontage**: (teinture) stripping agent
~ **de démoulage**: release agent, parting agent
~ **de dissuasion**: (mil) deterrent
~ **de fluidisation**: fluidizing medium
~ **de gonflage**: blowing agent
~ **de gonflement**: swelling agent
~ **de gravure**: etchant
~ **de liaison**: binding agent
~ **de maîtrise**: supervisor
~ **de manœuvre**: (chdef) shunter GB, switcher NA
~ **de matité**: flatting agent
~ **de parcours**: (chdef) trackman, trackwalker
~ **de pontage**: (chim) bridging agent; (plastique renforcé) coupling agent
~ **de réticulation**: crosslinking agent
~ **de surface**: surface-active agent, surfactant
~ **de texture**: (alim) bodying agent, texturing agent
~ **diluant**: (peinture) extender
~ **émulsifiant**: emulsifier, emulsifying agent
~ **filant**: non-spatter additive
~ **frigorigène**: coolant, refrigerant
~ **gonflant**: swelling agent
~ **hydrofuge**: water repellent
~ **matant**: flatting agent
~ **mouillant**: wetting agent, wetting-out agent
~ **moussant**: foaming agent, frother, frothing agent

~ **mutagène**: mutagenic agent, mutagen
~ **neutralisant**: (chim) killer
~ **photorésistant**: photoresist
~ **porogène**: blowing agent
~ **retardateur**: retarding agent
~ **séparateur**: stripping agent
~ **technique d'essai**: tester
~ **tensio-actif**: surface-active agent, surfactant
~**s de train**: crew of a train

agglo *m* → **aggloméré**

agglomérant *m* : binder

agglomérat *m* : agglomerate

agglomération *f* : pelletizing, tableting; (en briquettes) briquetting; (ville) urban area, built-up area

aggloméré *m* : composition material; (selon la matière) fibreboard, artificial stone, precast concrete block; *adj:* bonded
~ **de houille**: patent fuel
~ **de liège**: compound cork, agglomerated cork

agglomérer: to bond; **s'~**: to agglomerate
~ **en boule, s'**: to ball

agglutinant: (charbon) caking

agglutinine *f* : agglutinin

aggraver: to improve a tolerance, to increase a requirement

agir: to act
~ **en sens inverse**: to counteract
~ **l'un sur l'autre**: to interact

agitateur *m* : agitator; (de laboratoire) stirring rod; (d'aérosol) gasser, shaker
~ **à flux composés**: mixed-flow agitator
~ **à palettes**: paddle agitator
~ **à vortex**: vortexer
~ **en verre**: glass rod

agitation *f* : stirring, shaking
~ **sismique**: seismic disturbance

agneau *m* : lamb
~ **de boucherie**: fattening lamb

agnelage *m* : lambing

agrafage *m* : stapling; (méc) dowelling; (reliure) wire stitching; (de tôles) seaming

~ **à plat**: side stitching
~ **droit**: standing seam
~ **rabattu**: flanged seam

agrafe *f* : fastener, staple, cramp, clip, hook, clasp; (de tôles) welted joint, welted seam
~ **d'isolateur**: insulator clamp, insulator clip
~ **de courroie**: belt clip, belt fastener
~ **en plastique**: (emballage) plastic clip
~ **filetée**: U-bolt
~ **ondulée**: corrugated fastener

agrafeuse *f* : staple gun, stapler; (de courroie) belt stitcher; (reliure) wire stitcher

agrafure *f* : (toiture métallique) seam, welt

agrandir: to expand, to extend, to enlarge; (phot) to blow up, to enlarge
~ **un local**: to build an extension

agrandissement *m* : enlargement; (d'un local) extension
~ **à l'échelle [supérieure]**: scaling up, scale up

agrandisseur *m* : (phot) enlarger
~-**reproducteur**: enlarger-printer

agréé: permissible; (fournisseur) accredited

agrégat *m* : aggregate
~ **arrondi**: rounded aggregate
~ **roulé**: rounded aggregate

agrément *m* : (urbanisme) amenity

agressivité *f* : (corrosion, attaque) aggressivity
~ **pour le plomb**: (eau) plumbo solvency

agri-énergie *f* : energy cropping, energy farming

agriculture *f* : agriculture, farming
~ **biologique**: organic farming

agrippe-col *m* : clip-on carrier (packaging)

agro-industrie *f* : agriculture and food industry

agrume *m* : citrus fruit

aguiche *f* : (pub) teaser

aide *f* : assistance, aid, (by person) help
  ~ **à la navigation**: navigation aid
  ~ **à la vente**: dealer aid
  ~ **logicielle**: software aid
  ~ **mutuelle**: cross servicing

aide *m* : (d'un ouvrier) mate GB, helper NA

aide-monteur *m* : (él) groundman

aigre: sour; (acier) brittle, cold short, short; (lait) sour; (crème) soured, cultured

aigre-doux: sweet and sour

aigrette *f* : (él) brush discharge

aigreur *f* : (métall) brittleness, shortness
  ~ **à froid**: cold brittleness, cold shortness
  ~ **à chaud**: hot brittleness, hot shortness

aigu: high-pitched, sharp

aiguillage *m* : (manœuvre de trains) shunting GB, switching NA; (sur voie ferrée) points GB, switch NA, turnout; (inf) switching
  ~ **de câble**: [duct] rodding
  ~ **de la carte**: (cardage) card wire
  ~ **de programme**: (inf) switch
  ~ **directionnel**: (éon) separation
  ~ **du trafic**: (tcm) traffic control

aiguille *f* : (de montre, de cadran) hand; (d'instrument) index, needle, pointer; (chdef) points, switch blade; (pose de câble) rod; (de pickup) stylus
  ~ **aimantée**: compass needle, magnetic needle
  ~ **d'inclinaison**: dipping needle
  ~ **d'injecteur**: injection pintle valve
  ~ **d'injection**: injector spindle
  ~ **de combustible**: (nuc) fuel pin
  ~ **de dosage**: metering needle
  ~ **de pointeau**: valve needle
  ~ **folle**: loose pointer
  ~ **indicatrice**: indicating needle, pointer
  ~ **magnétique**: compass needle
  ~ **pendante latérale**: (constr) queen post

aiguiller (chdef) to shunt, to switch; (câbles) to rod

aiguilletage *m* : (du feutre) needling

aiguilleur *m* : switcher; (chdef) pointsman GB, switchman NA

  ~ **du ciel**: air traffic controller
  ~ **émission-réception**: T-R switch

aiguisage *m* : grinding, sharpening, whetting

aiguiseur *m* : grinder
  ~ **de cardes**: card grinder

aile *f* : wing; (d'une équerre) side, leg; (de poutre, de profilé) flange; (de ventilateur) blade; (de véhicule) wing GB, fender NA
  ~ **à épaisseur variable**: sloping flange wing
  ~ **à flèche variable**: swing wing
  ~ **arrière**: rear fender
  ~ **battante**: flapping wing
  ~ **d'hélice**: screw blade
  ~ **d'hydroptère**: hydrofoil
  ~ **de cornière**: angle flange
  ~ **delta**: delta wing
  ~ **en double flèche**: gull wing
  ~ **en flèche**: sweepback wing
  ~ **en M**: gull wing
  ~ **haute en flèche**: high-swept wing
  ~ **hypersustentée**: high-lift wing
  ~ **libre**: (sport) deltaplane
  ~ **lourde**: dropping wing

aileron *m* : (aéro) aileron; (naut) fin stabiliser
  ~ **anti-roulis**: roll damper
  ~ **classique**: flap aileron
  ~ **compensé**: balanced aileron

ailetage *m* : blading

ailette *f* : blade, fin
  ~ **d'agitateur**: agitator paddle
  ~ **de refroidissement**: cooling fin, cooling flange, cooling rib, cooling vane, radiating gill
  ~ **de turbine**: turbine blade GB, turbine bucket NA
  ~ **de ventilateur**: fan blade
  ~ **spiralée**: helical fin
  à ~s: (tuyau, radiateur) finned, gilled

aimant *m* : magnet
  ~ **amortisseur**: damping magnet
  ~ **cuirassé**: encased magnet
  ~ **d'amortissement**: damping magnet
  ~ **d'avancement**: impulsing magnet
  ~ **d'excitation**: field magnet
  ~ **de champ**: field magnet
  ~ **de maintien**: holding magnet
  ~ **de repêchage**: (forage) fishing magnet
  ~ **de soufflage**: (d'étincelles) blow magnet
  ~ **de traction**: propulsion magnet

~ **droit**: bar magnet, stick magnet
~ **en fer à cheval**: horseshoe magnet
~ **en [forme de] pot**: pot magnet
~ **feuilleté**: lamellar magnet, compound magnet
~ **mobile**: moving magnet
~ **permanent**: permanent magnet
~ **souffleur**: blow-out magnet

aimantable: magnetizable

aimantation *f* : magnetization
~ **à saturation**: saturation magnetization
~ **transversale**: perpendicular magnetization

air *m* : air
~ **aspiré**: intake air
~ **atmosphérique**: atmospheric air, free air
~ **butané**: butane-air mixture
~ **calme**: still air
~ **canalisé**: ducted air
~ **comburant**: combustion air
~ **comprimé**: compressed air
~ **de la soufflerie**: blast GB, wind NA
~ **de reprise**: (climatisation) return air
~ **de retour**: return air
~ **dynamique**: ram air
~ **entraîné**: entrained air
~ **évacué**: exhaust air
~ **expulsé**: exhaust air
~ **extérieur**: outside air
~ **extrait**: (chauffage, climatisation) exhaust air
~ **forcé**: (ventilation) blast
~ **normal**: standard air
~ **occlus**: entrapped air
~ **propané**: propane-air mixture
~ **pulsé**: pulsed air
~ **rejeté**: (pompe à chaleur) exit air
~ **repris**: (pompe à chaleur) return air
~**-sol**: air-to-surface, air-ground, air-to-ground
~**-terre**: (forces armées) air-ground
à ~ **comprimé**: air-powered, air-operated, pneumatic
à l'~ **libre**: (à l'extérieur) open-air, in the open; (phys) open [to atmosphere]

airbus *m* : airbus

aire *f* : area
~ **d'entretien**: (aéro) servicing pad
~ **de coulage**: (béton) casting bed
~ **de dérivation**: (ouvrage hydraulique) diversion area
~ **de diffusion**: (d'une antenne) scattering cross section
~ **de drainage**: catchment area, drainage area, drainage basin

~ **de jaillissement**: artesian flow area
~ **de lancement**: launching site, launch, launching pad
~ **de manœuvre**: (aéro) apron
~ **de prise de contact**: (aéro) touchdown zone
~ **de stationnement**: (aéro) tarmac
~ **de stockage**: storage area
~ **de trafic**: (aéro) tarmac, apron
~ **de vent**: point of the compass
~ **efficace**: (chauffage solaire) effective surface (of a mirror)
~ **équivalente**: (d'une antenne) cross-section, capture area

airelle *f* : bilberry, huckleberry, whortleberry
~ **canneberge**: cranberry

ajouré: openwork, skeleton

ajout *m* : addition (to something)

ajustable: adjustable, controllable

ajustage *m* : (méc) fit; → aussi ajustement

ajustement *m* : setting; (méc) fitting, fit
~ **à force**: driving fit
~ **à frottement dur**: tight fit
~ **à frottement doux**: snug fit
~ **à jeu**: light fit
~ **à la presse**: press fit
~ **à pression**: push fit
~ **à refus**: tight fit
~ **à serrage doux**: snug fit
~ **avec jeu**: clearance fit, loose fit
~ **avec serrage**: interference fit
~ **des couleurs**: (phot) colour trim
~ **doux**: slip fit
~ **glissant**: slide fit, sliding fit
~ **glissant juste**: close sliding fit
~ **gras**: push fit
~ **incertain**: transition fit
~ **lâche**: loose fit, transition fit
~ **légèrement serré**: light fit
~ **libre**: loose fit, transition fit
~ **sans jeu**: interference fit
~ **serré**: close fit, tight fit
~ **tournant**: running fit

ajuster: to adjust; (méc) to fit
~ **le tir**: to take aim
~ **un palier**: to true a bearing

ajusteur: fitter

ajutage *m* : nozzle
~ **à sphère**: ball nozzle
~ **convergent**: convergent nozzle
~ **d'air**: (sur carburateur) air nozzle
~ **de brûleur**: burner nozzle

alambic *m* : retort, still
~ **à circuit unique**: single flow still
~ **tubulaire**: pipe still

alanine *f* : alanine

alarme *f* : alarm
~ **d'incendie**: fire alarm
~ **sonore**: audio warning device
~ **temporisée**: delayed-action alarm

albédo *m* : albedo

alberge *f* : cling peach

albumen *m* : albumen

albumine *f* : albumin

albumineux: albuminous

albuminoïde *m*, *adj* : albuminoid

alcali *m* : alkali
~ **volatil**: ammonia water, aqueous ammonia

alcalin: alkaline

alcaliniser: to alkalify, to alkalize

alcalinité *f* : alkalinity
~ **au méthylorange**: methyl-orange alkalinity
~ **carbonatée**: carbonate alkalinity
~ **caustique**: caustic alkalinity
~ **vraie**: caustic alkalinity, hydroxyde alkalinity

alcaloïde *m* : alkaloid

alcool *m* : alcohol
~ **à 90**: surgical spirit
~ **à brûler**: methylated spirit GB, meths, denatured alcohol NA
~ **absolu**: pure alcohol
~ **allylique**: allyl alcohol
~ **amylique**: amyl alcohol
~ **butylique**: butyl alcohol, butanol
~ **carburant**: alcohol fuel, power alcohol
~ **cétylique**: cetyl alcohol
~ **dénaturé**: methylated spirits GB, meths, denatured alcohol NA
~ **éthylique**: ethyl alcohol
~ **méthylique**: methyl alcohol, methanol, wood spirit
~ **polyvinylique**: polyvinyl alcohol
~ **supérieur**: higher alcohol

alcoolat *m* : alcoholate

alcooliser: to alcoholize; (vin) to fortify (vin)

alcoomètre *m* : alcoholometer

alcoylation *f* : alkylation
~ **à l'acide**: acid alkylation

alcoyle *m* : alkyl

aldéhyde *m* : aldehyde

aldol *m* : aldol

aléation *f* : randomization

aléatoire: random

alésage *m* : boring, broaching, reaming; (d'un trou) inside diameter
~ **d'ébauche**: rough boring
~ **d'un cylindre**: cylinder bore
~ **de montage**: jig boring

aléser: to bore, to broach, to ream
~ **conique**: to taper bore

aléseuse *f* : boring machine
~~**fraiseuse**: boring and milling machine
~~**pointeuse**: jig boring machine

alésoir *m* : borer, reamer [bit]
~ **à cannelures hélicoïdales**: spiral flute reamer
~ **à lames rapportées**: inserted tooth reamer
~ **à pans**: angular reamer
~ **creux**: shell reamer

alésures *f* : borings

aleurone *f* : aleurone

alevin *m* : fry, young fish; (saumon, truite) alevin

alevinage *m* : stocking of water with young fish

algicide *m* : algicide

alginate *m* : alginate

algorithme *m* : algorithm
~ **d'utilisation de l'antémémoire**: cache algorithm
~ **de planification**: scheduling algorithm
~ **de recherche**: (IA) search algorithm
~ **incertain**: random algorithm

algue *f* : alga; seaweed; → aussi **algues**

algues *f* : algae
~ **bleues**: blue-green algae
~ **vertes**: green algae

alidade *f* : sight rule

alignement *m* : alignment, lining [up], line-up; (d'une construction) alignment, building line, street line NA
~ **des pales**: (d'un hélicoptère) tracking
~ **des prix**: pegging of prices
~ **et pointage**: (pose de pipeline) line and tack
~ **par balayage**: sweep alignment

aliment *m* : food; (pour animaux) feed
~ **d'origine marine**: seafood
~ **de croissance**: growth feed
~ **de démarrage**: starter feed
~ **gras**: fatty food
~ **infantile**: baby food, infant food
~ **préparé**: convenience food
~ **tout prêt**: convenience food

alimentateur *m* : feeder
~ **à vis san fin**: screw conveyor feeder
~ **feuille à feuille**: cut sheet feeder
~ **oscillant**: rocking feeder
~ **vibratoire**: vibrating feeder

alimentation *f* : food; (de plantes, d'animaux) feeding; (de machine) feed, supply, delivery (to a machine); (él) energization, power supply
~ **à dépression**: vacuum feed
~ **à la louche**: (fonderie) ladling
~ **à sec**: (traitement de l'eau) dry feed
~ **artificielle**: (des nappes d'eau) artificial recharge
~ **automatique**: self-feed
~ **colonne par colonne**: (inf) endwise feed
~ **commune**: (tcm) common powering
~ **d'anode**: anode supply
~ **d'un foyer**: stoking
~ **d'une nappe souterraine**: recharge of an aquifer, groundwater recharge
~ **de secours**: emergency power
~ **du papier**: paper feed
~ **électrique réglable**: adjustable power supply
~ **en air**: air supply
~ **en carburant**: fuelling, fuel system
~ **en combustible**: fuelling
~ **en courant**: current supply
~ **en eau**: water supply
~ **en eau potable**: drinking water supply
~ **en énergie**: power supply
~ **ligne à ligne**: (inf) sideways feed
~ **médiane**: (d'une antenne) apex drive
~ **par circuit NO**: circuit closing connection
~ **par circuit NF**: circuit opening connection
~ **par solution**: solution feed

~ **pondérale**: weight feed[ing]
~ **provoquée**: induced recharge
~ **secteur**: mains supply
~ **sous pression**: pressure feed
à ~ **autonome**: line-free
à ~ **déphasée**: fed out of phase
à ~ **mixte**: battery/mains
à ~ **secteur**: line-powered

alimenté: fed
~ **en courant**: alive, energized, live
~ **en phase**: fed in phase
~ **par batterie**: battery-operated, battery-powered
~ **par bobine**: (pap) web-fed
~ **par le secteur**: mains-fed
~ **par pile**: battery-operated, battery-powered
~ **pour maintien**: energized for holding

alimenter: to feed, to supply
~ **en électricité**: to energize, to apply power
~ **un four**: to charge a furnace

alinéa *m* : paragraph; indented line (at beginning of a paragraph)
~ **avancé**: hanging indent

alizarine *f* : alizarin

allaitement *m* : (animal) suckling; (enfant) nursing, feeding
~ **artificiel**: bottle feeding
~ **au biberon**: bottle feeding
~ **au sein**: breast feeding
~ **naturel**: breast feeding

allège *f* : (constr) apron, apron wall, breast, spandrel; (mar) lighter

allégé: lightweight; (alim) fat-reduced

allègement *m* : lightening
~ **au gaz**: gas lift (gas drive)
~ **de la charge**: easing of load, removal of load

alléger: to lighten
~ **une poutre**: to ease a beam

allèle *m* : allele, allelic gene, allelomorph; *adj* : allelic
~ **ancêtre**: ancestor allele
~ **de position**: positional allele
~s **multiples**: multiple alleles

allélisme *m* : allelism

aller *m* : outward journey; *vb:* to go; (en avion) to fly; (en voiture) to drive GB, to motor NA

~ **et retour**: round trip; (plomb) feed and return
~ **et retour du piston**: up-and-down stroke
~ **haut-le-pied**: (chdef) to run light

allergène *m* : allergen

allergisant: allergenic

allergosorbant *m* : allergosorbent

alliacé; alliaceous

alliage *m* : alloy
~ **à faible dilatation**: low-expansion alloy
~ **AL-Si**: silicon-aluminium alloy
~ **au magnésium**: magnesium alloy
~ **de décolletage**: machining alloy
~ **de deuxième fusion**: remelt alloy, secondary alloy
~ **de fonderie**: cast alloy
~ **métallique**: metal alloy
~ **moulable**: moulding alloy
~ **pour caractères d'imprimerie**: type metal
~ **pour coussinets**: bearing metal

allié: alloy[ed]

allocation *f* : allocation, allotment, assignment
~ **avec préemption**: (inf) preemptive allocation
~ **circulaire**: (inf) round-bobbin allocation
~ **de canaux adaptative**: adaptive channel allocation

allochtone *m* : allochtone; *adj* : allochtonous

alloenzyme *f* : alloenzyme

allogamie *f* : allogamy

allonge *f* : extension piece; (construction navale) timber; (méc) coupling rod; (d'outil) extension socket

allongé: lengthened, extended; (dilué) weak; (impulsion) stretched

allongement *m* : lengthening, extension; (aéro) aspect ratio, fineness ratio; (métall) elongation, strain
~ **à la rupture par traction**: (du papier) stretch at break
~ **aérodynamique**: aerodynamic aspect ratio
~ **d'amorce**: (gg/bm) primer extension
~ **de fluage**: creep strain, flow strain

~ **de la pale**: blade aspect ratio
~ **par fluage**: creep elongation
~ **pour cent**: (à la rupture) percentage elongation
~ **relatif**: unit strain

allosome *m* : allosome

allosomique: allosomal

allotropie *f* : allotropy

allotype *m* : allotype

allumage *m* : (d'un feu) lighting; (d'une valve, d'un moteur) firing; (moteur à explosion) ignition
~ **à arc**: arc ignition
~ **à plusieurs étincelles**: multipoint ignition
~ **à rupteur**: make-and-break ignition
~ **défectueux**: misfire, misfiring
~ **du plasma**: plasma start-up
~ **en retour**: (moteur) backfire; (él) arcing back
~ **intempestif**: false firing
~ **irrégulier**: erratic firing
~ **par bobine**: coil ignition
~ **par bougie**: sparking plug ignition
~ **par compression**: compression ignition
~ **par étincelle**: spark ignition
~ **par magnéto**: magneto ignition
~ **par mèche de sûreté**: safety fuse initiation
~ **par rupteur**: make-and-break ignition
~ **prématuré**: preignition
~ **retardé**: delayed ignition, retarded ignition
~ **spontané**: spontaneous ignition, self-ignition

allumé: lighted; ignited, fired; (sous tension) on; (haut-fourneau) in blast

allumer: (un feu) to light; (él, gaz) to put on, to switch on, to turn on; (él) to power on; (un haut-fourneau) to blow in; **s'~**: to light; (voyant) to come on, to glow

allumeur *m* : igniter; (autom) distributor

allure *f* pace, rate, speed; (d'une courbe) shape; (mar) point of sailing
~ **de chauffe**: firing rate
~ **de marche**: rating
~ **étalon**: standard pace, standard rating
~ **froide**: (haut-fourneau) cold working
~ **régulière**: (d'une machine) smooth running

alluvial: alluvial

alluvion *f* : alluvion, alluvium; → aussi **alluvions**

alluvionnaire: alluvial

alluvionnement *m* : accretion, alluviation

alluvions *f* alluvia, alluvial deposit
~ **éoliennes**: aeolian deposit
~ **fluviatiles**: fluvial deposit
~ **glaciaires**: glacio-alluvial deposit

allyle *m* : allyl

allylique: allyl (alcohol, plastic, resin)

alourdi: weighted

alourdissement *m* : weighting

alphabet *m* : alphabet
~ **Morse**: morse code

alphanumérique: alphanumeric, alphameric

alphyle *m* : alphyl

altération *f* : deterioration, corruption; (d'un document) falsification
~ **due aux agents atmosphériques**: weathering

altéré: (inf) corrupt (file)

altérer: to corrupt; (un document) to falsify; **s'~**: to perish, to deteriorate; (alim) to spoil, to taint

alternance *f* : alternation; (él) half wave; (inf) swapping (of disks)
~ **de générations**: alternation of generations
~ **négative**: negative half wave

alternat *m* : (microphone) push-to-talk button, push-to-talk switch

alternateur *m* : alternator
~ **à fer tournant**: inductor alternator, inductor generator
~ **continu**: dc alternator
~ **synchrone**: synchronous generator

alternatif: (mouvement) reciprocating; (courant) alternating

alterné: alternate, alternating

alterner: to alternate; (inf) to flip back and forth, to swap back and forth

altimètre *m* : altimeter, height finder, height gauge
~ **asservi**: servo altimeter
~ **barométrique**: pressure-type altimeter
~ **radar**: radar altimeter

altiport *m* : high altitude airport

altitude *f* : altitude, height
~ **d'orbite**: orbital height
~ **de rétablissement**: (aéro) critical height
~ **densimétrique**: density altitude
~ **relative**: height above ground

altuglas *m* : (nom déposé) altuglas GB, lucite NA

alumine *f* : alumina, aluminium oxyde

aluminer: to aluminize

alumineux: alumina, aluminous, aluminiferous

aluminiage *m* : aluminium coating, aluminium deposit

aluminier *m* : alumina carrier

aluminifère: aluminiferous

aluminium *m* : aluminium GB, aluminum NA
~ **coulé**: cast aluminium
~ **filé**: extruded aluminium

aluminothermie *f* : aluminothermy, thermite process

alun *m* : alum

alunage *m* : alum bath process

alvéole *f* : pocket recess; core (of hollow masonry unit; (de structure cellulaire) cell; (tél) slot of card); (él) socket contact
~ **fermée**: closed cell
~ **ouverte**: open cell

A/m → ampères par mètre

amaigrissement *m* : weight reduction

amagnétique: non-magnetic

amalgame *m* : amalgam

amande *f* : almond; (d'une drupe) kernel
~ **amère**: bitter almond
~ **décortiquée**: shelled almond

~ douce: sweet almond
~ grillée: burnt almond, burned almond
~s pilées: ground almond

amarrage m : (mar, astr) docking); (mar) anchoring, mooring
~ de câble: cable grip

amarre f : mooring line, mooring rope

amarrer: to moor, to make fast
~ à couple: to moor side by side
~ à quatre: to moor head and stern

ambiance f : environment
~ de fonctionnement: working conditions, operating environment
~ de travail: working conditions (for staff)

ambiant: ambient

ambivalent: (gg/bm) ambivalent

ambocepteur m : amboceptor

âme f : (de contreplaqué, d'un sandwich) core; (d'un câble métallique) central strand; (d'un canon) bore
~ de chanvre: hemp core
~ en treillis: (d'une poutre) lattice web, open web
~ triangulée: open web

amélioration f : enhancement, improvement, development
~ de l'habitat: home improvement
~ de l'image: image enhancement, image improvement
~ des plantes: plant breeding
~ génétique: genetic improvement

améliorer: to enhance, to improve, to develop
~ la qualité: to upgrade
~ les performances: to beef up

aménagement m : (disposition) layout; (d'un bâtiment) conversion; (d'une région) development; → **aménagements**
~ de jardins paysagers: landscaping
~ de pente: sloping
~ des combles: loft conversion
~ des voies navigables: correction of waterways, improvement of waterways
~ du terrain: land development
~ du territoire: country planning
~ intérieur: interior fitting
~ intérieur du terrain: site development
~ paysagé: open-space planning

aménagements m : (mar) accommodation; (auto) equipment
~ collectifs: community facilities

aménager: to equip, to convert, to provide with facilities; to develop (an area)

amendement m : (du sol) soil improvement

amenée f : feed
~ de courant: (él) current supply, supply line, power lead

amener: to bring
~ à pied d'œuvre: to bring to the site

amer m : landmark

amerrissage m : [sea] landing, landing on water; (astr) splashdown
~ forcé: ditching

ameublissement m : loosening (of the soil)

amiante f : asbestos
~-ciment: asbestos-cement

amibe f : amoeba GB, ameba NA

amide m : amide

amidine f : amidin[e]

amidon m : amylum, starch; (des céréales) starch; (de pomme de terre) fecula
~ de maïs: maize starch; corn flour NA
~ modifié: modified starch

amine f : amine
~ biogène: biogen[ic] amine

amidonnage m : starching

amino acide m : aminoacid

aminogène m : aminogen

aminoplaste m : aminoplast

aminoptérine f : aminopterin

amitose f : amitosis

ammoniac m : ammonia; *adj* : ammoniac

ammoniaque f : (alcali volatil) ammonia water; *adj* : (féminin de ammoniac): ammoniac

ammonification *f*, **ammonisation** *f* : ammonification

amnios *m* : amnion

amodier: (pétr) to farm out

amont *m* : (d'un cours d'eau) upstream water, head water; supply side
~-pendage: up dip
d'~: (bief, vanne) head; (hydro) upper
en ~: up river, upstream; on supply side, back along, before

amorçable: (inf) bootable

amorçage *m* : (de moteur, de pompe) priming; (d'arc) striking, flashover; (dans diélectrique) sparkover; (inf) bootstrap[ping]; (explosive) initiation, priming
~ aléatoire: (gg/bm) random priming
~ antérieur: direct inititiation
~ de l'arc: arc ignition, arc initiation
~ inverse: (él) arc[ing] back; (explosive) inverse initiation
~ postérieur: indirect initiation, indirect priming

amorce *f* : (bétonnage) starter frame (of formwork); (de bande, de film) leader; (inf) bootstrap; (explosifs) [blasting] cap, detonator, squib; (de câble) cable stub, stub cable; (f.o.) [fiber] pigtail; (gg/bm) primer [sequence]
~ à micro-retard: millisecond delay cap, short-delay detonator
~ à percussion: percussion fuse
~ à retard: delay-action detonator, delay detonator, delay blasting cap
~ d'ARN: RNA primer
~ de bande: tape leader
~ de crique: incipient crack, start of a crack
~ de déchirure: incipient tear
~ de fissure: incipient crack, start of a crack
~ de la fin: (d'une bande) tail leader, run-out trailer
~ de rupture: starting fracture, incipient failure, incipient fracture
~ du début: (d'une bande) head leader, start leader
~ électrique: electric[al] blasting cap, electric detonator

amorcer: (une pompe, un moteur) to prime; (un arc) to initiate; (un courant, des vibrations) to induce; (inf) to boot, to bootstrap; (un tube électronique) to fire
~ les oscillations: to start oscillations

~ un trou au pointeau: to mark with a centre punch
~ une opération: to initiate an operation

amorceur *m* : starter, priming cock
~ de moteur: motor primer, starting primer, engine primer

amorphe: amorphous, non-crystalline

amortir: (un choc, un son, une oscillation) to absorb, to damp[en]; (contre les chocs) to cushion; (un bruit) to dim; **s'~**: (mouvement, oscillation) to die out

amortissement *m* : cushioning, damping, deadening; (de chocs, bruits, vibrations) absorption; (d'oscillation) decay
~ acoustique: sound damping
~ de laser: laser quenching
~ du son: sound deadening, sound absorption
~ par bobine: quenching
~ pneumatique: air damping
~ propre: self-damping
~ surcritique: overdamping
~ trop faible: underdamping

amortisseur *m* : (méc) dampener, damper; (autom) shock absorber; (bobinage) damper winding; (d'amarre) snubber
~ à fluide: dashpot
~ à piston: dashpot
~ de bruit: noise killer, silencer
~ de chocs: cushion
~ de fixation: shock mount
~ de lacet: yaw damper
~ de roulis: roll damper
~ de tangage: pitch damper
~ de vibrations: vibration damper, shock mount
~ des sautes de pression: surge damper
~ oléopneumatique: oleo strut
~ pneumatique: air dashpot

amovible: mov[e]able, removable, replaceable, demountable, detachable, loose, interchangeable

AMP → **adénosine monophosphate**

AMPc → **adénosine monophosphate cyclique**

ampérage *m* (déconseillé): amperage

ampère *m* : ampere
~-conducteur: ampere-conductor

~-**heure ▶ Ah**: ampere-hour
~-**tour**: ampere-turn
~-**tour antagoniste**: back ampere turn

ampèremètre *m* : ammeter
~ **à fer doux**: moving-iron ammeter
~-**pince**: clip-on ammeter
~ **thermique**: expansion ammeter,
hot-wire ammeter

amphibie *m* : (bot, zoologie) amphibian;
adj : amphibious

amphimixie *f* : amphimixis

ampholyte *m* : ampholyte

amphoploïde: amphoploid

amplectif: amplexicaul

ampli → **amplificateur**

amplificateur *m* : amplifier; (gg/bm)
enhancer
~ **à déclenchement périodique**:
gated amplifier
~ **à découpage**: chopper-stabilized
amplifier
~ **à fréquence intermédiaire**:
intermediate frequency amplifier
~ **à hacheur**: chopper amplifier
~ **à seuil pour courant continu**:
biased direct current amplifier
~ **à seuil**: biased amplifier
~ **à transistors**: transistor amplifier
~ **à transistors à effet de champ**:
FET amplifier
~ **à une sortie**: single-ended amplifier
~ **audio**: audio-amplifier
~ **avec cathode à la masse**:
grounded-cathode amplifier
~ **changeur de signe**: sign-changing
amplifier
~ **d'antenne**: [antenna] booster
~ **d'égalisation**: equalizer amplifier
~ **d'entrée**: preamplifier, primary
amplifier
~ **d'image**: image intensifier
~ **d'impulsions à seuil**: biased pulse
amplifier
~ **de détection**: sense amplifier
~ **de lecture**: sense amplifier
~ **de ligne**: line driver; intermediate
repeater
~ **de pression**: booster
~ **de puissance**: power amplifier
~ **de sonorisation**: public address
amplifier
~ **de sortie**: final amplifier
~ **déphaseur**: paraphase amplifier
~ **égaliseur**: equalizer amplifier

~ **en cascade**: cascade amplifier
~ **en tandem**: tandem amplifier
~ **fluidique**: fluid amplifier
~ **intermédiaire**: intermediate
frequency amplifier, intermediate
power amplifier
~ **inverseur de signe**: sign-changing
amplifier
~ **linéaire**: linear amplifier
~ **maser**: maser amplifier
~ **microphonique**: speech amplifier
~ **multigain**: multirange amplifier
~ **paramétrique**: paramplifier
~ **push-pull**: push-pull amplifier
~ **séparateur**: buffer amplifier
~ **symétrique**: push-pull amplifier
~ **symétriseur**: unbalanced-to-
balanced amplifier
~ **tampon**: isolating amplifier
~ **thermique**: wire ammeter

amplification *f* : amplification, boosting;
(opt) magnification
~ **de gène**: gene amplification
~ **en chaîne par polymérase**:
polymerase chain reaction
~ **de la force**: (levier) purchase
~ **de la force mécanique**: mechanical
advantage
~ **en courant**: current amplification
~ **en puissance**: power amplification
~ **génique**: gene amplification
~ **mécanique**: (d'un engrenage)
mechanical gear ratio
~ **par engrenage**: gearing up, gear
magnification

amplitude *f* : amplitude
~ **crête à crête**: peak-to-peak
amplitude
~ **d'impulsion**: pulse height
~ **de tension de grille**: grid swing
~ **de variation**: range
~ **du refroidissement**: cooling range
~ **totale**: peak-to-valley height

ampoule *f* : (d'éclairage) bulb; (défaut de
surface) blister
~ **d'éclairage**: light bulb
~ **de protection**: (emballage) blister
pack
~ **opale**: opal bulb, pearl bulb

AMRT → **accès multiple par répartition
dans le temps**

amure *f* : (mar) tack

amylacé *m* : amylaceous matter; *adj* :
amylaceous, starchy

amylase *f* : amylase

amylobacter *m* : amylobacter

amyle *m* : amyl

amylique: amyl

amyloïde *f* : amyloid; *adj* : amyloid[al]

amylolyse *f* : amylolysis

amylopectine *f* : amylopectin

AN → **analogique/numérique**

anacarde *m* : cashew nut

anadrome: anadromous

anaérobie *m* : anaerobe, anaerobium; *adj* : anaerobic
~ **facultatif**: facultative anaerobe
~ **strict**: obligate anaerobe

analogie *f* : analogy
~ **de la colonne**: column analogy
~ **de la membrane**: membrane analogy
~ **du film de savon**: soap-film analogy
~ **du tas de sable**: sand-heap analogy

analogue *m* : (bio) analogue GB, analog NA; *adj* : similar; (bio) analogous
~ **de base**: base analogue

analogique: analog, analogue
~**/numérique** ▶ **AN**: analog-[to]-digital
~ **et numérique**: hybrid (calculator)

analyse *f* : analysis; (par balayage) scanning, sweep
~ **à la touche**: spot analysis
~ **à spot lumineux**: flying-spot scanning
~ **ascendante**: (inf) bottom-up parsing
~ **au tamis**: sieve analysis
~ **chimique qualitative**: qualitative chemical analysis
~ **chimique quantitative**: quantitative chemical analysis
~ **chromatique**: colour analysis
~ **chromosomique par sauts**: chromosome jumping
~ **chromosomique par butinage**: chromosome jumping
~ **combinatoire**: combinatorial analysis
~ **d'arbitrage**: arbitration analysis
~ **d'erreur en retour**: (inf) backward error analysis
~ **de contrôle**: check analysis
~ **de plus proche voisin**: nearest neighbor [sequence] analysis

~ **de sécurité**: safety assessment
~ **des formes**: pattern analysis, pattern recognition
~ **descendante**: (inf) top-down analysis
~ **dimensionnelle**: dimensional analysis
~ **documentaire**: abstracting
~ **du cas le plus mauvais**: worst-case analysis
~ **du cas moyen**: average-case analysis
~ **du chemin critique**: critical path analysis
~ **du fichier**: file scan
~ **élémentaire**: ultimate analysis
~ **en continu**: on-stream analysis
~ **en régression**: (inf) regression analysis
~ **entrelacée**: (tv) staggered scanning
~ **exploratoire des données**: exploratory data analysis
~ **factorielle**: factor analysis
~ **fonctionnelle**: systems analysis
~ **génétique**: genetic analysis
~ **granulométrique**: grading analysis
~ **granulométrique par sédimentation**: sedimentation analysis
~ **granulométrique par tamisage**: sieve analysis, screen analysis
~ **gravimétrique**: gravimetric analysis, float and sink analysis
~ **immédiate**: proximate analysis
~ **mendélienne**: mendelian analysis
~ **organique**: (inf) software analysis
~ **par activation**: activation analysis
~ **par blot[ting]**: blot
~ **par contact du palpeur avec l'objet**: contact scanning
~ **par délétion**: deletion analysis
~ **par immunoblotting**: immunoblot analysis
~ **par immunoempreinte**: immunoblot analysis
~ **par la nucléase S1**: S1 [nuclease] mapping
~ **par marche**: (gg/bm) walking
~ **par rayons X**: x-ray analysis
~ **par réflexion du spot lumineux**: indirect scanning
~ **par spot mobile**: flying-spot scanning
~ **par tamisage**: screen analysis, mesh analysis, sieve analysis
~ **par voie humide**: wet analysis
~ **point par point**: dot scanning
~ **pour cendres**: ash analysis
~ **quantitative des minerais**: ore assay
~ **sensorielle**: sensory analysis
~ **spectrale**: spectrum analysis
~ **thermique**: thermal analysis

~ **thermique différentielle** ▶ **ATD**: differential thermal analysis

analyseur *m* : analyzer; scanner
~ **à point mobile**: flying-spot scanner
~ **d'énoncé de problème**: problem statement analyzer
~ **de réseau**: network analyzer
~ **de spectre**: spectrum analyzer
~ **multicanal**: multichannel pulse height analyzer
~ **multispectral**: multispectral scanner
~ **syntaxique**: parser

analyste *m* : analyst
~ **documentaire**: abstractor
~ **en micrographie**: micrographic analyst
~ **fonctionnel**: systems analyst
~ **organique**: system designer, systems analyst

anaphase *f* : anaphase

anaphylaxie *f* : anaphylaxis

anchois *m* : anchovy

ancrage *m* : anchoring, anchorage; fastening, staying; (barre d'ancrage) anchor bar
~ **de tirant**: deadman
~ **du toit**: (min) roof bolting
~ **mort**: deadman, dead anchorage, dead anchor block
d'~: (isolateur, mât) terminal

ancre *f* : (mar, fixation) anchor
~ **de cape**: sea anchor
~ **de corps mort**: mooring anchor
~ **du brin mort**: dead-line anchor
~ **en forme de X**: X-anchor, X-plate
~ **flottante**: sea anchor

androgène *m* : androgen; *adj* : androgenic; androgenous

androgyne *m* : androgyne; *adj* : androgynous

androgynie *f* : androgyny, androgynism

anémomètre *m* : anemometer, wind gauge, windspeed indicator
~ **à coquilles [en croix]**: cup anemometer
~ **à fil chaud**: hot-wire anemometer
~ **à moulinet**: vane anemometer

aneth *m* : dill

angélique *f* : angelica

angiosperme *f* : angiosperm; *adj* : angiospermous

angle *m* : angle (geom); corner
~ **azimut**: azimuth angle
~ **correcteur d'erreur de piste**: offset angle (of stylus tip)
~ **coupé**: chamfered angle
~ **d'attaque**: (d'une lame) cutting angle; (laminage) angle of bite
~ **d'attaque de bouteur**: blade pitch
~ **d'attaque de pale d'hélicoptère**: blade angle
~ **d'avance**: angle of lead
~ **d'engrenage**: flank angle
~ **d'enroulement**: (d'une courroie) angle of lap, angle of wrap, contact angle
~ **d'hélice**: helix angle
~ **d'incidence**: (aéro) angle of attack
~ **d'incidence critique**: angle of stall
~ **d'inclinaison**: (rayonnement) tilt angle
~ **d'inclinaison latérale**: (aéro) bank angle
~ **d'inclinaison longitudinale**: (aéro) pitch angle
~ **d'orientation**: swing angle
~ **d'ouverture**: (d'un faisceau) angular width
~ **de braquage**: (aéro) rudder angle; (autom) steering angle, lock angle, angle of lock
~ **de braquage des roues**: (autom) wheel lock, steering lock
~ **de calage de la manivelle**: crank angle
~ **de cap**: course angle
~ **de cap vrai**: true course angle
~ **de chavirement**: (mar) upsetting angle
~ **de conicité**: (angle au sommet du cône) angle of cone; (hélicoptère) coning angle
~ **de contact**: (d'un cylindre) angle of contact; (d'une courroie) belt wrap
~ **de coupe**: cutting angle; (d'un engin de terrassement) blade pitch
~ **de couplage**: (d'un redresseur) circuit angle
~ **de décalage de phases**: phase angle
~ **de décalage en avance**: angle of lead
~ **de décalage en retard**: angle of lag
~ **de déclivité**: angle of gradient
~ **de décrochage**: angle of stall
~ **de départ**: angle of departure
~ **de déphasage**: phase angle
~ **de dépouille**: (m-o) relief angle, clearance angle
~ **de dérapage**: (aéro) sideslip angle

~ **de détalonnage**: relief angle, clearance angle
~ **de faisceau**: aperture angle
~ **de jet**: angle of projection (of conveyor belt)
~ **de lacet**: yaw angle
~ **de levée de pale**: (hélicoptère) flapping angle
~ **de levée maxi**: (d'une came) dwell
~ **de pas**: blade angle (of propeller)
~ **de pendage**: angle of slope
~ **de pente**: angle of slope
~ **de pertes [diélectriques]**: loss angle
~ **de phase**: phase angle
~ **de pliage**: angle of bend
~ **de pression**: (d'un engrenage) flank angle
~ **de prise**: (d'un cylindre) angle of contact, angle of bite
~ **de projection**: angle of projection, angle of throw (of conveyor belt)
~ **de rayonnement**: radiation angle, beam angle
~ **de retard**: (de phase) angle of lag
~ **de rotation**: rotational angle, swing angle
~ **de roulis**: (aéro) bank angle
~ **de route**: course angle
~ **de site**: angle of sight, angle of elevation, elevation angle
~ **de strabisme**: (d'une antenne) squint
~ **de taillant**: blade angle
~ **de talus naturel**: angle of repose
~ **droit**: right angle
~ **du talus d'éboulement**: angle of repose
~ **externe**: external angle
~ **interne**: included angle
~ **mort**: blind angle; (de pare-brise) blind spot
~ **par rapport à**: angle off
~ **par rapport à l'axe principal**: off-axis angle
~ **rémanent après pliage**: (text) angle of recovery
~ **rentrant**: internal angle
~ **sortant**: external angle
~ **vif**: sharp angle
~ **visuel**: visual angle
à ~ **arrondi**: bullnose
à ~ **droit**: square, right-angled

anhydride m : anhydride; adj : anhydrous
~ **carbonique**: carbon dioxide
~ **phtalique**: phtalic anhydride
~ **sulfureux**: sulphur dioxide

anhydrite f : anhydrite

aniline f : aniline

animal m, adj : animal
~ **fondateur**: foundation animal
~ **reviviscent**: reviviscent animal
~ **sur pied**: live animal
~ **tête de ligne**: foundation animal
~ **transgénique**: transgenic animal

anis m : anise
~ **étoilé**: star anise

anisogamie f : anisogamy

anisotrope: anisotropic

anisotropie f : anisotropy

anneau m : ring
~ **à jeton**: token ring
~ **brisé**: split ring
~ **collecteur**: (él) slip ring
~ **commutatif**: commutative ring
~ **d'étanchéité**: packing ring, sealing ring
~ **d'induit**: armature ring
~ **d'interdiction d'écriture**: file protect ring
~ **dansant**: floating ring
~ **de butée**: thrust ring
~ **de cisaillement**: shear[ing] ring
~ **de cuvelage**: well casing ring
~ **de garde**: keep ring, guard ring
~ **de graissage**: oil ring, lubricating ring
~ **de levage**: lifting eye
~ **de préhension**: (emballage) pull tab
~ **de protection**: (inf) file protect[ion] ring
~ **de raidissement**: strengthening ring
~ **de renforcement**: (turbine à gaz) shroud
~ **de roulement**: ball race
~ **élastique**: snap ring
~ **en étoile**: star ring
~ **et curseur**: (renvidage) ring and traveller
~ **fendu**: split ring
~ **hélicoïdal**: single-turn ring
~ **piézométrique**: piezometer ring
~ **porte-tuyère**: support ring of nozzle
~ **serpentin**: multiple-turn ring
~ **torique**: annulus

année f : year
~ **hydrologique**: water year
~-**lumière**: light year

annonce f : announcement; (publicité) advertisement
~ **de crue:** flood warning
~ **parlée:** recorded announcement
~ **publicitaire**: advertisement

annonciateur m : annunciator, indicator
~ **à volet**: drop indicator
~ **d'appel**: call indicator

annoter: (un plan) to mark up

annuaire _m_ : directory
~ **des marées**: tide table
~ **téléphonique**: phone book, telephone directory

annulaire: annular, ring-shaped, ring

annulation: cancellation; (inf) deletion

annuler: to cancel; (un effet) to nullify, to offset; (une interdiction) to override; (inf) to cancel, to delete, to undo

anode _f_ : anode GB, plate NA
~ **de lampe**: valve plate
~ **en barre**: bar anode
~ **fendue**: split anode
~ **soluble**: sacrificial anode
~-**anode**: plate-to-plate

anodique: anode GB, plate NA, anodal, anodic

anodisation _f_ : anodizing

anomalie _f_ : abnormal condition, faulty state, flaw
~ **chromosomique**: chromosome abnormality, chromosome anomaly, chromosomal abberration, chromosomal abnormality
~ **de fonctionnement**: trouble

anse _f_ : (de préhension) [curved] handle; (géog) cove; (intestin, microbiologie) loop

antagoniste: antagonistic, counteracting, inverse, opposed, restoring

antémémoire _f_ : cache [memory], cache storage, cache store

antenne _f_ : (tcm) aerial GB, antenna NA; sub-branch, emergency unit; (chdef) feeder line; (distribution de gaz) branch main, lateral
~ **à cadre**: coil antenna
~ **à cornet**: horn antenna
~ **à couverture mondiale**: earth-coverage antenna
~ **à faisceau en pinceau**: pencil beam antenna
~ **à faisceau crayon**: pencil beam antenna
~ **à feeder median**: centre-fed aerial
~ **à fente**: slot antenna
~ **à grand gain**: high-gain antenna
~ **à inductance d'accord**: multiple-tuned antenna

~ **à large bande**: broadband antenna
~ **à lentille**: lens antenna
~ **à noyau de ferrite**: ferrite rod antenna
~ **à onde de fuite**: leaky-wave antenna
~ **à plan de sol**: ground-plane antenna
~ **à polarisation horizontale**: ground-plane antenna
~ **à profil laminaire**: blade antenna
~ **à rayonnement dirigé**: directional antenna
~ **à rayonnement transversal**: broadside array
~ **à rayonnement longitudinal**: end-fire array, end-fire aerial, broadside antenna
~ **à tiges multiples**: fir tree aerial
~ **artificielle**: mute antenna, phantom aerial
~ **au sol**: earth antenna
~ **bidirectionnelle**: bilateral antenna
~ **cadre**: loop antenna
~ **collective**: community antenna
~ **compensée**: balance aerial
~ **conique**: cone antenna
~ **contre-rotative**: despun antenna
~ **courte**: stub antenna
~ **de poursuite**: tracking antenna
~ **de référence**: standard antenna
~ **dipôle**: doublet antenna
~ **directionnelle**: beam antenna
~ **directive**: beam aerial
~ **directrice**: directional antenna
~ **doublet**: dipole antenna
~ **émettrice**: transmitting antenna
~ **en arête de poisson**: fishbone antenna
~ **en cage**: cage antenna
~ **en nappe**: flat-top antenna
~ **en parapluie**: umbrella antenna, umbrella aerial
~ **en quart d'onde**: quarter-wave antenna
~ **en rideau**: echelon aerial
~ **en sapin**: christmas tree antenna, fishbone antenna
~ **en spirale**: corkscrew antenna
~ **en tige**: flagpole antenna
~ **en tourniquet**: turnstile aerial
~ **en trèfle**: cloverleaf antenna
~ **encastrée**: flush antenna
~ **enterrée**: earth antenna
~ **fictive**: artificial antenna
~-**fouet**: whip antenna
~ **hélicoïdale**: corkscrew antenna
~ **image**: image antenna
~-**mât**: mast antenna
~ **pendante**: drag antenna, trailing [wire] antenna
~ **quart d'onde**: quarter-wave antenna

~ **rase**: flush antenna
~ **réceptrice**: reception antenna
~ **remorquée**: trailed antenna
~ **sabre**: blade antenna
~ **segment**: cheese antenna
~ **sur cerf-volant**: kite antenna
~ **suspendue**: drag antenna, trailing antenna
~ **tige**: flagpole antenna, rod antenna
~ **tournante**: (radar) scanner
~ **tourniquet**: turnstile antenna
~ **traînante**: drag antenna, trailing antenna
~**s superposées**: stacked antennas
sur l'~: on the air

anthocyanine *f* : anthocyan[in]

anthracène *m* : anthracene

anthracite *m* : anthracite, hard coal, stone coal

anthrax *m* **[malin]**: anthrax

antiacide: acidproof, acid-resistant

antiacoustique: acoustical

antiadhérent: non-stick

antiaérien: anti-aircraft

antiarc: non-arcing, non-sparking

antibactérien: antibacterial

antibalistique: antiballistic

antibélier *m* : water-hammer arrester

antibiose *f* : antibiosis

antibiotique *m*, *adj* : antibiotic

antiblocage: jamproof; (freinage) antilocking

antibourrage: (inf) antiblocking, jamproof

antibrouillage *m* : antijammer; *adj* : antijamming; (radar) anticlutter

antibrouillard *m* : fog light

antibuée *m* : demister

anticatalyseur *m* : anticatalyst

antichar ► AC: anti-tank

antichocs: (autom) crashproof

anticipation *f* : (inf) fetch ahead, lookahead
~ **de retenue**: carry look-ahead

anticlinal *m* : anticline; *adj* : anticlinal
~ **affleurant**: exposed anticlinal
~ **faillé**: faulted anticlinal

anticodon *m* : anticodon

anticontre-mesure *f* : counter-countermeasure

anticoque: (câble) antikink

anticorps *m* : antibody
~ **bloquant**: blocking antibody
~ **lymphocytodépendant**: lymphocite dependent antibody
~ **monoclonal ► ACM**: monoclonal antibody
~ **privé**: private antibody
~ **public**: pubic antibody

anticorrosif: corrosionproof

anticouple *m* : antitorque

anticyclone *m* : anticyclone, high

antidéflagrant: flameproof GB, explosionproof NA

antidépression: antivacuum

antidérapant: (surface) non-skid, non-slip; (autom) antilocking, antiskid

antidétonant: antiknock

antiéblouissant: antidazzle, antiglare, non-glare

antiévaporant *m* : curing membrane

antifriction *m* : white metal, babbit; *adj* : antifriction

antifrictionner les coussinets: to line the bearings

antifuite *m* : (radiateurs) sealing compound

antigel *m* : antifreeze, frost-preventing agent; *adj* : frostproof

antigène *m* : antigen
~ **d'examen**: screening antigen
~ **de capside virale**: viral capsule antigen
~ **de détection**: screening antigen

~ **de membrane**: membrane antigen
~ **de sélection**: screening antigen
~ **du facteur de colonisation**: colonization factor antigen
~ **leucocytaire**: leukocyte antigen

antigiratoire: non-spin; (cordage) twist-free

antigivre *m* : anti-icer

antihalo: antihalation, non-halo

antihoraire: anticlockwise

antilogarithme *m* : antilogarithm

antimaculage: antismudge, smudge proof

antimaculateur *m* : anti set-off

antimatière *f* : antimatter

antimessager *m* : antimessenger

antimite *m* : mothproofing agent; *adj* : mothproof[ed]

antimoine *m* : antimony

antimousse *m* : defoamer

antimutagène *m* : antimutagen; *adj* : antimutagenic

antineutron *m* : antineutron

antinœud *m* : antinode

antioxydant *m* : antioxidant, oxidation inhibitor

antiparasitage *m* : [interference] suppression, [noise] suppression

antiparasite: antinoise, anti-interference, interference-free; (radar) anticlutter
~ **pour bougies**: sparking plug suppressor

antiparasité: suppressed

antiparticule *f* : antiparticle

antipatinage: antiskid

antipeaux: antiskinning

antipersonnel: (mine) antipersonnel

antipertes: (par rayonnement) anti-radiant

antipompage *m* : antipumping, antihunt[ing]

antirayonnant: antiradiant

antirebondissement: antibounce

antiréfléchissant: antireflection, antireflective

antireflet *m* : antireflection coating; *adj* : antireflection

antiripage: antiskating

antironflement: antihum

antirouille *m* : rust inhibitor; *adj* : antirust, rustproof

antisens: (gg/bm) antisense

antiserum: antiserum

antisiccatif *m* : antidrier; *adj* : antidrying

antisonique: antinoise, sound deadening

anti-sous-marin: antisubmarine

antistatique *m* : antistatic agent; *adj* : antistatic

antitartre *m* : scale inhibitor

antivide *m* : vacuum breaker

antivol *m* : burglar alarm [system]; (autom) antitheft device; *adj* : (emballage) pilferproof
~ **sur la direction**: steering column lock

apériodique: acyclic, aperiodic, dead beat

apesanteur *f* : weightlessness

aphélie *f* : aphelion

API → **automate programmable industriel**

apiculture *f* : apiculture, beekeeping

aplatir: to flatten; (un rivet, un clou) to clinch, to clench; **s'~**: to collapse (vacuum vessel)
~ **au marteau**: to beat out

aplomb *m* : uprightness, perpendicularity
à l'~ de: plumb with
d'~: perpendicular

d'~ contre quelque chose: square against something

apoenzyme *f* : apoenzyme

apogame: apogamic, apogamous

apogamie *f* : apogamy

apogée *f* : (astronomie) apogee

apomixie *f* : apomixis
~ **obligatoire**: obligate apomixis

apothème *m* : apothem

apparaux *m* : (mar) [ship's] gear, apparels of a ship
~ **de chargement**: loading gear
~ **de mouillage**: ground tackle

appareil *m* : apparatus, equipment; (électrique, ménager) appliance; (maçonnerie) bond; (de mesure) instrument; (de plomberie) fixture; (tél): handset; (avion) aircraft; (anatomie) system, tract; → aussi **appareils**
~ **à aiguille**: pointer instrument
~ **à aimant mobile**: moving-magnet instrument
~ **à bain d'huile**: oil-immersed apparatus
~ **à cadran**: (tél) dial set
~ **à cadre mobile**: moving-coil instrument
~ **à calibre unique**: single-range instrument
~ **à échelles multiples**: multiscale instrument
~ **à fer mobile**: moving-iron instrument
~ **à fiche**: plug-in device
~ **à gouverner**: (mar) steering gear
~ **à gouverner à secteur**: quadrant steering gear
~ **à maximum de courant**: overcurrent device
~ **à maximum de tension**: overvoltage device
~ **à simple conduit**: (clim) single-duct unit
~ **à soufflante de sustentation**: lift-fan aircraft
~ **à thermocouple**: thermocouple instrument
~ **à zéro supprimé**: suppressed-zero instrument
~ **alterné simple**: (constr) English bond
~ **arythmique**: start-stop apparatus
~ **assisé**: (constr) random courses
~ **autonome de climatisation d'air**: packaged air conditioner

~ **auxiliaire de pont**: deck auxiliairy
~ **commutateur blindé**: metal-clad switchgear, metal-enclosed switchgear
~ **d'abonné**: subscriber's set
~ **d'adsorption**: adsorber
~ **d'échantillonnage**: sampler
~ **d'éclairage**: light fitting, light fixture
~ **d'écoute**: monitor
~ **d'enclenchement**: interlocking gear
~ **d'enregistrement direct sur bande**: key-to-tape device
~ **d'entraînement**: prime mover
~ **d'essai**: tester, test set
~ **d'essai à vase ouvert**: open-cup tester
~ **d'étalonnage**: calibrator, master instrument
~ **de chauffage**: heater
~ **de chauffage de l'air**: air heater
~ **de chauffage d'ambiance**: air heater
~ **de commande**: control gear
~ **de commutation**: switching apparatus
~ **de conditionnement**: conditioner
~ **de contrôle**: tester, monitor
~ **de correction auditive**: hearing aid
~ **de dépannage**: test set, trouble-hunter, trouble shooter
~ **de distillation**: retort, still
~ **de fermeture**: closer
~ **de forage**: oil drilling rig
~ **de guidage**: homer
~ **de hissage**: hoisting gear
~ **de levage**: lifting gear, hoisting gear, hoist
~ **de localisation de câbles**: cable detector
~ **de manœuvre d'aiguille**: (chdef) point mechanism
~ **de mesure**: meter, [measuring] instrument, measuring set, measuring apparatus
~ **de mesure à cadre mobile**: moving-coil instrument
~ **de mesure à deux lectures**: dual meter
~ **de mesure étalonné**: standard instrument
~ **de mesure universel**: multimeter, multitester, all-purpose meter
~ **de prélèvement d'échantillon**: sampler
~ **de prise de vue**: camera
~ **de prise de vue sur microfilm**: microfilmer
~ **de production de chaleur industrielle**: process heater
~ **de reconnaissance en haute mer**: maritime patrol aircraft
~ **de réglage**: control element
~ **de réglage par tout ou rien**: on-off control

~ **de repérage**: locator
~ **de reprise**: reclaimer, reclaiming machine, reclaiming unit
~ **de reproduction**: camera
~ **de restitution**: plotter
~ **de robinetterie**: valve
~ **de surveillance**: monitor
~ **de télémesure**: telemeter
~ **de vérification**: tester
~ **digestif**: digestive tract
~ **électroménager**: electrical household appliance
~ **en boutisses**: header bond
~ **en circuit étanche**: (chauffage) room-sealed appliance
~ **en épi**: herringbone bond, zigzag bond
~ **en panneresses**: running bond, stretcher bond
~ **enregistreur**: recording instrument
~ **enregistreur à bande**: strip chart recorder
~ **étalon**: standard instrument
~ **fermé**: (él) totally enclosed apparatus
~ **fumivore**: smoke-absorbing device, smokeless appliance
~ **lecteur-reproducteur**: reader-printer
~ **mesureur indicateur**: indicating measuring instrument
~ **non raccordé**: (chauffage) flueless gas appliance
~ **photographique**: camera
~ **plus lourd que l'air**: heavier-than-air craft
~ **raccordé**: (chauffage) flued gas appliance
~ **reflex mono-objectif**: single lens reflex camera
~ **réfrigérant**: cooler
~ **respiratoire**: (anatomie) respiratory system; (méc) breathing apparatus
~ **sanitaire**: plumbing fixture, sanitary fitting, sanitary fixture
~ **téléphonique**: [telephone] set
~ **téléphonique à boutons**: keyphone
~ **téléphonique à clés**: keyphone
~ **téléphonique avec combiné**: handset telephone
~ **turbopropulsé**: turboprop aircraft

appareillage *m* : equipment, gear; (de commutation, de coupure) switchgear; (mar) getting underway, sailing
~ **à atmosphère inerte**: inert equipment
~ **de commande**: control gear
~ **électrique**: electrical equipment

appareiller: (apparier, assortir): to match; (navire) to put [out] to sea, to get underway, to sail

appareils *m* : machinery
~ **de levage**: hoisting machinery
~ **de voie**: (chdef) switches and crossings
~ **sanitaires**: sanitary ware

appariement *m* : matching, mating; (IA) pattern-matching; (gg/bm) pairing
~ **chromosomique**: chromosome pairing
~ **de formes**: pattern matching
~ **des bases**: base pairing
~ **momentané**: touch-and-go pairing
~ **non homologue**: non homologous pairing

apparier: to pair, to match (components)

apparition *f* : appearance, occurrence
~ **graduelle de l'image**: (cin, tv) fade-in

appauvrissement *m* : impoverishment; (d'un mélange) weakening; (éon, nucl) depletion

appel *m* : (de sous-programme) call; (tél) call, bell, ringing; (d'aimant, de relais) pull [in]
~ **abandonné**: abandoned call
~ **automatique**: auto call, automatic calling, auto dialling, keyless ringing
~ **automatique interne**: indialling
~ **d'air**: draft, suction, indraught GB, indraft NA
~ **d'arrivée**: inward call, inbound call
~ **d'offres**: call for tenders GB, call for bids NA
~ **d'urgence**: emergency call
~ **de courant**: rush of current, current inrush, current surge
~ **de freins**: (autom) flashing of stop lights
~ **de phares**: flashing of headlamps
~ **de procédure à distance**: remote procedure call
~ **de programme**: (inf) invocation
~ **direct**: customer dialling, subscriber dialling
~ **du pupitreur**: (inf) operator request
~ **efficace**: effective call, successful connection
~ **en attente**: call waiting
~ **en instance**: waiting call
~ **en paiement contre vérification**: reverse charge call GB, call collect NA
~ **en PCV**: reverse charge call GB, call collect NA
~ **entrant**: incoming call
~ **inefficace**: non-completed call, non-effective call, uncompleted call
~ **infructueux**: call failure, ineffective call

~ **intempestif**: false call
~ **interrompu**: aborted connection
~ **interurbain**: trunk call, long distance call, toll call
~ **magnétique**: magneto call
~ **malveillant**: nuisance call
~ **payé au départ**: sent-paid call
~/**réponse**: (modem) originate/answer
~ **sélectif**: polling, selective calling
~ **urbain**: local call, exchange call
~**s acheminés**: handled traffic
d'~: (cylindre, mécanisme) take-up

appelant *m* : (tél) originator, caller, calling party

appelé *m* : called party, destination

appeler: (tél) to call, to ring up; (inf) to invoke, evoke (a program), to fetch (a routine)

appeleur *m* **automatique**: auto caller

appellation *f* **commerciale**: trade name

appertisation *f* : tinning GB, canning NA

application *f* : (de force, de peinture) application; (mise en vigueur) implementation
~ **au pinceau**: brushing
~ **au pistolet**: spraying
~ **au trempé**: dipping
~ **d'un enduit**: (fonderie) dressing (of a mould)
~ **de colle en plots**: spot gluing
~ **de colle en cordons**: continuous gluing
~ **de l'ordinateur**: computer application
~ **en mode asservi**: slave application
~ **sur l'ordinateur**: computer application

applique *f* : wall fixture, bracket lamp, bracket light
~ **murale**: wall block, wall bracket
en ~: surface-mounted

appliquer: to apply; (une décision) to put into effect, to implement; (un plan) to put into operation
~ **la couche de fond**: to prime
~ **la tension**: to apply the voltage
~ **par fusion**: to melt on

appoint *m*, **d'~**: (chauffage) supplementary
avec ~ d'énergie solaire: solar-assisted

appontage *m* : deck landing, decking (on an aircraft carrier)

appontement *m* : pier, wharf, landing stage

apport *m* : (métall) addition; (d'un amplificateur) gain; (d'énergie) input
~ **calorifique**: heat gain, heat supply, heat input
~ **d'air**: air input, air supply
~ **d'engrais**: fertilization, fertilizing
~ **de chaleur**: heat supply, heat gain, heat input
~ **énergétique**: energy input
~ **héréditaire**: hereditary make-up
~ **pluvial**: storm water run-off
~ **thermique**: heat gain, heat input

apprenti *m* : beginner, learner; (en apprentissage) apprentice; (graph) printer's devil

apprentissage *m* : learning, teach-in; (rob) apprenticeship; (IA) machine learning
~ **assisté par ordinateur**: computer-assisted learning, computer-based learning

apprêt *m* : (text) finish, sizing; (peinture) undercoat
~ **antimite**: mothproof finish
~ **de pontage**: coupling finish
~ **du tissu**: cloth finish
~ **gaufré**: embossed finish
~ **glacé**: (text) chintz finish
~ **hydrofuge**: water-repellent finish
~ **infroissable**: crease-resist finish
~ **par enduction**: coating finish
~ **similitoile**: linen finish
~ **toile**: linen finish

apprêtage *m* : (text) finishing, sizing

apprêter: (text) to finish; (alim) to prepare, to season

approche *f* : approach
~ **à l'atterrissage**: landing approach
~ **à vue**: visual approach
~ **avec moteur en panne**: engine out approach
~ **contrôlée au sol**: ground-controlled approach
~ **manquée**: missed approach
~ **sur faisceau**: beam approach

approvisionnement *m* : procurement
~ **à une seule source**: single sourcing
~ **en charbon**: coaling
~ **en eau des villes**: municipal water supply
~ **pompé**: (eau) pumped supply

approvisionner (en): to supply (with);
s'~ en: to procure

appui *m* : rest, support; (constr) bearing; (d'un levier) purchase;
~ **à balancier**: pendulum bearing
~ **à encastrement**: fixed support
~ **à rotule**: tilting bearing, articulated bearing
~ **aérien**: air support
~ **de cric**: jacking pad, jack adapter pad
~ **de fenêtre**: window sill
~ **de levage**: jack pad
~ **de poutre**: beam pocket
~ **de vérin**: jack pad
~ **direct**: on-line support
~ **libre**: (constr) unrestrained bearing
~ **oscillant**: bearing rocker (of truss)
~ **pendulaire**: pendulum bearing
~ **simple**: (constr) simple support
~ **tactique**: tactical support

appuie-tête *m* : (autom): headrest, head restraint

appuyer: to press, to depress (a key), to push (on a button); **s'~ contre**: (constr) to abut
~ **sur**: (peser sur) to bear upon
~ **sur le champignon**: to step on the gas
~ **sur une touche**: to hit a key

après: after
~ **démarrage**: after turn-on
~ **texte**: next to reading matter, next matter

après-vente *m* : (service après-vente) product support; *adj* : support

apte à l'emploi: fit for the intended use

aptitude *f* : ability
~ **à l'écoulement**: flowability
~ **à l'emploi**: suitability, fitness for the purpose
~ **à la combinaison**: (gg/bm) combining ability
~ **à la coulée**: pourability
~ **à la trempe**: hardenability
~ **à s'allier**: alloying ability
~ **au concassage**: crushability
~ **au croisement**: crossability, cross compatibility
~ **au façonnage**: workabilitiy
~ **au laminage**: rollability
~ **au service**: serviceability
~ **variétale**: varietal ability

aquacole: aquicultural

aquaculture *f* : aquiculture

aquaplanage *m* : aquaplaning

aquastat *m* : aquastat

aqueduc *m* : aqueduct

aqueux: aqueous

aquicole: aquicultural

aquiculture *f* : aquiculture

aquifère: aquiferous, water bearing

arachide *f* : peanut NA, groundnut GB

arase *f* : last course, levelling course (of masonry)

arasement *m* : levelling, reducing the height; (de pieux) striking off; (maçonnerie) last course, levelling course
~ **du sol**: grading

araser: to trim level; (un clou) to cut flush, (une tête de pieu) to cut off; (le béton, un enduit) to strike off

arborescence *f* : tree structure; (galvanoplastie) tree; (IA) arborescence

arboriculteur *m* : arborist, arboriculturist

arbre *m* : (botanique, inf, IA) tree; (méc) shaft, spindle GB, arbor NA; → aussi **arbres**
~ **à bride**: flanged shaft
~ **à cames**: camshaft, wiper shaft
~ **à cames en tête**: overhead camshaft
~ **à cames et équipage**: camshaft/camshaft gear
~ **à collerette**: flanged shaft
~ **à échelons**: stepped shaft
~ **à épaulements**: stepped shaft
~ **à gradins**: stepped shaft
~ **à hauteur équilibrée**: (inf) height-balanced tree
~ **à méplat**: flat-end shaft
~ **à plateau**: flanged shaft
~ **binaire**: binary tree
~ **cannelé**: fluted shaft, grooved shaft, splined shaft
~ **complet**: (inf) full tree
~ **creux**: quill shaft, sleeve shaft
~ **d'accouplement**: clutch shaft
~ **d'analyse**: parse tree
~ **d'entraînement**: driving shaft
~ **d'entrée**: input shaft
~ **d'excentrique**: eccentric shaft
~ **d'hélice**: propeller shaft, screw shaft
~ **d'inversion**: reverse shaft

~ **de butée**: thrust shaft
~ **de changement de marche**: reversing shaft
~ **de commande**: drive shaft, driving shaft, main shaft, power shaft
~ **de couche**: driving shaft, line shaft, engine shaft, live shaft, power shaft
~ **de couche principal**: main shaft
~ **de coût minimum**: minimum cost spanning tree
~ **de décision**: decision tree
~ **de dédoublement de la vitesse**: half-speed shaft
~ **de distribution**: (autom) camshaft
~ **de la vis sans fin**: worm shaft
~ **de marche arrière**: reverse shaft
~ **de Noël**: (pétr) christmas tree
~ **de pignon**: pinion shaft
~ **de plein vent**: standard [tree]
~ **de pont arrière**: (autom) differential shaft
~ **de recherche**: (IA) search tree
~ **de recherche multichemin**: multiway search tree
~ **de renvoi**: intermediate shaft, countershaft, jackshaft
~ **de roue**: (autom) half-shaft, wheel drive shaft; (rigide) axle shaft
~ **de sortie**: output shaft, secondary shaft, driven shaft; (autom) tailshaft GB, output shaft NA
~ **de torsion**: torque shaft
~ **de transmission**: drive shaft, live shaft; (autom) prop[eller] shaft, cardan shaft GB, drive shaft NA; (entre deux machines) spacer shaft, dumb bell shaft
~ **dentelé**: serrated shaft
~ **du moteur**: engine shaft
~ **en espalier**: espalier [tree]
~ **faussé**: bent shaft, warped shaft
~ **feuillu**: broad-leaf tree
~ **fileté**: screw spindle, spindle
~ **flexible**: flexible shaft
~ **fou**: loose shaft
~ **grande vitesse**: high-speed shaft
~ **intermédiaire**: countershaft, secondary shaft, gear shaft, lay shaft
~ **lisse**: plain shaft
~ **menant**: primary shaft, driving shaft
~ **mené**: output shaft, driven shaft
~ **monté à la cardan**: universal-joint shaft
~ **moteur**: main shaft, driving shaft
~ **non équilibré**: (inf) skewed tree
~ **orienté**: (inf) directed tree
~ **oscillant**: rocking shaft
~ **petite vitesse**: low-speed shaft
~ **pignonné**: pinion shaft
~ **porte-foret**: drilling spindle, boring bar
~ **porte-fraise**: cutter arbor

~ **porte-hélice**: propeller shaft
~ **porte-meule**: grinding spindle
~ **primaire**: input shaft
~ **principal**: main shaft
~ **récepteur**: output shaft, secondary shaft, driven shaft
~ **recouvrant**: (inf) spanning tree
~ **secondaire**: countershaft, driven shaft, jackshaft, secondary shaft, accessory shaft
~ **soumis à la torsion**: torsion-loaded shaft
~ **sur pied**: standing tree
~ **syntaxique**: syntax tree
~ **traversant**: through shaft GB, thru shaft NA

arbres *m* : shafting
~ **de transmission**: line shafting
~ **ET/OU**: AND/OR trees

arc *m* : (géom, él) arc; (achitecture) arch
~ **à deux articulations**: two-hinged arch
~ **à la terre**: (par défaut d'isolement) arcing ground
~ **à mercure**: mercury arc
~ **brisé**: pointed arch
~ **chantant**: singing arc
~ **d'engrènement**: arc of contact
~ **d'enroulement**: (de courroie) arc of contact, arc of wrap
~ **d'ouverture**: arc at break
~ **de charbon**: carbon arc
~ **de contact**: (de courroie) arc of contact, arc of wrap
~ **de décharge**: relieving arch
~ **de fermeture**: arc at make
~ **en plein cintre**: circular arch, round arch
~ **en retour**: flash back
~ **gradué**: divided arc
~ **outrepassé**: horseshoe arch
~ **polaire**: pole arc
~ **surélevé**: stilted arch
~s **aveugles**: arcading

arc-boutant *m* : abutment; (architecture) flying buttress

arcade *f* : arcade; (de robinet-vanne) yoke

arceau *m* : arch, hoop
~ **de protection**: hoop guard
~ **de sécurité**: (autom) roll[over] bar
~ **de verrière**: (aéro) canopy arch

arche *f* : arch (under bridge)
~ **de rive**: land arch
~ **maîtresse**: centre arch
~ **marinière**: navigation arch

archet *m* **de prise de courant**: (chdef)
contact bow, current collector bow

architectonique: [archi]tectonic

architecture *f*: (constr, inf) architecture
~ **de pile**: stack architecture
~ **de systèmes ouverts**: open
systems architecture
~ **en couches**: layered architeture
~ **en pelure d'oignon**: onion skin
architecture, layered architecture
~ **en tranches**: bit-slice architecture,
slice architecture
~ **étiquetée**: tagged architecture
~ **modulaire**: modular design, modular
construction
~ **paysagère**: landscape architecture
~ **textile**: fabric architecture, soft
architecture
~ **type bus**: bus architecture
~ **verticale**: high-rise construction

archivage *m*: filing (of documents),
record keeping

archives *f*: records

ardoise *f*: slate

aréomètre *m*: areometer, araeometer,
hydrometer

arête *f*: edge; (de toit, de montagne)
ridge; (de moulure) nosing; (de voûte)
groin
~ **arrière**: trailing edge
~ **avant**: leading edge
~ **d'absorption**: (rayons X) absorption
edge
~ **de coupe**: cutting edge
~ **de couteau**: knife edge
~ **de déversoir**: weir edge
~ **tranchante**: cutting edge
~ **vive**: feather edge, arris; (coupante)
knife edge, sharp edge

argent *m*: (métal) silver; (finances)
money
~ **comptant**: cash
~ **liquide**: cash

argentan *m*: argentan, nickel silver

argentifère: silver bearing

argenture *f*: silver coating, silvering
~ **galvanoplastique**: silverplating

argile *f*: clay
~ **à blocaux**: boulder clay, bowlder
clay, [glacial] till

~ **feuilletée**: laminated clay
~ **grasse**: heavy clay, rich clay, strong
clay
~ **limoneuse**: silty clay
~ **maigre**: green clay, weak clay
~ **plastique**: ball clay, fatty clay, long
clay, plastic clay, soft clay
~ **réfractaire**: fire clay
~ **rubanée**: banded clay
~ **téguline**: pot clay, tile clay

argileux: argillaceous, clayey

argilière *f*: clay pit

argument *m* **de vente**: sales feature

argumentaire *m*: sales folder, sales kit

aride: arid, infertile, barren

arité *f*: arity
~ **d'un opérateur**: arity: of an operator

arithmétique *f, adj*: arithmetic
~ **à longueur finie**: finite-length
arithmetic
~ **à longueur fixe**: fixed-length
arithmetic
~ **flottante**: floating point arithmetic

armateur *m*: [ship]owner

armature: frame, framework; (béton
armé) reinforcement [bar]; (d'aimant,
de relais) armature; (de câble)
armour[ing] GB, armor[ing] NA; (de
pieu) cage
~ **à pôles saillants**: salient-pole
armature
~ **à ruban d'acier**: steel-tape armour
~ **d'aimant**: armature, magnet keeper
~ **d'encastrement**: fixing
reinforcement
~ **de condensateur**: capacitor plate,
capacitor electrode
~ **de frettage**: binding reinforcement
~ **de porte-balai**: brush yoke
~ **en treillis**: mesh reinforcement
~ **hélicoïdale**: spiral reinforcement,
spirals
~ **lisse**: plain reinforcement
~ **d'efforts tranchants**: shear
reinforcement
~ **secondaire**: lateral reinforcement

arme: arm, weapon
~ **à chargement par la culasse**:
breech loader
~ **à feu**: firearm
~ **à implosion**: implosion weapon
~ **aéroportée**: airborne weapon

~ **anti-aérienne**: anti-aircraft weapon
~ **antichar**: antitank weapon
~ **binaire**: binary weapon
~ **blanche**: cutting weapon, side arm
~ **collective**: crew-served weapon
~ **de poing**: small arm
~ **portative**: small arm
~ **portée à la ceinture**: side arm
~ **téléguidée**: guided weapon

armée *f* : army
~ **de l'air**: air force
~ **de mer**: Navy
~ **de terre**: army

armement *m* : (mil) armament; (mar) fitting out; (protection) sheathing; (d'un appareil) setting
~ **de la voie**: track equipment
~ **des interruptions**: (inf) interrupt setting

armer *m* : (mil) to arm; (béton) to reinforce; (une poutre) to brace; (un navire) to fit out, to fit up; (une arme à feu) to cock; (un instrument) to set; (un appareil photo) to wind on

armoire *f* : (meuble) cupboard, wardrobe; closet NA; (dans un vestiaire) locker; (él) cabinet, cubicle, enclosure; (tél) bay
~ **à pharmacie**: medicine chest, medicine cabinet
~ **d'appareils de courant porteur**: carrier cabinet
~ **de commande**: (de machine) control box
~ **de matériel**: equipment cabinet
~ **de raccordement**: terminal closet
~ **frigorifique**: cold room, cold store

armure *f* : (tissage) pattern, weave; (él) cable shield, cable armour GB, cable armor NA
~ **à ruban d'acier**: steel-tape armour
~ **antirongeurs**: gopher-tape armour
~ **classique**: standard weave
~ **en feuillard d'acier**: tape armour
~ **fantaisie**: fancy weave
~ **natté**: basket weave
~ **pour ratière**: dobby weave
~ **satin**: satin weave
~ **simple**: single-wire armour
~ **toile**: calico weave, plain weave
~ **uni**: calico weave, plain weave

armurier *m* : gunsmith

ARN *m* : RNA; → aussi **acide ribonucléique**
~ **adaptateur**: adaptor RNA

~ **amorce**: primer RNA
~ **antimessager**: antimessenger RNA
~ **antisens**: antisense RNA
~ **bicaténaire**: double-stranded RNA
~ **de transfert** ▶ **ARNt**: transfer RNA, soluble RNA
~ **infectieux**: infective RNA
~ **messager** ▶ **ARNm**: messenger RNA
~ **messager mature**: mature messenger RNA
~ **nucléaire hétérogène** ▶ **ARNnh**: heterogeneous nuclear RNA
~ **polycistronique**: polycistronic RNA
~ **précurseur**: precursor RNA, pre-messenger RNA
~ **recombinant**: recombinant RNA
~ **ribosomique** ▶ **ARNr**: ribosomal RNA, ribosomic RNA
~ **satellite**: satellite RNA
~ **simple brin**: single-stranded RNA
~ **soluble**: soluble RNA, transfer RNA

ARNm → **ARN messager**

ARNnh → **ARN nucléaire hétérogène**

ARNr → **ARN ribosomique**

ARNt → **ARN de transfert**

aromate *m* : spice, flavouring agent

aromatisé: flavoured

arôme *m* : aroma, odour GB, odor NA; flavouring

arpentage *m* : land survey, surveying
~ **chromosomique**: chromosome walking

arquer: to arch, to bend (under a load); **s'~**: to curve (upwards)

arrachage *m* : lifting, pulling [up]

arrache-bague *m* : bush extractor, bush driver, bush puller

arrache-carotte *m* : (pétr) core breaker, core catcher, core extractor, core lifter; (moulage des plastiques) sprue lock

arrache-clou *m* : nail claw, nail puller, claw wrench

arrache-coussinet *m* : bearing puller

arrache-moyeu *m* : hub extractor, hub puller

arrache-pieu *m* : pile extractor

arrache-pointe *m* : nail claw

arrache-roulement *m* : bearing extractor, bearing puller, bearing remover

arrache-tube *m* : (forage) casing dog, casing spear

arrache-tuyau *m* : pipe dog

arrachement *m* : pull-out, pull-off; (d'un filetage) strippping
~ **lamellaire**: lamellar tearing

arracher: to tear off, to pull out, to pull off; (text) to detach (the combed material)

arraisonnement *m* : boarding (of a ship)

arrêt *m* : halt, stop, rest, standstill; (de travail, de production) stoppage; (de machine) shutdown; (méc) catch, check; (de moteur) shutoff; (de câble) termination, latching; (de moulure, de chanfrein) stop
~ **au décollage**: aborted takeoff, rejected takeoff
~ **automatique sans perte de données**: orderly shutdown, graceful shutdown
~ **brutal**: (inf) crash
~ **complet**: dead stop
~ **d'une installation**: plant shutdown
~ **d'urgence**: emergency shutdown; (d'une voiture) emergency stop
~ **de fonctionnement**: interruption
~ **de poussée**: (aéro) thrust cut-off, thrust termination
~ **de transmission**: (tcm) break
~ **de travail**: shutdown
~ **du moteur**: engine cutt-off, engine shutdown
~ **immédiat**: dead halt
~ **momentané de mouvement**: dwell
~ **moteur**: motor off
~ **par épuisement**: (aérosp) burnout
~ **partiel**: partial shutdown
~ **prématuré**: abort
~ **programmé**: (inf) orderly halt
~ **progressif sans perte de données**: graceful shutdown
~ **prolongé** de machine: closedown
~ **sur image**: stop frame [mode], still frame [mode]

arrête-flamme *m* : flame arrester

arrêter: to stop, to halt; (prématurément) to abort; (méc) to block, to check, to lock; (une machine) to put out of action, to shut down; (un fluide) to shut off; (le courant) to cut [off]

~ **d'un coup de poinçon**: to stake (a screw)
s'~ net: to stop dead

arrêtoir *m* : retainer, jamming device

arrière *m* : back; (de navire) stern; *adj* : rear
à l'~: (mar) aft, astern

arrière-bec *m* : downstream cutwater

arrière-bief *m* : head bay

arrière-goût *m* : aftertaste

arrière-plan *m* : background

arrière-pont *m* : afterdeck

arrière-port *m* : inner harbour

arrière-radier *m* : downstream apron

arriéré *m* : (de travail) backlog

arrimage *m* : stowage, trimming (of ship)

arrimer: (mar) to secure (containers), to stow

arrivée *f* : (de marchandises, de trafic) arrival; (de liquide) inflow
~ **d'air**: air supply, air inlet
~ **d'huile**: oil feeder pipe
~ **en vue de terre**: landfall

arrondi *m* : (forme) roundness; (d'une couche de peinture) smoothness; *adj* : (angle, bord) bullnose[d]
~ **à l'atterrissage**: flare [out]
~ **de la dent**: chamfer of gear tooth

arrondir: to make round
~ **au chiffre inférieur**: to round down
~ **au chiffre supérieur**: to round up
~ **au plus près**: to round off
~ **par défaut**: to round down
~ **par excès**: to round up

arrosage *m* : (agriculture) irrigation; (jardinage) watering; (m-o) cooling; (par aspersion) spray[ing]; (usinage par étincelage) flooding
~ **à la planche**: border irrigation
~ **à la raie**: corrugation irrigation
~ **des coffrages**: wetting of forms
~ **par aspersion**: overhead irrigation
~ **par bassins**: check irrigation

arroser: to water, to damp; (éclabousser) to splash; (les coffrages, le béton) to wet down

arroseur *m* : sprinkler
~ **à flèche**: boom sprinkler

arroseuse *f* : water cart, sprinkler NA

arsenal *m* : naval yard

artère *f* : (route) thoroughfare; (tél)
[traffic] route; (chdef) trunk line
~ **coaxiale**: coaxial route
~ **de départ**: outgoing feeder
~ **secondaire**: subfeeder

arthropode *m* : arthropod; *adj* :
arthropodous, arthropodal

artichaut *m* : globe artichoke

article *m* : item; (inf) record; → aussi
articles
~ **du fichier permanent**: master
record
~ **non en stock**: non-stock item

articles *m* : goods, ware
~ **chaussants**: footwear
~ **crus**: (céramique) green ware
~ **de consommation immédiate**: soft
goods
~ **de corderie**: cordage
~ **de métier circulaire**: (text) tubular
goods
~ **de Paris**: fancy goods
~ **en vitro céramique**: glass ceramic
ware

articulation *f* : articulation, hinge, joint,
knee
~ **à genouillère**: knuckle joint
~ **à rotule**: ball joint, spherical plain
bearing
~ **à tourillon**: pin joint
~ **au sommet**: (constr) crown joint
~ **aux naissances**: (constr) abutment
hinge
~ **complexe**: (rob) complex joint
~ **cylindrique**: pin joint
~ **simple**: (rob) revolute joint, rotary
joint, rotating joint

articulé: articulated, hinged, swing-type

artificiel: artificial, manmade

artificier *m* : pyrotechnist

artillerie *f* : artillery, ordnance

artilleur *m* : gunner

artisan *m* : craftsman

artisanat *m* : handicrafts

aryle *m* : aryl

asbeste *f* : asbestos

ascendant *m* : (lignage) ancestor,
progenitor; *adj* : ascending, upward;
(analyse) bottom up

ascenseur *m* : [passenger] lift GB,
elevator NA

asepsie *f* : asepsis

aseptique: aseptic, sterile

aseptiser: to asepticize, to sanitize

asexué: asexual

aspergille *f* : aspergillus

aspergillus *m* : aspergillus, club mould

asperme: seedless

asperseur *m* : sprinkler

asphalte *m* : asphalt
~ **naturel**: native asphalt

asphaltène *m* : asphaltene

aspic *m* : (alim) aspic

aspirail *m* : (mine) air hole; (ventilation)
air vent

aspirateur *m* : extractor fan, suction fan;
(nettoyage) vacuum cleaner

aspiration *f* : sucking, suction; (de
moteur, de pompe) inlet; (de fumées)
exhaust system, exhaustion
~ **de la vapeur**: steam exhaust

aspirer: to suck, to exhaust (pomper) to
draw; (faire le vide) evacuate

assainissement *m* : sanitary
engineering, sanitation, sewerage
~ **des eaux usées**: sewage disposal
~ **des taudis**: slum clearance

assainisseur *m* : air freshener

assaisonnement *m* : seasoning

assèchement *m* : (du sol) draining;
(reprise sur la mer) reclamation (from
the sea); (d'un puits) pumping out;
(d'ouvrage hydraulique) dewatering

assécher: (un réservoir) to drain, to
empty; (le sol, une tranchée) to
dewater; (par pompage) to pump out

assemblage *m* : assembling, assembly (process), joining; (rob) assembly (of separate components); (méc) connection, joint; (menuiserie) joint; (filature) multiple winding
~ **à boulons**: bolted joint
~ **à chape et tenon**: clevis and tongue coupling
~ **à clavette**: keyed connection
~ **à clé**: keyed joint
~ **à clin**: (tôle) lap joint
~ **à entures multiples**: finger joint
~ **à feuillure**: rabbeting
~ **à forte cohésion**: high-strength adhesive bond
~ **à francs bords**: butt joint
~ **à manchon**: sleeve joint
~ **à mi-bois**: halved joint
~ **à onglet**: mitre joint
~ **à queue d'aronde**: dovetail [joint]
~ **à recouvrement**: lap joint
~ **à rivets**: rivet[ed] joint, riveting
~ **à tenon et mortaise**: mortising, morticing
~ **bout à bout**: butt joint
~ **bouveté**: matched joint
~ **d'angle**: corner joint
~ **en about**: abutting joint
~ **en onglet**: bevel joint
~ **en sifflet**: scarf[ing] joint, splayed joint; (menuiserie) bevelled halving
~ **en queue d'aronde**: dovetail
~ **par articulation**: hinged connection
~ **par boulons**: bolt connection
~ **par chevilles**: pin joint
~ **par goupilles**: pin joint
~ **rigide**: rigid joint
~ **sur chant**: edge joint
~ **témoin**: test joint

assemblé: assembled, fitted together
~ **à rainure et languette**: tongued and grooved
~ **à recouvrement**: lapped
~ **par collage**: glued together, stuck together
~ **par soudage**: soldered together, welded together

assembler: to join, to link, to assemble
~ **à entaille**: to cog
~ **à mi-bois**: to scarf
~ **en queue d'aronde**: to dovetail
~ **le moule**: to close the mould
~ **les feuilles**: (graph) to collate

assembleur *m* : assembler, assembly program
~ **croisé**: cross assembler

assembleuse *f* : (text) double winder
assembleuse-retordeuse *f* : double twister

assertion *f* : (IA) assertion

asservi: controlled, dependently interlocked, slave
~ **au traitement**: (inf) process bound, process limited

asservissement *m* : [automatic] control, servo system, slave control
~ **en circuit fermé**: closed-loop control
~ **intégré**: embedded servo
~ **par tout ou rien**: on-off servo mechanism GB, bangbang servo NA
à ~ **par pilote**: pilote-regulated

assiette *f* : (aéro) attitude, trim; (mar) trim[ming]; (de chaussée) bed
~ **à cabrer**: nose up attitude
~ **à piquer**: nose down attitude
~ **d'une chaussée**: road bed
~ **et route**: attitude and heading
~ **latérale**: roll attitude
~ **longitudinale**: pitch attitude

assimilable par une machine: (inf) machine sensible, machine readable

assise *f* : (géol) bed; (constr) course, range
~ **de boutisses**: header course, heading course
~ **de panneresses**: stretcher course, stretching course
~ **naturelle**: (d'une pierre) natural bed, quarry bed

assistance *f* : aid, assistance, help
~ **clientèle**: customer support
~ **technique**: technical support
à ~ **pneumatique**: air-assisted

assolement *m* : crop rotation

assortiment *m* : match, mix; (ensemble assorti) set

assortir: to match

assourdir: to damp, to dampen (a sound), to mute

assujettir: to fasten, to fix, to hold down, to secure

assurance *f* : insurance
~ **au tiers**: third party insurance
~ **incendie**: fire insurance
~ **qualité**: quality asurance
~ **produit**: product assurance
~ **tous risques**: comprehensive insurance

assurer: to insure; (rendre sûr) to make certain, to ensure; (affirmer) to secure, to steady
~ **l'étanchéité**: to seal
~ **la liaison**: to link
~ **la maintenance**: to maintain
~ **le profil**: (pose de conduite) to grade
~ **un service**: to provide a service, to maintain a service

astrionique *f* : astrionics

astronaute *m* : astronaut

astronautique *f* : astronautics

astronef *m* : spacecraft
~ **habité**: manned spacecraft

astuce *f* **du métier**: trick of the trade

ASV → **atterrissage sans visibilité**

asymétrie *f* : asymmetry; (statistiques) skewness

asymétrique: asymmetrical, non-symmetrical, unsymmetrical; (stat) skew, unbalanced

asynchrone: asynchronous

ATD → **analyse thermique différentielle**

atavisme *m* : atavism, throwing back

atelier *m* : manufacturing shop, workshop
~ **d'outillage**: toolroom
~ **de carrosserie**: body shop
~ **de chantier**: field shop
~ **de dessablage**: (fonderie) cleaning shop
~ **de mécanique**: machine shop
~ **de montage**: assembling bay, erecting shop, erection bay
~ **de reliure**: bindery
~ **flexible**: (rob) flexible manufacturing system, variable mission system
~ **mobile**: field shop
~ **volant**: field shop
en ~: in the workshop, on the factory floor

athermane: athermanous

atmosphère *f* : atmosphere
~ **contrôlée**: controlled atmosphere
~ **normale**: standard atmosphere

~ **normale de référence**: standard reference atmosphere
~ **normalisée**: standard atmosphere
à ~ **gazeuse**: (éon) gas-filled

atome *m* : atom
~ **chaud**: hot atom
~ **d'impureté**: (sc) impurity atom
~ **dépouillé**: stripped atom
~ **donneur**: donor atom
~ **marqué**: tagged atom, labelled atom
~ **mésonique**: mesic atom, mesonic atom
~ **percuté**: knocked-on atom
~ **père**: parent atom

atomisation *f* : atomization, spray[ing]

atomiseur *m* : atomizer

atomistique *f* : atomistics

ATP → **adénosine triphosphate**

attache *f* : fastener; (à pince, à ressort) clip
~ **à ressort**: spring clip
~ **de câble**: cable clamp, cable clip, cable tie
~ **de courroie**: belt clip
~ **de hauban**: guy clamp
~ **de poutre**: girder cleat

attache-câble *m* : cable clip, rope socket

attache-fils *m* : cord connector, wiring plate

attaque *f* : (mil) attack, strike; (chimique, micrographique) etching; (méc) drive, actuation; (moulage) gate
~ **annulaire**: ring gate
~ **au plan de joint**: parting gate
~ **circulaire**: ring gate
~ **de coulée**: gate, ingate, inlet gate
~ **de coulée en crayon**: pencil gate
~ **de front**: down gate
~ **de l'outil**: cutting action
~ **en bavure**: flat gate
~ **en bout**: end gate
~ **en éventail**: fan gate
~ **grossière**: macro etching
~ **macrographique**: deep etching (test)
~ **médiane**: (d'une antenne) apex drive
~ **par piqûres**: pitting
~ **plate**: flat gate

attaquer: to attack; (méc) to drive, to actuate; (acide) to etch

atteindre: to reach
~ **le maximum**: to peak
~ **le seuil de rentabilité**: to break even
~ **le synchronisme**: to come into step

attelage *m* : (chdef) coupler, coupling; (de remorque) hitch
~ **à tampon central**: central buffer coupling
~ **à trois points**: (tracteur) three-point linkage
~ **serré**: close coupling

attendrisseur *m* : (de viande) tenderizer

attendus *m* : stocks on order, goods on order

attente *f* : wait[ing]; delay, delay time; (aéro) stacking
en ~: suspended, waiting, on hold, on standby; spare (wire)

atténuateur *m* : attenuator, fader; (gg/bm) attenuator
~ **de réception**: (f.o.) receive attenuator
~ **de réglage**: (tcm, f.o.) adjustment attenuator
~ **fixe**: pad
~ **résistif**: absorptive attenuator

atténuation *f* : (tcm, f.o., gg/bm) attenuation; (d'oscillations) damping; (d'un son, d'une force) weakening
~ **constante**: flat attenuation
~ **d'écho**: echo attenuation
~ **des courants réfléchis**: return loss

atterrir: (mar, aéro) to land; (aircraft) to touch down, to put down
~ **à plat**: to pancake
~ **trop long**: (aéro) to overshoot

atterrissage *m* : landing
~ **aux instruments**: instrument [controlled] landing
~ **brutal**: crash landing, heavy landing, rough landing
~ **de la cage**: (mine) banking
~ **de précision**: spot landing
~ **en douceur**: (astr) soft landing
~ **forcé**: emergency landing
~ **moteur calé**: stall landing
~ **posé-décollé**: touch-and-go landing
~ **sans visibilité ▶ ASV**: blind landing
~ **sur le ventre**: belly landing
~ **train rentré**: belly landing
~ **trop court**: undershoot landing
~ **vent debout**: headwind landing

atterrissement *m* : (géol) aggradation; (de câble) shore end section, shore terminal

atterrisseur *m* : landing gear, undercarriage
~ **principal**: main landing gear

attirer: to attract
~ **la poussière**: to pick up dust, to attract dust

attraction *f* : attraction; (relais) pull-in

attrape-gouttes *m* : drip pan, drip well

attribut *m* : (essais) attribute

attribution *f* : allocation, allotment, assignment
~ **d'un nom**: naming
~ **de câble**: cable assignment
~ **de mémoire**: memory allocation
~ **d'un objet**: (IA) slot

aubage *m* : turbine blades, blading, turbine buckets NA, vanes
~ **directeur d'admission d'air**: air intake guide vanes
~ **distributeur**: guide blades, guide vanes
~ **redresseur**: stator blades, stator vanes

aube *f* : paddle; (de turbine) blade, vane; **aubes:** blading
~ **de diffusion**: (pompe) diffusion vane
~ **de guidage**: intake guide vane
~ **de la roue mobile**: runner blade
~ **de pré-rotation**: intake guide vane
~ **de turbine**: turbine blade GB, turbine bucket NA
~ **de turbulence**: swirl vane
~ **directrice**: guide vane, guide blade
~ **distributrice**: guide vane
~ **fixe**: stator blade
~ **motrice**: rotor blade
~ **orientable**: adjustable blade
~ **orientée**: directional vane
~ **redresseuse**: guide vane
~ **renforcée**: shrouded blade

aubergine *f* : (plante) eggplant, aubergine; (légume) aubergine

aubier *m* : sapwood

au-dessus: above, over
~ **de la cote**: oversize
~ **et à côté du texte**: over and next matter

audio-prothèse *f* : hearing aid

audioconférence *f* : audioconferencing

audiofréquence *f* : audiofrequency

audiomètre *m* : audiometer

audiovisuel: audiovisual

audit *m* **de qualité**: quality audit

auditeur *m* : listener

auditif: auditory

audition *f* : hearing

auditorium *m* : auditorium

auge *f* : trough; (géol): trough valley
en ~: troughed (conveyor belt),
troughing (conveyor rollers, idlers)

auget *m* : (roue de turbine) blade, bucket
~ de noria: elevator bucket
~ de transporteur: conveyor trough
~ graisseur: oil trough

augmentation *f* : increase, rise; (de la
puissance, de la qualité): upgrading;
(de la vitesse) step[ping] up
~ brusque: surge
~ progressive: (cin) fade-up

augmenter: to increase, to rise, to
enlarge, to extend; (la force, la
pression, la tension) to boost
~ l'échelle: to scale up
~ la vitesse d'un moteur: to rev up
an engine
~ le débit d'un puits: (pétr) to beam up

auréole *f* : halation

aurifère: gold-bearing

aussière *f* : hawser
~ de remorque: tow line, rope

austénite *f* : austenite

autel *m* : (de chaudière) [flame] bridge,
[fire] bridge; (de four) curtain arch

auteur *m* : author; (inf) word originator
~ de projet: designer

autoadhésif: self-adhesive

autoalignement *m* : self-alignment

autoallumage *m* : preignition, self-
ignition, spontaneous ignition
~ par compression: compression
ignition
~ permanent: run-on

autoamorçage *m* : self-priming

autoanticorps *m* : autoantibody

autoassemblage *m* : self-assembly

autobanque *f* : drive-in bank

autobus *m* : motorbus, bus
~ à la demande: on-call bus system
~ articulé: articulated bus
~ au cadran: on-call bus system

autocatalyse *f* : autocatalysis

autocentreur: self-centring

autoclavage *m* : autoclave curing

autoclave *m* : autoclave; (de cuisson)
pressure cooker; (de stérilisation)
[steam] sterilizer; (text) kier

autoclonage *m* : self-cloning

autocollant *m* : sticker, decal; *adj* : self-
adhesive

autocombustion *f* : spontaneous
combustion

autocommutateur *m* : automatic
change-over switch, switcher; (tél)
private exchange, automatic
switchboard, automatic switcher,
automatic switching equipment
~ privé: (non raccordé au réseau):
private automatic exchange; (raccordé
au réseau): private branch exchange

autocompilateur *m* : self-compiling
compiler

autocomplémenteur: self-
complementing

autoconsommation *f* : own use

autocontrôle *m* : self-check, operator
control (quality control)

autocorrection des erreurs *f* : automatic
error correction

autocuiseur *m* : pressure cooker

autodéclenchement *m* : automatic
release, self-release
à ~: self-releasing, self-release

autodéfroissabilité *f* : crease recovery
(of a fabric)

autodémarreur *m* : self-starter

autodirecteur *m* : homing head, homing device, seeker head

autoduplicable: (gg/bm) self-replicating

autoduplication *f* : (gg/bm) autoreplication

autodyne: autodyne

autoémission *f* : autotransmission

autoentretenu: self-sustained (oscillation)

autoépissage *m* : (gg/bm) self-splicing

autoépuration *f* : self-cleaning

autoétanche: self-sealing

autoexcité: self-excited

autoextinguible: self-extinguishible

autofécondation *f* : self-fertilization

autofocalisation *f* : self-focusing

autofocus: autofocus

autofreinage *m* : (d'une vis) self-locking

autofreiné: self-locking

autogame: autogamous, autogamic

autogamie *f* : autogamy

autogène: autogenous

autogire *m* : gyroplane

autograissage *m* : self-lubrication, self-oiling

autograisseur: self-lubricated, self-lubricating

autogrue *f* : tractor crane, truck crane

autoguidage *m* : homing
~ **actif**: active homing
~ **indirect**: passive homing

auto-immun: autoimmune

auto-immunité *f* : autoimmunity

auto-infection *f* : autoinfection

autolubrifiant: self-lubricated, self-lubricating

autolysat *m* : autolysate

autolyse *f* : autolysis

automate *m* : automaton, controller; (IA) automaton
~ **d'états finis**: finite automaton
~ **de clignotement**: (autom) flasher unit
~ **manométrique**: pressure switch
~ **programmable**: programmable controller
~ **programmable industriel** ▶ API: process programmable controller
~ **thermostatique**: temperature switch

automaticien *m* : control engineer

automation *f* : automation, automatic control

automatique *f* : automation, automatic control [engineering], control engineering; *m* : (tél) direct dialling system; *adj* : auto[matic], self-acting; (inf) soft (end of page, hyphen), built-in (check), hands-off (operation)
~ **international**: international direct distance dialling
~ **interurbain**: subscriber trunk dialling

automatisation *f* : automation

automatisé: automated, automatically controlled

automatisme *m* : automatic control
~ **industriel**: process control

automitrailleuse *f* : machine gun carrier

automobile *f* : motorcar, car GB, motor NA; *adj* : automotive

automobilisme *m* : motoring, [car] driving

automoteur: self-propelled, self-powered, powered, self-driven

automotrice *f* : (chdef) motor coach, electric railcar, multiple unit, power car NA

autonome: independent, self-contained GB, packaged NA, stand-alone; (él) cordless; (tcm) off-line

autonomie *f* : (aéro) endurance; (navire, véh) cruising range, operating radius

~ en cas d'urgence: emergency self-sufficiency

auto-obturant: self-sealing

autopolarisation *f*: self-bias

autopollinisation *f*: self-pollination

autopont *m*: flyover GB, overpass NA

autoportant, autoporteur: self-supporting

autopropulsé: self-propelled (missile)

autoprotection *f*: (nucl) self-shielding
d'~: self-protect

autopsie *f*: autopsy, postmortem examination

autoradio *m*: car radio

autoradiographie *f*: autoradiography, radioautography; autoradiograph, radioautograph

autorégénérateur: self-restoring; self-healing (capacitor)

autoréglage *m*: self-adjustment

autorégulation *f*: self-regulation; (gg/bm) autogenous regulation

autoréplication *f*: self-replication

autoreproductible: self-reproducing

autorisation *f*: authorisation, licence
~ d'accès: security clearance
~ d'écriture: (inf) write enable
~ de décoller: (aéro) clearance
~ de vol: (aéro) [flight] clearance

autorisé: allowed, legal, licensed; (poids, contrainte) permissible

autoriser: to allow, to authorize; (inf) to enable

autoroute *f*: motorway GB, expressway NA
~ à péage: turnpike NA
~ urbaine: urban highway

autoroutière *f*: superhighway vehicle

autosexable: austosexing

autosiccatif: self-drying

autosome *m*: autosome

autosomique: autosomal
~ dominant: autosomal-dominant

autostérilité *f*: (bio) self-incompatibility

autotéléphone *m*: car telephone

autotracté: self-propelled

autotransformateur *m*: autotransformer

autotrempant: self-hardening

autotrempe *f*: air hardening

autotrophe: autotrophic

autovérification *f*: self-check, self-test

autoverrouillage *m*: self-locking

autre, ~ possibilité: alternative
~ proposition: alternative proposal

auxiliaire: ancillary, auxiliary, secondary
~ de navigation *m*: navigation aid
~s de pont *m*: deck machinery

auxine *f*: auxin

auxochrome *m*: auxochrome

auxocyte *m*: auxocyte

aval *m*: downstream water
~-pendage: down-dip
en ~: downstream; later, further down; (él) on the load side

avalanche *f*: avalanche
~ de porteurs de charge: carrier avalanche
~ ionique: ion avalanche

avance *f*: progress; (d'un outil) feed [movement]; (de phase) lead; (d'allumage) advance
~ à carrousel: circular feed
~ à dépression: vacuum advance
~ à l'allumage: early spark, spark advance, advanced spark[ing], advanced ignition
~ à l'allumage par dépression: vacuum ignition advance
~ à l'échappement: exhaust lead
~ à l'ouverture: advanced opening (of valve)
~ à main: hand feed
~ de la barre: (sur tour) bar feed
~ de phase: phase lead
~ de précision: fine feed
~ du papier: (inf) paper throw, paper slew

~ du tiroir: lead of slide valve
~ en plongée: (rectification) infeed, plunge feed
~ fine: fine feed
~ mécanique: (m-o) power feed
~ par dépression: (allumage) vacuum advance
~ rapide: (m-o) coarse feed; (bande magnétique) fast forward
~ saccadée: skip feed
~ sensitive: sensitive feed
~ transversale: cross feed
~ sur gros plan: (phot) zoom in

avancement *m* : (des travaux) progress; (mine) advance, heading; (forage) [rate of] penetration, drilling rate
~ d'un interligne: line feed
~ de la bande: tape feed
~ du forage: (en pieds) footage

avancer: to move forward; (travaux) to proceed, to progress; (m-o) to feed (navire) to make headway; **s'~**: to jut, to protrude
~ l'allumage: to advance the ignition
~ pas à pas: (bande etc) to inch

avant *m* : front part, front end; (de navire) bow; (aéro) nose section (of fuselage)
~ du cylindre: crank end
~ du four: operating side
~ point mort bas: before bottom dead centre
en ~: ahead, in front (of)

avant-bec *m* : upstream cutwater

avant-cylindre *m* : crank end

avant-garde, d'~: advanced, state of the art

avant-port *m* : outer harbour

avant-première *f* : (film) preview

avant-projet *m* : draft proposal, preliminary project, pre-design, preliminary design

avant-puits *m* : (forage) derrick cellar

avant-série *f* : pilot production, pilot run

avant-texte *m* : draft text

avant-trou *m* : pilot hole

avarie *f* : damage; (mar) average, casualty
~ par choc trottoir: curbing damage (to a tyre)

avarié: (marchandises) damaged; (alim) rotten, bad, spoiled

averse *f* : shower
~ torrentielle: cloudburst

avertissement *m* : warning

avertisseur *m* : alarm; warning device, warning system; (autom) hooter, horn
~ d'appel: annunciator
~ d'effraction: burglar alarm
~ d'incendie: fire alarm
~ de crue: flood warning device
~ lumineux: warning light
~ sonore: audible warning

aveugle: blind; (obturation) blank

aveugler une voie d'eau: to plug a leak, to stop a leak

aviation *f* : aviation
~ de bombardement: bomber aviation, bomber command
~ de chasse: fighter aviation, fighter command
~ de transport: transport aviation, transport command

avion *m* : aircraft, aeroplane, plane, airplane NA
~ à décollage et atterrissage courts ▶ ADAC: short takeoff and landing aircraft
~ à décollage et atterrissage silencieux ▶ ADAS: quiet takeoff and landing aircraft
~ à flèche variable: swing-wing aircraft, variable-geometry aircraft
~ à hélice propulsive: pusher-prop aircraft, pusher aeroplane
~ à nez basculant: droop-nose aircraft
~ à hélice arrière: pusher-prop aircraft, pusher aeroplane
~ à hélice avant: tractor-propeller aircraft
~ à réaction: jet [aircraft]
~ à usage général: utility aircraft
~ à voilure basculante: tilt-wing aircraft
~ à voilure fixe: conventional aircraft
~ canard: tail first configuration aircraft
~ cargo: cargo aircraft, freighter
~ citerne: tanker aircraft, air tanker
~ de bombardement: bomber
~ de chasse: fighter aircraft
~ d'affaires: executive aircraft
~ d'appui: support aircraft
~ d'entraînement: training plane, trainer

~ **de combat**: fighter [aircraft], fighter plane
~ **de ligne**: airliner, liner
~ **de série**: production aircraft
~ **de transport court courrier**: short-haul transport aircraft
~ **éclaireur**: pathfinder
~ **école**: trainer aircraft, training plane
~ **embarqué**: carrier-based aircraft, carrier[-borne] aircraft
~ **gros porteur**: high-capacity plane
~ **minimum**: basic equipment aircraft, minimum equipment aircraft
~ **moyen courrier**: medium range aircraft
~ **piloté**: manned aircraft
~ **porteur**: mother aircraft
~ **postal**: mail plane
~ **radioguidé**: radio controlled aircraft
~ **ravitailleur**: tanker [aircraft]
~ **sanitaire**: air ambulance
~ **subsonique**: subsonic aircraft
~ **taxi**: air taxi, taxiplane
~ **téléguidé**: pilotless aircraft
~ **transbordeur**: air ferry, car ferry aircraft
~ **utilitaire**: utility aircraft

aviculteur *m* : aviculturist; chicken farmer, poultry farmer GB, poultryman NA

aviculture *f* : aviculture, poultry farming GB, poultry breeding NA

avidine *f* : avidin

avionique *f* : avionics

avionnage *m* : embodiment in aircraft

avionneur *m* : aircraft manufacturer, prime constructor, prime manufacturer

avirulence *f* : avirulence

avitaillement *m* : (mar) supplying; (aéro) fuelling
~ **par prise**: hydrant fuelling

avitailleur *m* : bowser, fuelling vehicle

avivage *m* : (de couleur) brightening; (de meule) dressing

avivé d'équerre: square-edged

aviver: (couleur) to brighten; (une lame) recut
~ **la meule**: to dress the wheel

avoine *f* : oats

avoir: to have
~ **accès**: (inf) to access
~ **besoin de**: to require, to want
~ **de la bande**: to list
~ **de la main**: (papier) to be bulky
~ **des défauts**: to be imperfect
~ **des ratés**: to misfire
~ **des retours de flamme au carburateur**: to spit back
~ **des stocks**: to carry stocks
~ **du balourd**: to be unbalanced
~ **du corps**: (papier) to be bulky
~ **du jeu**: to be slack
~ **du métier**: to be experienced
~ **fait l'objet d'un mouvement**: (fichier d'informatique) to be active
~ **priorité sur**: to override
~ **pris du jeu**: to have become loose
~ **trop de personnel**: to be overmanned
~ **un bon rendement énergétique**: to be energy efficient
~ **un grand nombre de terminaux**: (inf) to be terminal heavy
~ **un personnel insuffisant**: to be undermanned
~ **un retour de flamme**: to light back
~ **une fuite**: to leak
~ **une installation électrique**: to be wired
~ **une panne sèche**: to run out of petrol

axe *m* : (géom) axis, centre line GB, centerline NA; (méc) spindle GB, arbor NA; (de piston) pin; (solidaire) spigot
~ **d'articulation**: link pin
~ **d'étrier**: yoke pin
~ **de battement**: (hélicoptère) flapping hinge
~ **de chape**: yoke pin, clevis pin
~ **de charnière**: hinge pin
~ **de culbuteur**: rocker shaft
~ **de fourchette de débrayage**: clutch release shaft
~ **de freinage**: lockpin (for nut)
~ **de galet**: roller pin
~ **de jumelle**: shackle pin
~ **de levée de pale**: flapping hinge
~ **de levier oscillant**: rocker shaft
~ **de manille**: shackle pin
~ **de papillon**: throttle spindle (of carburettor)
~ **de pied de bielle**: wrist pin, gudgeon pin, piston pin
~ **de piston**: piston pin, wrist pin, gudgeon pin, gudgeon pin
~ **de piston mobile**: floating gudgeon pin
~ **de pivot de fusée**: kingpin, steering knuckle pivot NA
~ **de pointage**: sight axis

~ **de rotation**: axis of revolution, spin axis
~ **de roulis**: roll axis
~ **de symétrie**: axis of symmetry
~ **de tangage**: pitch axis
~ **des abscisses**: X axis
~ **des coordonnées**: coordinate axis
~ **du papillon**: throttle spindle
~ **géométrique**: centreline
~ **guide**: guide pin
~ **latéral**: (aéro) pitch axis
~ **longitudinal**: (aéro) X-axis
~ **neutre**: neutral axis
~ **optique**: optical axis
~ **principal**: main axis
~ **routier**: main road
~ **transversal**: (géom) transverse axis; (réseau routier) cross-country trunk road, cross-country highway, cross-country link

axène, axénique: axenic, uncontaminated

axiomètre *m* : (mar) telltale, steering indicator

axisymétrique: axisymmetric

azoïque: (chim) azo; (géol) azoic

azonal: azonal

azimuth *m* : azimut
~-**élévation**: altazimuth

azote *m* : nitrogen
~ **atmosphérique**: atmospheric nitrogen
~ **des nitrates**: nitrate nitrogen

azotobacter *m* : azotobacter

azurant *m* **optique**: blueing agent, optical brightener, optical bleaching agent

azureur *m* : brightening agent, brightener

B

babeurre *m* : buttermilk

bâbord *m* : port, portside

bac *m* : pan, tray, vat; (de bande
transporteuse) pan; (de toiture
métallique) trough; (mar) ferry
~ **à copeaux**: swarf tray
~ **à graisse**: grease separator
~ **à huile**: oil tank
~ **acier**: (de toiture) steel trough
~ **aérien**: air ferry
~ **d'accumulateur**: battery tray,
battery case, battery jar
~ **de décantation**: settling pan,
settling tank, settling vat
~ **de fermentation**: (épuration)
fermentation tank
~ **de floculation**: flocculating tank,
flocculation tank, flocculator
~ **de lavage**: (du charbon) wash-box
~ **de recette**: receiving drum, receiver
~ **de récupération**: drip pan
~ **de transformateur**: transformer
case, transformer tank
~ **évaporatoire**: evaporation tank
~**s acier**: (constr) steel trough decking

bâche *f* : (récipient) tank, box; (de
couverture) canvas cover, sheet
(plast)
~ **d'aspiration**: (pompage) wet well
~ **d'expansion**: expansion tank
~ **de condenseur**: condenser box
~ **de turbine**: wheel case, turbine
casing
~ **en matière plastique**: plastic sheet
~ **goudronnée**: tarpaulin
~ **hydraulique**: hydraulic tank
~ **volante**: loose sheet

bacillaire: bacillar[y]

bacille *m* : bacillus
~ **virgule**: comma bacillus

bacilliforme: bacilliform, rod-shaped

bacillaire: bacillar[y]

bactéricide *m* : bactericide; *adj* :
bactericidal

bactérie *f* : bacterium
~ **à Gram positif**: Gram-positive
bacterium
~ **aérobie**: aerobic bacterium
~ **anaérobie**: anaerobic bacterium
~ **coliforme**: coliform bacterium
~ **donneuse**: donor bacterium
~ **facultative**: facultative bacterium
~ **ferrugineuse**: iron bacterium
~ **filamenteuse**: filamentous
bacterium
~ **hôte**: host bacterium
~ **indicatrice**: indicator bacterium
~ **lactique**: lactic acid bacterium
~ **lysogène**: lysogenic bacterium
~ **parasite**: parasitic bacterium
~ **pathogène**: pathogenic bacterium
~ **réceptrice**: recipient bacterium
~ **saprophyte**: saprophytic bacterium
~ **spirille**: spirillum

bactérien *m* : bacterial

bactériophage *m* : (tend à être remplacé
par phage) [bacterio]phage
~ **tempéré**: temperate bacteriophage

bactériostatique *m, adj* : bacteriostatic

bactofugation *f* : bactofugation

badiane *f* : star anise

badigeon *m* : distemper, whitewash
~ **à la chaux**: limewash

badigeonnage *m* : wash
~ **au ciment**: cement wash

badin *m* : air speed indicator

bagasse *f* : bagasse, megas[se]

bague *f* : ring; (de palier, d'arbre) bush,
bushing; (virole) thimble
~ **à billes**: ball race
~ **à labyrinthe**: labyrinth ring
~ **à ressort**: snap ring
~ **calibre**: ring gauge
~ **centrifuge**: oil thrower, oil splash
ring

~ **collectrice**: (dynamo) collecting ring, collector ring, slip ring
~ **collectrice d'huile**: oil catch ring
~ **d'accouplement**: adapter ring, coupling ring
~ **d'arbre à cames**: camshaft bush, bushing
~ **d'arrachage**: (pour flacons et bouteilles) tear band, tear tab, tearaway strip
~ **d'arrêt**: retainer ring, retaining ring; (sur arbre) set collar, stop collar
~ **d'axe de culbuteurs**: rocker shaft bush
~ **d'épaulement**: shaft collar, loose collar, thrust collar
~ **d'étanchéité**: oil seal
~ **d'étanchéité à lèvres**: lip-type seal
~ **de blocage**: locking ring
~ **de broche**: spindle bush
~ **de butée**: stop collar, thrust ring
~ **de collecteur**: (él) commutator ring
~ **de contrôle**: ring gauge
~ **de déphasage**: shading ring, slug
~ **de garniture**: packing ring
~ **de graissage**: oil ring, lubricating ring
~ **de graissage centrifuge**: oil thrower
~ **de pied de bielle**: connecting-rod bushing, small-end bush
~ **de presse-étoupe**: packing follower (sometimes called "gland")
~ **de projection d'huile**: oil thrower [ring]
~ **de protection**: (contre le frottement) chafing ring
~ **de réglage**: adjusting ring
~ **de retenue**: retainer ring, retaining ring, retainer
~ **de roulement à billes**: ball bearing cup, ball race, bearing race, bearing retainer
~ **de serrage**: clamping ring
~ **de sûreté**: set collar
~ **élastique**: snap ring
~ **en deux pièces**: split bush
~-**entretoise**: distance ring, spacer ring
~ **fendue**: slit bush
~ **filetée**: ring nut, threaded bush, thread gauge
~-**fouloir**: packing follower (sometimes called "gland")
~ **intérieure**: (de roulement) inner race
~ **lâche**: loose grommet
~ **lécheuse**: wiper ring
~ **métallique**: packing ring
~ **roulée**: wrapped bush
~ **sphérique**: spherical bushing

baguette *f* : (men) batten, bead, moulding; (en carbone, en plastic) rod

~ **à souder**: welding wire
~ **couvre-joint**: cover bead, cover moulding
~ **d'apport**: electrode wire, soldering rod, welding rod
~ **d'encroix**: (tissage) lease rod
~ **d'envergeure**: (tissage) lease rod
~ **de renvidage**: (filature) copping wire
~ **de soudage**: electrode, welding rod
~ **de sourcier**: divining rod, dowsing rod
~ **divinatoire**: divining rod, dowsing rod
~ **enrobée**: coated welding rod
~ **lumineuse**: strip lighting

baguettisant *m* : dowser

baie *f* : bay; (constr) window; (fruit) berry
~ **d'électronique**: rack
~ **de matériel**: (tél) equipment bay
~ **du train d'atterrissage**: landing gear bay
~ **réacteur**: engine bay
~ **vitrée**: (large) window

bain *m* : bath
~ **au trempé**: dip
~ **brillanteur de décapage**: bright pickling bath
~ **d'amorçage**: strike bath
~ **d'argenture**: silver dip
~ **d'arrêt**: (phot) stop bath
~ **d'attaque chimique**: etching bath
~ **d'eau salée**: brine bath
~ **de décapage**: pickling bath
~ **de dégraissage**: cleaning solution
~ **de finition mate**: mat dip
~ **de fusion**: molten bath
~ **de lavage**: wash liquor
~ **de matage**: mat dip
~ **de mortier**: mortar bed
~ **de platinage**: platinizing bath
~ **de sel**: salt bath
~ **de soude caustique**: caustic dip
~ **de virage-fixage**: toning and fixing bath
~ **décapant**: pickling bath
~ **mort**: spent bath, exhausted bath
~ **usé**: spent bath, exhausted bath
à ~ **d'huile**: oil-quenched, oil-cooled, oil-immersed

bain-marie *m* : (lab) water bath; (cuisine) double boiler

bain-mère *m* : stock bath

baisse *f* : fall, decrease, drop
~ **de la lumière**: dimming of light
~ **de prix**: price reduction
~ **de tension**: (inf) brownout

baisser: to reduce, to fall, to decrease, to lower
~ **le chauffage**: to turn the heating down
~ **le son**: to turn down the volume
~ **les volets**: (aéro) to lower the flaps

BAL → **boîte aux lettres électronique**

baladeur *m* : (méc) sliding gear, sliding pinion, sliding clutch, sliding collar; (radio) walkman

baladeuse *f* : inspection lamp; (de tramway) trailer

balai *m* : (nettoyage, él) brush
~ **auxiliaire**: third brush
~ **collecteur**: commutator wiper
~ **d'essuie-glace**: windscreen wiper blade

balance *f* : balance, [weighing] scales
~ **à fléau**: beam scale
~ **d'essai**: assay balance
~ **de torsion**: torsion balance
~ **génique**: gene balance

balancelle *f* : skip (of hoist, of monorail)

balancement *m* : rocking, sway[ing]; (soudage) weaving
~ **des formes**: (mar) fairing
~ **latéral**: sidesway

balancier *m* : rocking arm, swing lever

balayage *m* : (de moteur) scavenging; (éon) exploration, scan[ning], sweep; (radar) slewing, slew rate
~ **au vol**: flying spot scan[ning]
~ **compensé**: compensated scan GB, expanded sweep NA
~ **de ligne[s]**: line scan, line sweep
~ **de retour**: line flyback
~ **de trame**: raster scan[ning]
~ **des gaz**: scavenging of gases
~ **du carter**: crankcase scavenging
~ **en boucle**: loop scavenging
~ **en équicourant**: uniflow scavenge
~ **en spirale**: spiral scanning
~ **équicourant**: uniflow scavenging
~ **horizontal**: line sweep
~ **par le carter**: crankcase scavenging
~ **par oscillation d'échappement**: exhaust-pulse scavenging
~ **par rotation**: spin scan
~ **point par point**: flying spot scan, scanning
~ **récurrent**: (tv) raster scanning
~ **transversal**: cross scavenging

balayer: (le sol) to brush, to sweep; (éon) to scan, sweep; (un moteur): to scavenge

balayeuse *f* : [street] sweeper

baleine *f* : whale

balisage *m* : (mar) buoyage; (aéro) beacons, [runway] lights; (itinéraire) [road] signs; marking out (with buoys, beacons, lights)

balise *f* : (aéro) beacon; (mar) beacon, marker buoy, buoy; (route) road sign
~ **d'approche**: approach light
~ **d'atterrissage**: landing light
~ **d'obstacle**: obstruction marker
~ **de piste**: runway light
~ **de ralliement**: locator
~ **de signalisation**: marker beacon
~ **lumineuse**: marker light
~ **radar**: radar beacon, racon
~ **répondeuse**: transponder beacon
~ **traçante**: tracer

baliser: (aéro) to mark out (with beacons, with lights); (mar) to mark a channel, to place buoys; (un itinéraire) to signpost

baliseur *m* : buoy tender, buoy keeper

balistique *f* : ballistics; *adj* : ballistic

ballast *m* : (chdef) ballast; (mar) [ballast] tank
~ **alimentaire**: roughage
~ **sec**: dry tank

balle *f* : (projectile) bullet; (emballage) bundle; (de céréale) husk, chaff
~ **perdue**: stray bullet
~ **traçante**: tracer [bullet]

ballon *m* : (aérostat, filature) balloon; (lab) boiling flask; (fabrication de plastique) bubble
~ **à col étroit**: narrow-necked flask
~ **à distiller**: distillation flask
~ **captif**: moored balloon, tethered balloon
~ **d'eau chaude**: hot water tank
~ **gradué**: measuring flask
~ **séparateur**: (pétr) knockout drum
~ **sonde**: sounding balloon
~ **témoin**: control flask

ballonnement *m* : (filature) ballooning

balourd *m* : unbalance

balsa *m* : balsa

balustrade *f* : railing, handrail

banalisation *f* : commonality (of parts)
~ **des locomotives**: pooling of locomotives
~ **des pièces**: parts commonality
~ **des voies**: (chdef) two-way working, either-direction working

banalisé: uncustomized, commonized; (véhicule) unmarked; (voie de chemin de fer) reversible

banane *f* : banana
~ **plantain**: plantain

banc *m* : (océan, cours d'eau) bank; (géol) bed, layer; (de m-o) bed; (rangée) bank; (filature) frame; (de mécanicien) bench
~ **à armatures**: prestressing bed, stretching bed, stretching bench
~ **de charbon**: coal seam
~ **à broches**: (filature) speedframe, speeder, roving frame
~ **à dévriller**: detwister
~ **à étirer**: draw[ing] frame
~ **à pots**: slubbing frame, slubber
~ **d'alésage**: boring bench
~ **d'équilibrage**: balancing stand
~ **d'essai**: test bed, test stand; (inf) benchmark
~ **d'essai moteur**: engine test stand
~ **d'étirage**: draw[ing] frame
~ **de charge**: (tir d'explosifs) charging rack
~ **de contacts**: contact bank
~ **de coulage**: (béton) casting bed
~ **de mise en tension**: (béton armé) stretching bed, stretching bench
~ **de pétrole**: oil bank
~ **de précontrainte**: (beton armé) stretching bed, stretching bench
~ **de rouleaux**: roller table
~ **de sable**: sand bank
~ **de sélecteurs**: selector bank
~ **de tour**: lathe bed
~ **droit**: (m-o) plain bed
~ **en fin**: roving frame
~ **en gros**: slubbing frame, slubber
~ **photométrique**: photometer bench

banchage *m* : wall forming, wall shuttering

banche *f* : shuttering panel, wall form

banchée *f* : lift (concreting)

bandage *m* : (de roue, en métal) band, hoop, tyre GB, tire NA; (pneumatique) tyre, tire

~ **creux**: cushion tyre
~ **en acier**: steel tyre
~ **en caoutchouc**: rubber tyre
~ **métallique**: steel tyre
~ **plein**: solid tyre
~ **pneumatique**: [pneumatic] tyre

bande *f* : (courroie) band, belt; (de fréquence, de frein) band; (feuillard) strip; (mar) list; (d'un ressort) set; (magnétique) tape; (fabrication du papier) web
~ **à bande**: tape-to-tape
~ **abrasive**: abrasive band, abrasive belt
~ **adhésive**: splicing tape
~ **amorce**: start leader
~ **annonce**: (film) trailer
~ **articulée**: (armement) link belt
~ **attribuée**: service band
~ **audio numérique**: digital audio tape
~ **auto-adhésive**: self-sealing strip
~ **chargeur**: ammunition belt, ammo belt, cartridge belt
~ **d'absorption**: absorption band
~ **d'alimentation**: delivery belt
~ **d'amenée**: (chaîne de montage) conveyor belt
~ **d'arrachage**: tear-off strip
~ **d'émission**: transmitting band
~ **d'entrée**: in-tape
~ **de base**: baseband
~ **de contrôle**: (de caisse enregistreuse) tally roll
~ **de déchirure**: tear strip
~ **de départ**: starter strip
~ **de distribution**: release tape
~ **de frein**: brake band, brake strap
~ **de fréquences**: frequency band
~ **de frottement**: chafer strip
~ **de manœuvre**: (inf) scratch tape
~ **de métallisation**: bonding strip
~ **de mitrailleuse**: ammunition belt
~ **de renforcement**: backing strip
~ **de roulement**: [tyre] tread
~ **de séparation**: (cartes perforées en continu) medial strip
~ **de stationnement**: layby
~ **de téléimprimeur**: ticker tape
~ **de travail**: (inf) scratch tape
~ **de valence**: valency band GB, valence band NA
~ **déchirable**: tear-off strip
~ **des fréquences vocales**: voice band
~ **des fréquences téléphoniques**: speech band
~ **dessinée ▶ BD**: comic strip
~ **en acier**: (feuillard d'acier pour tubes) skelp
~ **encombrée**: crowded band
~ **entrée**: IN tape

~ **étalon**: calibration tape, reference tape
~ **étroite**: narrow band
~ **interdite**: forbidden band
~ **latérale**: sideband
~ **latérale indépendante** ▶ **BLI**: independent sideband
~ **latérale inférieure**: lower sideband
~ **latérale non perturbée**: undisturbed sideband
~ **latérale principale**: main sideband
~ **latérale résiduelle** ▶ **BLR**: vestigial sideband
~ **latérale unique** ▶ **BLU**: single sideband
~ **magnétique** ▶ **BM**: magnetic tape, recording tape; (sur carte) magnetic stripe
~ **magnétique vierge**: blank magnetic tape
~ **maîtresse**: master [tape]
~ **médiane**: (constr) middle strip (of a slab)
~ **mère**: master
~ **métallique**: metal strip
~ **mouvements**: (inf) change tape
~ **obscure**: dark band
~ **optique d'images**: optical image strip
~ **originale**: master [tape]
~ **passante**: passband
~ **perforée**: perforated tape, punched tape
~ **pilote**: master copy, master tape, [carriage] control tape, control loop, tape loop
~ **protectrice**: wrapping band
~ **publique**: citizen band
~ **sans fin**: endless tape, endless belt, conveyor
~ **semi-perforée**: chadless tape
~ **son**: audio tape
~ **sonore**: (de film) sound track
~ **sur bâbord**: list to port
~ **téléphonique**: voice band
~ **transporteuse**: conveyor belt
~ **transporteuse en V**: troughed belt conveyor
~ **transporteuse pour piétons**: pedestrian conveyor
~ **vidéo**: video tape
~**s croisées**: cross bands

bandeau *m* : (constr) band course, band moulding
~ **lumineux**: cornice lighting

bander: (un ressort) to compress, to load

banderolage *m* : strapping (packaging)

bandothèque *f* : tape library

bandoulière *f* : shoulder strap

banlieue *f* : suburb, outskirts

banne *f* : shop awning, shop blind

banque *f* : bank
~ **de données**: data bank
~ **de gènes**: gene bank
~ **génomique**: gene bank

banquette *f* : (siège) bench seat; (constr) bank, berm; (chdef) berm; (égout) benching
~ **de pied**: (d'ouvrage hydraulique) counter berm, back berm
~ **de tir**: banquette, firing step

banquise *f* : pack ice

barattage *m* : buttermaking, churning

baratte *f* : churn

barbacane *f* : (d'ouvrage d'art) weep-hole

barbe *f* : (filature) tuft; (plastique armé) whisker; (de maïs) corn silk; ~**s**: (pap) deckle edges

barbotage *m* : (dégazage d'un bain) bubbling; (graissage) splash

barbotin *m* : chain wheel, chain sprocket
~ **moteur**: driving sprocket

barbotine *f* : cement grout, cement slurry; (céram) slip
~ **de coulage**: casting slip

bardage *m* : (constr) cladding GB, siding NA, weather slating, slate hanging; (en bardeaux) shingling, shingles
~ **à clins**: clapboard siding, lap siding
~ **des tuyaux**: (pose de pipeline) pipe stringing

bardane *f* : burdock

barde *f* : (de lard) bard[e]

bardeau *m* : shingle

barème *m* : (table) table, list, ready reckoner; (tarif) scale of charges, price list
~ **de jaugeage**: loading table

barge *f* : barge;
~ **de navire**: ship-borne lighter, lighter-aboard-ship, lighter

~ **embarcable**: shipborne barge
~ **transocéanique**: seagoing barge

baril *m* : barrel, cask

barillet *m* : (petit baril) keg, small cask;
(de pompe, de serrure) cylinder
~ **de ressort**: spring drum

baro-relais *m* : barometric relay

baromètre *m* : barometer, [weather]
glass
~ **à mercure**: mercury barometer
~ **anéroïde**: aneroid barometer
~ **enregistreur**: recording barometer

barquette: (conditionnement d'aliments)
tray
~ **pour cuisson en four micro-ondes
ou traditionnel**: dual-ovenable tray
~ **stérilisable en autoclave**:
retor[able] tray

barquetteuse *f* : tray former, traymaker,
tray erecting machine

barrage *m* : (hydro) dam, barrage; (tir)
barrage
~ **à aiguilles**: needle weir, needle dam
~ **à contreforts**: buttress[ed] dam
~ **à dômes multiples**: multiple dome
dam
~ **à hausses mobiles**: shutter weir
~ **à voûtes multiples**: multiple arch
dam
~ **anticrue**: antiflood barrier
~ **basculant**: tilting dam
~ **cellulaire**: cellular dam
~ **de retenue**: (hydroélectricité)
retaining dam, impounding dam;
(marée noire) oil retention barrier, oil
boom, retention boom
~-**déversoir**: spillway dam, overflow
dam
~ **en enrochement[s]**: rockfill dam
~ **en terre**: earth [fill] dam
~ **en rivière**: river dam
~ **évidé**: hollow dam
~ **fixe**: fixed dam
~ **flottant**: oilspill boom
~ **gonflable**: inflatable dam
~ **hydro-électrique**: power dam
~-**poids**: gravity dam
~ **poids-voûte**: arch gravity dam
~ **réservoir**: impounding dam
~ **souterrain**: groundwater dam
~-**voûte**: arch dam

barre *f* : (méc, m-o) bar; (géol) bank, bar;
(mine) interseam sediment, parting;
(nucl) rod; (mar) helm, tiller

~ **à haute adhérence**: deformed bar
~ **à mine**: jumper bar
~ **antiroulis**: antiroll bar
~ **antipanique**: panic bar
~ **céréalière**: cereal bar
~ **collectrice**: busbar
~ **d'accouplement**: (direction de
voiture) track rod GB, tie rod NA
~ **d'alésage**: boring spindle, boring
bar, cutter spindle, cutter bar
~ **d'armature**: reinforcement bar,
rebar
~ **d'attelage**: coupling bar, towbar;
(tracteur agricole) drawbar
~ **d'éjection**: ejection bar, ejection pin,
knockout pin, knockout bar
~ **d'espacement**: space bar
~ **de commande**: (nucl) control rod
~ **de décolletage**: screw stock
~ **de défilement**: (inf) scroll bar
~ **de direction**: side rod GB, drag link
NA
~ **de dopage**: (nucl) booster rod
~ **de fer brut**: mill bar
~ **de fraction**: (graph) slash
~ **de gouvernail**: tiller, helm
~ **de lamage**: spot facing bar
~ **de pilotage**: (de réacteur) regulating
rod
~ **de plongée**: diving rudder
~ **de réacteur**: reactor rod
~ **de sable**: sandbar
~ **de sécurité**: (autom) crash bar;
(réacteur) shutoff rod
~ **de tirage**: (de câble) duct rod
~ **de torsion**: torsion spring, torque
rod
~ **de traction**: drawbar GB, draft bar
NA
~ **de treillis**: lacing bar, lattice bar
~ **de triangulation**: lacing bar, lattice
bar
~ **déplisseuse**: (pap) spreader
~ **en attente**: (béton) starter bar
~ **en U**: channel bar, channel section
~ **marchande**: steel bar
~ **oblique**: (graph) [oblique] stroke,
oblique, slash, slant, dash, solidus
~ **oblique inverse**: (graph) reverse
slant, backslash
~ **omnibus**: bus[bar]
~ **omnibus de mise à la terre**: earth
bus GB, ground bus NA
~ **omnibus non protégée**: open,
bus [bar]
~ **omnibus protégée**: enclosed,
bus [bar]
~ **porte-lames**: cutter bar
~-**poussoir**: push bar
~ **relevée**: (béton armé) bent up bar
~ **ronde à haute adhérence**: round
deformed bar

~ **ronde filée**: extruded round bar
~ **stabilisatrice**: (autom) antiroll bar
~ **unie**: plain bar
la ~ à zéro: wheel amidships

barreau *m* : bar
  ~ **aimanté**: bar magnet
  ~ **attenant**: (sur éprouvette) cast-on bar
  ~ **de combustible**: (nucl) slug
  ~ **de rampe**: banister
  ~ **entaillé**: (essais) notched bar

barreautage *m* : [security] window bars

barrer: to cross out, to delete; (mar) to steer

barrette *f* : small bar
  ~ **à bornes**: connector block, terminal strip
  ~ **de connexion**: connection strap, connecting bar, connecting strip; (sur batterie) cell connector
  ~ **de connexion en commun**: commoning strip
  ~ **de jacks**: jack strip
  ~ **de raccordement**: terminal strip
  ~ **de sectionnement**: isolating link

barrière *f* : (de clôture) gate; (obstacle) barrier
  ~ **à l'échange de gènes**: gene exchange barrier
  ~ **basculante**: lifting gate
  ~ **d'arrêt**: arrester, arrestor net, arresting gear, arresting net, stop net
  ~ **d'étanchéité**: moisture barrier, water barrier
  ~ **de confinement**: confinement barrier
  ~ **de diffusion**: diffusion barrier
  ~ **de sécurité**: crash barrier
  ~ **galvanique**: dry cell isolation device
  ~ **génétique**: genetic barrier
  ~ **oscillante**: lifting gate
  ~ **pivotante**: swing gate
  ~ **roulante**: rolling gate
  ~ **thermique**: thermal barrier

barycentre *m* : centre of mass, centroid

baryte *f* : baryta

barytine *f* : baryte GB, barite NA

barytite *f* : baryte GB, barite NA

bas *m* : lower part; *adj* : low; (lumière) dim, low; → aussi **basse**
  ~ **de gamme**: bottom of the range, bottom of the line, down market
  ~ **de page**: footer

basalte *m* : basalt

basculant: tilting, tipping

bascule *f* : alternation, switchover; (pesée) weighing machine, weighbridge, platform scales; (interrupteur) toggle; flip-flop, trigger [circuit]
  ~ **à inversion**: set-reset flip-flop
  ~ **bistable**: bistable trigger [circuit], flip-flop
  ~ **de dérouleurs**: tape alternation
  ~ **intégratrice**: totalizing scale
  ~ **monostable**: monostable trigger circuit, one-shot flip-flop
  ~ **sur tapis roulant**: belt scales
  ~ **sur voie ferrée**: track scales, railway weighbridge
  ~ **synchronisée**: clocked flip-flop
  à ~: throw-over (switch, relay)
  en ~: (soupape) on the rock

basculer: to tip [over]
  ~ **un interrupteur**: to throw [over] a switch

basculeur *m* : over-centre device, rocking lever; (él) toggle switch, tumbler switch, trigger; (manutention) tipper, dumper
  ~ **de wagons**: [car] dumper, waggon tipper; (mine) tippler
  ~ **en bout**: end-discharge tippler
  ~ **latéral**: side-discharge tippler

bas-de-casse *m* : lower case letter

base *f* : (chim, cristal, gg/bm, inf, maths, mil) base; (de colonne) plinth; (de talus) toe; (de denture, de filetage, de soudure) root; (de notation, de numération) radix
  ~ **aéronavale**: air-sea base
  ~ **atypique**: (gg/bm) unusual base
  ~ **azotée**: nitrogenous base
  ~-**collecteur**: (éon) base-to-collector
  ~ **commune de données**: shared data base
  ~ **d'aviation**: air base
  ~ **de campagne non protégée**: (mil) soft base
  ~ **de connaissances**: (IA) knowledge base
  ~ **de données ▶ BDD**: data base
  ~ **de données d'entreprise**: corporate data base
  ~ **de données relationnelles**: relational database
  ~ **de filetage**: thread root
  ~ **de lancement**: (fusées, missiles) launching site

~ **de mélange**: (pétr) blending stock
~ **de numération**: number base, radix
~ **de soutien flottante**: floating supply base
~ **de temps**: (inf) time base, clock
~ **de temps déclenchée**: triggered time base
~ **de vitesse**: (mar) measured course, measured mile
~ **échangeable**: (ions) exchangeable base
~-**émetteur**: (éon) base-emitter
~ **logistique**: supply base
~ **molle**: (chim) soft base
~ **nucléotidique**: nucleotide base
~ **purique**: purine base
~ **pyrimidique**: pyrimide base
~ **rare**: (gg/bm) rare base
à ~ **de menus**: menu-oriented, menu-driven, menu-based
à ~ **douze**: duodecimal

bas-fond *m* : shallow water, shallows

basicité *f* : basicity

basilic *m* : basil

basique: (chim) basic, alkaline

basophile: basophil[e], basophilic

basse: low; → aussi **basses**
~ **fréquence**: low frequency, audio frequency, voice frequency
~ **mer**: low water
~ **pression** ► BP: low pressure
~ **température** ► BT: low temperature
~ **tension**: low tension, low voltage

basses, ~ **calories**: low-calorie, calorie-reduced
~ **eaux**: (étiage) low water
~ **terres**: lowlands

bassin *m* : (géol) basin; (forage) pit; (de port) dock, basin; (d'ornement) pond; (irrigation) check
~ **à boue**: (pétrol) mud pit, slush pit, sump; (épuration) sludge holding tank
~ **à écoulement continu**: continuous-flow tank
~ **à écoulement spiral**: (épuration) spiral-flow tank
~ **à flot**: wet dock
~ **à soutirage continuel des boues**: continuous sludge removal tank
~ **aérobie**: aerobic pond
~ **artésien**: artesian basin
~ **collecteur**: catch basin
~ **d'alimentation**: (de zone aquifère) catchment area

~ **d'écumage**: (épuration) skimming tank
~ **d'essai des carènes**: towing basin
~ **d'évitage**: turning basin
~ **d'irrigation**: irrigation basin
~ **de chloration**: chlorination chamber
~ **de coulée**: pouring basin
~ **de décantation**: sedimentation tank, settling basin, settling pond, decanting pond
~ **de décantation terminal**: final sedimentation tank, final settling tank
~ **de dessablement**: sand catcher
~ **de marée**: tidal basin
~ **de radoub**: dry dock
~ **de réalimentation**: (de nappe souterraine) recharge basin
~ **de réception**: collecting area
~ **de retenue**: detention basin
~ **de sédimentation**: settling pond
~ **de stabilisation**: equalizing tank
~ **de stockage**: storage basin
~ **décanteur**: sedimentation tank, settling basin, settling pond, decanting pond
~ **dégrossisseur**: (épuration) roughing tank
~ **doseur**: (épuration) dosing tank
~ **fermé**: closed basin
~ **fluvial**: river basin
~ **houiller**: coal field
~ **hydrogéologique**: groundwater basin, subsurface water basin
~ **hydrographique**: catchment area, drainage area, drainage basin, water basin
~ **hydrographique fermé**: blind drainage area, non-contributing area
~ **mélangeur**: mixing basin
~ **pétrolifère**: oil basin, petroleum basin
~ **versant**: catchment area, drainage area, drainage basin, water basin

BAT → **bon à tirer**

batardeau *m* : caisson, cofferdam

bateau *m* : boat
~ **à voiles**: sailing boat
~-**balise**: boat buoy
~-**citerne**: tanker
~ **de forage**: drilling ship
~ **de guerre**: warship
~ **de relève**: (forage) crew boat
~ **de sauvetage**: rescue boat
~-**feu**: lightship
~-**phare**: lightship
~-**pompe**: fireboat
~-**porte**: caisson gate
~ **ravitailleur**: supply vessel

batellerie *f* : inland water transport, river traffic

bathymètre *m* : bathymeter

bâti *m* : frame; (de pompe) case, casing; (d'essai, d'outillage) jig; (d'armature, de dynamo) yoke; (tél) rack
~ **à nervures**: ribbed frame
~ **de montage**: assembly jig
~ **dormant**: (constr) casing; (de porte) doorframe; (de fenêtre) window frame
~ **en col de cygne**: C-shaped frame
~-**moteur**: engine bearer, engine mounting

bâtiment *m* : building; (mar) ship
~ **à usage d'habitation**: residential building
~ **à usages multiples**: multiple occupancy building, mixed occupancy building
~ **en dur**: permanent building
~ **de soutien logistique**: supply ship
~ **des pompes**: pump house
~ **industriel polyvalent**: multifunctional industrial building

bâtir: to build, to construct

batiste *f* : batiste, cambric

bâton *m* : stick
~ **d'affûtage**: finishing stick
~ **lesté**: (mesure de la vitesse de l'eau) rod float
~ **rodoir**: honing stone

bâtonnet *m* : (bactérie) rod

battage *m* : beating, hammering; (tissage) picking; (de céréales) threshing
~ **au câble**: (pétrol) jump drilling, spudding
~ **de pieux**: pile driving, piling

battant *m* : (de porte) leaf; (tissage) batten, lay, slay
~ **de chasse**: picking stick
~ **ouvrant**: (de fenêtre) casement

battement *m* : beating; (de courroie) whipping; (d'engrenage) backlash; (rythme) beat; (de porte) astragal; (défaut de pièce rotative) eccentricity
~ **du segment de piston**: piston ring flutter
~ **nul**: zero beat

batterie *f* : battery; (série de filtres, de transformateurs) bank; (d'artillerie) battery

~ **à immersion**: plunge battery
~ **à plat**: exhausted battery, dead battery
~ **anodique**: anode battery, B-battery, plate battery
~ **antiaérienne**: anti-aircraft battery
~ **au plomb**: lead-acid battery
~ **centrale**: common battery
~ **coffrante**: battery mould
~ **d'accumulateurs**: storage battery
~ **d'anode**: anode battery, B-battery, plate battery
~ **de calandres**: calender train
~ **de capteurs**: (solaire) array
~ **de chauffage**: low-tension battery, A-battery
~ **de climatisation**: cooling coil
~ **de condensateurs**: capacitor bank
~ **de gènes**: gene cluster
~ **de grille**: C-battery
~ **de longue durée**: long-life battery
~ **de plaque**: B-battery, plate battery
~ **de polarisation de grille**: C-battery
~ **de traction**: drive battery
~ **épuisée**: dead battery, exhausted battery
~ **frigorifique**: cooling battery
~ **réfrigérante**: cooling battery
~ **solaire**: solar array
~-**tampon**: buffer battery, floating battery

batteur *m* : beater; (tissage) picker
~ **de pieu**: pile driver
~-**ouvreur**: beater opener

batteuse *f* : threshing machine, thresher

battitures *f* : mill scale, roll scale

battre: to beat
~ **les cartes**: (inf) to jog, to joggle the cards
~ **à refus**: (forage) to drive home
~ **monnaie**: to mint

bavure *f* : burr, fin, flash; (de pièce moulée) runout; (graph) bleed, smudge
~ **de joint**: joint flash
~ **de soudure**: welding burr

BD → **bande dessinée**

BDD → **base de données**

BDR → **base de données réparties**

bec *m* : nose, spout, tip; lip (of ladle)
~ **bunsen**: bunsen burner
~ **d'arroseur**: sprinkler nozzle
~ **d'outil**: tool tip

~ **de chalumeau**: torch nozzle, burner nozzle
~ **de cornue**: converter mouth, converter nose
~ **de gaz**: gas burner
~ **de gaz en éventail**: fantail burner
~ **de pile de pont**: cutwater
~ **éventail**: wing burner
~ **papillon**: bat's wing burner, wing burner
~ **pulvérisateur**: spray nozzle
~ **recourbé**: (de burette) curved spout
~ **verseur**: pourer, pouring lip, pouring spout

bêche *f* : spade
~ **d'ancre**: anchor fluke

bécher *m* : beaker

bédane *m* : mortise chisel, heading chisel

bélier *m* : (animal) ram; (plomberie) water hammer
~ **de battage**: ram, pile driver
~ **hydraulique**: hydraulic ram

belle page *f* : odd page, uneven page

benne *f* : skip, bucket
~ **à fond ouvrant**: drop bottom skip, drop bottom bucket
~ **basculante**: tip[ping] bucket, tipping skip, tilting skip; (camion) dump body, tilting body
~ **basculante à déchargement de côté**: side-dump body
~ **de grue**: tipping skip, crane skip
~ **de tombereau**: body (of dumper), dumper body
~ **décapeuse**: scraper bowl
~ **piocheuse**: clamshell bucket
~ **polype**: orange peel bucket
~ **preneuse**: bucket grab, clam, clamshell bucket
~ **traînante**: dragline bucket

benthique: benthic, benthal, benthonic

benthos *m* : benthos, benthon

benzène *m* : benzene

benzine *f* : benzin[e]

benzol *m* : benzol[e]

benzoyle *m* : benzoyl

benzyle *m* : benzyl

béquille *f* : prop, stand; (constr) leg of portal frame; (de moto) kick stand; (poignée de serrure) lever handle
~ **avant**: (aéro) nose leg
~ **de capot**: bonnet stay
~ **de queue**: (aéro) tail skid, prop
~ **de stabilisation**: (grue) outrigger

ber *m* : launching cradle

berceau *m* : cradle, bearer, support
~ **de chaudière**: boiler bearer
~ **de citerne**: tank cradle
~ **de lancement**: launching cradle
~ **de moteur**: engine bed, engine bearer, engine mount, engine cradle

bergamote *f* : bergamot

berge *f* : bank (of river)

berline *f* : (autom) saloon [car] GB, sedan NA; (mine) car

berme *f* : berm

besoin *m* : demand, want, requirement; → aussi **besoins**
~ **d'énergie**: energy requirement
~ **de froid**: refrigeration load
~ **calorifique**: heat requirement
~ **nutritionel**: nutritional requirement
~ **thermique**: heat requirement

besoins *m* : requirements; (en eau d'irrigation) duty
~ **en eau**: water demand
~ **bruts**: (irrigation) diversion duty
~ **nets**: (irrigation) farm duty
~**s totaux d'énergie** ▶ BTE: total energy requirements

bestiaux *m* : cattle

bétail *m* : cattle
~ **à l'engrais**: fattening cattle
~ **de boucherie**: fat stock
~ **en stabulation**: stabled cattle
~ **sur pied**: grazing stock, beef on the hoof

bêtathérapie *f* : beta ray therapy

bêtatron *m* : betatron

bête *f* : animal, beast
~ **à corne**: (générique) horned animal; (élevage) horned cattle

béton *m* : concrete
~ **à air occlus**: air-entrained concrete
~ **apparent**: exposed concrete

~ **armé** ▶ **BA**: reinforced concrete
~ **armé de fibre de verre**: glass-reinforced concrete
~ **asphaltique**: asphalt concrete
~ **banché**: cast-in-place concrete, poured concrete, shuttered concrete
~ **bitumineux**: bituminous concrete
~ **brut de décoffrage**: unsurfaced concrete, untreated concrete
~ **caverneux**: no-fines concrete
~ **coulé**: cast concrete
~ **coulé en place**: cast-in-place concrete
~ **coulé sous l'eau**: underwater concrete
~ **de centrale**: ready-mixed concrete, mixed concrete, plant-mixed concrete
~ **de consistance terre humide**: no-slump concrete
~ **de masse**: mass concrete
~ **de parement**: fair-faced concrete
~ **de propreté**: oversite concrete, binding concrete, blinding layer
~ **de terre**: rammed earth
~ **décapé**: [acid] scoured concrete
~ **fabriqué sur le chantier**: site-mixed concrete
~ **fluide**: chuted concrete
~ **gâché sec**: dry concrete
~**-gaz**: aerated concrete
~ **goudronneux**: tar concrete
~ **hydrocarboné**: bituminous concrete
~ **jeune**: immature concrete
~ **manufacturé**: precast concrete
~ **non armé**: plain concrete
~ **piqué**: rodded concrete
~ **plein**: dense concrete
~ **pompé**: pumpcrete
~ **pré-malaxé**: ready-mixed concrete
~ **préparé en centrale**: premix concrete
~ **prêt à l'emploi**: ready-mixed concrete, transit-mixed concrete, truck-mixed concrete
~ **projeté**: shotcrete, sprayed concrete
~ **routier**: pavement concrete
~ **sans granulats fins**: no-fines concrete
~ **sec**: no-slump concrete, stiff concrete
~ **ternaire**: three-component concrete
~ **taloché**: floated concrete
~ **transporté par goulotte**: chuted concrete

bétonnage *m* : concrete work, concreting

bétonnière *f* : concrete mixer
~ **portée**: truck mixer

bette *f* : chard

betterave *f* : beet
~ **fourragère**: fodder beet
~ **potagère**: red beet
~ **rouge**: red beet
~ **sucrière**: sugar beet

beurre *m* : butter
~ **allégé**: light butter
~ **clarifié**: clarified butter
~ **d'anchois**: anchovy paste
~ **d'arachide**: peanut butter
~ **de cacao**: cocoa butter
~ **de coco**: coconut butter
~ **de crevette**: shrimp paste
~ **frais**: unsalted butter
~ **grumeleux**: brittle butter
~ **laitier**: dairy butter
~ **salé**: salt butter

beurrerie *f* : buttermaking; butter factory

biais *m* : skew, slant; (statistiques, tissu) bias
~ **d'échantillonnage**: sampling bias
de ~, en ~: askew, on the skew, on the slant, oblique, at an angle

biaxial: biaxial; (déformation) plane

bibliothèque *f* : library
~ **de programme**: program library
~ **génomique**: gene library, genomic library

bibobine: reel-to-reel (cassette)

bicanal: dual-channel

bicarbonate *m* : bicarbonate
~ **de soude**: bicarbonate of soda, sodium bicarbonate

bicarburant: dual-fuel

bichromie *f* : two-colour printing

bicolore: two-colour

bicombustible: bi-fuel, dual-fuel

biconcave: biconcave, concavo-concave, double concave

biconique: biconal, double-taper

biconvexe: biconvex, convexo-convex, double convex

bicourant: ac-dc

bicylindre *m* : two-cylinder engine
~ **à plat**: twin horizontal opposed cylinder engine

bidimensionnel: two-dimensional;
(cristal) plane

bidirectionnel *m* : (tcm) two-way
working; *adj* : bidirectional, both ways
~ **simultané**: (tcm) duplex

bidon *m* : can
~ **à essence**: petrol can
~ **à huile**: oil can, oil drum
~ **souple**: jerribag

bief *m* : reach (on canal)
~ **d'amont**: head bay; (canal
d'amenée) head race
~ **d'aval**: tail bay

bielle *f* : (méc) connecting rod, [main]
link; (constr) truss rod
~ **à chape**: strap connecting rod
~ **coulée**: burned out connecting rod
~ **d'accouplement**: coupling rod, side
rod
~ **d'attaque**: actuating rod, activating
rod, control rod, operating rod
~ **d'excentrique**: eccentric rod
~ **de balancier**: pitman
~ **de commande**: actuating rod,
activating rod, control rod, operating
rod
~ **de connexion**: pitman shaft, pitman
arm, pitman
~ **de réaction**: torque rod
~ **de traction**: pull rod
~ **directrice**: driving rod, main rod
~ **du parallélogramme**: parallel bar
~ **du tiroir**: valve rod
~ **motrice**: driving rod, main rod
~ **oscillante**: link, oscillating crank
~ **pendante**: (autom) steering lever,
steering drop arm
~ **renversée**: back-acting connecting
rod
~ **va-et-vient**: push-pull rod

biellette *f* : [drive] link, link rod

bière *f* : beer
~ **au tonneau**: beer from the wood,
draught beer
~ **blonde**: pale ale, light ale
~ **brune**: brown ale, stout
~ **de malt**: malt beer
~ **en boîte**: canned beer
~ **en bouteilles**: bottled beer
~ **en perce**: beer on draught, draught
beer GB, draft beer NA
~ **en tonneau**: beer on draught,
draught beer GB, draft beer NA
~ **jeune**: green beer, new beer
~ **pression**: draught beer GB, draft
beer NA

biergol *m* : bipropellant

bifilaire: bifilar, double-wound, twin-wire,
twin-conductor, two-conductor, two-
wire

bifteck *m* : [beef] steak
~ **haché**: minced beef, mince GB,
ground beef NA

bifurcation *f* : y, fork; (chdef) branch;
(route) road junction

bigrille: bigrid

bilame *m* : bimetallic strip

bilan *m* : balance
~ **azoté**: nitrogen balance
~ **énergétique**: energy balance,
energy budget
~ **hydrologique**: water budget, water
balance
~ **matières**: material balance
~ **neutronique**: neutron balance
~ **radiatif**: radiation balance

bilatéral: two-way (communication)

billage *m* : ball [hardness] test

bille *f* : (de clapet, de roulement) ball
~ **de placage**: veneer bolt
~ **de verre**: glass sphere
~ **et anneau**: ring and ball
~ **résiliente pour moulage**: resilient
moldable bead

billet *m* : ticket
~ **de banque**: banknote GB, bill NA

billeterie *f* : automatic cash dispenser

billette *f* : billet

bimestriel: two-monthly

bimétal: bimetal

bimétallique: bimetallic

bimode: dual-mode

bimoteur *m* : twin-engine aircraft

binaire *m* (chiffre binaire) bit; *adj* :
(adhésif, mélange) two-part, two-pack;
(chim) two-component; (inf) binary
~ **de poids le plus faible**: least
significant bit
~ **de poids le plus fort**: most
significant bit
~ **pur**: straight binary

binucléé: binucleate

bioaération f : bio-aeration

bioalcool m : biomass alcohol

bioénergétique f : bioenergetics

bioénergie f : bioenergy

biocapteur m : biosensor

biocarburant m : biofuel, biomass motor fuel

biocatalyseur m : biocatalyst

biocénose f : biocenosis

biochimie f : biochemistry

biocide m : biocide; adj : biocidal

biocombustible m : biofuel

bioconversion f : bioconversion

bioclimatologie f : bioclimatology

biodégradable: biodegradable

biodisque m : biological disk, bilological disc

bioénergie f : bioenergy

bioéthique f : bioethics

biogaz m : biogas, marsh gas

biogène m: biogen; adj : biogenous

biogénèse f : biogenesis

biogéographie f : biogeography

biohydrocarbure m : biomass hydrocarbon

biolistique f : biological balistics, bio-balistics

biologie f : biology
~ **marine**: marine biology
~ **moléculaire**: molecular biology
~ **végétale**: plant biology

biologiste m : biologist

bioluminescence f : bioluminescence

biomasse f : biomass

~ **aérienne**: above-ground biomass
~ **algale**: algae biomass, algal biomass

biome m : biome

biométhane m : biogas

biométhanisation f : biomethanation

biométrie f : biometrics, biometry

bionique f : bionics

biophysicien m : biophysicist

bioplasme m : bioplasm

biopuce f : biochip

bioréacteur m : fermenter

biostimulant m : biostimulant

biosynthèse f : biosynthesis

biote m : biota

biotique: biotic

biotope m : biotope

biotype m : biotype

biovar m : biovar

bip m : beep

bipasse m : bypass

biphasé: diphase, two-phase

bipiste: double-track

bipolaire: double-pole, bipolar, two-pole, two-pin
~ **à deux directions**: double-pole double-throw
~ **à une direction**: double-pole single-throw

biporte m : two-port network
~ **en échelle**: ladder network
~ **en treillis**: lattice network

bipoutre m : (pont roulant) double-girder crane; adj : double-beam

biquinaire: biquinary

biréacteur m : twin-jet [engine] aircraft

biréfringence *f* : double refraction, birefringence

biréfringent: birefractive, birefringent, double refractive, double refracting

bisannuelle *f* : biennial [plant]

biscuit *m* : (céram) biscuit; (alim) biscuit GB, cookie NA
~ **à la cuiller**: sponge finger
~ **sucré**: sweet biscuit

biseau *m* : bevel; (men) mitre GB, miter NA

biseautage *m* : bevelling; (men) mitring GB, mitering NA

bispirale, bispiralé: double-coiled, double-wound

bissecter: to bisect

bissectrice *f* : bisector, bisectrix

bistable: two-state

bistandard: bistandard

bisulfite *m* : bisulphite

bisulfure *m* : bisulphide GB, bisulfide NA, disulphide GB, disulfide NA
~ **de molybdène**: molybdenum disulphide

bit *m* : bit
~ **[à] 0**: off bit
~ **clé**: check bit
~ **d'état**: status bit
~ **d'imparité**: odd parity bit
~ **d'information**: data bit, information bit
~ **de bourrage**: stuffing bit
~ **de contrôle**: check bit
~ **de parité**: [even] parity bit
~ **de poids le plus faible**: least significant bit
~ **de poids le plus fort**: most significant bit
~ **de signalisation**: signal bit
~ **de signe**: sign bit
~ **drapeau**: tag bit
~ **utile**: data bit, information bit

bitension: dual-voltage, two-voltage

bitte *f* : bitt, bollard

bitumage *m* : tarring

bitume *m* : [natural] asphalt NA, bitumen GB
~ **asphaltique**: asphalt cement
~ **de distillation**: refinery bitumen
~ **direct**: straight-run asphalt
~ **fillerisé**: mineral-filled asphalt
~ **fluxé**: cutback asphalt, road oil
~ **lacustre**: lake asphalt
~ **obtenu par distillation**: straight-run asphalt
~ **oxydé**: oxidized bitumen, oxydized asphalt
~ **routier**: paving asphalt
~ **sous vide**: vacuum asphalt, vacuum [asphaltic] bitumen

bitumé: (carton, papier) tarred

bitumineux: bituminous, asphaltic

bivalent: (chim) bivalent, divalent; (système) dual

bivitesse: dual-speed, two-speed

bivocal: speech-plus-duplex

BL → **bande latérale**

blanc *m* : blank; (guerre électronique) look-through; *adj* : white; (métal) bright; (corde) non goudronné; (formulaire) blank
~ **d'Espagne**: whiting
~ **de charge**: extender
~ **de Meudon**: whiting
~ **de plomb**: white lead
~ **de zinc**: (pigment) zinc white, zinc oxide
~ **froid**: cool white
~ **idéal**: (tv) equal energy white
~ **légèrement teinté**: offwhite
~ **moyen**: (tv) equal signal white
~ **parfait**: peak white

blanchet *m* : (graph) blanket
~ **en caoutchouc**: rubber blanket
~ **offset**: offset blanket

blancheur *f* : whiteness; (pap) brightness

blanchi: bleached; (bois) surfaced

blanchiment *m* : bleaching
~ **optique**: optical bleaching

blanchir: to whiten, to bleach; (bois) to clean up, to surface; (pap) to potch

blastoderme *m* : blastoderm, blastodisc

blastogénèse *f* : blastogenesis

blastula *f* : blastula

blé *m* : corn, wheat
~ **en épi**: corn in the ear
~ **en herbe**: green corn
~ **noir**: buckwheat
~ **tendre**: [common] soft wheat

blette *f* : [Swiss] chard

blende *f* : blende
~ **de zinc**: zinc blend

bleu *m* : blue print; *adj* : blue
~ **de méthylène**; methylene blue
~ **de tournesol**: litmus blue

bleuissement *m* : blueing; (du bois) blue stain

BLI → bande latérale indépendante

blindage *m* : (él) screen[ing], shield[ing], metal enclosure; (mil) armour GB, armor NA, armour plating, [steel] plating; (de puits, de tunnel) lining; (de tranchée) sheeting, sheathing
~ **anti-usure**: liner, lining
~ **d'induit**: armature casing
~ **de fer**: iron plating
~ **en aluminium**: aluminium screening
~ **magnétique**: magnetic shield, magnetic screening
~ **thermique**: thermal shield

blindé: *m* : armoured vehicle GB, armored vehicle NA; *adj* : (él) protected, screened, shielded, canned, shell-type; (mil) armour-plated GB, armor-plated NA, armoured, armored, plated
~ **chenillé**: armoured tracked vehicle
~-**ventilé**: enclosed-ventilated

blip *m* : (radar) blip

blister *m*, **blistère** *m* : (emballage) blister
~ **double coque**: clamshell blister

bloc *m* : (inf, maçonnerie, molécule de polymère) block; (d'éléments) block, unit; (mémoire d'ordinateur) bank; (éon) package; (de papier, de touches) pad
~ **à contacts multiples**: multiple package
~ **amovible**: plug-in package
~ **d'accord d'antenne**: antenna tuning unit
~ **d'alimentation**: power pack, power supply unit
~ **d'alimentation hydraulique**: hydraulic power pack

~ **d'ancrage**: anchor[age] block
~ **d'appariement**: (gg/bm) pairing block
~ **de connexion**: terminal block
~ **de distribution**: valve block
~ **de données**: pack
~ **de maçonnerie**: building block, masonry unit
~ **de mémoire**: memory bank
~ **de pilotage**: control unit; (astron) autopilot
~ **de puissance**: (astron) power unit, power module
~ **de raccordement**: manifold block, valve block
~ **de sélecteurs**: selector unit
~ **de serrage**: [wrench] adapter
~ **de soupapes**: valve block [assembly]
~ **de touches numérique**: numeric keypad
~ **enfichable**: plug-in unit
~ **fonctionnel**: module
~ **obturateur de puits** ▶ **BOP**: blowout preventer, bop stack
~ **optique**: optical unit
~ **refroidisseur**: cooling unit, unit cooler

bloc-cylindres *m* : cylinder block

bloc-diagramme *m* : block-diagram

bloc-eau *m* : prefabricated plumbing unit

bloc-évier *m* : sink unit

bloc-fenêtre *m* : window unit

bloc-notes *m* : writing pad; (inf) scratch pad

bloc-porte *m* : door unit, prehung door

bloc-ressort *m* : spring asssembly

blocage *m* : (méc) clamping, locking, locking device; (grippage) jamming, seizing; (arrêt, interdiction) check, inhibiting, interlock; (à une certaine valeur) freeze, freezing; (él) latching, latch [up]; (éon) cutoff; (maçonnerie) rubble
~ **de clavier**: keyboard lock[out]
~ **de différentiel**: differential interlock
~ **de phase**: phase locking
~ **de vis**: jamming device
~ **sonique**: sonic cutoff, sonic block, blocking
~ **sur surintensité**: overcurrent blocking
à ~ **automatique**: self-locking

blondin *m* : cableway

bloquer: (méc) to lock; (moteur) to stall; (pièce mobile) to latch; (transistor, valve) to cut off; **se ~**: to stop dead; (transistor) to turn off

BLR → **bande latérale résiduelle**

BLU → **bande latérale unique**

blutage *m* : bolting

bluter: to bo[u]lt

bluterie *f* : bolting machine, bolter

BM → **bande magnétique**

boa *m* : braided all-metal hose

bobinage *m* : (él) coil winding, winding, coil; (text) spooling, winding
  ~ à pas raccourci: short-pitch winding
  ~ à spires jointives: closed winding
  ~ amortisseur: damper winding
  ~ croisé: criss-cross winding, cross winding; (filature) traverse winding
  ~ d'induit: armature winding
  ~ de cops: copping
  ~ en nid d'abeille: lattice winding
  ~ imbriqué: lap winding
  ~ rapide: (de cassette) fast forward
  ~ sur cônes: coning
  ~ sur mandrin: (pap) centre winding
  ~ toroïdal: doughnut coil GB, donut coil NA

bobine *f* : bobbin, coil, reel, spool; (filature) package
  ~ à air: air-core coil
  ~ à bobine: reel-to-reel
  ~ à coulisse: slider coil, sliding coil
  ~ à curseur: slider coil, sliding coil
  ~ à double enroulement: bifilar coil, double-wound coil
  ~ à noyau plongeur: sucking coil
  ~ à noyau de fer: iron-core coil
  ~ croisée: (él) cross coil; (filature) cheese
  ~ d'allumage: (autom) distributor coil
  ~ d'amortissement: choke [coil], quenching choke
  ~ d'arrêt: choke [coil], choking coil
  ~ d'enclenchement: closing coil
  ~ d'excitation: trip coil
  ~ d'inductance: inductance coil, inductor
  ~ d'inductance cuirassée: shell-type reactor
  ~ d'inductance shunt: shunt reactor
  ~ d'induction: choke [coil], choking coil, induction coil, inductor

  ~ d'intensité: current coil
  ~ de banc: (filature) roving bobbin
  ~ de câble: cable reel
  ~ de choc: choke coil
  ~ de choc à air: air-core choke
  ~ de concentration: concentrating coil
  ~ de couplage: coupling coil
  ~ de déclenchement: trip coil
  ~ de démarrage: booster coil
  ~ de dérivation: shunt coil
  ~ de détection: pick-up coil
  ~ de déviation: deflecting coil, deflexion coil
  ~ de filtrage: smoothing choke
  ~ de focalisation: concentrator, concentrating coil
  ~ de lissage: smoothing choke
  ~ de livraison: (filature) supply bobbin, supply package
  ~ de Pupin: loading coil
  ~ de self: choke, inductance coil, inductor, reactor
  ~ de soufflage: blowout coil
  ~ débitrice: delivery spool, payout spool, supply reel, supply spool, take-off reel, take-off spool
  ~ dérouleuse: payout spool, supply reel, supply spool, take-off reel, take-off spool
  ~ déviatrice: deflexion coil, deflecting coil
  ~ en dérivation: shunt coil
  ~ en fond de panier: basket coil, basket[-wound] coil, basket-weave coil
  ~ en galette: pancake coil
  ~ en nid d'abeille: lattice wound coil
  ~ enrouleuse: take-up reel, take-up spool
  ~ exploratrice: pick-up coil, search coil
  ~ lectrice: pick-up coil
  ~ mobile: moving coil, speech coil
  ~ ouverte: open-ended coil
  ~ plate: pancake coil
  ~ réceptrice: output spool, rewind spool, take-up spool, take-up reel
  ~ shunt: shunt coil
  ~ toroïdale: doughtnut [coil] GB, donut [coil] NA
  à ~: (pap, graph) reel-fed, web-fed

bobiné: wound
  ~ en nid d'abeille: lattice wound

bobiner: to wind, to spool
  ~ par bobinage croisé: to crosswind

bobineuse *f* : coiler, coiling machine, coil winder, spooling machine; spooler

bobinoir *m* : (filature) pirn winder, winding machine
  ~ pour canette: cop winder

bobinot *m* : (laminage) slit coil; (banc à broches) flyer bobbin
~ **de banc**: roving bobbin

bocal *m* : bottle (with large mouth)

bœuf *m* : (animal) ox, steer; (viande) beef
~ **de boucherie**: beef cattle, fat[tening] ox

bogie *m* : bogie GB truck NA
~ **arrière**: trailing bogie, trailing truck
~ **avant**: leading bogie, leading truck
~ **moteur**: power bogie, power truck

bois *m* : wood
~ **blanc**: deal, whitewood
~ **corroyé**: wrot timber GB, dressed timber NA, surfaced timber
~ **d'échantillon**: dimension stock
~ **d'œuvre**: timber GB, lumber NA
~ **de bout**: end-grain wood
~ **de charpente**: structural lumber
~ **de cœur**: duramen
~ **de construction**: timber GB, lumber NA
~ **de construction séché à l'air**: yard lumber
~ **de fil droit**: straight-grained timber
~ **de placage**: veneer
~ **de placage déroulé**: rotary cut veneer
~ **de sapin**: deal
~ **de sciage**: converted timber, sawn timber
~ **débité**: converted timber
~ **densifié**: compressed wood
~ **franc de nœuds**: clean lumber
~ **hétérogène**: uneven-grained wood, uneven-textured wood
~ **imprégné densifié**: compregnated wood, densified impregnated wood
~ **imprégné**: impregnated wood
~ **lamellé**: laminated wood
~ **latté**: blockboard
~ **résineux**: coniferous wood, softwood
~ **ronceux**: curly wood
~ **sans défauts**: clear lumber, clear stuff
~ **scié**: sawn timber
~ **séché au four**: kiln-cured wood
~ **sur pied**: standing timber
~ **tendre**: soft wood
~ **traité**: preserved wood

boisage *m* : (de tranchée, de tunnel) lining
~ **de puits**: (mine) crib[bing]
~ **de soutènement**: crib[bing] (of trench, of well)

boiserie *f* : wood trim

boisseau *m* : (mesure) bushel; (robinetterie) barrel type valve, rotary valve; (de robinet) plug; (de cheminée) chimney block
~ **étrangleur**: throttle valve
~ **sphérique**: ball valve

boisson *f* : beverage, drink
~ **à l'eau**: long drink
~ **alcoolique**: alcoholic drink, alcoholic beverage; rum NA
~ **non alcoolisée**: soft drink

boîtard *m* : bearing housing, bearing carrier

boîte *f* : box; (métallique) can[ister] NA, tin GB
~ **à air**: (ventilation) air box
~ **à arbres désaxés**: (transmission) drop box
~ **à bornes**: terminal box
~ **à boutons**: pushbutton station
~ **à boutons-poussoirs**: pushbutton box
~ **à boutons-poussoirs pendante**: pendant station
~ **à broches**: (filature) spindle box
~ **à câble**: cable box
~ **à câble d'extrémité**: pothead
~ **à clapets**: valve box, valve chest, valve chamber
~ **à couvercle déchirable**: ring-pull can
~ **à double rétreint**: double-neck can, two-neck can
~ **à étoupe**: stuffing box, packing box
~ **à garniture**: stuffing box, packing box
~ **à lait**: milk carton
~ **à lumière**: lamp house
~ **à noyaux**: core box
~ **à onglet**: (emballage) pop top can, pull tab can
~ **à onglets**: (men) mitre block
~ **à outils**: tool kit, tool box GB, equipment box NA
~ **à rétreint**: necked-in can
~ **à soupapes**: valve chest, valve chamber
~ **à tiroir**: slide valve chest
~ **à vapeur**: steam chest
~ **à vent**: (métall) air box, blast box (of converter); (de brûleur) wind box
~ **aux lettres (électronique)** ▶ BAL: mail box
~ **d'essieu**: axle box
~ **d'extrémité**: (de câble) terminal box, sealing end
~ **des avances**: (de tour) feed box

~ **de blindage**: shielding can, screening can
~ **de chargement**: (de bombes) canister
~ **de connexion[s]**: [cable] terminal box, junction box
~ **de conserve**: can, tin
~ **de dérivation**: junction box, distribution box
~ **de direction**: (autom) steering box, steering gear unit
~ **de distribution**: (de vapeur) valve chamber, valve chest; (él) switch box
~ **de jonction**: splice box, cable box, junction box
~ **de Pétri**: Petri dish
~ **de raccordement**: cable terminal box, cable box, connecting box, terminal box
~ **de renvoi d'angle**: bevel box
~ **de soupape**: valve box, valve chest, valve chamber
~ **de tirage**: (de câble) draw-in box, pull box
~ **de tiroir**: slide valve chest
~ **de transfert**: (autom) transfer box GB, transfer case NA
~ **de transmission**: gearbox
~ **de transmission principale** ▶ BTP: main gearbox
~ **de vitesses** ▶ BV: gearbox
~ **de vitesses synchronisées**: synchromesh gearbox
~ **emboutie et étirée**: drawn-and-ironed can
~ **en carton**: carton
~ **en fer-blanc**: tin [can]
~ **fabriquée par enroulement de carton**: fibre-wound can
~ **Hogness**: Hogness box
~ **homéotique**: homeobox
~ **métallique**: tin, can
~ **noire**: flight [data] recorder, black box
~ **pliante**: folding carton
~ **postale** ▶ BP: PO box
~ **Pribnow**: Pribnow box
~~**palier**: plug-in type bearing
~ **TATA**: TATA box
en ~: (conserverie) canned, tinned

boîtier *m* : box, case; (d'appareil photographique) body; (éon) closure, package
~ **à double rangée de connexions**: dual-in-line package
~ **à une rangée de connexions**: single-in-line package
~ **de branchement**: (d'immeuble) service entrance box
~ **de cloisonnement d'arc**: arc chute
~ **de commande suspendu**: pendant control station

~ **de connexion**: connector housing, connection box
~ **de direction**: steering [gear] box GB, steering case NA
~ **équipé de fils**: leaded pack

bol *m* : bowl
~ **alimentaire**: bolus

bolomètre *m* : bolometer

bombardement *m* : bombardment
~ **à basse altitude**: low bombing
~ **en piqué**: dive bombing
~ **ionique**: ion bombardment

bombarder: to bomb

bombardier *m* : bomber
~ **à eau**: water bomber

bombe *f* : bomb; (de pulvérisation) spray can
~ **à retardement**: time bomb
~ **au cobalt**: cobalt bomb, C-bomb
~ **calorimétrique**: bomb calorimeter, calorimeter bomb
~ **freinée par parachute**: drag chute bomb
~ **fumigène**: smoke bomb
~ **incendiaire**: incendiary bomb
~ **lacrymogène**: teargas bomb
~ **logique**: (inf) logic bomb, soft bomb

bombé *m* : crown; *adj* : dome-shaped, domed
~ **de cylindre**: roll crown
~ **de tête**: (roue dentée) tip crowning
~ **longitudinal**: barreling

bombement *m* : bulge, swell, belly; (d'un mur) camber
~ **de la chaussée**: camber of roadway, crown of roadway

bomber: to spray (with an aerosol); **se ~**: to arch

bôme *m* : boom

bon *m* : coupon, voucher; *adj* : good; → aussi **bonne**
~ **à tirer** ▶ BAT: passed for press, OK
~ **à tirer après corrections**: OK with corrections
~ **de livraison**: delivery order
~ **mouillage**: safe anchorage
~ **pour exécution**: production copy (of drawing)
~ **sens**: right direction; (IA) common sense
en ~ état: serviceable

en ~ ordre: in order
en ~ ordre de marche: in working order
en ~ ouvrier: in a workmanlike manner

bonbon *m* : sweet GB, candy NA; **~s**: confectionery
~ **acidulé**: acid drop

bonbonne *f* : carboy, demijohn

bonde *f* : (lab) bung
~ **de lavabo**: plug hole, washbasin outlet

bonification *f* : (drainage) reclamation
~ **des terres**: land reclamation

bonne, ~ **épreuve**: clean proof
~ **plasticité**: soft flow
~ **réception**: (tcm) strong signal

bonnet *m* : (de ruminant) honeycomb stomach

bonneterie *f* : knitwear

bonnette *f* : auxiliary lens, supplementary lens
~ **de visée**: (oscilloscope) viewing hood

BOP → **bloc obturateur de puits**

bord *m* : edge; (d'un récipient) brim, rim
~ **arrière**: trailing edge
~ **avant**: leading edge
~ **brut de laminage**: mill edge
~ **croqué**: pinked edge
~ **d'attaque**: leading edge
~ **d'équerre**: square edge
~ **de fuite**: trailing edge
~ **de sortie**: leaving edge
~ **de trottoir**: kerb GB, curb NA
~ **déchiqueté**: jagged edge
~ **dentelé**: jagged edge
~ **détendu**: slack edge
~ **non rogné**: (pap) mill edge
~ **relevé**: (pap) curled edge
~ **roulé**: bead
~ **tombé**: flanged edge, flange, bent-over edge, turned-over edge
à ~: on board

bordage *m* : flanging, beading; (d'un navire) plank

bordé *m* : (de navire) planking, (outside) plating; *adj* : plated
~ **à clins**: clinker built
~ **de la carène**: bottom plating

~ **de pont**: deck plating
~ **des œuvres mortes**: topside planking
~ **en tôles**: plating
~ **extérieur**: shell
~ **intérieur**: inner skin, inside planking, interior planking

bordée *f* : (mil) broadside

border: to edge, to bead (a tube), to curl (sheet metal); (mar) to plank (outside)
~ **en tôles**: (mar) to plate

bordereau *m* : account, note
~ **d'achat**: purchase note
~ **d'expédition**: shipping note
~ **de colisage**: packing list

bordure *f* : border, boundary, margin; edging, edge trim; curl (in sheet metal)
~ **d'une bande de fréquence**: band edge
~ **de pignon**: vergeboard
~ **de toit**: fascia
~ **de trottoir**: kerb GB, curb NA

bore *m* : boron

borgne: blind (hole)

bornage *m* : setting out (of boundaries)

borne *f* : (él) terminal [screw], [binding] post, junction point; (inf) delimiter, limiter
~ **à pinces**: clip-on terminal
~ **à prisonnier**: captive-head terminal
~ **à serrage**: binding terminal, binding post
~ **à tige**: stud terminal
~ **à vis**: screw terminal, terminal post, post clamp, binding screw, binding post
~ **d'attache**: end terminal
~ **d'émetteur**: emitter terminal
~ **d'entrée**: entrance bushing
~ **d'entrée de courant**: input terminal
~ **d'essai**: testing terminal
~ **d'extrémité**: end terminal
~ **de branchement**: branch terminal
~ **de câble**: cable terminal
~ **de connexion**: binding post, connecting terminal
~ **de dérivation**: branch terminal
~ **de gonflage**: air pump
~ **de mise à la terre**: earth terminal
~ **de neutre**: neutral terminal
~ **de phase**: line terminal
~ **de raccordement**: connecting terminal
~ **de repérage**: [cable] marker

~ **de sortie**: outlet terminal, output terminal
~ **de terre**: earth[ing] terminal
~ **de traversée**: lead-through terminal GB, lead-thru terminal NA
~ **filetée**: screw terminal
~ **fontaine**: waterplug
~ **plate**: strip terminal
~ **polaire**: pole binder, pole terminal, terminal post
~ **pour connexions enroulées**: wrap post
~ **serre-fils**: binding screw, binding post
~ **traversée**: terminal bushing
aux ~s: across the terminals
aux ~s d'entrée: across the input
aux ~s d'une résistance: across a resistance

borner: to limit, to bracket; (constr) to peg out, to stake out

bornier *m* : (de raccordement) terminal block, connector block
~ **à vis**: screw strip

bossage *m* : (méc) boss (on casting)
~ **de came**: cam lobe
~ **de fixation**: mounting pad
~ **de montage**: mounting pad
~ **du piston**: piston boss

bosse *f* : bump; (d'une courbe) bulge; (mar) painter

bossellement *m* **localisé**: (de tôle) denting

bosser: (mar) to stop (a chain)

bossoir *m* : (d'ancre) cathead; (d'embarcation de sauvetage) davit

botte *f* : (de fil) coil, bundle

botteleuse *f* : bundling machine

boucanage *m* : curing, smoking (of meat, of fish)

boucaner: to cure, to smoke-dry cure (fish, meat)

bouchage *m* : plugging, obstruction (in a pipe); (de bouteille) closure
~ **inviolable**: tamper evident closure, tamper resistant closure

bouche *f* : mouth, opening; (de canalisation) outlet; (de canon) muzzle
~ **à ailettes**: vaned outlet

~ **à clé**: curb box NA, valve box (in road), service box, stop box, surface box GB, vault NA
~ **à eau**: water plug
~ **d'air**: (clim) air nozzle
~ **d'arrosage**: sprinkling hydrant
~ **d'égout**: surface water gully
~ **d'incendie**: hydrant
~ **de reprise**: (clim) air inlet
~ **de soufflage**: aerator, air blower
~ **de ventilation**: air nozzle

bouche-pores *m* : pore filler, sealer, wood stopper

boucher: (un tuyau) to obstruct; **se ~**: to clog
~ **un trou**: to plug a hole, to stop a hole

bouchon *m* : (on bottle) cork, stopper; (sur réservoir) plug; (sur placage) patch; (tir d'explosifs) cut; (circulation routière) tailback, traffic jam
~ **à baïonnette**: bayonet plug
~ **à vis**: screw plug, screw stopper, screw cap, twist cap
~ **à gros trous**: large-hole cut
~ **à mines parallèles**: burn cut, parallel cut, shatter cut
~ **à tir de cratère**: crater cut
~ **conique**: wedged plug; diamond cut, pyramid cut
~ **convergent**: diamond cut, pyramid cut
~ **d'air**: air lock
~ **d'argile**: clay plug
~ **de contrôle de niveau**: level plug
~ **de gicleur**: jet plug
~ **de purge**: drain plug
~ **de purge d'air**: vent plug, air release plug
~ **de remplissage**: filler cap
~ **de valve**: cap (of tyre valve), valve cap
~ **de vapeur**: air lock, vapour lock
~ **de vidange**: drain plug, draw-off plug
~ **de visite**: inspection fitting, access eye
~ **en pyramide**: diamond cut, pyramid cut
~ **femelle**: cap [plug], threaded cap
~ **fileté**: threaded plug, screw plug
~-**filtre**: strainer cap
~ **froid**: cold slug
~ **fusible**: safety plug
~ **gicleur**: jet plug
~ **mâle**: pipe plug
~ **parallèle**: burn cut, parallel cut, shatter cut
~ **pyramidal**: diamond cut, pyramid cut

boucle *f* : loop; (d'un fleuve) horsehoe bend, ox bow
~ **d'amarrage**: ring bolt
~ **d'asservissement**: control loop, servo loop
~ **d'inversion**: (gg/bm) inversion loop
~ **de couplage magnétique**: coupling loop
~ **de courant**: current loop
~ **de délétion**: (gg/bm) deletion loop
~ **de dilatation**: (sur pipeline) slack loop
~ **de mesure**: test loop
~ **de régulation**: control loop
~ **emboîtée**: (inf) nested loop
~ **en épingle à cheveux**: hairpin loop
~ **faire**: (inf) do loop
~ **imbriquée**: nested loop
~ **monocaténaire**: (gg/bm) single-strand[ed] loop
~ **simple brin**: (gg/bm) single-strand, single-stranded loop

bouclé: uncut (pile of fabric)

bouclier *m* : shield (mining, tunnel, reactor)
~ **biologique**: biological shield
~ **de soudage**: welding shield
~ **thermique**: heat shield, thermal shield

boudin *m* : bulb (on section); (ressort) spiral spring; (alim) black pudding
~ **d'étanchéité**: seal

boudinage *m* : coiling; (de caoutchouc) rubber extrusion

boudiné: spiral (resistor, wire)

boudineuse *f* : extruder, pug mill
~ **à noyaux**: core extrusion machine
~ **à deux vis**: twin-screw extruder
~ **à tuyaux**: tube extrusion press
~ **à vis**: screw extruder
~ **pour feuilles**: sheet extruder
~-**mélangeuse**: compounder extruder

boue *f* : (terre et eau) mud; (dépôt) slime, sludge; (mélange liquide) slurry; → aussi **boues**
~ **alluvionnaire**: sullage
~ **alourdie**: weighted mud
~ **anodique**: anode mud, anode slime
~ **de carter**: engine sludge, crankcase sludge
~ **émulsionnée eau dans l'huile**: water-in-oil emulsion mud
~ **liquide**: slurry

bouée *f* : buoy
~ **à cloche**: bell buoy

~ **d'orin**: cable buoy
~ **de corps mort**: mooring buoy
~ **de sauvetage**: lifebuoy
~ **lumineuse**: light buoy
~ **sonore**: sonobuoy

boues *f* : (épuration) sludge
~ **brutes**: green sludge, raw sludge, undigested sludge
~ **calcaires**: (épuration) calcareous sludge
~ **d'ensemencement**: seeding sludge
~ **d'épuration**: sewage sludge
~ **digérées**: digested sludge
~ **épaisses**: heavy sludge
~ **fraîches**: raw sludge, green sludge, undigested sludge
~ **humides**: wet sludge
~ **liquides**: liquid sludge

bouffant *m* : (pap) body of paper, bulk

bouffi *m* : (alim) bloater

bougie *f* : candle; sparking plug
~ **antiparasite**: suppressed sparking plug
~ **d'allumage**: (moteur à combustion interne) spark[ing] plug; (turbine à gaz) igniter plug
~ **de paraffine**: mineral candle
~ **de préchauffage**: glow plug

bouilleur *m* : [back] boiler

bouillie *f* : (céram) slip
~ **bordelaise**: bordeaux mixture
~ **d'argile**: (fonderie) claywash
~ **de ciment**: cement grout
~ **explosive**: slurry blasting agent, slurry explosive, watergel explosive; slurry
~ **pompable**: pourable slurry

bouillir: to boil

bouillon *m* : broth, stock
~ **bilié au vert brillant**: (bio) brilliant green bile broth
~ **de bœuf**: beef broth, beef stock
~ **de culture**: nutrient broth
~ **de légumes**: vegetable stock, vegetable soup
~ **gras**: meat broth
~ **lactosé**; lactose broth
~ **maigre**: vegetable stock

bouillonnement *m* : boiling, bubbling

boule *f* : ball, sphere; (méthanier) spherical container; (inf) print element
~ **d'attelage**: coupling ball

~ **d'éclateur**: spark ball
~ **de naphtaline**: mothball

boulet *m* : (robinetterie) ball; (de charbon) briquette, ovoid
~**s**: patent fuel

boulier *m* : abacus (maths)

boulochage *m* : (tissu) pilling

boulocher: to pill

boulon *m* : [screw] bolt
~ **à auto-serrage**: self-locking bolt
~ **à charnière**: swing bolt
~ **à clavette**: cotter bolt
~ **à coin de serrage**: wedge bolt
~ **à crans**: rag bolt
~ **à ergot**: snug [head] bolt
~ **à œil**: ring bolt, eye bolt
~ **à oreilles**: thumb bolt, wing bolt
~ **à tête**: (six pans) cap screw
~ **à tête noyée**: countersunk bolt
~ **à tête bouterollée**: snap head bolt
~ **à vis**: screw bolt
~ **abattu**: clinch[ed] bolt
~ **aplati**: clinch[ed] bolt
~ **articulé**: swing bolt
~ **brut**: black bolt
~ **d'ancrage**: anchor bolt, stay bolt, anchor rod, anchor screw, holding-down bolt
~ **d'ancrage passant**: crab bolt
~ **d'ancrage traversant**: crab bolt
~ **d'assemblage**: tack bolt
~ **d'écartement**: distance bolt
~ **de butée**: stop bolt, stop pin, stop stud
~ **de calage**: wedge bolt
~ **de centrage**: spigot bolt
~ **de chape**: clevis bolt
~ **de couture**: seam bolt
~ **de manille**: shackle pin
~ **de retenue**: retainer bolt
~ **de scellement**: lewis bolt, rag bolt, expansion bolt, anchor[ing] bolt, holding-down bolt
~ **de sûreté**: (à cisailler) shearing bolt
~ **de tête de bielle**: connecting rod bolt
~ **décolleté**: machine bolt
~ **fileté**: screw bolt, stud bolt, threaded bolt
~ **mécanique**: machine bolt
~ **noir**: black bolt
~ **passant**: passing bolt, through bolt GB, thru bolt NA
~ **polaire**: terminal post
~ **rivé**: clinch[ed] bolt
~ **tendeur**: stay bolt, take up bolt, straining screw

~ **traversant**: passing bolt, through bolt GB, thru bolt NA

boulonnage *m* : bolting

boulonnerie *f* : screws, bolts and nuts
~**-visserie**: fasteners

bourgeon *m* : (bot) bud; (défaut dans plastique) button

bourrage *m* : padding, stuffing; (action) tamping, ramming; (chdef) packing (of sleepers); (tir d'explosifs) stemming, tamping, ramming; (bourre): stemming [material], tamping [material]; (inf) jam[ming] (of cards)
~ **de papier**: paper jam
~ **gélatineux**: jelly filling

bourre *f* : (tampon) wadding; (explosifs) stemming [material], tamping [material]
~ **à polir**: waste cotton

bourrelet *m* : (de profilé) bulb; (rivet) roll; (coupe-vent) weather strip; (irrigation) border
~ **de pneu**: tyre bead

bourrer: to stuff
~ **les traverses**: to tamp the sleepers
~ **les trous**: (tir d'explosifs) to ram, to stem, to tamp, to charge the blast holes

bourroir *m* : stemming stick, stemming rod, stemmer, tamping stick, tamping bar, tamping rod, loading stick

boussole *f* : compass (with moving needle)
~ **d'inclinaison**: dip needle, dipping compass

bout *m* : end, tip; (de vis) point
~ **à téton**: dog point
~ **adhésif**: (gg/bm) staggered end, sticky end
~ **autocollant**: (gg/bm) staggered end, sticky end
~ **aveugle**: dead end
~ **collant**: (gg/bm) sticky end, adhesive end
~ **conique**: cone point
~ **cuvette**: cup point
~ **d'arbre**: shaft end
~ **d'arbre de moteur**: motor extension, stub shaft
~ **de câble**: cable terminal, sealing end GB, pothead NA; sealed end, shipping seal
~ **franc**: (gg/bm) blunt end, flush end

~ **lisse**: (de tuyau) plain end
~ **mâle**: (de tuyau) spigot end
~ **non fileté**: (de tuyau) plain end
~ **pendant**: (de câble) loose end
~ **pointu**: cone point
~ **rentré**: cup point
~ **téton**: dog point
de ~ **en** ~: end-to-end

boutefeu *m* : blaster, shotfirer

bouteille *f* : bottle; cylinder (gas
container)
~ **à large ouverture**: widemouth bottle
~ **consignée**: returnable bottle, money
back bottle
~ **de Leyde**: Leyden jar, Leyden vial
~ **de modèle déposé**: private mould
bottle
~ **électrique**: electric jar
~ **en verre allégé**: thin-walled glass
bottle
~ **isolante**: vacuum flask GB, vacuum
bottle NA
~ **magnétique**: magnetic bottle
~ **non consignée**: one-way bottle
~-**bocal**: wide-mouth bottle

bouterolle *f* : cup punch, riveting punch,
riveting tool, snap die, snap head,
snap set, snap tool

bouteur *m* : bulldozer
~ **biais**: angledozer
~ **inclinable**: tiltdozer
~ **léger**: calfdozer

bouton *m* : button, (souvent moleté)
knob; (filature) nep; (pap) knot
~ **à tirette de commande**: pull-type
button
~ **cranté**: detented knob
~ **de contrôle**: test button
~-**flèche**: pointer knob
~ **à index**: pointer knob
~ **à pression**: press button
~ **à touche**: key button
~ **coup de poing**: mushrom headed
pushbutton, heavy-duty pushbutton
~ **d'accord**: tuning [control] knob
~ **d'alternat**: (micro) push-to-talk
button
~ **de cadrage**: centering control [knob]
GB, centring control [knob] GB
~ **de commande**: control [knob]
~ **de contact**: contact stud
~ **de déclenchement**: release knob
~ **de déclic**: catch button
~ **de démarrage**: starter button
~ **de la manivelle**: crankpin, wrist pin
~ **de porte**: door knob
~ **de réenclenchement**: reset button

~ **de réglage**: control knob
~ **de remise à zéro**: clearing button
~ **de sonnerie**: bell push
~ **de syntonisation**: tuning knob,
tuning control [knob]
~ **de touche**: key head
~ **moleté**: knurled knob
~ **pousser-tourner**: push-and-turn
switch
~ **rotatif**: turn button

bouton-poussoir *m* : pushbutton, key
[button], plunger-type key NA, plunger
knob NA
~ **à accrochage**: lockdown pushbutton
~ **à verrouillage**: hold-down
pushbutton

boutonneux: (filature) knotty

boutonnière *f* : oblong hole, slotted hole

bouture *f* : cutting

bouvillon *m* : bullock

bovidé *m*, *adj* : bovid

bovin *m*, *adj* : bovine
~ **de boucherie**: beef cattle

boviné *m* : bovine

box *m* : (constr) cubicle, lock-up garage;
(d'écurie) stall

boyau *m* : (de bicyclette) racing tyre,
tubular tyre; (tuyau) hose pipe;
(d'animal) gut; (de saucisse) casing

BP → **basse pression, boîte postale**

bracelet *m* : cable tie
~ **de caoutchouc**: rubber band

bractée *f* : bract

brai *m* : pitch (coal tar)
~ **pour câbles**: cable compound

brame *f* : (métall) slab

branche *f* : branch; (d'un circuit, d'un
compas, d'un tube en U) leg; (d'une
antenne, d'un tube en U) limb; (de
fourche) prong
~ **à coulisse**: telescopic leg
~ **inférieure d'un siphon**: lower limb
of a siphon

branchement *m* : (él, de tuyauterie)
branch, branching, connection,
junction [point]; (chdef) connection,

branch line; (sur transformateur) [current] tap
~ **clandestin**: (tél) wire tapping
~ **d'abonné**: service cable; (tél) [subscriber] service wire
~ **d'eau général**: service pipe
~ **d'immeuble**: service pipe, service entrance [box]
~ **différé**: (inf) delayed branch
~ **double**: double turnout
~ **en dérivation**: bridged tap
~ **particulier**: service
~ **sur ligne aérienne**: overhead line service connection GB, service drop, wire drop NA
à ~ **direct**: (inf) plug-to-plug compatible
~**s requis**: services required (on a machine)

brancher: to switch on, to plug in, to turn on, to connect, to power on
~ **en parallèle**: to connect in parallel, to shunt
~ **en série**: to connect in series
~ **sur**: to run off, to branch off

branchie *f*: branchia, gill

braquage *m*: steering, turning; [steering] lock
~ **de tuyère[s]**: (aérosp) nozzle swivelling
~ **des volets**: (aéro) flap deflection

braquer: to steer; (une arme) to point (at), to aim (at)

bras *m*: arm
~ **d'accès**: (rob) access arm
~ **d'essuie-glace**: wiper arm, wiper blade
~ **de balayage**: swinging arm
~ **de lecture**: pick-up arm
~ **de manipulation**: (rob) manipulator
~ **de manivelle**: crank arm, crank web
~ **de télémanipulation**: (rob) remote manipulator, remote arm
~ **du vilebrequin**: crankshaft web
~ **esclave**: (rob) slave arm
~ **latéral**: side arm
~ **longitudinal**: (de suspension automobile) trailing arm
~ **manipulateur**: mechanical claw
~ **mort**: (de cours d'eau) abandoned channel, cut-off meander
~ **oscillant**: swinging arm
~ **pivotant**: swinging arm
~ **tiré**: (de suspension automobile) trailing arm
~-**transfert**: pick-and-place, transfer arm

~ **triangulaire**: (de suspension automobile) wishbone
à ~: manual

brasage *m*: brazing
~ **au plomb par fusion**: lead burning
~ **au trempé**: dip brazing
~ **tendre**: soft soldering

brasquage *m*: brasquing

brassage *m*: mixing, stirring, churning; (brasserie) brewing; (vin) rousing stirring up
~ **d'eau**: (par le vent) mixing of water
~ **rotatif**: swirling

brasserie *f*: brewery industry; (usine) brewery

brasseur *m*: brewer

brassin *m*: (récipient) mash tub; (contenu) brew, gyle

brasure *f*: brazed seam

break *m*: (autom) estate car GB, station wagon NA

brebis *f*: ewe

brèche *f*: (géol) breccia; (gg/bm) gap

brème *f*: bream

bretelle *f*: shoulder strap; (él) jumper; (chdef) double crossover, scissors crossing; (d'autoroute) access road, link road, slip road
~ **de raccordement**: access road, feeder road

brevet *m*, ~ **d'invention**: patent
~ **de pilote**: pilot licence

bridage *m*: clamping (fastening); (alim) trussing (of fowl)

bride *f*: clamp; (de ressort) shackle, strap; (de tuyau) flange
~ **à collerette**: shoulder flange
~ **à emboîtement**: socketed flange
~ **à piège**: choke flange
~ **à rebord**: neck flange
~ **annulaire**: ring flange
~ **aveugle**: blank flange
~ **coulissante**: slip-on flange
~ **d'admission**: inlet flange
~ **d'assemblage**: joint flange, connecting flange
~ **d'attache**: pipe clamp

~ **d'obturation**: blank flange
~ **de fixation**: mounting flange, connecting flange
~ **de mise à la terre**: earth clamp
~ **de montage**: mounting flange
~ **de plancher**: floor flange
~ **de raccordement**: coupling flange, connecting flange
~ **de renfort**: stiffening flange
~ **de serrage**: pipe clamp, clamping strap
~ **de soudage**: welding clamp
~ **de tuyau**: pipe flange
~ **emmanchée**: slip-on flange
~ **folle**: loose flange
~ **lisse**: plain flange
~ **plate**: plain flange
~ **pleine**: blank flange, blind flange

brillance *f* : lightness, brightness
~ **de l'image**: (tv) image brightness

brillant *m* : (éclat) gloss, luster, shine; *adj* : shiny, glossy; (lumineux) bright

brillantage *m* : bright dip, bright plating

brin *m* : (de courroie) side, strand; (de mouflage) part; (gg/bm) strand
~ **antisens**: (gg/bm) antisense strand, coding strand
~ **conducteur**: driving side
~ **conduit**: loose side
~ **descendant**: delivery side
~ **directeur**: leading strand
~ **H**: H[eavy] strand
~ **L**: L[ight] strand
~ **lourd**: heavy strand
~ **matrice**: template [strand]
~ **menant**: driving side
~ **mené**: loose side, slack side, driven side
~ **mort**: (de palan) standing rope; (d'ancre) dead line
~ **mou**: loose side, slack side, driven side
~ **négatif**: minus strand
~ **néosynthétisé**: neosynthesized strand
~ **non codant**: non coding strand
~ **sens**: sense strand, anticoding strand
~ **tendu**: tight side

brique *f* : brick; (conditionnement) brick [carton], carton
~ **à couteau**: arch brick
~ **à résistance garantie**: engineering brick
~ **alumineuse**: alumina brick, aluminous brick
~ **d'aération**: air brick

~ **d'échantillon**: standard brick
~ **de parement**: face brick, facing brick
~ **de placage**: veneer brick
~ **de ventilation**: air brick
~ **normalisée**: standard brick
~ **silico-calcaire**: sand-lime brick
~ **sur chant**: brick on edge
~ **tendre**: cutter

briqueteur *m* : bricklayer, mason

briquette[s] *f* : patent fuel

brisance *f* : (des explosifs) brisance

brise-béton *m* : concrete breaker, pavement breaker, paving breaker

brise-charge *m* : (centrale hydraulique) energy absorber, energy destroyer

brise-chapeau *m* : (épuration) scum breaker

brise-copeaux *m* : chip breaker

brise-glace *m* : icebreaker

brise-jet *m* : anti-splash nozzle

brise-lames *m* : (port) breakwater

brise-roche *m* : rock breaker

brise-vent *m* : windbreak

briser: to break; (violemment) to smash;
se ~: to break
se ~ en éclats: (verre) to shatter
se ~ en morceaux: to smash to pieces

brisure *f* : (gg/bm) break
~ **chromosomique**: chromosome break, chromosomal break
~ **de riz**: broken rice

brochage *m* : (usinage) broaching; (él) pinout, pins; (reliure) sewing, soft binding, stitching
~ **au fil métallique**: stapling
~ **sur flancs**: side broaching

broche *f* : pin; (fonderie) core pin; (arbre) spindle; (à mandriner) broach; (él) pin; (de serrure) pintle; (de cuisine) spit
~ **d'assemblage**: drift bolt, drift pin, riveting pin
~ **d'éjecteur**: ejector pin, knockout pin
~ **de contact**: (lampe, transistor) contact pin

~ **de culot de lampe**: base pin, base prong
~ **de fraisage**: cutter spindle, milling spindle
~ **de perceuse**: drilling spindle
~ **lisse**: tommy bar
~ **porte-foret**: boring spindle
~ **porte-fraise**: cutter spindle GB, cutter arbor NA
~ **porte-pièce**: work[piece] spindle GB, work arbor NA
~ **pour continu à anneaux**: ring spindle

broché: (reliure) sewn, soft bound

brocher: (un trou) to drift; (mandriner à la broche) to broach; (reliure) to stitch

brochet m : pike

brocheuse f : stapler, stitcher
~ **au fil métallique**: wire stitcher

brome m : bromine

bromure m : bromide; (graph) bromide print
~ **d'argent**: silver bromide

bronze m : bronze
~ **au manganèse**: manganese bronze
~ **au nickel**: nickel bronze
~ **au plomb**: lead bronze
~ **au silicium**: silicon bronze
~ **phosphoreux**: phosphor bronze
~ **siliceux**: silicon bronze

brosse f : brush
~ **métallique**: wire brush

brou m : (de fruit à écale) hull
~ **de noix**: walnut stain

brouillage m : (accidentel) interference; (intentionnel) jamming; (de message) scrambling
~ **à l'intérieur de la bande**: in-band interference
~ **actif d'autoprotection**: active self-protect jamming
~ **d'origine solaire**: sun interference
~ **dans le faisceau**: in-beam interference entry
~ **par rayonnement**: radiated jamming
~ **réciproque**: cross interference
~ **simultané sur plusieurs gammes**: barrage jamming
~ **sur la fréquence**: on-frequency interference

brouillard m : (météorologie) fog; (lubrification) oil mist
~ **salin**: (essais) salt spray

brouillé: (réception) noisy; (message) scrambled

brouilleur m : interference unit; jamming device, jamming station, jamming system, jamming transmitter, jammer; (de message) scrambler; adj : interfering, unwanted
~ **de parole**: speech scrambler

brouillon m : rough draft; (inf) scratch, scratchpad

broussailles f : undergrowth

broutage m : chattering, judder (of tool)

broyage m : crushing, grinding
~ **à l'eau**: wet crushing
~ **fin**: milling
~ **secondaire**: regrinding

broyeur m : crushing mill, crusher, breaker; (pap) breaker, pulper
~ **à barres**: rod mill
~ **à boulets**: ball mill
~ **à cônes**: cone crusher
~ **à cylindres**: rolling crusher
~ **à mâchoires**: jaw crusher, jaw breaker
~ **à meules**: rolling crusher
~ **à meules verticales**: edge mill, pan mill
~ **à pierres**: rock breaker
~ **à rouleaux**: roller mill
~ **d'évier**: waste disposal unit GB, waste food grinder NA
~ **giratoire**: gyratory crusher
~ **primaire**: precrusher
~ **secondaire**: recrusher

brucelles f : tweezers

brugnon m : nectarine

bruit m : noise
~ **à spectre continu et uniforme**: white noise
~ **ambiant**: background noise, room noise
~ **blanc**: white noise
~ **d'agitation thermique**: thermal agitation noise
~ **d'antenne**: antenna pickup
~ **d'impulsions**: impulse noise
~ **d'origine artificielle**: manmade noise
~ **d'origine externe**: environmental noise
~ **de choc**: impact sound, impact noise
~ **de fond**: background noise; (d'un

tube électronique) valve noise GB, tube noise NA
~ **de fond propre d'un récepteur**: set noise
~ **de friture**: contact noise
~ **de microphone**: transmitter noise, burning NA, frying GB
~ **de perforation**: sprocket noise
~ **de quantification**: quantization noise
~ **de secteur**: mains hum, mains noise
~ **du milieu environnant**: environmental noise
~ **propre**: basic noise; (du récepteur) receiver noise
~ **rose**: pink noise

brûlage m : burning [off]
~ **à la torche**: (pétr) flaring
~ **au plomb**: lead burning

brûlant sans résidu: clean burning

brûlé: burnt GB, burned NA

brûler: to burn
~ **à la torche**: to burn off (oil)
~ **superficiellement**: to scorch

brûlerie f : (café) roasting plant; (alcool) distillery

brûleur m : burner
~ **à combustible liquide**: oil burner
~ **à courants tourbillonnaires**: swirling flow burner
~ **à double débit**: duplex burner
~ **à flamme blanche**: non-aerated burner
~ **à flamme bleue**: aerated burner
~ **à flamme filiforme**: rat tail burner, pin hole burner
~ **à jet**: jet burner
~ **à mélange préalable**: premix burner
~ **à mélange surpressé**: power burner
~ **à pulvérisation**: atomizing oil burner
~ **à pulvérisé**: powdered fuel burner
~ **à turbulence**: swirling flow burner
~**-couronne**: ring burner
~ **de gaz à tirage naturel**: atmospheric gas burner
~ **de mise en route**: priming burner, starting burner
~ **de post-combustion**: afterburner
~ **encastré**: sealed-in burner
~**-étoile**: star burner
~ **rectiligne**: burner rail, line burner, pipe burner
~ **scellé**: sealed-in burner
~ **surpressé**: pressure burner

brûloir m : (café) roaster

brûlure f : burn, burning-through
~ **d'écran**: screen burn
~ **de congélation**: freezer burn
~ **ionique**: ion burn

brumée f : smog

brumisage m : (du gaz) oiling, oil fogging

brunir: to burnish
~ **au tonneau**: barrel burnishing

brunissement m : turning brown, browning
~ **enzymatique**: enzymic browning

brut m : (pétr) crude [oil]; adj : rough, unfinished; (charbon, minerai) as mined, unscreened; (came, engrenage) blank; (diamant) uncut; (gaz) unpurified; (pap) raw; (eau) untreated; (dimensions) untrimmed
~ **corrosif**: sour crude [oil]
~ **de coulée**: as-cast
~ **de fonderie**: as-cast
~ **de laminage**: as-rolled
~ **de reprise**: buy-back [crude] oil
~ **de synthèse**: syncrude
~ **non corrosif**: sweet crude
~ **non sulfuré**: sweet crude
~ **sous-marin**: offshore crude oil
~ **sulfureux**: sour crude
~ **synthétique**: syncrude

bryophyte f : bryophyte

BT → **basse température**

BTE → **besoins totaux d'énergie**

BTP → **boîte de transmission principale**

bûcheron m : woodcutter GB, lumberjack NA

bûchette f : (pap) shive

budget m : budget
~ **d'un annonceur**: (publicité) account

buffle m : buffing wheel, leather mop

bulbe m : (de navire, de turbine) bulb
~ **des pressions**: pressure bulb

bullage m : (peinture, lit fluidisé) bubbling

bulldozer m : bulldozer, dozer; → aussi **bouteur**
~ **à lame inclinable**: tiltdozer

bulle *f* : (de liquide, magnétique) bubble; (défaut de surface) blister; (de bande dessinée) balloon; *m* : (pap) manil[l]a paper
~ **ouverte**: (fonderie) pit

bulletin *m* : bulletin, report
~ **d'informations**: newsletter
~ **météorologique**: weather forecast, weather report

bureau *m* : (meuble) desk; (gén) office; (organisation d'une entreprise) department, office
~ **central**: central exchange GB, central officeNA
~ **d'études**: design office
~ **d'origine**: originating office
~ **des méthodes**: production engineering department
~ **électronique**: automated office
~ **émetteur**: sending office
~ **paysage**: open-plan office
~ **paysager**: landscape office
de ~: (se posant sur un bureau) desktop

bureautique *f* : office automation

burette *f* : [squirt] can; (de laboratoire) burette
~ **à huile**: oil can

burin *m* : chipping chisel; engraving tool

bus *m* : (él, éon) bus, busbar, highway
~ **à jeton**: token bus
~ **d'adresse**: address bus
~ **de commande**: control bus

buse *f* : nozzle, spray tip; (de cheminée) flue collar, flue flange
~ **d'admission**: inlet nozzle
~ **d'aérage**: (mine) air channel, air shaft
~ **d'aération**: air nozzle, ventilation duct
~ **d'aspirateur**: suction nozzle
~ **de brûleur**: burner jet
~ **de carburateur**: choke tube
~ **de chalumeau**: burner nozzle, torch tip
~ **de chauffage**: air nozzle
~ **de pulvérisateur**: atomizing nozzle
~ **de pulvérisation**: spray nozzle
~ **équipée**: nozzle assembly

but *m* : aim, goal, purpose; (gén, mil) objective, target

~ **fixe**: stationary target
~ **mobile**: moving target

butadiène *m* : butadiene

butane *m* : butane

butanier *m* : butane carrier

butanol *m* : butyl alcohol

butée *f* : (constr) abutment; (méc) stop, thrust bearing
~ **à billes**: ball thrust, thrust ball bearing
~ **à billes à double effet**: double-thrust ball bearing
~ **arrière**: back stop
~ **de cadran d'appel**: finger stop
~ **de débrayage**: throwout bearing, clutch release stop
~ **de fin de course**: limit stop, end stop
~ **de suspension**: axle bumper GB, bump stop NA
~ **fixe**: dead stop, positive stop
~ **mécanique**: bumper pad, stopper
~ **simple**: single-thrust bearing
en ~: on the stop

butène *m* : butene

butinage *m* : (manutention) picking

butoir *m* : (chdef) buffer [stop]
~ **d'excentrique**: eccentric catch

butte *f* : mound, rising ground
~ **de tir**: butt
~ **de triage**: (chdef) hump
~ **témoin**: (géol) butte

butyle *m* : butyl

butylène *m* : butylene, butene

butylique: butyl

butyromètre *m* : butyrometre GB, butyrometer NA

buvable: drinkable

buvardage *m* : blot[ting]
~ **de Western**: Western blot[ting]
~ **en taches**: dot blotting

by-pass → **bipasse**

C → cytosine

C terminal → carboxyl-terminal

c.a. → courant alternatif

CAA → contrôle automatique
    d'amplitude

cabestan *m* : capstan

cabillaud *m* : [fresh] cod

cabine *f* : (constr) cubicle; (de chauffeur)
    cab[in]; (tél) booth
    ~ basculante: tilt cab
    ~-couchette: sleeper cab
    ~ d'ascenseur: car
    ~ de conduite: driver's cab, driving
    cab
    ~ de douche: shower cubicle GB,
    shower stall NA
    ~ de peinture: spray booth
    ~ de pilotage: flight deck
    ~ de pistolage: spray booth
    ~ de signalisation: signal tower
    ~ de transformateur: transformer
    kiosk, transformer house
    ~ grand routier: sleeper cab
    ~ pressurisée: pressurized cabin
    ~ soulevable: lift cab
    ~ téléphonique: phone booth, phone
    box
    ~ téléphonique publique: public
    phone box GB, pay station NA

câblage *m* : wiring [system]
    ~ à droite: right-hand lay, Z lay
    ~ à gauche: left-hand lay, S lay
    ~ coaxial: concentric wiring system
    ~ libre: (f.o.) loose cable structure

~ serré: (f.o.) tight cable structure
~ pré-assemblé: loom

câble *m* : cable, wire, string, cord
    ~ à armure interne: lightweight cable
    ~ à atmosphère gazeuse: gas-filled
    cable
    ~ à conducteurs blindés: screened-
    conductor cable
    ~ à couches concentriques: layered
    cable, layer-type cable
    ~ à couches hélicoïdales: layer-type
    cable
    ~ à deux conducteurs torsadés:
    duplex cable
    ~ à enveloppe d'acier: steel-
    sheathed cable
    ~ à fibres optiques: optical [fiber]
    cable
    ~ à gaine d'acier: steel-sheathed
    cable
    ~ à huile: oil-filled cable
    ~ à isolant plastique: plastic-
    insulated cable
    ~ à jonc cylindrique rainuré: grooved
    cylindrical cable
    ~ à paires combinables: multiple-twin
    cable
    ~ à paires: paired cable
    ~ à paires en étoile: quad pair cable
    ~ à plusieurs conducteurs: multicore
    cable
    ~ à porteur central: lightweight cable
    ~ à pression interne d'huile fluide:
    oil-filled cable
    ~ à prise: connectorized cable
    ~ à quartes: quad[ded] cable
    ~ à quartes [en] étoile: star quad
    cable
    ~ à rubans: ribbon cable
    ~ à rubans alvéolés: loose ribbon
    cable
    ~ à structure classique: conventional
    cable, concentric cable
    ~ à tubes remplis: filled loose tube
    cable, filled loose buffer cable
    ~ à tubes assemblés: loose tube
    cable
    ~ à torons: stranded cable
    ~ à trois conducteurs câblés: triplex
    cable
    ~ à trois conducteurs torsadés:
    triplex cable
    ~ aérien: (él) above-ground cable;
    (manutention) aerial ropeway
    ~-amorce: terminating cable, stub
    [cable]
    ~ anti-coque: antikink cable
    ~ anti-torsion: non-spinning rope
    ~ armé: shielded cable, armoured
    cable GB, armored cable NA
    ~ armé au plomb: lead-covered cable

~ **blindé**: armoured cable GB, armoured cable NA, screened cable, shielded cable

~-**chaîne**: chain cable

~ **classique**: concentric cable

~ **classique à fibres enrobées**: (f.o.) direct strand cable

~ **cylindrique rainuré**: grooved cylindrical cable

~ **d'abonné**: service cable, service conductor

~ **d'alimentation**: feeder [cable], supply cable

~ **d'amorce**: stub [cable], terminating cable

~ **d'éclairage**: lighting cable

~ **d'entrée**: in-cable, incoming cable, leading-in cable

~ **d'extraction**: (mine) main rope, pit rope, winding rope

~ **d'extrémité**: shore end cable

~ **de bas-fond**: shore end cable

~ **de battage**: drilling rope

~ **de branchement**: service cable, service conductor

~ **de connexion**: connecting cable, junction cable

~ **de départ**: leading-out cable

~ **de forage**: drilling rope

~ **de force motrice**: power cable

~ **de garde**: earth wire GB, ground wire NA

~ **de grand fond**: deep-sea cable

~ **de grande contenance**: large pair count cable

~ **de jonction**: junction cable

~ **de jonction urbaine**: local trunk cable

~ **de jonction interurbaine**: interoffice trunk cable

~ **de levage**: hoist[ing] cable

~ **de liaison**: connecting cable

~ **de mise à la masse**: earth cable GB, ground cable NA

~ **de mouflage**: closing rope

~ **de petit fond**: shallow water cable, shore end cable

~ **de pontage**: jumper cable

~ **de prise de terre**: earth cable

~ **de puissance**: power cable

~ **de sondage**: drilling rope

~ **de terre**: earth cable GB, ground cable NA

~ **de tête**: main rope

~ **de tierçage**: spacing cable

~ **de traînage**: drag cable

~ **de transport**: feeder cable

~ **de transport d'énergie**: power cable

~ **de transport primaire**: main feeder cable

~ **de transport secondaire**: subfeeder cable

~ **en acier**: steel rope

~ **en canalisation**: duct cable

~ **en chanvre de Manille**: manilla rope

~ **en paires**: non-quadded cable

~ **en quarte**: quadded cable

~ **en tube**: pipe-type cable

~ **flexible**: flexible cable

~ **immergé**: underwater cable

~ **interurbain**: trunk cable GB, toll cable NA

~ **inutilisé**: spare wire

~ **isolé au poplyéthylène mousse**: polythene-foam insulated cable

~ **isolé] au papier**: paper-insulated cable

~ **métallique**: wire rope

~ **métallique de forage**: wire line

~ **mixte**: composite cable

~ **monofibre**: (f.o.) monofilament cable, single-fiber cable

~ **mou**: loose rope, slack rope

~ **moufleur**: hoist cable

~ **multiconducteurs**: multicore cable

~ **multiple**: multicore cable

~ **non adhérent**: (béton armé) unbonded tendon

~ **non armé**: unarmoured cable GB, unarmored cable NA

~ **non protégé**: unshielded cable

~ **non rempli**: air-core cable

~ **optique**: optical cable, optical fiber cable, fiber cable

~ **optique à armure extérieure**: external strength member optical cable, outer strength member optical cable

~ **optique à armure externe**: external strength member optical cable, outer strength member optical cable

~ **optique à porteur central**: central strength member optical cable, internal strength member optical cable

~ **plat**: flat cable, tape cable, ribbon cable

~ **porteur**: support strand, suspension cable; (tél) messenger

~ **pour courants forts**: power cable

~ **protégé**: shielded cable

~ **rempli**: grease-filled cable

~ **ruban**: flat cable, ribbon cable, tape cable

~ **sans armure**: unarmoured cable GB, unarmored cable NA

~ **sans fin**: endless rope

~ **sans torsion**: non-spinning rope

~ **semi-clos**: half lock coil rope

~ **souple**: flexible cable

~ **sous enveloppe**: sheathed cable

~ **sous gaine**: sheathed cable

~ **sous gaine de plomb**: lead-covered cable

~ sous gaine de néoprène: neoprene-sheathed cable
~ sous huile: oil-filled cable
~ sous plomb: lead-covered cable, lead cable
~ sous plomb à isolation papier: lead-covered paper-insulated cable, lead-sheathed papper-insulated cable
~ sous plomb isolé au papier: paper-insulated lead-covered cable
~ sous pression: gas-cushion cable, gas-filled cable
~ sous tension: energized cable
~ sous-marin: ocean cable, submarine cable, underwater cable
~-tête: main rope
~ tracteur: pulling rope
~ transocéanique: ocean cable, sea cable
~ transporteur: ropeway
~ tressé: braided wire
~ urbain: (tél) exchange cable
~ volant: (autom) booster cable, jumper

câblé: wired; (inf) hard-wired
~ à l'atelier: shop-wired
~ en usine: shop-wired, factory-wired

câbler: to wire
~ une fonction: (inf) to hardwire

câblerie f : cable industry, cable factory, cable making

câblier m : cable ship

câblot m : small cable
~ d'accouplement: connecting cable, jumper cable

cabochon m : (clou à tête décorative) stud; (de touche) cap
~ de clignotant: lamp cap

cabosse f : cocoa pod

cabrage m : (aéro) nose up

CAC → **conditionnement sous atmosphère contrôlée**

cacah[o]uète f : peanut NA, groundnut, monkey nut GB

cachalot m : sperm whale

cache m : [printing] mask
~ enjoliveur: grille
~ de clavier: (inf) keyboard overlay

caché: concealed, hidden

cache-bornes m : terminal [block] cover

cache-culbuteurs m : cylinder head cover

cache-entrée m : (de serrure) key drop

cache-poussière m : dust cap, dust cover, dust boot, sealing boot

cache-radiateur m : radiator casing, radiator cover

cachère: kosher

cachet m : [inspection] stamp, seal

cadastre m : land register GB, land plat NA

cadenas m : padlock

cadence f : rate
~ de fabrication: rate of production
~ des manœuvres: (él) switching rate

cadenceur m : rate regulator

cadrage m : (phot) centring; (inf) justification; (reproduction) scaling
~ à gauche: flush left, left justification
~ des cartes: card alignment

cadran m : dial
~ d'appel: numbering dial, selector dial
~ de réglage: (radio) tuning scale
~ démultiplié: slow-motion dial
~ gradué: graduated dial
~ mobile: selector dial

cadrat m : quad

cadre m : frame; (graph) border; (mine, tunnel) set; (milieu) environment; → aussi **cadres**
~ à longerons: side-member frame, side-rails frame
~ croisé: (d'antenne) cross coil
~ d'étambot: stern frame
~ d'hélice: stern frame
~ d'image de microfiche: microfiche frame
~ d'utilisation: operational environment
~ de filets: (graph) ruled frame
~ de gouvernail: rudder frame
~ de lecture: (gg/bm) reading frame
~ de lecture ouvert: open reading frame
~ de levage: (de conteneur) spreader
~ de préhension: (de conteneur) spreader
~ de puits: shaft set
~ de réception: receiving loop
~ de vie: living environment
~ dormant: doorframe

~ **équipé**: frame assembly
~ **et tampon**: (regard d'égout) frame and cover
~ **mobile**: moving coil
~ **orientable**: rotating loop
~ **ouvert de lecture**: (gg/bm) open reading frame
~ **porteur**: (mine) bearer set

cadré à droite: right-justified

cadrer: to align, to centre, to justify

cadres *m* : (gestion) managers, executives
~ **supérieurs**: top management

CAF → **contrôle automatique de fréquence**

café *m* : coffee
~ **crème**: white coffee
~ **en poudre**: instant coffee
~ **grillé**: roasted coffee
~ **moulu**: ground coffee
~ **nature**: black coffee
~ **torréfié**: roasted coffee
~ **vert**: green coffee, unroasted coffee

caféine *f* : caffeine

CAG → **contrôle automatique de gain**

cage *f* : cage; (de laminoir) stand; (d'escalier) well
~ **à billes**: ball bearing retainer, bearing cage
~ **à cylindres multiples**: cluster mill
~ **à galets**: roller retainer
~ **d'ascenseur**: lift shaft
~ **d'écureuil**: squirrel cage
~ **d'escalier**: staircase, stairwell
~ **d'extraction**: drawing cage, drawing frame, hoisting cage
~ **de clapet**: valve cage
~ **de filière**: die head, die stock
~ **de laminoir**: rolling stand
~ **de roue de secours**: wheel well
~ **de rouleaux**: roller cage
~ **de roulement**: bearing race, bearing cage, bearing cup
~ **de soufflage**: arc extinguisher
~ **dégrossisseuse**: blooming stand
~ **duo**: two-high stand
~ **ébaucheuse**: roughing stand, rougher
~ **finisseuse**: finishing stand, finisher
~ **intérieure de roulement**: bearing inner race
~ **trio**: three-high stand

cahier *m* : exercise book; (graph) signature, section

~ **de ferraillage**: (béton armé) bar scheduling
~ **des charges**: conditions (of contract), specifications, specs
~ **des charges techniques**: technical specifications

caillage *m* : (lait) curdling; (sang) clotting

caille *f* : quail

caillé *m* : (lait) curd

caillebotte *f* : curds

caillette *f* : fourth stomach, rennet stomach, abomasum

caillebotis *m* : duckboards, grating, slotted floor
~ **d'écoutille**: hatch grating

cailloutis *m* : stone chippings

caisse *f* : (d'emballage) case, packing chest; (carrosserie) body; (mar) tank; (métall, pap) box; (dans magasin) cashdesk, till
~ **à claire-voie**: crate
~ **à outils**: tool chest
~ **à vent**: (ventilation) air box
~ **brute de soudure**: (autom) shell
~~**carton**: carton container GB, boxboard container NA
~ **d'emballage**: packing case
~ **de ballast**: ballast tank
~ **de cémentation**: carburizing case
~ **de sortie**: (magasin) checkout
~ **de voiture monocoque**: (chdef) single-shell bodywork
~ **de voiture brute**: (chdef) rough bodywork
~ **en bois**: crate
~ **enregistreuse**: cash register
~ **journalière**: (mar) service tank
~~**outre**: bag-in-box [container]
~~**palette**: box pallet

caissier *m* : (banque) cashier, teller

caisson *m* : (constr) box
~ **à air**: (canot de sauvetage) buoyancy tank
~ **d'aérage**: air box
~ **de plongée**: caisson
~ **de réacteur**: reactor vessel
~ **havé**: drop caisson
~ **hydraulique**: caisson, coffer[dam]
~ **résistant**: stress box

cake *m* : fruit cake

cal *m* : callus

calage *m* : (selon le moyen d'immobilisation) keying, cottering, wedging; (des balais) adjustment, seating (of brushes); (de moteur) timing; (de soupapes) valve setting
~ **à 90 degrés**: quartering
~ **à la presse**: pressed-on fit
~ **à vide**: no-load adjustment
~ **de la distribution**: (autom) valve timing adjustment
~ **du faisceau**: beam positioning

calaminage *m* : (d'un moteur) carbon deposit, carbonization

calamine *f* : carbon deposit

calaminé: (bougie) sooted

calandre *f* : calender; (d'échangeur de chaleur) shell
~ **à feuilles**: sheet calender
~ **à satiner**: glazing calender
~ **de radiateur**: (autom) radiator grille
~ **gaufreuse**: embossing calender

calant *m* : (irrigation) border strip

calcaire *m* : (géol) chalk, limestone; *adj* : chalky, limy
~ **à entroques**: entrochal limestone
~ **coquillier**: shelly limestone
~ **lacustre**: lacustrine limestone

calcin *m* : cullet

calcination *f* : calcination; (de minerai) roasting

calcul *m* : calculation, reckoning, computation; (biologie) calculus, stone
~ **à la charge limite**: limit design
~ **à la rupture**: ultimate design
~ **approximatif**: rough estimate
~ **des égouts**: sewer design
~ **des probabilités**: probablity calculus
~ **différentiel**: differential calculus
~ **en plasticité**: plastic design
~ **intégral**: integral calculus
~ **vectoriel**: vector calculus
~**s techniques**: engineering calculations

calculateur *m* : computer

calculatrice *f* : calculator
~ **avec imprimante**: printing calculator
~ **de bureau**: desk calculator
~ **de poche**: pocket calculator

calculer: to calculate, to compute, to find, to reckon, to work out; to design; to rate
~ **les valeurs moyennes**: to average

calculette *f* : pocket calculator

cale *f* : (méc) block, chock, scotch; (instrument de vérification) gauge; (de navire) hold
~ **à eau**: ballast tank
~ **à marchandises**: cargo compartment, cargo hold
~ **à poncer**: sanding block
~ **biaise**: wedge
~ **biaisée**: tapered shim
~ **d'épaisseur**: fit strip, shim
~ **de blocage**: scotch block
~ **de construction navale**: stock
~ **de lancement**: launching ways, slipway
~ **de rattrapage de jeu**: tightening wedge, adjusting strip
~ **de roue**: wheel chock
~**-étalon**: gauge block, slip gauge
~ **prismatique**: V-block
~ **sèche**: dry dock

calé: (méc) keyed, wedged; (moteur) stalled
~ **à chaud**: shrunk-on

calendrier *m* calendar;: (de travaux) schedule, timing
~ **d'exécution des travaux**: work schedule
~ **de maintenance**: maintenance schedule

caler: (méc) to key, to wedge; (régler) to set, to time; (moteur) to stall
~ **le moteur**: to kill the engine, to stall the engine

calfatage *m* : caulking

calfeutrage *m* : weather strip[ping]

calibrage *m* : grading, sizing, gauging

calibre a: (instrument) gauge GB, gage NA; (dimensions) grade, size
~ **à bague**: cylindrical gauge, ring gauge
~ **à centrer**: centring jig
~ **à lames**: feeler gauge
~ **à limites**: limit gauge
~ **à mâchoires**: snap gauge, gap gauge
~**-bague fileté**: screw ring gauge
~ **d'épaisseur**: thickness gauge
~ **d'épaisseur pour tôles**: plate gauge
~ **de contrôle**: inspection gauge
~ **de filetage**: thread gauge
~ **de forage**: drilling jig
~ **de fraisage**: milling jig
~ **de réglage**: setting gauge

~ **de tolérance**: limit gauge
~ **des fils**: wire gauge
~ **"entre"**: go-gauge
~ **"entre/n'entre pas"**: go-no-go gauge
~-**étalon**: reference gauge
~ **fileté**: thread gauge
~ **lisse**: plug gauge
~ **"n'entre pas"**: no-go gauge
~ **plat**: plain bar type gauge
~ **pour tôles**: plate gauge
~-**tampon**: plug gauge

calibrer: to gauge; to size, to grade, to screen

calmar *m* : calamar[y]

calmé: (métall) killed
~ **à l'aluminium**: aluminium-killed

calmes *m* **équatoriaux**: doldrums

caloduc *m* : heat duct, heat pipe

caloporteur *m* : heat transfer medium

calorifuge *m* : [heat] insulating material; *adj* : insulating, non-conducting

calorifugé: insulated, lagged

calorifugeage *m* : heat insulation, lagging

calorifuger: to insulate (against high temperature), to lag

calorimètre *m* : calorimeter

calotte *f* : cap, dome
~ **à barbotage**: bubble cap
~ **de piston**: piston undercrown
~ **glaciaire**: icecap
~ **polaire**: polar cap

calque *m* : tracing (copy of a drawing); (dessin technique) blue print

CAM → **conditionnement sous atmosphère modidiée**

cambium *m* : cambium

cambouis *m* : dirty oil, dirty grease

cambrer: to arch, to bend

cambrioler: to break into (a house), to burgle

cambrioleur *m* : intruder, burglar

cambrure *f* : camber, curve, curvature

came *f* : cam, lifter, wiper
~ **à développante**: involute cam
~ **à levée rapide**: quick-action cam
~ **à profil brusque**: quick-action cam
~ **à tambour**: cylinder cam, drum cam
~ **baladeuse**: sliding cam
~ **coulissante**: sliding cam
~ **d'entraînement**: striking roller
~ **de bout**: end cam
~ **de commande**: actuating cam
~ **de dégagement**: detent cam
~ **double**: two-lobe cam

camembert *m* : pie chart, pie graph

caméra *f* : cine camera GB, movie camera NA
~ **à objectif grand angulaire**: wide-angle camera
~ **à téléobjectif**: telephoto camera
~ **à traitement incorporé**: processor camera
~ **bi-film**: dual camera
~ **d'analyse d'image**: image dissector camera
~ **microfilm**: microfilm camera

caméscope *m* : camcorder

camion *m* : lorry GB, truck NA
~ **à benne basculante**: tip[ping] lorry, tip truck, tipper, dump truck
~ **à plate-forme**: flat-bed truck
~ **à ridelles**: racked truck
~ **à semi-remorque**: articulated lorry, artic
~-**atelier**: mobile workshop GB, workshop truck NA; (pose de pipeline) utility truck
~ **basculant par l'arrière**: rear-dump truck
~-**benne**: dump lorry, dump[er] truck, tipper truck
~-**bétonnière**: truck mixer
~-**citerne**: [road] tanker, tank truck
~ **de dépannage**: recovery vehicle GB, wrecking truck, wrecker NA
~ **déversant par le fond**: bottom-dump truck
~ **grand routier**: longhaul truck
~-**grue**: crane truck, travelling crane
~ **isotherme**: insulated lorry, insulated truck
~ **malaxeur**: mixer truck, truck mixer, transit-mix truck
~ **"mille pattes"**: multiaxle heavy goods vehicle
~-**plateau**: platform truck
~-**plateforme**: platform truck
~-**trémie**: bulk truck, bulker

camionnage *m* : cartage, haulage, truckage, trucking

camionnette *f* : van, light lorry, delivery van, delivery truck

camionneur *m* : haulier; teamster NA, trucker NA

campagne *f* : country; (mil) campaign; (agriculture) working season
~ **d'arrosage**: irrigation season
~ **de publicité**: advertising campaign

CAN → **convertisseur analogique/numérique**

canal *m* : (voie d'eau) canal; (tcm) channel; (f.o.) channel, highway
~ **à service continu**: perennial canal
~ **à un cavalier**: single-bank canal
~ **adducteur**: feeder
~ **d'alimentation**: feeder
~ **d'amenée**: (hydr) headrace; (moulage des plastiques) approach GB, channel NA
~ **d'amont**: feeding canal, supply canal
~ **d'écoulement**: (moulage des plastiques) die approach GB, die channel NA
~ **d'huile**: oilway
~ **de coulée**: runner, tapping spout
~ **de décharge**: outfall channel
~ **de dessablage**: (épuration) grit channel
~ **de données**: data channel
~ **de fuite**: tailrace
~ **de navigation**: ship canal
~ **de refoulement**: (compresseur) delivery duct
~ **de retour**: return channel
~ **de trop-plein**: overflow channel; spillway
~ **découvert**: (mesure de débit) open channel
~ **dessableur**: grit channel
~ **en service**: working channel
~ **jaugeur**: flume
~ **maritime**: ship canal
~ **multiple**: multiple channel
~ **normal**: working channel
~ **ouvert**: open channel
~ **usinier**: power canal
~ **venturi**: venturi flume
~ **voisin**: adjacent channel

canalisation *f* : pipe (large diameter and low-pressure); (él) conduit, tubing
~ **d'air**: air line; air tube (ventilation)
~ **d'amenée d'huile**: oil feeder pipe
~ **d'une rivière**: canalizing of a river
~ **de retour**: runback
~ **de transport**: trunk main
~ **enterrée**: ground pipe
~ **pétrolière**: oil line

~ **pour câbles**: conduit
~ **principale**: main line
~ **sous plancher**: floor duct
~ **suspendue**: span pipeline

canalisé: ducted (fan)

canaliser: (un cours d'eau) to train

cancéreux *m* : cancer patient; *adj* : cancerous

cancérogène: carcinogenic

candi: candied

candir: to candy

canetage *m* : (filature) cop winding, spooling

caneteuse *f* : (filature) spooler, winding machine

canette *f* : (filature) cop, pirn; (de machine à coudre) bobbin; (alim) small beer bottle, beer can
~ **à onglet**: pulltab can, poptop can
~ **du renvideur**: mule cop
~**-trame**: pirn cop, weft pirn

canettière *f* : pirn winder

caniveau *m* : (de voirie) gutter (along pavement), kennel NA; (él, tél) raceway, troughing
~ **à passages multiples**: multiple duct
~ **de soudure**: undercut
~ **pour câbles**: trough

canne *f* : (de ramonage, de nettoyage d'égout) rod
~ **à sucre**: sugar cane
~ **d'arroseur**: sprinkler standpipe
~ **de chauffage**: immersion heater
~ **de ravitaillement en vol**: refuelling probe
~ **de soufflage**: (moulage des plastiques) blowing nozzle
~ **de souffleur**: glass blower's pipe
~ **pyrométrique**: pyrometric rod, sheathed pyrometer

canneberge *f* : cranberry

cannelé: (arbre) fluted, multiple-spline, splined; (verre) corrugated

cannelle *f* : cinnamon

cannelure: flute, spline, corrugation; (de laminoir) groove, roll opening, pass; ~**s**: fluting
~ **à vide**: blind pass, false pass

~ **hélicoïdale**: spiral flute
~ **pour carton ondulé**: corrugating medium

cannette *f* → **canette**

canon *m* : cannon, gun; (de fusil, de serrure) barrel; (méc) bush[ing]
~ **à eau**: water cannon
~ **à électrons**: electron gun
~ **à plasma**: plasma gun
~ **à tir rapide**: quick-firing gun
~ **de centrage**: locating bush
~ **de guidage**: guide bush
~ **de marine**: naval gun
~ **de passage**: lead-through bushing GB, lead-thru bushing NA
~ **de perçage**: drill bush
~ **de retraite**: stern chaser
~ **du vert**: green gun
~ **électronique**: electron gun
~ **laser**: laser gun
~ **sans recul**: recoilless gun
~ **de soufre**: stick of sulphur
~ **triode**: triode gun

canonnier *m* : gunner

canonnière *f* : gunboat

canot *m* : craft, small boat
~ **à moteur**: power boat
~ **de sauvetage**: lifeboat
~ **pneumatique**: inflatable boat, rubber boat

canonnage *m* : shelling

canton *m* : (de voie de chemin de fer) block section

cantonnement *m* : (chdef) block system

cantonnier *m* : roadman, roadmender; (chdef) platelayer, trackman, trackwalker, sectionman

CAO → **conception assistée par ordinateur**

caoutchouc *m* : rubber
~ **alvéolaire**: cellular rubber
~ **chloré**: chlorinated rubber
~ **crêpe**: crepe rubber
~ **d'éthylène-propylène**: ethylene-propylene rubber
~ **entoilé**: fabric-covered rubber
~ **expansé**: expanded rubber
~ **mou**: soft rubber
~ **mousse**: foam rubber, sponge rubber
~ **naturel**: Indian rubber, natural rubber
~ **régénéré**: reclaimed rubber

~ **silicone**: silicone rubber
~ **souple**: soft rubber
~ **vulcanisé**: hard rubber

caoutchoutage *m* : rubber proofing, rubberizing (of fabric); (encre) livering

caoutchouté: rubber-lined, rubberized

caoutchouteux: rubbery

cap *m* : (géogr) cape, headland; (navigation) course, heading
~ **[au] compas** ▶ CC: compass heading
~ **de collision**: collision course
~ **géographique**: true course, true heading
~ **magnétique**: magnetic course, magnetic heading

capacité *f* : (d'une machine) power, duty, size; (él) capacity; (d'un récipient) capacity, content; (en matières premières) throughput GB, thruput NA
~ **avec dôme**: (matières pulvérulentes) heaped capacity
~ **biogénique**: (eau) biogenic capacity
~ **calorifique**: heat capacity
~ **concentrée**: lumped capacity
~ **d'autoépuration**: (eau) self-purification capacity
~ **d'échange**: (purification de l'eau) exchange capacity
~ **d'emmagasinage**: (d'une retenue) pondage
~ **d'emport**: (aéro) lift capacity
~ **d'un puits**: (captage) well capacity
~ **d'un réservoir**: tankage, reservoir capacity
~ **d'une ancre**: anchor holding power
~ **d'une retenue d'eau**: pondage
~ **de chargement**: (d'un navire) tonnage
~ **de colmatage**: (d'un filtre) dust holding capacity
~ **de forage**: holemaking capability (of a rig)
~ **de la mémoire**: (inf) memory size
~ **de prélèvement**: (d'un aérosol) pick up efficiency
~ **de production**: manufacturing capacity
~ **de rétention**: (de nappe aquifère) specific retention, field moisture capacity
~ **de stockage**: (d'un réservoir) storage capacity
~ **de traitement**: throughput, thruput
~ **de transmission**: (tél) carrying capacity
~ **de transport**: carrying capacity;

(aéro) lift capacity; (cycle de l'eau) transport capacity
~ **de transport de courant**: current-carrying capacity
~ **du moteur**: motor output
~ **en charge**: load capacity
~ **énergétique d'un cours d'eau**: power capacity of a stream
~ **nominale**: rated capacity, rating
~ **non utilisable**: (d'un réservoir) sump capacity
~ **passagers**: (aéro) seating capacity
~ **portante d'une pile**: pile bearing capacity
~ **totale**: (tcm) aggregate capacity
~ **utile**: (d'un ouvrage hydraulique) useful storage, effective storage

cape *f*, ~ **de surbouchage**: secondary closure
~ **de surbouchage en aluminium plissé**: pleated aluminium foil closure

capillaire: capillary

capitaine *m* : captain; (de marine marchande) master mariner
~ **de corvette**: lieutenant commander
~ **de frégate**: commander
~ **de vaisseau**: captain
~ **de port**: harbour master

capitainerie *f* : harbour master's office

capot *m* : cover, guard; (autom) bonnet GB, hood NA; (d'un instrument) hood; (mar) companion hatch
~ **couvre-courroie**: belt guard
~ **d'insonorisation**: acoustic cover, acoustic hood, quietizer
~ **de carénage**: fairing
~ **de couverture**: cover cap
~ **de moteur**: (aéro) engine cowling
~ **de protection**: guard
~ **insonorisant**: quietizer

capotage *m* : (de moteur, de radiateur) cowling; (par un véhicule) rollover, overturning

capoter: (mar) to capsize; (véhicule) to overturn

capside *f* : capsid
~ **virale**: viral capsid

capsomère *m* : capsomer

capsule *f* : (de laboratoire) boat, dish; (explosifs) blasting cap; (de bouteille) cap
~ **à bague de rupture**: breakable cap, breakaway cap

~ **à capuchon tire-pousse**: push-pull cap
~ **à crans**: lug cap, lug closure, quick-turn closure
~ **à disque**: disk closure
~ **à encliqueter**: snap-on cap, friction snap-on cap
~ **à incinération**: incineration dish
~ **à vis**: twist cap, screw cap
~ **à vis pré-filetée**: continuous thread cap
~-**amorce**: priming cap
~-**couronne**: crown cap
~ **d'évaporation**: evaporating dish
~ **de surbouchage**: secondary closure
~ **pression**: press-on cap
~ **pression à vis**: roll-on [screw] cap
~ **manométrique**: pressure capsule
~ **microphonique**: microphone insert
~ **quart de tour**: twistoff cap
~ **spatiale**: space capsule

captage *m* : (hydrologie) catchment
~ **de la poussière**: dust control

capter: (les eaux) to catch, to collect; (un signal) to pick up; (une émission) to receive

capteur *m* : (solaire) collector; (de mesure) sensing device, sensing element, sensor
~ **à fibres optiques**: optical fiber sensor
~ **à foyer**: focusing collector
~ **à ruissellement**: trickle collector, trickling water collector
~-**absorbeur**: collector-absorber
~ **de particules chargées**: charge-particle sensor
~ **de poussière**: dust catcher
~ **de pression**: pressure pickup, pressure transducer, pressure cell
~ **élémentaire**: (rob) simple sensor
~ **optique**: optical sensor
~ **solaire plan**: flat-plate collector

capture *f* : (s.c., nucl) capture
~ **de lacune**: (s.c.) hole capture
~ **radiative**: radiative capture
~ **stérile**: non-fission capture

capuchon *m* : (de protection) cap, hood, protective cover
~ **de soupape**: valve cap, valve hood
~ **de valve**: (sur pneu) dust cap

capucine *f* : (autom) luton

car *m* : coach GB, bus NA
~ **de reportage**: mobile unit, outside broadcasting van

carabine *f* : carbine, rifle, gun
~ **à air comprimé**: air gun

caractère *m* : (inf) character; → aussi
caractères
~ **accusé de réception**: acknowledge
character
~ **blanc**: blank character, space
character
~ **d'écriture**: script type
~ **d'effacement**: delete character
~ **d'espacement**: blank character,
space character
~ **d'interligne**: new line character
~ **d'oblitération**: delete character
~ **de code normal**: shift-in character
~ **de commande**: control character
~ **de contrôle**: check character
~ **de contrôle de bloc**: block check
character
~ **de décalage**: shift character
~ **de fin**: terminator
~ **de gauche**: leading character
~ **de mise en page**: layout character
~ **de poids fort**: leading character
~ **de poids le plus faible**: least
significant character
~ **de remplissage**: gap character,
stuffing character, padding character,
filler
~ **de service**: control character
~ **de titre**: display type
~ **début d'en-tête**: start-of-heading
character
~ **début de texte**: start-of-text
character
~ **dominant**: dominant character
~ **en code**: shift-in character
~ **en code spécial**: shift-out character
~ **espace**: blank character, space
character
~ **héréditaire**: inherited character, trait
~ **hors code**: shift-out character
~ **interdit**: illegal character
~ **le plus significatif**: most significant
character
~ **nul**: null character
~ **pratique**: convenience
~ **récessif**: recessive character
~ **répétitif d'un travail**: repetitiveness
~ **sans empattement**: sans serif type

caractères *m* : (d'imprimerie) typeface,
face, type
~ **alphabétiques**: alphabetics
~ **d'édition**: book face
~ **de titrage**: display type, display face
~ **étroits**: condensed type
~ **gras**: boldface type, bold face, bold
type, blackface type
~ **larges**: expanded type
~ **maigres**: light typeface, light face,
light type

~ **serrés**: condensed type
~ **numériques**: numerics

caractéristique *f* : characteristic;
(nominale) rating; (imposée, requise)
specification; *adj* : characteristic,
distinctive, typical
~ **de commande**: control characteristic
~ **de fonctionnement**: performance
specification
~ **de régulation**: control characteristic
~ **en court circuit**: short-circuit
characteristic
~ **en régime permanent**: continuous
rating
~ **nominale**: rating
~ **particulière**: (d'une machine) feature
~**s techniques**: specifications

caramel *m* : caramel
~ **au beurre**: butterscotch, toffee

carat *m* : carat GB, karat NA

carboduc *m* : powder pipeline (for coal)

carbonatation *f* : carbonation

carbonate *m* : carbonate
~ **de soude**: sodium carbonate, soda
~ **de soude anhydre**: anhydrous
sodium carbonate, soda ash

carbone *m* : carbon; (papier) carbon
paper, carbon copy
~ **de recuit**: temper carbon
~ **multifrappe**: multistrike carbon

carbonifère: carboniferous

carbonisation *f* : carbonization,
carbonizing; (cuisine) burning

carboniser: to carbonize; (brûler) to
burn, to char

carbonitruration *f* : carbonitriding

carbonyle *m* : carbonyl

carborundum *m* : carborundum

carboxyle *m* : carboxyl
~**-terminal**: carboxyl-terminal, C-
terminal

carboxylase *f* : carboxylase

carburant *m* : [motor] fuel
~ **au plomb**: leaded fuel
~ **auto**: motor spirit, motor fuel GB,
motor gasoline NA
~ **contenu dans les fonds de
réservoir**: sump fuel

~ **de synthèse**: synthetic fuel
~ **dégazé**: vapor-free fuel
~ **Diesel**: diesel fuel, diesel oil, derv fuel GB
~ **moteur**: motor fuel GB, motor gasoline NA, mogas NA
~ **non consommable**: trapped fuel
~ **pour tracteur agricole**: tractor vaporizing oil
~ **pur** (sans air): neat fuel
~ **résiduel**: trapped fuel

carburateur *m* : carburetter, carburettor, carburetor NA
~ **à dépression**: suction carburettor
~ **à gicleur**: jet carburettor
~ **à léchage**: surface carburettor
~ **à niveau constant**: float carburettor
~ **à pulvérisation**: spray carburettor
~ **alimenté par gravité**: gravity-fed carburettor
~ **alimenté sous pression**: pressure-fed carburettor
~ **double corps**: twin-choke carburettor
~ **horizontal**: side-draught carburettor
~ **inversé**: downdraught caburettor GB, downdraft carburetor NA
~ **jumelé**: twin caburettor
~ **noyé**: flooded carburettor
~ **vertical**: updraft carburettor

carburation *f* : (autom) carburation GB, carburetion NA; (métall) carburization; (encrassement) carbon pickup, carbonizing

carbure *m* : carbide
~ **de silicium**: silicon carbide
~ **de tungstène**: tungsten carbide

carburéacteur *m* : jet [engine] fuel, jet propulsion fuel

carburer: to carburet; (métall) to carburize

carcasse *f* : carcass, carcase, frame, framework, body, shell, skeleton
~ **ajourée**: skeleton frame (of stator)
~ **de compresseur**: compressor housing
~ **de dynamo**: generator yoke
~ **de moteur**: motor housing, motor casing
~ **radiale**: (de pneu) radial ply carcass
~ **textile**: fabric carcass (of conveyor belt)

carcinome *m* : carcinoma

cardage *m* : carding

cardamome *f* : cardamon

cardan *m* : universal joint, universal block; (de suspension) gimbal joint

carde *f* : card
~ **briseuse**: breaker card

cardioïde: cardioid, heart-shaped

cardon *m* : cardoon

carénage *m* : (enveloppe) fairing; (mar) careening
~ **non travaillant**: non-structural fairing
~ **profilé**: streamlined fairing

carence *f* : (incompétence) incompetence, deficiency
~ **de l'entrepreneur**: default of contractor
~ **de vitamines**: vitamin deficiency

caréné: streamlined; ducted (fan, propeller)

cargaison *f* : (mar) load (of a ship), cargo, freight
~ **en cueillette**: miscellaneous cargo
~ **en vrac**: bulk cargo
~ **obtenue sur le marché libre**: spot cargo

cargo *m* : cargo boat, cargo vessel, freighter
~ **à manutention horizontale**: rollon/rolloff ship
~ **mixte**: cargo and passenger vessel
~ **polyvalent**: all-cargo freight ship, multipurpose carrier

cari *m* : curry

carie *f*, ~ **humide**: wet rot
~ **sèche**: dry rot

cariste *m* : forklift truck operator

carlingue *f* : (mar) keelson, kelson; (aéro) cabin

carnet *m* : notebook
~ **d'armement**: (él) pole diagram book
~ **de battage**: penetration record
~ **de bord**: (aéro) logbook; (de maintenance) housekeeping record
~ **de câblage**: list of cables
~ **de commandes**: order book
~ **de route**: log [book]
~ **de tir**: firing record

carotène *m* : carotene, carotin

caroténoïde: carotenoid, carotinoid

carottage *m* : core drilling, coring

carotte *f* : (de sondage) core [sample]; (de fonderie) sprue; (légume) carrot
~ **imprégnée**: saturated core
~ **latérale**: lateral core, sidewall core, wall sample
~ **plein diamètre**: full-size core

carottier *m* : core barrel, core bit, coring tool corer, sampling gun, sampler
~ **à chute libre**: freefall corer
~ **à gravité**: dropper corer, gravity corer
~ **de repêchage**: junk catcher
~ **latéral à balles** ▶ **CLAB**: sidewall sampling gun

caroube *f* : carob [bean], locust bean, algar[r]oba

carouge *f* : carob [bean], locust bean, algar[r]oba

carpe *f* : carp

carré *m* : square; (mar) wardroom; *adj* : square; (fenêtre, porte) square-headed
~ **d'entraînement**: drive square, driving square, square drive bushing; (pétr) kelly bushing
~ **de manœuvre**: (de robinet) shank
~ **de raccordement**: valve block, manifold block

carreau *m* : tile (on floor, on wall)
~ **céramique**: ceramic tile
~ **de mine**: pit head
sur le ~: (charbon) ex mine

carrefour *m* : crossroads, intersection
~ **en trèfle**: cloverleaf junction

carrelage *m* : tiling; tiled floor

carrelet *m* : plaice

carrière *f* : quarry; (de sable, de gravier) pit
~ **à ciel ouvert**: strip pit, open quarry

carrossage *m* : (autom) wheel camber

carrosserie *f* : (de véhicule) body, bodywork, coachwork; (métier) body building, coachbuilding; (réparation automobile) panel beating; (d'appareil ménager) cabinet
~ **à deux volumes**: fastback body
~ **à ridelles rabattables**: dropside body

~ **découverte**: open body
~ **en caisson**: box body
~ **hors série**: custom-built body
~ **plateau-ridelles**: stake body

carrossier *m* : (réparation automobile) panel beater
~ **constructeur**: coachbuilder, bodybuilder

carrousel *m* : carrousel, circular conveyor

carroyage *m* : gridding, squaring (cartography)

carry *m* : curry

carte *f* : card, board; (cartographie) map
~ **à bande**: card-to-tape
~ **à circuits imprimés**: printed board
~ **à courbes de niveau**: contour map
~ **à encoches marginales**: edge-notched card
~ **à fenêtre**: aperture card
~ **à fenêtre d'exploitation**: working aperture card
~ **à fenêtre de prise de vue**: camera card
~ **à fenêtre réceptrice**: receiver aperture card
~ **à grande échelle**: large scale map
~ **à mémoire**: storage card, smart card
~ **à microprocesseur**: smart card
~ **à perforations marginales**: edge-punched card
~ **à puce**: chip card
~**/bande**: card-to-tape
~ **carroyée**: grid[ded] map, squared map
~ **chromosomique**: chromosome map
~**-clé**: cardkey
~ **cytogénétique**: cytogenetic map
~ **d'écran**: display adapter
~ **d'extension**: expansion board, expansion card
~ **de circuit imprimé**: printed circuit board
~ **de commande**: control card
~ **de complémentation**: (gg/bm) complementation map
~ **de pointage**: clock card
~ **de restriction**: (gg/bm) restriction map, physical map
~ **des alentours**: vicinity map, locality map
~ **en courbes de niveau**: contour map
~ **en relief**: relief map
~ **expérimentale**: breadboard
~ **factorielle**: (gg/bm) factor map
~**-fille**: daughter board
~ **génétique**: genetic map

~ **graphique**: graphics adapter
~ **hypsométrique**: contour map
~ **imprimée**: printed board
~-**maîtresse**: master card
~ **marine**: [sea] chart, marine chart, nautical chart
~ **mécanographique**: punch card, tab card
~-**mémoire**: memory board
~-**mère**: mother board
~ **météorologique**: weather chart
~ **nautique**: marine chart, sea chart, nautical chart
~ **nue**: (inf) bare board
~ **perforée**: punch[ed] card
~ **photogrammétrique**: photomap
~ **physique**: (gg/bm) physical map
~ **pluviométrique**: rain chart
~ **quadrillée**: grid[ded] map, squared map
~ **radar[graphique]**: radar map
~ **récapitulatrice**: summary card
~ **routière**: road map
~ **sans composants**: (éon) bare board
à ~: card-based

carter *m* : case, casing, cover, housing, guard
~ **à bain d'huile**: (de moteur) wet sump
~ **couvre-chaîne**: chain cover, chain guard
~ **couvre-courroie**: drive belt guard
~ **d'admission d'air**: air intake casing
~ **d'admission**: induction housing, intake casing
~ **d'embrayage**: clutch housing, clutch casing
~ **d'engrenage**: gear cover, wheel case
~ **d'habillage**: decorative cover
~ **d'huile**: lower crankcase, oil pan, oil sump
~ **d'insonorisation**: acoustic cover, acoustic hood, noise reducer
~ **de chaîne**: chain cover, chain guard
~ **de couple conique**: final drive casing, final drive cover
~ **de culbuterie**: cylinder head cover
~ **de différentiel**: differential casing, differential housing, differential carrier
~ **de direction**: steering gear box GB, steering gear case NA
~ **de distribution**: timing case, timing cover
~ **de frein**: brake guard
~ **de pompe**: pump housing, pump casing
~ **de pont**: axle carrier
~ **de pont arrière**: rear axle housing
~ **de protection**: splash guard, mud shield

~ **de roue**: wheel guard, wheel case
~ **de sécurité**: guard
~ **de ventilateur**: fan case, fan casing
~ **de vilebrequin**: crankcase
~ **de volant**: flywheel housing
~ **du couple conique**: drive pinion carrier
~ **en deux parties**: split crankcase
~ **extérieur**: decorative cover
~ **inférieur**: crankcase pan, lower crankcase, crankcase bottom, crankcase lower half
~ **insonorisant**: quietizer
~ **intermédiaire**: adapter housing
~-**moteur**: crankcase
~ **sec**: dry sump
~ **supérieur**: crankcase upper half

carthame *m* : safflower

cartilage *m* : cartilage; (viande) gristle

cartographe *m* : cartographer, chartographer, map maker

cartographie *f* : cartography, chartography, mapping, map making; (gg/bm) mapping
~ **de gènes**: gene mapping
~ **de restriction**: restriction mapping
~ **génétique**: genetic mapping

carton *m* : board, cardboard, paperboard, pasteboard, carton; cardboard box; (tissage jacquard) card
~ **à l'enrouleuse**: millboard
~ **à onduler**: corrugating medium
~ **apprêté**: machine-finished board
~ **asphalté**: roofing felt
~ **baryté**: baryta board
~ **bitumé**: asphalt sheet, roofing felt
~ **bitumé sablé**: mineral surface roofing paper
~ **bois**: mechanical pulp board
~ **compact**: [paper] hard board, compact: solid fiberboard
~ **cuir**: leather board
~ **d'amiante**: asbestos board
~ **de cuisson**: ovenable paperboard
~ **de pâte mécanique**: mechanical pulp board
~ **deux couches**: two-layer board
~ **duplex**: two-layer board
~ **entoilé**: cloth-lined board
~-**feutre**: felt board
~ **goudronné**: roofing felt, tar board
~ **homogène**: solid board
~ **jacquard**: jacquard card
~ **laminé**: laminated board
~ **multicouche**: multilayer board
~ **multiplex**: multiply board, multilayer board

~ **ondulé**: corrugated board, corrugated fibreboard
~~**outre**: bag-in-box
~~**paille**: strawboard
~~**plâtre**: gypsum board
~ **pour boîtes**: boxboard
~ **pure paille**: yellow strawboard
~ **support**: baseboard
~ **toilé**: cloth-lined board
~ **triplex**: triplex board
~ **trois couches**: triplex board
~ **un jet**: single-ply board

cartonnage *m* : (reliure) boarding, binding in boards

cartonnerie *f* : cardboard industry; board mill

cartouche *f* : cartridge; *m* : title box, title panel (on a drawing)
~ **à blanc**: blank cartridge
~ **à chargement automatique**: autoload cartridge
~ **à percussion centrale**: central-fire cartridge
~ **à percussion annulaire**: rim-fire cartridge
~~**amorce**: (mine) priming cartridge, primer [cartridge]
~ **de bande magnétique**: magnetic tape cartridge
~ **de mémoire morte**: rom cartridge, rom pack
~ **filtrante**: filter cartridge
~ **fumigène**: smoke rocket
~ **de bourrage**: (explosifs) tamping plug

carvi *m* : caraway

cary *m* : curry

caryocinèse *f* : karyokinesis

caryogamie *f* : karyogamy

caryopse *m* : caryopsis

caryotype *m* : caryotype, karyotype

cas *m* : case
~ **d'erreur**: error condition
~ **d'espèce**: special case
~ **[d'utilisation]**: application
~ **de force majeure**: act of God
~ **le plus défavorable**: worst case
le ~ **échéant**: if required, if applicable

cascadage *m* : cascading

cascade *f* : cascade
en ~: cascade[d], [in] tandem

case *f* : box, bin
~ **d'équipements**: equipment package (of satellite)
~ **de dialogue**: (inf) dialogue box
~ **de réception de cartes**: card bin, stacking bin, [card] stacker
~ **de tri**: sorting bin, pigeon hole

caséation *f* : caseation, transformation into cheese

caséification *f* : caseation, transformation into cheese

caséine *f* : casein
~ **présure**: rennet casein
~ **végétale**: vegetable casein, legumin

casque *m* : (mil) helmet; (de motocycliste) crash helmet; (tél) head receiver
~ **anti-bruit**: hearing protector
~ **de battage**: driving helmet, pile helmet GB, cushion head NA
~ **de chantier**: hard hat
~ **de pieu**: driving cap
~ **de sécurité**: hard hat, protective hat, safety hat
~ **de soudeur**: welding helmet
~ **d'écoute**: headset, earphones
~ **écouteur**: head receiver
~ **micro-téléphone**: headset
~ **radio**: headset
~ **respiratoire**: smoke helmet
~ **téléphonique**: headphone, head receiver, headset

cassant: (métall) short
~ **à chaud**: hot short

cassave *f* : manioc

casse *f* : break, breaking, breakage; (destruction de machine) break-up; (en filature) end down, end break; (graph) case
~ **de la bande**: (pap) web break
~ **de trame**: filling break

casse-chaîne *m* : warp stop motion

casse-fil *m* : knocking off motion, stop motion, end stop motion

casse-ruban *m* : sliver stop motion

casse-trame *m* : filling stop motion

casse-vide *m* : vacuum breaker

casse-vitesse *m* : speed bump, speed control hump, dead policeman, traffic calmer

casséthotèque *f*: cassette library

cassette *f*: cassette
~ **à boucle sans fin**: closed-loop cassette
~ **à deux bobines**: reel-to-reel cassette
~ **audio**: audio cassette

casseur *m* **de voitures**: car breaker

cassis *m*: blackcurrant; blackcurrant liqueur

cassonade *f*: muscovado

cassure *f*: break; (d'une courbe) knee
~ **à grains fins**: silky fracture
~ **chromosomique**: chromosome break, chromosomal break
~ **d'un brin**: (gg/bm) nick
~ **de chromatide**: chromatid break
~ **fibreuse**: fibrous fracture
~ **franche**: clean break
~ **grenue**: granular fracture
~ **intergranulaire**: grain boundary cracking

catadioptre *m*: (autom) rear reflector

catabolite *m*: catabolite

catalogue *m*: catalogue GB, catalog NA

catalyse *f*: catalysis

catalyseur *m*: catalyst
~ **d'oxydo-réduction**: redox catalyst
~ **en lit fixe**: fixed-bed catalyst

cataphorèse *f*: cataphoresis

catapultage *m*: catapult launching, catapult start

catapulte *f*: catapult

catécholamine *f*: catecholamine

catégorie *f*: class, category
~ **d'inflammabilité**: inflammability classification
~ **professionnelle**: job classification

caténaire: catenary

cathode *f*: cathode, cath
~ **à bain**: pool cathode
~ **à bain de mercure**: mercury pool cathode
~ **à chauffage indirect**: indirectly heated cathode, heater cathode

~ **à couche d'oxydes**: oxide-coated cathode
~ **à la masse**: grounded cathode

cathodique: cathodic, cathode

cation *m*: cation

caulescent: caulescent

cavage *m*: (terrassement) crowding

cavalier *m*: (él) jumper [cable], jumper [wire]; (tcm) [connecting] strap, cordless plug; (fiche de jack) jack plug; (ligne de contact) dropper; (de liaison) U link; (de balance) rider; (de tuyauterie) pipe bracket; (chariot de manutention) straddle carrier
~ **de déblais**: spoil bank

cave *f*: cellar
~ **de garde**: store room, storage cellar

cavitation *f*: cavitation

cavité *f*: cavity
~ **accordée**: tuned cavity
~ **réson[n]ante**: [cavity] resonator; (radar) echo box

CC → **cap [au] compas**

cc → **court-circuit**

CCC → **coefficient de concentration de contraintes**

CCO → **conception pour un coût objectif**

cédrat *m*: citron

cèdre *m*: cedar
~ **de Californie**: redwood (sequoia sempervirens)

ceinture *f*: belt; (mar) rub rail (of ship)
~ **combinée**: lap and diagonal seat belt
~ **d'accostage**: (mar) fender guard
~ **de sécurité**: safety belt, seat belt
~ **de sécurité à enroulement automatique**: inertia reel belt
~ **de sécurité sous-abdominale**: lap belt
~ **trois points**: three-point safety belt, lap and diagonal seat belt

céleri *m*: celery
~-**rave**: celeriac

cellobiose *m*: cellobiose, cellose

cellophane *f* : cellophane

cellulase *f* : cellulase

cellule *f* : cell; (aéro) air frame
  ~ **à gaz**: gas cell
  ~ **au sélénium**: selenium cell
  ~ **adipeuse**: fat cell
  ~ **assistante**: (gg/bm) helper cell
  ~ **binucléée**: binucleate cell
  ~ **cible**: target cell
  ~ **compétente**: competent cell
  ~ **d'essai**: test airframe
  ~ **d'usinage souple** ▶ CUS: flexible machining cell
  ~ **de mémoire**: storage cell
  ~ **diploïde**: diploid cell
  ~ **fille**: daughter cell
  ~ **gonadotrope**: gonatrop[h]ic cell
  ~ **en culture**: cultured cell
  ~ **germinale**: germ cell
  ~ **haploïde**: haploid cell
  ~ **hôte**: host cell
  ~ **indifférentiée**: undifferentiated cell
  ~ **manométrique**: pressure cell
  ~ **montée sur canalisation**: flow-through cell
  ~ **multinucléée**: multinucleate cell
  ~ **myélomateuse**: myeloma cell
  ~ **photoélectrique**: photoelectric cell, photocell
  ~ **productrice d'anticorps**: antibody-producing cell
  ~ **réceptrice**: recipient [cell]
  ~ **sensible à l'infrarouge**: infrared photocell
  ~ **solaire**: solar cell
  ~ **somatique**: somatic cell
  ~ **totipotente**: totipotent cell
  ~ **transcomplémentaire**: transcomplementing cell
  ~ **végétale**: plant cell

cellulose *f* : cellulose

cément *m* : (métall) cement
  ~ **carbonisant**: carburizer

cémentation *f* : cementation, carburizing, case hardening
  ~ **à l'azote**: nitrogen case hardening
  ~ **au chrome**: chromizing
  ~ **en caisse**: box carburizing
  ~ **gazeuse**: gas case hardening
  ~ **par un cyanure**: cyaniding
  ~ **solide**: powder carburizing

cendres *f* : ash
  ~ **exclues**: (charbon) ash free
  ~ **lourdes**: (charbon) bottom ash
  ~ **métalliques**: calx
  ~ **volantes**: fly ash

cent pour cent: one hundred percent

centrage *m* : centring GB, centering NA; location, positioning; (de pièces circulaires) alignment; (de roue) tru[e]ing
  ~ **à l'arrière**: (aéro) tail heavy
  ~ **arrière**: stern heavy
  ~ **automatique**: (de tête de lecture) autotracking
  ~ **de piste**: (bande magnétique) tracking
  ~ **des outils**: tool location
  ~ **du faisceau**: beam alignment
  à ~ **automatique**: self-centring GB, self-centering NA
  de ~: centring; (bague, téton) locating; (roulement, manchon) pilot

central *m* : (tél) exchange, [central] office; *adj* : central, centre
  ~ **automatique**: dial exchange, automatic exchange
  ~ **commuté**: switched exchange
  ~ **d'aboutissement**: target exchange
  ~ **d'arrivée**: called exchange, destination office, terminating office
  ~ **de départ**: calling office, originating office
  ~ **de rattachement**: parent exchange
  ~ **de transit**: tandem office
  ~ **demandé**: called office
  ~ **demandeur**: calling exchange
  ~ **interurbain**: toll office, trunk exchange
  ~ **manuel privé**: private manual exchange
  ~ **non automatique**: non-dial office
  ~ **privé**: private exchange
  ~ **privé automatique**: private automatic exchange
  ~ **tandem**: tandem exchange, tandem office
  ~ **téléphonique**: telephone exchange GB, telephone office NA
  ~ **téléphonique principal**: head office
  ~ **terminal**: end exchange
  ~ **urbain**: local exchange

centrale *f* : central plant, central station; (él) power station
  ~ **à accumulation**: storage power plant
  ~ **à béton**: [central] mixing plant
  ~ **à double cycle**: (gaz et vapeur) combined-cycle plant
  ~ **à énergie reportable**: energy storage power station
  ~ **à grande puissance**: superpower station
  ~ **admettant deux types de combustible**: dual-fired plant
  ~ **aérodynamique**: air data computer
  ~ **au fil de l'eau**: run-of-river power plant

~ **bivalente**: dual-fired plant
~ **clignotante**: (autom) flasher unit
~ **convertible**: dual-fired plant
~ **d'enrobage**: asphalt paving plant
~ **de bétonnage**: concrete mixing plant
~ **de force motrice**: power house
~ **de pompage**: pumped-storage plant
~ **de verticale**: (aéro) vertical gyro, vertical reference unit
~ **électrique**: [electric] power station, generating plant, power plant
~ **électrosolaire**: solar power plant, solar power farm
~ **éolienne**: wind power plant, wind power station
~ **fluviale**: river power plant
~ **frigorifique**: refrigerating plant
~ **gyroscopique**: (aéro) gyro unit, three-axis data generator
~ **hélio-électrique**: solar power plant, solar power farm
~ **hydro-électrique**: hydroelectric power station
~ **marémotrice**: tidal power plant
~ **minière**: pithead power plant
~ **nucléaire**: nuclear plant, nuclear power station
~ **solaire**: heliostation, solar power plant, solar power farm
~ **thermique**: thermal power station, thermal power plant
~ **thermique classique**: fossil-fuel power plant
~ **tricombustible**: trivalent plant

centre *m* : centre GB, center NA; (tracé d'un arc) striking point
~ **commercial**: shopping centre
~ **commercial piétonnier**: shopping precinct, mall NA
~ **d'application de la charge**: load centre
~ **d'échelle**: midscale
~ **d'émission**: (tcm) sending station
~ **d'essais**: testing station
~ **d'essais en vol ▶ CEV**: test flying center
~ **d'extrémité**: (tél) terminal exchange
~ **d'informatique**: computer service center
~ **de carène**: (mar) centre of buoyancy
~ **de classe**: (statistiques) midpoint of class, midvalue of class
~ **de commande du réseau**: network control centre
~ **de commutation de réseau**: network switching centre
~ **de conduite-dispatching**: (él) load dispatching centre
~ **de coût**: cost centre
~ **de dégroupage**: break bulk center

~ **de formation**: training school
~ **de gravité**: centre of gravity
~ **de gravité de la charge**: load center
~ **de masse**: (d'un corps) centroid, barycentre, centre of mass
~ **de poussée d'Archimède**: centre of buoyancy, buoyancy centre
~ **de recherche**: research establishment
~ **de roue**: (chdef) wheel disc, wheel centre
~ **de roulis**: roll centre
~ **de torsion**: torsional centre
~ **de traitement à façon**: (inf) service bureau, computer bureau
~ **de traitement de l'information ▶ CTI**: computer centre
~ **de transit international**: (tél) gateway
~ **directeur**: (tcm) controlling exchange
~ **émetteur**: (tcm) sending office
~ **informatique**: computer centre
~ **multivrac**: bulk cargo terminal
~ **roulier**: rollon-rolloff centre, ro-ro centre
~ **serveur**: host (data base)
~ **terminal**: terminal exchange
~ **tête de ligne**: terminal exchange
~ **urbain**: local office

centrer: to centre GB, to center NA: (méc) to locate, to align; to true [up] (a wheel)

centreur *m* : centralizer
~ **de tige de forage**: drillpipe centralizer
~ **de tube de production**: tubing centralizer

centrifugation *f* : centrifugation, centrifuging, centrifugal process; centrifugal casting (of concrete); spinning (of metal)

centrifuge: centrifugal

centrifugé: (béton) centrifugally cast; (métal) spun

centrifuger: to centrifuge; (métal) to spin

centrifugeur *m* : centrifuge
~ **à courant continu**: flow-through centrifuge
~ **à évaporation**: evaporative centrifuge
~ **à panier**: basket centrifuge

centrifugeuse *f* : centrifuge; spin dryer
~ **à courant parallèle**: parallel centrifuge

~ **à évaporation**: evaporative centrifuge

centriole *m* : centriole

centromère *m* : centromer
~ **diffus**: diffuse centromer

centrosome *m* : centrosome

cépage *m* : variety of vine
~ **noble**: quality variety

céramique *f* : ceramic

céramo-plastique *m* : ceramoplastic

cerclage *m* : (frettage) hooping; (de roue) tyring, binding; (emballage) banding, strapping

cercle *m* : circle
~ **actif de pied**: working root circle
~ **azimutal**: vertical circle
~ **balayé par l'hélice**: propeller disc
~ **de coupe**: (pelle) cutting circle
~ **de denture**: tooth line
~ **de perçage**: bolt circle
~ **de pied**: (de dent) dedendum circle, dedendum line, root circle, root line
~ **de pointage**: dial (of dial sight)
~ **de racine**: (de dent) root circle, root line
~ **de roulement**: wheel tread, tread circle, running tread
~ **de tête**: (de dent) tip circle GB, addendum circle NA
~ **des trous de boulons**: pitch circle
~ **primaire de référence**: reference circle GB, generated pitch circle NA
~ **primitif**: pitch circle, pitch line
~ **primitif de fonctionnement**: operating pitch circle
~ **primitif de référence**: reference circle GB, generated pitch circle NA
~ **roulant**: (gg/bm) rolling circle
~ **tournant**: (gg/bm) rolling circle

cerclé: banded, hooped

cercleuse *f* : strapping machine

céréale *f* : (culture) grain, cereal; (alimentation) cereal
~ **fourragère**: fodder grain GB, feed grain NA
~ **panifiable**: cereal for breadmaking, bread grain

céréalier *m* : cereal grower; (navire) grain carrier

cerfeuil *m* : chervil

cerneau *m* : green walnut

certificat *m* : certificate
~ **d'origine** ▶ CO: certificate of origin
~ **de jauge**: certificate of measurement, measurement certificate
~ **de passage de contrôle technique**: (autom) MOT certificate
~ **de sortie**: clearance

certification *f* : certification

certifieur *m* **de bande magnétique**: magnetic tape certifier

céruse *f* : white lead

cétane *m* : cetane

cétogénèse *f* : ketogenesis

cétone *f* : ketone

cétose *m* : ketose; *f* : ketosis

CEV → **centre d'essais en vol**

chaînage *m* : (inf) chaining, concatenation, linkage
~ **horizontal**: (constr) lacing course

chaîne *f* (méc) chain; (de données, de bits) stream, string; (de montagnes) range; (de tissage) warp
~ **à articulations**: link chain, sprocket chain
~ **à augets**: bucket chain
~ **à barbotin**: sprocket chain
~ **à étais**: stud link chain
~ **à galets**: roller chain
~ **à godets**: bucket chain
~ **à maillons**: link chain
~ **alimentaire**: food chain
~ **antiparallèle**: (gg/bm) antiparallel chain
~ **articulée**: link chain
~ **binaire**: bit string
~ **bouclée**: (inf) daisy chain
~ **carbonée**: carbon chain
~ **cinématique**: drive train, gear train, transmission system, transmission line
~ **complémentaire**: (gg/bm) complementary chain
~ **cyclique**: ring chain
~ **d'arpenteur**: land chain, surveying chain, measuring chain
~ **d'isolateurs**: insulator string
~ **de caractères**: character string
~ **de distribution**: timing chain
~ **de fabrication**: production line
~ **de montage**: assembly line, erecting track

~ **de pilotage**: (aéro) attitude control system; (d'un réacteur) control channel
~ **de poil**: (tissu) pile warp
~ **de production**: flow line, production line
~ **de remplissage**: filling line; (tissage) filling warp
~ **de reprise**: (inf) checkstring
~ **de sécurité**: safety channel
~ **de sûreté**: safety chain; check chain (rail)
~ **de symboles**: symbol string
~ **de télédétection**: remote sensing system
~ **de traction**: pull chain
~ **détendue**: slack chain
~ **en croissance**: (gg/bm) growing chain
~ **et trame**: warp and weft
~ **étançonnée**: stud link chain
~ **Galle**: flat link chain, pitch chain, sprocket chain
~ **horizontale**: (constr) belt course, string course
~ **lâche**: slack chain
~ **légère**: (gg/bm) light chain
~ **lourde**: (gg/bm) heavy chain
~ **montée**: chain assembly
~ **ouverte**: (chim) open chain; (régulation) open loop
~ **polypeptidique**: polypeptide chain
~ **pyrotechnique**: pyrotechnic chain
~ **silencieuse**: silent chain
~ **sous carter**: enclosed chain
~ **transfert**: transfer line
~ **transfert non séquentielle**: flexible material handling system, flexible flow line
~ **transporteuse**: conveyor chain
~ **triple**: triplex chain
~ **vide**: null string
en ~: (inf) chained, concatenated

chaîner: to chain, to catenate, to concatenate

chair *f*: flesh, meat

chaise *f*: chair; (méc) support, bracket
~-**applique**: bracket hanger
~-**console**: bracket hanger
~-**palier**: bearing pedestal
~ **d'arbre**: stool
~ **d'hélice**: propeller bracket
~ **de chaudière**: boiler support
~ **de coussinet**: pedestal block, plummer block
~ **de palier**: bearing pedestal, bearing bracket
~ **de rail**: chair
~ **pendante**: hanging bracket, hanger
~ **pour tuyaux**: pipe hanger

~ **suspendue**: hanging bracket, hanger

chaland *m* : barge
~ **automoteur**: motor barge, self-propelled barge
~ **remorqué**: dumb barge

chaleur *f* : heat
~ **d'évaporation**: heat of evaporation
~ **d'hydratation**: heat of hydration
~ **de combustion**: heat of combustion
~ **dissipée**: waste heat
~ **du blanc**: white heat
~ **industrielle**: process heat
~ **industrielle d'origine extérieure**: foreign process heat
~ **massique**: specific heat [capacity]
~ **perdue**: waste heat; (par dissipation) stray heat
~ **radiante**: radiant heat
~ **rayonnante**: radiant heat
~ **rémanente**: afterheat
~ **résiduelle**: afterheat
~ **sensible**: sensible heat

chalumeau *m* : blowlamp GB, blowtorch NA, torch
~ **à découper**: cutting torch
~ **à plasma**: plasma torch
~ **à souder**: welding torch
~ **acétylénique**: acetylene blowpipe
~ **de décalaminage**: scarfing burner
~ **oxhydrique**: oxyhydrogen torch
~ **oxycoupeur**: cutting torch
~ **soudeur**: welding torch

chalutier *m* : trawler

chambrage *m* : conditioning; (méc) counterbore, recess

chambre *f* : chamber; (constr) bedroom, room
~ **d'expérience**: (de soufflerie) wind tunnel test section
~ **à air**: (de pneu) [inner[tube; (de cubilot) wind chest
~ **à air filtré**: clean room
~ **à brouillard**: cloud chamber
~ **à bulles**: bubble chamber
~ **à cloche**: plenum chamber (of air cushion)
~ **à défilement continu**: continuous strip camera
~ **à diffusion**: scattering chamber
~ **à eau de refroidissement du piston**: water cooling chamber of piston
~ **à écume**: (épuration) scum chamber
~ **à étincelles**: spark chamber
~ **à niveau constant**: float chamber
~ **à réserve d'air**: air chamber

~ **à trace**: track chamber
~ **à vide**: (bétatron) doughnut GB, donut NA
~ **additionnelle d'espace nuisible**: clearance pocket (of compressor)
~ **annulaire**: annulus
~ **anti-bélier**: surge chamber
~ **charpentée**: (mine) square set
~ **d'équilibre**: surge chamber
~ **d'essai pour fumée**: smoke box
~ **d'extinction**: quench chamber, quenching pot
~ **d'extinction d'arc**: arc control device
~ **d'ionisation**: ionization chamber
~ **d'ionisation à collection électronique**: electron collection pulse chamber
~ **d'ionisation à courant**: current ionization chamber
~ **d'ionisation à dépôt de bore**: boron-lined ionization chamber
~ **d'ionisation à détente**: expansion ionization chamber
~ **d'ionisation à fission**: fission ionization chamber
~ **d'ionisation à grille**: grid ionization chamber
~ **d'ionisation à paroi liquide**: liquid-wall ionization chamber
~ **d'ionisation équivalente à l'air**: air wall ionization chamber
~ **d'ionisation équivalente au tissu**: tissue equivalent ionization chamber
~ **dans le piston**: piston chamber
~ **de brûlage**: dewaxing chamber
~ **de câbles**: vault
~ **de catalyse**: catalytic chamber
~ **de chauffe**: heating chamber
~ **de cokéfaction**: retort (of coke oven)
~ **de combustion**: combustion chamber, combustor (of gas turbine)
~ **de combustion à écoulement direct**: straight-flow conbustion chamber
~ **de combustion à retour**: reverse-flow combustion chamber
~ **de combustion clerestory**: clerestory combustion chamber
~ **de décompression**: decompression chamber
~ **de détente**: expansion chamber
~ **de diffusion**: spray chamber
~ **de distribution**: plenum
~ **de maturation**: (raffinage) soaker chamber
~ **de mélange**: mixing chamber
~ **de pistolage**: spray room
~ **de plongée**: diving chamber
~ **de prise de vues**: photographic camera

~ **de purge**: (méc) cleanout chamber
~ **de réfrigération**: chill room
~ **de restitution**: plotting camera
~ **de soufflage**: quench chamber, spark blowout chamber
~ **de tranquillisation**: plenum chamber, surge chamber; settling chamber (of wind tunnel)
~ **de transformateur**: transformer vault
~ **de turbulence**: turbulence chamber; (d'aérosol) swirl[ing] chamber; (de moteur diesel) whirl chamber
~ **de vapeur**: (de chaudière) steam space
~ **de veille**: (mar) chart house
~ **de ventilation**: (de chaudière) plenum chamber
~ **de visite**: inspection pit
~ **de Wilson**: cloud chamber
~ **-dé**: thimble ionization chamber
~ **des cartes**: (mar) chart house
~ **des pompes**: (station de pompage) dry well
~ **des vannes**: (ouvrage hydraulique) gate house
~ **du flotteur**: float chamber GB, float bowl NA
~ **du gicleur**: atomizing chamber
~ **en cloche**: plenum chamber (air cushion)
~ **forte**: strongroom
~ **froide**: chill[ing] chamber, walk-in cooler
~ **frigorifique**: cold [storage] room
~ **gazéificatrice**: gasifying chamber
~ **multibande**: multiband camera
~ **noire**: dark room
~ **photographique**: camera
~ **pleine**: plenum chamber (air cushion vehicle)
~ **sourde**: dead room
~ **sous chaussée**: street manhole
~ **sous trottoir**: sidewalk manhole
~ **stéréométrique**: stereometric camera:
~ **torique**: (bétatron) doughnut GB, donut NA

chambrer: to counterbore

champ *m* : field
~ **d'épandage**: sewage farm

champenoise *f* : champagne bottle

champignon *m* : fungus
~ **comestible**: mushroom
~ **de couche**: cultivated mushroom
~ **de Paris**: button mushroom
~ **de rouille**: (dans canalisation) tubercule

~ **vénéneux**: poisonous fungus, toadstool

champignonnage *m* : (rouille) tuberculation

chandelle *f* : (étai) dead shore, vertical shore; (de moule) pin, spacer GB, support pillar NA; (aéro) zoom
~ **de démoulage**: stripping pin

chanfrein *m:* bevel, chamfer, splay
~ **en V**: single bevel (of butt weld)
~ **en X**: double Vee groove

changement *m:* change, changeover, transition; (transport) transfer; turn (of tide)
~ **brusque de phase**: phase jump
~ **de course**: reversal of stroke
~ **de ligne**: (inf) line feed
~ **de page**: (inf) page throw
~ **de phase**: phase change; (gg/bm) frameshift
~ **de poste**: hand-over
~ **de sens du courant**: current reversal
~ **de signe d'une force**: reversal
~ **de vitesse**: (action) gear change, speed change; (mécanisme) shift gear, change gear
~ **du nombre de pôles**: pole changing

changer: to change
~ **de vitesse**: to change gear, to shift gear
~ **l'affectation**: to reallocate
~ **l'étoupe**: to repack

changeur *m* : changer
~ **de prises**: tap changer
~ **de signe**: (inf) inverter

chant *m* : edge
~ **rond**: (moulure) pencil round

chantepleure *f* : weephole

chantier *m* : (constr) site; (mar) chock; (travaux routiers) road works GB, street work NA; (mine) workings
~ **d'abatage**: (mine) stope
~ **d'abatage remblayé**: filled stope
~ **d'avancement**: heading
~ **de construction**: building site GB, job site NA
~ **de construction navale**: shipyard, dockyard
~ **de moulage**: moulding shop, moulding bay
~ **en gradins**: stope
~ **improductif**: (mine) deadworks

~ **naval**: dockyard, shipyard
~ **ouvert**: under construction

chanvre *m* : hemp
~ **de Manille**: manilla hemp, abaca

chape *f* : (méc) clevis, fork joint, yoke; (de pneu) tread; (de poulie) pulley case, pulley shell; (constr) screed, topping; (de ressort) shackle
~ **d'attelage**: towing eye
~ **d'étanchéité**: damp-proof course
~ **de cardan**: universal yoke
~ **en ciment**: cement finish (floor)

chapeau *m* : cap; (de robinetterie) bonnet; (traitement des eaux usées) crust, scum; (de cheminée) cowl; (gg/bm) cap; (dans cuve de fermentation) yeast head
~ **d'allumeur**: distributor cap
~ **de bielle**: connecting rod cap
~ **de gaz**: (dans gisement) gas cap
~ **de moyeu**: hub cap
~ **de palée**: pile cap
~ **de palier**: bearing cap, pedestal cap, bearing housing (top half)
~ **de presse-étoupe**: stuffing gland, packing gland
~ **de roue**: hub cap
~ **de tête de bielle**: big end bearing cap
~ **pare-poussière**: dust cap

chapelet *m* : bucket chain; (conditionnement) strip pack
~ **d'outils**: (for) string of tools
~ **hydraulique**: chain pump

chapelle *f* : (de soupape) valve box, valve chest, valve chamber

chapelure *f* : breadcrumbs

chapon *m* : capon

chaptalisation *f* : chaptalization, addition of sugar, sugaring (of wine)

char *m* : tank (mil)
~ **amphibie**: amphibious tank

charançon *m* : weevil

charbon *m* : coal
~ **à coke**: coking coal
~ **à gaz**: gas coal
~ **à vocation sidérurgique**: metallurgic grade coal
~ **abandonné**: bottom coal
~ **actif en granulés**: granular activated carbon

~ **animal**: animal black, bone black
~ **au-desous d'un banc de stériles**: bottom coal
~ **bitumineux**: soft coal
~ **brut**: unscreened coal, raw coal
~ **calibré**: sized coal
~ **cokéfiant**: coking coal
~ **collant**: binding coal, fat coal
~ **criblé**: screened coal, sized coal
~ **de bois**: charcoal
~ **de faible rang**: low-rank coal
~ **de terre**: pit coal, mineral coal
~ **demi-gras**: semi-bituminous coal
~ **domestique**: domestic coal, house coal
~ **fin**: slack coal
~ **flambant [sec]**: flame coal, flaming coal, free-burning coal, gas flame coal
~ **flambant [gras]**: long-flame coal, open-burning coal
~ **fumant**: sooty coal
~ **gras**: bituminous coal, caking coal, fat coal, soft coal, rich coal
~ **maigre**: hard coal, low volatile coal, lean coal, dry coal
~ **non collant**: non-caking coal
~ **préparé**: dressed coal
~ **tout venant**: rough coal, run-of-mine coal GB, through-and-through coal NA, unscreened coal, through coal

charbonnage *m* : colliery, coalmine, coal field

chardon *m* : teasel

charge *f* : (force) load; (alimentation de machine) stock, feedstock; (d'un conducteur) charge; (d'explosifs) stick; (de haut-fourneau) burden, bed charge; (peinture): filler; (pression) head
~ **à courant constant**: constant current charge GB, floating charge NA
~ **à l'aspiration**: suction head
~ **à l'élingue**: [under]slung load
~ **à la rupture**: ultimate load
~ **à régime lent**: trickle charge
~ **à vide**: zero load
~ **adaptée**: matched load
~ **admissible**: (de levage) safe working load, lifting capacity
~ **alaire**: (aéro) surface load[ing], wing loading
~ **au crochet**: hook load
~ **au flambage**: buckling load
~ **branchée**: connected load
~ **cellulosique**: cellulose filler
~ **combinée**: compound load
~ **constante**: steady load; (él, tcm) holding load; (sur ouvrage) dead load, permanent load

~ **corporelle**: body burden
~ **d'alimentation**: (pétr) feedstock
~ **d'allumage**: bed fuel, bed charge
~ **d'amorçage**: primer, priming charge
~ **d'eau**: head of water
~ **d'entretien**: float[ing] charge
~ **d'épreuve**: proof load, test load
~ **d'espace**: space charge
~ **d'essai**: test load
~ **d'étalonnage**: (de ressort) preload
~ **d'explosifs**: blasting charge
~ **d'incendie**: fire load
~ **d'un lit de filtre**: filter loading
~ **de biberonnage**: boost charge
~ **de calcul**: assumed load
~ **de coke au cubilot**: bed coke
~ **de courte durée**: momentary load
~ **de départ**: feedstock
~ **de mine**: blasting charge
~ **de pointe**: peak load
~ **de refroidissement**: cooling load
~ **de réfrigération**: cooling load
~ **de régime**: rated load, normal rating
~ **de rupture**: load at break, breaking load
~ **de traction**: tensile load
~ **de travail**: workload, working load
~ **de vent**: wind load
~ **due au poids propre**: dead load
~ **dynamique**: live load
~ **en régime**: live load
~ **explosive**: (mine) blasting charge; (mil) war head
~ **fibreuse**: (plast) fibre filler
~ **fixe**: steady load, dead load
~ **génétique**: genetic load
~ **hors dimensions**: outsize cargo
~ **hydraulique**: hydraulic head
~ **hydrostatique**: liquid head
~ **incomplète**: light load
~ **inerte**: inert filler
~ **limite**: ultimate load
~ **marchande**: payload
~ **maximale**: peak load
~ **minérale**: mineral filler
~ **mobile**: (aéro) disposable load; (génie civil) live load
~ **modulable**: controllable load
~ **nominale**: rated load, safe working load
~ **normale**: normal rating
~ **nulle**: zero load
~ **organique d'un lit bactérien**: (épuration) trickling filter load
~ **par essieu**: axle load
~ **partielle**: light load, underload
~ **permanente**: dead load, own load
~ **polluante**: pollution burden
~ **ponctuelle**: point load
~ **préalable**: preloading, prestraining
~ **prévue**: rated load
~ **pulsatoire**: pulsating load

~ **rapide**: (de biberonnage) quick charge, boost charge
~ **réduite**: light load
~ **roulante**: rolling load
~ **spatiale**: space charge
~ **statique**: dead load, steady load
~ **superficielle**: surface loading
~ **supposée**: assumed load
~ **sur le ressort**: spring loading
~ **sur une roue**: wheel load
~ **surfacique**: surface load (of filter)
~ **temporaire à régime élevé**: boost charge
~ **textile**: fabric filler
~ **théorique**: design load
~ **thermique**: heat load
~ **utile** ► CU: carrying capacity, load capacity, payload
~ **variable**: live load, mobile load
~**s militaires sous fuselage**: belly stores
en ~: under load; live, on load; (tuyauterie) [under] pressure; (réservoir) working

chargé: charged; (navire) laden; (él) live
~ **à refus**: heaped

chargement *m* : loading; (mar) cargo, shipment; (fonderie) bed charge
~ **au jour**: daylight loading, room-light loading
~ **automatique**: (inf) autoload
~ **avec permutation**: (inf) swap-in
~ **complet**: full load
~ **de divers**: general cargo
~ **de page**: (en mémoire) page in
~ **dur**: (sdge) hard facing
~ **en chambre noire**: darkroom loading
~ **en enfilade**: end-on loading
~ **en pontée**: deck load, deck cargo
~ **en vrac**: bulk loading
~ **initial de programme**: initial program loading
~**-exécution**: (inf) load-and-go
~ **par la culasse**: breech loading

charger: to charge, to load; (une structure) to stress
~ **et lancer**: (inf) to load and go
~ **et stocker**: (inf) to load and store

chargeur *m* : loader, charger; (de film, de bande magnétique) cartridge; (de machine) feeder, feeding attachment; (mar) loader, shipper; (de fusil) magazine
~ **à godets**: bucket loader
~ **à poste fixe**: stationary charger
~ **à tapis roulant**: belt loader
~ **de batterie**: battery charger
~**-éditeur de liens**: linking loader

chargeuse *f* : loader
~ **à chenilles**: crawler loader
~ **mécanique**: power loader, mechanical loader
~**-pelleteuse**: face shovel, loading shovel, pullshovel loader
~**-transporteuse**: (mine) loading conveyor

chariot *m* : trolley; (de grue, de machine à écrire) carriage; (de tour) slide
~ **à bras**: hand truck, platform truck
~ **à fourche**: forklift truck
~ **à fourche entre longerons**: straddle [forklift] truck
~ **à fourche rétractable**: reach truck
~ **[à moteur] électrique**: industrial truck
~ **à petite levée**: low-lift truck
~ **à reproduire**: profiling slide
~ **cavalier**: straddle carrier
~ **d'avance**: feed slide
~ **de coulée**: casting car
~ **de manutention**: industrial truck
~ **de pont roulant**: crab, traveller
~ **de ravitailement**: (aéro) servicer
~ **de roulement**: crab
~ **élévateur**: forklift truck
~ **élévateur à fourche transversale**: side loader
~ **gerbeur**: stacking truck, stacker
~ **grande levée**: high-lift truck
~ **latéral**: side-loading truck, side loader
~ **porte-bobine**: reel truck
~ **porte-outil**: tool [rest] slide
~ **porte-pièce**: work slide
~ **porte-poche**: ladle car
~ **porte-tourelle**: turret rest, turret slide
~ **porteur**: platform truck (on station platform)
~ **roulant**: travel[l]ing crab, crab
~ **sectionnable**: (él) drawout truck
~ **tracteur**: tugger

chariotage *m* : (usinage) sliding, traversing, turning
~ **de tour**: traversing
~ **longitudinal**: straight turning, sliding
~ **transversal**: cross traverse

charnière *f* : hinge
~ **à broche**: pin hinge

charpente *f* : frame; (constr) structure, carcass
~ **de toit**: roof framing
~ **métallique**: steel frame, steel structure, structural steelwork
~ **spatiale**: space frame, space structure

~ **tridimensionnelle**: space frame, space structure

charpentier *m* : carpenter

charriage *m* : (géol) thrusting
~ **des matériaux de fond**: (en rivière) bed load

charrier: (cours d'eau) to carry

charrue *f* : plough GB, plow NA

chasse *f* : (roue de véhicule) caster; (plomberie) flushing; (d'égout) cleaning; (tissage) picking motion
~ **à la vapeur**: steamage, steamout
~ **au laitier**: (pétr) slurry flush
~ **d'eau**: (de w.c.) flush; (de canalisation) flushing; (d'ouvrage hydraulique) sluicing

chasse-clou *m* : nail punch

chasse-goupille *m* : drift punch, pin drift, pin punch

chasse-neige *m* : snow plough GB, snow plow NA
~ **rotatif**: snow blower

chasse-pointe *m* : brad punch, nail punch

chasse-rivet *m* : rivet punch

chasser: to expel, to drive out; (une goupille) to drift; (un rivet) to punch
~ **par ébullition**: to boil off

chasseur *m* : (aéro) fighter; (de sous-marins) chaser
~ **bombardier**: fighter bomber
~ **de mines**: mine hunter
~ **tout temps**: all-weather fighter

châssis *m* : (de véhicule) chassis, underframe; (moulage) bolster; (f.o.) rack
~ **à zone déformable**: crush control frame
~-**caisson**: box-type frame
~ **canon**: (aéro) gun pack
~ **d'extension**: (inf) extender board
~ **de dessous**: (fonderie) drag
~ **de dessus**: (fonderie) cope
~ **de fenêtre à guillotine**: sash
~ **de liaison**: (tcm) span rack, span shelf
~ **de mise en page**: (graph) chase
~ **de moulage**: moulding flask, moulding box, mould chase

~ **dormant**: (de fenêtre) fast sheet
~ **en caisson**: box-type frame
~ **fixe**: (de fenêtre) fast sheet
~-**fusée**: rocket motor pack
~ **secondaire**: subframe
~ **surbaissé**: drop-frame chassis, underslung frame

châtaigne *f* : chestnut
~ **d'eau**: water chestnut

château *m* : (mar) superstructure
~ **d'eau**: water tower
~ **de transport**: (nucl) flask GB, shipping cask NA

chatterton *m* : insulating tape, splicing tape, electric[al] tape

chaude *f* : (métall) heat, melt
~ **blanche**: white heat
~ **rouge**: red heat

chaudière *f* : boiler
~ **à circulation**: circulating boiler
~ **à grille**: grate boiler
~ **à récupération**: waste-heat boiler
~ **à retour de flamme**: return-flame boiler
~ **à tubes d'eau**: water-tube boiler
~ **à tubes de fumée**: fire-tube boiler
~ **à vaporisation instantanée**: flash boiler
~ **à vaporisation rapide**: flash boiler
~ **aquatubulaire**: water-tube boiler
~ **auxiliaire**: donkey boiler
~ **de production d'énergie**: power boiler
~ **mixte**: dual-fuel boiler, dual-purpose boiler
~ **monobloc**: package boiler
~ **multitubulaire**: firetube boiler
~ **préfabriquée**: package boiler
~ **tubulaire**: tube boiler

chaudronnerie *f* : boilermaking

chauffage *m* : heating
~ **à air chaud**: hot air heating
~ **à circulation d'air**: recirculating heating
~ **à cœur**: through heating GB, thru heating NA
~ **à infrarouge**: infrared heating
~ **d'ambiance**: background heating, space heating
~ **d'appoint**: supplementary heating
~ **de base**: background heating
~ **des locaux**: room heating, space heating
~ **direct**: direct firing
~ **indirect par arc**: indirect arc heating

~ **par accumulation**: storage heating
~ **par combustion**: direct-fired heating
~ **par induction**: induction heating
~ **par onde de choc**: shock heating
~ **par ondes progressives**: travel[l]ing wave heating
~ **par rayonnement**: radiant heating, radiation heating
~ **par rayons infrarouges**: infrared heating
~ **solaire**: solar heating

chauffagiste *m* : heating engineer

chauffe *f* : (de chaudière) firing
~ **au mazout**: oil firing

chauffe-bain *m* : water heater

chauffe-eau *m* : water heater
~ **à accumulation**: storage water heater

chauffé: heated; (chaudière) fired
~ **à blanc**: white hot
~ **au gaz**: gas-fired
~ **au mazout**: oil-fired
~ **au rouge**: red hot

chaufferie *f* : boiler room, heating plant; (mar) fireroom
~ **en terrasse**: penthouse heating plant

chauffeur *m* : (conducteur de véhicule) driver; boiler man, furnace man; (de locomotive à vapeur) fireman; (de locomotive diesel) driver's assistant
~ **de camion**: lorry driver GB, truck driver NA, teamster NA

chaume *m* : stubble

chaussée *f* : road, carriageway GB, pavement NA
~ **déformée**: rough road
~ **rétrécie**: road narrows
~ **souple**: flexible pavement
~ **surélevée**: causeway

chaux *f* : lime
~ **éteinte**: dead lime, slack lime, slaked lime
~ **éteinte à l'air**: air-slaked lime
~ **grasse**: fat lime
~ **hydraulique**: hydraulic lime
~ **sodée**: soda lime
~ **vive**: quick lime

chavirer: (navire) to overturn, to capsize

cheddite *f* : chlorate explosive

chef *m* : master; (gestion) manager; (d'ardoise) edge
~ **d'équipe**: foreman, charge hand
~ **d'exploitation**: operations manager, works manager
~ **de brigade**: charge hand
~ **de chantier de pose**: (de pipeline) stringer
~ **de char**: crew commander
~ **de produit[s]**: product manager
~ **de projet**: project engineer, project manager, project leader
~ **de quart**: officer of the deck
~ **de service**: head of department
~ **des navigateurs**: leader navigator
~ **des pilotes**: leader pilot
~ **du personnel**: personnel manager
~ **foreur**: boring master

chélate *m* : chelate

chélateur *m* : chelating agent, sequestering agent

chélation *f* : chelation, sequestering (by chelation)

chemin *m* : path
~ **d'accès**: (inf) access path
~ **de bande**: feed path
~ **de fer**: railway GB, railroad NA
~ **de fer de ceinture**: belt line, circle railway, circular railway
~ **de fer à voie normale**: standard gauge railway
~ **de fer à voie étroite**: narrow-gauge railway
~ **de fer funiculaire**: rope railway
~ **de fer surélevé**: aerial railway
~ **de roulement**: (roulement à billes) ball race; (de grue) track; (aéroport) taxiway
~ **de roulement du rail**: rail tread
~ **décrit**: path
~ **est**: easting
~ **est-ouest**: departure
~ **lumineux**: (encastré) troffer
~ **nord**: northing
~ **optique**: optical path
~ **ouest**: westing
~ **ouest-est**: departure
~ **sud**: southing
~ **suivi par la bande**: feed path

cheminée *f* : chimney, shaft; (graph) gutter, river [of white]
~ **à minerai**: ore pass
~ **d'aération**: air shaft
~ **d'équilibre**: (ouvrage hydraulique) surge tank
~ **d'évacuation des fumées**: smoke stack

~ **d'usine**: chimney stack
~ **de passage de câbles**: cable shaft

cheminement *m* : (topographie) traverse, traversing; (de courroie, de rail) creep[ing]
~ **d'arc**: arc tracking
~ **lent**: creep
~ **préférentiel**: channeling
~ **principal des câbles**: main cable route

cheminot *m* : railwayman GB, railroad man NA, railroader NA

chemise *f* : (intérieure) liner; (extérieure) jacket; (de livre) jacket
~ **à eau de refroidissement**: water jacket
~ **à vapeur**: steam jacket
~ **d'arbre**: shaft sleeve
~ **d'eau**: water jacket
~ **de cylindre**: cylinder sleeve, cylinder liner
~ **de réchauffage**: heating jacket
~ **de réfrigération**: cooling jacket
~ **de refroidissement**: cooling jacket
~ **emmanchée**: pressed-in liner
~ **humide**: wet cylinder sleeve, wet [cylinder] liner
~ **sèche**: dry [cylinder] liner
~**-tiroir**: sleeve valve

chémo[ré]cepteur: chemo[re]ceptor

chémostat *m* : chemostat

chenal *m* : (de cours d'eau) channel
~ **d'alimentation**: (fonderie) launder
~ **de coulée**: gate, [tapping] spout, runner
~ **dragué**: swept channel
~ **navigable**: fairway

chéneau *m* : box gutter, cullis NA

chenillard *m* : cat[erpillar] crawler, crawler tractor, caterpillar tractor; *adj* : tracklaying

chenille *f* : caterpillar track

chenillé: (véhicule) tracked

cherche-fuite *m* : leak detector

cherche-pôles *m* : pole finder

chercheur *m* : searcher; (personne) researcher; (de détecteur) [cat's] whisker; (tél) finder [switch]
~ **d'appels**: call finder
~ **de ligne**: line finder

chevalement *m* : (de mur) shoring, propping; (de mine) headframe, headgear
~ **d'extraction**: hoist frame

chevalet *m* : rest, stand, trestle; (de canalisation) saddle
~ **de tir**: firing stand, firing trestle

chevauchement *m* : overlap, lapping, lap; (géol) overthrust
~ **des soupapes d'admission**: valve [over]lap
~ **négatif des soupapes**: minus valve overlap
~ **positif des soupapes**: plus valve overlap

chevaux *m* : horsepower
~ **effectifs**: effective horsepower
~ **fiscaux**: taxable horsepower

cheville *f* : (d'assemblage) dowel pin, dowel, pin, peg
~ **cylindrique**: straight pin
~ **de culot**: (de lampe) base pin, base prong
~ **de fixation**: dowel pin
~ **de guidage**: leader pin
~ **de repérage**: locating pin, dowel pin, guide peg
~ **ouvrière**: kingpin, kingbolt

chèvre *f* : (levage) gin
~ **à haubans**: gin pole

chevron *m* : (constr) main rafter

chiasma *m* : (gg/bm) chiasm[a]
~ **asymétrique**: disparate chiasma
~ **de compensation**: compensating chiasma
~ **de diagonale**: diagonal chiasma

chiasmatypie *f* : chiasmatypy

chicanage *m* : baffling

chicane *f* : baffle [plate], deflector
~ **à huile**: oil baffle
~ **antiballottante**: antisloshing baffle
~ **déflectrice**: impingement baffle
en ~: staggered

chicorée *f* : (plante) chicory, succory; (grillée) chicory
~ **frisée**: endive

chien *m* : (d'arrêt) dog, catch, detent, pawl; (de fusil) hammer

chiffraison *f* : numbering (assigning a number)

chiffre *m* : (maths) number, numeral, digit, figure; (code secret) cypher, cipher
~ **binaire**: binary digit
~-**clé**: check digit
~ **de contrôle**: check digit
~ **de poids le plus faible**: least significant digit
~ **de poids le plus fort**: most significant digit
~ **romain**: roman numeral
~ **significatif**: significant digit

chiffrement *m* : encipherment, encryption, encoding

chiffrer: to digitize; (une quantité) to put a figure; (en code secret) to cipher, to encipher, to encrypt

chiffreur *m* : cryptographer

chimère *f* : (gg/bm) chim[a]era
~ **chromosomique**: chromosomal chimera
~ **mériclinale**: mericlinal chimaera

chimie *f* : chemistry
~ **agricole**: chemurgy
~ **du rayonnement**: radiation chemistry
~ **inorganique**: inorganic chemistry, mineral chemistry
~ **minérale**: inorganic chemistry, mineral chemistry
~ **organique**: organic chemistry

chimiluminescence *f* : chemiluminescence

chimiosynthèse *f* : chemiosynthesis

chimisorber: to chemisorb, to chemosorb

chlorateur *m* : chlorinator

chloration *f* : chlorination
~ **optimale**: break point chlorination
~ **par hypochlorites**: hypochlorite chlorination

chlore *m* : chlorine
~ **libre**: free chlorine
~ **résiduel combiné ▶ CRC**: combined residual chlorine
~ **résiduel total ▶ CRT**: total residual chlorine

chloré: chlorinated

chlorophycées *f* : green algae, chlorophyceae

chlorophylle *f* : chlorophyll GB, chlorophyl NA

chloroplaste *m* : chloroplast

chlorovinylique: vinyl chloride (plastic)

chlorure *m* : chloride
~ **de polyvinyle ▶ CPV**: polivinyl chloride
~ **de polivinyle chloré**: chlorinated polivinyl chloride
~ **de polyvinyle non plastifié**: unplasticized polyvinylchloride
~ **de sodium**: sodium chloride

choc *m* : shock, impact, collision
~ **de manœuvre**: (él) switching impulse
~ **électrique**: electric shock
~ **en retour**: return shock
~ **moléculaire**: molecule collision
~ **thermique**: thermal shock

chocage *m* : jigging, compacting

chocolat *m* : chocolate
~ **à croquer**: eating chocolate
~ **à cuire**: cooking chocolate

choix *m* : choice, selection; (assortiment) mix
~ **de l'emplacement**: siting
~ **d'implantation**: siting
de ~: choice, select

cholestérol *m* : cholesterol

chou *m* : cabbage
~ **de Bruxelles**: Brussels sprout
~ **frisé de Milan**: Savoy [cabbage]

chou-fleur *m* : cauliflower

chouleur *m* : shovel loader

chou-navet *m* : swede

chou-palmiste *m* : palm-cabbage

chouquage *m* : chugging (of reactor)

chou-rave *m* : kohlrabi, turnip cabbage, kale turnip

chromage *m* : chromium plating

chromatide *f* : chromatid
~ **en anneau**: ring chromatid
~ **en lampbrush**: lampbrush chromatid
~ **plumeuse**: lampbrush chromatid
~ **sœur**: sister chromatid

chromatine f : chromatin

chromatogramme m : chromatogram

chromatographie f : chromatography
  ~ **d'affinité**: affinity chromatography
  ~ **en couche mince**: thin-layer chromatography
  ~ **en phase gazeuse**: gas chromatography
  ~ **gaz-liquide**: gas-liquid chromatography
  ~ **liquide à haute performance** ▶ **CLHP**: high-performance liquid chromatography
  ~ **sur colonne**: column chromatography
  ~ **sur papier**: paper chromatography

chromatographiste m : chromatographer

chromifère: chromium-bearing

chrominance f : chrominance

chromogène: chromogenic

chromonème m : chromonema

chromosome m : chromosome
  ~ **acrocentrique**: acrocentric chromosome
  ~ **accessoire**: accessory chromosome
  ~ **additionnel**: supernumerary chromosome
  ~ **annulaire**: ring chromosome
  ~ **en écouvillon**: lampbrush chromosome
  ~ **en métaphase**: metaphase chromosome, chromosome at metaphase
  ~ **homologue**: homologous chromosome
  ~ **métacentrique**: metacentric chromosome
  ~ **minuscule double**: double minute chromosome
  ~ **non homologue**: non homologous chromosome
  ~ **plumeux**: lampbrush chromosome
  ~ **polytène**: polytene chormosome
  ~ **retardataire**: lagging chromosome
  ~ **sexuel**: sex chromosome
  ~ **somatique**: somatic chromosome
  ~ **supplémentaire**: supernumerary chromosome
  ~ **transloqué**: translocated chromosome, translation chromosome

chromosomique: chromosomal

chronautographe m : start-stop controller (on machine)

chronogramme m : timing chart

chronométrage m : clocking, timekeeping, timing

chronomètre m : stop watch

chronométrer: to clock, to time

chute f : fall, drop; (de coupe) end, offcut;
  ~**s**: (après découpage) cuttings, scraps, trimmings
  ~ **anodique**: anode drop
  ~ **cathodique**: cathode drop
  ~ **dans l'arc**: arc drop (valve)
  ~ **de la mousse**: lather collapse
  ~ **de pression**: pressure loss, pressure drop
  ~ **libre**: free fall
  ~ **nette**: (ouvrage hydraulique) net head, effective head

chuter: to fall, to drop; (couper) to crop
  ~ **la pression**: to dump the pressure, to release the pressure

chymosine f : chymosin

c.i. → **circuit imprimé**

cibiste m : c.b. fan

ciblage m **d'un gène**: gene targeting

cible f : target
  ~ **d'essai**: test target
  ~ **factice**: dummy target
  ~ **fantôme**: phantom target
  ~ **immobile**: fixed target
  ~ **remorquée**: towed target

ciboulette f : chive[s]

cidre m : cider
  ~ **bouché**: champagne cider

cidrerie f : cider making; cider factory

ciel m : sky; (de réservoir, de chaudière) crown
  à ~ ouvert: above ground; (égout) open; (piscine) open-air; (mine) opencast

cil m : cilium
  ~ **vibratile**: flagellum

ciliature f cilia, flagella, flagellums

cilié: ciliate

ciment *m* : cement
  ~ **à durcissement lent**: slow-
hardening cement
  ~ **à haute résistance initiale**: high
early strength cement
  ~ **à la pouzzolane**: pozzolana cement
  ~ **à prise rapide**: quick-setting cement
  ~ **alourdi**: weighted cement
  ~ **alumineux**: high-alumina cement
  ~ **amaigri**: weakened cement
  ~ **asphaltique**: asphalt cement
  ~**-colle**: [adhesive] cement, tiling
adhesive
  ~ **de fer**: metallurgic cement
  ~ **de laitier**: slag cement
  ~ **en vrac**: bulk cement
  ~ **fondu**: calcium aluminate cement,
high-alumina cement
  ~ **hydraulique**: hydraulic cement,
water cement
  ~ **métallurgique**: metallurgic cement
  ~ **[métallurgique] sursulfaté**:
supersulphated cement GB,
supersulfated cement NA
  ~ **Portland**: Portland cement
  ~ **Portland sans constituants
secondaires ▶ CPA**: ordinary
Portland cement
  ~ **prompt**: quick-setting cement
  ~ **pur**: neat cement
  ~ **réfractaire**: fire cement
  ~ **retardé**: retarded cement

cimentation *f* : cementing

cimenterie *f* : cement works

cinéma *m* : (industrie) cinema, [motion]
pictures, movies, film industry; (lieu)
cinema, movie theater

cinématique *f* : kinematics

cinglage *m* : (métall) shingling

cingler: (métall) to shingle
  ~ **un trait**: to chalk a line

cinquième porte: (de voiture) tailgate

cintrage *m* : bending
  ~ **de tuyaux**: pipe setting, tube
bending
  ~ **des armatures**: bar bending
  ~ **et pliage**: bending and folding GB,
bending and creasing NA

cintre *m* : (de voûte) centring GB,
centering NA

cintré: bent, curved

cintreuse *f* : bending machine, bender

circlip *m* : circlip, spring clip

circonférence *f* : circumference; (d'une
colonne) girth

circuit *m* : circuit; (de freinage, de
refroidissement) system
  ~ **à commande unique**: (él) ganged
circuit
  ~ **à constantes réparties**: distributed
[constant] circuit
  ~ **à constantes localisées**: lumped
[constant] circuit
  ~ **à couche mince**: thin-film circuit
  ~ **à courant ouvert**: open circuit
  ~ **à courants porteurs**: carrier circuit
  ~ **à très haute intégration**: very high
scale integrated circuit
  ~ **alternatif**: a.c. circuit
  ~ **antibourrage**: [anti]jamming circuit
  ~ **antiréson[n]ant**: tank circuit,
antiresonant circuit
  ~ **bifilaire**: two-wire system
  ~ **bouclé**: loop circuit
  ~ **brouilleur**: noise making circuit,
scrambler
  ~ **conformateur**: shaping circuit
  ~ **correcteur**: compensating circuit
  ~ **court-circuité**: short-circuit circuit,
shorted circuit
  ~ **d'absorption**: acceptor circuit
  ~ **d'addition**: adder
  ~ **d'alimentation en combustible**:
fuel system
  ~ **d'anode**: anode circuit GB, plate
circuit NA
  ~ **d'approvisionnement**: supply
channel
  ~ **d'arrivée**: incoming circuit; (tél)
incoming trunk, inward trunk
  ~ **d'attaque**: drive circuit, driver
[circuit], driving circuit
  ~ **bouchon**: tank circuit, antiresonant
circuit, stopper circuit, trap circuit,
wave trap
  ~ **combinatoire**: (inf) combinational
circuit
  ~ **d'automaintien**: stick circuit
  ~ **d'égalisation**: compensating circuit
  ~ **d'équilibrage**: balancing circuit
  ~ **d'équilibrage d'une antenne**:
antenna matching circuit
  ~ **d'inhibition**: inhibiting circuit
  ~ **d'utilisation**: load circuit
  ~ **de charge**: load [circuit]
  ~ **de commande**: control circuit, pilot
circuit, driver [circuit]
  ~ **de compensation de charge**: (tcm)
absorber circuit
  ~ **de déclenchement**: (éon) cut-off
circuit
  ~ **de départ**: outgoing circuit

~ **de déphasage**: phase-shift circuit, phase splitter circuit
~ **de dérivation**: branch circuit
~ **de détection**: sensing circuit
~ **de force**: power circuit
~ **de jonction**: (tél) trunk circuit, junction circuit
~ **de l'information**: data path
~ **de lissage**: smoothing circuit
~ **de mise à feu**: (missile) ignition circuit
~ **de mise en forme**: pulse former, pulse shaper
~ **de plaque**: anode circuit GB, plate circuit NA
~ **de réserve**: fall-back circuit
~ **de retour**: (pompage) return leg
~ **de retour à la masse**: earth return circuit GB, ground return circuit NA
~ **de retour à la terre**: earth return circuit GB, ground return circuit NA
~ **de retour par les essieux**: (chdef) axle circuit
~ **de retour par la terre**: earth return circuit GB, ground return circuit NA
~ **de secours**: fall-back circuit
~ **de tir**: (explosifs) [shot]firing circuit
~ **de verrouillage**: (tcm) clamping circuit, clamper
~ **de voie**: (chdef) bond[ing] wire
~ **dérivé**: branch circuit, shunt circuit
~ **écrêteur**: clipping circuit, peak clipper
~ **élargisseur d'impulsion**: pulse stretcher
~ **éliminateur**: rejector circuit, stopper circuit, trap circuit
~ **éliminateur d'étincelles**: quench[ing] circuit, spark quench
~ **émetteur de parasites**: noise making circuit
~ **en ceinture**: ring main system
~ **en charge**: load circuit
~ **en dérivation**: shunt circuit, parallel circuit
~ **en parallèle**: shunt circuit, parallel circuit
~ **en série**: series circuit, echelon circuit
~ **en service**: operational circuit
~ **entrant**: inward trunk
~ **fantôme**: phantom circuit
~ **fantôme à retour par la terre**: earth phantom circuit
~ **fermé**: closed circuit, made circuit, completed circuit
~ **filtre**: smoothing circuit
~ **gravé**: etched circuit
~ **hybride**: hybrid circuit
~ **imprimé** ► **c.i.**: printed circuit
~ **imprimé par décapage**: etched printed circuit

~ **inhibiteur**: inhibiting circuit
~ **intégré**: integrated circuit
~ **intégré à couches minces**: thin-film integrated circuit
~ **intégré à couches épaisses**: thick-film integrated circuit
~ **intégré linéaire**: linear integrated circuit
~ **intégré monolithique**: monolithic integrated circuit
~ **intégré ultra rapide**: very high speed integrated circuit
~ **intégré ultra-puissant**: very high power integrated circuit
~ **interurbain**: intertoll trunk, trunk circuit
~ **multipoint**: multidrop circuit
~ **NON**: NOT circuit, NOT gate
~ **non téléphonique**: non-speech circuit
~ **nu**: leadless circuit (p.c.)
~ **oscillant**: tank circuit
~ **OU**: OR circuit, OR gate
~ **ouvert**: open circuit, open wiring, open loop system
~ **parallèle**: parallel circuit
~ **pilote**: pilot circuit
~ **porte**: gate circuit
~ **pour courant fort**: power circuit
~ **protecteur**: guard circuit
~ **retardateur**: time-delay circuit
~ **sans perte**: zero-loss circuit
~ **sortant**: outgoing circuit
~ **sous tension**: live circuit
~ **superfantôme**: double phantom circuit
~ **symétrique**: pushpull circuit
~ **terrestre**: land circuit
~ **unifilaire**: single wire circuit, earth return circuit GB, ground return circuit
à ~ **ouvert**: open-circuit, no-load, no-connection
en ~: (él) on, connected, engaged
en ~ ouvert: open-circuit, no-load, no-connection

circuiterie *f* : circuitry

circulaire *f adj* : circular

circulation *f* : (d'un fluide) circulation, flow; (de l'information, de données, de signaux) flow; (transport) circulation, traffic
~ **à contre-voie**: contra-flow traffic
~ **au ralenti**: slow-moving traffic
~ **continue**: continuous flow
~ **dans les deux sens**: two-way traffic
~ **en accordéon**: stop-go traffic
~ **en mouvement**: moving traffic
~ **fluide**: smooth traffic

~ **forcée**: forced circulation, pressure flow
~ **inverse**: reverse circulation, reverse flow
~ **karstique**: karstic flow
~ **par gravité**: gravity circulation, gravity flow
~ **piétonnière**: pedestrian traffic
~ **routière**: road traffic
~ **sous pression**: force-feed circulation

cire f : wax
~ **blanchie**: bleached wax
~ **d'abeille**: beeswax
~ **de paraffine**: paraffin wax
~ **de protection**: (c.i.) stopping-off wax
~ **jaune**: unbleached wax, yellow wax

cirque m : (pose de pipeline) gang

cisaille f : shear[s]
~ **à barres**: bar cutting machine
~ **à ébavurer**: trimming shear
~ **à ébouter**: end shears, squaring shears
~ **à étêter**: squaring shears
~ **à guillotine**: guillotine shear
~ **à refendre**: slitter
~ **à tronçonner**: cut-off shear
~ **d'éboutage**: end shears, end cropper
~ **de rives**: edge trimmer
~-**guillotine**: guillotine shear
~ **mécanique**: shearing machine
~ **volante**: flying shear

cisaillement m : shear[ing]; (chdef) crossing (of lines, of tracks)
~ **par torsion**: torsion shear
~ **simple**: pure shear

ciseau m : chisel
~ **à déballer**: case opener, crate opener, box chisel
~ **à froid**: cold chisel
~ **à mortaiser**: mortise chisel, mortice chisel
~**x**: scissors

cistron m : cistron

citerne f : tank; (de pétrolier) hold
~ **d'eau**: water tank
~ **d'eau pluviale**: rainwater tank, (souterraine) cistern
~ **souple**: flexible tank

citron m : lemon
~ **pressé**: fresh lemon juice
~ **vert**: lime

citronelle f : citronella

citronnade f : still lemonade, lemon squash GB, lemonade NA

citronnat m : candied lemon peel

citrouille f : pumpkin

CLAB → **carottier latéral à balles**

clabot: claw (of coupling), cranking dog

clair m : thin place; (défaut de matière plastique) window; adj : clear; (pâte) liquid, thin
~ **de terre**: earthshine

clairance f : (nucl) clearance

claire-voie f : open fence, openwork
à ~: (cloison) batten and space; (conteneur, remorque) skeleton, skeletal

clapet m : valve ; flap valve, flapper valve; clack, drop valve, clapper
~ **à bascule**: swing valve
~ **à bille**: ball valve GB, globe valve NA
~ **à boisseau**: sleeve valve
~ **à charnière**: clack valve, hinged valve, swing valve, flap valve, clapper
~ **à marée**: tide gate
~ **à piston plongeur**: plunger valve
~ **annulaire**: valve plate, valve disc
~ **antichocs**: shock valve
~ **antiretour**: check valve
~ **articulé**: clack valve, hinged valve, swing valve, flap valve, clapper
~ **baladeur**: shuttle valve
~ **basculant**: swing valve
~ **casse-vide**: vacuum breaker valve
~-**champignon**: mushroom valve
~ **d'aspiration**: suction valve
~ **d'interdiction**: override valve
~ **de décharge**: outlet valve, delivery valve; (de pression) relief valve, dump valve
~ **de débit**: flow valve
~ **de dépression**: vacuum relief valve
~ **de désenfumage**: smoke vent
~ **de gonflage**: air charging valve
~ **de laminage**: restrictor, throttle valve
~ **de non retour**: check valve, non-return valve
~ **de purge**: blowoff valve, bleed valve
~ **de refoulement**: discharge valve, delivery valve
~ **de retenue**: check valve, retaining valve, back-pressure valve, reflux valve
~ **de retenue à battant**: swing check valve

~ **de soupape**: valve flap
~ **de surpression**: [pressure] relief valve, pressure control valve
~ **électrique**: solenoid valve
~ **électromagnétique**: solenoid valve
~-**navette**: shuttle valve
~-**piston**: piston valve

claquage *m* : (él) breakdown, rupture (of insulation); (perforation) puncture; (contournement) flashover
~ **par avalanche**: avalanche breakdown
~ **[par effet] thermique**: thermal breakdown

claquement *m* : click, clicking noise
~ **de piston**: piston slap
~ **de manipulation**: key click

clarificateur *m* : clarifier; *adj* : clarifying

clarification *f* : clarification, clarifying

clarifier: to clear, to purify; (une solution, du sucre) to defecate; (du beurre, du sirop) to clarify; (au moyen d'un coagulant) to fine

clarté *f* : (d'un liquide, du verre) clearness; (d'un texte) clarity; (d'un objectif) speed

classe *f* : class, category; (de qualité) grade
~ **d'âge**: age group
~ **granulaire**: grain size bracket

classement *m* : ordering, sequencing, rating; (par qualité ou dimension) grading; (par tamisage) screening; (archivage) filing; (chdef) marshalling

classer: to classify; (par grandeur) to size; (par grandeur, par qualité) to grade; (par tamisage) to screen; (archiver) to file; (chdef) to marshal, to pigeon hole
~ **selon une clé**: to key
~ **par ordre de priorité**: to prioritize

classeur *m* : grader, screen; (pour documents) file, filing cabinet
~ **à anneaux**: ring binder
~ **à eau courante**: washing classifier

classification *f* : (gestion, sciences) classification; (par dimensions) sizing; (par qualité) grading
~ **au tamis**: screen sizing
~ **des emplois**: job evaluation
~ **feu**: fire rating

classique: conventional, traditional, standard

clastogène: clastogenic

clause *f* : clause
~ **de révision des prix**: escalation clause
~ **additionnelle**: additional clause, rider
~ **pénale**: penalty clause

clavetage *m* : cottering, keyed joint, keying

claveter: to cotter, to key on, to wedge

clavette *f* : (méc) key, cotter [pin]
~ **à mentonnet**: gib head key
~ **à talon**: gib head key
~ **conique de soupape**: split cone
~ **conique**: taper gib, taper key, taper pin
~ **d'arrêt**: retainer key
~ **de calage**: adjusting key, tightening key
~ **de ressort de soupape**: valve spring retainer
~ **de serrage**: tightening key
~ **de soupape**: collar (on stem)
~-**disque**: Woodruff key
~ **et contre-clavette**: gib and cotter, gib and key
~ **encastrée**: sunk key
~ **fendue**: split key, split cotter
~ **inclinée**: taper[ed] key
~ **noyée**: blind key, sunk key
~ **parallèle**: plain key, flat key, parallel key
~ **semi-circulaire**: woodruff key

clavier *m* : keyboard
~ **à action directe**: sawtooth keyboard
~ **amovible**: separate keyboard
~ **aveugle**: blind keyboard
~ **conversationnel**: live keyboard
~ **de commande du curseur**: cursor control pad
~-**écran**: visual display terminal
~ **fractionnable**: split keyboard
~ **interactif**: live keyboard
~ **mécanique**: motorized keyboard
~ **numérique**: [numeric] keypad, numeric pad
~ **perforateur**: keyboard perforator
~ **programmable**: soft keyboard
~ **réduit**: condensed keyboard
~ **tactile**: tactile keyboard
~ **téléphonique**: dial pad

claviste *m* : keyboard operator

clé *f* : (de serrure, de maçonnerie, inf) key; (outil) spanner GB, wrench NA; (de robinet) plug; (nœud) hitch
~ **à béquille**: valve key
~ **à bougies**: sparking plug spanner
~ **à cliquet**: ratchet spanner, ratchet wrench
~ **à crémaillère**: rack wrench
~ **à douille**: socket spanner, socket wrench, ring spanner, box spanner
~ **à écrou**: nut wrench
~ **à ergot**: hook spanner, pin spanner, pin wrench
~ **à fourche**: open-end spanner, open-end wrench
~ **à molette**: adjustable spanner, adjustable wrench, shift[ing] spanner, monkey spanner, monkey wrench
~ **à œil**: ring spanner
~ **à pipe**: socket spanner, socket wrench, box spanner, tube wrench
~ **à rochet**: ratchet wrench
~ **à tube**: box spanner, stillson wrench, socket wrench, tube wrench
~ **anglaise**: adjustable spanner, adjustable wrench, shift[ing] spanner, monkey spanner, monkey wrench
~ **coudée**: elbow wrench, offset wrench, offset key
~ **crocodile**: alligator wrench
~ **d'appel**: ringing key
~ **d'écoute**: cut-in key, monitoring key
~ **d'essai**: test key
~ **de contact**: ignition key, switch key
~ **de recherche**: search key
~ **de séparation**: (inf) split[ting] key
~ **de serrage**: wedge key
~ **de tri**: sort key
~ **double**: double-ended spanner, double-ended wrench
~ **dynamométrique**: torque spanner, torque wrench
~ **fermée**: ring spanner
~ **forée**: piped key
~ **plate**: open-ended spanner, flat wrench, open-end wrench
~ **plate à fourche**: C spanner
~ **serre-tube**: stillson wrench, pipe wrench
~ **six pans mâle**: allen key, allen wrench
~**s en main**: turnkey

clef → **clé**

clémentine *f* : clementine

CLHP → **chromatographie liquide à haute performance**

clichage *m* : (graph) plate making, plating

cliché *m* : (graph) block, printing plate, print cut NA; (phot) negative
~ **galvano**: electrotype
~ **métal**: metal block GB, plate, metal cut NA
~ **noir au blanc**: reverse[d] plate
~ **sans contraste**: flat plate
~ **simili**: halftone block GB, halftone cut NA
~ **simili deux tons**: duplex half-tone block GB, duplex half-tone cut NA
~ **simili et trait**: composite block, combination plate, line halftone combination [plate]
~ **simili sur zinc**: zinc halftone
~ **trait**: line plate, line block, line cut

clicherie *f* : platemaking

clientèle *f* : customers
en ~: in the field, on site

clignotant *m* : (autom) winker, flasher, direction indicator

climat *m* : climate
~ **maritime**: marine climate, oceanic climate

climatisation *f* : air conditioning, cooling of buildings (as opposed to heating)
~ **des habitations**: residential air conditioning
~ **été-hiver**: all-year air conditioning
~ **industrielle**: process air conditioning

climatiseur *m* : air conditioner, cooler (as opposed to heater)
~ **en deux blocs séparés**: split cooler
~ **individuel**: unit cooler

climax *m* : climax

clinomètre *m* : clinometer, inclinometer

clippé: clip-on

clipser: to clip

cliquet *m* : dog, pawl, [safety] catch, stop dog
~ **d'arrêt**: check pawl, detent, stop dog
~ **de retenue**: detent
~ **de verrouillage**: catch, latch
~ **magnétique**: magnetic catch

cliquetis *m* : click, clicking noise; (de moteur) pinking GB, knocking NA
~ **des contacts**: contact chatter
~ **par pré-allumage**: pre-ignition knock

clivage *m* : cleavage

cliver: (gg/bm) to cleave

cloche *f*: bell; (carter) bell housing; (de haut-fourneau) bell, cone
~ **à air**: air chamber, air vessel
~ **à circulation**: (forage) circulating overshot
~ **à vide**: vacuum bell jar, vacuum chamber
~ **d'embrayage**: bell housing, clutch housing, clutch casing
~ **d'isolateur**: petticoat
~ **de barbotage**: bubble cap
~ **de guidage**: bell guide
~ **de plongeur**: diving bell
~ **de repêchage**: (forage) screw bell, socket
~ **du gueulard**: bell (of blast furnace)
~ **en verre**: bell jar
~ **gazométrique**: bell-type gas holder
~ **isolante**: cup insulator

cloison *f*: (constr) partition; (mar) bulkhead; (entre les rayures d'un fusil) land; (de carter) web
~ **basse**: dwarf partition
~ **d'abordage**: collision bulkhead
~ **d'aérage**: (mine) brattice
~ **d'appui**: dwarf partition
~ **de distribution**: (constr) partition
~ **de séparation**: partition bulkhead
~ **étanche**: (mar) watertight bulkhead; (mar) pressure bulkhead
~ **pare-feu**: fire wall; (mar) fire bulkhead; (raffinerie) bund
~ **pare-flamme**: flame arrester
~ **remplie d'eau**: (solaire) drumwall

cloisonnette *f*: mobile partition
~ **mobile**: room divider

clonage *m*: cloning
~ **de gène**: gene cloning
~ **[en] aveugle**: shotgun cloning

clone *m*: (gg/bm, inf) clone
~ **recombiné**: recombinant clone

cloquage *m*: blistering, bubbling

cloque *f*: (pap, fonderie) blister; (peinture) bubble

clore: to close, to shut
~ **une session**: (inf) to log off, to log out

clôture *f*: fence, fencing, railings; (action) closure, closing
~ **à claire-voie**: railings, open fence
~ **de chantier**: hoarding
~ **de concaténation**: concatenation closure

~ **électrique**: electric fence
~ **en fil de fer**: wire fence

clou *m*: nail, brad; (de chaussée) stud
~ **à glace**: (de pneu) stud, spike
~ **à large tête**: dog nail
~ **à river**: clinch nail
~ **à tête de diamant**: rose nail, diamond nail
~ **annelé**: ring-shanked nail, ringed nail
~ **cannelé**: annular grooved nail
~ **de girofle**: clove
~ **de vitrier**: glazing sprig
~ **torsadé**: drive screw, screw nail
~ **vrillé**: spiral nail

clouage *m*: nailing
~ **à tête perdue**: secret nailing, blind nailing, concealed nailing
~ **caché**: blind nailing, concealed nailing
~ **en biais**: toe nailing

cloueur *m* **automatique**: gun nailer

CMA → **concentration maximale admissible**

CNA → **convertisseur numérique analogique**

CMS → **composant monté en surface**

CO → **certificat d'origine**

coabonné *m*: party line customer, party line subscriber

coach *m*: two-door saloon GB, two-door sedan NA

coagulant *m*: coagulant

coagulase *f*: coagulase

coagulation *f*: coagulation
~**-décantation**: coagulation-sedimentation
~ **montante**: upflow coagulation

coagulum *m*: coagulum

coccidiose *f*: coccidiosis

cochenille *f*: cochineal

cochon *m*: pig
~ **de lait**: suck[l]ing pig

coconisation *f*: (plast) cocooning, spray webbing

cocotte-minute *f*: pressure-cooker

cocourant *m* : parallel flow

cocuisson *f* : cofiring

codage *m* : coding, encoding
~ **secret**: ciphering, cyphering, encipherment, encypherment

code *m* : code
~ **à barres**: bar code
~ **à barres optiques**: optical bar code
~ **à points, traits et espaces**: dot-dash-space code
~ **alphabétique**: letter code
~ **banque**: [bank] sort code
~ **carte**: card code
~ **correcteur d'erreurs**: error correcting code
~ **d'initiation**: (gg/bm) initiation code
~ **d'invitation à émettre**: transmit start code
~ **d'opération**: operation code
~ **d'origine**: source code
~ **de vérification**: track code
~ **2 sur 5**: 2-out-of-5 code
~ **génétique**: genetic code
~ **Morse**: morse code
~ **mouvement**: transaction code
~ **objet**: target code
~ **opération**: instruction code
~ **plus 3**: excess-3 code
~ **postal**: post code GB, zip code NA
~ **spécial**: feature code
en ~: (inf) shift-in
hors ~: (inf) shift-out

coder: (inf) to code, to encode; (chiffrer) to encrypt; (gg/bm) to code
~ **l'information**: to key information
~ **pour**: (gg/bm) to code for

codeur *m* : coder, cryptographer

codon *m* : codon, coding unit, triplet
~ **ambre**: amber codon
~ **d'arrêt**: stop codon
~ **d'initiation**: initiation codon, initiator codon, primer
~ **de consanguinité**: inbreeding codon
~ **de départ**: initiator codon, initiation codon, start codon
~ **de terminaison**: termination codon, terminator, nonsense codon, nonsense triplet, start codon, stop codon
~ **initiateur**: initiator codon, initiation codon, start codon
~ **non-sens**: nonsense codon, nonsense triplet
~ **ocre**: ochre codon GB, ocher codon NA
~ **opale**: opal codon
~ **stop**: termination codon, terminator, stop codon

coefficient *m* : coefficient, factor
~ **d'absorption**: absorptance; (papier) absorbency value; (du sol) absorption ratio
~ **d'aérodynamisme**: drag coefficient
~ **d'amortissement**: damping factor (of instrument)
~ **d'encastrement**: (constr) end-fixity constant
~ **d'encombrement**: space factor
~ **d'exploitation**: operating ratio
~ **d'ionisation**: (eau) ionization coefficient
~ **d'uniformité**: (eau) uniformity coefficient
~ **d'utilisation**: duty factor, load factor; (él) demand factor
~ **de concentration de contraintes**: stress concentration factor
~ **de grosseur de grain**: grain-size number
~ **de qualité**: factor of merit, figure of merit
~ **de réduction de charge**: derating ratio
~ **de restitution**: (drainage) outflow yield, drainage efficiency
~ **de sécurité**: factor of safety, safety factor
~ **de surtension**: magnification factor, Q factor
~ **de température négatif** ► **CTN**: negative temperature coefficient

coenzyme *m* ou *f* : coenzyme

cœur *m* : heart, nucleus; (nucl, géol) core
~ **de renversement**: (de tour) tumbler frame
~ **de traversée**: (chdef) double frog, diamond crossing
~ **double**: (chdef) diamond crossing, double frog
~ **du réacteur**: reactor core
~ **dur**: (nucl) hard core
~ **en verre de silice**: (f.o.) fused silica core
~ **optique**: fibre core GB, fiber core NA
à ~: through GB, thru NA (processing)

coffrage *m* : boxing [in], sheathing, sheeting; (bétonnage) shuttering, formwork
~ **autogrimpant**: progressive form
~ **de poutre**: beam box
~ **de routes**: road forms
~ **glissant**: sliding form, slip form
~ **grimpant**: climbing form
~~**outil**: sectional formwork
~ **perdu**: permanent form

coffre *m* : bin; (mar) locker, chest
~ **à bagages**: boot GB, trunk NA
~ **à vapeur**: (chaudière) steam chamber
~ **d'amarrage**: mooring buoy
~ **de corps mort**: mooring buoy

coffrer: to board, to box [in]

coffret *m* : box, case, enclosure
~ **d'équipement**: equipment box
~ **de branchement d'immeuble**: transfer box, service entrance box
~ **de commande**: control box, stunt box
~ **de manœuvre**: control box
~ **de matériel**: equipment cabinet
~ **électrique**: switch box
~ **pour appareils**: equipment cabinet
en ~, sous ~: boxed

cofrittage *m* : (de composants électroniques) cofiring

cognac *m* : brandy

cognement *m* : knocking; (de moteur) knocking, pinking; (de machine) pounding; (de piston) slap

cogniticien *m* : knowledge engineer

cohéreur *m* : coherer
~ **à limaille**: filings coherer

cohésion *f* : cohesion
~ **des fibres**: (pap) bonding strength
~ **due à la seule compression**: mechanical bonding

coiffe *f* : (de fusée) shroud, nose cone; (gg) cap; (méc) rubber boot; (gg/bm) cap
~ **de clapet**: valve retainer
~ **éjectable**: ejectable nose cone
~ **ouvrante**: split nose cone

coin *m* : corner; gib, wedge
~ **de blocage**: easing wedge, striking wedge
~ **de retenue**: (train de sonde) [power] slip

coincé: seized, stuck, jammed, wedged

coing *m* : quince

cointégrat *m* : (gg/bm) cointegrate

coke *m* : coke
~ **de cokerie**: coke-oven coke
~ **de cornue**: still coke
~ **de cubilot**: cupola coke

~ **de gaz**: gas coke
~ **tout venant**: ungraded coke

cokéfaction *f* : coking
~ **différée**: delayed coking
~ **fluide**: fluid coking

cokerie f : cokeworks

col *m* : (de vêtement) collar; (rétrécissement) neck, throat; (géogr) mountain pass
~ **d'entrée**: intake throat
~ **de la tuyère**: nozzle throat

col-de-cygne *m* : gooseneck, swanneck; (m-o, presse) gap
à ~: open-gap (shear, press)

colibacille *m* : coliform bacterium

colimétrie *f* : coliform determination, coli test

colin *m* : hake

colinéarité *f* : (gg/bm) colinearity

colis *m* : parcel
~ **de détail**: (chdef) smalls
~ **lourd**: (mar) heavy lift
~ **piégé**: parcel bomb

collage *m* : pasting, sticking; (éléments métalliques ou non métalliques) [adhesive] bonding; (de bande, de film) splicing; (de piston) jamming, sticking; (él) adhesion (of armature to core), magnetic freezing, holding (of relay); (du vin) fining
~ **bleu**: (vin) blue fining
~ **bord à bord**: edge jointing
~ **dans la masse**: (pap) stuff sizing
~ **des segments**: ring sticking
~ **en bande**: strip gluing
~ **en pâte**: (pap) stuff sizing
~ **imparfait**: bond failure
~ **maigre**: starved glue line
~ **métal-métal**: metal-to-metal bonding
~ **par solvant**: solvent bonding
~ **sous vide en étuve**: stove vacuum bonding
~ **sur chant**: edge gluing

collagène *m* : collagen

colle *f* : glue, adhesive, paste; (d'encollage) size; (vinification) clarifier, clarifying agent
~ **à base de caséine**: casein glue
~ **à bois**: wood glue
~ **à chaud**: hot glue
~ **animale**: animal glue

~ **au solvant**: solvent-type adhesive
~ **d'amidon**: starch paste GB, starch gum NA
~ **d'os**: bone glue
~ **de bureau**: gum GB, mucilage NA
~ **de contact**: dry bond adhesive, contact adhesive
~ **de poisson**: isinglass
~ **de remplissage**: gap-filling adhesive
~ **en feuille**: film adhesive
~ **en solution**: wet-mix glue
~ **pour film**: film cement
~ **pour joints épais**: gap-filling adhesive

collé: glued, stuck, bonded, cemented; (sur son siège) jammed (valve)
~ **à la cuve**: (pap) tub-sized
~ **dans la pile**: (pap) engine-sized, beater-sized
~ **sur calandre**: calender-sized

collecte f : gathering, acquisition (of data)
~ **de données**: data gathering, data acquisition

collecteur m : (de moteur) manifold; (él) collector; (drainage) main drain, carrier drain
~ **d'admission**: induction manifold, inlet manifold
~ **d'air**: (chauffage) air collector
~ **d'aspiration**: suction manifold
~ **d'échappement**: exhaust manifold
~ **d'huile**: oil catcher
~ **d'ondes**: wave collector
~ **de chaleur**: heat collector
~ **de données**: (inf) data sink
~ **de messages**: message sink
~ **de poussière**: dust catcher
~ **de refoulement**: delivery manifold
~ **en verre à vide**: (solaire) evacuated glass collector
~ **principal**: (égout) main sewer, trunk sewer

coller: to glue, to stick, to paste; (magnet) to attract; (vin) to clarify

collerette f : (de tube) pressed flange
~ **de montage**: mounting flange

collet m : collar; (de cylindre, de rouleau) neck; (de poulie, d'ancre) throat; (de tuyau) adapter (for backing flange)
~ **d'arbre**: shaft collar
~ **de barbotage**: oil slinger, oil thrower ring
~ **de butée**: thrust collar, thrust ring
~ **de l'essieu**: axle collar

colleuse f : pasting machine; (de bande, de film) splicer

collier m : collar; (de fixation) clip, clamp
~ **à ressort**: spring clamp, spring clip
~ **à vis sans fin**: jubilee clip
~ **chauffant**: heater band, heating band
~ **coulissant**: sliding collar
~ **d'arrêt**: stop collar
~ **d'assemblage**: clamp connector
~ **d'attache**: pipe bracket, pipe clamp
~ **d'excentrique**: eccentric strap
~ **de câble**: cable clamp
~ **de durite**: hose clamp
~ **de frein**: brake band
~ **de mise à la terre**: ground[ing] clamp
~ **de prise en charge**: saddle tee, pipe saddle, saddle
~ **de serrage**: hose clip, pipe clamp
~ **de suspension**: hanger

collimateur m : collimator; (de tir) gunsight
~ **convergent**: converging collimator
~ **de pilotage**: head-up display
~ **divergent**: diverging collimator

collision f : collision
~ **de flanc**: side-on collision
~ **de plein fouet**: (auto) head-on collision
~ **en chaîne**: multiple pile-up
~ **frontale**: head-on collision
~ **lointaine**: (nucl) distant collision
~ **manquée**: (aéro) air miss
~ **proche**: (nucl) close collision

collotypie f : collotype process, collotype printing, photogelatin printing, photogelatin process

collure f : (cin) joining; (pap) splice, joint
~ **en bout**: butt splice
~ **par chevauchement**: lap splice

colmatage m : plugging, caulking; (par encrassement) clogging, silting
~ **au brai**: pitch filling (of cable)
~ **de joints**: sealing (of leaks)
~ **par l'air**: (filtre) air binding

colmater: (une fissure) to caulk; **se ~** : to clog [up]

colonie f : (bio) colony
~ **cellulaire**: cell colony

colonne f : column; (raffinage, distillation) column, tower; (géol) chimney; (conduite verticale) stack
~ **à chicanes**: baffle column, baffle tower
~ **à garnissage**: packed column

~ **à plateaux**: plate column
~ **d'affichage**: poster pillar
~ **d'eau**: water gauge
~ **d'habitacle**: binnacle stand
~ **de direction**: (autom) steering column
~ **de distribution**: feeder pillar, distribution pillar
~ **de distillation**: distillation tower, distillation column
~ **de fractionnement**: splitter, fractionator
~ **de mercure**: mercury column
~ **de neutralisation**: (pétr) kill string
~ **de perceuse**: drill column
~ **de production**: oil string, production string
~ **de transformateur**: transformer leg
~ **de tubage**: (forage) casing string
~ **garnie**: (pétr) packed column, packed tower
~ **inclinable et télescopique**: tilt and telescope steering cclumn
~ **la plus à gauche**: (inf) high order column
~ **manométrique**: pressure head
~ **montante**: riser pipe, riser; (él) rising mains
~ **perdue**: (pétr) liner [string]
~ **perdue à trous**: perforated liner
~ **sèche**: dry riser

colonnette *f* : (moulage) support pillar, spacer
~ **d'assemblage**: through bolt GB, thru bolt NA

colophane *f* : colophony, rosin

colorant *m* : (graph) dye; (text) dyestuff; (bio) stain
~ **azoïque**: azo colour, azo dye
~ **de cuve**: vat dyestuff
~ **diazoïque**: diazo dye
~ **sensibilisateur**: sensitizing dye

coloration *f* : (bio) staining
~ **Gram**: Gram stain

coloriage *m* : (infographie) painting

colorimètre *m* : colorimeter, tintometer

colza *m* : rape

combinaison *f* : combination, combining; (corps composé) compound
~ **anti-g**: G-suit
~ **de circuits**: (tél) phantoming
~ **de machines**: hook-up
~ **de mécanicien**: overalls, boiler suit
~ **de touches**: key sequence
~ **de vol**: flying suit

combinateur *m* : multiple contact switch, selector switch; [master] controller
~ **à tambour**: drum switch, cylindrical controller
~ **cylindrique**: drum switch, cylindrical controller
~ **de réglage en charge**: on-load adjuster, on-load tap changer
~ **de shuntage**: shunt controller
~ **séquentiel**: sequence switch, sequence controller
~ **volontaire**: manual controller

combiné *m* : (chim) compound; (tél) hand piece, handset; (aéro) compound [helicopter]; *adj* : compound
~ **d'instruments**: instrument cluster
~ **de soudage**: welding set
~ **pour malentendant**: impaired-hearing handset

comble *m* : roof [space]; ~**s**: loft space, roof space, attic, loft
~ **à lanterneau**: monitor roof

combler: (un trou, une tranchée) to fill [in]

comburant *m* : [fuel] oxidizer

combustible *m* : fuel; *adj* : combustible
~ **à indice d'octane élevé**: high octane fuel
~ **brut**: fuel as mined, raw fuel
~ **complexe**: composite fuel
~ **de chauffe**: boiler fuel
~ **de remplacement**: substitute fuel
~ **épuisé**: spent fuel
~ **fossile**: fossil fuel
~ **gazeux**: gaseous fuel
~ **liquide**: liquid fuel
~ **MOX**: mixed oxide fuel
~ **non fumigène**: smokeless fuel
~ **nucléaire**: nuclear fuel
~ **sans fumée**: smokeless fuel
~ **solide**: solid fuel
~ **souple**: controllable fuel
~ **utilisé**: spent fuel
~ **résiduaire**: waste fuel

combustion *f* : combustion, burn[ing]
~ **à l'air libre**: open burning
~ **en lit fluidisé**: fluidized bed firing
~ **multiple**: multiburn
~ **nucléaire**: nuclear burn-up
~ **pulsée**: chugging (gas turbine)
~ **simple**: single burn
~ **superficielle**: surface combustion
à ~ **incomplète**: underfired
à ~ **lente**: slow burning

comestible *adj* : edible, eatable; ~**s** *m* : food

commande *f* : control; (mise en mouvement) activation, actuation, actuator; (transmission de force) drive; (commerce) order; (inf) command; → aussi **commandes**
~ **à bielle et manivelle**: crank gear
~ **à bouton unique**: single-knob control
~ **à dépression**: vacuum control
~ **à distance**: remote control
~ **à moteur**: motor drive
~ **à palpeur**: feeler control, tracer control
~ **à pédale**: pedal control
~ **à servomoteur**: power assisted control
~ **à touches**: finger tip control
~ **à vérin à vis**: jackscrew actuator
~ **au doigt**: finger tip control
~ **automatique de fréquence** ▶ CAF: automatic frequency control
~ **automatique de phase**: automatic phase control
~ **automatique des trains**: automatic train operation
~ **continue**: (cybernétique) contouring control
~ **d'allumage**: (autom) spark control
~ **d'arrêt**: (inf) abort command
~ **d'avance**: (m-o) feed drive
~ **d'avance à dépression**: (autom) vacuum advance control
~ **d'interrupteur**: switch actuator
~ **d'orientation**: (aéro) attitude control
~ **de croisière**: cruise control
~ **de frein**: brake gear
~ **de grille**: grid control
~ **de mélange**: mixture control
~ **de mitrailleuse**: gun firing gear
~ **de pas**: pitch control
~ **de profondeur**: (aéro) pitch control, elevator control
~ **de réseau**: network control
~ **de richesse**: (de combustible) mixture control
~ **de synchronisation**: (tv) [vertical] hold control
~ **de vérification**: check command
~ **des gaz**: throttle control; throttle lever
~ **des organes auxiliaires**: accessory drive
~ **des processus industriels**: process control
~ **des soupapes**: valve gear
~ **des vitesses**: gear control
~ **douce**: light control
~ **dure**: binding control
~ **échelonnée**: calling-off order
~ **en boucle ouverte**: open-loop control
~ **en carnet**: order in hand, order on the books

~ **en cours**: unfilled order
~ **en tangage**: pitch control
~ **en temps réel**: real time control
~ **gyroscopique de la barre**: gyro pilot
~ **hydraulique**: hydraulic control
~ **indépendante**: separate drive
~ **intégrée**: (inf) embedded command
~ **manuelle**: manual control
~ **mécanique**: power drive, mechanical drive
~ **molle**: slack control, sloppy control
~ **musculaire**: manual control
~ **numérique**: numerical control
~ **par arbre creux**: quill drive
~ **par balancier**: beam drive
~ **par bouton[s]-poussoir[s]**: push-button control
~ **par câble**: rope drive
~ **par cônes de friction**: [friction] cone drive
~ **par configuration**: configuration control
~ **par cristal**: crystal control
~ **par dépression**: vacuum control
~ **par effleurement**: touch-control
~ **par engrenages**: gear drive
~ **par excentrique**: eccentric drive, eccentric motion
~ **par gâchette**: gate control
~ **par grille**: grid control
~ **par moteur**: power drive, mechanical drive
~ **par pignon et crémaillère**: rack and pinion drive
~ **par pion palpeur**: tracer control
~ **par régulateur**: governor control
~ **par vis sans fin**: worm drive
~ **pas à pas**: step motion
~ **point à point**: (cybernétique) positioning control, point to point control
~ **positive**: positive drive
~ **précise**: close control
~ **principale**: primary control; main drive
~ **prioritaire**: override
~ **séquentielle**: sequence control, sequential control
~ **servo-assistée**: power-assisted control
~ **tactile**: touch control
~ **unique**: single control, single-knob control; gang control
~ **urgente**: rush order
~ **volontaire**: manual control, non-automatic control
à ~ **à main**: hand-operated
à ~ **à moteur**: motor-driven
à ~ **manuelle**: hand-actuated, hand-operated
à ~ **mécanique**: power-driven, mechanically-operated

à ~ par électro-aimant: solenoid-operated
à ~ pneumatique: air-operated
à ~ séquentielle: sequence-controlled
à ~ tactile: touch-activated, touch-controlled
à ~ unique: ganged
sur ~: special order, bespoke

commandé: controlled, operated, driven, actuated
~ à distance: telecontrolled, remote controlled
~ à main: hand operated
~ au sol: floor operated
~ mécaniquement: power operated
~ par clavier: key driven, key operated, key actuated
~ par compteur: count controlled
~ par dépression: vacuum operated
~ par la voix: voice actuated
~ par logiciel: software driven
~ par moteur: motor driven, power operated
~ par ordinateur: computer driven
~ par quartz: crystal controlled
~ par touche: key operated, key actuated

commandement m : (des forces armées) command; (ordre) command, order
~ aérien: air command

commander: to control, to actuate; (commerce) to order
~ à un façonnier: to subcontract

commandes f, **~ conjuguées**: interlinked controls
~ de vol électriques: fly-by-wire controls
~ de vol optiques: fly-by-light controls

commerce m : (activité); trade; (magasin) shop
~ de détail: retail trade
~ de gros: wholesale trade

commercialisable: marketable

commercialisation f : marketing

commettage m : lay (of rope)

commettre: to lay (a cable)

commis: laid (cable)
~ à droite: right laid
~ en aussière: hawser laid

commode: handy, practical

commodité f : utility (town planning)

commodo m : control unit (aero), cluster of instruments

commun: global, joint, shared
en ~: shared

communalité f : commonality

communication f : (tél) call, conversation; (conférence) paper
~ avec un navire: ship call
~ d'arrivée: inbound call, incoming call, inward call
~ de départ: out-call
~ en service automatique: subscriber dialled call
~ interurbaine: trunk call, trunk connection
~ payable à l'arrivée: sent collect call
~ payée au départ: sent paid call
~ taxée à la durée: timed call
~ téléphonique: telephone call, phone call; speech communication
en ~: (tél) connected

communiqué m **de presse**: press release

communiquer: to impart (energy), to transmit (movement); (information) to pass on, to convey

commutable: switchable

commutateur m : changeover switch, changer, selector switch, throw-over switch
~ à barres croisées: crossbar switch
~ à bascule: rocker switch
~ à bouton-poussoir: push-button switch, key switch
~ à cliquet[s]: click knob
~ à coulisse: slide switch
~ à couteau: knife switch
~ à deux directions: double-throw switch
~ à diodes: diode switch
~ à distance: remote control switch
~ à flotteur: float switch
~ à glissement: sliding switch
~ à gradins: step switch, stepping switch
~ à manette: lever switch
~ à mercure: mercury switch
~ à pédale: floor switch
~ à plaques: plate commutator
~ à plots: multiple contact switch, tapping switch, step switch
~ à prises: tap switch
~ à prises de réglage: tap changer
~ à ressort: snap switch
~ à touche: key switch, push-button switch
~ à trois directions: three-way switch

~ **antenne-terre**: aerial grounding switch
~ **bipolaire**: double-pole switch
~ **code**: (autom) dimmer switch
~**-conjoncteur**: circuit-closing switch, closing switch
~ **crossbar**: crossbar switch
~ **d'éclairage**: light switch; (autom) dimmer switch
~ **d'ondes**: wave-change switch
~ **de commande**: control switch
~ **de fin de course**: limit switch
~ **de gammes**: band selector, band switch, range switch
~ **de longueur d'onde**: band selector, band switch, wave-change switch
~ **de mise à la terre**: earthing switch GB, grounding switch NA
~ **de réglage silencieux**: muting switch
~ **de répartition du trafic**: load distribution switch
~ **écoute-parole**: talk-listen switch
~ **émission-réception**: send-receive switch, aerial switch, antenna change-over switch
~ **étoile-triangle**: star-delta switch
~ **glissière**: slide switch
~**-inverseur**: current reverser, throw-over switch
~ **manuel**: (tél) operator switchboard, switchboard
~ **phare-code**: dimmer switch
~ **rotatif**: rotary switch, turn-button switch, turn switch
~ **va-et-vient**: two-way switch

commutation: switching [over], changeover
~ **automatique**: (tél) dial switching
~ **de circuits**: circuit switching
~ **de données**: data switching
~ **de gammes d'ondes**: band selector
~ **de messages**: message switching
~ **de paquets**: packet switching
~ **de voies**: channel switching
~ **des combustibles**: fuel switching
~ **en large bande**: wideband switching
~ **par barres croisées**: cross barring
~ **par paquets**: packet switching
~ **spatiale**: space division switching
~ **temporelle**: time [division] switching
à ~ **de circuit**: circuit-switched

commutatrice: converter unit, [rotary] convertor

commuter: to switch [over], to throw over

compacité *f* : compactness, tightness

compactage *m* : (du sol) compacting, tamping; (inf) compaction, compression, packing

~ **mémoire**: block compaction, memory compaction

compacteur *m* : compactor

compagnie *f* : company
~ **aérienne**: air line, air carrier
~ **d'électricité**: electrical utility
~ **de transmissions**: (mil) signals company

comparaison *f* : comparison, compare
~ **de formes**: (inf) [pattern] matching
~ **mère-fille**: (élevage) dam-daughter comparison

comparateur *m* : (mesurage) master gauge GB, reference gage NA; (mesure d'angles) protactor; (inf) comparator
~ **à cadran**: dial gauge

compartiment *m* : compartment
~ **chaudière**: (transport maritime) fire room
~ **de la barre**: (mar) steering room
~ **de train**: (aéro) gear well
~ **des machines**: (mar) machine room, engine room
~ **congélateur**: freezing compartment

compas *m* : (dessin) compass, [pair of] compasses; (mesurage) callipers GB, calipers NA; (magnétique) compass (with moving dial)
~ **à diviser**: dividers
~ **d'épaisseur**: outside callipers
~ **d'intérieur**: inside calliper [gauge]
~ **de déclinaison**: declination compass
~ **de route**: steering compass
~ **de train**: (aéro) landing gear scissors, torque links
~ **gyroscopique**: gyrocompass
~ **maître de danse**: outside and inside callipers
~ **pilote**: master compass
~ **quart de cercle**: wing callipers
~ **renversé**: overhead compass

compatibilité *f* : compatibility
~ **ascendante**: upward compatibility
~ **des matériels**: equipment compatibility
~ **descendante**: downward compatibility
~ **entre équipements**: equipment compatibility
~ **plasmidique**: plasmid compatibility
~ **sanguine**: blood compatibility
~ **tissulaire**: histocompatibility
~ **vers le haut**: upward compatibility

compatible: compatible
  ~ **logiciel**: software compatible

compensateur *m* : balancer, corrective network, equalizer; (aéro) trim tab, tab, trim, flettner; *adj* : compensating, correcting, equalizing
  ~ **d'affaiblissement**: amplitude equalizer, attenuation equalizer
  ~ **de phase**: phase equalization network, phase equalizer

compensation *f* : compensation, correction, equalization, balancing, offset; (aéro) trim
  ~ **de dérive**: drift compensation
  ~ **de phase**: phase compensation
  ~ **en température**: temperature compensation, temperature balance, compensation for temperature
  ~ **thermique**: temperature compensation, temperature balance, compensation for temperature

compenser: to compensate, to offset; (une perte, un manque) to make good, to make up for; (une force) to counterbalance; (un compas) to adjust, correct

compétence *f* : competence, efficiency, skill
  ~ **génétique**: genetic competence

compilateur *m* : compiler
  ~ **croisé**: cross compiler
  ~ **de compilateur**: compiler compiler

complément *m* : complement
  ~ **à la base**: radix complement, true complement
  ~ **à la base moins un**: radix-minus-one complement, diminished radix complement
  ~ **à n**: n's complement
  ~ **chromosomique**: chromosome complement
  ~ **restreint**: diminished complement

complémentation *f* : complementation
  ~ **in vitro**: in vitro complementation
  ~ **inter-génique**: complementation between genes

complètement monté: ready assembled

complétion *f* : (pétr) completion
  ~ **au mur**: liner completion
  ~ **en découvert**: open-hole completion
  ~ **permanente**: permanent well completion
  ~ **sous-marine**: subsea completion

complexant *m* : sequestering agent

complexation *f* : chelation

complexe *m, adj* : complex
  ~ **chromosomique**: chromosome complex
  ~ **d'étanchéité**: roofing membrane
  ~ **de gènes**: gene complex
  ~ **industriel**: industrial complex
  ~ **majeur d'histocompatibilité**: major histocompatibility complex

comportement *m* : behaviour GB, behavior NA
  ~ **à l'humidité**: moisture behaviour
  ~ **au feu**: fire behaviour
  ~ **sur machine**: (de transformation) runnability

composant *m* : component; (chim) constituent; ~**s**: componentry
  ~ **à semi-conducteurs**: solid-state component
  ~ **ajouté**: (à l'extérieur) add-on
  ~ **discret**: discrete component
  ~ **monté en surface ▶ CMS**: surface-mounted device

composante *f* : component (force)
  ~ **active**: active component, watt component
  ~ **continue**: d.c. component
  ~ **d'ordre supérieur**: high-order component
  ~ **de courant continu**: d.c. component
  ~ **du champ**: field component
  ~ **dure**: hard component, penetrating component
  ~ **en inversion de phase**: negative-sequence component
  ~ **en phase**: active component, energy component, power component, in-phase component, positive sequence component
  ~ **harmonique**: harmonic component
  ~ **inverse**: negative component
  ~ **molle**: soft component
  ~ **spectrale**: spectral component, spectrum component
  ~ **wattée**: active component, watt component

composé *m* : compound; *adj* compound, composite; (poutre, poteau) built up; (graph) [type]set
  ~ **acyclique**: open-chain compound
  ~ **azoïque**: azo compound
  ~ **carboné:** carbon compound
  ~**-couronne**: crown compound
  ~ **cyclique**: cyclic compound, ring compound, closed-chain compound

~ **de l'azote**: nitrogen compound
~ **en chaîne**: chain compound
~ **nitré**: nitro compound
~ **sulfureux**: sulphur compound GB, sulfur compound NA
~ **traceur**: tagged compound

composer: (graph) to set, to typeset
~ **le numéro**: (tél) to dial

composeur m : dial[l]er
~ **automatique**: auto dial[l]er, automatic dial[l]ing unit

composite m: (matériau) composite; adj: composite
~ **à matrice métallique** ▶ **CMM**: metallic-matrix composite

composeuse f : typesetting machine, typesetter
~ **numérique**: digital typesetter, digital typesetting machine

compositeur m : typesetter

composition f : composition; (procédé) typesetting; (matière à imprimer): composition, [type] matter
~ **à distance**: teletypesetting
~ **automatique**: computer-aided typesetting, computer[ized] typesetting
~ **compacte**: close matter, solid matter
~ **conservée**: live matter, standing matter
~ **courante**: straight matter, undisplay
~ **d'une rame**: (chdef) train formation GB, consist NA
~ **du mélange**: mixture ratio
~ **du trafic**: traffic mix
~ **en plein**: close matter, solid matter
~ **en sommaire**: reverse indention, hanging indention
~ **fibreuse**: (pap) fibre composition
~ **froide**: cold [type] composition, cold typesetting, non-metallic composition
~ **granulométrique**: grading
~ **mécanique**: machine composition
~ **photographique**: photocomposition, photographic composition, photo-graphic typesetting, phototypesetting
~ **pleine**: close matter, solid matter
~ **sans plomb**: cold [type] composi-tion, cold typesetting, non-metallic composition
~ **simple**: straight matter

compost m : compost

compostage m : composting

composteur m : ticket-dating machine

compote f : stewed fruit

compoundage m : compounding

compresseur m : compressor
~ **à ammoniac**: ammoniac compressor
~ **à double effet**: double-acting compressor
~ **à équicourant**: uniflow compressor
~ **à mouvement alternatif**: reciprocating compressor
~ **à piston [alternatif]**: reciprocating compressor
~ **à plusieurs étages**: multistage compressor
~ **à vis**: screw compressor
~ **alternatif**: reciprocating compressor
~ **axial**: axial-flow compressor
~ **basse pression**: blower
~ **bi-étagé**: compound compressor
~ **centrifuge**: centrifugal compressor
~ **compound**: compound compressor
~ **d'air**: air compressor GB, air condenser NA
~ **de suralimentation à pistons**: piston supercharger
~ **double corps**: twin-spool compressor
~~**extenseur**: compander
~ **hélicoïde**: screw compressor
~ **hermétique**: sealed compressor
~ **mobile**: portable compressor
~ **semi-hermétique**: accessible compressor, field-service compressor, semi-hermetic compressor
~ **volumétrique**: positive displacement compressor

compression f : compression
~ **d'images**: image compression
~ **dans le carter**: crankcase compression
~~**extension**: companding
~ **simple**: single-stage compression

comprimé m : tablet (pharmacy); adj : compressed, pressed; in compression

comprimer: to compress; (inf) to pack, to block (cards)

compromis m : compromise, trade-off

comptabilité f : accounting, book-keeping; (profession) accountancy; (service) accounts department
~ **analytique**: cost accounting, cost analysis
~ **automatique des appels**: automatic message accounting
~ **des travaux**: job accounting

~ **générale**: general ledger
~ **mécanographique**: machine accounting

comptage *m* : count, counting [up]
~ **des appels**: metering of calls
~ **progressif**: count up, upcount

compte *m* : account (banking)
~ **à rebours**: countdown, counting down
~ **rendu**: report; progress report, status report

compte-duites *m* : pick clock

compte-fils *m* : thread counter

compte-gouttes *m* : drop bottle, dropper
~ **graisseur**: drop lubricator, drip-feed lubricator

compte-tours *m* : revolution counter, speed counter

compter: to count, to number, to tally
~ **en progressant**: to count up, to tally up
~ **en régressant**: to count down, to tally down

compteur *m* : meter
~ **à dépassement**: excess meter
~ **à double tarif**: two-rate meter
~ **à indicateur de pointe**: maximum demand meter
~ **à moulinet**: mass flowmeter, screw flowmeter, vane flowmeter
~ **à mouvement d'horlogerie**: clock meter
~ **à orifice calibré**: orifice meter
~ **à piston rotatif**: rotary displacement meter
~ **à prépaiement**: prepayment meter, slot meter
~ **à turbine**: rotary meter, turbine meter
~ **d'appels**: (tél) call meter, traffic meter, message register NA
~ **d'électricité**: electricity meter
~ **d'essieux**: axle counter
~ **d'images**: exposure counter
~ **d'impulsions**: impulse counter
~ **d'intervalle de temps**: interval timer
~ **de communications**: call meter, message register NA
~ **de débordements**: (tél) overflow meter
~ **de trafic**: traffic meter, traffic counter
~ **de vitesse**: speedometer
~ **décompteur**: forward-backward counter, reversible counter
~ **doseur**: proportioning meter

~ **électrique**: electricity meter
~ **étalon**: standard meter
~ **général**: main meter, master meter
~ **horaire**: hour meter
~ **humide**: wet meter
~ **hydraulique**: wet meter
~ **journalier**: (autom) trip counter, trip recorder
~ **kilométrique**: mileage recorder, mileometer, milometer, odometer NA
~ **progressif**: count-up counter
~ **réciproque**: reciprocal counter
~ **régressif**: count-down counter
~ **totalisateur**: accumulating counter, integrating counter, totalizing meter, summation counter, summation meter
~ **volumétrique**: positive displacement meter

comptoir *m* : counter (in shop)

concassés *m* : crushed aggregated, angular aggregate, crushed stone

concasseur *m* : crusher
~ **à cylindres**: rolling crusher
~ **à machoires**: jaw crusher, alligator crusher
~ **à percussion**: impact breaker, impact crusher
~ **de minerais**: buck
~ **giratoire**: gyratory crusher, rotary crusher
~ **primaire**: primary crusher
~ **secondaire**: fine crusher

concatémère *m* : concatemer

concaténation *f* : catenation, concatenation

concavo-convexe: concavo-convex

concentrateur *m* : (inf, solaire) concentrator
~ **de données**: data concentrator, pooler
~ **parabolique**: dish concentrator

concentration *f* : concentration; (d'un faisceau) beaming
~ **au niveau du sol**: (pollution) ground level concentration
~ **des boues**: (épuration) sludge thickening, sludge concentration
~ **des eaux d'égout**: strength of the sewage
~ **[du faisceau] par gaz**: gas focusing
~ **du minerai**: beneficiation of ore
~ **en ions hydrogène**: hydrogen-ion concentration
~ **ionique**: ion concentration, ionic focusing

~ **maximale acceptable**: maximum acceptable concentration
~ **maximale admise ▶ CMA**: maximum admissible concentration, maximum permissible concentration

concentré m : concentrate; adj : concentrated
~ **de protéines de poisson**: fish protein concentrate
~ **de tomates**: tomato concentrate
~ **de viande**: meat extract

concentrer: to concentrate; (par évaporation) to evaporate down; (des rayons) to condense; (une solution) to strengthen, to enrich

concentreur-commutateur m : (tcm) concentrator switcher

concentricité f : concentricity; (d'une roue) true running

concepteur m : designer
~ **de logiciels**: software writer
~**-rédacteur**: copywriter

conception f : design
~ **ascendante**: (inf) bottom-up design
~ **assistée par ordinateur ▶ CAO**: computer-aided design
~ **avancée**: state-of-the art design
~ **d'avant-garde**: advanced design
~ **de bas en haut**: (inf) bottom-up design
~ **de haut en bas**: (inf) top-down design
~ **descendante**: (inf) top-down design
~ **orientée objet**: (inf) object-oriented design

concession f : (mine) lease

concessionnaire m : licensed dealer, licensee; (de service public): statutory undertaker, utility undertaker; (vente de voitures) car dealer

concevoir: to design, to engineer; (inf) to configure

conchage m : (chocolat) conching

conconnage m : cocooning

concordance f : correspondence, match, matching, match condition
~ **de phases**: phase coincidence
en ~ des phases: cophasal

concurrence f : (dans le temps) concurrency; (commerciale) competition
~ **illicite**: unlawful competition

condensat m : condensate

condensateur m : capacitor, condenser
~ **à couplage mécanique**: ganged capacitor
~ **à courants parallèles**: uniflow capacitor
~ **à diélectrique métallisé**: metallized capacitor
~ **à feuilles de mica**: mica capacitor
~ **à lamelle**: strip capacitor
~ **à plaques**: plate capacitor
~ **antiparasites**: spark capacitor, suppression capacitor
~ **au papier**: paper capacitor
~ **d'accord**: tuning capacitor
~ **d'alignement**: trimmer
~ **d'appoint**: (en série) padding capacitor, (en shunt) trimmer
~ **d'arrêt**: blocking capacitor
~ **de compensation de phase**: phase shifting capacitor
~ **de filtrage**: smoothing capacitor
~ **de grille**: grid capacitor, grid-blocking condenser
~ **de soufflage**: quenching capacitor
~ **de syntonisation**: tuning capacitor
~ **en parallèle**: parallel capacitor, shunt capacitor
~ **feuilleté**: plate capacitor
~ **isolé au mica**: mica capacitor
~ **shunt**: shunt capacitor, parallel capacitor
~**s à commande unique**: gang[ed] capacitors
~**s jumelés**: gang[ed] capacitors

condensation f : condensation; (inf) compacting, compression, condensation

condenser: to condense; (inf) to condense, to compress, to pack

condenseur m : (opt, chim, réfrigération) condenser
~ **à calandre**: shell-and-tube condenser
~ **à double tube**: tube-in-tube condenser
~ **à plaques**: plate condenser
~ **à ruissellement**: evaporative condenser
~ **atmosphérique**: atmospheric condenser
~ **intermédiaire**: intercondenser

condition f : (état) condition, state; (exigence) condition, requirement; → aussi **conditions**
~ **[à la] limite**: boundary condition
~ **préalable**: prerequisite

~ **sous-entendue**: implied condition
~ **stable**: steady condition

conditionnement *m* : (textiles, échantillon, signal) conditioning; (papier): conditioning, maturing, seasoning; (emballage) packaging, package
~ **aseptique**: aseptic packaging
~ **des boues**: sludge conditoning
~ **en chapelet**: strip packaging
~ **en portions**: portion packaging, single-serve packaging
~ **inviolable**: tamper-evident package, tamper-resistant package
~ **par doses**: unit-dose package
~ **pharmaceutique en vente libre**: over the counter package
~ **pharmaceutique grand public**: over the counter package
~ **pompe**: pump package
~ **sous atmosphère contrôlée** ▸ **CAC**: controlled atmosphere packaging
~ **sous atmosphère modifiée** ▸ **CAM**: modified atmosphere packaging, gas[flush] packaging
~ **sous matériaux barrières**: barrier packaging
~ **sous vide**: vacuum packaging
~ **unitaire**: single-unit package

conditionner: to condition, to mature, to season, to package

conditions *f* : conditions
~ **ambiantes**: environmental conditions
~ **atmosphériques**: weather [conditions]
~ **d'ambiance sèche**: dry room conditions
~ **d'homologation**: certification requirements
~ **de réception**: acceptance requirements
~ **de service**: working conditions
~ **de stockage**: storage environment
~ **de travail**: working conditions
~ **défavorables**: adverse conditions
~ **normales**: standard conditions, rated conditions
~ **nominales de fonctionnement**: ratings
~ **normalisées**: standard conditions
~ **régnantes**: prevailing conditions
~ **sur place**: field conditions

conducteur *m* : (él) conductor; (de machine) attendant, minder, operator; (de voiture) driver; *adj* : conducting
~ **à câbles métalliques**: metallic conductor cable
~ **à cosse**: spade tipped lead
~ **à paires métalliques**: metallic conductor cable

~ **câblé**: stranded conductor
~ **de phase**: phase conductor
~ **de retour**: return conductor
~ **de terre**: earthing electrode, earth lead, earth wire
~ **multibrin**: stranded conductor
~ **nu**: bare conductor
~ **souple**: cord
~ **sous tension**: live conductor
à ~ **accompagnant**: pedestrian-controlled, walking type (truck)
à ~ **assis**: rider-seated, rider type (truck)

conductibilité *f* : conductibility

conduction *f* : conduction
~ **gazeuse**: gas conduction
~ **par trous**: hole conduction

conductivité *f* : conductivity
~ **de type P**: hole-type conductivity, P-type conductivity
~ **thermique**: heat conductivity, thermal conductivity
~ **tourbillonnaire**: eddy conductivity

conduire: (la chaleur) to conduct, to transmit; (él) to conduct; (un véhicule) to drive

conduit *m* : conduit, duct
~ **d'aération**: ventilating duct, ventiduct
~ **de chaleur**: heat pipe
~ **de fumée**: [chimney] flue
~ **de soufflante**: fan duct
~ **sous plancher**: underfloor conduit
~ **souterrain**: (passage d'eau) culvert; (pour câbles) underground

conduite *f* : (commande de machine) control; (de véhicule) driving; (tuyauterie) conduit, pipe, line
~ **à droite**: right-hand drive
~ **à écoulement naturel**: gravity line
~ **à gauche**: left-hand drive
~ **aller**: supply line
~ **automatique des trains**: automatic train operation
~ **d'admission**: intake pipe
~ **d'alimentation**: service pipe, supply pipe
~ **d'amenée**: head pipe, supply pipe, delivery pipe
~ **d'arrosage**: (irrigation) sub-watercourse, farm watercourse
~ **d'aspiration**: suction line, suction pipe
~ **d'eau**: water main
~ **d'écoulement**: (pétr) flowline (from a well to a storage tank)
~ **d'évacuation**: discharge pipe
~ **d'un réacteur**: reactor control
~ **de boue**: mud line

~ **de branchement**: service pipe, branch line, domestic mains
~ **de décharge**: delivery pipe
~ **de distribution**: (d'eau, de gaz) mains
~ **de prise**: (de chaudière) intake pipe
~ **de processus**: process control
~ **de refoulement**: delivery pipe, discharge line
~ **de retour**: (circuit hydraulique) drain line
~ **de vent**: (haut-fourneau) blast pipe
~ **des essais**: test procedure
~ **des travaux**: management of work
~ **du feu**: stoking, firing
~ **du tir**: fire control
~ **en charge**: live main, live pipe, pressure pipe
~ **enrobée**: encased duct
~ **forcée**: penstock
~ **maîtresse**: main
~ **marine**: (pétr) sealine
~ **montante**: rising mains, rising pipe, riser
~ **multiple de câbles**: multiple duct, duct bank
~ **multitubulaire**: multiple duct conduit, multiway duct
~ **principale**: trunk line
~ **sèche**: dry riser
~ **secondaire**: arterial pipe
~ **sous-fluviale**: river crossing
~ **sous-marine**: submarine line

cône *m* : cone; (raccord conique) increaser, reducer, reducing pipe, taper pipe
~ **à deux brides**: double-flanged taper
~ **à deux emboîtements**: double-bell taper
~ **à gradins**: step pulley
~ **à pente rapide**: quick taper
~ **d'ablation**: ablating cone
~ **d'eau**: water cone
~ **d'éboulis**: alluvial fan
~ **d'exercice**: (mil) dummy head
~ **de charge**: (de torpille) warhead, torpedo head
~ **de déjection**: alluvial cone, alluvial fan, debris fan, debris cone
~ **de dépression**: cone of depression
~ **de silence**: cone of silence
~ **de soupape**: valve cone
~ **de transmission**: cone pulley
~ **explosif**: war head
~ **extérieur**: male taper
~ **intérieur**: female taper
~-**poulie**: cone pulley
~ **pyrométrique**: clay cone, pyrometric cone
~-**réduction**: adapter, adapter bushing, decreaser, reducing piece, reducer

conférence *f* : conference
~ **à trois**: add-on third party
~ **téléphonique**: conference call

confetti *m* : card chips, chad, punchings, chips

confidentiel: (information) classified, sensitive; (numéro de téléphone) unlisted

configuration *f* : configuration, pattern
~ **du sol**: lie of ground
~ **d'écoulement**: flow pattern
~ **de base**: (inf) basic machine
~ **de pulvérisation**: spray pattern
~ **des trous**: hole pattern
~ **du matériel**: hardware configuration
~ **lisse**: (aéro) clean configuration
~ **machine**: (inf) hardware configuration
~ **mémoire**: (inf) memory map
~ **spatiale**: (gg/bm) spatial configuration

confinement *m* : confinement, containment

confire: to preserve (fruit), to candy (peel)
~ **au sel**: to salt cure
~ **au vinaigre**: to pickle

confiserie *f* : confectionery, sweets; confectionery shop

confiture *f* : jam, preserve
~ **d'oranges**: orange marmelade

conflit *m* : (mil) conflict; (tél) call collision
~ **social**: labour dispute

conformateur *m* : (d'impulsions, d'ondes, de signal) shaping network, shaping circuit, shaper; (moulage des plastiques) cooling fixture, cooling jig

conformité *f* : compliance (with)

conforter: (constr) to reinforce, to strengthen (a structure)

congé *m* : fillet; (vacances) vacation
~ **de raccordement**: fillet radius, blend radius
en ~: concave (weld)

congélateur *m* : freezer
~ **bahut**: chest freezer
~ **horizontal**: chest freezer

congélation *f* : freezing
~ **par pulvérisation**: spray freezing

congelé: deep frozen, quick frozen

congère *f* : snowdrift

conglomérat *m* : conglomerate

conicité *f* : conicity, taper[ing]
  ~ **de l'empreinte**: (moulage) draw GB, draft NA

conidie *f* : conidium

conifère *m* : coniferous tree, evergreen

conique: conical, tapered

conjoncteur *m* : circuit closer, closing relay, contactor
  ~-**disjoncteur**: make-and-break switch

conjugaison *f* : (gg/bm) conjugation, mating
  ~ **bactérienne**: bacterial conjugation
  ~ **cellulaire**: cell conjugation
  ~ **chromosomique**: chromosome conjugation

conjugant: conjugant

conjugué: (chim, géol, opt) conjugate[d]; (action, freins) interacting; (commandes) interlinked; (pièces mécaniques) mating

connaissance[s] *f* : knowledge; (de caractère pratique) skill

conné: connate

connectable: attachable, connectable; (par cavalier) strappable

connecté: connected, on-line
  ~ **à l'instrumentation**: sensor-based
  ~ **au capteur**: sensor-based
  ~ **en étoile**: wye-connected, star-connected
  ~ **en polygone**: mesh-connected

connecter: to join, to link, to mate; (brancher) to connect, to couple, to hook up
  ~ **en parallèle**: to connect in parallel, to parallel, to shunt
  ~ **en série**: to connect in series
  ~ **et déconnecter**: to make and break a connection
  ~ **par cavalier**: to jump

connecteur *m* : connector, plug and socket connector, plug and socket coupling
  ~ **à contacts en quinconce**: staggered-contact connector

  ~ **à déconnexion par traction**: pull-off connector
  ~ **à enroulement**: pigtail connector
  ~ **à force d'insertion nulle**: zero insertion force connector
  ~ **à prise additionnelle**: piggyback connector
  ~ **de jonction**: interface connector
  ~ **détachable**: detachable connector
  ~ **intermédiaire**: straight-through connector
  ~ **latéral**: edge connector
  ~-**mélangeur**: mixing connector
  ~ **multibroche**: multipin connector, multipoint connector, multiple connector
  ~ **multicontact**: multipoint connector, multiple connector
  ~ **multiple**: multipin connector, multipoint connector, multiple connector
  ~ **plat**: edge connector
  à ~s, par ~s: connectorized

connexe: allied

connexion *f* : joint, junction point, mating; (él) junction, connect[ion], plugging, hitch, hook-up, hooking
  ~ **de continuité**: continuity bond
  ~ **de rail à rail**: rail bond[ing]
  ~ **desserrée**: loose connection
  ~ **directe**: positive drive; through connection GB, thru connection NA
  ~ **en étoile**: star connection, Y connection
  ~ **en polygone**: polygon connection, mesh connection
  ~ **en réseau**: (inf) networking
  ~ **en triangle**: delta connection
  ~ **enfichable**: piggyback connection
  ~ **enroulée**: wire-wrap[ped] connection, wrapped connection
  ~ **épaulée**: shouldered connection
  ~ **équipotentielle**: equalizer (winding) connection
  ~ **étoile-triangle**: wye-delta connection
  ~ **fixe**: bonding
  ~ **mâle**: pin connection
  ~ **multipoint**: multipoint connection
  ~ **par soudage**: welded connection
  ~ **polygonale**: mesh connection
  ~ **sans soudure**: solderless connection
  ~ **sertie**: crimp connection
  ~ **transversale**: through connection GB, thru connection NA
  ~ **volante**: jumper wire, jumper lead, jumper
  à ~ arrière: back-connected
  à ~ directe: plug-to-plug compatible

connexité *f* : connectivity, connectedness

conque *f* : diffuser, delivery space

consanguinité *f* : inbreeding, consanguinity

conseil *m* : advice; (conseiller) consultant
~ **en gestion**: management consultant

conservateur *m* : preservative; freezer

conservation *f* **des eaux**: water conservation

conserve *f* : (graph) alive matter, live matter, standing matter, standing type
~ **alimentaire**: preserved food, preserve, tinned food GB, canned food NA
~ **au vinaigre**: pickle
~ **de légumes**: canned vegetables, tinned vegetable
en ~: preserved, tinned, canned

conserver: to keep, to retain, to store; (alim) to preserve
~ **en bocal**: to bottle
~ **en bon état**: to keep in good repair

conserverie *f* : canning industry, tinning industry; canning factory, cannery

conserveur *m* : canner, canneryman

consignateur *m* : (inf) logger

consignation *f* : (dans un registre) recording, logging
~ **de données**: data logging

consigne *f* : instruction
~**s d'utilisation**: instructions for use, operating instructions
~**s de sécurité**: safety instructions

consigné: (emballage) returnable, money-back

consistance *f* : body, consistency (of materials)

console *f* : (méc) [angle] bracket, hanger; (pupitre) console
~ **de commande**: operator console
~ **de visualiation**: display console
~ **équerre**: knee bracket
~ **murale**: wall bracket
~ **opérateur**: operator console

consolider: to strengthen, to stiffen, to brace

consommable: consumable, expendable

consommateur *m* : consumer

consommation *f* : consumption; (de pièces) usage

~ **calorifique en réfrigération**: cooling load
~ **d'électricité**: power consumption
~ **d'énergie**: energy consumption; (d'une machine) [power] input
~ **d'essence**: miles per gallon, mpg GB, gas mileage NA
~ **de courant**: current consumption, [current] drain
~ **domestique**: domestic requirements
~ **en watts**: wattage
~ **intérieure**: domestic consumption
~ **ménagère**: household consumption
~ **par personne**: consumption per capita
~ **par tête**: per capita consumption

consommé *m* : clear soup

constantan *m* : constantan

constante *f* : constant
~ **de phase**: phase constant
~ **de rappel**: (d'un ressort) spring constant
~ **de réseau**: lattice constant, grating constant
~ **stadimétrique**: stadia constant

constituant *m* : (chim) constituent
~ **d'un alliage**: alloying element
~ **principal**: major constituent
~ **secondaire**: minor constituent

constructeur *m* : (constr) builder; (de machines) manufacturer, maker
~ **d'ordinateurs**: hardware firm
~ **de systèmes**: original equipment manufacturer

construction *f* : building, construction; structure
~ **à claire-voie**: batten-and-space construction
~ **à ossature métallique**: skeleton construction
~ **à [maçonnerie de] parement**: veneered construction
~ **à revêtement porteur**: stressed-skin construction
~ **à revêtement travaillant**: stressed-skin construction
~ **allégée**: light construction
~ **antisonique**: acoustic construction
~ **bon marché**: jerry building
~ **composite**: composite structure
~ **en caisson**: box construction
~ **en dur**: permanent construction
~ **en série**: mass production
~ **hors toit**: bulkhead
~ **insonore**: acoustic construction
~ **légère**: light construction

~ **mécanique**: mechanical engineering
~ **métallique**: steel structure, steel [frame] construction, steelwork
~ **mixte**: composite structure
~ **modulaire**: unit construction
~ **navale**: shipbuilding
~ **par éléments préfabriqués**: unit construction
~ **tentaculaire**: ribbon development
de ~: structural
de ~ **artisanale**: garage-built

construire: to build, to erect; (une machine) to build, to make

consultation *f* : (inf) inquiry, enquiry, accession
~ **avec mise à jour**: read-write access
~ **de table**: table lookup
~ **possible**: retrievability
~ **sans mise à jour**: read-only access

contact *m* : contact
~ **à bague glissante**: slip ring contact
~ **à chevauchement**: make-before-break contact
~ **à déclic**: snap-action contact
~ **à deux directions**: two-way contact, changeover contact, double-throw contact
~ **à deux directions avec chevauchement**: two-way make-before-break contact
~ **à deux directions sans chevauchement**: changeover break-before-make contact
~ **à double rupture**: double-break contact
~ **à double fermeture**: double-make contact
~ **à enclenchement**: snap-on contact
~ **à fermeture**: A-contact, make contact
~ **à la masse**: ground contact, body contact; (défaut) fault to body
~ **à la terre**: earth connection, earth contact GB, ground contact NA; (défaut) earth fault, earth leakage, ground fault
~ **à ouverture**: B-contact, break contact, back contact
~ **à pointe**: point contact
~ **à ressort**: snap-action contact
~ **à séparation brusque**: snap-action contact
~ **à séparation très lente**: creep contact
~ **à sertir**: crimp contact
~ **arrière**: back contact
~ **d'arc**: arcing contact
~ **de commutation**: changeover contact
~ **de fermeture**: make contact

~ **de fermeture avant rupture**: make-break contact
~ **de passage d'un commutateur**: passing contact
~ **de position neutre**: midposition contact
~ **de repos**: back contact, break contact, normally closed contact
~ **de repos double**: double-break contact
~ **de roulement**: rolling contact
~ **de terre parfait**: dead earth
~ **de travail**: A-contact, make contact, operating contact, normally-open contact
~ **de travail double**: double-make contact
~ **entre lignes**: line-to-line fault, line contact
~ **femelle**: female contact, socket contact
~ **franc à la terre**: dead earth GB, dead ground NA
~ **gaz-pétrole**: gas/oil interface
~ **glissant**: slide contact, sliding contact, slider, wiping contact
~ **inverseur**: changeover contact
~ **mâle**: pin contact, male contact
~ **parfait avec la terre**: dead earth GB, dead ground NA
~ **ponctuel**: point contact
~ **pour connexions enroulées**: wrap contact
~ **repos-travail**: break-before-make contact
~ **rupture avant fermeture**: break-make contact, break-before-make contact
~ **sur la pointe**: (engrenage) toe contact
~ **sur le talon**: (engrenage) heel contact
~ **travail-repos**: make-before-break contact, make-break contact
~ **trop bas**: (engrenage) low tooth contact
~ **trop haut**: (engrenage) high tooth contact

contacteur *m* : contactor
~ **à course**: travel contactor
~ **à réenclenchement**: reset contactor
~ **à trois positions**: three-switch contactor
~ **d'allumage**: (autom) ignition switch
~ **de coupure**: cutout contactor
~ **de fin de course**: limit switch
~ **de niveau**: level switch
~ **de perte de liquide de freins**: brake fluid level switch
~ **de stop**: stop [light] switch
~ **manométrique**: pressure operated switch

container → **conteneur**

contaminamètre *m* : contamination meter

contaminant *m* : contaminant, impurity

contamination *f* : contamination; (fractionnement) carry over
~ **chimique**: (eau) chemical contamination
~ **des données**: data contamination
~ **tellurique**: (eau) contamination from the land

contenance *f* : capacity; (d'un réservoir) tankage

conteneur *m* : container; (aéro) pod
~ **à claire-voie**: skeleton container
~ **à parois ouvertes**: open-sided container
~ **à pulvérulents**: dry-bulk container
~ **calorifugé**: insulated container
~ **canon**: gun pod
~ **citerne**: tank container
~ **fermé**: covered container
~ **gerbable**: stackable container
~ **hors-normes**: high cube
~ **isotherme**: insulated container
~ **métallique à roulettes**: rolltainer
~ **perdu**: single-service container
~ **plat**: flat container
~ **plate-forme**: flat container, platform container
~ **pour trafic d'outre-mer**: transcontainer
~ **sec**: dry bulk container
~ **spécial hors-cotes**: super high cube

contenu *m* : (d'un récipient) content; (d'un message) body
~ **énergétique**: energy content

contexte *m* : (milieu) environment
~ **génétique**: genetic background

continu *m* : (filature) frame; *adj* : continuous, endless, unbroken; (constr) unsupported (span); (courant) direct
~ **à anneaux**: ring frame
~ **à filer**: spinning frame
~ **à retordre**: twisting frame, twister

continuité *f* : continuity
~ **électrique**: bonding

contour *m* : outline; (vidéo) loudness
~ **d'oreille**: behind-the-ear [hearing] aid

contournage *m* : (fraisage) contour milling; (rob) contouring

contournement *m* : (isolateur) flashover, sparkover, arcover
~ **du menu**: (inf) menu bypass

contracté: contracted, shrunk

contrainte *f* : constraint, limitation; stress
~ **aux limites**: boundary stress
~ **axiale**: axial stress
~ **biaxiale**: biaxial stress, two-dimensional stress
~ **circonférentielle**: circumferential stress
~ **d'adhérence**: bond stress
~ **d'environnement**: environmental stress
~ **de cisaillement**: shearing stress
~ **de flexion**: bending stress GB, flexural stress NA
~ **de torsion**: torsional stress
~ **de traction**: tensile stress
~ **due au serrage**: clamping stress
~ **intergranulaire**: grain-to-grain stress
~ **limite de rupture**: ultimate stress
~ **limite inférieure**: minimum stress
~ **limite**: maximum stress
~ **normale**: normal stress
~ **périphérique**: hoop stress
~ **plane**: two-dimensionsal stress
~ **pluriaxiale**: multiaxial stress
~ **simple**: one-dimension stress
~ **thermique**: temperature stress

contrarier: to counteract, to go against

contrarotatif: contrarotating, counter-rotating

contrat *m* : contract; → aussi **marché**
~ **au métré**: (forage) footage contract
~ **de fourniture**: supply contract
~ **de vente**: bill of sale

contre-: back, counter, opposing

contre-alésage *m* : counterbore

contre-arbre *m* : countershaft

contrebalancer: to counteract, to make up for, to offset

contre-battage *m* : counter-driving

contre-braquer: to steer out of a skid

contre-bride *f* : companion flange, mating flange

contre-calque *m* : blue print

contrechamp *m* : (cinéma) countershot

contrechâssis *m* : (moulage) top flask; (fenêtre) storm sash

contre-clavette *f* : gib, nose key

contre-contre-mesure *f* : counter-counter measure

contrecoudé: double-bend

contrecoup *m* : return shock; (d'une explosion) backlash

contre-courant *m* : contraflow, counterflow, reverse flow
à ~: counterflow, reverse; counter-current (centrifuge, condenser, cooler)

contre-courbe *f* : counter curve, reverse curve

contre-course *f* : reverse stroke

contre-coussinet *m* : top brass

contre-dépouille *f* : (usinage) undercut; (moulage des plastiques) back draft, back taper, counterdraft

contre-éclairage *m* : back lighting; (phot) fill-in lighting

contre-écrou *m* : back nut, check nut, counternut, grip nut, jam nut, locknut, stop nut

contre-électrode *f* : backing electrode, welding ground

contre-emballage *m* : lining

contre-épreuve *f* : check test, control check, countercheck, repeat test; (graph) counter-proof, repro[duction] proof

contre-essai *m* : cross check, duplicate test, retest

contre-expertise *f* : countervaluation

contre-face *f* : (de contreplaqué) back

contrefaçon *f* : fraudulent copy, imitation (of a design)
~ de brevet: patent infringement

contrefiche *f* : counterbrace, stay rod, strut, brace; diagonal (of truss panel)

contreficher: to stay, to brace

contre-fil, à ~: against the grain

contre-flèche *f* : hog[ging]

contrefort *m* : (géographie) spur; (constr) buttress, pier (against wall)

contre-jour *m* : backlighting
à ~: against the light

contremaître *m* : foreman

contre-manivelle *f* : fly crank, return crank

contre-marée *f* : undertow (of the tide)

contre-membrure *f* : (mar) reverse frame

contre-mesure *f* : counter-measure

contre-parement *m* : back (of (plywood)

contre-pente *f* : counterslope, reverse gradient

contre-percer: to drill (through a template)

contreplaqué *m* : plywood
~ composite: composite plywood
~ lamellé: laminated board, laminboard
~ panneauté: battenboard
~ revêtu: overlaid plywood

contre-plaque *f* : backing plate, cheek plate, reinforcing plate

contre-plongée *f* : low-angle shot

contrepoids *m* : counterpoise, counterweight; balance [weight], balancing weight (of lever)
~ de régulateur: fly-ball, fly-weight of governor
à ~: weight-operated, weighted

contre-poil *m*, **à ~**: (text) against the nap

contre-pointe *f* : tailstock

contre-porte *f* : storm door, weather door

contre-pression *f* : back pressure, counterpressure
~ à l'échappement: exhaust back pressure

contre-profil *m* : reverse profile

contre-projet *m* : counter-project

contre-proposition *f* : alternative proposal

contre-rail *m* : (chdef) side rail, check rail, guard rail

contre-réaction *f* : negative reaction, negative feedback, inverse feedback, reverse feedback, feedback

contre-tirage *m* : back draught

contre-torpilleur *m* : destroyer

contre-torsion *f* : (câble) back twist

contreventement *m* : [wind] bracing

contre-vérification *f* : countercheck, cross checking

contre-voie *f*, **à ~**: on the wrong side of the train, on the wrong track

contrôle *m* : (inspection) inspection, check[ing], testing; (anglicisme) control
~ **à 100%**: 100% inspection
~ **aérien**: air traffic control
~ **assisté par ordinateur**: computer-aided testing
~ **au banc**: bench check
~ **au sol**: (aéro) ground control
~ **automatique**: automatic check; (inf) built-in check, machine check
~ **automatique d'amplitude** ▶ **CAA**: amplitude automatic control
~ **automatique de fréquence** ▶ **CAF**: automatic frequency control
~ **automatique de gain** ▶ **CAG**: automatic gain control
~ **câblé**: (inf) hardware check, wired-in check
~ **carré**: cross check (inf)
~ **chez le fabricant**: manufacturer's inspection
~ **cyclique par redondance** ▶ **CCR**: cyclic redundancy check
~ **d'amplitude**: amplitude control
~ **d'erreurs**: error checking
~ **d'imparité**: odd parity check
~ **de flux**: flow control
~ **de l'utilisation de l'énergie**: energy auditing
~ **de la qualité**: quality control
~ **de la traduction**: (gg/bm) translational control
~ **de liaison**: link testing
~ **de liaison de données**: data link control
~ **de niveau**: level monitoring
~ **de parité**: odd-even check, parity check
~ **de parité impaire**: odd parity check
~ **de parité longitudinale**: longitudinal parity check, track parity check
~ **de parité transversale**: lateral parity check, transversal check
~ **de réception**: acceptance inspection, acceptance test

~ **de redondance cyclique**: cyclic redundancy check
~ **de réseau**: network control
~ **de validité**: validity check
~ **de vraisemblance**: absurdity check, validity check
~ **des accès**: access control (security)
~ **des performances**: performance monitoring, performance testing
~ **des tolérances**: limit testing
~ **des travaux**: (inf) job monitoring
~ **dimensionnel**: dimensional inspection
~ **du fournisseur par le client**: vendor inspection
~ **du trafic**: (tcm) traffic control
~ **en atelier**: shop test
~ **en cis**: (gg/bm) cis control
~ **en cours de fabrication**: in-process inspection
~ **en première présentation**: original inspection
~ **en trans**: (gg/bm) trans control
~ **en usine**: factory inspection
~ **général**: (inf) system check
~ **interne**: internal audit
~ **magnétoscopique**: magnetic crack detection, magnetic particle inspection
~ **par attributs**: attribute testing
~ **par balance carrée**: cross checking
~ **par duplication**: duplication check, twin check
~ **par échantillonnage**: sampling inspection
~ **par écho**: echo check[ing]
~ **par l'opérateur**: operator inspection
~ **par régression**: regression testing
~ **par ressuage**: fluorescent penetrant inspection, penetrant inspection
~ **par retour**: echo check
~ **par retour de l'information**: loop check
~ **par sondage**: spot check, random check
~ **par totalisation**: sum[mation] check
~ **par ultrasons**: ultrasonic testing, ultrasonic inspection
~ **quantitatif**: quantity control
~ **radiographique**: X-ray inspection
~ **renforcé**: tightened inspection
~ **sanitaire**: health inspection
~ **statistique**: statistical [quality] control
~ **strict**: tight inspection
~ **tronqué**: curtailed inspection
~ **unitaire**: 100% inspection
~ **visuel**: sight check, visual inspection
~ **volant**: patrol inspection

contrôler: to check, to inspect, to test, to monitor; to control

contrôleur *m* : tester; (él, rob, tcm) controller
~ **d'allumage**: spark tester
~ **d'isolement**: megohmmeter, megger
~ **de batteries**: battery tester
~ **de circuit**: continuity tester, circuit tester
~ **de dépression**: vacuum tester
~ **de la navigation aérienne**: air traffic controller
~ **de milieu ambiant**: atmospheric monitor
~ **de périphérique**: (inf) peripheral control unit, device controller
~ **de pression**: pressure tester; (de pneus) tyre gauge
~ **de transmission**: transmission control
~ **graphique**: graphic display controller

conurbation *f* : conurbation GB, megalopolis NA

convection *f* : convection

convergence *f* : convergence; merging (of traffic)

convergent *m* : (tuyère) convergent nozzle; (tuyauterie) reducer, reducing pipe, taper pipe; *adj* : converging
~ **d'entrée**: entrance cone (of wind tunnel, of nozzle)

conversation *f* : talk; (tél) call, conversation
~ **payable à l'arrivée**: reverse charge call, transferred charge call
~ **taxée**: chargeable call
de ~: speech (band, channel)

conversationnel *m* : conversational terminal; *adj* : (inf) conversational, interactive

conversion *f* : conversion
~ **bio-énergétique**: bioconversion
~ **biologique**: bioconversion
~ **d'échelle**: scaling
~ **en numérique**: digitization
~ **génique**: gene conversion
~ **phagique**: phage conversion

convertir: to convert
~ **en numérique**: to digitalize, to digitize
~ **de parallèle à série**: to serialize

convertisseur *m* : converter
~ **à vapeur de mercure**: mercury arc converter

~ **abaisseur de fréquence**: down converter
~ **analogique-numérique** ▶ **CAN**: analog-to-digital converter, digitizer
~ **cartes-bandes**: card-to-tape converter
~ **continu-alternatif**: current inverter
~ **continu-continu**: d.c. converter
~ **de combustible**: fuel processor
~ **de couple**: torque converter
~ **de mode**: mode converter, mode transformer
~ **de phase**: phase changer, phase converter
~ **de signaux**: signal converter
~ **en cascade**: cascade converter
~ **numérique/analogique** ▶ **CNA**: digital-to-analog converter
~ **OLP**: oxygen lance powder converter
~ **parallèle-série**: parallel-serial converter, serializer, dynamicizer
~ **série-parallèle**: serial-to-parallel converter, staticizer

convexe: convex; dished; (courbe) gibbous
~-concave: convexo-concave
~-convexe: convexo-convex, double convex

convexo-concave: convexo-concave

convexo-convexe: convexo-convex, double convex

convivial: (inf) user friendly

convivialité *f* : user friendliness

convoi *m* : convoy
~ **exceptionnel**: wide load
~ **poussé**: multiple barge convoy set, pusher train
~ **type**: typical highway loading, typical truck loading

convoyeur *m* : (mar) convoy ship; (méc) conveyor
~ **à auges**, ~ **à augets**: trough conveyor
~ **à bande**: belt conveyor
~ **à câble métallique**: rope conveyor
~ **à godets**: bucket conveyor
~ **à navette**: shuttle belt conveyor
~ **à plaques**: apron conveyor
~ **à plateaux**: tray conveyor
~ **à raclettes**: drag link conveyor, scraper conveyor
~ **à secousses**: jigger conveyor, vibrating conveyor, shaker conveyor
~ **à tablier**: apron conveyor
~ **à vis sans fin**: screw conveyor

~ **d'évacuation**: runout conveyor
~ **de passage**: (d'un convoyeur à un autre) carryover conveyor
~ **mobile de raccordement**: piggyback conveyor
~ **principal**: gathering conveyor, trunk conveyor
~ **suspendu**: overhead conveyor

coordonnée *f* : coordinate; → aussi **coordonnées**
~ **sphérique**: spherical coordinate

coordonnées *f* : coordinates
~ **cartésiennes**: cartesian coordinates
~ **topographiques**: map coordinates

copeau *m* : (de bois) shaving; (de bois, de métal) chip; → aussi **copeaux**

copeaux *m* : shavings, chips; (d'usinage) swarf
~ **de forage**: borings
~ **de tour**: turnings

copiage *m* : copying; (sur m-o) profiling

copie *f* : copy; (graph) text matter; (phot, film) print
~ **à modelé continu**: (micrographie) continuous tone copy
~ **au net**: fair copy
~ **d'antenne**: air print, release print
~ **d'exploitation**: (cin) [release] print
~ **de réserve**: storage copy
~ **de sauvegarde**: (inf) back-up copy
~ **écran**: (inf) soft copy
~ **lisible à l'œil nu**: eye-legible copy
~ **originale**: (cin) master copy, master print
~ **papier**: (inf) hard copy
~ **par contact**: contact copy
~ **pour diffusion**: distribution copy
faire une ~ **de secours**: (inf) to back up (a file)

copieur *m* : copier

coplanaire: coplanar

copolymère *m* : copolymer
~ **alterné**: alternating copolymer
~ **binaire**: bipolymer
~ **greffé**: graft copolymer
~ **quaternaire**: quaterpolymer
~ **ternaire**: terpolymer

copolymérisation *f* : copolymerization
~ **avec greffage**: graft copolymerization

copra[h] *m* : copra

coprocesseur *m* : coprocessor

coque *f* : (de navire) hull; (de véhicule) body, shell; (dans un cordage) kink; (de fil métallique) loop; (mollusque) cockle; (de fruit) shell; (de plante) husk, hull
~ **à double redan**: double-step hull
~ **à fond plat**: flat-bottomed hull
~ **de cacao**: cocoa husk, cocoa shell
~ **nue**: bare boat

coqueron *m* : peak
~ **avant**: forepeak

coquillage *m* : (alim) shellfish; (vide) shell

coquille *f* : casing, housing; (moulage) chill mold, permanent mold; (graph) misprint, printer's error
~ **anti-bruit**: muff (ear protection)
~ **de coussinet**: bearing shell
~ **de différentiel**: differential casing
~ **St Jacques**: escallop, scallop
~**s**: moulded insulation

corail *m* : (de récif, de homard) coral

cordage *m* : rope
~ **commis en câble**: cable-laid rope
~ **d'acier**: [steel] wire rope
~ **en chanvre**: hemp rope
~ **non goudronné**: white rope

corde *f* : rope; (d'un arc) chord
~ **à piano**: piano wire
~ **de l'aile**: wing chord
~ **de remorquage**: tow rope
~ **tendue**: tight rope

cordeau *m* : line, string
~ **allumeur**: igniter cord
~ **Bickford**: Bickford fuse, blasting fuse, safety fuse
~ **détonant**: detonating fuse, detonating cord, primacord

cordite *f* : cordite

cordon *m* : (él) cord, flex; (constr) string course; (mil) cordon
~ **à deux brins**: twin flex, twin cord
~ **à deux fiches**: double-ended cord
~ **boudiné**: curled cord
~ **d'alimentation**: (él) [flexible] cord NA, flex GB
~ **d'appareil**: appliance cord
~ **d'étanchéité**: packing cord, sealing cord
~ **de bavure**: flash [fin]
~ **de connexion**: cord connector, patch cord
~ **de mesure**: instrument lead

~ **de pénétration**: (soudage) root reinforcement
~ **de piston**: piston land
~ **de raccordement**: patch cord, mounting cord
~ **de soudure**: fillet, [weld] bead
~ **littoral**: offshore bar
~ **prolongateur**: extension lead
~ **sanitaire**: cordon sanitaire
~ **secteur**: power cord
~ **souple**: flexible cord
~ **surmoulé**: cord set

corépresseur *m* : corepressor

coriandre *f* : coriander

corindon *m* : corundum

corne *f* : (de parafoudre, d'éclateur) horn; (de voile) peak
~ **d'entrée**: leading pole tip
~ **de brume**: fog horn
~ **de sortie**: trailing pole tip
~ **polaire**: pole horn, pole tip, pole shoe

corné: (animal) horny; (tissu) corneous

cornet *m* : (d'antenne) horn

cornichon *m* : gherkin

cornière *f* : angle bar, angle section, angle
~ **à ailes égales**: equal [leg] angle
~ **à ailes inégales**: unequal angle
~ **à boudin**: bulb angle
~ **de reprise**: pick-up angle
~ **en tôle pliée**: bent section
~s **adossées**: double angle

cornue *f* : retort
~ **à goudron**: tar still

corps *m* : body; (consistance) body, consistency; (d'un sable) bond, strength; (de boulon, de bielle) shank; (de chaudière) shell; (de rivet) stem; (de turbine) casing; (graph) point size, body [size]; (mil) corps
~ **à vert**: green strength, green bond
~ **cétonique**: acetone body, ketone body
~ **composé**: compound
~ **cylindrique**: barrel
~ **d'essieu**: (autom) axle beam, axle housing; (chdef) axle body
~ **de chauffe**: heating body, heating unit, heater element; fin block (of water heater)
~ **de dernier étage**: (de turbine) end-stage casing
~ **de bâtiment**: main part of a building

~ **de filière**: (extrusion) die body GB, die base NA
~ **de filtre**: filter housing
~ **de manivelle**: crank cheek, crank web, crank arm
~ **de métier**: craft
~ **de palier**: pedestal body, bearing housing
~ **de piston**: piston body
~ **de pompe**: pump barrel, pump body, pump casing, pump housing
~ **de pont**: axle carrier
~ **de pont arrière**: rear axle housing
~ **de propulseur**: jet body, motor body
~ **de refoulement**: delivery casing
~ **de révolution**: revolving body, body of revolution
~ **douze**: (graph) pica
~ **du cylindre**: roll barrel
~ **expéditionnaire**: task force
~ **gras**: fat
~ **intermédiaire**: interstage casing
~ **mort**: mooring
~ **mort à coffre**: buoy mooring
~ **noir**: black body, complete radiator
~ **non profilé**: bluff body
~ **sur orbite**: orbiting body
~ **torique**: annular casing

corrasion *f* : corrasion

correcteur *m* : corrector; (compensation) equalizer, compensating element
~ **d'affaiblissement**: attenuation equalizer
~ **d'épreuves**: proof reader
~ **d'évanouissement**: anti-fading device
~ **d'impédance**: impedance corrector, impedance compensator
~ **de courbure**: curvature network
~ **de latitude**: latitude corrector
~ **de ligne**: line equalizer
~ **de pente**: slope equalizer
~ **de phase**: delay equalizer, phase equalizer
~ **de pointage**: aim corrector
~ **de tonalité**: tone control
~ **orthographique**: spelling checker

correction *f* : correction; (d'un texte) amendment, correction; (inf) patch[ing]
~ **d'épreuves**: (graph, gg/bm) proof-reading
~ **d'erreur**: error correction
~ **d'erreur avec voie retour**: backward error correction
~ **d'erreur sans voie retour**: forward error correction
~ **d'un cours d'eau**: river training
~ **de couleur**: colour balance
~ **de dérive**: drift correction

~ **de la parallaxe**: correction for parallax
~ **de la trajectoire**: course correction
~ **de phase**: phase compensation
~ **de profil**: (de roue dentée) addendum modification
~ **de température**: correction for temperature
~ **des torrents**: torrent regulation
~ **globale**: (inf) global change
~ **manuelle**: manual override
~ **pour obliquité d'attaque**: angularity correction, skew correction

correspondance *f* : (courrier) correspondence, mail, post, letters; (conformité) match, correspondence; (transport) connection

correspondant *m* : (tél) party; *adj* : (méc) mating; (angles) corresponding

corridor *m* : corridor, passage
~ **aérien**: air corridor

corriger: to correct; (une erreur) to rectify; (un défaut) to remedy, to set right, to make good; (un texte) to correct, to clean up; (un dessin) to mark up
~ **des épreuves**: to read proofs
~ **le jeu**: (méc) to take up play

corrodant: corrosive

corroder: to corrode

corrosif: corrosive; (pétr) sour

corrosion *f* : corrosion
~ **à la lame de cuivre**: copper strip corrosion
~ **acide**: (pétr): sour corrosion
~ **atmosphérique**: atmospheric corrosion
~ **douce**: (pétr): sweet corrosion
~ **due aux intempéries**: atmospheric corrosion
~ **en lame de couteau**: knife blade type corrosion
~ **en service**: service corrosion
~ **fissurante**: cracking corrosion
~ **galopante**: breakaway corrosion
~ **microbienne**: microbial corrosion
~ **par courants vagabonds**: stray-current corrosion
~ **par frottement**: fretting corrosion
~ **par les acides**: acid corrosion
~ **sous contrainte**: stress corrosion
~ **sur lame de cuivre**: copper corrosion
~ **tellurique**: soil corrosion

corroyé: (métall) hot worked; (aluminium) wrought; (bois) wrot, surfaced

cosinus *m* : cosine

cosinoïde *f* : cosine curve

cosmide *m* : cosmid

cosmos *m* : space
~ **proche**: near space

cosse *f* : (de câble) eye ring, shoe, thimble; (él) terminal end, lug, spade, spade lug, spade terminal, tag, terminal; (de légumineuse) hull, husk; (de haricot, de pois) pod
~ **à plage ronde**: ring tongue terminal
~ **à ressort**: clip [terminal], wire clip
~ **à souder**: soldering lug, soldering tag

cot *m* : Cot, cot curve

cotation *f* : dimensioning (on drawing)

cote *f* : dimension (on drawing); (topographie) altitude, elevation, height, hill
~ **au gabarit**: jig dimension
~ **d'alerte**: critical level
~ **d'encombrement**: overall dimension
~ **d'implantation**: layout dimension
~ **de contour du sol**: grade line
~ **de fabrication**: manufacturing dimension
~ **de montage**: assembly dimension
~ **de référence**: datum line
~ **du sondage**: elevation of the well
~ **minorée**: undersize
~ **unifiée**: standard dimension
à la ~: true to gauge, to size
à ~ **de réalésage**: (moteur) oversize

côte *f* : (géogr) coast, shore; (pente) gradient; (velours côtelé) cord
~ **au vent**: weather shore
~ **sous le vent**: lee shore

côté *m* : side; (de machine) side, end
~ **amont**: upstream
~ **aval**: downstream
~ **caché**: far side
~ **commande**: driving side
~ **d'entrée**: feed end
~ **d'introduction**: entry side, feed end
~ **de conduite**: operating side
~ **de décharge**: delivery side
~ **de sortie**: delivery side
~ **distribution**: (él) sending end
~ **droit**: right-hand side
~ **éloigné**: far side
~ **émulsionné**: (phot) emulsion side

~ **gauche**: left-hand side
~ **grain**: (pap) top side
~ **moteur**: power end
~ **opérateur**: operating side
~ **ouvert**: (placage) slack side
~ **peu accessible**: blind side
~ **refoulement**: (pompe) pressure side
~ **toile**: (pap) underside, wire side
~ **transmission**: driving side
~ **volant**: (d'un véhicule) offside GB
à ~ **texte**: (graph) next [to reading] matter

coter: (un dessin) to dimension; (cartographie) to mark the references

cotg → **cotangente**

côtier: coastal, shore

coton *m* : cotton
~ **brut**: raw cotton GB, cotton wool NA
~ **en bourre**: raw cotton GB, cotton wool NA
~ **hydrophile**: cotton wool GB, absorbent cotton NA
~-**poudre**: gun cotton

cotraitement *m* : coprocessing

cotransduction *f* : cotransduction

couchage *m* : coating
~ **hors machine**: (pap) conversion coating
~ **par extrusion**: extrusion coating
~ **par fusion**: hot melt coating
~ **par lame d'air**: air jet coating, air knife coating
~ **par léchage**: kiss coating
~ **par projection**: curtain coating
~ **par pulvérisation**: spray coating
~ **par rouleaux**: roller coating
~ **par voile**: curtain coating

couche *f* : layer; (géol) layer, bed, stratum; (mine) seam; (de revêtement) coat[ing]; (brasserie) couch
~ **à appauvrissement**: depletion layer
~ **à enrichissement**: enhancement layer
~ **active**: (du sol) mollisol
~ **annuelle**: (bois) growth ring
~ **aquifère**: aquifer
~ **bien nourrie**: generous coat
~ **chaude**: (jardinage) hot bed
~ **d'air**: (solaire) air mass
~ **d'apprêt**: priming coat
~ **d'arrêt**: barrier layer
~ **d'égalisation**: levelling layer
~ **d'étanchéité**: damp-proof course
~ **d'impression**: (peinture) ground coat; priming coat, primer (on porous surface)

~ **d'impression imbue**: sealing coat
~ **d'usure**: (chaussée) finish surface
~ **de demi-atténuation**: half-value layer, half-value thickness
~ **de fermeture**: sealing coat
~ **de finition**: final coat, finishing coat; (peinture) top coat; (plâtre) white coat
~ **de fond**: base coat; priming coat (on non-porous surface); (plâtre) browning coat
~ **de fondation**: (constr) subgrade
~ **de liaison**: (route) binder course; (inf) link layer
~ **de reprise**: bonding layer
~ **de roulement**: (route) carpet layer, surface layer, road topping
~ **de scellement**: sealing coat
~ **de session**: (inf) session layer
~ **de surface**: (route) surface course, topping
~ **de valence**: valency shell GB, valence shell NA
~ **dorsale**: (micrographie) backing layer
~ **encaissante**: confining stratum
~ **inférieure**: substrate, understratum
~ **intérieure**: (de placage) core sheet
~ **intermédiaire**: (route) binder course
~ **limite**: boundary layer
~ **limite laminaire**: laminar boundary layer
~ **mince**: [thin] film
~ **monomoléculaire**: monomolecular layer, unilayer, monolayer
~ **obtenue par évaporation**: evaporated layer
~ **perméable**: pervious layer
~ **pétrolifère**: oil-bearing stratum
~ **présentation**: (inf) presentation layer
~ **redressée**: (géol) upturned stratum
~ **rentable**: pay zone
~ **repère**: (géol) key bed
~ **session**: (inf) session layer
~ **simple**: monolayer
~ **sous-jacente**: underlayer; (géol) understratum ,underlying stratum
~ **supérieure**: upper layer; (géol) superstratum
~ **transport**: (inf) transport layer
~ **trophogène**: trophogenic layer
à ~ **de cuivre**: copper-clad

couché: (renversé) recumbent; (pap) coated
~ **deux fois**: double-coated
~ **mousse**: bubble-coated

coucheuse *f* : (pap) coater
~ **à lame**: blade coater
~ **à lame d'air**: air-brush coater
~ **au plongé**: dip coater

coude *m* : bend; (formé par une ligne) angle; (de tuyauterie) bend, elbow, knee; (d'arbre, d'essieu) crank
~ **à 180 degrés:** return bend
~ **à 45 degrés:** half normal bend
~ **à 90 degrés:** normal bend
~ **à angle droit:** square elbow
~ **à grand rayon:** long sweep bend
~ **à patin:** duckfoot bend
~ **à petit rayon:** sharp bend, short [turn] elbow
~ **brusque:** (guide d'ondes) corner
~ **d'équerre:** ninety degree elbow
~ **de croisement:** crossover bend
~ **de réduction:** reducing elbow
~ **de tête d'injection:** (pétr) gooseneck
~ **de tuyau:** pipe bend
~ **double:** return bend, gooseneck
~ **en équerre:** quarter bend, ninety degree elbow, ninety degree bend
~ **en U:** return bend
~ **mâle et femelle:** service elbow
~ **progressif:** (guide d'ondes) bend

coudé: bent, cranked, offset

couenne *f* : pork rind

coulabilité *f* : pourability, castability

coulage *m* : (métall) casting, pouring; (du béton) placing, pouring; (de couleurs) bleeding; (d'une bielle, d'un palier) burnout; (fuite d'un liquide) running, leaking; (gestion) wastage, petty theft
~ **à noyau:** cored work, core casting
~ **en châssis:** box casting, flask casting
~ **en feuille mince:** film casting
~ **massif:** casting without core
~ **par embouage:** slush casting
~ **par rotation:** rotational casting

coulé: cast, poured
~ **à découvert:** cast in open sand
~ **au sol:** (béton) precast on site
~ **dans la fosse de coulée:** pit cast
~ **dans le sable:** sand cast

coulée *f* : (métall) casting, pouring, tapping, teeming; (béton) pouring, batch; (géol) flow; (graph) bleed
~ **à la cire perdue:** lost wax process
~ **à vert:** green sand casting
~ **au renversé:** slush casting
~ **centrifuge:** spin casting, spinning
~ **continue:** continuous casting, concast
~ **courte:** short run
~ **de boue:** mud flow, mud slide
~ **de lave:** lava flow

~ **debout:** vertical casting
~ **en chute directe:** top casting, top pouring
~ **en coquille:** die casting GB, permanent-mold casting NA
~ **en fosse:** pit casting
~ **en grappe:** stack casting
~ **en moule étuvé:** dry casting
~ **en sable:** sand casting
~ **en source:** bottom casting, bottom pouring, rising casting, uphill casting
~ **manquée:** off cast
~ **sous pression:** die casting
~ **sous vide:** vacuum casting
~ **sur car:** car casting, buggy casting

couler: (liquide) to flow, to run; (fuir) to leak, to run; (du béton, du métal) to pour, to cast; (navire) to go down, to sink
~ **à vert:** to cast in green sand
~ **en chute:** to pour from the top
~ **en coquille:** to chill, to cast in chill mould
~ **en lingotière:** to teem
~ **en source:** to pour from the bottom, to cast uphill
~ **plein:** to cast solid
~ **une bielle:** to burn out a connecting rod

couleur *m* : caster, ladleman, pourer

couleur *f* : colour GB, color NA
~ **à grand feu:** fireproof colour
~ **à la cuve:** vat dye
~ **de base:** primary colour
~ **des chaudes:** heat colour
~ **en aplat:** (graph) solid colour, solid tint, flat colour, flat tint
~ **fondamentale:** primary [colour]
~ **inaltérable:** fast colour
~ **primaire:** primary [colour]
~ **solide:** fast colour
~ **unie:** solid colour

coulis *m* : grout, slurry
~ **d'injection:** injection grout
~ **de ciment:** cement grout, cement slurry

coulisse *f* : slide, runner, U channel; (rob) sliding joint, prismatic joint; (sur machine) link [motion], slotted link; (d'excentrique, de manivelle) guide, slot
~ **de banc de tour:** slide bar of lathe bed
~ **de changement de marche:** reverse link
~ **porte-table:** table slide
~ **de tiroir:** slideway of slide valve

coulisseau *m* : guide rod, link block; (de tour) slide; (de presse) ram
~ **de banc**: saddle (of compound table)
~ **de crosse**: cross head block, cross head shoe
~ **porte-outil**: tool slide
~ **porte-table**: cross slide, table slide

couloir *m* : (constr) corridor, passage; (aéro) aisle; (dans autobus) gangway; (de manutention) chute GB, shoot NA; (cin) track
~ **à secousses**: jigging conveyor, rocking conveyor
~ **aérien**: air corridor, air [traffic] lane
~ **central**: centre gangway, centre aisle
~ **d'autobus**: bus lane
~ **de navigation**: shipping lane
~ **[incliné]**: chute, shoot
~ **oscillant**: shaker conveyor, shaking conveyor, jigger conveyor, jigging conveyor

coulure *f* : (de teinture) run; (de peinture) run, sagging; (depuis un moule) runout, breakout

coumarine *f* : coumarin, cumarin

coumarone *f* : coumarone, cumarone, benzofuran

coup *m* : blow, hit, impact, knock; (d'arme à feu) shot; (de piston) stroke
~ **complet**: (de tir) round of ammunition
~ **d'air**: rush of air
~ **d'arrachage**: (text) nip
~ **d'eau**: inrush of water
~ **de charge**: (mine) rock burst
~ **de chasse**: (tissage) pick
~ **de feu**: (tir) shot; (céramique) baking stain
~ **de foudre**: lightning discharge
~ **de fusil**: gun shot, rifle shot
~ **de grisou**: firedamp explosion
~ **de liquide**: (dans réservoir) surge
~ **de marteau**: hammer blow
~ **de mine**: shot
~ **de pointeau**: punch mark, centre mark
~ **de poussière**: dust explosion
~ **de terrain**: (mine) rock burst
~ **de toit**: (mine) rock burst
~ **de vent**: gust of wind, squall

coupage *m* : cutting; (de vins) blending
~ **à l'arc**: arc cutting GB, carbon arc cutting NA

coup-de-poing *m* : (graisseur) hand pump; (interrupteur) mushroom head

coupe *f* : cut, cutting, cut length; (dessin) section; (récipient) cup; (de forêt) felling
~ **aromatique**: aromatic fraction
~ **au maître**: midship section
~ **biaise**: angular cut
~ **d'ébauche**: roughing cut
~ **d'écoulement**: (essai de peinture) flow cup
~ **de travers**: cross cut
~ **des métaux**: metal cutting
~ **et insertion**: (inf) cut and paste
~ **films**: (prospection sismique) film sections
~ **franche**: clean cut
~ **glacée**: sundae
~ **légère**: (raffinage) light cut
~ **longitudinale**: lengthwise section, longitudinal section
~ **oblique**: angular cut
~-**soudure**: (plast) cut-and-seal
~ **transversale**: cross cut; (dessin) cross section
~ **verticale**: perpendicular elevation, sectional elevation
~ **viscosimétrique**: flow cup

coupe-air *m* : air trap (in pipe)

coupe-boulons *m* : bolt cropper, bolt cutter

coupe-carburant *m* : [fuel] isolation valve

coupe-carotte *m* : gate cutter, sprue cutter

coupe-chutes *m* : crop shear

coupe-circuit *m* : circuit breaker, contact breaker
~ **à bain d'huile**: oil breaker-switch
~ **à cartouche**: plug fuse
~ **à expulsion**: expulsion cutout
~ **à fusible**: fuse
~ **à fusion libre**: open-fuse cutout, open-wire fuse
~ **à fusion enfermée**: enclosed-fuse cutout
~ **à l'air libre**: air breaker-switch, open-fuse cutout
~ **à réeenclenchement**: reclosing cutout
~ **général**: main fuse, main cutout
~ **principal**: main fuse
~ **retardé**: slow fuse GB, slo fuse NA
~ **sectionneur**: disconnecting cutout

coupe-feu *m* : fire break

coupe-feuilles *m* : sheeter

coupe-fils *m* : wire cutter

coupellation *f* : cup assay, cupelling

coupelle *f* : cup; (de coupellation) cupel; (de laboratoire) boat
~ **de récupération**: (graissage de coussinet) scavenge cup
~ **d'appui**: saddle
~ **de ressort**: spring plate
~ **de ressort de soupape**: valve spring collar

coupeller: to assay, to cupel

couper: to cut; (pour séparer, détacher) to cut off, to sever; (hacher) to chop; (le courant) to shut off, to turn off; (un mot, une ligne) to break; (des vins) to blend
~ **à dimension**: to cut to size
~ **à fausse équerre**: to cut out of square
~ **à la scie**: to saw off
~ **au repère**: to cut to register
~**-coller**: (inf) to cut and paste
~ **en fouille**: (terrassement) to cut below grade
~ **faux**: to cut untrue
~ **l'alimentation en carburant**: to shut off the fuel supply
~ **l'allumage**: to cut off the ignition, to switch off the ignition
~ **l'image**: (infographie) to crop the picture
~ **le contact**: to cut off the ignition, to switch off the ignition
~ **le moteur**: to shut off the engine
~ **les extrémités**: to crop the ends
~ **les gaz**: to cut off the engine, to shut off the engine
~ **un circuit**: to break a circuit, to open a circuit
~ **une communication**: (tél) to cut off

coupe-tubes *m* : tube cutter

coupe-tuyaux *m* : pipe cutter

coupeuse *f* : cutting machine, cutter
~ **en feuilles**: sheeter
~ **en long**: slitter

coupe-verre *m* : glass cutter

couplage *m* : (méc) connection, joint; (él, éon) connection, coupling; (gg/bm) coupling
~ **à réactance**: reactance coupling
~ **à réaction**: back coupling, regenerative coupling
~ **acoustique**: acoustic coupling
~ **alternatif**: a.c. coupling
~ **croisé**: cross coupling
~ **de gènes**: gene coupling
~ **de machines**: hookup
~ **delta**: delta connection
~ **en boucle**: loop connection

~ **en dérivation**: shunt connection
~ **en parallèle**: parallel connection, paralleling
~ **en série**: serial mounting, series connection
~ **en série-parallèle**: series-parallel connection
~ **par induction**: induction coupling
~ **par résistance**: resistance coupling, resistor coupling
~ **par transformateur[s]**: transformer coupling
~ **polygonal**: mesh connection
~ **serré**: close coupling, tight coupling
~ **triangle**: delta connection
à ~ **alternatif**: a.c. coupled
à ~ **cathodique**: cathode-coupled
à ~ **de charge**: charge-coupled
à ~ **direct**: gearless, direct-coupled
à ~ **mécanique**: (él) mechanically-coupled, ganged
à ~ **optique**: opticallly-coupled
à ~ **par émetteurs**: emitter-coupled

couple *m* : pair; (de forces) couple; (de rotation) torque; (construction navale) frame, timber
~ **actif**: driving torque
~ **antagoniste**: controlling couple, countertorque
~ **au maître**: midship section
~ **conique**: (autom) crown wheel and pinion
~ **conique de pont**: (autom) final drive
~ **critique**: breakdown torque, pullout torque
~ **d'accrochage**: (moteur synchrone) pull-in torque
~ **d'entraînement**: driver torque, input torque
~ **d'équilibrage**: restoring torque
~ **de décollage**: (él) starting torque, breakaway torque
~ **de décrochage**: (moteur synchrone) pullout torque; (aéro) stalling torque
~ **de freinage**: braking torque
~ **de rappel**: restoring torque
~ **de remplissage**: filling frame
~ **de renversement du pont arrière**: torque reaction of final drive
~ **de torsion**: twisting couple
~ **initial de démarrage**: (él) breakaway torque
~ **magnétique**: magnetic torque
~ **maximal**: (d'un moteur) breakdown torque; (aéro) stall[ing] torque
~ **minimal**: (au démarrage) pullup torque
~ **moteur**: driving torque
~ **résistant**: (d'une machine) load torque
~ **thermoélectrique**: thermocouple

couplé: coupled, connected
~ **en étoile**: star-connected
~ **par résistance**: resistance-coupled

couplemètre *m* : torquemeter

coupler: to join up; (él) to connect, to couple
~ **mécaniquement**: to gang (switches)

coupleur *m* : coupler
~ **d'attelage**: fifth wheel mounting
~ **directif**: (f.o.) directional coupler
~ **en étoile**: star coupler
~ **en T**: T-connector, T-coupler

coupole *f* : (architecture) cupola; (aéro) blister; (de char) revolving gun turret

coupure *f* : cut, break; (él) switching-off, outage, cutoff, opening (of circuit)
~ **dans l'air**: air break
~ **d'un mot**: hyphenation
~ **de courant**: power cut, power dump
~ **de circuit**: circuit opening
~ **de presse**: press cutting
~ **de signal**: signal failure
~ **double brin**: (gg/bm) cut
~ **du courant alternatif**: a.c. dump
~ **haplotomique**: nick
~ **multiple**: multiple break, multibreak
~ **simple brin**: (gg/bm) nick
~-**substitution**: (gg/bm) nick translation

courant *m* : (écoulement) current, flow; (de circulation) stream; *adj* : ordinary, routine, standard, stock (size); (mesure) lineal, running; (graph) straight (matter), running (title)
~ **à l'état bloqué**: off state current
~ **à la terre**: earth leakage current GB, ground leakage current NA
~ **à rotor bloqué**: locked-rotor current
~ **à vide**: no-load current
~ **absorbé**: current input
~ **actif**: active current, watt[ful] current
~ **alternatif c.a.**: alternating current
~ **anodique**: anode current GB, plate current NA
~ **ascendant**: up current
~ **biphasé**: two-phase current
~ **constant**: constant current, steady current
~ **croisé**: cross flow (heat exchanger)
~ **d'air**: air stream; draught (of air)
~ **d'air ascendant**: updraught
~ **d'alimentation**: supply current
~ **d'amorçage par la gâchette**: gate-trigger current
~ **d'appel**: inrush current, pickup current, pull-in current; (tél) ringing current
~ **d'arrêt**: holding current

~ **d'attaque**: drive current
~ **d'émission**: (f.o.) emission current
~ **d'enclenchement**: switch[ing] current, make current
~ **d'entretien**: trickle current
~ **d'excitation**: field current
~ **d'obscurité**: dark current
~ **d'ondulation**: ripple current
~ **de champ**: field current
~ **de charge**: load current; (batterie) charging current
~ **de collage**: cut-in current, holding current
~ **de convection**: convection current
~ **de convection thermique**: thermal [current]
~ **de coupure**: breaking current
~ **de court-circuit**: short-circuit current
~ **de courte durée**: short-time current
~ **de crête**: peak current
~ **de déclenchement**: trip[ping] current
~ **de décollage**: drop-out current
~ **de défaut**: fault current
~ **de dispersion**: leakage current
~ **de fermeture**: making current, current on making, current at make
~ **de fonctionnement**: operating current
~ **de fond**: undercurrent, underflow
~ **de force**: power current
~ **de Foucault**: eddy current
~ **de fuite**: leakage current, fault current
~ **de fuite à la terre**: earth current GB, ground current NA
~ **de gâchette**: gate current
~ **de grille**: grid current
~ **de perte à la terre**: earth leakage current
~ **de plaque**: anode current GB, plate current NA
~ **de pointe**: peak current
~ **de reflux**: ebb current
~ **de régime**: normal current, operating current
~ **de régime d'un contact**: current carrying capacity
~ **de reprise**: (véhicule électrique) pick-up current
~ **de retenue**: holding current
~ **de retour**: backflow, return current
~ **de retour par la terre**: earth current, ground current
~ **de rupture**: break current, current at breaking, current at break
~ **de secteur**: supply current
~ **de surcharge**: overcurrent
~ **de travail**: operating current
~ **débité**: current drain, drain current
~ **décroissant**: decaying current
~ **déphasé**: out-of-phase current
~ **déphasé en avant**: leading current
~ **déphasé en arrière**: lagging current
~ **dérivé**: shunt current

~ **déwatté**: wattless current
~ **diphasé**: two-phase current
~ **émetteur-base**: emitter-to-base current
~ **émetteur-collecteur**: emitter-to-collector current
~ **en avance [de phase]**: leading current
~ **en circuit ouvert**: open current, no-load current
~ **en dents de scie**: sawtooth current
~ **en phase**: inphase current
~ **en retard [de phase]**: lagging current
~ **faible**: light current, weak current
~ **fluvial**: river current
~ **fort**: heavy current
~ **grille**: grid current
~ **inducteur**: inducing current, induction current, inductive current
~ **induit**: induced current
~ **initial de démarrage**: breakaway starting current
~ **intense**: strong current
~ **inverse**: reverse current, back current
~ **inversé**: reversed current
~ **maximum admissible**: current carrying capacity
~ **minimal de fonctionnement**: holding current
~ **monophasé**: single-phase current
~ **océanique**: ocean current
~ **oscillatoire**: oscillating current
~ **parallèle**: parallel flow
~ **parasite**: interference current, sneak current, stray current
~ **permanent**: steady current
~ **perturbateur**: disturbing current, interference current
~ **photoélectrique**: photo[electric] current
~ **polyphasé**: polyphase current
~ **porteur**: carrier current
~ **pulsatoire**: pulsating current
~ **pulsé**: pulsating current
~ **rapide**: (hydr) strong current
~ **réactif**: reactive current, wattless current
~ **réfléchi**: echo current, return current
~ **rotorique**: rotor current
~ **secondaire**: secondary current
~ **sinusoïdal**: sine-wave current
~ **sous-marin**: undercurrent
~ **tellurique**: earth current
~ **thermique**: thermal
~ **tourbillonnaire**: eddy current
~ **tranquille**: steady flow
~ **transitoire**: transient current; (de mise sous tension) inrush current; (anormal) surge
~ **trop faible**: undercurrent
~ **unihoraire**: one-hour current
~ **vagabond**: stray current

~ **watté**: active current, watt[ful]
à ~**s parallèles**: uniflow

courantométrie *f* : current measurement

courbe *f* : curve, bend; *adj* : curved; (courbé) bent
~ **à allure régulière**: smooth curve
~ **à grand rayon**: (tuyauterie) normal bend
~ **bathymétrique**: depth curve
~ **d'abaissement**: (eau) drop-down curve
~ **d'apprentissage**: learning curve
~ **d'emmagasinement**: storage curve
~ **d'étalonnage**: calibration curve
~ **de charge**: demand curve, output curve
~ **de consommation**: demand curve
~ **de Cot**: Cot curve
~ **de décrue**: recession curve
~ **de distribution normale**: gaussian curve
~ **de Gauss**: gaussian curve
~ **de giration**: turning circle
~ **de grand rayon**: long-radius curve, sweeping curve; (f.o.) sweep
~ **de niveau**: contour line
~ **de petit rayon**: quick-sweep curve, sharp curve, short-radius curve
~ **de rabattement**: (eau) drawdown curve
~ **de raccordement**: transition curve, easement curve
~ **de remous**: backwater curve
~ **de renaturation**: cot curve
~ **de rendement**: (d'une installation) output curve
~ **de répartition**: distribution curve
~ **de vaporisation**: flash curve
~ **décentrée**: offset curve
~ **des contraintes-déformations**: stress-strain curve
~ **des débits classés**: (eau) duration curve
~ **des débits jaugés**: (d'un cours d'eau) rating curve
~ **des légers**: cumulative float curve
~ **des lourds**: cumulative sink curve
~ **descendante**: (de came) return curve
~ **en chapeau de gendarme**: bell curve, gaussian curve, bathtub curve
~ **en cloche**: bell curve, gaussian curve, bathtub curve
~ **en S**: reverse curve, S curve
~ **en sac**: sag curve
~ **enveloppe**: envelope curve
~ **et contre-courbe**: double bend
~ **granulométrique**: grading curve
~ **hypsométrique**: contour line
~ **raide**: sharp curve
~ **sinusoïdale**: sine curve

courbé: bent, curved; crooked, not straight

courbure *f*: (géom, phys) curvature; bend, curve, sweep, camber
~ **de la terre**: curvature of the earth
~ **transversale**: (de bande) cupping
~ **variable**: (aéro) variable camber (of wing)

courge *f*: squash, gourd, vegetable marrow

courgette *f*: courgette GB, zuccini NA

couronne *f*: crown; (méc) annulus gear, ring [gear]; (de forage): bit
~ **à molettes**: core bit
~ **d'angle du différentiel**: differential crown bevel
~ **d'aubes**: (turbine) blade rim, blade ring
~ **d'orientation**: (de grue) roller path
~ **de carottage**: core bit
~ **de démarreur**: starter ring [gear]
~ **de fil**: bundle of wire
~ **de galets**: roller ring
~ **de gravier**: (captage) gravel packing
~ **de rouleaux**: roller ring
~ **de serrage**: clamping ring
~ **dentée**: crown gear, crown wheel, ring gear; (forage) sawtooth bit
~ **dentée du volant**: flywheel ring gear
~ **étagée**: step bit
~ **principale d'engrenage**: bull gear

courrier *m*: letters, mail, post
~ **électronique**: electronic mail

courroie *f*: band, belt, strap; ~s: (de transmission) belting
~ **à deux plis**: two-ply belt
~ **à plis multiples**: laminated belt
~ **articulée**: chain belt
~ **crantée**: notched belt; (autom) timing belt
~ **croisée**: crossed belt
~ **d'entraînement**: drive belt, driving belt; (d'imprimante) picker belt
~ **de commande**: drive belt, driving belt
~ **de transmission**: drive belt, driving belt
~ **de ventilateur**: fan belt
~ **en auge**: troughed belt
~ **retournée**: twisted belt, inverted belt
~ **sans fin**: endless belt
~ **semi-croisée**: half-crossed belt, quarter-turn belt
~ **transporteuse**: conveyor belt
~ **trapézoïdale**: V-belt; (étroite): wedge belt

cours *m*: (d'un fleuve, enseignement) course; (commerce) rate
~ **accéléré**: crash course
~ **d'eau**: river, stream, watercourse
~ **d'eau à marée**: tidal river
~ **d'eau à son stade de vieillesse**: old river
~ **d'eau à son stade de maturité**: mature river
~ **d'eau absorbant**: gaining stream
~ **d'eau émissif**: losing stream
~ **d'eau pérenne**: perennial stream
~ **d'eau temporaire**: intermittent stream
~ **du fret**: freight rate
~ **supérieur**: (d'une rivière) upper reaches, headwater
~ **inférieur**: tail water
en ~: current, in process, in the pipeline; (commande) unfilled
en ~ **de construction**: under construction
en ~ **de fabrication**: in-process (inspection)

course *f*: (méc) travel, stroke; (d'excentrique) throw
~ **à l'atterrissage**: landing run
~ **à vide**: idle stroke
~ **arrière**: back stroke
~ **ascendante**: upstroke, upward stroke
~ **au décollage**: take-off run
~ **d'admission**: induction stroke
~ **d'aspiration**: induction stroke
~ **d'échappement**: exhaust stroke
~ **de compression**: pressure stroke
~ **de détente**: expansion stroke, explosion stroke, power stroke
~ **de havage**: cutting run
~ **de l'entrefer**: gap travel
~ **de retour**: return stroke
~ **descendante**: downstroke
~ **double**: up-and-down stroke
~ **du chariot**: (de pont roulant) crab traverse
~ **du tiroir**: valve travel
~ **en retour**: back stroke
~ **longitudinale**: (m-o) traverse stroke
~ **montante**: upstroke
~ **morte**: dead travel, lost motion
~ **motrice**: power stroke, working stroke
~ **sans recul**: dead stroke
~ **variable**: adjustable stroke

court: short; (outil) stub
~ **courrier**: short-haul transport aircraft
~ **métrage**: short movie
~ **tirage**: (graph) short run
à ~ **de**: short of
à ~ **de personnel**: short-staffed
à ~ **rayon d'action**: short-range

court-circuit *m* : short [circuit]
~ **à la masse**: short to frame, ground contact
~ **à la terre**: earth short, short to ground
~ **entre spires**: interturn short circuit, shorted turns
~ **mobile**: adjustable short circuit, variable short circuit
~ **par arc**: arcing short circuit
~ **permanent**: sustained short-circuit
mettre en ~: to short [circuit]

court-circuitage *m* : short circuiting

court-circuité: short-circuited, shorted [out]

coussin *m* : cushion
~ **chauffant**: heating pad
~ **d'air**: (autom) air bag (car suspension); (forme de transport) air cushion
~ **d'air à cloche**: plenum chamber air cushion
~ **de siège**: squab
~ **fluide**: fluid cushion
en ~: (déformation) pillow

coussinet *f* : bearing brass, bearing bush, bearing
~ **à air**: air bearing
~ **amovible**: bearing insert
~ **de filière**: screw plate, screw die, chase
~ **de palier**: bearing shell, bearing liner
~ **de palier de vilebrequin**: crankshaft bearing bush
~ **de pied de bielle**: small end bearing bush
~ **de rail**: rail chair
~ **de tête de bielle**: big end bearing bush
~ **de tourillon**: journal bearing
~ **échauffé**: hot bearing
~ **fermé**: solid journal bearing
~ **pneumatique**: air bearing
~ **sphérique**: ball socket, ball cup

coût *m* : cost; → aussi **frais**
~ **d'une ligne 1 million de lecteurs**: (publicité) milline rate
~ **de cycle de vie**: life cycle cost
~ **de remplacement**: replacement cost
~ **externe**: off-site cost
~ **fixe**: standing charge
~ **interne**: on-site cost
~ **global [de durée de vie]**: life cycle cost
~**s de mise en production**: development costs

couteau *m* : knife, cutter; (constr) arch brick; (él) blade; (de balancier) knife, fulcrum
~ **à mastiquer**: putty knife
~ **à reboucher**: stopping knife
~ **circulaire**: rotary cutter
~ **d'interrupteur**: switch blade
~ **de massicot**: trimmer
~ **fixe**: bed knife, dead knife

coutume *f* : custom, [common] practice

couture *f* : seam; (activité) sewing, stitching
~ **soudée**: welded seam
sans ~: weldless, seamless

couvain *m* : (apiculture) brood comb

couvaison *f* : brooding, sitting (on eggs); breeding season (of birds)

couvée *f* : clutch, brood, hatch

couver: (maladie, œufs) to incubate; (feu) to smoulder GB, to smolder NA

couvercle *m* : cover; (de boîte) lid
~ **à coulisse**: draw lid
~ **à enfoncer**: snap lid
~ **à rabattement**: hinged cover
~ **à ressort**: spring lid, spring cover
~ **d'embrayage**: clutch cover GB, back plate NA
~ **de carter de culbuterie**: rocker box cover
~ **de clapet**: valve cover
~ **de coffre**: (autom) boot lid GB, trunk lid NA
~ **de culbuterie**: rocker-arms cover
~ **de distribution**: timing cover
~ **de fermeture**: end cover, cover plate
~ **de palier**: bearing cap
~ **de regard**: manhole cover, manhole lid
~ **de soupape**: valve bonnet
~ **de vidange**: drain cover
~ **du boîtier des culbuteurs**: rocker box cover
~ **du carter de distribution**: timing case cover
~ **plein**: blank cover
~ **vissé**: screw cap

couvert *m* **végétal**: plant cover, tree cover, vegetation cover

couverture *f* : (constr) roof covering, roof cladding, roofing; (géol) sealing rock, caprock, roof rock, overburden; (nucl) blanket; (mil) cover; (médias) coverage; (de livre) cover; (des

besoins) meeting (of demand, of requirements)
~ **anti-feu**: fire blanket
~ **biologique**: biological cover
~ **cartonnée**: [binder's] case
~ **d'ardoises**: slate roof, slating
~ **de protection**: (de livre) book jacket, dust jacket, dust cover
~ **de tuiles**: tile[d] roof, tiling
~ **en bacs acier**: steel trough deck roof
~ **ignifugée**: fire blanket
~ **mondiale**: global coverage, worldwide coverage
~ **par satellite**: satellite coverage
~ **pleine toile**: cloth case, cloth boards
~ **radar**: radar cover, radar coverage
~ **suspendue**: suspension roof
~ **toile**: cloth boards
~ **végétale**: plant cover, tree cover, vegetation cover

couveuse f : (animal) broody hen, brooder; (pour bébés) incubator
~ **artificielle**: brooder, incubator

couvoir m : hatchery

couvreur m : roofer; (en ardoises) slater; (en tuiles) tiler

couvre-joint m : (constr) cover moulding, cover plate, cover strip, joint plate; (entre panneaux) panel strip, batten; (méc) butt strap, cover plate

couvre-objectif m : lens cap

couvre-objet m : cover glass

couvre-pédale m : pedal pad

couvre-radiateur m : radiator cover, radiator muff

couvre-roue m : wheel guard

couvrir: to cover; (constr) to roof [in], (en ardoise) to slate, (en tuiles) to tile

covalence f : covalency GB, covalence NA

covariance f : covariance

CPV → **chlorure de polyvinyle**

crabe m : crab

crabot m : claw; cranking dog
~ **baladeur**: sliding clutch

crabotage m : claw coupling, claw clutch, dog clutch

cracking → **craquage**

craie f : chalk

craint, ~ **l'humidité**: (sur emballage) keep dry
~ **la chaleur**: keep cool

crampon m : (constr) cramp [iron], bulldog plate, toothed plate; (de fixation) hook nail; (chdef) track spike, dog spike, spike
~ **fileté**: hook bolt
~ **pour tubes**: pipe hook

cran m : notch
~ **d'arrêt**: lock notch, stop notch, holding notch
~ **de départ**: (d'arme à feu) full cock notch
~ **de mire**: (d'arme à feu) sighting notch
~ **de repos**: catch, holding notch; (d'arme à feu) half cock
~ **de sûreté**: safety catch

crapaud m : rail clip, sleeper clip, wire rope clip

crapaudine f : (d'organe en rotation) socket, pivot bearing, step bearing; (de filtration) grating, strainer; (sur toit) balloon grating GB, basket strainer NA

craquage m : cracking
~ **à lit fixe**: fixed-bed cracking
~ **à lit mobile**: moving-bed cracking
~ **catalytique**: cat[alytic] cracking
~ **en phase liquide**: liquid-phase cracking
~ **thermique**: thermal cracking
de ~: (installation, matériel) cracking; (produit obtenu) cracked

craquelage m : cracking, crazing; (décor de céramique) crackling

craquelure f : crack; ~**s**: crazing

crasse f : dirt, grime; (métall) cinder, slag, (surnageant) scum

cratère m : (de volcan, de bombe) crater; (défaut de surface) pit, crater; (dans béton) popout
~ **de renard**: (derrière digue) sand boil, blow-out, boil

crayon m : (pour écrire) pencil; (lampe à arc) carbon rod, carbon stick
~ **à souder**: pencil iron
~ **de combustible**: (nucl) fuel rod
~ **lecteur**: scanning wand, wand scanner
~ **lumineux**: light pen, light gun

CRC → **chlore résiduel combiné**

créateur *m* : designer; (inf) originator (of document)
~ **de logiciels**: software writer

création *f* : creation; design; (d'informations, de données) generation, origination
~ **graphique**: graphic design
~ **industrielle**: industrial design

créer: to create; to design; (des stocks, une table) to build up; (inf) to design, to develop (a program), to generate, to originate (data)

crémaillère *f* : (méc) rack; (d'escalier) carriage piece, rough string, stairs horse; (chdef) cog rail, rack rail
~ **d'avance**: (sur m-o) feed rack
~ **de direction**: steering rack
~ **et pignon**: rack and pinion

crème *f* : (de lait) cream; (sauce, dessert) topping; (potage) cream soup
~ **acide**: sour cream
~ **aigre**: sour cream
~ **anglaise**: egg custard
~ **caillée**: (par échaudage) clotted cream
~ **d'asperges**: cream of asparagus soup
~ **de gruyère**: processed cheese
~ **de tartre**: cream of tartar
~ **fouettée**: whipped cream
~ **fraîche épaisse**: double cream GB, heavy cream NA
~ **glacée**: ice cream
~ **vanillée**: vanilla custard

crémerie *f* : creamery, dairy

créneau *m* : (intervalle) gap; (tv) slot; (radar) gate; (circulation routière) gap in line of cars, parking space between two cars

créosote *f* : creosote

crêpe *m* : (text) crepe; (caoutchouc) crepe [rubber]; (alim) pancake

crépi *m* : (couche d'enduit) rough coat; (visible) roughcast
~ **tyrolien**: Tyrolean finish

crépine *f* : screen, strainer; (tubage perforé) liner; (de toit) balloon grating GB, basket strainer NA; (alim) caul
~ **lisse**: plain-end liner

crésol *m* : cresol

cresson *m* : cress
~ **de fontaine**: watercress

crétacé *m* : Cretaceous; *adj* : cretaceous

crête *f* : crest, top; (géogr) ridge; (de courant, d'impulsion) peak; (de barrage, de déversoir) crest
~ **à crête**: peak-to-peak
~ **arrondie**: round crest
~ **de la dent**: tooth crest

creusement *m* : digging
~ **de tranchées**: trench digging, trenching, trenchwork
~ **de tunnel**: tunnelling, tunnelwork

creuser: to hollow [out]; (avec une pelle) to dig, to excavate
~ **un puits**: to bore a well, to drill a well
~ **un tunnel**: to tunnel

creuset *m* : (chim, verre) melting pot; (de haut-fourneau) crucible
~ **d'essai**: assay crucible

creux *m* : cavity, depth, hollow; (de dent) dedendum; (d'une courbe, d'une impulsion) trough, valley; *adj* : hollow
~ **barométrique**: trough
~ **d'un réservoir**: ullage
~ **de cale**: (mar) depth of hold
~ **de l'onde**: wave trough
~ **sur quille**: (mar) moulded depth

crevaison *f* : (de tuyau) burst; (de pneu) puncture, flat; (d'un filtre) breakthrough

crevette *f* : shrimp
~ **grise**: [common] shrimp
~ **rose**: prawn

criblage *m* : screening, sifting

crible *m* : screen, sieve
~ **à barreaux**: bar screen
~ **à plusieurs étages**: multideck screen
~ **à secousses**: jigging screen, jigger, shaking screen, shaker
~ **à tambour**: trommel
~ **classeur**: grading screen, sizing screen
~ **oscillant**: shaking screen, shaker, oscillating screen, swinging screen
~ **préclasseur**: primary screen
~ **préparatoire**: primary screen
~ **rotatif**: drum sieve, trommel
~ **vibrant**: shaking screen, vibrating screen

cribler: to screen, to sieve, to sift, to separate (with a sieve)

criblures *f* : screenings, siftings

cric *m* : [hoisting] jack, wheel jack
~ **à vis**: screw jack
~ **rouleur**: garage jack, trolley jack

crin *m* : horsehair, hair

crinoline *f* : hoop guard, safety hoop

criquage *m* : cracking; (formage des tôles) pinching

crique *f* : (métall) crack
~ **à la base**: root crack
~ **de fatigue**: fatigue crack
~ **de retassure**: shrinkage crack
~ **de retrait**: contraction crack
~ **de soudage**: welding crack

cristal *m* : crystal; → aussi **cristaux**
~ **de roche**: rock crystal, mountain crystal
~ **dopé**: doped crystal
~ **germe**: seed crystal
~ **hémiédrique**: hemihedral crystal
~ **idéal**: perfect crystal
~ **maclé**: twin crystal
~ **scintillant**: scintillation crystal
~ **synthétique**: non-gem crystal
à ~ **[de quartz]**: piezoelectric

cristallisoir *m* : crystallizer, crystallizing dish

cristallographie *f* : crystallography

cristaux *m* **de soude**: washing soda

critère *m* : criterion; (inf) key
~ **commun**: mutual key
~ **d'acceptation**: (contrôle de la qualité) acceptance number, acceptance level
~ **de recherche**: search key
~ **de rejet**: (contrôle de la qualité) rejection number
~ **de tri**: match key

criticité *f* : criticality

croc *m* : hook
~ **à échappement**: pelican hook, slip hook
~ **à émerillon**: swivel hook

crochet *m* : hook; (armature de béton) anchor bar; (graph) square bracket
~ **à linguet de sécurité**: safety hook
~ **basculant**: (de grue) tilting hook, slip hook
~ **commutateur**: (tél) switch hook
~ **d'appontage**: arrester hook, arrestor hook

~ **d'arrêt**: catch
~ **d'attelage**: coupling hook
~ **de fixation**: (de tuyau) pipe clip, pipe clamp
~ **de gouttière**: gutter bracket
~ **de levage**: hoisting hook, lifting hook
~ **de sécurité**: safety catch
~ **de serrurier**: skeleton key, picklock
~ **de sûreté**: safety hook
~ **double**: ramshorn hook
~ **du récepteur**: cradle switch, receiver hook
~ **fermé**: eye hook

crocéine *f* : crocein

crocodilage *m* : alligatoring

croisé: cross[ed]; (text) twilled; (animal) crossbred

croisement *m* : (chdef, tél) crossing; (de routes) intersection, crossroads; (circulation routière) passing; (él) transposition (of wires); (bio) cross, crossing
~ **de retour**: (élevage) backcross
~ **de retrempe**: (élevage) top crossing
~ **de voies superposées**: grade separation
~ **diallélique**: diallelic crossing
~ **double**: (élevage) double cross, four-way cross
~ **en retour**: backcross
~ **en rotation**: rotational cross-breeding
~ **étagé**: grade separation
~ **intervariétal**: intervarietal crossing
~ **oblique**: (chdef) diamond crossing
~ **polyallélique**: polyallele crossing
~ **quadruple**: (élevage) four-way crossing
~ **simple**: (élevage) single crossing
~ **témoin**: (élevage) check cross
~ **terminal**: (élevage) terminal crossing
~ **unique**: (élevage) single cross
faire des ~s: (élevau) to crossbreed

croiseur *m* : cruiser

croisillon *m* : cross, cross brace, cross arm; (roue) spider, star wheel
~ **de manœuvre**: star handle
~ **raidisseur**: bracing spider

croisillonnage *m* : lattice bracing

croissance *f* : growth
~ **des cristaux**: crystal growing, crystal growth

croissant *m* : crescent; *adj* : growing, increasing, rising; (progression, ordre) ascending
en ~: crescent-shaped

croix *f* : cross
~ **à quatre brides**: all-flanged cross
~ **de Malte**: Geneva movement, Geneva wheel mechanism
~ **de Saint André**: Saint Andrew's cross

croquis *m* : sketch
~ **coté**: dimensioned sketch

crosse *f* : (de piston) crosshead; (de fusil) butt

croûte *f* : crust; (de plastique cellulaire) skin; (de pain) crust; (de fromage) rind; (de vol-au-vent) pastry case
~ **de laminage**: rolling skin, mill scale
~ **solidifiée**: casting shell
~ **terrestre**: earth crust

CRT → **chlore résiduel total**

cru *m* : (vin) vintage; *adj* : raw, crude; (brique) green; (céram) unbaked, unfired; (assainissement) raw, untreated
à ~: (constr) without any foundations; (poids sur essieu) unsprung

crucifère *f* : crucifer; *adj* : cruciferous

crue *f* : (eaux) rising, swelling
~ **catastrophique**: catastrophic flood
~ **centenale**: one hundred year flood
~ **de projet**: design flood
~ **de référence**: basic-stage flood
~ **éclair**: flash flood
~ **exceptionnelle**: extraordinary flood
~ **moyenne**: average annual flood
~ **nominale**: design flood

crustacé *m* : crustacean; (alim) shellfish; *adj* : crustacean, crustaceous

cryobroyage *m* : cryogrinding, cryogenic grinding

cryocintrage *m* : cryobending

cryoconcassage *m* : cryogenic crushing, cryocrushing

cryoconservation *f* : cryopreservation

cryodessication *f* : freeze drying

cryoélectricité *f* : cryoelectricity

cryogène *m* : cryogen; *adj* : cryogenic

cryogénie *f* : cryogenics

cryolit[h]e *f* : cryolite

cryoprotecteur: cryoprotectant

cryptage: ciphering, encryption, coding
~ **de bout en bout**: end-to-end encryption
~ **de liaison**: link encryption
~ **irréversible**: irreversible encryption

crypto-analyse *f* : cryptanalysis

cryptogame *m* ou *f* : cryptogam

cryptogénétique: cryptogenic

cryptographie *f* : cryptography

CTN → **coefficient de température négatif**

cubage *m* : calculation of cubic contents, cubic measurement, cubic measure; (d'un réservoir) cubic content; (terrassement) quantities

cubilot *m* : cupola [furnace]
~ **à ruissellement**: water-cooled cupola
~ **à vent froid**: cold-blast cupola

cueillette *f* : picking, gathering (of fruit, of vegetables)

cuiller, cuillère *f* : spoon; (outil) spoon drill; (curage) bailer
~ **à huile**: (de tête de bielle) oil catcher, oil dipper
~ **de cimentation**: cement dump bailer
~ **de draguage**: scoop

cuir *m* : leather; (tannage) hide
~ **au chrome**: chrome leather
~ **brut**: raw hide, green hide
~ **chromé**: chrome leather
~ **embouti**: cup leather
~ **vert**: raw hide, green hide

cuirasse *f* : shield[ing]; (mar) armour GB, armor NA
~ **[anti]magnétique**: magnetic screen, magnetic shielding

cuirassé *m* : battleship; *adj* : (mar) armoured, armour-plated GB, armored, armor-plated NA; (moteur, dynamo) iron-clad, shell-type

cuirassement *m* : armour plating, armour GB, armor-plating, armor NA, plating

cuire: to cook; (briques, céram) to bake, to burn, to fire; (plast) to cure
~ **à gros bouillons**: to boil fast
~ **à l'eau**: to boil
~ **à l'étouffée**: to stew, to braise
~ **à la broche**: to roast on the spit
~ **à la cocotte**: to braise, to cook in a casserole
~ **à la poêle**: to [shallow] fry
~ **à petit feu**: to cook slowly
~ **à petits bouillons**: to boil gently, to simmer
~ **au bain-marie**: to heat in a double boiler
~ **au four**: to bake; (viande) to roast
~ **dans la friture**: to deep fry
~ **sur le gril**: to grill GB, to broil NA

cuiseur *m* : [large] boiler
~ **à vapeur**: steam cooker

cuisson *f* : cooking; (de briques, céram) baking, burning, firing; (du coke) calcination, carbonisation; (du caoutchouc, des plastiques): cure, curing; (pap) boil[ing], cooking; (liquide obtenu) stock
~ **à la vapeur**: steam boiling, steaming
~ **au four**: (alim) baking; (de l'émail) stoving GB, baking NA
~ **du moût**: wort boiling
~ **du sucre**: sugar boiling
~**-extrusion**: extrusion cooking
~ **insuffisante**: underfiring

cuit: cooked; baked, burned, fired; cured
~ **à mort**: dead burnt GB, dead burned NA

cuite *f* : batch (of bricks)

cuivrage *m* : copper plating, coppering
~ **en bain cyanure**: cyanide copper plating

cuivre *m* : copper; ~**s**: (mar) brasswork
~ **en feuilles**: sheet copper
~ **jaune**: brass
~ **rouge**: copper

cuivré: copper-clad, coppered

cuivreux: (aspect) cupreous; (chim) cuprous

cuivrique: cupric

culasse *f* : (de moteur) cylinder head; (de canon, de fusil) breech; (d'aimant, de transformateur): yoke
~ **et distribution**: cylinder head and valve mechanism
~ **à soupapes en tête**: overhead valve cylinder head

culbutage *m* : dumping, tipping
~ **dans tous les sens**: all-round dumping

culbuterie *f* : rocker arms, valve rocker set

culbuteur *m* : (manutention) tipper; (moteur) rocker arm; (méc) tripper, catch
~ **circulaire**: rotary tipper
~ **de berlines**: waggon tippler
~ **de lingots**: ingot tilter, ingot tilting device, ingot tipper
~ **de soupape**: valve rocker arm
~ **de wagons**: wagon tipp[l]er, car dumper, car tilter

cul-de-lampe *m* : (graph) tail piece

cul-de-sac *m* : (impasse) cul-de-sac, dead end; (chdef) blind siding
en ~: blind

culée *f* : abutment (of bridge)
~ **d'ancrage**: abutment pier
~ **de voûte**: vault abutment

culot *m* : (de lampe) cap GB, base NA; (tir d'explosifs) dead hole, socket, bootleg; (de réservoir) residue
~ **à baïonnette**: bayonet cap, bayonet base
~ **à broches**: pin cap
~ **à vis**: screw cap, screw base
~ **d'ergols**: propellant residue
~ **Edison**: edison screw cap, edison base
~ **loctal**: loctal base

culotte *f* : breech pipe, breeches, wye fitting, three-way pipe
~ **double**: straight double Y branch

cultivar: (bot) cultivar

cultivateur *m* : farmer

cultivé: cultivated, under crop, under cultivation

cultiver: to farm, to grow (a crop), to rear (plants)

culture *f* : (agriculture) cultivation, cultivating, farming, growing of crops; crop; (bio) culture
~ **associée**: companion crop
~ **bactérienne**: bacterial culture
~ **cellulaire**: cell culture, cell cultivation
~ **céréalière**: cereal crop
~ **continue**: continuous [flow] culture
~ **d'anthères**: anther culture, pollen culture
~ **d'apex [de tige]**: shoot tip culture, apex culture
~ **d'embryons**: embryo culture
~ **de cals**: callus culture
~ **de méristèmes**: meristem culture
~ **de tissus**: tissue culture
~ **de tissus végétaux**: plant tissue culture
~ **de racines alimentaires**: root crops
~ **dérobée**: catch crop
~ **en stries**: (bio) streak culture
~ **énergétique**: energy cropping, energy farming
~ **fourragère**: fodder crop
~ **fruitière**: fruit crop; fruit growing
~ **hydroponique**: hydroponics
~ **informatique**: computer literacy
~ **maraîchère**: market gardening
~ **par piqûre**: (bio) needle culture, stab culture
~ **sans sol**: soilless culture
~ **secondaire**: (bio) subculture
~ **sur plaque**: (bio) plate culture
~ **transporteuse de phage**: phage carrier culture
~ **transporteuse de virus**: virus carrier culture
~ **vivrière**: food crop
en ~: in crop, under cultivation, under crop
faire une ~ d'un bacille: to cultivate a bacillus

cumin *m* : cum[m]in

cumul *m* : cumulative total

cumulateur *m* : addend

cunette *f* : benching (of sewer)

CUP → **coefficient d'utilisation pratique**

cuprichloramine *f* : cuprochloramine

cuprifère: copper bearing, cupriferous

cupro-aluminium *m* : aluminium bronze

curage *m* : bailing; (de fossés) cleaning

out; (d'égout) flushing, rodding; (de puits) well cleaning
~ **à l'eau**: flushing

curcuma *m* : (plante) curcuma; (épice) turmeric

cure *f* : curing (of concrete)
~ **sous antiévaporant**: membrane curing

curry *m* : curry

curseur *m* : cursor, pointer; (d'instrument) slide [wire], slider, wiper; (él) sliding contact; traveller GB, traveler NA
~ **de contact**: slide contact

curviligne: curvilinear

CUS → **cellule d'usinage souple**

custode *f* : rear quarter (of car body)

cut-back *m* : cutback
~ **à prise rapide**: rapid-curing cutback
~ **à prise semi-rapide**: medium-curing cutback
~ **à prise lente**: slow-curing cutback GB, slo-curing cutback NA

cuvage *m*, **cuvaison** *f* : (vin) fermentation on skins

cuve *f* vat, tank; (de filtre) bowl; (de haut-fourneau) stack, shaft
~ **à défécation**: (brasserie) settling vat
~ **à niveau constant**: (de carburateur) float chamber
~ **d'empâtage**: (brasserie) mash tun
~ **de capture**: capture tank
~ **de décantation**: settling tank, settler
~ **de déshydratation**: dewatering tank
~ **de fermentation**: (brasserie) fermenting tun, fermenter, fermentor; (vin) fermentation tank, fermenter
~ **de réacteur**: reactor vessel
~ **de stockage**: storage tank
~ **de teinture**: dyeing vat
~ **de transformateur**: transformer tank
~ **enterrée**: underground tank
~ **matière**: (brasserie) mash tun
~ **mère**: stock vat
mettre en ~: (raisin) to vat

cuvée *f* : vatful, tunful; vintage, growth

cuvelage *m* : (forage) casing; (constr) tanking (of basement)

cuver: (vin, bière) to ferment, to work (in the vats)

cuvette *f*: cup; (géogr) basin, bowl; (de thermomètre) bulb; (de compas) bowl; (de ressort) cup; (d'accumulateur) tray; (de descente pluviale) conductor head
~ **d'arrêt**: cup retainer
~ **d'ascenseur**: elevator pit
~ **d'égouttage**: drip pan
~ **d'étanchéité**: cup seal
~ **de flotteur**: (de carburateur): float chamber
~ **de propreté**: spill tray
~ **de rotule**: ball cup
~ **de roulement**: bearing cup
~ **de vis**: cup point
~-**rotule**: ball seat, ball socket
en ~: dished

cuvier *m*: (pap) chest; (vin) fermenting room, fermentation cellar
~ **à pâte**: stuff chest, stock chest

cyaniseur *m*: cyanidizer

cyanophycée *f*: blue-green alga, cyanophycea

cyanophyte *f*: blue-green alga, cyanophycea

cyanuration *f*: cyaniding

cyanure *m*: cyanide

cybernétique *f*: cybernetics

cybride *m*: cybrid, cytoplasmic hybrid

cyclage *m*: cycling

cyclamate *m*: cyclamate

cycle *m*: cycle
~ **alimentaire**: food cycle
~ **d'extraction et d'exécution**: (inf) fetch-execute cycle
~ **de fonctionnement**: operating cycle
~ **de l'azote**: nitrogen cycle
~ **de l'eau**: water cycle
~ **de manœuvres**: (commutation) operating cycle
~ **de marche**: run
~ **de production**: production run
~ **de reproduction**: reproductive cycle
~ **de travail**: working cycle
~ **de vie**: life cycle
~ **frigorifique**: refrigeration cycle
~ **hydrologique**: hydrologic cycle, water cycle
~ **moteur**: working cycle (of engine)
~ **œstrien**: oestrous cycle, estrous cycle
~ **opératoire**: working cycle, operating

cycle, execution cycle
~ **vital**: life cycle
~**s entre révisions**: cycles between overhauls
à ~ **fixe**: pretimed

cyclique: cyclic, recurrent; (chim) ring (chain, compound)

cyclisation *f*: cyclization, ring formation

cycloïdal: cycloidal

cycloïde *f*: cycloid

cyclone *m*: cyclone
~ **dépoussiéreur**: cyclone dust collector
~ **épaississeur**: cyclone thickener

cyclotron *m*: cyclotron

cylindrage *m*: (génie civil) rolling; (text) calendering
~ **des sols**: rolling of soils

cylindre *m*: cylinder; (laminage) roll); (de pompe) barrel, housing
~ **à chemise humide**: wet-sleeve cylinder, wet-liner cylinder
~ **à gradins**: staggered roll, stepped roll
~ **à soupapes latérales**: L-head cylinder
~ **arracheur**: detaching roll[er]
~ **arrière**: back roll
~ **broyeur**: crusher roll
~ **cannelé**: corrugated roll, grooved roll
~ **d'appui**: back-up roll
~ **de blanchet**: blanket cylinder
~ **de calandre**: calender bowl
~ **de calibrage**: gauging roll
~ **de détente**: expansion cylinder
~ **de frein**: brake cylinder
~ **de pression**: nip roll
~ **de révolution**: cylinder of revolution
~ **de roue**: [brake] wheel cylinder
~ **de tirage**: take-up roll, draw roll
~ **dégrossisseur**: billet roll
~ **délivreur**: delivery roller
~ **ébaucheur**: roughing roll
~ **enducteur**: applicator roll
~ **inférieur**: bottom roll
~ **lisse**: (laminage) plain roll; (calibre) [plain] plug gauge
~ **moteur**: actuating cylinder, working cylinder
~ **porte-cliché**: plate cylinder
~ **preneur**: pinch roll
~ **récepteur**: (d'embrayage) slave cylinder

~ **récepteur [de frein]**: wheel brake cylinder
~ **récepteur [de tirage]**: draw roll, draw-off roll, take-up roll
~ **sécheur**: drying cylinder

cylindrée f : cubic capacity, swept volume
~ **d'un cylindre**: stroke volume, stroke capacity, piston displacement
~ **de moteur**: cubic capacity (of engine), engine piston displacement, engine swept volume
~ **totale**: cubic capacity (of engine)
~ **unitaire**: piston swept volume

cylindricité f : cylindricality

cylindrique: cylindrical; (méc) parallel, straight (hole, pin, roller)

cypriniculture f : cypriniculture

cyprinidé m : cyprinid

cystéine f : cysteine

cystine f : cystine

cytidine f : cytidine

cytoblaste m : cytoblast

cytochimère f : cytochimaera

cytochimie f : cytochemistry

cytochrome m : cytochrome

cytogénèse f : cytogenesis, cytogeny

cytogénéticien m : cytogeneticist

cytogénétique f : cytogenetics

cytogénie f : cytogenesis, cytogeny

cytologie: cytology

cytolyse f : cytolysis

cytoplasme m : cytoplasm

cytosine ▶ **C** f : cytosine

D

DAB → **distributeur automatique de billets**

dactylographie *f* : typewriting, typing

dallage *m* : paving
~ **irrégulier**: crazy paving
~ **rustique**: crazy paving

dalle *f* : slab; (en pierre) flagstone
~-**champignon**: mushroom slab
~ **de couverture**: cover slab
~ **de fondation**: base slab
~-**plancher**: floor slab
~ **simple**: flat slab, plate

dalot *m* : [box] culvert; (mar) scupper

DALP → **dépôt axial-latéral au plasma**

damier *m* : chequer GB, checker NA
~ **de microfiche**: microfiche grid
en ~: chequerboard, chequered, checkerboard, checkered; (urbanisme) grid (layout)

danger *m* : danger, hazard
~ **d'électrocution**: shock hazard
~ **de contact électrique**: shock hazard

DAO → **dessin assisté par ordinateur**

daphnie *f* : daphnia

dard *m* : flame cone, inner cone (of flame)

darse *f* : harbour basin, open basin

datagramme *m* : datagram

datation *f* : age dating
~ **au carbone**: carbon dating

date *f* : date
~ **d'entrée en vigueur**: effective date
~ **d'expiration**: expiry date; (inf) purge date, scratch date
~ **de début**: commencement date
~ **de fin au plus tôt**: earliest finish [time]
~ **de fin au plus tard**: latest event time, latest finish [time]
~ **de fin de validité**: (inf) purge date
~ **de péremption**: expiry date; (inf) purge date, scratch date, retention date
~ **de relevé**: reading date
~ **du jour**: current date
~ **limite**: deadline; (inf) cut-off date, scratch date
~ **limite d'utilisation optimale ▶ DLUO**: best before
~ **limite de consommation ▶ DLC**: use-by date
~ **limite de remise d'un marché**: closing date, deadline
~ **limite de remise d'un document**: (publicité) copy deadline
~ **limite de vente**: sell-by date
~ **prévue**: target date

datte *f* : date
~ **farcie**: marzipan date

DAV → **dépôt axial en phase vapeur**

DBL → **double bande latérale**

DCBN → **décimal codé binaire des naturels**

DCO → **demande chimique en oxygène**

DCV → **dépôt chimique en phase vapeur**

ddp → **différence de potentiel**

dé *m* : (arch) die; (méc) [bearing] bush
~ **de cardan**: trunnion block
~ **de soupape**: split cone, split collar

débander: (un ressort) to slacken [off], to relax

débarcadère *m* : landing stage, unloading dock, wharf

débarquement *m* : (de marchandises) offloading, unloading; (de personnes, d'un navire) landing, disembarkation,

debarkation; (mil, selon le mode de transport) detraining, detrucking, deplaning
~ **amphibie**: amphibious landing

débattement *m* : (d'essieu, de bogie, de suspension) clearance
~ **de roue**: wheel bump, wheel clearance

débit *m* : flow [rate]; (de production) output, throughput GB, thruput NA; (capacité d'une machine) duty, speed, rate; (de bois) sawing
~ **à ouverture totale**: open flow, open-flow capacity
~ **binaire**: (inf) bit rate, data signalling rate
~ **constant**: fixed delivery
~ **d'air**: air flow
~ **d'éruption**: (pétr) blowout flow
~ **d'étiage**: dry weather flow
~ **d'orage**: storm flow
~ **d'un cours d'eau**: stream flow, stream discharge
~ **d'une chaudière**: boiler output
~ **de circuit**: circuit capacity
~ **de courant**: power supplied, current drain
~ **de crue**: high flow, flood flow
~ **de pointe**: peak flow, peak discharge
~ **de production d'un puits**: well capacity
~ **de temps sec**: dry weather flow
~ **de transmission**: (d'un canal, d'une voie): channel capacity
~ **en caractères**: character rate
~ **en écoulement naturel**: open-flow capacity
~ **en plot**: plain sawing, slash sawing
~ **horaire**: hourly capacity, output per hour
~ **horaire de base**: design hourly volume
~ **incendie requis**: required fire flow, fire-demand rate
~ **massique**: mass flow [rate]
~ **moyen**: average flow, mean flow, mean discharge
~ **normal de crue**: normal flood discharge
~ **numérique**: digit rate
~ **prioritaire**: preferential flow
~ **régularisé**: regulated flow
~ **solide**: sediment discharge
~ **stabilisé**: settled production rate
~ **sur maille**: quarter sawing
~ **sur quartier**: quarter sawing
~ **unitaire**: unit discharge

débitant *m* **de boissons**: licensed victualler

débiter: to yield, to produce, to deliver; (du bois) to cut up, to saw up

débitmètre *m* : flow indicator, flow meter
~ **à diaphragme**: orifice meter
~ **d'air**: air flowmeter
~ **enregistreur**: flow recorder

déblai *m* : (travaux de déblaiement) cut, excavation; → aussi **déblais**
~ **à flanc de coteau**: sidehill cut
~ **et remblai**: cut and fill

déblais *m* : excavated material, spoils; (de mine) deads, refuse, muck, earth
~ **de dragage**: dredge spoils
~ **de forage**: (pétr) drill cuttings

déblocage *m* : freeing, loosening, release, unjamming, unclamping, unlocking; (de transistor) firing

débloquer: to free, to loosen, to release, unlock; (transistor) to fire, to turn on; (vis, écrou) to back off

débogage *m* : debugging

déboguer: to debug

débogueur *m* : debugger

déboisement *m* : deforestation; (mine) robbing

déboîter: (des tuyaux) to pull apart, to separate; (circulation routière) to pull out

débord *m* : overhang

débordement *m* : overflow, spillover; boiling over; flooding (of river)

déborder: to overflow, to spill over; to overshoot

débouché *m* : outlet, opening; (de tuyau) mouth; (de vente) outlet, opening
~ **d'égout**: sewer outfall

déboucher: to clean out, to clear, to unclog

débouchure *f* : knockout (in plate); ~**s** *f* : (de m-o) cuttings
~ **de poinçonneuse**: punchings

débouillir: (text) to boil, to scour

débouillissage *m* : scouring

débourbage *m* : clearing out (mud); (d'un égout) flushing, sluicing

débourrage *m* : (fonderie) decoring, core knock out
~ **de cardes**: (text) card stripping

debout: upright, on end, endways
~ **à la lame**: head on to the sea
~ **au vent**: head on to the wind

déboutonner: to peel off (spot welds)

débrancher: (un appareil) to disconnect, to unplug, to power off; (chdef) to split up a train, to sort

débrayage *m* : clutch release, clutch throwout, declutching
~ **de la courroie**: shifting of belt
à ~ **automatique**: self-releasing, self-disengaging

débrayé: out-of-gear, disengaged

débrayer: to disengage the clutch, to let the clutch out, to release the clutch, to declutch, to throw out the clutch; to disengage, to throw out of gear, to uncouple, to trip off; (main d'œuvre) to stop work, to down tools; (faire grève) to go on strike

débrayeur *m* **de courroie**: belt shifter, belt striker, striking gear

débris *m* : fragments, scraps
~ **de dégrillage**: rakings
~ **de fer**: scrap iron; (corps étrangers) tramp iron
~ **de forage**: cuttings, drillings
~ **végétaux**: vegetable matter

débrochable: (él) pullout; drawout, truck type (relay, switch)

débroussaillant *m* : brush killer

débroussaillement *m* : clearing of undergrowth, ground clearance

débroussailleuse *f* : bush saw

débrutissage *m* : rough polishing (of glass)

débullage *m* : (pétr) degassing

début *m* : beginning, start
~ **d'incendie**: incipient fire
~ **de bande magnétique**: leading end
~ **de la rupture**: incipient failure

~ **de prise**: initial set (of concrete)
~ **de session**: (inf) log-on

décadrage *m* : (cin, tv) misframe; (inf) off register, off registration, misregistration

décadré: out of alignment, out of frame, off register

décaféiné: decaffeinated

décalage *m* : offset, offsetting; misalignment, staggering; (de moule, de joint) mismatch, mismatching; (de fréquence) slippage; (inf) shift
~ **circulaire**: (inf) cycle shift, circular shift, end-around shift
~ **dans le temps**: lagging, time lag
~ **de l'image**: picture shift
~ **de phase**: phase displacement, phase shift
~ **de phase en arrière**: phase lag
~ **des balais**: brush shift, brush displacement
~ **du cadre de lecture**: (gg/bm) reading frameshift, frameshift mutation
~ **du zéro**: zero offset
~ **en arrière**: (de phase, des balais) lag, lagging
~ **en avant**: (de phase, des balais) lead, leading
~ **horaire**: (effet du) jetlag

décalaminage *m* : (métall) descaling; (moteur) carbon removal, decarbonizing, decarb
~ **à la flamme**: flame scaling
~ **au chalumeau**: flame scaling, flame cleaning

décalcomanie *f* : decal, transfer

décalé: misaligned, non-axial, off-centre; out-of-pitch; out-of-step

décaleur *m* **de phase**: phase shifter, phase changer

décalque *m* : transfer, tracing

décantat *m* : settled solids

décantation *f* : decanting, settling; (dans filtre, réservoir) sedimentation
~ **primaire**: (traitement de l'eau) primary settling
~ **simple**: (épuration) plain sedimentation

décanter: to decant, to pour off

décanteur *m* : decanter; sedimentation tank, settler, sand box, sediment chamber; (traitement de l'eau) grit washer, sand washer
~ **de graisse**: (eaux usées) grease separator
~**-floculateur**: coagulation and settling tank
~ **huile-eau**: oil and water trap
~ **laveur de sable**: grit washer
~ **secondaire**: final settling basin, final settling tank, final sedimentation tank

décapage *m* : cleaning, removal of grease; (métall) descaling, blasting, etching, pickling
~ **à l'abrasif**: abrasive blasting
~ **à la grenaille**: shot blasting
~ **au chalumeau**: scarfing
~ **au sable**: sand blasting
~ **aux acides**: acid pickling
~ **cathodique**: cathode pickling
~ **chimique**: chemical stripping
~ **de la peinture**: paint removal
~ **des terres végétales**: stripping of topsoil
~ **du stérile**: stripping the overburden
~ **éclair**: flash pickling
~ **électrolytique**: electrolytic stripping

décapant *m* : degreaser; (pour peinture) paint remover; (métall) etching reagent, stripping compound; (sdge) flux

décaper: to degrease, to remove grease; (par voie chimique) to pickle, to etch; (du béton) to scour; (métall) to blast, to scale; (peinture) to strip; (génie civil) to scrape

décapeuse *f* : (génie civil) scraper
~ **automotrice**: motorscraper
~ **élévatrice**: elevating scraper

décarbonatation *f* : decarbonation

décarbonisation *f* : decarbonization, decarb

décarboxylation *f* : decarboxylation

décarburer: to decarburate

décatissage *m* : steaming (of cloth)

déceler: to detect, to locate (an error, a fault)

décélération *f* : deceleration

déceleur *m* **de fuites**: leak locator, leak indicator

décentrage *m* : throwing off centre, running off centre; (d'arbres, d'axes) mismatch; (de roue) out-of-true, eccentricity

décentré: off-center

décentrement *m* : (opt) decentration

décharge *f* : release, relieving, easing (of load); (él) discharge; (graph) interleaf, set-off sheet, slip sheet
~ **de déchets**: (action) dumping, tipping (of refuse, of waste); (lieu) [rubbish] tip (for waste), spoil area (for spoils)
~ **autonome**: self-maintained discharge
~ **d'égout**: sewer outfall
~ **dans le gaz**: gas discharge
~ **disruptive**: flashover, sparkover, spark discharge; breakdown (in a gas)
~ **en aigrette**: brush discharge
~ **en arc**: arc discharge
~ **en mer**: disposal of waste into the sea
~ **gazeuse**: gas discharge, gaseous discharge
~ **luminescente**: glow discharge
~ **obscure**: dark discharge
~ **spontanée**: self-discharge
~ **superficielle**: (d'un isolateur) arcover

déchargement *m* : unloading, offloading; (par basculement) dumping, tipping
~ **avec permutation**: (inf) swap-out
~ **longitudinal**: end discharge (wagon tippler)
~ **par allèges**: lighterage
à ~ **automatique**: self-dumping

décharger: to unload, to offload; (méc) to relieve the load

déchet *m* : waste product; → aussi **déchets**

déchets *m* : scrap, waste; (de mine) deads, attle
~ **agricoles**: agricultural waste
~ **d'orge**: (brasserie) barley tailings
~ **de coton**: cotton waste
~ **de criblage**: screenings
~ **de liège**: cork waste
~ **de poisson**: fish waste, fish offal, fish scrap
~ **de réacteur**: reactor waste
~ **de roche**: waste rocks
~ **de viande**: scraps
~ **fortement actifs**: high-activity waste
~ **industriels**: industrial waste

~ **radioactifs**: radioactive waste
~ **toxiques**: toxic waste

déchiffrement *m* : deciphering, decoding
~ **cryptographique**: decryption

déchiffreur *m* : cryptographer

déchiquetage *m* : shredding; (broyage, dilacération): desintegration, comminution

déchiqueteur *m* : dilacerator, disintegrator, comminutor

déchiqueteuse *f* : chipper; (de papier) shredder

déchloration *f* : dechlorination

décibelmètre *m* : noise meter, [sound] level meter

décimal: decimal
~ **codé binaire** ► DCB: binary coded decimal
~ **codé binaire des naturels** ► DCBN: natural binary-coded decimal
~ **condensé**: packed decimal

décintrer: to strike the centres of an arch

déclassé: downgraded, offgrade; (criblage) undersize, overs

déclassement *m* : downgrading
~ **d'une installation**: decommissioning of a plant

déclenchement *m* : (d'un organe, d'un mouvement) activation, initiation, triggering; (débrayage) disengagement, release; (él) opening (of circuit), release, tripping (of relay)
~ **à manque de tension**: undervoltage release
~ **à maximum**: overcurrent release, overcurrent tripping
~ **à minimum de tension**: low-voltage release
~ **à sous-tension**: low-voltage release
~ **à surintensité**: overload release, overload tripping
~ **à tension nulle**: no-vol[tage] release
~ **inopiné**: false trip
~ **intempestif**: false triggering, false trip, spurious release
~ **interdépendant**: intertripping
~ **par bobine en dérivation**: shunt tripping
~ **par bobine en série**: series tripping
~ **par défaut**: fault throwing

~ **périodique**: (éon) gating
~ **temporisé**: delayed release
~ **verrouillé**: fixed trip, locked trip
à ~ **retardé**: slow operating, slow acting (relay)

déclencher: to activate, to actuate, to initiate, to trigger; (méc) to release, to disengage; (él) to release, to trip, to trigger
~ **le tir**: to open fire

déclencheur *m* : actuator, initiator, trip, tripping device; release [mechanism]; trigger switch. trigger circuit
~ **à action différée**: delayed-action trip
~ **à maximum**: overcurrent trip
~ **automatique**: automatic release
~ **souple**: (phot) cable release

déclic *m* : catch, click
à ~: snap-action

déclinaison *f* : (magnétique) declination, variation

déclivité *f* : slope, incline; (toit) pitch

décocher: to knock out, to shake out, to strip (a casting)

décodage *m* : decoding; (de message chiffré) deciphering; (gg/bm) code reading

décodeur *m* : decoder; (de message chiffré) cryptographer
~/**démultiplexeur**: decoder/demultiplexer
~/**gestionnaire**: decoder/driver

décoffrage *m* : striking, stripping, release (of forms, of shuttering)

décohésion *f* : (plast) separation

décollage *m* : (aéro) takeoff; (astron) lift off
~ **assisté par fusée**: rocket-assisted take-off
~ **assisté par réacteur**: jet-assisted take-off
~ **avec vitesse initiale**: rolling take-off
~ **en postcombustion**: afterburner take-off
~ **et atterrissage verticaux**: vertical take-off and landing
~ **interrompu**: abandoned take-off
~ **manqué**: aborted take-off
~ **roulé**: running take-off
~ **vertical**: vertical take-off

décollement *m* : (plast) delamination, looseness between plies, hollow area (between layers); (relais) opening, release, tripping off
~ **de l'écoulement**: flow separation
~ **des câbles**: (pneu) cord separation
~ **des filets d'air**: air stream separation
~ **entre nappes**: (pneu) ply separation
~ **laminaire**: laminar separation
~ **turbulent**: turbulent separation

décoller: (aéro) to take off; (astron) to lift off; (soupape) to crack open; (relay) to open

décolletage *m* : cutting (of metal), thread cutting, screw cutting

décolleter dans la barre: to cut from bar, to turn from barstock

décolmatage *m* : cleaning (of filter)
~ **par l'air**: backblowing

décoloration *f* : fading (of a colour), discolouration, stain[ing]

décompilateur *m* : decompiler

décomposition *f* : decomposition; (pourriture) decomposition, decay; (ventilation) breakdown, breaking down
~ **aérobie**: aerobic decomposition
~ **anaérobie**: anaerobic decomposition
~ **des couleurs**: colour break-up
~ **des forces**: resolution of forces

décompresseur *m* : relief cock; (soupape) unloader; *adj* : unloading

décompression *f* : decompression, pressure relief, pressure drawdown

décomptage *m* : counting down

décondenser: (inf) to unpack

décongélation *f* : thaw[ing], defrost[ing]

déconnecté: disconnected; (inf) off-line

déconnecter: to disconnect, to switch off, to unplug

déconnexion *f* : breaking, opening (of circuit); (inf) logoff, logout
à ~ **par traction**: pull-off (connector, coupling)

décorticage *m* : hulling (barley, rice), shelling (nuts, peas), husking (grain)

découpage *m* : cutting [out]
~ **à l'emporte-pièce**: die cutting
~ **à la flamme**: flame cutting
~ **au chalumeau**: blowtorch cutting, flame cutting
~ **en tranches**: (s.c.) wafer slicing, wafering
~ **en plaques**: (s.c.) wafer slicing, wafering
~~**poinçonnage**: cutting and punching

découpe *f* : cutout

découper: to cut; (sur presse) to blank
~ **à l'emporte-pièce**: to punch out

découplage *m* : decoupling; (centrale électrique) disconnection

découpure *f* : cutting, punching
~ **de journal**: newspaper cutting, newspaper clip

découvert *m* : (pétr) open hole, uncased hole; *adj* : open, exposed
à ~: exposed, unenclosed; (pétr) open-hole

découverte *f* : (scientifique, technique) discovery, breakthrough; (mine) overburden; (d'un gisement): strike
~ **de pétrole**: oil strike, oil discovery

découvrir: to find, to discover; to expose, to uncover; (une erreur, une panne) to find, to detect
~ **du pétrole**: to strike oil

décrassage *m* : (métall) drossing, skimming, slagging, slag removal

décrasse-meule *m* : wheel dresser

décrasser: to clean; (fonderie) to deslag, to slag off, to tap slag
~ **la meule**: to dress the wheel

décrément *m* : (inf) decrement

décreusage *m* : (text) boiling off, degumming, scouring

décriquage *m* : (au chalumeau) scarfing, burning

décrochage *m* : (él) falling out of step, pulling out of synchronisation, coming out of step, dropping out of step; (tél) lifting of receiver; (avion, compres-

seur) stall; (de wagons) uncoupling, disconnecting
de ~: pullout (current, test, torque)

décroché: unhooked; (él) out of step; (tél) off [the] hook; (moteur) stalled

décrochement *m* : (graph) indent

décrocher: to unhook; (des wagons) to uncouple; (él) to fall out of step; (moteur) to stall
~ **l'appareil**: (tél) to lift the receiver, to pick up the receiver

décroissant: decreasing, reducing, diminishing

décrotteur *m* : root cleaner

décryptage *m* : deciphering, decryption

décrypteur *m* : cryptographer

décupler: to increase tenfold

dédié: dedicated

dédoublé: duplicate

dédoublement *m* : dividing into two, splitting into two
~ **d'image**: split image, ghosting

dédoubler: to divide into two, to split into two, to halve
~ **un train**: to provide a relief train

défaillance *f* : failure, fault
~ **aléatoire**: random failure
~ **d'usure**: wearout failure
~ **matérielle**: faulty equipment
~ **précoce**: early failure

défaire: to undo; to unfasten; (une vis) to unscrew; (un rivet) to punch [out]

défaut *m* : defect, blemish, flaw, imperfection; (manque) deficiency
~ **à la terre**: earth fault
~ **avec dommage**: damage fault
~ **d'alignement**: misalignment; (de bande) out-of-track
~ **d'alimentation**: misfeed
~ **d'allumage**: misfire
~ **d'enrobage**: holiday (in pipe coating)
~ **d'équilibrage**: unbalance
~ **d'étanchéité**: leakage, leakiness
~ **d'isolement**: faulty insulation, insulation defect, insulation failure, insulation fault

~ **de câble**: cable fault
~ **de cadrage**: misregistration
~ **de complémentarité**: (gg/bm) mispairing, mismatch
~ **de concentricité**: runout
~ **de matière**: faulty material
~ **de signal**: signal fault
~ **de surface**: surface defect, surface blemish
~ **en ligne**: line fault, line failure
~ **évolutif**: developing fault
~ **franc à la terre**: solid ground fault
~ **fugitif**: transient fault
~ **intermittent**: intermittent fault
~ **majeur**: major defect
~ **mineur**: minor defect
~ **monophasé à la terre**: single line-to-ground fault, phase-to-earth fault
~ **persistant**: sustained fault
~ **propre**: inherent defect
~ **de jeunesse**: teething trouble

défécation *f* : (sucre) defecation

déféquer: (chim) to defecate; (sirop) to clarify

défectif: (virus, phage) defective

défectueux: bad, defective, faulty, flawed
~ **critique**: critical defective

défectuosité *f* : defect, flaw, blemish

défense *f* : (mil) defence; (sur navire) fender

déferrisation *f* : removal of iron

défeuiller: to defoliate

défibrage *m* : (pap) defibering, (des chiffons) breaking, (de pâte mécanique) grinding; (plast) popout

déficit *m* : (de production, d'approvisionnement) shortfall
~ **d'oxygène**: oxygen deficit
~ **de saturation**: saturation deficit

défilement *m* : (de bande magnétique) tracking, travel, transport; (de l'image-écran) scrolling

définissable par l'utilisateur: user definable

définition *f* : definition; (phot) resolution, definition
~ **à la réception**: reception definition
~ **d'une image**: picture resolution, image definition
~ **de fichier**: file layout

déflagration *f* : deflagration, explosion, blast

déflagrer: to deflagrate

déflecteur *m* : baffle [plate]; *adj* : deflecting
~ **d'huile**: oil deflector, oil flinger, oil slinger, oil thrower

déflexion *f* : deflection (of flow, of beam); (des filets d'air) wash
~ **latérale**: (des filets d'air) sidewash
~ **des filets d'air vers le haut**: upwash

défloculation *f* : deflocculation

défloculer: to deflocculate

défocalisation *f* : defocusing

défocalisé: out of focus

défoliant: defoliant

défonceuse *f* : ripper, rooter

déformabilité *f* : deformability; (usinage) workability

déformation *f* : deformation, distortion; (formage) forming; (sous sollicitation) strain; (de message) garbling; (d'information) mutilation
~ **à froid**: cold forming
~ **biaxiale**: plane deformation, plane strain
~ **de cisaillement**: shear strain
~ **de fluage**: creep strain
~ **de torsion**: torsional strain
~ **élasto-plastique**: elastic-plastic deformation
~ **en diagonale**: racking, wracking
~ **en parallélogramme**: racking, wracking
~ **latérale**: bulging; (mécanique des sols) lateral yield
~ **par compression**: compressive strain
~ **par traction**: tensile strain
~ **permanente**: [permanent] set
~ **plane**: plane deformation
~ **plastique**: plastic flow, plastic yield
~ **rémanente après compression**: compression set
~ **résiduelle**: residual set

déformé: distorted, out of shape

déformer: to distort; (une plaque) to buckle, to twist; (un signal, un message) to garble

défrichement *m* : clearing (of ground); land reclamation

défroissabilité *f* : crease recovery
~ **au mouillé**: wet crease recovery

dégagement *m* : (de chaleur, de gaz) emission, evolution, escape, vent; (méc) release, freeing; (sous machine) ground clearance; (d'un outil) undercut, relief; (constr) exitway
~ **de chaleur**: heat release, heat emission
~ **de fumée**: smoke emission
~ **de gaz**: gas evolution, gassing, escape of gas
~ **de pied**: (roue dentée) root undercut
~ **des copeaux**: swarf clearance
~ **instantané**: (mine) outburst, blow (of gas)
~**s gazeux**: off-gases

dégager: to clear, to make way; (de la chaleur, du gaz) to emit, to yield; (méc) to release, to ease; (une vis) to back off
~ **un tuyau**: to clear a pipe

dégainage *m* : (nucl) decanning

dégarnissage *m* : stripping [off]; (conditionnement) air exhaustion

dégasolinage *m* → **dégazolinage**

dégâts *m* : damage
~ **de manutention**: handling damage
~ **matériels**: material damage

dégauchir: to straighten, to true up

dégauchissage *m*, **dégauchissement** *m* : tru[e]ing, straightening; (du bois) surfacing, straightening

dégauchisseuse *f* : straightener, surface planer, surfacing machine, surfacer

dégazage *m* : gas removal, gas extraction; gas freeing, degassing, outgassing, venting; (pour faire le vide) air evacuation; (d'un pétrolier) flushing; (moteur) deaeration; (réservoir de carburant) vapour relief; (moulage des plastiques) breathing; (moule à compression) dwell
~ **sous vide**: vacuum deaeration

dégazeur *m* : deaerator, degasser, gas purger, getter, vapour relief valve
~ **à plateaux**: tray deaerator

dégazolinage *m* : gasoline extraction, gasolene extraction; (de l'huile): oil stripping, light oil separation

dégel *m* : thaw

dégénérescence *f* : degeneracy, degeneration
~ **amyloïde**: amyloid degeneration
~ **du code**: (gg/bm) degeneracy of the code

dégivrage *m* : defrosting, deicing

dégivreur *m* : defroster

dégonflage *m* : deflating; air release (plastic extrusion)

dégonfler, se ~: to deflate

dégorger: to discharge, to pour out; (un tuyau) to clean out, to unblock; (un égout) to rod; (dye) to bleed, to run

dégoupiller: to unpin

dégourdir: to preheat, to warm up (to hand heat)

dégradation *f* : degradation (of quality); (inf) corruption
~ **progressive**: graceful degradation
à ~ **progressive**: (inf) failsoft

dégradé: (inf) corrupt; (couleur) shaded

dégraissage *m* : cleaning, removal of grease; (étoffe) scouring
~ **au solvant**: solvent cleaning

dégraissé: (viande) defatted, fatless

dégraisser: to clean, to degrease; to scour; (alim) to remove the fat; to skim the fat off (a liquid)
~ **la terre**: to impoverish the soil

degré *m* : degree; (d'escalier) step
~ **alcoolique**: degree of alcohol, alcoholic strength
~ **d'humidité**: moisture content
~ **de froid**: degree below zero
~ **de houillification**: rank of coal
~ **de liberté**: degree of freedom
~ **de ramification**: (IA) branching factor
~ **de vide**: (valve) gas ratio, hardness
~ **hydrotimétrique**: (eau) degree of hardness
~ **hydrotimétrique temporaire**: temporary hardness, alkaline hardness, carbonate hardness

~ **hygrométrique**: [air] moisture content
~ **international de dureté du caoutchouc**: international rubber hardness degree
~**-jour**: degree day

dégrilleur *m* : (eau) screen cleaner, screen rake

dégrippant: (lubrifiant) penetrating

dégrossir: to give a rough dressing; (laminage) to breakdown, to roll down, to rough down; (coulée continue) to rod down, to rough down
~ **à la meule**: to rough grind
~ **au tour**: to rough turn, to turn down

dégrossissage *m* : roughing, rough machining, roughing down

dégroupage *m* : (inf) debunching, unblocking, unbundling

dégrouper: to debunch, to unblock, to explode

dégustateur *m* : taster, panelist

dégustation *f* : tasting

déhiscence *f* : (bot) dehiscence

dehors: outside
au ~: outside, outdoor
en ~ de l'axe: off axis
en ~ du faisceau: off beam
en ~ des heures de service: after hours
en ~ des heures de pointe: offpeak
en ~ des périodes d'exploitation: off shift
en ~ des tolérances de mesure: off gauge
en ~ du lobe: (antenne) off axis

déjeté: out of true, distorted, bent

délabrement *m* : (constr) decay, dilapidation

délactosé: lactose-free

délai *m* : time [limit], waiting period
~ **d'exécution du projet**: overall project time (critical path)
~ **de fabrication**: manufacturing time, processing time
~ **de livraison**: delivery [time]
~ **de mise en œuvre**: lead time
~ **de mutation**: mutational lag, mutation delay

~ **de production**: manufacturing lead time
~ **de réalisation**: (constr) construction time
~ **de réparation**: repair time, turn-around time (for repair)

délaminage *m* : delamination

délayer: to thin [down], to mix (with a liquid)

délestage *m* : load relief; (mar) unballasting; (aéro) jettison[ing]; (él) load shedding, power cutback
~ **de voie**: channel relief

délétion *f* : (gg/bm) deletion
~ **sur une brèche**: gap

déliasseuse *f* : decollator, separator

délimiter: to enclose, to mark off; (une concession) to delimit; (topographie) to peg out

délimiteur *m* : (inf) delimiter

délit *m* **informatique**: computer crime

démagnétisation *f* : degaussing, demagnetization

demande *f* : application, request; (besoin) demand, requirement; (besoin de climatisation) load
~ **benthique**: benthal demand
~ **biochimique d'oxygène** ▶ DBO: biochemical oxygen demand
~ **chimique en oxygène** ▶ DCO: chemical oxygen demand
~ **d'appel**: call request
~ **d'électricité**: generating load requirements
~ **d'introduction de message**: input request
~ **de connexion**: (inf) signing on
~ **de froid**: refrigeration load
~ **de réapprovisionnement**: requisition
~ **de renseignement**: inquiry, enquiry
~ **en chlore**: chlorin[e] demand
~ **pour émettre** ▶ DPE: request to send
sur ~: on request

demandé *m* : called party, called subscriber

demander: to ask (for); (un renseignement) to inquire, to enquire; (tél) to call; (avoir besoin) to require, to request

demandeur *m* : (tél) originator, caller, calling party
~ **de brevet**: applicant for a patent

démanganisation *f* : (de l'eau) manganese removal

démarrage *m* : start[ing]; (de moteur) start[ing], cranking
~ **à air**: (turbine) air start
~ **à chaud**: (inf) warm boot
~ **à deux temps**: two-step start
~ **à froid**: cold start
~ **à vide**: offload start, no-load start
~ **ampèremétrique**: current limiting starting
~ **avec surchauffe**: (aéro) hot start
~ **doux**: smooth starting
~ **sous charge**: starting under load
~ **sur fraction d'enroulement**: part-winding starting
à ~ **automatique**: self-starting

démarreur *m* : starter [motor]
~ **à air comprimé**: air starter
~ **à inertie**: inertia starter
~ **à solénoïde**: solenoid starter
~ **à tambour**: drum starter
~ **automatique**: self-starter
~ **de piste**: (aéro) ground starter
~ **direct**: across-the-line starter, [direct] on-line starter
~ **statorique**: stator starter

demi-additionneur *m* : half adder

demi-alternance *f* : half cycle, half period, half wave

demi-arbre *m* : (autom) differential shaft
~ **articulé**: wheel drive shaft
~ **oscillant**: axle shaft (swinging)

demi-cage *f* **de roulement**: ball bearing retainer

demi-cadratin *m* : en quad, nut quad

demi-carcasse *f* : side (of beef, of lamb)

demi-cellule *f* : half-cell

demi-cercle *m* : semi-circle, half-circle

demi-clavette *f* : (de soupape) valve keeper, valve split cone, split collet

demi-clé *f* : (nœud) half-hitch

demi-collier *m* : cable strap

demi-coussinet *m* : half-bearing, half-shell
~ **de rotule**: spherical cup

demi-écrou *m* : split nut

demi-grandeur *f* : half-size

demi-gras: (graph) semi-bold

demi-intérieur *m* : (d'un carton) underliner

demi-lune *f* : woodruff key

demi-moule *m* : half-mould, half-die

demi-mutant *m* : half-mutant

déminage *m* : mine clearance; bomb disposal

demi-niveau *m* : (constr) split level

demi-onde *f* : half-wave

demi-période *f* : half-cycle, half-period, half-wave

demi-produit *m* : half-finished product, semi-finished product

demi-sel *m* : cream cheese

demi-soustracteur *m* : half-subtractor

demi-teinte *f* : halftone

demi-tour *m* : half-turn; (autom) U-turn

demi-vie *f* : half-life

démodulateur *m* : demodulator

démodulation *f* : demodulation

démolir: (constr) to demolish, to pull down; (une machine) to break up

démolition *f* : demolition GB, wrecking NA
~ **de navires**: shipbreaking

démon *m* : (IA) demon

démontable: demountable, detachable, removable, sectional; (hangar) portable

démontage *m* : dismantling, taking down, disassembling, disassembly

démonté: dismantled, taken down; knock[ed] down; (échafaudage) struck

démonte-pneu *m* : tyre lever, tyre tool

démonte-roue *m* : gear puller, wheel puller

démonter: to take apart, to take down, to dismantle, to strip; to reverse engineer, to deinstall, to disassemble, to unassemble; (de sur m-o) to unclamp, to unload (a tool); (une machine) to strip [down], to pull down
~ **un appareil de forage**: to rig down
~ **un pneu**: to remove a tyre
~ **un raccord**: to break a coupling

démoulage *m* : removal from the mould, stripping (of casting); (béton) striking

démouler: to remove from the mould; (fonderie) to draw (the pattern), to strip (a casting)

démultiplexeur *m* : demultiplexer

démultiplicateur *m* : reducing gear, reduction gear, reduction unit

démultiplication *f* : (méc) demultiplication, gear reduction, gearing down, stepping down; (rapport) step-down ratio; (él) scaling

démultiplier: (méc) to gear down, to step down

dénaturation *f* : denaturation
~ **d'acide nucléique**: nucleic acid denaturation

dénaturé: denatured, denaturized

dénicotinisé: free from nicotine, nicotine-free

dénivelé *m*, **dénivelée** *f* : difference in altitude; *adj* : uneven (surface), out of level

dénivellation *f* : difference in level, drop in level
~ **des appuis**: unequal settlement of supports

dénombrement *m* : counting
~ **chromosomique**: chromosome count
~ **des colonies**: (bio) colony count

dénoyage *m* : dewatering (of mine), pumping out

dénoyautage *m* : stoning, pitting

denrées *f*, ~ **alimentaires**: food products, foodstuffs, provisions
~ **périssables**: perishable goods, perishables

densimètre *m* : densimeter

densité *f* : specific gravity; density (computer disk, magnetic flux)
~ **apparente**: bulk specific gravity
~ **binaire**: bit density
~ **d'énergie**: energy density
~ **d'enregistrement**: recording density; [information] packing density, storage density; (sur bande) tape density
~ **d'enroulement**: closeness of winding
~ **de copie en lumière diffuse**: diffuse printing density
~ **de courant**: current density
~ **de flux énergétique**: energy flux density
~ **de fond**: background density
~ **effective**: printing density
~ **en lumière diffuse**: diffuse density
~ **relative**: relative density
~ **spectrale**: spectral density
~ **spectrale en lumière diffuse**: diffuse spectral density

densitomètre *m* : densitometer

dent *f* : tooth; (d'engrenage, de crémaillère) tooth, cog; (de pignon à chaîne) sprocket; (d'engin de terrassement) tine; (de fourche) prong
~ **à développante**: involute tooth
en ~s de scie: sawtooth, serrated, zigzag

denté: toothed, cogged

dentelé: serrated

denture *f* : toothing, teeth, cogs
~ **à chevrons**: double helical teeth
~ **en développante**: involute [gear] teeth, involute toothing
~ **intérieure**: internal teeth
~ **spirale**: spiral teeth
~ **tronquée**: stub teeth

dénudation *f* : stripping; (géol) denudation, stripping; (béton) exposure of aggregate

dénudé: stripped, exposed; (fil électrique) bare, naked

dénutrition *f* : denutrition

déontologie *f* : professional ethics

dépannage *m* : fault clearance, repair, corrective maintenance, service, servicing, trouble shooting

dépanneur *m* : repairer, service man, trouble hunter, trouble shooter

dépanneuse *f* : GB breakdown truck, breakdown van, recovery vehicle; NA: wrecking truck, car wrecker

déparaffinage *m* : deparaffinazation, dewaxing

déparasitage *m* : noise suppression

déparasité: noise free, noise proof

départ *m* : departure, starting; (de navire) sailing; (câble) leading out cable; (de tuyauterie) branch, offtake
~ **arrêté**: standing start
~ **chaud**: hot start
~ **d'eau chaude**: (d'une chaudière) flow pipe
~ **et retour**: feed and return
~ **mine**: ex mine
~ **usine**: ex works
de ~: (de début) initial, original (in time); (trafic) outward; (tuyau, tableau) outgoing

dépassant: projecting, proud

dépassement *m* : (de capacité) overflow; (suroscillation) overshoot, overswing; (autom) overtaking
~ **de capacité négatif**: (inf) underflow
~ **de course**: overtravel
~ **de délai**: time out
~ **de l'étendue de mesure**: overrange
~ **de réglage**: overshoot (of control)
~ **de seuil**: threshold violation
~ **inférieur**: (de capacité) underflow
~ **négatif**: underflow

dépasser: (faire saillie) to project, to be proud; (surpasser) to outperform; (une limite) to overrun; (circulation routière) to overtake

dépendance *f* : dependence, dependency
~ **énergétique**: energy dependence

dépendant (de): dependent (on)
~ **de la charge**: load sensitive, load controlled
~ **du couple**: torque sensitive
~ **du courant**: current dependent
~ **du rapport de pression**: ratio sensitive

dépense *f* : expense, expenditure; (d'énergie) consumption
~ **énergétique**: (bio) energy expenditure

déperdition *f* : loss
~ **calorifique**: heat loss

déphasage *m* : phase change, phase displacement, phase [angle] difference, phase shift
~ **du cadre de lecture**: (gg/bm) frameshift mutation, reading frameshift
~ **en arrière**: phase lag
~ **en avant**: phase lead

déphasé: out of phase
~ **en arrière**: lagging
~ **en avant**: leading

déphaseur *m* : phase changer, phase shifter
~ **multiple**: phase splitter

dépilage *m* : (mine) stripping, robbing, drawing of pillars

dépistage *m* : (de pannes) fault finding, fault tracing, fault localization

déplacement *m* : movement, moving, motion; (décalage) offset, shifting; (mar) displacement; (of moving contact) stroke, travel
~ **axial**: endwise motion
~ **de piston**: piston displacement
~ **du centromère**: centromer shift
~ **du zéro**: zero shift, zero offset
~ **en charge**: load displacement
~ **horizontal de la flèche**: (grue) level luffing
~ **lège**: light displacement
~ **libre**: lost motion (of gear)
~ **longitudinal**: endwise motion; (m-o) traverse
à ~ **vertical**: rise-and-fall

déplacer: to move, to relocate
~ **le tir**: to shift fire

déplétion *f* : depletion

déployer: to spread [out], to open out, to unfold: (métall) to expand

dépolarisant *m* : depolarizer

dépoli: (verre) obscure, ground

dépollueur *m* : (pétr) skimmer, slick-licker

dépollution *f* : pollution abatement

déport *m* : mismatch (of shafts, of centrelines); (de roue dentée) addendum modification
~ **de pale**: propeller rake

dépose *f* : removal
~ **non planifiée**: unscheduled removal
~ **planifiée**: planned removal, time removal
~ **pour cannibalisation**: cannibalization removal
~ **pour modification**: modification removal
~ **pour visite en atelier**: shop check removal

déposer: to put down; (méc) to remove; **se ~**: to deposit, to settle

dépôt *m* : deposit, sediment; (de marchandises) depot, store, warehouse
~ **alluvionnaire**: alluvial deposit
~ **axial en phase vapeur** ▶ DAV: vapour axial deposition
~ **axial-latéral au plasma** ▶ DALP: axial-lateral plasma deposition
~ **amorce**: (galvanoplastie) strike deposit
~ **au trempé**: dip plating, immersion plating
~ **chimique en phase vapeur** ▶ DCV: chemical vapour deposition
~ **conducteur**: (c.i.) land
~ **d'ordures**: rubbish tip, garbage dump
~ **de boue**: silt
~ **de calamine**: scaling
~ **de charbon**: coal yard
~ **de munitions**: ammunition dump
~ **électrolytique**: electrodeposition, plated deposit, plating
~ **en couche mince**: thin-film deposition
~ **en phase vapeur**: vapour deposition
~ **éolien**: wind deposit
~ **galvanoplastique**: electrodeposit
~ **métallique**: metal coating, metal plating
~ **par immersion**: immersion plating
~ **par voie chimique**: chemically deposited coating
~ **sous vide**: vacuum deposition

dépotage *m* : destuffing, stripping, unpacking (of container)

dépotoir *m* : refuse dump

dépouillage *m* : (chim) stripping

dépouille *f* : (méc) relief; (métall) draw, draught GB, draft NA (of pattern)
~ **de pied**: (engrenage) root relief
~ **de tête**: (engrenage) tip relief

dépouillé: (poisson) skinned

dépouillement *m* : (de résultats) analysis, examination

dépoussiérage *m* : dust extraction, dust removal, dust control, dedusting

dépoussiéreur *m* : dust collector, dust extractor, dust catcher, dust separator, deduster
~ **cyclone**: cyclone dust collector

dépression *f* : negative pressure, partial vacuum, suction; (météo) dépression, low pressure area; (d'un réservoir) drawdown
~ **du vent**: (constr) suction wind loading
à ~: suction, vacuum, vacuum-operated

déprimomètre *m* : draught gauge GB, draft gage NA, vacuum gauge

déraillement *m* : derailment

dérailler: to jump the rails, to run off the rails

dérailleur *m* : (bicyclette) derailleur

dérangement *m* : (panne) breakdown, trouble, malfunction, failed condition, failure, fault, faulty state
~ **avec alarme**: alarm trouble
~ **causé par la foudre**: lightning fault
~ **de ligne**: line fault, line failure
~ **de secteur**: line fault, line failure
en ~: failed, faulty, out of order

dérapage *m* : (autom) skidding; (pointe de lecture) skating

dératisation *f* : pest control

déréglé: maladjusted, out of adjustment, off balance, upset

dérégler: (un instrument) to disturb, to upset, to throw out of adjustment

dérépression *f* : (gg/bm) derepression

dérivation *f* : (hydr, itinéraire) diversion; (él) branching, branch [circuit], bridging, shunting, bypassing, tap; (tuyauterie) branch pipe, bypass
~ **de cours d'eau**: river diversion
en ~: shunted, shunt-wound, tapped

dérive *f* : (d'un instrument) drift; (aéro) fin; (de bateau) centre board
~ **des continents**: continental drift
~ **du zéro**: zero shift

~ **génétique**: genetic drift
~ **spectrale**: spectral shift
en ~: (navire) adrift; (wagon) runaway

dérivé *m* : (chim, plast) derivative; (ind) by-product
~ **du pétrole**: oil product, petroleum product, petroleum derivative
~ **nitré**: nitro-compound

dérivée *f* : derivative

dériver: (détourner) to deflect; (un cours d'eau) to divert; (él) to bypass, to shunt; (un rivet) to unbutton, to unhead

dérivomètre *m* : driftmeter

dernier: last, ultimate; → aussi **dernière**
~ **entré dernier sorti**: last in last out
~ **entré premier sorti**: last in first out
~ **étage**: (méc) end stage
~ **pavé**: (d'un organigramme) terminal block

dernière: last
~ **minute**: stop press
~ **page de couverture**: back cover
~ **passe**: (de soudage) top layer

dérogation *f* : concession, waiver, exemption

dérouillant *m* : rust remover

déroulage *m* : (de câble) unwinding, paying out; (bois de placage) wood peeling, veneer peeling

déroulase *f* : [DNA] unwinding protein

déroulement *m* : (d'une opération) progress, course, running; (de bande magnétique) transport

dérouler: unroll, to unwind, to uncoil, to wind off, to pay off, to pay out; (placage) to peel

dérouleur *m* : cable dispenser; (laminage) decoiler; (plast) haul-off roll GB, take off roll NA
~ **à cassette**: cassette streamer
~ **de bande [magnétique]**: [magnetic] tape drive, tape handler, tape transport, tape unit, tape deck
~ **en continu**: streaming drive, data streamer, tape streamer

dérouleuse *f* : payoff reel, payout reel, delivery spool

déroutement *m* : (transport) rerouting, diversion; (inf) trap

derrick *m* : (tour de forage) derrick, oil rig; (de navire) mast crane
~ **à haubans**: (manutention) gin pole; (pétr) guyed derrick
~ **en mer**: offshore platform
~ **triangulaire**: three-pole derrick

désaccord *m* : (radio) detuning, mistuning

désaccouplement *m* : uncoupling, declutching; separation, unmating

désacidification *f* : (des eaux) deacidification

désactiver: to deactivate, to disable

désaérateur *m* : deaerator

désaération *f* : deaeration

désaffectation *f* : (inf) deallocation

désaffleurement *m* : unevenness (of surface)

désaflleuré: proud

désaimantation *f* : degaussing, demagnetization

désaligné: out of alignment

désalignement *m* : (de pièces) misalignment, shift, mismatch; (de bande magnétique) skew

désamorçage *m* : (d'une pompe) unpriming; (d'un siphon) breaking of the seal

désamorcer: (des munitions) to defuse; (un électro-aimant) to deenergize; **se ~**: (siphon) to break the seal, to lose the seal, to unseal, to fail

désarmer: (une arme à feu) to uncock; (un navire) to mothball, to lay up a vessel, to put out of commission

désassembler: to unassemble

désaxé: non-axial, off-axis, off-center

descendance *f* : descendants, offspring

descendant *m* : (lignage) descendant, issue, offspring; (nucl) decay product; *adj* : descending, downward; (analyse) top down

descendante *f* : (graph) descender

descendeur *m* : (manutention) lowerator
~ **hélicoïdal par gravité**: spiral chute
~ **par gravité**: chute, non-powered lowerator

descendre: to go down, to come down; to bring down, to take down; (abaisser) to lower
~ **à l'écran**: (inf) to scroll down
~ **en roue libre**: to coast
~ **en vrille**: (aéro) to spin

descente *f* : descent, coming down going down; (nucl) decay; (mise en fouille d'une canalisation) snaking-in
~ **d'antenne**: aerial lead-in, leading-in wire, downlead
~ **d'escalier**: (mar) companionway
~ **d'impulsion**: pulse decay, pulse fall time
~ **de la plate-forme**: jacking down
~ **de paratonnerre**: down conductor
~ **de pièces de monnaie**: coin chute
~ **du train d'atterrissage**: extension of landing gear
~ **du tubage**: (pétr) lowering of the casing
~ **en piqué**: dive
~ **pluviale**: rain leader GB, downcomer NA
à la ~: (pétr) downhole

descripteur *m* : specifier; (inf) descriptor
~ **de processus**: process descriptor

description *f* : description; (caractéristiques techniques) specifications
~ **de brevet**: patent specification

désemballage *m* : unpacking; (tcm) decapsulation

désembrouillage *m* : descrambling

désembuage *m* : demisting

désemulsionner: to demulsify

désenfumage *m* : smoke ejection, smoke removal

désengrener: to throw out of gear

désensibilisation *f* : desensitization

désensimage *m* : (plast) desizing; (text) scouring

déséquilibre *m* : imbalance, unbalance
en ~: off balance, out of balance

déséquiper: to remove the equipment; (une machine) to take down, to tear down, to dismantle

désérialisateur *m* : serial-to-parallel converter, staticizer

désessenciement *m* : oil stripping

désétamage *m* : detinning

désexcitation *f* : deenergization, drop-out

désexciter: to deenergize

déshabillage *m* : (méc) stripping

désherbant *m* : herbicide, weed killer

déshuilage *m* : oil removal, oil separation, deoiling

déshuileur *m* : deoiler, oil separator, oil remover, oil trap

déshumidificateur *m* : dehumidifer

déshumidification *f* : dehumidification

déshydratant *m* : dehydrator

déshydratation *f* : dehydration, dewatering
~ **des boues**: (épuration) sludge dewatering

déshydrateur *m* : dehumidifer, dehydrator, dryer, water separator
~ **à absorption**: desiccant-type dryer

déshydrogénation *f* : dehydrogenation

désignation *f* : naming; (d'une pièce) description, list number, part number

désiliciage *m* : silica removal

désincrustant *m* : boiler compound, scale remover

désincruster: to scale

désinfection *f* : disinfection, decontamination
~ **des semences**: seed dressing

désinsectisation *f* : insect control, disinsectization

désintégration *f* : disintegration, breaking up; (nucl) decay, disintegration
~ **en chaîne**: (atome) chain decay

désionisation *f* : deionization

désodé: sodium-free

désodorisation *f* : odor control, deodorization

désossage *m* : reverse engineering; (boucherie) boning

désosser: to unassemble, to reverse engineer; (boucherie) to bone

désoxydant *m* : deoxider

désoxydation *f* : deoxidation; (métall) killing

désoxygénation *f* deoxygenation, oxygen removal

désoxyribonucléase *f* : deoxyribonuclease

désoxyribose *m* : deoxyribose

dessablage *m* : sand removal; (fonderie) cleaning (of a casting)

dessableur *m* : sand catcher, sand interceptor, sand trap, grit chamber

dessalage *m* : desalination; (du pétrole) desalting

dessalement *m* : desalination

dessaleur *m* : (pétr) desalter

dessécher: to desiccate, to exsiccate; (la végétation) to parch, to dry

desserrage *m* : loosening; (d'un écrou) slacking; (des freins) release

desserré: loose, slack

desserrer: to ease, to slacken, to loosen; to unclamp; (une vis) to unscrew, to screw off; (les freins) to release

desserte *f* : (d'une zone) servicing, supplying a service, service; (route) service road GB, frontage road NA, local road
~ **ferroviaire**: train service

desservir: to serve, to supply a service

dessicateur *m* : desiccant type dryer, desiccator

dessicatif: desiccant

dessication f : dessication, dehydration

dessin m : drawing; pattern; design
~ **à l'échelle**: scale drawing
~ **animé**: (cin) cartoon
~ **annoté**: marked up drawing
~ **assisté par ordinateur ▶ DAO**: computer-assisted drawing
~ **au trait**: line drawing
~ **conforme à l'exécution**: as-constructed drawing, as-built drawing
~ **coté**: dimension drawing
~ **d'armure**: weave pattern
~ **d'atelier**: shop drawing
~ **d'ensemble**: general assembly drawing
~ **d'exécution**: production drawing, working drawing
~ **d'une lettre**: (graph) face, typeface
~ **de fabrication**: production drawing
~ **de montage**: erection drawing, assembly drawing
~ **en coupe**: sectional drawing
~ **grandeur nature**: full-scale drawing
~ **industriel**: engineering drawing
~ **modèle**: (c.i.) master pattern, master drawing
~ **technique**: engineering drawing

dessinateur m : draughtsman GB, draftsman NA

dessoucheuse f : root cutter, rooter

dessus m : top
~ **de touche**: key top, key cap

destinataire m : (courrier) addressee; (d'un message) recipient, destination

déstockage m : (d'un réservoir) drawdown

déstocker: to draw from stocks, to reclaim from stocks

destructeur m **de documents**: paper shredder

desulfuration f : desulphurization; (pétr) sweetening

désynchronisation f : desynchronization
~ **des entrées-sorties**: (inf) spooling
~ **de l'impression**: print spooling

désynchronisé: (él) out of step

détachable: detachable, demountable, interchangeable

détachant m : stain remover, spot remover

détaché: loose, separate

détachement m : detachment, separation
~ **des couches**: delamination
~ **turbulent**: turbulent separation

détacher: to detach, to separate, to part, to unfasten, to loosen, to tear off, to tear out

détail m : detail; breakdown; (commerce) retail

détaillant m : retailer GB, merchant NA

détaillé: detailed, comprehensive, thorough; (prix, liste) itemized (price, list)

détalonnage m : backing-off; recess, undercut

détartrage m : descaling, scaling (of boiler)

détartrant m : scalant, boiler compound

détassage m : (d'un filtre) decompacting

détecteur m : sensor, detector, pickup, locator, transducer
~ **à pression**: pressure-sensitive detector
~ **d'incendie**: fire detector
~ **de conduite**: pipe locator, pipe finder
~ **de dérangement**: fault locator
~ **de fuite**: leak detector
~ **de gaz**: gas tester
~ **de ligne**: line finder
~ **de mensonges**: lie detector
~ **de proximité**: proximity switch
~ **de radioactivité**: radiation detector
~ **de rupture de gaine ▶ DRG**: (nucl) burst can detector
~ **de zéro**: null detector
~ **optique**: light detector, optical mark sensor, optical detector
~ **photoélectrique**: photosensor
~ **ponctuel**: spot detector
~ **quadratique**: rms detector, square law detector

détection f : detection, sensing
~ **de criques par ressuage**: dye penetrant crack detection
~ **de porteuse**: carrier detect
~ **des gaz émis ▶ DGE**: evolved gas detection

dételer: (chdef) to uncouple

détendeur *m* : expansion valve, pressure reducing valve, reducer; (sur bouteille de gaz) regulator
~ **à déplacement positif**: positive displacement expander
~ **à spirales**: spiral expander
~ **de pression**: [pressure] release valve, pressure reducer
~ **de surpression**: unloader valve
~ **volumétrique**: positive displacement expander

détendre: (un ressort) to slacken; (la pression) to let down, to release; **se** ~: (gaz) to expand

détendu: (chaîne, commande) slack

détensionnement *m* : stress relieving, relief (of internal stresses)

détente *f* : loosening, slackening; (de gaz) expansion; (de contrainte) release, stress relieving; (de pression) pressure drop, pressure reduction; (d'un ressort) unbending, spring back; (d'arme à feu) trigger
~ **élastique**: elastic recovery

détenteur *m* : (d'un brevet) patentee; (d'un permis) licensee
~ **d'une carte**: card holder (person)

détergent *m* : detergent
~ **peu moussant**: low-foam detergent
~ **synthétique**: synthetic detergent

détérioration *f* : deterioration, worsening; (inf, tcm) garbling, mutilation

détériorer: to damage; **se** ~: to deteriorate, to perish, to spoil

détermination *f* : (par analyse) determination; (par calcul) computation
~ **de l'âge**: age dating
~ **des prix**: costing, pricing
~ **du centrage**: (aéro) CG computation
~ **du groupe sanguin**: blood typing
~ **en double**: duplicate determination

déterminer: to determinate, to compute
~ **le prix**: to cost, to price

déterrer: to unearth

détersif *m* : detergent

détimbrage *m* : decalibration, removal of pressure limits

détonateur *m* : detonator, blasting cap
~ **basse intensité**: low-tension detonator
~ **à mèche**: fuse detonator, fuse blasting cap
~ **à microretard**: millisecond delay detonator, millisecond delay cap
~ **électrique à retard**: delay-action detonator, delay electric blasting cap
~ **instantané**: instantaneous detonator, instantaneous blasting cap

détonation *f* : detonation

détourage *m* : (usinage) routing; (phot) blocking out (of background)

détournement *m* : rerouting, alternative routing; (transport) diversion
~ **de courant**: current robbing

détoxication *f* : detoxification

détrempe *f* : distemper

détritus *m* : rubbish, trash, garbage

détrompeur *m* : locating pin

deux: two
~ **places quatre glaces**: (autom) two-door saloon GB, two-door sedan NA
~ **par deux**: in pairs
à ~ **directions**: two-way; (él) double-throw
à ~ **étages**: two-step, two-stage
à ~ **faces**: two-sided
à ~ **filets**: double-threaded, two-start (screw thread)
à ~ **fils**: twin-wire, two-conductor, two-wire
à ~ **graduations**: double-scale
à ~ **lectures**: double-scale, double-range
à ~ **moteurs**: twin-engined
à ~ **plots**: two-pin
à ~ **tranchants**: double-edged
à ~ **voies**: two-way, dual-channel
en ~ **parties**: divided, split
en ~ **pièces**: split

deuxième: second
~ **[page] de couverture**: inside front cover
~ **proposition**: alternative proposal
~ **source d'approvisionnement**: second source
~ **temps**: (moteur) compression stroke
de ~ **choix**: second
de ~ **fusion**: remelted (alloy)

développante *f* **[de cercle]**: involute

développée *f* : evolute

développement *m* : development, expansion, growth; (algèbre) expansion; (géométrie) evolution; (phot) development
~ **d'une craquelure**: crack growth
~ **en crête**: (d'un barrage) crest length
~ **gazeux**: gaseous development
~ **sans agitation**: still development
~ **thermique**: thermal development, heat development

déverminage *m* : (inf) burn-in, debugging; (radio) interference elimination, noise suppression, shielding

dévers *m* : inclination, slope (of wall, of road); superelevation (of road, of railroad); banking (of outer rail); (stats) skewness; *adj* : sloping, out of plumb, out of true

déversement *m* : (d'un liquide) discharge, pouring out; (par benne) dumping
~ **accidentel**: spill
~ **dénoyé**: free overfall (weir)
~ **en contre-haut**: over-the-bank dumping
~ **latéral**: side dumping
~ **par le fond**: bottom dump
à ~ **automatique**: self-dump[ing]

déverser: to discharge, to pour out (a liquid); to tip [out], to dump (materials)

déversoir *m* : (hydr) overfall, weir; (évacuateur) spillway
~ **à crête épaisse**: broad-crested weir, wide-crested weir
~ **à déversement dénoyé**: free overfall weir
~ **d'orage**: storm overflow
~ **de crue**: flood spillway
~ **de sortie**: effluent weir
~ **de surface**: skimming weir
~ **dénoyé**: free weir
~ **en paroi mince**: thin-plate weir
~ **en puits**: shaft spillway
~ **en saut de ski**: ski-jump spillway
~ **en V**: triangular weir, V-notch weir
~ **évacuateur de crues**: flood spillway
~ **noyé**: drowned weir, submerged weir, submerged spillway
~ **réglable**: [gate-] controlled spillway, gated spillway

devésiculeur *m* : mist eliminator, spray eliminator

déviation *f* : deflexion, deflection; (de boussole) deviation, variation; (circulation routière) diversion

~ **d'une aiguille**: swing, pointer movement
~ **de la verticale**: deviation from the vertical
~ **de phase**: phase deviation, phase departure, phase excursion
~ **de zéro**: zero error
~ **dirigée des sondages**: (pétr) directional borehole deviation
~ **par jet de boue**: jet deflection (of borehole)
~ **quadrantale**: quadrantal deviation
~ **spectrale**: spectral shift

dévider: to reel [off], to spool off, to uncoil, to unwind, to wind off

dévidoir *m* : payout drum, payout reel; (filature) reel, reeling frame; (pap) unwinding stand
~ **de câble**: cable reel
~ **de tuyau d'incendie**: hose reel
~ **pour fil métallique**: wire reel

dévier: to deviate; (phys, opt) to deflect; (mèche, foret) to cut untrue
~ **de son cap**: to fly off one's course

devis *m* : estimate; (constr) quantities
~ **descriptif**: specifications
~ **quantitatif**: bill of quantities
sur ~: custom-made

dévolteur *m* : reducing transformer, stepdown transformer, negative booster

dévoyé: out of plumb, out of true, warped

dévrillage *m* : detwisting

déwatté: watless

dextrine *f* : dextrin[e], starch gum, British gum

dextrogyre: dextrorotary, dextrogyrate, dextrogyre, dextrogyrous

dextrose *m* : dextrose, dextroglucose, grape sugar

DI → **différence d'inventaire**

diagnostic *m* : diagnostic, trouble location
~ **génétique**: gene diagnosis

diagonale *f* : diagonal bar, diagonal member, diagonal brace

diagramme *m* : diagram
~ **à barres**: bar chart

~ **à barres empilées**: stacked bar chart
~ **à barres juxtaposées**: cluster bar chart
~ **circulaire**: pie chart
~ **d'écoulement**: flow pattern
~ **d'enregistrement**: chart
~ **d'état**: state diagram
~ **des débits**: flow chart
~ **de dispersion**: dot diagram
~ **de distribution**: (moteur) valve timing diagram
~ **de flux**: flow sheet, flow scheme
~ **de jonction**: (tél) trunking diagram
~ **de rayonnement**: (d'antenne) antenna pattern, radiation pattern
~ **de succession des opérations**: process flow sheet
~ **des niveaux**: hypsogram
~ **en bâtons**: bar chart
~ **fonctionnel**: [proces] flow sheet, flow scheme
~ **par induction**: induction log
~ **récapitulatif**: summary diagram
~ **vectoriel des vitesses**: velocity vector diagram

diagraphie f : log[ging]
~ **à deux courbes d'induction**: dual-induction log
~ **acoustique à long espacement**: long-spaced sonic log
~ **avec électrode de garde**: guard-electrode logging
~ **d'amplitude**: amplitude log
~ **d'échantillonnage**: sample log
~ **de fluorescence**: fluorolog
~ **de points**: dot log
~ **des rayons gamma**: gamma log
~ **en cours de forage**: logging while drilling
~ **en trace galvanométrique**: full-waveform log
~ **focalisée**: focused log
~ **par induction**: induction logging

diagraphiste m : log analyst

dialecte m : (IA) dialect

dialogue m : conversation, communication (with machine)
~ **homme-machine**: man-machine communications
de ~: (inf) conversational, interactive

dialogué: interactive, two-way

dialoguer: (inf) to interact, to converse, to communicate (with machine)

dialyse f : dialysis

diamant m : diamond (stone)
~ **de vitrier**: glass cutter

diamètre m : diameter; (par extension) circle
~ **à fond de filet**: diameter at bottom of thread
~ **à fond de gorge**: (d'un engrenage) throat diameter
~ **admis au-dessus du banc**: (m-o) maximum swing over bed
~ **admis dans le rompu**: (m-o) swing over gap
~ **de braquage**: turning circle
~ **de la pièce à usiner**: work diameter
~ **de perçage**: (des trous) pitch center diameter
~ **de tête**: (d'un engrenage) tip diameter GB, outside diam NA
~ **du cercle de pied**: root diameter
~ **du cercle de roulement**: rim diameter
~ **du cercle primitif**: pitch diameter
~ **du noyau**: root diameter (of screw)
~ **du trou**: hole size
~ **extérieur**: outside diameter, external diameter
~ **intérieur**: inside diameter, internal diameter

diamide m : diamide

diamine f : diamin[e]

diaphonie f : crosstalk
~ **entre antennes**: aerial crosstalk
~ **entre circuits**: circuit crosstalk
~ **entre réel et réel**: side-to-side crosstalk
~ **entre réel et fantôme**: side-to-phantom crosstalk
~ **inintelligible**: unintelligible crosstalk, inverted crosstalk
~ **intelligible**: intelligible crosstalk, uninverted crosstalk

diaphragme m : membrane, diaphragm; (phot) diaphragm; (de débitmètre): orifice plate; (guide d'ondes) iris, waveguide window, waveguide diaphragm
~ **de mesure**: orifice plate
~ **iris**: iris diaphragm

diaphragmer: (phot) to stop down

diapositive f : slide, transparency

diathèque f : slide library

diatomée f : diatom

diatomite *f* : diatomite

diazocopie *f* : diazo print

diazoïque *m* : diazo compound

diazotypie *f* : diazo printing

DIC → **dosage iodométrique du chlore**

dicorde *m* : (tél) cord pair, double-ended cord, [switchbroad] cord, cord connector

dicotylédone *f* : dicotyledon

dictionnaire *m* : dictionary
~ **orthographique**: spelling checker, speller

didacticiel *m* : educational software, teachware, teaching package, training package, tutorial

diergol *m* : bipropellant

diététique *f* : dietetics; *adj* : dietary

différé: deferred, delayed
~ **en entrée**: (inf) spool in
~ **en sortie**: (inf) spool out
en ~: (inf) off line (processing); (émission) [pre]recorded (broadcast)

différence *f* : difference
~ **d'inventaire** ▶ **DI**: material unaccounted for
~ **de phase**: phase difference, phase displacement
~ **de poids**: weight differential
~ **de potentiel** ▶ **d.d.p.**: potential difference
~ **en moins**: minus difference
~ **en plus**: plus difference
~ **entre deux ensembles**: (maths) set difference

différenciation f: (biochimique, cellulaire) differentiation

différentiel *m* : differential; *adj*: differential; (tarif) discriminatory
~ **auto-bloquant**: limited slip differential, no-spin differential
~ **conique**: bevel differential
~ **interponts**: crawler gear

difficilement, ~ **inflammable**: fire retardant
~ **portable**: (inf) brittle

difficulté *f* : difficulty, trouble, snag
~**s de démarrage**: teething troubles

diffraction *f* : diffraction

diffus: diffuse, diffused; scattered (radiation)

diffusé: beamed, diffused; (onde, lumière) scattered

diffuser: to beam; (de la chaleur) to radiate heat

diffuseur *m* : diffuser; [spray] nozzle; (de carburateur) throat; (de ventilateur centrifuge) volute chamber, delivery space; (d'aérosol) actuator; (autom) lens (of headlamp)
~ **d'huile**: oil spray nozzle
~ **rectiligne**: strip diffuser

diffusion *f* : diffusion; (dans l'espace) scatter[ing], spreading; (journalisme, publicité) distribution; (radio) transmission, broadcast[ing]
~ **de l'information**: information flow
~ **multiple**: multicasting
~ **par câble**: cable casting
~ **parasite**: flare
de ~ restreinte: restricted

digénèse *f* : digenesis

digesteur *m* : digester, digesting tank

digestion *f* : digestion
~ **aérobie**: aerobic digestion
~ **des boues**: sludge digestion
~ **mésophile**: mesophilic digestion
~ **méthanique**: methane digestion
~ **thermophile**: thermophilic digestion

digue *f* : (à l'intérieur des terres) dyke GB, dike NA; (protection côtière) sea wall

dilacérateur *m* : comminutor, dilacerator, disintegrator

dilatation *f* : expansion (in volume)
~ **thermique**: heat expansion, thermal expansion

dilater, se ~: to expand

dilatomètre *m* : dilatometer

diluant *m* : diluent, diluting agent, diluter; (pour peinture) thinner

dilué: dilute, diluted, thin, weak

dilution *f* : dilution, thinning down
~ **de la matière fissile**: core dilution

dimanche *m* : (défaut) holiday

dimension *f* : dimension, measurement;
→ aussi **dimensions**
~-clé: controlling dimension
~ **du grain**: grain size
~ **finale**: finished size
~ **granulométrique**: particle size
~ **hors-œuvre**: (constr) outside
dimension, overall dimension (of
building)
~ **hors-tout**: outside dimension,
overall dimension, overall
measurement
~ **libre**: unobstructed dimension, clear
dimension
~ **nominale**: nominal size
~ **spéciale**: odd size
à une ~: one-dimensional

dimensionnement *m* : dimensioning,
rating

dimensionner: to calculate (dimensions),
to dimension

dimensions *f* : size
~ **de raccordement**: (tuyaux) mating
dimensions
~ **diverses**: odd sizes
de ~ **réduites**: small-scale

dimère *m* : dimer; *adj:* dimerous

diminuer: to decrease, to fall; (une
valeur, une quantité) to lessen, to
lower; (la production) to run down

diminution *f* : decrease, fall, reduction,
lowering, drop
~ **de la viscosité**: viscosity breaking,
visbreaking
~ **progressive**: tapering

dimorphe: dimorphous, dimorphic

dimorphisme *m* : dimorphism

diode *f* : diode
~ **à avalanche**: avalanche diode,
breakdown diode
~ **à cristal liquide**: liquid-crystal diode
~ **à jonction**: junction diode
~ **au germanium**: germanium diode
~ **commutatrice**: switching diode
~ **de bruit**: noise diode
~ **de commutation**: switching diode
~ **de puissance**: power diode
~ **double**: duodiode
~ **économisatrice**: booster diode
~ **électroluminescente**: light-emitting
diode

~ **laser**: laser diode
~ **supraluminescente** ▶ DSL: supra-
luminescent diode
~-tunnel: tunnel diode
~ **Zener**: Zener diode

dioléfine *f* : diolefin

dioptre *m* : dioptre GB, diopter NA

dioptrique *f* : dioptrics

dioxyde *m* : dioxyde
~ **de carbone**: carbon dioxyde

diphasé: diphase, two-phase

diphényle *m* : diphenyl

diplocoque *m* : diplococcus

diploïde *m*, *adj* : diploid
~ **non complémentant**: non-
complementing diploid

diplonte *m* : diplont

dipôle *m* : dipole; two-terminal network
~ **demi-onde**: half-wave dipole

direct: direct; (él) in-line; (train, passage)
through GB, thru NA
en ~: (traitement) on-line; (radio, tv)
live

directement, ~ connectable: (inf) plug-
to-plug compatible, plug compatible
~ **enfichable**: plug compatible, plug
connectable

directeur *m* : (chef) manager; *adj* :
(force) controlling, (principe) guiding
~ **commercial**: sales manager
~ **financier**: financial controller

direction *f* : (sens) direction, sense, way;
(gestion) management, managers;
(autom) steering, steering gear
~ **à crémaillère**: rack-and-pinion
steering [gear]
~ **à recirculation de billes**: ball-and-
nut steering [gear]
~ **à vis globique et galet**: worm-and-
roller steering [gear]
~ **assistée**: power [assisted] steering
~ **inverse**: opposite direction
~ **longitudinale**: end-on direction
~ **préférentielle**: preferred direction
en ~ de la largeur: crosswise
en ~ de la longueur: lengthwise

directrice *f* → **aube directrice**

diriger: (gestion) to manage, to run; (mar, autom) to steer; (un signal) to beam
~ **le tir**: to control the fire

discontinu: intermittent; (ligne) broken; (production) batch; (commande) stepped

discordamce *f* : mismatch

disjoncteur *m* : [circuit] breaker
~ **à air comprimé**: air-blast circuit breaker
~ **à autoformation de gaz**: hard-gas circuit breaker
~ **à bain d'huile**: oil circuit breaker
~ **à cornes**: horn-gap switch
~ **à coupure dans l'air**: air circuit breaker, air-break circuit breaker
~ **à gaz sous pression**: gas-pressure circuit breaker
~ **à huile**: oil circuit breaker
~ **à l'air libre**: air switch, outdoor circuit breaker
~ **à maximum**: overload circuit breaker, overload protection, overload cutout, overcurrent protection
~ **à minimum**: undervoltage protection, undervoltage switch, low-voltage protection
~ **à retard indépendant**: definite time lag circuit breaker
~ **à soufflage d'air**: air-blast circuit breaker
~ **à soufflage magnétique**: magnetic blowout circuit breaker
~ **de couplage**: transfer circuit breaker, coupling circuit breaker
~ **de sécurité**: back-up circuit breaker
~ **pneumatique**: air-blast circuit breaker
~ **principal**: line breaker, master switch

disjonction *f* : (él) opening (of circuit), tripping; (inf) disjunction, non-equivalence; (IA) disjunct[ion]; (gg/bm) disjunction
~ **par inversion de courant**: reverse power tripping
~ **parallèle**: parallel disjunction

dispatching *m* : (él) grid control; (transports) traffic control

dispersant *m* : dispersant

dispersion *f* : spreading, scattering; (de jet, de faisceau) fanning; (él, éon) leakage, straying
~ **dans l'induit**: armature leakage
~ **magnétique**: magnetic leakage

disponible: available; in-hand, ready for delivery; (de réserve) spare, (inf) unallocated, unlabelled
~ **immédiatement**: off the shelf, off the peg, off the rack

dispositif *m* : device, facility, feature, unit
~ **à couplage de charge**: charge coupled device
~ **à gabarit**: copying attachment
~ **à injection de charge**: charge injection device
~ **à transfert de charge**: charge transfer device
~ **anti-interference**: interference eliminator, interference suppressor
~ **antiparasite**: [interference] suppressor, interference eliminator, noise eliminator, noise killer, noise reducing device
~ **anti-pompage**: surge guard
~ **auxiliaire**: attachment
~ **d'accès**: accessor
~ **d'admission**: inlet arrangement
~ **d'appoint**: booster
~ **d'arrêt**: arrester
~ **d'assemblage**: connector
~ **d'asservissement**: servomechanism
~ **d'attelage de wagons**: car coupler
~ **d'avance**: feed attachment
~ **d'éclairage**: (micrographie) illuminator
~ **d'éclairage par transparence**: transilluminator
~ **d'entrée-sortie**: input-output device
~ **d'évacuation**: expeller; (forage) evacuation gear
~ **d'invalidation**: defeat feature
~ **d'inviolabilité**: (conditionnement) security seal, tamper evident seal
~ **d'urgence**: emergency system
~ **de commutation**: switchgear
~ **de contact de rupture**: break-contact unit
~ **de départ à froid**: cold-start unit
~ **de maintenance**: maintenance feature
~ **de mise à la terre**: earthing system
~ **de postcombustion**: afterburner
~ **de prise de courant**: collector system
~ **de protection**: protective gear
~ **de réchauffe**: afterburner
~ **de réglage**: controlling device, control unit, controller
~ **de repérage**: locator
~ **de rotation de la grue**: crane slewing gear
~ **de secours**: failure device
~ **de sécurité**: safeguard
~ **de signalisation**: signal[l]ing facility

~ **de suspension**: hanger
~ **de verrouillage**: locking device; interlocking safeguard
~ **de visée**: boresight
~ **logique**: logic device
~ **logique programmable et effaçable**: erasable programmable logic device
~ **palpeur**: feeler
~ **programmable par masques**: mask-programmable device
~ **programmable par l'utilisateur**: field-programmable device
~ **reproducteur**: (m-o) copying attachment
~ **spécial**: special feature
~ **tactile**: touch-sensitive device

disposition *f* : arrangement, layout
~ **dans l'espace**: spatial arrangement
~ **des broches**: pinout
~ **des instruments**: instrument layout
~ **des gènes**: gene arrangement
~ **des lumières**: porting
~ **des pistes**: runway pattern
~ **du clavier**: keyboard layout
~ **du terrain**: lie of the land

disque *m* : disc GB, disk NA; (inf) disk; (plateau) plate
~ **à calculer**: circular slide rule
~ **à fentes**: chopper disk
~ **à polir**: polishing mop, polishing wheel
~ **abrasif**: abrasive wheel
~ **audionumérique**: compact disk
~ **biologique**: biological disk, biodisk
~ **d'appel**: (tél) dial
~ **d'embrayage**: clutch plate GB, clutch disk NA
~ **d'indexage**: (m-o) index plate
~ **de centrage**: centring shim
~ **de coton**: cloth polishing wheel, polishing mop
~ **de diffusion**: master disk
~ **de moyeu**: hub flange
~ **de polissage**: polishing wheel
~ **de projection d'huile**: oil thrower ring
~ **de roue**: wheel centre, wheel disc
~ **de sécurité**: bursting disk
~ **de tachygraphe**: tachograph chart
~ **de travail**: scratch disk
~ **dur**: hard disk
~ **microsillon**: long-playing record
~ **mobile d'appel**: (tél) dial wheel, finger wheel
~ **numéroté**: (tél) calling dial
~ **optique**: optical disk
~ **optique numérique ▶ DON**: digital optical disk
~ **original**: master disk

~ **père**: master disk
~ **porte-têtes**: head wheel
~ **sectorisé logiciel**: self-sectored disk
~ **sectorisé matériel**: hard-sectored disk
~ **souple**: floppy disk
~ **système**: system disk
~ **toile**: buffing wheel, cloth polishing wheel, mop

disquette *f* : floppy disk, diskette
~ **simple face**: single-sided diskette

disruption *f* **génique**: gene disruption

disséminer: to scatter, to spread

dissipateur *m* **thermique**: heat sink

dissolution *f* : rubber cement, rubber solution, tyre cement

dissymétrie *f* : dissymmetry; (stats) skewness; (él, éon) unbalance

dissymétrique: unsymmetrical, non-symmetrical; (él, éon) unbalanced
~ **par rapport à la terre**: unbalanced to earth

distance *f* : distance; (écart) separation, gap, spacing
~ **conducteur-trou**: conductor-to-hole spacing
~ **d'arrêt**: (d'un véhicule) stopping distance
~ **d'axe en axe**: pitch (of holes, rivets, posts)
~ **d'effluves**: glow distance
~ **d'isolement**: (él) clearance
~ **d'isolement à la terre**: clearance to earth
~ **d'isolement entre pôles**: clearance between poles
~ **d'isolement entre deux contacts ouverts**: clearance between open contacts
~ **de freinage**: braking distance
~ **de saut**: skip distance
~ **de sectionnement**: (él) isolating gap
~ **de transport**: hauling distance
~ **entre appuis**: (constr) span
~ **entre broches**: pin spacing
~ **entre plateaux**: (d'une presse) daylight GB, mould opening NA
~ **entre pointes**: (m-o) centre distance, distance between centres
~ **entre pôles**: pole pitch
~ **focale**: focal length
~ **franchissable**: (aéro) range; (mar) steaming range

~ **génique**: gene distance
~ **graphique**: (gg/bm) map distance
~ **interélectrode**: electrode gap
~ **intersignaux**: signal distance
~ **parcourue**: covered distance
~ **sur la carte**: (gg/bm) map distance

distillat *m* : distillate
~ **adouci**: sweet distilllate

distillateur *m* : distiller

distillation *f* : distillation; (du charbon) carbonization, retorting
~ **à détentes multiples**: multiflash distillation
~ **à la cornue**: retort coking, retorting
~ **à la pression atmosphérique**: (pétr) topping
~ **à membrane semiperméable**: per-distillation
~ **atmosphérique**: (pétr) topping
~ **azéotropique**: azeotropic distillation
~ **directe**: straight-run distillation
~ **discontinue**: batch distillation
~ **éclair**: flash distillation
~ **fractionnée**: fractional distillation
~ **non poussée**: skimming
~ **par détente**: flash distillation
~ **primaire**: topping
~ **sèche**: carbonization without steaming

distorsion *f* : distortion
~ **biaise**: bias distortion
~ **de contact**: tracing distortion
~ **de phase**: phase distortion
~ **de signal**: signal distortion
~ **des contrastes sur les bords**: (tv) edge flare
~ **en barillet**: barrel distortion GB, positive distortion NA
~ **en coussin**: pincushion distortion GB, pillow distortion NA, negative distortion NA
~ **en croissant**: pincushion distortion GB, pillow distortion, negative distortion NA
~ **en trapèze**: keystone distortion
~ **harmonique**: harmonic distortion
~ **modale**: modal distortion, mode distortion
~ **par hystérésis**: hysteresis distortion
~ **trapézoïdale**: keystone distortion

distributeur *m* : (hydr) [flow] control valve; (réseaux) splitter; (de turbine) nozzle; (manutention) feeder; *adj* : distributing
~ **à courroies**: belt feeder
~ **à plateaux**: plate feeder
~ **à tiroir**: slide valve

~ **à tiroir cylindrique**: spool valve
~ **annulaire**: (turbine) guide wheel
~ **automatique**: vending machine GB, vendor NA
~ **automatique d'appels**: automatic call distributor
~ **automatique de billets ▶ DAB**: cash dispenser
~ **d'admission**: inlet nozzle
~ **d'essence**: petrol pump GB, gasolene pump NA
~ **de freinage**: brake valve
~ **de monnaie**: change dispenser, coin dispenser
~ **de tâches**: task dispatcher
~ **de turbine**: turbine guide-wheel, turbine nozzle
~ **feuille à feuille**: cut sheet feeder
~**-présentoir de comptoir**: counter dispenser
~ **presse-bouton**: fingertip dispenser
~ **rotatif**: rotary feeder, star feeder
~ **série-parallèle**: two-stage control valve

distribution *f* : (répartition) distribution; (él) wiring system; (moteur) engine timing, timing gear
~ **à cames**: cam gear
~ **[à] trois fils**: three-wire system
~ **à excentrique**: eccentric gear
~ **asymétrique**: (stats) skew distribution
~ **d'eau**: water supply
~ **des charges**: load distribution
~ **diphasée n fils**: two-phase n-wire system
~ **granulométrique**: particle-size distribution
~ **intérieure**: interior wiring system
~ **mixte**: dual service, parallel-series distribution
~ **par tiroir**: slide valve gear

divergence *f* : divergence; (désaccord) discrepancy, inconsistency
~ **de faisceau**: beam divergence

divergent *m* : divergent nozzle; delivery cone, delivery taper (of ejector); (raccord de tuyauterie) increaser, taper piece

divers *m* : sundries; (mar) general cargo; *adj* : miscellaneous

diversité *f*, ~ **d'acheminement**: route diversity
~ **d'espace**: space diversity

diviser: to divide, to separate, to partition; (en zones) to zone

~ **en quatre parties**: to quarter (a sample)

diviseur *m* : divider; (m-o) dividing plate, indexing head; *adj* : dividing
~ **de débit**: flow divider
~ **de faisceau**: beam splitter
~ **de phase**: phase splitter
~ **de tension**: bleeder resistor

division *f* : (maths) division; (m-o) indexing
~ **cellulaire**: cell division
~ **équationnelle**: equation[al] division
~ **homotypique**: homotype division, homotypic division
~ **indirecte**: mitotic division
~ **méiotique**: meiotic division
~ **réductionnelle**: (gg/bm) reduction[al] division

DL → **diode laser**

DLC → **date limite de consommation**

DL50 → **dose léthale 50%**

DLUO → **date limite d'utilisation optimale**

DNA → **ADN**

DNCB → **décimal naturel codé binaire**

dock *m* : dock, warehouse (in a port)

document *m* : document, record, file
~ **mutilé**: mute
~ **numérisé**: digitized document

documentaliste *m*, *f* : abstractor

documentation *f* : documentation, literature

doigt *m* : finger; (méc) pin
~ **à suivre**: copy spindle
~ **d'encliquetage**: catch, dog, pawl
~ **d'entraînement**: catch pin, driver
~ **de distributeur d'allumage**: rotor arm
~ **de gant**: pocket tube (for thermometer)
~ **de guidage**: guide pin
~ **de verrouillage**: locking pin, catch finger
~ **élastique**: spring finger

dolomie *f* : dolomite

domaine *m* : field, scope, range; (él, gg/bm) domain

~ **critique**: critical range
~ **d'action**: (d'un appareil) actuating range
~ **d'essai**: scope of test
~ **de fonctionnement**: operating range
~ **de protection**: (inf) protection domain
~ **de puissance**: power range
~ **de réglage**: setting range, correcting range
~ **de températures**: temperature range
~ **du temps**: (inf) time domain
~ **magnétique**: magnetic domain
~ **plastique**: plastic range
~ **public**: public domain

domestiquer: (un cours d'eau) to harness

dominance *f* : (gg/bm) dominance
~ **alternée**: alternate dominance, alternative dominance
~ **incomplète**: incomplete dominance, partial dominance
~ **partielle**: incomplete dominance, partial dominance

dominant: dominant
~ **autosomique**: autosomal dominant

domino *m* : split fitting

DON → **disque optique numérique**

données *f* : data, information
~ **avant mise en forme**: non-edited data
~ **brutes**: raw data
~ **d'entrée**: input [data]
~ **d'essai**: test data
~ **de sortie**: output [data]
~ **industrielles**: factory data
~ **permanentes**: master data
~ **rastrées**: raster data
~ **réelles**: live data
~ **saisies à la source**: primary data
~ **série**: serial data
~ **supravocales**: data above voice
~ **techniques**: engineering data
~ **vocales**: data in voice

donner: to give
~ **du jeu**: to ease (a part), to slack (a rope)
~ **du mou**: to slack, to slacken
~ **la communication à quelqu'un**: (tél) to put someone through
~ **la main**: to transfer control
~ **le BAT**: to pass for press
~ **le feu vert**: to OK

~ **le vent**: to put on the blast (melting)
~ **les premiers coups de pioche**: to break ground
~ **un mauvais résultat**: to give a bad result, to fail a test

donneur *m* : donor
~ **d'épissage**: donor splicing site, left splicing junction

dopage *m* : doping

dormance *f* : sleep [time], dormant mode; dormancy, latency

dormant *m* : (cadre de fenêtre, de porte) doorframe, window frame; *adj* : (fenêtre) fixed; (bio) dormant

dorure *f* : gilt, gilding; (sur reliure) tooling

doryphore *m* : Colorado beetle

dos *m* : back
~ **à dos**: (liaison, montage) back to back
~-**d'âne**: hump

dosage *m* : dosing, metering; (d'un mélange) [mixing] proportions, mixture ratio; (béton) batching, proportioning; (plâtre, mortier) gauging; (fonderie) charge make-up
~ **à débit constant**: constant rate feed
~ **du chlore**: (eau) chlorine test
~ **du ciment**: cement ratio
~ **en ciment**: cement factor
~ **génique**: gene dosage
~ **granulométrique**: grading
~ **iodométrique du chlore** ▶ DIC: iodometric chlorine test
~ **radioimmunologique**: radioimmunoassay

dose *f* : dose
~ **journalière admissible**: (bio) acceptable daily dose
~ **létale 50%** ▶ DL50: median lethal dose
~ **létale**: lethal dose
~ **létale moyenne**: median lethal dose

doseur *m* : dosing apparatus, feeder
~ **de réactif**: (eau) chemical feeder
~ **de réactif gazeux**: chemical gas feeder

dosifilm *m* : film badge

dosimètre *m* : dosemeter, dosimeter
~ **individuel**: personal dosemeter

dossier *m* : (classeur, documents) file; (de vente) sales kit; (de siège) back
~ **d'application**: problem description
~ **d'embarcation**: (mar) transom
~ **d'exploitation**: run book
~ **de modification**: modification records

doublage *m* : (cin) dubbing; (filature) doubling; (revêtement intérieur) lining
~ **de la carène**: bottom sheathing
~ **de mousse**: foam bonding
~ **par extrusion-laminage**: extrusion coating

double *m* : (dactylographie) copy; (inf) back-up copy; *adj* : double, dual, duplex, twin, twofold
~ **allumage**: twin ignition
~ **amplitude**: double amplitude, peak-to-peak amplitude
~ **au carbone**: carbon copy
~ **bande latérale** ▶ DBL: double sideband
~ **circuit de freinage**: dual circuit braking
~ **commande**: dual control
~ **concave**: concavo-concave
~ **contact repos**: double-break contact
~ **contact travail**: double-make contact
~ **contrôle**: countercheck, cross reference
~ **courbe**: S curve
~ **cycle**: (turbine à gaz ou à vapeur) dual cycle
~ **densité**: (inf) double density
~ **aveugle**: (bio) double blind (test)
~ **expansion**: compound expansion
~ **face**: two-sided, double-sided
~ **frappe**: (sur imprimante) double striking, overstriking
~ **hélice**: (gg/bm) double helix, duplex
~ **hélice d'ADN**: DNA double helix
~ **hélice de Watson et Crick**: Watson-Crick [double] helix
~ **liaison**: (gg/bm) double bond, double linking
~ **liaison non conjuguée**: unconjugated double linking
~ **page**: (utilisée comme une seule feuille continue) spreadsheet
~ **page centrale**: centre spread
~ **pédalage**: heel-and-toe driving
~ **pesée**: double weighing
~ **piste**: double track (magnetic tape)
~ **précision**: double precision
~ **toile**: (pap) twin wire
~ **vitrage**: double glazing
~ **voie**: double track (rail)
à ~ **accès**: (inf) dual-ported

à ~ **courbure**: circle on circle, circular-circular
à ~ **effet**: double-acting
à ~ **enroulement**: double-wound
à ~ **faisceau**: two-beam
à ~ **polarisation**: double-biased
à ~ **rang de rivets**: double-riveted
à ~ **sens**: both-way
en ~: [in] duplicate

doublement *m* : doubling
~ **chromosomique**: chromosome doubling

doubler: (une quantité) to double [up]; (circulation routière) to overtake; (d'un métal) to plate; (revêtir intérieurement) to line

doublet *m* : (él) doublet, dipole
~ **à fente**: slot dipole
~ **replié multiple**: multiple folded dipole

doubleuse *f* : doubler, doubling machine
~ **de tôles**: plate doubler

douille *f* : (d'outil) socket; (méc) sleeve, bush, bushing; (de cartouche) case; (emboîtement de tuyaux) faucet; (de lampe) lampholder, socket; (de valve) valve holder, tube holder
~ **à baïonnette**: bayonet socket
~ **au cône Morse**: morse socket
~ **de câble**: cable socket
~ **de centrage**: centring bush, pilot sleeve
~ **de l'outil**: tool socket
~ **de réduction**: reduction sleeve
~ **de serrage**: (m-o) collet
~ **en deux pièces**: split bushing
~ **filetée**: threaded bush

doux: mild; (métall) soft; (mouvement) easy, smooth

DPE → **demande pour émettre**

dragage *m* : dredging

dragée *f* : sugar almond

drague *f*: dredger, dredge
~ **à godets**: scoop dredger, ladder dredger
~ **aspirante**: suction dredger
~ **porteuse**: hopper dredger
~ **suceuse**: pump dredger, suction dredger

dragueur *m* : dredger, dredge
~ **de mines**: mine sweeper

drain *m* : (transistor) drain
~ **agricole**: field drain
~ **de terre cuite**: drain tile GB, field tile NA

drainage *m* : draining, drainage (of ground water)
~ **agricole**: land drainage, field drainage
~ **par charrue-taupe**: mole drainage
~ **par fossés**: ditch drainage, open-channel drainage
~ **souterrain**: underground drainage, subsurface drainage
~ **taupe**: mole drainage

drapage *m* : (plast) drape forming, stretch forming

drapeau *m* : flag
~ **d'enregistrement**: record mark
~ **indicateur**: end mark
en ~: (hélice) feathered

drêche *f* : brewer's grains, spent grains, draff
~ **de houblon**: spent hops

dressage *m* : (laminage superficiel) dressing; (de meule) wheel forming, wheel tru[e]ing; (de tôles) straightening; (usinage) finish machining, surfacing
~ **et centrage des faces**: facing and centering

dresser: to erect; to straighten; to face, to surface; (une roue) to make true; (au ciseau) to chisel; (à la règle) to strike off (concrete, plaster)
~ **la carte**: to map [out]

droit *m* : right; *adj* : straight; right; (debout) erect, on end; → aussi **droits**
~ **de passage**: right-of-way
au ~ de: square with, perpendicular to

droite *f* : straight line; right hand
à ~: to the right, on the right; (rotation) clockwise
à ~ toute: (mar) hard right
de ~: (inf) low-order

droits *m* : rights; (à payer) duties
~ **d'auteur**: copyright
~ **d'eau**: water rights
~ **de douane**: duties
~ **de mouillage**: harbour dues
~ **miniers**: mineral rights

drosophile *f* : drosophila

drupe *f* : drupe, stone fruit

DSL → **diode supraluminescente**

duc *m* **d'albe**: dolphin, mooring post

dudgeonnage *m* : tube expanding

dudgeonner: to bead a tube, to expand a tube

duite *f* : (tissage) pick
~ **à duite**: pick and pick
~ **manquée**: broken pick, pick out, missing pick

duodécimal: duodecimal

duodiode *f* : double diode

duotriode *f* : double triode

duplex *m* : (constr) maisonette GB, duplex Na; (tcm) duplex; (carton) two-layer board; (gg/bm) duplex, double helix
~ **par addition**: incremental duplex
~ **par opposition**: opposition duplex

duplication *f* : duplication, replication
~ **argentique**: silver duplication
~ **chromosomique**: chromosome replication
~ **de l'ADN**: replication of DNA, DNA replication
~ **en tandem**: tandem duplication
~ **sur bande**: tape copy

dur: hard; (radiation) hard, penetrating; (vin) harsh; (viande) tough
en ~: (constr) permanent

durcir: to harden, to set

durcissable à froid: cold setting (adhesive)

durcissement *m* : hardening; curing
~ **à cœur**: through hardening GB, thru hardening NA
~ **à froid**: (plast) cold setting
~ **complet**: (plast) cure
~ **du spectre**: spectral hardening
~ **par précipitation**: precipitation hardening
~ **par revenu**: temper hardening
~ **par trempe**: quench hardening
~ **structural**: age hardening, precipitation hardening

durcisseur *m* : hardener

durée *f* : duration, period, [length of] time
~ **à mi-amplitude**: half-amplitude duration
~ **accélérée**: crash duration
~ **amortissement**: decay time
~ **coupe-feu**: fire stop rating
~ **d'affaiblissement d'impulsion**: pulse decay time, pulse fall time
~ **d'attente**: waiting time
~ **d'engrènement**: period of contact
~ **d'escale**: (aéro) transit time
~ **d'établissement**: make time, rise time
~ **d'établissement d'impulsion**: pulse rise time
~ **d'établissement d'une communication**: connection time
~ **d'évanouissement**: (oscillations) decay time, dying out time
~ **d'exécution**: lead time
~ **d'exécution minimale**: (chemin critique) crash duration
~ **d'immobilisation**: (d'une machine) inoperable time
~ **d'impulsion**: pulse duration, pulse length, pulse time
~ **d'indisponibilité**: (d'une machine) down time
~ **d'ouverture**: (él) break period
~ **de chute**: (relais) releasing time
~ **de commutation**: switching time
~ **de conservation**: shelf life, storage life
~ **de coupure**: (él) breaking time, break time GB, interrupting time NA
~ **de décélération**: stopping time
~ **de décollage**: (relais) releasing time
~ **de disponibilité**: (d'une machine) up time
~ **de fermeture**: (él) make time
~ **de garde**: (alim) storage time
~ **de mise en température**: [pre]heating time
~ **de mise à l'arrêt**: stopping time
~ **de panne**: outage time
~ **de parcours**: transit time (of a switch)
~ **de passage**: (dans une machine, une tuyauterie) flow time
~ **de préarc**: (d'un fusible) prearcing time GB, melting time NA
~ **de projection**: (d'un film) screen time
~ **de réenclenchement**: (él) reclosing time
~ **de résidence**: retention time
~ **de rétablissement**: recovery time
~ **de rétention**: retention time
~ **de séjour**: retention time
~ **de service**: working life
~ **de vie**: life, lifespan, lifetime
~ **de vie en fatigue**: fatigue life
~ **de vie estimée**: life expectancy

~ **de vie moyenne**: mean life
~ **de vie prévue**: design life, life expectancy
~ **de vie utile**: useful life, service life
~ **des manœuvres**: operating time
~ **jusqu'à la coupure**: time to chopping (impulse)
~ **jusqu'à la mi-valeur**: time to half-value
~ **limite d'emploi**: pot life, working life (of adhesive)
~ **limite de stockage**: shelf life
~ **moyenne**: mean life
~ **moyenne de défaillance**: mean down time
~ **moyenne de bon fonctionnement**: mean uptime
~ **moyenne de reprise**: mean time to repair
~ **moyenne de vie**: mean life
~ **moyenne sans pannes**: mean time to failure
~ **moyenne utile**: mean time before failure
~ **nulle**: zero time

dureté *f* : hardness
~ **à la rayure**: abrasive hardness
~ **après revenu**: tempered hardness
~ **calcique**: (eau) calcium hardness
~ **bicarbonatée**: (eau) bicarbonate hardness
~ **carbonatée**: (eau) temporary hardness, alkaline hardness, carbonate hardness
~ **magnésienne**: (eau) magnesium hardness
~ **permanente**: (eau) non-carbonate hardness
~ **temporaire**: (eau) alkaline hardness, carbonate hardness, temporary hardness
~ **par pénétration**: indentation hardness

~ **sclérométrique**: abrasive hardness, scratch hardness

durit *f* : radiator hose

duromère *m* : duromer

duromètre *m* : hardness tester

duse *f* : (depuits) choke; (de trépan à jet hydraulique) flow bean, nozzle

dyade *f* : dyad

dynamique: dynamic

dynamite *f* : dynamite
~ **gomme**: blasting gelatine, gum dynamite

dynamiter: to blast

dynamo *f* : dynamo GB, generator NA
~ **hypercompound**: hypercompound dynamo
~ **shunt**: shunt generator

dynamomètre *m* : dynamometer

dynamoteur *m* : dynamotor

dynatron *m* : dynatron

dynode *f* : dynode

dysenterie *f* : dysentery

dysfonctionnement *m* : abnormal operation

dysgénique, dysgénésique: dysgenic

dysplasie *f* : dysplasia

dystrophie: dystrophy, dystrophia

E

EAO → **édition assistée par ordinateur**

eau *f* : water; → aussi **eaux**
- ~ **adoucie**: softened water
- ~ **agressive**: active water
- ~ **ammoniacale**: ammonia water
- ~ **atmosphérique**: atmospheric water
- ~ **brute**: raw water, untreated water
- ~ **calcaire**: lime water
- ~ **collée**: (pap) white water
- ~ **connée**: connate water
- ~ **courante**: running water
- ~ **d'alimentation de chaudière**: boiler feed water
- ~ **d'amont**: headwater, upper water, upstream water
- ~ **d'appoint**: make-up water
- ~ **d'aval**: (d'ouvrage hydraulique) tail water
- ~ **d'exhaure**: mine [drainage] water, pit water
- ~ **d'infiltration**: leakage water, percolating water, seep water
- ~ **de bordure**: edge water
- ~ **de cale**: bilge water
- ~ **de chaux**: lime water
- ~ **de constitution**: combined water
- ~ **de fabrication**: process water
- ~ **de fleur[s] d'oranger**: orange flower water
- ~ **de gisement**: (pétr) oil water
- ~ **de Javel**: javel[le] water, bleach
- ~ **de mer**: seawater
- ~ **de mine**: pit water, mine water
- ~ **de refroidissement**: cooling water
- ~ **de rinçage**: flush water
- ~ **de riz**: rice water
- ~ **de ruissellement**: runoff water, surface water
- ~ **de savon**: (usinage) suds
- ~ **de Seltz**: soda water
- ~ **de source**: spring water
- ~ **de traitement**: process water
- ~ **dormante**: still water
- ~ **douce**: (non salée) fresh water; (non calcaire) soft water
- ~ **du robinet**: tap water
- ~ **dure**: hard water
- ~ **et cendres exclues**: (charbon) dry ash-free
- ~ **et matières minérales exclues**: dry mineral-matter-free
- ~ **excédentaire**: excess water
- ~ **forte**: aqua fortis
- ~ **fraîche**: (eau non traitée) raw water
- ~ **gazeuse**: carbonated water
- ~ **glacée**: (clim) chilled water
- ~ **industrielle**: industrial water, process water
- ~ **interstitielle**: pore water
- ~ **juvénile**: juvenile water
- ~ **liée**: bound water
- ~ **lourde**: heavy water
- ~ **mère**: mother liquor
- ~ **minérale**: (alim) mineral water, bottled water
- ~ **morte**: stagnant water
- ~ **non filtrée**: raw water
- ~ **non potable**: non-drinking water
- ~ **non traitée**: raw water
- ~ **oxygénée**: hydrogen peroxyde
- ~ **phréatique**: groundwater
- ~ **potable**: potable water, drinking water
- ~ **pure**: clean water
- ~ **réfrigérante**: cooling water
- ~ **régale**: aqua regia
- ~ **régénérée**: rejuvenated water
- ~ **salée**: salt water
- ~ **savonneuse**: soapy water
- ~ **souterraine**: groundwater
- ~ **souterraine libre**: free groundwater
- ~ **stagnante**: standing water, stagnant water
- ~ **vadose**: vadose water
- ~ **vive**: running water
- **sans** ~: (boisson) neat

eau-de-vie *f* : brandy

eaux *f* : water, waters
- ~ **cyanurées**: cyanide waters
- ~ **d'égout**: sewage, sullage
- ~ **d'égout brutes**: crude sewage, crude wastewater, raw wastewater
- ~ **d'égout décantées**: clarified wastewater, settled wastewater
- ~ **d'égout diluées**: dilute sewage
- ~ **d'égout fraîches**: fresh sewage
- ~ **d'égout septiques**: stale sewage, septic wastewater
- ~ **de consommation**: drinking water
- ~ **de décharge**: sewage

~ **industrielles**: industrial water
~ **oligotrophes**: oligotrophic water
~ **pluviales**: storm water [run-off]
~ **résiduaires industrielles**: industrial waste water
~ **souterraines**: [under]ground water
~ **territoriales**: territorial waters
~ **usées**: sewage, sullage
~ **usées domestiques**: house sewage, domestic sewage
~-**vannes**: sewage

ébarbage *m* : (fonderie) burring, dressing, fettling, cleaning [out]; (plast) deflashing; (pap) trimming

ébarbeuse *f* : burr masher; trimming machine

ébarbure *f* : burr, fin (of casting); ~**s**: (pap) trimmings

ébauchage *m* : roughing
~ **au tour**: rough turning

ébauche *f* : blank
~ **estampée**: precut blank
d'~: (usinage) rough

ébaucher: (laminage) to reduce, to rough down

ébavurage *m* : burring, deburring; (plast) deflashing

ébénesterie *f* : cabinet making, cabinet work; (carrosserie, habillage) cabinet; (d'une voiture) woodwork

ébonitage *m* : ebonite lining

ébonite *f* : ebonite, hard rubber

ébouillantage *m* : scalding, blanching

éboulement *m* : (d'un bâtiment) collapse; (de mur, de tranchée) caving in; (de roches) rockfall
~ **de terrain**: landslide, landfall
~ **du toit**: (mine) roof fall

ébouler, s' ~: to fall, to cave in, to collapse

ébouleux: (sol) crumbling, loose

éboulis *m* : rubble, debris, fallen earth; (géog) scree

éboutage *m* : end cropping

ébullition *f* : ebullition, boil[ing]

~ **franche**: (nucl) saturated boiling
~ **locale**: (nucl) subcooled boiling
~ **nucléée**: (nucl) nucleate boiling
~ **saturée**: (nucl) saturated boiling

écaillage *m* : (peinture) flaking, peeling; (béton, mortier) scaling; (béton, roche) spalling; (huîtres) shelling; (poisson) scaling

écaille *f* : scale
~**s de fer**: forge scales
~**s de paraffine**: scale wax

écaler: (des œufs) to shell; (des pois) to hull (peas)

écart *m* : (physique) distance, separation, gap; (différence) divergence, discrepancy; departure (from specification); (régulation) variance; (stats) deviation
~ **absolu**: absolute deviation
~ **angulaire**: (él) angular displacement, phase angle
~ **de consigne**: deviation from ordered value
~ **de couleur**: offshade
~ **de phase**: phase deviation, phase departure, phase excursion, phase swing
~ **de température**: temperature difference
~ **diaphonique**: signal-to-crosstalk ratio
~ **en moins**: (stats) lower deviation, negative deviation
~ **en plus**: (stats) upper deviation, positive deviation
~ **en portée**: (tir) error in range
~ **énergétique**: energy gap
~ **entre porteuses**: carrier separation
~ **entre tête et disque**: flying height
~ **inférieur**: lower deviation
~ **moyen**: mean deviation
~ **moyen absolu**: absolute mean deviation
~ **moyen de température**: mean temperature difference
~ **quadratique moyen**: root mean square deviation, rms deviation
~ **supérieur**: upper deviation
~ **type**: standard deviation

écartement *m* : gap, separation, space, spacing; (voie de chdef) gauge; (distance d'axe en axe) pitch (of holes, of rivets)
~ **d'une voie**: track gauge
~ **des contacts**: (él) break distance
~ **des cylindres**: (laminage) roll clearance, roll opening, nip, bite

~ des électrodes: air gap; (autom) spark gap, electrode gap
~ des vis platinées: contact breaker points gap
~ entre contacts: contact clearance
~ entre cylindres: gap, nip
~ normal: (chdef) standard gauge
~ variable: uneven spacing

écartomètre *m* : deviation indicator

échafaud *m* : scaffold

échafaudage *m* : scaffold, scaffolding; stage, staging
~ volant: cradle, flying scaffolding, hanging stage

échancrure *f* : cutaway, cutout; (de la côte) indentation

échange *m* : exchange; (d'information) exchange, interchange; (de matériel) swap[ping] (of equipment)
~ continu d'ions: continuous ion exchange
~ d'ions: ion exchange
~ standard: (de pièces) standard replacement; trade-in
~ thermique: heat exchange, heat transfer

échangeur *m* : exchanger; (route) interchange
~ air-air: air-to-air exchanger
~ d'ions à lit fixe: fixed-bed ion exchanger
~ de cations: cation exchanger
~ de chaleur: heat exchanger
~ en losange: diamond interchange
~ en trèfle: cloverleaf interchange
~ liquide-liquide: liquid-to-liquid exchanger
~ solaire: solar exchanger

échantillon *m* : sample, specimen; (de tissu) swatch; (ardoise, tuile) exposure
~ aléatoire: random sample
~ biaisé: (ayant erreur systématique) biased sample
~ de contrôle: check sample
~ dédoublé: duplicated sample
~ des membrures: (mar) scantling of frames
~ isolé: spot sample
~ moyen: average sample
~ pour essai: test sample
~ pris au hasard: random sample
~ pris sur bobine: reel sample
~ réduit: subsample
~ représentatif: true sample, fair sample, representative sample

~ témoin: check sample, control sample
~ vocal: speech sample
d'~: (bois, brique, pierre) of standard dimensions, dimension

échantillonnage *m* : sampling
~ à plusieurs degrés: multistage sampling
~ au hasard: random sampling
~ bloqueur: (tcm) sample and hold
~ de matériaux non individualisés: bulk sampling
~ en chaîne: chain sampling
~ progressif: sequential sampling
~ systématique: periodic sampling

échantillonneur *m* : sampler; (pétr) thief [tube]
~-bloqueur: sample and hold
~ de fond: (pétr) bottomhole sample taker

échappement *m* : (dégagement) emission, eduction, egress; (de gaz) escape; (de moteur) exhaust; (horloge) escapement
~ de la vapeur: steam exhaust
~ en transmission de données: data link escape
~ libre: open exhaust

écharpe *f* : cross brace, diagonal brace

échaudoir: scalding room, scalding tub

échauffement *m* : rise in temperature, temperature rise; heat build-up, heating [up]; fermentation
~ anormal: overheating
~ par contact: contact heating

échelle *f* : ladder, step ladder; (d'instrument, de plan) scale
~ à coulisse: extension ladder
~ à poissons: fish ladder, fish pass
~ de commandement: (mar) accommodation ladder
~ de corde: rope ladder
~ de coupée: accommodation ladder, gangway ladder
~ de dureté: hardness scale
~ de gris: grey scale
~ de marée: tide gauge GB, tide gage NA
~ de réduction: (d'un plan) reduction scale
~ de représentation: plotting scale
~ de reproduction: image scale
~ de sensibilité: (phot) speed scale
~ de tirant d'eau: water marks, draught marks

~ **de tons**: tonal range
~ **des temps**: time scale
~ **graduée**: graduated scale
~ **logarithmique**: log log scale
~ **mobile**: gliding scale, sliding scale
~ **semi-logarithmique**: log scale
~ **tangentielle**: tangent scale
à ~ **réduite**: scaled down
à ~**s multiples**: (instrument) multi-scale
à l'~: [true] to scale

échelon *m* : rung (of ladder); step iron (of manhole); (stade, étape) step, stage, level

échelonnement *m* : staggering, stepping; (des commandes) calling off

écho *m* : echo; (radar) return; (tv) ghost, ghosting
~ **de défaut**: flaw echo, defect echo
~ **de fond**: bottom echo
~ **de mer**: sea return
~ **de sol**: ground echo, ground return
~ **diffus**: scatter echo, spread echo
~ **faux**: false echo, indirect echo, side echo
~ **ponctuel**: (radar) dot echo
~ **secondaire de radar**: second trace echo
~**s parasites**: (radar) clutter

échosondage *m* : echo sounding

échosondeur *m* : echo sounder, sonic depth finder

échouage *m* : stranding, running aground, grounding, beaching

échouer: to fail; (mar) to ground, to run aground

éclair *m* : flash of light, [flash of] lightning
~ **en nappe**: sheet lightning
~ **ramifié**: forked lightning

éclairage *m* : lighting
~ **à feux croisés**: cross lighting
~ **code**: (autom) dipped beam, low beam
~ **d'ambiance**: background lighting
~ **de fond**: (cin) backlighting
~ **de la voie publique**: street lighting
~ **de remplacement**: standby lighting
~ **de secours**: emergency lighting
~ **en corniche**: cove lighting
~ **faible**: dim light
~ **inactinique**: (phot) safe light
~ **indirect**: concealed lighting, indirect lighting

~ **intérieur**: indoor lighting
~ **par bandes lumineuses**: strip lighting
~ **par gorge lumineuse**: cove lighting
~ **par la tranche**: edge lighting, side lighting
~ **par projecteurs**: floodlighting
~ **prédominant**: key lighting
~ **rasant**: edge lighting
~ **route**: (autom) country beam, high beam
~ **scénique**: stage lighting
~ **urbain**: street lighting
~ **zénithal**: top lighting

éclairagisme *m* : lighting engineering

éclairagiste *m* : light[ing] engineer

éclaircir: (des plantes) to thin out

éclairé: lit GB, lighted NA, lit up

éclat *m* : (fragment) chip, splinter; (de projectile) splinter; (reflet de lumière) glare, gloss, shine; (de couleur) brightness
~ **d'obus**: piece of schrapnel
~**s de verre**: flying glass; broken glass

éclaté *m* : exploded view

éclatement *m* : explosion, bursting, rupture; (dispersion) scatter, fanning; (division) break-up, split-up
~ **de jet**: jet pluming
~ **de nomenclature**: parts explosion
~ **de pneu**: tyre burst, tyre blowout

éclater: to burst, to explode; (bombe, obus) to burst, to explode, to blow up; (pneu) to burst, to blow up; (inf) to scatter, to unpack (data)

éclateur *m* : (él) arrester, arrestor, spark gap; lightning protector, lightning arrester; (inf) burster, detacher
~ **à air**: gap arrester, air gap protector
~ **à boules**: sphere gap
~ **à cornes**: horn gap
~ **à étincelles**: spark gap
~ **à étincelles amorties**: quenched spark gap
~ **à gaz**: gas tube protector
~ **à sphères**: sphere gap
~ **de protection**: protective gap, isolating gap
~ **pare-étincelles**: spark quencher, spark extinguisher, spark arrester

éclatomètre *m* : bursting [strength] tester

éclipsable: retractable

éclipse f : eclipse
à ~s: flashing

éclisse f : splice bar, splice plate, butt strap, fishplate

éclore: (œuf) to hatch; (fleur) to open, to bloom

écloserie f : hatchery

ECN → espèce chimique nouvelle

écocide m : ecocide

écologie f : ecology

écologique: écological

écolyseur m : applied ecologist, environmental analyst

économie f : (de temps, d'argent) saving
~ d'énergie: energy conservation
~ rurale: rural economy, farming economy

économiseur m : economizer

écope f : bailer

écorce f : (d'arbre) bark; (d'agrume) peel, rind; (de riz) husk

écorché m : cutaway drawing

écorcheur m : (en abattoir) skinner

écossage m : (de légumineuses) podding, shelling

écosystème m : ecosystem

écotone m : ecotone

écotype m : ecotype

écoulement m : (d'un fluide) flow; (d'appareil sanitaire) waste; (de la circulation) traffic flow, handling of traffic; (de marchandises) disposal
~ à surface libre: open channel flow
~ d'averse: storm runoff
~ avec effet bouchon: plug flow
~ centripète: centripetal flow, outside-in flow
~ centrifuge: centrifugal flow, inside-out flow
~ complexe: pattern flow
~ de retour: backflow
~ de surface: (des eaux de pluies) [surface] runoff

~ dénoyé: free flow
~ diphasique: two-phase flow
~ direct: straight flow
~ divisé: split flow
~ du trafic: (tél) traffic flow, call handling, traffic routing
~ en charge: gravity flow
~ en phase multiple: multiple-phase flow
~ en régime moléculaire: molecular flow
~ en régime instable: slug flow
~ en régime turbulent: turbulent flow
~ en retour: backflow
~ goutte à goutte: trickle, trickling
~ irrotationnel: irrotational flow
~ laminaire: laminar flow
~ libre: unrestricted flow; gravitational flow; (conditionnement) free flow
~ lisse: smooth flow
~ non stationnaire: non-stationary flow GB, unsteady flow NA
~ par gravité: gravitational flow
~ permanent: steady flow
~-piston: piston flow, slug flow
~ permanent: steady flow
~ plastique: plastic flow
~ polyphasique: multiphase flow
~ restitué: return flow
~ souterrain: groundwater flow
~ stable: steady flow
~ sublaminaire: slow flow
~ tampon: plug flow
~ torrentiel: supercritical flow
~ tourbillonnaire: eddy flow
~ tranquille: subcritical flow
~ transversal: cross flow
~ turbulent: turbulent flow
~ varié permanent: steady non-uniform flow
~ visqueux: viscous flow

écouler: to carry, to handle (traffic); to handle (telephone calls); (des marchandises) to sell [off], to dispose of; s'~: (fluide) to flow; (temps) to elapse
faire ~ l'eau: to drain water [off]

écoute f : listening; (tél) intercept, monitoring; (de bande, de disque) playback; (de voile) sheet
~ clandestine: (des conversations) [phone] tapping
~ collective: group listening
~ de contrôle: (tél) monitoring
~ de grand'voile: mainsheet
~ téléphonique: wire tapping

écouteur m : (casque) headphone; (tél) receiver
~ d'oreille: ear piece, earphone

écoutille *f* : hatch, hatchway

écran *m* : screen; (d'instrument, d'ordinateur) screen, display; (protecteur) shield; (de sérigraphie) stencil, screen; (de radar) scope
~ **à cristaux liquides**: liquid crystal display
~ **à liquide**: liquid crystal display
~ **à plasma**: [gas] plasma display
~ **absorbant**: dark trace screen
~ **acoustique**: acoustic baffle
~ **anti-arc**: insulating barrier
~ **anti-bruit**: noise barrier
~ **antimagnétique**: magnetic screen
~ **cathodique**: cathode screen
~ **coloré**: (phot) colour filter
~ **d'affichage**: screen, display
~ **de contrôle**: monitor
~ **de saisie**: entry screen
~ **de soudeur**: face shield
~ **diffuseur**: diffusing screen
~ **divisé**: split screen
~ **en palplanches**: sheet piling, sheet pile wall
~ **graphique**: graphic display
~ **gris-neutre**: neutral density filter
~ **inclinable et orientable**: tilt-and-swivel screen
~ **magnétique**: magnetic shield, magnetic screen
~ **multifunction**: multi-purpose display
~ **orientable**: swivel screen
~ **pare-chaleur**: heat shield
~ **partiel**: thin-window display
~ **plat**: flat screen
~ **radar**: radar scope, radar display
~ **réduit**: thin-window display
~ **segmenté**: split screen
~ **tactile**: touch screen
~ **témoin**: monitor
~ **thermique**: heat shield

écrasement *m* : crushing; (de chaudière, de filtre) collapse
~ **de tête**: (inf) head crash

écrémage *m* : skimming

écrémer: to skim, to remove (the cream); (le laitier) to slag off

écrémeuse *f* : separator, creamer

écrêtage *m* : (él) [peak] clipping, peak limiting, chopping

écrêteur *m* : amplitude limiter, chopper, clipper, limiter, limiting device
~ **de bruits**: noise killer, noise limiter

écrevisse *f* : crayfish

écrire: to write

écriture *f* : writing; (inf) write, writing; ~s: paperwork
~ **de labels**: (inf) labelling
~ **directe**: (inf) demand writing
~ **permise**: write enable
~ **unique**: write once

écrou *m* : nut
~ **à ailettes**: thumbnut, finger nut
~ **à billes**: ball nut
~ **à chape**: cap nut
~ **à chapeau**: box nut, cap nut, acorn nut
~ **à collet**: collar nut, flanged nut
~ **à créneaux**: castle nut, castellated nut, slotted nut
~ **à embase**: collar nut, flanged nut
~ **à encoches**: slotted nut
~ **à épaulement**: shouldered nut
~ **à mâchoires**: clasp nut
~ **à œillet**: ring nut
~ **à oreilles**: wingnut, thumbnut, finger nut, butterfly nut
~ **à portée sphérique**: domed nut
~ **à quatre pans**: square nut
~ **à rotule**: knuckle nut
~ **à six pans**: hexagonal nut
~ **à trous**: (se vissant à la broche) tommy nut
~ **autofreiné**: jack nut, locknut, self-locking nut
~ **bas**: shallow nut, thin nut
~ **borgne**: acorn nut, cap nut, box nut
~ **calotte**: acorn nut
~ **cannelé**: serrated nut
~ **carré**: square nut
~ **crénelé**: castellated nut, castle nut, slotted nut
~ **creux**: box nut, gland nut
~ **de blocage**: check nut, back nut, jam nut
~ **de montage**: pilot nut
~ **de presse-étoupe**: gland nut
~ **de pression**: set nut
~ **de serrage**: clinch nut, hold-down nut
~ **de traversée de cloison**: bulkhead nut
~ **décolleté**: bright nut, machine nut
~ **fendu**: split nut
~ **foiré**: stripped nut
~ **haut**: deep nut
~ **moleté**: knurled nut, milled nut
~ **noyé**: flush nut
~ **orientable**: swivel nut
~ **papillon**: butterfly nut, finger nut, fly nut, thumbnut, wingnut
~ **prisonnier**: captive nut
~**raccord**: coupling nut, union nut, hollow nut, nipple nut, sleeve nut

~ **rapide**: speed nut
~ **six pans**: hexagonal nut
~ **taraudeur**: die nut
~ **tendeur**: adjusting nut

écroui: hard

écrouissage *m* : cold hardening, cold work, strain hardening, work hardening, hammer hardening

écroulement *m* : collapse (constr)

écroûter: (des lingots, des billettes) to peel, to scalp

écru: (pap, tissu) unbleached; (coton) grey

ectoparasite *m* : ectoparasite

ectoplasme *m* : ectoplasm

écumage *m* : scumming, skimming; (du laitier) slag removal, slagging

écume *f* : scum

écumoire *f* : skimmer

écusson *m* : escutcheon (bearing name)

éditeur *m* : publisher; (inf) editor
~ **de liens**: linkage editor, linker
~ **de textes**: text editor
~ **pleine page**: screen editor

édition *f* : publishing; (de journal) edition; (de document) issue; (d'un texte, gg/bm) editing
~ **assistée par ordinateur ▶ EAO**: desktop publishing
~ **d'états**: report writing
~ **électronique**: desktop publishing

éducatif: educational

édulcorant *m* : sweetener; *adj* : sweetening
~ **acalorique**: non-nutritive sweetener
~ **de charge**: bulk sweetener
~ **intense**: intense sweetener

édulcoration *f* : sweetening

effaçable: erasable
~ **par ultra-violets**: UV-erasable

effacement *m* : erase, erasure, cancellation, deletion, delete, clearing
~ **du voyant**: cancellation of indicator

effacer: (avec une gomme) to erase, to rub out; (inf) to cancel, to delete, to erase, to wipe out, to scratch; (l'écran) to clear; (occulter) to blank [out]; (une interdiction) to override

effecteur *m* : (gg/bm, rob) effector

effectif *m* : size (of batch, of sample); *adj*: actual; ~**s**: (personnel) number of staff, labour force GB, labor force NA, manpower, staff, workforce, payroll
~ **de l'échantillon**: sample size
~ **du lot**: lot size, batch size
~ **total moyen contrôlé**: average total inspection

effet *m* : action, effect
~ **capillaire**: capillary action
~ **d'écho**: ghost
~ **d'écran**: screening effect, shadowing; (galvanoplastie) shielding
~ **d'empreinte [magnétique]**: print-through
~ **d'entaille**: notch effect
~ **d'ombrage**: shading
~ **de bande**: banding
~ **de bond**: (ondes réfléchies) skip effect
~ **de bord**: edge effect
~ **de canalisation**: streaming effect
~ **de charge superficielle**: surface charge effect
~ **de couple**: torque reaction
~ **de couronne**: corona [effect]
~ **de dosage**: [gene] dosage effect
~ **de grenaille**: (valve) shot effect, shot noise
~ **de halo**: (tv) halation
~ **de levier**: lever action, leverage
~ **de mer**: (radar) sea clutter
~ **de neige**: (tube cathodique) snow
~ **de paroi**: wall effect
~ **de peau**: (él) skin effect; (sdge) pinch effect
~ **de phosphorescence**: afterglow
~ **de pincement**: pinch effect
~ **de position cis-trans**: cis-trans [position] effect
~ **de position d'un gène**: gene position effect
~ **de proximité**: proximity effect
~ **de puits**: sink effect
~ **de ressort**: cushioning, springiness
~ **de saut**: (ondes réfléchies) skip effect
~ **de serre**: greenhouse effect
~ **de silo**: arch effect, arch action, arching
~ **de striction**: pinch effect
~ **de surface**: skin effect, surface effect

~ **de trompe**: suction effect
~ **de vague**: surge effect (in tank)
~ **de voisinage**: proximity effect
~ **de voûte**: arch effect, arch action, arching
~ **du décalage horaire**: jetlag
~ **dynamique**: ram effect
~ **génétique**: genetic effect
~ **génétique additif**: additive gene effect
~ **hyperchromique**: hyperchromicity
~ **local**: (tél) sidetone
~ **pelliculaire**: skin effect
~ **photoélectrique externe**: photo-emissive effect
~ **photoélectrique interne**: photo-conductive effect
~ **secondaire**: side effect
~ **total**: gross effect
~ **ultérieur**: aftereffect
~ **utile**: efficiency

efficacité f : efficiency, performance
~ **d'un modérateur**: moderating ratio
~ **énergétique**: energy [conversion] efficiency
~ **spectrale**: (f.o.) spectral responsivity

effilement m : tapering, taper ratio

efflorescence f : (sur peinture, sur plastique) bloom; (sur maçonnerie) scum

effluent m : effluent
~ **gazeux**: off-gas
~ **industriel**: industrial waste
~ **terminal**: (épuration) final effluent

effluve f : glow, glow discharge, luminous discharge
~ **en couronne**: corona

effondrement m : (constr) collapse, failure; (du sol) subsidence; (de roches) cave-in; (sdge) burn-through
~ **de proche en proche**: progressive collapse
~ **en chaîne**: progressive collapse

effort m : load, stress
~ **à la traction**: tensile stress
~ **au crochet**: drawbar pull
~ **au tambour**: hoist load
~ **de cisaillement**: shear[ing] stress
~ **de compression**: crushing stress
~ **de déviation**: deflecting force (of an instrument)
~ **de flambage**: buckling stress
~ **de flexion**: flexural load, bending stress
~ **de torsion**: torsional stress

~ **de traction**: tensile load, tensile stress; (locomotive) pulling power, tractive power
~ **moteur**: motive force
~ **ondulé**: pulsating load, pulsating stress
~ **pulsatoire**: pulsating stress
~ **tranchant**: shear force, shear[ing] load

effraction f : break-in
~ **informatique**: computer hacking

effritement m : (de peinture) crumbling; (de pierre) spalling

égalisation f : equalization, equalizing; (d'une surface) levelling, smoothing; (métall) soaking

égaliser: to equalize; (le sol, une surface) to level, to make even; (lisser une surface) to smooth [down]; (des charges) to compensate

égalité f : equality; (d'une surface) smoothness, evenness, levelness; (de rythme) regularity

égermage m : degermination

égout m : (privé) drain, (public) sewer; (de bord de toit) eaves; (pan de toit) slope
~ **collecteur**: main sewer, trunk sewer
~ **d'orage**: storm sewer, storm drain
~ **de décharge**: outfall sewer
~ **de trop-plein d'orage**: storm-overflow sewer
~ **ovoïde**: egg-shaped sewer
~ **pluvial**: storm sewer
~ **principal**: main sewer, trunk sewer
~ **sémi-séparatif**: partially separate sewer
~ **unitaire**: combined sewer

égoutier m : sewerman

égouttage m : dripping, draining, dewatering

égrappage m : removal of the stalks, stalking; (du raisin) stripping

égrenage m : (du coton) ginning; (de légumineuse) shelling, podding

éjecter: to eject; (d'une presse) to knock out; (de la mémoire) to kick out

éjecteur m : ejector; (de presse) knock-out

~ **à gaz**: gas: gas ejector
~ **d'air**: air ejector
~ **trompe**: jet pump
~ **tubulaire**: sleeve ejector

éjection f : ejection
~**s volcaniques**: ejecta

élaboration f : (production industrielle) development, processing; (métall) smelting
~ **de l'acier**: steelmaking

élaborer: to work out (a solution, a design), to develop (a computer programme); (métall) to make (steel)

élagage m : (d'arbre, IA) pruning

élargissement m : widening; (de trou) enlargment; (de route) widening
~ **d'impulsion**: pulse broadening

élasticité f : elasticity; (d'une surface) springiness
~ **de cisaillement**: elasticity in shear
~ **de fonctionnement**: flexibility (of a machine)
~ **différée**: delayed elasticity

élastique: elastic; resilient, yielding; (contact, goupille) spring

élasto-plastique: elastic plastic

élastomère m : elastomer

élatérite f : elaterite

électricien m : electrician, electrical engineer

électricité f : electricity, [electric] power

électrificateur m **de clôture**: fencer unit

électroaimant m : electromagnet
~ **à noyau feuilleté**: laminated magnet
~ **à noyau plongeur**: solenoid
~ **de levage**: lifting magnet
~ **de retenue**: holding magnet, holding electromagnet
~ **feuilleté**: laminated magnet

électroanalyse f : electroanalysis

électrochimique: electrochemical

électrocopie f : xerography

électrode f : electrode
~ **à auto-cuisson**: self-baking electrode

~ **à éponge**: doctor GB, sponge electrode NA
~ **à gaz**: gas electrode
~ **à goutte**: hanging mercury electrode, dropping mercury electrode
~ **à plaque**: plate electrode
~ **à pointe**: point electrode
~ **au calomel**: calomel electrode
~ **d'amorçage**: primer, trigger electrode
~ **d'émetteur**: emitter electrode
~ **de déviation**: deflecting electrode, deflector
~ **de focalisation**: concentration electrode, concentrator
~ **de graphite**: graphite electrode
~ **de masse**: earth[ing] electrode GB, ground[ing] electrode
~ **de post-accélération**: intensifier electrode
~ **de sole**: bottom electrode (of arc furnace)
~ **de soudage par points**: spot welding electrode, tip electrode
~ **enrobée**: coated electrode, covered electrode
~ **multiple**: polyelectrode
~ **nue**: bare wire electrode, uncoated electrode
~ **plaquée**: plated electrode
~ **post-accélératrice**: (tube cathodique) intensifier
~ **torsadée**: spiral-wound electrode
~ **trempée**: dipped electrode

électrodéposition f : [electro]plating

électrodialyse f : electrodialysis

électrodistributeur m : solenoid valve block assembly

électrodynamique f : electrodynamics

électrofiltre m : (pollution) electric separator

électrofondu: electrocast

électroformage m : electroforming

électrofrein m : brake magnet, brake solenoid

électroluminescent: electroluminescent

électrolyse f : electrolysis

électrolyseur m : electrolyzer

électrolyte m : electrolyte
~ **gélifié**: gelled electrolyte

électromagnétique ► em: electromagnetic

électroménager *m* : household electrical appliances, domestic electrical appliances

électromère *m* : electromer

électromoteur: electromotive

électron *m* : electron
  - ~ **célibataire**: lone electron
  - ~ **de choc**: impact electron
  - ~ **de conduction**: conduction electron
  - ~ **de fuite**: runaway electron
  - ~ **de valence**: valence electron
  - ~ **découplé**: runaway electron
  - ~ **interne**: inner shell electron
  - ~ **liant**: bonding electron
  - ~ **optique**: outer shell electron
  - ~ **orbital**: orbital electron
  - ~ **périphérique**: outer shell electron
  - ~ **planétaire**: orbital electron
  - ~ **tournant**: spinning electron

électronique *f* : electronics; *adj* : electronic, electron
  - ~ **aérospatiale**: avionics
  - ~ **de puissance**: power electronics
  - ~ **grand public**: consumer electronics
  - ~ **spatiale**: astrionics

électrophone *m* : record player

électrophorèse *f* : electrophoresis
  - ~ **en gel**: gel electrophoresis
  - ~ **en gel d'acrylamide**: acrylamide electrophoresis
  - ~ **en gel d'agarose**: agarose gel electrophoresis
  - ~ **en gel de polyacrylamide**: polyacrylamide electrophoresis
  - ~ **sur gel**: gel electrophoresis

électroporation *f* : electroporation

électropince *f* : clamp-on meter

électroplastie *f* : [electro]plating

électropompe *f* : electric pump, motor pump

électrorobinet *m* : solenoid valve

électrosidérurgie *f* : electric steel production

électrotechnique *f* : electrical engineering, electric industry

électrothermie *f* : electroheat

électrovanne *f* : solenoid valve

électroventilateur *m* : electric fan

EIAO → **enseignement intelligemment assisté par ordinateur**

élément *m* : (chim) element; (d'un tout) item, unit; (méc) component; (de fourniture, d'un dossier) item; (d'une structure) member; (d'accumulateur) cell
  - ~ **à chapelets**: (inf) bucket brigade device
  - ~ **à deux liquides**: two-fluid cell
  - ~ **à remplacement rapide**: quick-change unit
  - ~ **chargé**: active cell
  - ~ **combustible**: fuel element
  - ~ **constitutif**: component, constituent
  - ~ **d'accumulateur**: accumulator cell, battery cell, storage cell
  - ~ **d'addition**: alloy addition, alloying element
  - ~ **d'information**: item of information
  - ~ **d'un tableau**: (inf) array component
  - ~ **de chauffage**: heater element
  - ~ **de construction**: building component, structural component
  - ~ **de contact**: (él) contact member
  - ~ **de coupure**: (él) breaking unit
  - ~ **de filtre**: filter section
  - ~ **de fixation**: fastener
  - ~ **de guide d'ondes**: waveguide section, waveguide component
  - ~ **de langage**: (inf) language construct
  - ~ **de maçonnerie**: masonry unit
  - ~ **de matrice**: (inf) array element
  - ~ **de mémoire**: memory element
  - ~ **de rangement**: storage unit
  - ~ **de signal**: signal component
  - ~ **de substitution**: replacement component
  - ~ **équipé**: assembly
  - ~ **filtrant à écoulement centripète**: outside-in flow element
  - ~ **habillé**: assembly
  - ~ **logique**: logic element
  - ~ **moteur**: driving member
  - ~ **non alimenté**: passive element
  - ~ **porteur**: strength member
  - ~ **préfabriqué**: (constr) [prefabricated] unit
  - ~ **témoin**: pilot cell, control cell
  - ~ **transposable**: (gg/bm) transposable element, transposon, mobile element

élevage *m* : breeding, rearing, animal husbandry
  - ~ **avicole**: poultry farming; poultry farm, chicken farm
  - ~ **de mouton**: sheep raising
  - ~ **du bétail**: cattle breeding, cattle farming

élévateur *m* : elevator (bucket type), hoist
~ **à balancelles**: skip hoist
~ **à godets**: bucket elevator
~ **à godets continus**: belt-and-bucket elevator, continuous bucket elevator
~ **de bateaux**: ship hoist
~ **de cuve**: tank lifter
~ **de fréquence**: up converter
~ **de tubage**: (pétr) casing elevator
~ **vertical à godets**: vertical bucket elevator

élévation *f* : rise; (dessin technique, tir) elevation; (géogr) height, rise
~ **à une puissance**: exponentiation
~ **au-dessus du repère**: (topographie) altitude
~ **de la température**: rise in temperature, temperature rise
en ~: (constr) above grade

élève *m* : (personne) pupil; (élevage) rearing animal; (horticulture) seedling

éleveur *m* : breeder, stock farmer

élever: to erect, to raise; (des animaux) to rear, to breed; **s'**~: to rise
~ **à une puissance**: to raise to à power
~ **au carré**: to square, to raise to the square
~ **au cube**: to cube, to raise to the cube

élevon *m* : elevon

éliminateur *m* : eliminator; (de parasites) suppressor
~ **de bande**: band rejection filter
~ **de brouillage**: noise suppressor
~ **de signaux parasites**: anti-clutter device

élimination *f* : elimination, deletion
~ **d'échos parasites**: (radar) clutter rejection
~ **d'un défaut**: fault clearance
~ **des déchets**: waste disposal
~ **des odeurs**: odor control, odour removal
~ **des taudis**: slum clearance
~ **du laitier**: deslagging

éliminer: to eliminate, to remove; (les erreurs) to clean up, to purge, to weed out; (des animaux) to cull
~ **par filtration**: to filter out
~ **les erreurs**: (d'un texte) to edit out
~ **les parasites**: to suppress
~ **par décalage**: (inf) to shift out

~ **par lavage**: to wash off
~ **par masque**: to mask out

élinde *f* : bucket ladder
~ **de drague**: dredging ladder

élingue *f* : sling

ellipsoïde *m* : ellipsoid; *adj* : ellipsoidal
~ **de révolution**: ellipsoid of revolution

élongation *f* : elongation
~ **de la chaîne**: (gg/bm) chain elongation

éluant *m* : eluent, eluant

éluer: to elute

élution *f* : elution

élutriateur *m* : (gg/bm) cell sorter

élutriation *f* : elutriation

élutrier: to elutriate

éluvion *f* : (géol) eluvium

em → **électromagnétique**

émail *m* : enamel
~ **au four**: stove enamel GB, stove finish, baked finish NA
~ **vitrifié**: vitreous enamel GB, porcelain enamel NA

émaillage *m* : enamelling GB, enameling NA
~ **au poudré**: powder enamelling, dry enamelling
~ **au trempé**: dip enamelling, dipping, wet enamelling

émanation *f* : efflux (of gas)

emballage *m* : wrapping, packing (of goods); pack, package, packaging
~ **à fenêtre**: window pack
~ **à poignée**: handy pack
~ **à sens unique**: one-way package
~ **au mètre**: strip packaging
~ **avec bande de déchirure**: tear-strip packaging
~ **avec ouverture pelable**: peel-open package, peel-back package
~ **barrière**: barrier pack
~ **d'expédition**: transport package, shipping container
~ **d'origine**: original packing
~ **familial**: family pack
~ **groupé**: cluster pack

~ inviolable: tamper-resistant pack, tamper-evident pack
~ jetable: disposable package
~ moulant: skin packaging
~ par rétraction: shrink wrapping, shrink packaging
~ perdu: expendable packing, one-way package, non-returnable packing, throw-away package, disposable package
~-portion: portion-package, single-serve package
~ pour usage unique: single-trip package
~ primaire: master container
~ sous film: film wrapping
~ sous vide: vacuum packaging

emballement *m* : (de moteur) racing; (nucl) runaway; (inf) thrashing

emballer: to wrap [up], to pack; (des données) to encapsulate

embarqué: in-vehicle, shipborne, in-flight, on board; (sur porte-avions) carrier-based, carrier-borne

embarquement *m* : (mar) boarding, embarkation; (aéro) boarding, enplaning; (chdef) boarding, entraining; (dans camion) entrucking; (de marchandises) loading

embarquer: to board, to embark, to enplane; (des marchandises) to take on board, to load

embarreur *m* : (usinage) bar feed, rod feed

embase *f* : baseplate, base; (d'arbre, de vis) collar; (de filtre) mounting flange; (de machine) baseplate, soleplate
~ de la canette: (filature) cop base, cop bottom
~ de montage: valve manifold
~ de pylône: stub [of a tower]

embiellage *m* : link mechanism, linkage [assembly], connecting rod assembly
~ à cardan: universal joint linkage
~ de commande: actuating rods

emboîtable: nestable

emboîtement *m* : (de tuyaux) faucet joint, spigot joint; (inf) nesting
~ à tulipe: socket joint GB, bell NA
~ soudé: socket weld
à ~: spigot-and-socket

emboîter: to fit in, to nest, to set in, to fit into

emboîture *f* : engagement (of pipe socket)
~ simple: single socket

embouchure *f* : mouth (of river); (orifice) mouthpiece

embout *m* : end piece, end cap; (de clé) adapter
~ à chape: clevis end
~ à œil: eye end, eye fitting
~ à rotule: rod end, ball joint
~ buccal: mouthpiece
~ de câble: cable cap, cable terminal
~ de levage: jacking pad
~ de tournevis: screwdriver bit
~ femelle: (de tuyau): socket end, faucet
~ fileté: threaded end
~ protecteur: (de câble) end bell, shipping seal, cable terminal
~ rotulaire: ball-and-socket endpiece
~ sphérique: ball end

embouteillage *m* : bottle filling, bottling; (trafic) traffic jam, bottleneck

embouti: pressed, stamped
~ à froid: cold pressed
~ profond: deep drawn

emboutissage *m* : pressing, press work, drawing, flanging, stamping; (autom) collision
~ profond: deep drawing
~ d'un fond: dishing

embranchement *m* : branch, junction, turnoff; (route) fork, turnoff; (chdef) branch line, siding
~ antenne: branch line, feeder line
~ particulier: private siding

embrayage *m* : clutch, coupling; engagement (of clutch), throwing into gear
~ à cône: cone clutch, cone coupling
~ à courroie: belt clutch, band clutch, strap clutch
~ à crabot: dog clutch
~ à disque[s]: plate clutch, disk clutch
~ à griffes: claw coupling
~ à mâchoires: jaw clutch
~ à manchon: sleeve coupling, box coupling
~ à particules magnétiques: magnetic particle clutch
~ à spirale: coil clutch
~ brutal: fierce clutch, grabbing clutch
~ d'avance: (m-o) feed clutch

~ **flexible**: flexible coupling
~ **hydraulique**: fluid coupling, hydraulic coupling
~ **monodisque**: single-disk clutch, single-plate clutch
~ **multidisque**: multiplate clutch, multidisk clutch
~ **qui patine**: slipping clutch

embrayer: to engage the clutch, to let in the clutch, to put into gear, to throw into gear; to take up the drive

embrayeur m : clutch lever, clutch fork
~ **de courroie**: striking gear, belt shifter

embrochable: plug-in

embryogénèse f, **embryogénie** f : embryogenesis, embryogeny

embryoïde: embryoid

embryon m : embryo
~ **somatique**: somatic embryo
~ **zygotique**: zygotic embryo

embryonnaire: embryonic

embu m : (peinture) flat spot

émerillon m : swivel (of chain), swivel block, swivel socket
~ **à billes**: ball swivel

émetteur m : (radio, tv) transmitter; (inf) originator; (éon) emitter; adj : transmitting, emitting, originating
~ **à arc**: arc transmitter
~ **à bande latérale indépendante**: independent sideband transmitter
~ **à DEL**: light emitting diode source
~ **à éclateur**: spark [gap] transmitter
~ **à étincelles**: spark [gap] transmitter
~ **à la masse**: grounded emitter
~ **à quartz**: crystal-controlled transmitter
~ **automatique d'indicatif**: (tél) answerback unit
~ **bêta**: beta emitter
~ **brouilleur**: disturbing transmitter, jamming transmitter
~ **commun**: common emitter
~ **d'informations**: information source
~ **de bord**: (mar) ship's transmitter; (aéro) on-board transmitter
~ **de l'appel**: (tél) call originator
~ **de rayonnement**: radiation emitter
~ **DEL**: LED source
~ **DL**: laser diode source
~ **laser**: laser transmitter

~ **mobile**: mobile radio unit, mobile transmitter
~ **optique**: light source, optical emitter
~ **piloté**: driven transmitter, driven sender
~ **relais**: repeater station, relay transmitter
~ **terre/espace**: ground-to-space transmitter

émetteur-récepteur m : transceiver; adj: transmit-receive, send-receive
~ **de satellite**: satellite transponder

émetteur-suiveur m : emitter follower

émettre: (un son) to emit; (de la chaleur) to emit, to generate, to radiate, to give out; (un message) to generate; (un document) to originate; (un faisceau) to beam; (des impulsions) to pulse; (radio, tv) to transmit; (tcm) to send, to transmit; (laser) to lase

émissaire m : outlet channel (of a lake)
~ **d'évacuation**: outfall sewer

émission f : (de chaleur, lumière) emission; (de chaleur) radiation, generation; (radio, tv) emission, broadcast, transmission; (tcm) send, sending; (d'impulsions) pulsing; (inf) generation, origination; (de billets) issue
~ **à onde porteuse supprimée**: suppressed carrier transmission
~ **de données**: data origination
~ **de la grille**: grid emission
~ **de télévision**: television broadcast, telecast
~ **de télévision par satellite**: satellite telecast
~ **de signaux**: sending of signal, signal[l]ing
~ **des gaz d'échappement**: exhaust gas emission
~ **électronique**: electron emission
~ **en différé**: prerecorded broadcast
~ **en direct**: live transmission, live broadcast
~ **ionique par champ électrique**: field ion emission
~ **par champ électrique**: field emission
~ **par ondes dirigées**: beam transmission
~ **parasite**: stray emission
~ **publique**: audience programme
~-**réception**: send-receive, transmit-receive
~ **sur bande latérale unique**: single sideband transmission

~ sur deux bandes latérales: double sideband transmission

emmagasinage *m* : storage, storing; (en réservoir) tankage
~ en vrac: bulk storage

emmanchement *m* : (de tuyaux) jointing, fitting; (méc) fit
~ à chaud: shrink fit
~ à la presse: press fit
~ doux: slip fit
~ dur: tight fit
~ serré: tight fit

empaquetage *m* : (gg/bm) packaging

empattement *m* : (autom) wheelbase; (chdef) axle base; (grue) distance between rollers; (constr) footing (of a wall); (plomberie) saddle; (graph) serif
~ long: long wheelbase
sans ~: sans serif

empeignage *m* : (tissage) reed width; reeding

empennage *m* : (d'un projectile) fins; (aéro) empennage, tail unit
~ horizontal: horizontal tail, horizontal stabilizer
~ vertical: vertical stabilizer, vertical tail

empierrement *m* : (route) macadam, metalling; (chdef) ballast, ballasting

empilage *m* : piling, stacking; pile, stack
~ de redresseurs: rectifier stack
~ de rondelles Belleville: disc spring pack
~ de tôles du noyau: (transformateur) core stackings

emplacement *m* : location, place, position, site, space
~ addressable: (inf) addressable location
~ préférentiel: preferred position

emplanture *f* : root (of blade, of wing); (de mât) step, socket

emploi *m* : use; job, occupation

empoissonnement *m* : stocking with fish (of pond)

emporte-pièce *m* : [hollow] punch; punching die, blanking die, cutting die

empotage *m* : packing, stuffing (of container); potting (plastic moulding)

empreinte *f* : impression, imprint; (fonderie, moulage) impression; (billage) indentation (hardness test); (d'antenne) footprint
~ à la nucléase: nuclease footprinting
~ acoustique: noise footprint
~ de niveau sonore: noise footprint
~ digitale: fingerprint
~ en plusieurs pièces: split cavity
~ génétique: genetic footprint, genetic fingerprinting
~ rapportée: cavity insert, die insert

emprésurage *m* : renneting

emprise *f* : area occupied by a road, by a building
~ au sol: site coverage
~ de la route: road allowance, road limits
~ des cylindres: (laminage) roll gap, roll opening, nip of rollers

emprunt *m* : (constr) borrow, borrow pit

émulateur *m* : emulator

émuler: to emulate

émulseur *m* : emulsifier (equipment)

émulsif: emulsifying

émulsifiable: emulsifiable

émulsifiant *m* : emulsifying agent, emulsifier; *adj* : emulsifying

émulsifier: to emulsify

émulsion *f* : emulsion
~ eau dans l'huile: water-in-oil emulsion
~ huile dans l'eau: oil-in-water emulsion
~ peu sensible: (phot) slow emulsion
~ thermosensible: thermosensitive emulsion

émulsionnable: emulsifiable

émulsionnant *m* : emulsifying agent, emulsifier; *adj* : emulsifying

émulsionner: to emulsify

encâblure *f* : cable length

encadré *m* : (graph) rule box

encadrement *m* : framing, border, trim; (de porte) casing; (fourchettage) bracketing
~ en filets: (graph) ruled border

encadrer: to frame; (graph) to box in
~ **un but**: to bracket a target
~ **un objectif**: to straddle a target

encaissage *m* : case packing

encaissement *m* : collecting (money)

encaisser: (emballage) to box, to pack into a case; (une force) to absorb, to withstand; (de l'argent) to collect

encapsidation *f* : (gg/bm) packaging

encapsidé: (gg/bm) packaged

encapsulage *m* : encapsulation, packing

encart *m* : inset, insert
~ **libre**: loose insert
~ **volant**: loose insert

encartonnage *m* : cartoning

encartonneuse *f* : carton filler

encastré: flush, flush-mounted, recessed, sunk, buried, built-in; (poutre) fixed, restrained

encastrement *m* : flush mounting; (de poutre) end fixity, end restraint
à ~ **élastique**: (constr) partially fixed, partially restrained

encastrer: to fit into, to set in, to let in; to embed; (poutre) to tail in; (tête de rivet) to countersink, to recess; (él) to mount flush

enceinte *f* : enclosure
~ **à vide**: vacuum tank, vacuum chamber
~ **acoustique**: speaker system; silencer
~ **d'insonorisation**: acoustic cabinet, acoustic enclosure, quietizer, silencer
~ **de confinement**: containment shell
~ **de haut-parleur**: [loud]speaker enclosure
~ **de travail**: (pétr) work enclosure

enchaînement *m* : concatenation, linkage, sequencing
~ **conditionné des touches**: (inf) rollover

enchaîner: to catenate, to concatenate, to link

enclenchement *m* : (méc) engagement, throwing into gear; (él) closing, closure (of circuit breaker, of switch), switching in, switching on; (de palplanches) clutch, interlock
~ **brusque**: snap closing
~ **d'approche**: approach locking (of relay)
~ **rapide**: quick make

enclencher: to throw into gear, to engage; to actuate, to cut in, to latch in, to switch in, to throw in, to trip (a switch)

encliquetable: clip-on, snap-in, snap-on

encliquetage *m* : catch, detent, pawl, click and ratchet device, ratchet motion; indexing mechanism (of rotary switch)
~ **anti-recul**: hill holder, reverse lock

encliqueter: to catch, to latch in

encoche *f* : nick, notch; (de rotor, de stator) slot
~ **d'induit**: armature slot
~ **de clavette**: cotter slot
~ **de protection**: (inf) write protection notch

encodage *m* : encoding

encollage *m* : application of adhesive, pasting, glu[e]ing; (text) slashing, sizing
~ **à plein**: full glu[e]ing
~ **par points**: spot glu[e]ing
~ **par raies**: strip glu[e]ing
~ **total**: full glu[e]ing

encolleuse *f* : gumming machine, pasting machine, paster; (text) slasher

encombrant: bulky

encombré: congested, crowded

encombrement *m* : (d'une machine) space requirement, overall dimensions, size, space factor, required space; (circulation) obstruction, congestion; (inf) occupancy (in memory), storage requirements
~ **au sol**: floor space, floor area, ground dimensions, plan dimensions
~ **en hauteur**: vertical height requirement
~ **en mémoire**: memory requirements
~ **progressif**: (principe des fluides) turnpike effect
~ **spatial**: space factor
~ **vertical**: headroom
d'~ **réduit**: space saving

encorbellement *m* : cantilever, overhang
  en ~: cantilever[ed]

en-cours *m* **de fabrication**: work in progress

encrage *m* : inking

encrassé: dirty; (filtre) choked; (bougie d'allumage) sooted; (radiateur) scaled

encrassement *m* : (de filtre) choking, clogging; (des contacts) contamination; (par la suie) sooting; (d'un piston) gumming up
  ~ charbonneux: (d'un moteur) carbonization

encre *f* : ink
  ~ à tracer: marking ink
  ~ de Chine: indian ink
  ~ ferme: stiff ink, strong ink
  ~ hélio: gravure ink
  ~ indélébile: indelible ink
  ~ primaire: (pour trichromie) tricolour ink, process ink

endive *f* : chicory (plant)

endoblaste *m* : endoblast, endoderm

endocarpe *m* : endocarp

endocrine: endocrine

endocrinien: endocrinal, endocrinous

endoderme *m* : endoderm, endoblast

endogène: endogenous

endonucléase *f* : endonuclease
  ~ de restriction: resctriction endonuclease

endoparasite *m* : endoparasite

endoplasme m: endoplasm

endosmose *f* : endosmosis

endosperme *m* : endosperm

endothermique: endothermic, endothermal

endroit *m* : place; (de tissu) right side; (d'ardoise) back

enduction *f* : (de tissu, de plastique) coating, spreading, rubber blanket spreading GB, blanket coating NA
  ~ à la brosse: brush coating
  ~ au trempé: dip coating

enduit *m* : coat, coating; (constr) plaster, rendering; *adj* : coated; (constr) plastered, rendered
  ~ antiévaporant: (ciment) curing membrane
  ~ auto-lissant: self-levelling coat
  ~ bouchardé: (constr) embossed plaster
  ~ brossé: brushed finish
  ~ de fermeture: sealing coating
  ~ de finition: cover coat
  ~ de surface: dressing, facing
  ~ deux couches: two-coat work
  ~ double face: double-coated
  ~ étanche: sealing coat
  ~ gélifié: gel coat
  ~ pour joints: jointing compound
  ~ superficiel: surface treatment
  ~ tampon: buffer coating
  ~ tramé: texture coating
  ~ tyrolien: Tyrolean finish, Tyrolian plaster

endurcissement *m* : hardening

énergétique *f* : energetics; *adj* : energy

énergie *f* : energy; (él) energy, power
  ~ à la bouche: (tir) muzzle energy
  ~ au choc: (tir) impact energy
  ~ au zéro absolu: zero point energy
  ~ captable: power potential
  ~ cinétique: kinetic energy, momentum
  ~ communiquée: energy imparted
  ~ consommée: absorbed energy, energy input, power consumption
  ~ coulombienne: coulomb energy
  ~ de déformation: strain energy
  ~ de la houle: wave energy
  ~ de liaison: binding energy
  ~ de substitution: alternative energy
  ~ débitée: power supplied, power output
  ~ douce: soft energy
  ~ électrique: electrical power
  ~ emmagasinée: stored energy
  ~ éolienne: wind power
  ~ éventuelle: (d'une centrale) non-firm power
  ~ fournie: energy input (to a machine)
  ~ fournie au réseau: input [energy] to network
  ~ géothermique: geothermal energy
  ~ hydraulique: hydraulic power, water power
  ~ hydraulique captable: harnessable water power
  ~ interne: strain energy
  ~ marémotrice: tidal power, tidal energy
  ~ massique: mass energy

~ **primaire totale** ▶ EPT: total primary energy
~ **produite**: energy output
~ **propre**: self-energy
~ **radiante**: radiant energy
~ **renouvelable**: renewable energy
~ **thermique**: heat energy
~ **thermique fournie**: heat input
~ **verte**: biomass energy, green energy

enfichable: plug-in, pluggable

enficher: to plug in

enfilage *m* : threading
~ **automatique**: autothread

enfoncement *m* : (en surface) depression, hollow, recess; (d'un clou) driving in; (tirant d'eau) water draught, immersion
~ **d'une touche**: key press, key depression

enfoncer: to press in, to push down; (une touche, un bouton) to depress; (un clou) to drive in
~ **à fond**: to press home
~ **à refus**: to drive home
~ **au marteau**: to hammer in
~ **une touche par erreur**: to mispress a key

enfoui: buried

enfouissement *m* : burying

enfournement *m* : charging (of coal), feeding (of furnace), loading (into kiln, into reactor)

enfourneur *m* : charging machine, loader

enfourneuse *f* : charging crane, loader

engagement *m* : (du papier dans une machine) threading; (mil) action

engin *m* : machine, tool, contraption, device; (balistique) missile
~ **à chenilles**: crawler, track layer
~ **blindé**: armoured vehicle GB, armored vehicle NA
~ **de terrassement**: earthmoving equipment, earthmover
~ **de traction**: (chdef) motor unit, tractive unit
~ **guidé**: guided missile
~ **intercontinental téléguidé**: intercontinental guided missile
~ **navire-sous-marin**: surface-to-underwater missile

~ **sol-air**: ground-to-air missile, surface-to-air missile
~ **sol-sol**: ground-to-ground missile, surface-to-surface missile
~ **spatial**: space vehicle, spacecraft
~ **téléguidé**: guided missile

engobe *f* : (céram) slip

engorgement *m* : (de filtre, de tuyau) choking, clogging, obstruction; (drainage) flooding, waterlogging

engrais *m* : fertilizer; fattening pasture
~ **azoté**: nitrogen fertilizer
~ **chimique**: artificial fertilizer, chemical fertilizer
~ **de poisson**: fish manure
~ **minéral**: mineral fertilizer
~ **vert**: green manure

engraissage *m*, **engraissement** *m* : (du sol) fattening, fertilizing, manuring; (d'animaux) fattening
~ **à l'herbage**: summer fattening
~ **en stabulation**: winter fattening

engrenage *m* : gear, gear pair, pair of gears, gear train, gear unit, gearing
~ **à arbres perpendiculaires**: right angle drive gear unit
~ **à crémaillère**: rack-and-pinion gear
~ **à denture hélicoïdale**: spiral gear
~ **à denture intérieure**: annular gear, internal gear
~ **à dentures à chevrons**: herringbone gear
~ **à fuseaux**: lantern gear
~ **à vis sans fin**: worm gear
~ **à vis globique**: curved worm gear, hourglass worm gear
~ **conique**: angular gearing, mitre gear
~ **cylindrique**: spur gear
~ **cylindrique sans déport**: standard gear set
~ **d'inversion**: reversing gear
~ **de commande**: master gear, bull gear
~ **de distribution**: (moteur) timing gear
~ **de renversement**: reversing gear
~ **de renvoi**: countergear
~ **démultiplicateur**: step-down gear
~ **droit**: spur gear
~ **épicycloïdal**: epicyclic gear, epicyclic train, planetary gear
~ **multiplicateur**: step-up gear
~ **parallèle à développante**: parallel involute gear
~ **planétaire**: planetary gear, sun-and-planet gear

~ **principal**: bull gear, master gear
~ **sous carter**: enclosed gear

engrené: meshed, in mesh, engaged, in gear

engrènement m : contact, engagement, engaging, meshing, coming into gear

engrener: to connect, to couple, to enmesh, to put into gear, to throw into gear; **s'~**: to engage, to catch in, to mesh

enjambement m : (gg/bm) crossing-over

enjoliveur m : (de bouton, de cadran) escutcheon; (autom) rim, bezel (of headlamp), wheel disk, wheel trim

enlèvement m : removal; (de marchandises) collection
~ **de copeaux**: stock removal
~ **de métal**: (usinage) machining, metal removing
~ **de pétrole**: oil lifting
~ **des ordures**: waste disposal
~ **des terrains de couverture**: stripping

enlever: to remove, to take off; (en coupant) to cut off; (des marchandises) to collect; (des matériaux) to cart away
~ **par frottement**: to rub off
~ **par fusion**: to melt out
~ **par usinage**: to machine down

enneigement m : snow fall (measurement)

ennoblissement m : processing; (text) conversion

enquête f : inquiry, enquiry, investigation; survey
~ **par sondage**: sample survey
~ **sur les lieux**: field study

en-queue m : (inf) trailer

enracinement m : rooting

enrayage m : (d'un mécanisme) jamming, locking

enrayer: (un mouvement) to check, to block; (roue) to lock, to skid; **s'~**: to jam, to lock

enregistré: recorded; (musique) canned, tinned

enregistrement m : record, recording; (inf) record, logging
~ **au laser**: laser beam recording
~ **de données**: data logging
~ **en double**: shadow recording
~ **en double densité**: double density recording
~ **en spirale**: (inf) serpentine recording
~ **image et son**: combined recording
~ **original**: master record; (son) master copy, master original
~ **par faisceau électronique**: electron beam recording
~ **par faisceau laser**: laser beam recording
~ **principal**: master record
~ **sonore**: sound recording
~ **sur bande**: tape record, taping
~ **sur bande magnétique**: magnetic tape recording
à ~ **automatique**: self-recording

enregistrer: to record; (inf) to record, to write, to store
~ **sur bande**: to tape

enregistreur m : recorder
~ **à bande**: strip chart recorder
~ **à jet d'encre**: jet recorder
~ **à plume**: pen recorder
~ **à style**: stylus recorder
~ **chronologique [automatique]**: logger
~ **d'accident**: crash recorder
~ **d'appels**: (tél) call-count meter, traffic meter
~ **de données**: data logger
~ **de pointe**: demand meter
~ **de profils**: profile recorder
~ **de température**: temperature recorder
~ **de vol**: flight recorder
~ **imprimeur**: printing recorder
~ **sur bande**: (inf) key-to-tape device, key-to-tape unit
~ **sur disque**: key-to-disk device, key-to-tape unit

enrichir: to enrich; (une solution) to strengthen; (du minerai) to dress
~ **au silicium**: to siliconize (with silicium)
~ **le mélange**: to enrich the mixture

enrichissement m : (nucl) enrichment; (inf) enhancement
~ **de minerai**: ore enrichment, concentrating of ore, ore concentration, dressing of ore GB, ore benefaction, ore benefication NA
~ **par ultracentrifugation**: centrifuge enrichment

enrobage *m* : (de fils, de câbles) coating; (plastiques) embedding; (éon) encapsulation; (électrode) shielding, coating; (de canalisations) wrapping, dope

enrobé *m* : (route) bituminous mixture; *adj:* coated, covered, encapsulated; (canalisation) wrapped; **~s:** coated macadam, coated chippings
~ **à chaud**: hot mix
~ **au liant noir**: (route) black top
~ **de béton**: embedded in concrete
~ **fin:** (route) sand asphalt

enrober: to coat, to cover; to imbed, to embed, to incase
~ **de chocolat**: to coat with chocolate

enrochement *m* : riprap, rock filling

enroulé: wound
~ **à droite**: clockwise wound
~ **à gauche**: counterclockwise wound
~ **en hélice à pas long**: long-lay wound
~ **jointif**: butt wound

enroulement *m* : coiling, winding, reeling, spooling; (él) winding; (de chromosomes) coiling
~ **à cage d'écureuil**: squirrel cage winding
~ **à encoches**: slot winding
~ **à fils tirés**: pullthrough winding
~ **à pas allongé**: long-pitch winding
~ **à pas raccourci**: short-pitch winding
~ **amortisseur**: damper winding, damping winding
~ **bifilaire**: (tél) double winding
~ **compound**: compound winding
~ **d'induit**: armature winding
~ **d'intensité**: current coil
~ **de champ**: field winding
~ **de chauffage**: filament winding
~ **de commande**: bias winding
~ **de compensation**: stabilizing winding
~ **en bobines**: bobbin winding
~ **en couches**: layer winding
~ **en court-circuit**: short-circuited winding
~ **en dérivation**: shunt winding, parallel winding
~ **en parallèle**: shunt winding, parallel winding
~ **en sens opposé**: buck winding
~ **en tambour**: drum winding
~ **fermé**: re-entrant winding
~ **filamentaire**: (plastiques) filament winding
~ **imbriqué**: lap winding

~ **imbriqué parallèle simple**: simplex lap winding
~ **ondulé**: wave winding
~ **parallèle**: parallel winding, shunt winding
~ **primaire**: primary [winding]
~ **secondaire**: secondary [winding]
~ **shunt**: shunt winding
~ **simple**: simplex winding
~ **sur gabarit**: preformed winding
~ **torique**: ring winding
~ **toroïdal**: toroidal winding
à ~ **différentiel**: differential-wound
à ~ **en anneau**: ring-wound

enrouler: (un fil, un câble) to wind, to reel on, to spool; (en couronne): to coil; (en rouleaux) to roll up

enrouleur *m* : spooler; (de ceinture de sécurité) inertia reel
~ **de câble**: cable drum

ensablement *m* : sand deposit, sanding up; (de chaussée) blinding

ensachage *m* : sack filling, bag filling, bagging

ensacheuse *f* : bag filler, bag filling machine, bag sealer
~-clipseuse: bagging and stapling machine

enseigne *f* : [shop] sign
~ **au néon**: neon sign
~ **lumineuse**: electric sign

enseignement *m* : teaching
~ **assisté par ordinateur ▶ EAO**: computer aided teaching, computer assisted teaching, computer aided learning
~ **intelligemment assisté par ordinateur ▶ EIAO**: (IA) intelligent tutoring systems

ensemble *m* : family, unit, package; (méc) assembly; (maths) set; (antennes) array
~ **à engrenages superposés**: vertical gear unit
~ **à n engrenages**: n-stage gear unit
~ **d'accessoires**: gadgetry
~ **de bâtiments**: block
~ **de dispositifs protecteurs**: protective gear
~ **de données**: data block, data set
~ **de lancement**: launching complex
~ **de mémoire**: (inf) storage assembly
~ **de mesure de rayonnement**: radiation measuring assembly

~ **de multiplets**: gulp
~ **de programmes**: (inf) suite
~ **de propulsion**: (aéro) power plant
~ **dénombrable**: denumerable set
~ **des engrenages**: gearing
~ **émetteur-récepteur**: two-way radio
~ **expérimental**: experimental package
~ **fini**: finite set
~ **flou**: (IA) fuzzy set
~ **hors nomenclature**: non-listed assembly
~ **immédiatement supérieur**: next higher assembly
~ **moteur/boîte de vitesses**: power unit
~ **motoréducteur**: geared motor
~ **orienté**: directed set
~ **précâblé**: wiring harness
~ **résidentiel**: housing estate
~ **source**: source set
~ **tout monté**: package unit
~ **vide**: empty set, null set, void set

ensemblier *m* : (logement) interior designer; (cin, tv) set designer

ensemencement *m* : seeding
~ **de boues**: sludge seeding
~ **de populations cellulaires**: explanting of cells
~ **des nuages**: rain making

ensilage *m* : silage

ensimage *m* : (text) batching, oiling
~ **plastique**: plastic size, coupling size

ensoleillement *m* : sunshine

ensouilleuse *f* : cable burying plough

ensouplage *m* : (tissage) beaming
~ **de la chaîne**: warp beaming

ensouple *f* : (tissage) beam

entaille *f* : cut, nick, notch

entartrage *m* : (de chaudière) scale formation, scaling, incrustation

entasser: to pile up

entérocoque *m* : enterococcus

entérokinase *f* : enterokinase

entérovaccin *m* : enterovaccine

entérovirus *m* : enterovirus

enterré: (souterrain) buried, underground; (constr) below grade, below ground

en-tête *m* : header, heading; (de papier) letterhead
~ **de bande magnétique**: tape header

enthalpie *f* : enthalpy, heat content

entier: entire, whole, full; (nombre) integral; (animal) entire, uncastrated, complete

entièrement, ~ numérique: all-digital
~ **soudé**: all-welded

entoilage *m* : fabric covering

entoilé une face: (pap) cloth-lined

entonnoir *m* : funnel; (de bombe) crater
~ **de coulée**: pouring cup, pouring basin
~ **de mixage**: mixing hopper

entraîné: (méc) driven
~ **par manivelle**: crank-driven
~ **par moteur**: motor-driven

entraînement *m* : (méc) drive, driving; (dans un fluide) carry over
~ **à ergots**: pin feed
~ **à picots**: pin feed
~ **d'accessoire**: accessory drive
~ **de bande magnétique**: tape drive, tape transport
~ **des auxiliaires**: accessory drive
~ **des cartes**: card transport
~ **direct**: positive drive
~ **du papier**: paper feed
~ **mécanique**: mechanical drive; (par moteur) power drive
~ **par courroie**: belt drive, belt transmission
~ **par clavette**: key drive
~ **par crabots**: dog coupling
~ **par gaz**: gas drive
~ **par picots**: (imprimante) tractor feed
~ **par pignon**: pinion drive
~ **par pignon conique**: bevel gear drive
~ **par roues à picots**: sprocket feed

entraîner: (méc) to drive; (courant, fluide) to carry along, to carry off

entraîneur *m* : (nucl) carrier
~ **à picots**: (d'imprimante) tractor
~ **à picots côté entrée**: infeed tractor
~ **d'air**: air entraining agent

entrance f : (inf) fan-in

entrant: incoming, inward; (trafic)
inbound

entraxe m : distance between centres,
centre distance GB, centers, on center
distance NA
~ des essieux: axle base
~ des pistes: track pitch

entre: between
~ phase et terre: phase-to-earth
~ phases: phase-to-phase
~ spires: interturn (insulation, short
circuits)
~ voies: (tcm) interchannel

entrecroisement m : crossing; interlacing

entredent m : tooth space

entrée f : entrance, entry; (de machine)
feeding side; (d'eau, de vapeur)
ingress; (arrivée de matières) input,
inflow, intake; (de port) mouth; (de
soufflerie) throat
~ au bassin: (mar) docking
~ au clavier: keyboard entry
~ d'air: air admission, air inlet; indraft
~ d'air variable: inlet, variable-
geometry air intake
~ d'immeuble: entrance, hall; (él)
house lead-in
~ d'injection: (moulage des
plastiques) feed orifice, gate
~ d'ordinateur sur microfilm:
computer input microfilm
~ d'un contact: contact lead-in
~ de câble: cable entry, cable lead-in
~ de clé: escutcheon (of lock)
~ de conducteur: (él) bush
~ de dent: tooth chamfer
~ de données: data entry
~ de filetage: start of thread
~ de piste: approach end of runway
~ des travaux à distance: (inf)
remote job entry
~ du port: harbour entrance GB,
harbor entrance NA
~ du taraud: chamfer (on screw tap)
~ en application: effectivity
~ en communication: (inf) sign[ing]
on
~ en pyramide: (inf) fan in
~ en temps réel: real time input
~ en tiers: (tcm) break in, override
~ en vigueur: effectivity
~ et bobinage: entry and recoiling
~ et sortie: (inf) input/output; (laminage) entry and delivery

~ et sortie parallèles: (él) parallel-in
parallel-out
~ parallèle/sortie série: parallel-
in/serial-out
~ série/sortie parallèle: serial-
in/parallel-out
~/sortie ▶ E/S: input/output
~/sortie graphiques: graphical
input/output
~ via le clavier: manual input
~s en raffinerie: refinery intake
à ~s multiples: (moulage des plastiques) multigated

entre-écorce f : inbark, ingrown bark

entrefer m : (él) air gap; (de tête
magnétique) head gap
~ armature/bâti: armature-yoke gap

entrelacement m : (balayage) interlacing

entrelacer: to interleave, to interlace

entrepont m : middle deck, tween deck,
tween decks

entreposage m : storing, storage
~ frigorifique: cold storage

entrepôt m : warehouse
~ frigorifique: cold store[s]
~ sous douane: bonded warehouse

entrepreneur m : (constr) builder,
contractor
~ de bâtiment: building contractor,
[master] builder
~ de transport: transport operator

entreprise f : undertaking, work (carried
out under contract); business, firm,
organisation; corporation NA
~ à forfait: job work
~ de service public: utility
~ de télécommunications: common
communications carrier, carrier
~ de traitement à façon: (inf) service
bureau
~ de vente par correspondance: mail
order firm, mail order house
~ générale: (constr) main contractor
à l'~: contract (work)
d'~: house, in-house

entrer: to enter; (inf) to enter, to input
~ au bassin: to dock
~ au port: to put into port
~ dans le réseau: to report into net
~ dans le système: (inf) to log in, to
log on, to sign on

~ **en collision avec**: to collide with
~ **en communication**: (inf) to log in, to log on, to sign on
~ **en contact**: to come into contact, to contact
~ **en service**: to start operation, to go on stream
~ **en tiers**: (tcm) to break in
~ **en vigueur**: to take effect

entresol *m* : low storey, mezzanine

entretenir: (des machines) to maintain, to service; (une flamme, le courant) to keep alive

entretenu: maintained, serviced; (oscillation, vibration) sustained; (onde) undamped

entretien *m* : maintenance, housekeeping; service, servicing; (d'un bâtiment) upkeep
~ **correctif**: corrective maintenance, remedial maintenance
~ **courant**: routine maintenance
~ **en banalité**: pooled maintenance
~ **en période de rodage**: running-in service GB, break-in service NA
~ **non planifié**: non-scheduled maintenance, unscheduled maintenance
~ **non prévu**: non-scheduled maintenance, unscheduled maintenance
~ **ordinaire**: routine maintenance
~ **périodique**: routine maintenance, scheduled service
~ **planifié**: planned maintenance, scheduled maintenance
~ **préventif**: preventive maintenance
~ **systématique**: planned maintenance, scheduled maintenance

entretoise *f* : brace, counterbrace, cross member; spreader, stiffener; (méc) distance piece, spacer
~ **de contreventement**: sway brace
~ **tubulaire**: distance tube

entretoisement *m* : bracing, counterbracing, crossbracing

entropie *f* : entropy

envasement *m* : silting up

enveloppe *f* : envelope; (de câble électrique) serving, covering, sheath, casing; (de chaudière, de cylindre) jacket; (de condensateur, de transistor) case; (de ventilateur, de turbine) casing; (d'impulsion, de signal) envelope; (de protection) protective cover, shroud; (géol) mantle; (maths) envelope; (biol) envelope, integument
~ **calorifuge**: lagging
~ **chauffante**: heating pad (around pipework)
~ **de chaudière**: boiler shell
~ **de confinement**: containement system
~ **de l'habitat**: (solaire) building envelope, building skin
~ **de plomb**: lead sheath
~ **de pneu**: tyre casing, tyre cover
~ **de réchauffage**: heating jacket
~ **de refroidissement**: cooling jacket
~ **de ventilateur**: fan housing
~ **extérieure**: skin
~ **froide**: (fusion nucléaire) cold mantle, cold blanket
~ **gonflable**: (sécurité automobile) [inflatable] air bag
~ **matelassée**: jiffy bag, padded bag
à ~ **métallique**: metal-enclosed
sous ~ **métallique**: metal-enclosed; (fil) jacketed

envergeure *f* : lease (weaving)

envergure *f* : wing span

envers *m* : reverse side; wrong side; (papier) felt side, wire side
à l'~: wrong side up, wrong way round

environné de terre: landlocked

environnement *m* : (écologie, inf) environment
~ **de programmation**: programming environment

envoi *m* : (de marchandises) sending, shipment, dispatching
~ **d'impulsions**: pulsing
~ **du courant d'appel**: (tél) ringing
~ **en publicité directe**: mailshot

envol *m* : (aéro) takeoff
~ **de combustible**: fly-off
~**s**: (pollution) fly ash, stack solids

envoyer: to send
~ **par réseau**: to send over a network, to net

enwagonneuse *f* : waggon-loading unit

enzootie *f* : enzootic

enzymatique: enzymatic, enzymic

enzyme *f* ou *m* : enzyme
~ **bactérienne**: bacterial enzyme

~ **d'adaptation**: adaptive enzyme, inducible enzyme
~ **de restriction**: restriction enzyme
~ **fongique**: fungal enzyme
~ **inductible**: adaptive enzyme, inducible enzyme
~ **ramifiante**: branching enzyme
~ **transcriptase-réverse**: enzyme reverse transcriptase

éolienne *f*: wind machine, windmill, wind turbine; wind pump

EP → **extrême pression**

épair *m* : (pap) look through

épais: thick; (visqueux) stiff

épaisseur *f*: thickness; (couche) layer, ply; (viscosité) body, stiffness
~ **à la base**: root thickness (of gear teeth)
~ **au sommet**: crown thickness (of gear teeth)
~ **d'enrobage**: cover (of reinforced concrete)
~ **du papier**: calliper GB, caliper NA
~ **équivalente de plomb**: lead equivalent

épaisseurmètre *m* : thickness meter

épaississant *m* : thickener

épaississement *m* : thickening; (progressif) building-up; (viscosité) bodying; (encre) livering
~ **de la frappe**: ghosting
~ **des boues**: sludge thickening

épaississeur *m* : thickener
~ **cyclone**: cyclone thickener

épandage *m* : broad irrigation (of sewage)

épandeuse *f*: spreading machine, spreader

épanoui: *m* (tube) flare; *adj* : bell-mouthed

épanouissement *m* **polaire**: pole piece, pole shoe

épaulement *m* : shoulder
~ **femelle**: box shoulder

épave *f*: (mar) wreck
~s **flottantes**: flotsam

éperon *m* : (saillie) spur; (de pont) cutwater; (chariot à fourche) boom

épi *m* : (brise-lames) breakwater, groyne GB, groin NA; (bot) ear, head (of grain), spike (of flower)
~ **de blé**: ear of wheat
~ **de maïs**: corn cob
en ~: herringbone

épiage *m*, **épiaison** *f*: earing

épicarpe *m* : epicarp, exocarp

épice *f*: spice

épicentre *m* : epicentre

épidémie *f*: epidemic

épigénèse *f*: epigenesis

épilimnion *m* : epilimnion

épinard *m* : spinach

épinglage *m* : (de tirants) anchorage; (avant soudage) tack welding

épingle *f*: pin; (constr) U stirrup, binder
~ **de freinage**: lockpin

épingler: to attach temporarily, to fasten temporarily

épiphyte *m* : epiphyte; *adj* : epiphytic

épisome *m* : episome
~ **F**: F episome

épissage *m* : (câbles, gg/bm) splicing
~ **alternatif**: (gg/bm) alternative splicing
~ **de l'ARN**: RNA splicing

épisseur *m* : splicer

épissure *f*: cable splice GB, cable joint NA, joint, junction

épistémologie *f*: (IA) epistemology

épithélium *m* : epithelium

épizootie *f*: epizootic, epizooty

épontille *f*: (mar) pillar, sta[u]nchion

époxy: epoxy

époxyde *m* : epoxy

époxydique: epoxyde

épreuve *f* : (essai) test, trial, proving; (phot) print; (graph) [hard] copy, print, pull, proof
~ **d'acétate**: acetate proof
~ **d'étanchéité à la cartouche fumigène**: smoke test
~ **de cliché**: block pull
~ **de reproduction**: repro[duction] proof
~ **de tournage**: (cin) rush
~ **définitive**: final pull
~ **en noir**: black pull
~ **en pages**: page proof
~ **en placard**: galley proof
~ **glacée**: glossy print
~ **hygrométrique**: moisture test
~ **par contact**: contact print
~ **par projection**: projection print
~ **peu chargée**: clean proof
~ **sous pression**: pressure testing
~ **sur papier mat**: mat print
~s **de réception**: acceptance trials
à l'~ **de**: proof against
à l'~ **de la pluie**: drip-proof
à l'~ **des balles**: bullet-proof

éprouvé: well-tested, well-tried, well-proven, proven
~ **en laboratoire**: laboratory-tested

éprouvette *f* : (de laboratoire) test tube, cylinder; (de tube) coupon; (métall) test bar, test piece, test specimen
~ **attenante**: attached cast test bar
~ **de résilience**: impact test specimen
~ **entaillée**: notched bar
~ **graduée**: graduated cylinder, measuring cylinder
~ **normalisée**: standard test piece
~ **prélevée dans le métal déposé**: all-weld test piece
~ **proportionnelle**: proportional test piece
~ **témoin**: control specimen

EPT → **énergie primaire totale**

épuisé: run down; (combustible, solution) spent; (édition) out of print; (batterie) dead, flat; (ressource) exhausted; (sol, puits) depleted, worked out

épuisement *m* : (de ressources) exhausting, depletion; (assèchement) dewatering, draining, pumping [out], water drainage; (tarissement) depletion
~ **spécifique**: (nucl) specific burn-up

épuiser: (des ressources) to use up, to exhaust; (un réservoir) to drain, to empty, to pump out; (une mine) to exhaust, to work out

épurateur *m* : purifier, separator, cleaner
~ **d' air**: (pétr) air scrubber; (autom) air cleaner GB, air filter NA
~ **de gaz**: gas cleaner, gas purger; (lab) gas purifier
~ **de vapeur**: steam separator

épuration *f* : cleaning (of air); clarification, purification (of sewage)
~ **à l'huile**: (du gaz naturel) oil scrubbing
~ **à la chaux**: (eau) lime process
~ **biologique**: (eau) biological treatment
~ **de gaz**: gas cleaning, gas scrubbing
~ **de l'eau**: water treatment
~ **des eaux usées**: sewage treatment
~ **poussée**: fine cleaning
~ **primaire**: (des eaux d'égout) primary treatment
~ **secondaire**: recleaning, final purification

épure *f* : line diagram, linear diagram; finished drawing
~ **de distribution**: (moteur) valve diagram

épurer: to purify; to treat (oil, sewage)

équarrir: to square

équarrissage *m* : knacker's yard

équation *f* : equation
~ **algébrique linéaire**: linear algebraic equation
~ **du premier degré**: simple equation
~ **du deuxième degré**: quadratic equation
~ **intégrale**: integral equation
~ **intégro-différentielle**: integro-differential equation
~ **linéaire**: linear equation

équerrage *m* : squaring; (coupe du bois) bevelling; (d'un cadre) trueness, alignment
~ **en gras**: obtuse bevelling
~ **en maigre**: underbevelling

équerre *f* : square; (support) bracket; (de tuyauterie) elbow
~ **à dessin**: set square
~ **à onglet**: mitre square
~ **de fixation**: angle bracket
~ **de support de câbles**: cable bracket
d'~: right-angled, square

équeutage *m* : stalking, tailing

équicourant: uniflow

équidistant: equidistant

équilibrage *m* : balance, balancing; (aéro) trim; (de couleurs, d'échos) matching; (de phases) correcting
~ **d'impédance**: impedance matching

équilibre *m* : equilibrium, balance
~ **chromatique**: colour balance
~ **des couleurs**: colour balance
~ **hygrométrique**: equilibrium moisture content
~ **stable**: stable equilibrium, steady state
en ~ instable: unbalanced

équilibré: balanced, counterbalanced
~ **en profondeur**: depth-balanced

équilibrer: to balance; to counterbalance, to compensate; (mar, aéro) to trim
~ **l'avion**: to trim the aircraft
~ **les roues**: (autom) to balance the wheels

équilibreur *m* : stabilizer; (él) corrective network; *adj* : balance, balancing

équipage *m* : crew; (mar) crew, ship's company; (aéro) [air]crew; (méc) gear
~ **d'arbre à cames**: camshaft gear
~ **de char**: tank crew
~ **mobile**: (él) movable contact assembly, moving armature; moving element (of measuring instrument)

équipe *f* : team, gang; (de travail par postes) shift; (conducteurs de machine) crew
~ **après-vente**: support staff
~ **d'entretien**: maintenance crew
~ **de chercheurs**: research team
~ **de jour**: day shift
~ **de montage**: erecting gang, construction gang
~ **de nuit**: night shift
~ **de pièce**: gun crew
~ **de secours**: rescue team, rescue party, rescue squad

équipement *m* : equipment; facility, unit, outfit, plant; (sur machine) attachment; → aussi **équipements**
~ **affecté à demeure**: dedicated plant
~ **cellule**: airframe equipment
~ **collectif**: community facilities
~ **d'approvisionnement commercial**: bought-out equipment
~ **de communication de données**: data communication equipment

~ **de lutte contre l'incendie**: firefighting equipment
~ **de survie**: survival kit
~ **du territoire**: development
~ **facultatif**: option
~ **pneumatique**: air equipment
~ **remplaçable en atelier**: shop-replaceable unit
~ **secondaire**: auxiliary equipment
~ **simple**: gadget
~ **spécial**: option
~ **terminal de traitement de données** ► **ETTD**: data terminal equipment
~ **univocal**: speech plus simplex equipment

équipementier *m* : equipment supplier

équipements *m*, ~ **collectifs**: utilities
~ **intégrés**: integrated systems
~ **publics**: utilities

équiper (de): to equip (with), to fit out (with)
~ **après coup**: to retrofit
~ **pour le froid**: to winterize

équivalence *f* : equivalence
~ **machine**: (inf) machine equivalence

équivalent *m* : equivalent; *adj* : equivalent, interchangeable
~ **d'arrêt**: stopping equivalent
~ **de brut**: crude oil equivalent
~ **de charbon**: coal equivalent
~ **de la charge**: load equivalent
~ **de référence à la réception** ► **ERR**: receiving reference equivalent
~ **de référence à l'émission** ► **ERE**: sending reference equivalent
~ **de sable** ► **ES**: sand equivalent
~ **en air**: air equivalent
~ **en eau**: water equivalent
~ **énergétique**: energy equivalent
~**-habitant**: population equivalent
~ **mécanique de la chaleur**: mechanical equivalent of heat
~ **pétrole**: oil equivalent

érable *m* : maple

ERE → **équivalent de référence à l'émission**

ergol *m* : ergol, propellant

ergonomie *f* : ergonomics, human engineering, people engineering

ergonomique: ergonomic, human-engineered, human-oriented

ergot *m* : (méc) catch, cranking dog, pin, lug; (de frein, de rondelle) tab
~ **d'arrêt**: stop pin
~ **d'entraînement**: drive pin
~ **de commande**: operating pin
~ **de positionnement**: locating tab, locating pin
~ **de sécurité**: (sur bouteille de gaz) pin index cylinder

érosion *f* : erosion; (fonderie) sand wash (of mould)
~ **en nappe**: sheet erosion
~ **éolienne**: wind erosion
~ **fluviale**: river erosion
~ **glaciaire**: glacial erosion
~ **régressive**: backward erosion
~ **pluviale**: rain wash
~ **régressive**: headward erosion, headwater erosion

ERR → **équivalent de référence à la réception**

erreur *f* : error
~ **biaisée**: biased error
~ **bloquante**: inhibiting error
~ **centrée**: balanced error
~ **cumulée**: accumulated error, cumulative error
~ **d'écriture**: posting error, misposting
~ **d'étalonnage**: calibration error
~ **d'encodage**: miscoding
~ **d'impression**: misprint
~ **de cadrage**: misregistration
~ **de calcul**: miscalculation
~ **de comptage**: miscount
~ **de déphasage**: phase angle error
~ **de facturation**: misbilling
~ **de frappe**: (inf) keying error, keystroking error; (dactylographie) typing error
~ **de la première espèce**: error of the first kind
~ **de lecture**: reading error, misread, misreading; (gg/bm) translation error, mistranslation
~ **de lecture due à l'instrument**: instrumental error
~ **de mesure**: measuring error
~ **de numéro**: misdialling, wrong number
~ **de perforation**: keying error, keystroking error
~ **de tri**: missort
~ **de visée**: boresight error
~ **déterminante**: governing error
~ **due à un composant**: component error
~ **héritée**: inherited error
~ **irréparable**: (inf) unrecoverable error

~ **logicielle**: soft error
~ **machine**: (inf) device error, mechanical error
~ **macrogéométrique**: macroerror
~ **matérielle**: hard error
~ **microgéométrique**: microerror
~ **originelle**: inherited error
~ **persistante**: hard core error
~ **principale**: governing error
~ **quadratique moyenne**: root mean square error
~ **réparable**: recoverable error
~ **sur cendres**: ash error
~ **sur l'angle de tangage**: pitch error
~ **systématique**: bias
~ **temporaire**: (inf) soft error
~ **type**: standard error
~ **typographique**: misprint

éruption *f* : (volcanique) eruption; (pétr) blowout
~ **cosmique**: cosmic ray flare
~ **de gaz**: gas blowout
~ **naissante**: incipient blowout
~ **solaire**: solar flare

érythroblaste *m* : erythroblast

érythrocyte *m* : erythrocyte

érythropoïèse *f* : erythropoiesis

érythrosine *f* : erythrosin[e]

ES → **équivalent de sable**

escale *f* : (mar) port of call, call; (aéro) stopover
~ **technique**: technical stopover

escalier *m* : stairs, steps
~ **à vis**: spiral stairs
~ **de dégagement**: exit stairs
~ **de secours**: fire escape stairs
~ **en échelle de meunier**: open stairs
~ **hors œuvre**: external stairs
~ **mécanique**: escalator, moving staircase
~ **tournant**: winding stairs

escamotage *m* : retraction (of landing gear)

escorteur *m* : escort vessel

espace *m* : space; gap; (graph) blank
~ **à droite**: terminal blank
~ **à gauche**: leading blank
~ **à trois dimensions**: three-dimensional space
~ **aérien national**: national airspace
~ **annulaire**: annulus

~ **coupe-feu**: firebreak
~ **de glissement**: drift space
~ **de recherche**: (IA) search space
~ **des versions**: (IA) version space
~ **entre cylindres**: nip, gap (of rollers)
~ **entre électrodes**: gap
~ **extra-atmosphérique**: outer space
~ **interbloc**: (bande magnétique) interblock gap, interrecord gap
~ **intercontact**: air gap (of switch)
~ **libre**: (d'un cylindre) clearance space, cylinder clearance
~ **libre de l'entrefer**: air gap, clearance
~ **libre de réservoir**: headspace
~ **libre entre deux canaux**: guard band
~ **mort**: (d'un compresseur, d'un cylindre) clearance [space]
~ **non bâti**: open space
~ **non utilisé**: dead space
~ **sauté**: (imprimante) print holiday
~ **sombre**: dark space
~-**Terre**: space-to-earth
~ **vide**: (inf) vacancy; (gg/bm) gap; (en haut d'un réservoir) ullage
dans l'~: (dimension, disposition) spatial; (mouvement) three-dimensional
en ~ fonctionnel: open-plan

espacement *m* : spacing; (répété) pitch
~ **arrière**: backspace
~ **variable**: uneven spacing
~ **d'axe en axe**: distance between centres GB, on-center distance NA
~ **des caractères**: row pitch
~ **des lignes**: (tv) raster pitch
~ **des lignes d'analyse**: scanning pitch

espaceur *m* : (gg/bm) spacer DNA

espèce *f* : species
~ **chimique nouvelle** ▶ **ECN**: new chemical compound
~ **dominante**: dominant species
~ **indicatrice**: indicator species

esprit *m* : (chim) spirit
~ **de bois**: wood spirit

esquichage *m* : (pétr) squeeze cementing

essai *m* : test, testing, trial, test run
~ **à blanc**: blank test
~ **à charge réduite**: light-load test
~ **à l'échelle industrielle**: full-scale test
~ **à la bille**: ball test
~ **à la chaleur**: heating test

~ **à la flexion**: flexure test, bending test
~ **à la goutte**: spot test
~ **à la lame de cuivre**: copper strip test
~ **à la perle**: bead test
~ **à la rupture**: breaking test
~ **à la touche**: spot test
~ **à la traction**: tensile test
~ **à vide**: no-load test; off-circuit test
~ **au banc**: bench test
~ **au brouillard salin**: salt spray test
~ **au choc**: impact test
~ **au cône d'Abrams**: (ciment) slump test
~ **au feu**: fire test
~ **au flotteur**: float test
~ **au frein**: braking test, brake test
~ **au hasard**: random testing
~ **au marbre**: (eau) marble test
~ **aux limites**: limit testing
~ **aux ondes de choc**: impulse test
~ **biologique**: bioassay
~ **comparatif**: comparative test, before-and-after test
~ **contradictoire**: countertest; (métall) control assay
~ **d'adhérence**: bond test
~ **d'aplatissement**: (de tube) flattening test
~ **d'arrachement**: peel test, pull-off test, pulling test
~ **d'échauffement**: heat run, heat test
~ **d'écoulement**: flow test
~ **d'emballement**: overspeed test, racing test
~ **d'endurance à la flexion**: bending fatigue test
~ **d'endurance aux chocs répétés**: impact fatigue test
~ **d'environnement**: environmental test
~ **d'étanchéité**: leak test, tightness test; air test, water test
~ **d'homologation**: type test
~ **d'inflammation**: flash test
~ **d'isolement**: dielectric test, insulation test
~ **d'usure par frottement**: abrasion test
~ **de centrage**: alignment test
~ **de choc**: impact test; (él) impulse [voltage] test, surge test
~ **de choc sur barreau à entaille**: notched bar impact test
~ **de choc vertical en chute libre**: falling weight test
~ **de claquage**: flash test, flashover test
~ **de coloration**: (analyse) flame test
~ **de combustion**: fire test, burning test

~ **de conformité**: type test
~ **de conformité en fiabilité**: reliability compliance test
~ **de conservation**: shelf test, storage test
~ **de contournement**: flashover test, sparkover test
~ **de durée [de vie]**: life test, shelf test
~ **de dureté**: (par empreinte de bille): indentation test
~ **de fatigue sous corrosion**: corrosion fatigue test
~ **de fatigue à la flexion**: bending fatigue test
~ **de flexion**: bending test GB, flexural test NA
~ **de flexion par le choc**: impact bending test
~ **de fluage**: flow test, creep test
~ **de fonctionnement**: performance test, operational test
~ **de fonctionnement**: running test
~ **de longue durée**: long term test
~ **de mise en service**: service trial
~ **de modèle**: model test
~ **de pliage**: (acier) bend test
~ **de pliage à bloc**: flat bend test
~ **de pliage à l'endroit**: normal bend[ing] test, face bend test
~ **de pliage à l'envers**: reverse bend test
~ **de pliage alterné**: alternate bend test
~ **de poinçonnement**: punching test
~ **de production à la pompe**: (pétr) pumping test
~ **de rabattement de collerette**: flanging test (steel tube)
~ **de rayage**: scratch test
~ **de réception**: acceptance test
~ **de recette**: acceptance test, acceptance trial
~ **de refroidissement**: pulldown test, refrigeration test
~ **de résilience**: impact test
~ **de résilience sur barreau entaillé**: notched bar impact test
~ **de résistance**: strength test; (sol) bearing test
~ **de séchage apparent complet**: (peinture) print-free test
~ **de sélection**: screening test
~ **de simulation d'accident**: crash test
~ **de traction**: tensile test; (tracteur) pulling test; (peintures): pull-off test
~ **de traction par flexion**: tensile bending test
~ **de vitesse**: speed trial
~ **en atelier**: shop test
~ **en chantier**: field test
~ **en charge**: service test, load test

~ **en cours de fabrication**: production test
~ **en dépression**: vacuum test
~ **en environnement**: environment test
~ **en flexion**: bending test GB, flexural test NA
~ **en laboratoire**: laboratory test; (inf) alpha test
~ **en ligne**: test run, trial run
~ **en régime continu**: continuous test
~ **en régime permanent**: steady state test
~ **en service**: field test
~ **en usine**: shop test
~ **en vol**: flight test
~ **en vraie grandeur**: full-scale test
~ **jusqu'à la ruine**: test to failure
~ **naturel**: (corrosion) test under natural conditions
~ **négatif**: check not OK
~ **non destructif**: non-destructive test
~ **par corrosion**: etching test
~ **par échantillonnage**: sampling test
~ **par le consommateur**: consumer trial
~ **pilote**: (inf) beta test
~ **positif**: (inf) check OK
~ **pratique**: field test, field trial
~ **probant**: conclusive test
~ **progressif**: sequential test
~ **prolongé**: long run; (inf) soaking
~ **routier**: road test
~ **sous vide**: vacuum test
~ **sur barreau entaillé**: notched bar test
~ **sur chantier**: field trial
~ **sur l'environnement**: environmental test
~ **sur machine**: test run, test shot
~ **sur place**: spot check, field test
~ **sur prélèvement**: sampling test
~ **sur route**: road test, trial run (of vehicle)
~ **systématique**: routine test
~ **thermique**: heat run, heat test
à l'~: on trial, on test

essence f: (carburant) petrol GB, gasolene, gasoline NA; (chim) spirit; (d'arbre) species; (de substance aromatique) essence, oil
~ **auto**: motor gas[oline], motor spirit
~ **avion**: aviation gasoline, avgas, aviation spirit
~ **brute**: straight-run gasoline
~ **d'amandes amères**: oil of bitter almonds
~ **de girofle**: clove oil
~ **de safran**: saffron oil
~ **de reformage**: reformate [gasoline]
~ **de térébenthine**: oil of turpentine, spirit of turpentine, turpentine

~ **de térébenthine artificielle**: turp substitute, turps, white spirit
~ **légère**: light naphtha
~ **lourde**: heavy naphtha
~ **minérale**: mineral spirit, petroleum spirit
~ **ordinaire**: regular grade petrol GB, regular gasoline, non-premium grade gasoline NA
~ **sans plomb**: unleaded petrol GB, nonleaded gasoline NA
~ **spéciale**: special boiling point spirit GB, special naphtha NA
~ **tracteur à base de kérosène**: tractor vaporizing oil

essieu *m* : axle
~ **à voie large**: wide-track axle
~ **arrière**: back axle, rear axle
~ **autovireur**: self-tracking axle, self-steering axle
~ **avant**: front axle, leading axle
~ **avant moteur**: powered front axle
~ **chapé**: forked axle
~ **coudé**: crank axle
~ **directeur**: steering axle
~ **directeur-moteur**: steering and driving
~ **fixe**: fixed axle, rigid axle
~ **flottant**: floating axle
~ **fou**: tag axle, trailing axle
~ **monté**: (chdef) wheel set
~ **moteur**: driving axle, live axle, power axle
~ **porteur**: carrying axle, carrier axle; non-driven axle, non-powered axle, dead axle
~ **surbaissé**: drop axle
~ **suiveur**: tag axle, trailing axle
~ **traînard**: tag axle, trailing axle

essorage *m* : removal of excess water, drying; (par torsion) wringing; (centrifuge) centrifugation

essoreuse *f* : drier, wringer, spin drier
~ **centrifuge**: centrifugal dryer, centrifugal drier

essouchement *m* : grubbing, stubbing

essuie-glace *m* : windscreen wiper GB, windshield cleaner NA

essuie-glace-lave-glace *m* : wiper-washer

estampage *m* : blanking, die cutting, die stamping; impact forging; pressure forming
~ **à chute libre**: drop forging

estamper: to stamp, to press, to punch

ester *m:* ester
~ **cellulosique**: cellulose ester
~ **méthylique**: methyl ester

estérase *f* : esterase

estérification *f* : esterification

esthétique *f* **industrielle**: industrial design

estimation *f* : appraisal, assessment, rating
~ **du risque**: risk assessment
~ **grossière**: guestimate

estimer: to assess, to estimate, to put a figure, to value, to rate

estragon *m* : tarragon

estran *m* : foreshore

estuaire *m* : estuary
~ **sous l'influence des marées**: tidal estuary

esturgeon *m* : sturgeon

ET: (IA) AND

établir: établir: to establish; (un circuit) to complete; (la communication) to set up (a call), to put through (a call); (par commutation) to switch
~ **la carte**: to map
~ **le contact**: to make contact, to switch on
~ **le prix**: to price
~ **le prix de revient**: to cost
~ **un plan**: to draw up a plan

établissement *m* : (organisme) establishment; (industrie) plant; (de la température, de la pression) build-up, building up, rise
~~**-coupure**: (él) make-break
~ **d'une impulsion**: pulse rise
~ **d'un projet**: planning
~ **d'une communication**: call set up, setting up, completion of call
~ **de liaison**: (inf) handshake
~ **industriel**: industrial plant
~ **recevant du public**: building open to the public

étage *m* : (constr) floor, storey GB, story NA; (mine) level; (stade) stage; (d'un crible) deck
~ **amplificateur**: amplification stage, amplifier stage, amplifying stage

~ **d'attaque**: driver stage
~ **d'excitation**: driver stage
~ **de modulation par impulsions**: (radar) modulator, pulser
~ **de puissance**: power stage
~ **éteint**: burned-out stage
~ **final**: final stage
~ **houiller**: coal measure
~ **intermédiaire**: bridging stage
~ **non propulsé**: inert stage
~ **séparateur**: buffer stage
~ **technique**: (constr) mechanical floor, service floor
à ~**s multiples**: multistage
à un ~: (compresseur, turbine) single-stage

étagère *f* : shelf
~ **à câbles**: cable rack

étai *m* : prop, strut, shore
~ **de mine**: pit prop
~ **oblique**: raking shore
~ **vertical**: dead shore

étaiement *m* : propping, shoring, staying; (de coffrage) falsework

étain *m* : tin; (d'art, de poterie) pewter
~ **en saumons**: block tin

étalage *m* : shop window; window display; ~**s**: (métall) bosh

étale *m* : slack water, slack tide

étalement *m* : spread[ing]
~ **d'impulsions**: pulse spreading
~ **de bande**: broadbanding, band spreading
~ **de la période de pointe**: peak spreading
~ **des bandes latérales**: sideband spread

étalon *m* : standard, master instrument

étalonnage *m* : calibration, gauging

étamage *m* : tin plating, tin coating, tinning; (miroir) silvering

étambot *m* : stern post
~ **arrière**: rudder post
~ **avant**: propeller post

étamine *f* : (bot) stamen; (tissu) cheese cloth, butter muslin

étampe *f* : stamp, die; drop hammer; swage block

étanche: proof, sealed [off]
~ **à l'air**: airtight
~ **à l'eau**: watertight
~ **à la lance**: jet-proof, hoseproof
~ **à la poussière**: dust tight, dust proof
~ **à la graisse**: greasetight
~ **au gaz**: gastight
~ **au vide**: vacuum proof, vacuum tight
~ **aux éclaboussures**: splash proof
~ **aux jets d'eau**: hoseproof
~ **aux projections**: splash proof

étanchéité *f* : tightness, leakproofness

étançon *m* : (de chaîne) stud; (de mine) pit prop

étang *m* : pond
~ **aéré**: aerated pond
~ **d'accroissement**: rearing pond
~ **d'alevinage**: fry pond
~ **d'oxydation**: oxidation pond
~ **de stabilisation**: stabilization pond
~ **frayère**: spawning pond

étape *f* : (stade) stage, step; (chemin critique) event
~ **fin**: end event, terminal event
~ **origine**: initial event
par ~s: step by step

état *m* : condition, state, status; (inf) report
~ **actuel de la technique**: state of the art
~ **au lancement**: initiation status
~ **bloqué**: (éon) cut-off state, off state
~ **collant**: tackiness
~ **conducteur**: (éon) on state
~ **d'avancement des travaux**: progress report; (inf) status report
~ **d'équilibre**: state of equilibrium
~ **de conservation**: state of conservation
~ **de gestion**: management report
~ **de la ligne**: line status
~ **de marche**: operating condition, running condition, working condition, working order
~ **de régime**: steady state
~ **de surface**: surface finish, surface condition
~ **de travail**: working order, running order; (él) energized condition
~ **des stocks**: stock position
~ **des travaux**: status report
~ **du programme**: program status
~ **hygrométrique**: (air) moisture content, relative humidity
~ **latent**: latency
~ **logique**: logic state
~ **opérationnel**: running state

~ **passant**: (éon) conducting state, on state
~ **récapitulatif**: summary report
~ **solide**: solid state
~ **stable**: steady state, steady condition
à l'~ **embryonnaire**: in embryo
à l'~ **passant**: (transistor) conducting
en ~ **de fonctionnement**: operational
en ~ **de navigabilité**: seaworthy
en l'~: as is; unprocessed

étau m : vice GB, vise NA

étau-limeur m : shaper, shaping machine

étayer: to prop, to shore [up], to stay; (un mur) to buttress
~ **en sous-œuvre**: to undershore, to underprop

éteindre: (un feu, une flamme) to extinguish, to put out; (él) to put out, to put off, to turn off, to switch off, to power off; (la chaux) to slake; (un arc, le coke) to quench; (un haut-fourneau) to blow out; **s'~**: to go off

éteint: (feu, lumière) extinguished; (él) off; (chaux) slaked; (haut-fourneau) out of blast

étenderie f : (verrerie) leer, lehr

étendoir m : (pap) drying loft, drying rack
~ **de refroidissement**: (métall) cooling bed, cooling bank

étendre: to spread [out]; (peinture) to extend; (une solution) to weaken

étendue f : range, scope, span
~ **de mesurage**: measuring range
~ **de régulation**: control range
~ **réglante**: correcting range, manipulated range

ETES-VOUS...?: ARE YOU ...?

étêté: (poisson) headless

éthane m : ethane

éthanol m : ethyl alcohol, ethanol

éther m : ether

éthyle m : ethyl

éthylène m : ethylene

étiage m : low water (of river), dry season flow

étincelage m : spark erosion

étincelle f : spark
~ **amortie**: quenched spark
~ **de rupture**: break spark
~ **disruptive**: jump spark
~ **médiocre**: lean spark
~ **rampante**: creeping spark, gliding spark
~ **sautante**: jump spark

étiquetage m : labelling
~ **au jet d'air**: air blast labelling, air jet labelling
~-**énergie**: energy labelling
~ **génétique**: gene tagging

étiquette f : label, tab; price tag, price ticket
~ **à encoller**: wet-glue label
~ **à fil**: hangtag, string tag, tie-on tag
~ **à œillet**: tie-on label
~ **à plusieurs volets**: multipart tag
~ **adhésive**: stick-on label
~ **auto-adhésive**: pressure-sensitive label
~ **autocollante**: pressure-sensitive label
~ **d'énoncé**: (inf) statement label
~ **de corps**: (sur emballage) front label
~ **de corps partielle**: spot label
~ **entourante**: band label, strip label
~ **enveloppante**: wrap-around label
~ **gommée**: gummed label, sticker
~-**manchon**: sleeve label
~ **mobile**: corded tag, swing tag
~ **perforée**: punched tag
~ **principale**: primary label, prime label

étirage m : stretching; (laminage) reduction; (à travers filière) drawing; (text) draught, drawing
~ **à chaud**: hot drawing
~ **des tubes**: tube drawing
~ **et doublage**: (text) drawing and doubling
~ **finisseur**: finishing draft
~ **par fluide**: (air comprimé) blast drawing
~ **sur mandrin**: mandrel drawing
~-**gonflage**: (des plastiques) stretch-blow
~-**retordage**: (text) draw twisting

étiré: stretched [out], (métall) drawn
~ **à froid**: cold drawn
~ **sans soudure**: drawn seamless

étoffe *f*: fabric, material
~ **non tissée**: non-woven fabric

étoile *f*: star; (méc) spider wheel
~~**triangle**: star-delta, Y-delta

étouffer: (le feu) to dampen, to smother; (un son) to muffle; (un arc, une étincelle) to quench

étoupe *f*: tow, oakum
~ **de coton**: cotton wadding

étranger: foreign
~ **à l'entreprise**: from outside, other source

étranglement *m*: constriction, narrows, necking; choking, throttling

étrangler: to constrict; (la vapeur) to throttle [down]

étrangleur *m*: throttle valve, restrictor; (moteur) choke
~ **à débit variable**: flow control valve

étrave *f*: (mar) stem; (de chasse-neige) V-plow

être: to be
~ **à la cape**: to lie to
~ **à plat**: to lie flat
~ **à quai**: to lie alongside
~ **branché [sur]**: to be plugged [into], to be connected [to], to run [off]
~ **compris entre**: to range between
~ **conforme [à]**: to comply [with], to meet (a requirement)
~ **debout**: to stand
~ **déphasé en arrière**: to lag
~ **égal [à]**: to be equal [to]; to compare [with]
~ **en retard**: to be late, to run late
~ **en route pour**: to head for
~ **en saillie**: to protrude, to jut out
~ **mis en route**: to come on stream
~ **mouillé**: to be wet; (mar) to lie at anchor, to ride at anchor
~ **prioritaire**: to override
~ **suspendu [à]**: to hang [from]
~ **traversé par**: (él) to carry (a current)

étrésillonnement *m*: bracing, strutting

étrier *m*: stirrup, stirrup iron, bridle iron, clamp, clevis; (de fixation) strap, U-bolt, U-link; (de suspension) hanger
~ **de connexion**: (méc) connecting piece
~ **de ressort**: spring clip, spring strap
~ **de soupape**: valve yoke

~ **fileté**: stirrup bolt, strap bolt, U-bolt
~ **flottant**: (autom) sliding caliper
~ **oscillant**: (autom) swinging caliper

ETTD → **équipement terminal de traitement de données**

étude *f*: study; survey; (de bureau d'études) design
~ **avant-après**: before-and-after study
~ **de faisabilité**: feasibility study
~ **de matériel**: mechanical design
~ **de procédé**: process design
~ **des gisements**: (pétr) reservoir engineering
~ **du sol**: soil survey
~ **du travail**: work study
~ **in situ**: field study
~ **pédologique**: soil survey
~ **préalable**: feasibility study, preliminary study, pilot study
~ **sur modèle**: model analysis
~s **techniques**: design work

étuvage *m*: oven drying, kiln drying, kiln curing; (du béton) steam curing, steaming; (vernis, peinture) stoving GB, baking NA

étuve *f*: drying oven, drying stove; (bio) steam room, sterilizer, (pour cultures) incubator
~ **à cultures**: incubator
~ **à incubation**: incubator
~ **à vide**: vacuum drier
~ **bactériologique**: incubator
~ **de préchauffage**: preheating oven
~ **de réchauffage**: preheating oven
~ **en fosse**: drying pit

eucaryote *m*: eukaryote; *adj*: eukaryotic

euchromatine *f*: euchromatin

euchromatique: euchromatic

euchromosome *m*: euchromosome

eudiomètre *m*: eudiometer

eutrophe: eutrophic

eutrophisation *f*: eutrophication

EV → **électroavanne**

évacuateur *m*: spillway
~ **à siphon**: siphon spillway
~ **latéral**: side channel spillway, lateral flow spillway

évacuation *f*: (de personnes) evacuation; (rejet) discharge; (enlèvement)

disposal, removal; (par pompage) pumpout, pumpdown
~ **d'air**: exhaust, deairing
~ **d'urgence**: emergency evacuation
~ **de la chaleur**: heat elimination, heat removal
~ **des déblais**: cuttings removal
~ **des déchets**: waste disposal
~ **de gaz**: extraction, venting
~ **des ordures**: waste disposal
~ **par dilution**: dilution disposal

évacuer: (des matériaux) to carry away, to cart away, to haul away, to roll out; (un liquide) to pump out; (entraîner des vapeurs) to carry off; (par aspiration) to exhaust; (faire le vide) to evacuate, to exhaust, to pump down

évaluation f : assessment, evaluation, rating
~ **des performances**: benchmark[ing]
~ **préalable par le fournisseur**: vendor appraisal

évanouissement m : (d'une oscillation) decay, dying out; (radio) fading
~ **dû à l'absorption**: absorption fading
~ **par interférence**: interference fading

évaporateur m : evaporator
~ **à aspersion interne**: spray evaporator
~ **à couche mince**: film evaporator
~ **à plaques**: plate evaporator
~ **à régime interne sec**: dry expansion evaporator

évaporation f : evaporation; (gaz) boil-off
à ~, **par** ~: evaporative

évaporatoire: evaporative

évaporimètre, évaporomètre m : evaporimeter, evaporometer, atmometer

évapotranspiration f : evapotranspiration

évasé: flared; (tuyau) bellmouthed

évasement m : flare, widening out

évènement m : event
~ **de départ**: initial event
~ **final**: end event, final event, terminal event
~ **initial**: initial event, start event

évent m : air vent, air hole, air pipe, vent hole, breather, relief pipe; (fonderie) air gate; (de moule) vent

éventail m : fan; (gamme) spectrum, range
~ **de produits**: sales mix, product mix

éventé: stale

évidement m : cutaway, cutout, recess

éviscération f : evisceration, gutting

évitage m : (mar) swinging, weather-vaning

évitement m : (chdef, route, canal) turnout

évolué: advanced; (inf) high level, high order (language)

évolutif: expandable, open-ended

évolution f : development, growth; (de matériel) upgrading

exactitude f : accuracy, precision
~ **des mesures**: measuring accuracy

examen m : examination, review; (d'un document) perusal
~ **à l'œil nu**: visual examination
~ **détaillé**: thorough examination
~ **non destructif**: non-destructive examination
~ **radiographique**: X-ray examination
~ **visuel**: sight check, visual examination

excavateur m : excavator, digger, navvy
~ **à godets**: ladder ditcher, chain-and-bucket trencher
~ **rotatif**: trencher

excavation f : digging; (de tranchées) ditching, trenching

excavatrice f : excavator, crawler shovel

excédent m : excess, surplus
~ **de fabrication sur commande**: overmade

excédentaire: excess, surplus

excentration f : off-center, out-of-true

excentré: off center, out of true; (arbres) misaligned

excentricité f : eccentricity, out-of-true, radial runout

excentrique m : eccentric gear, cam;
adj : eccentric

~ **à galets**: cam and followers
~ **de la distribution**: (moteur) cam-shaft eccentric
~ **du tiroir**: valve eccentric
~ **en cœur**: heart cam

excès *m* : excess
~ **d'alimentation de carburant**: overfuelling
~ **de masse**: mass excess
~ **de neutrons**: neutron excess
~ **local de résine**: (stratifié) resin streak

excision *f* : excision

excitation *f* : excitation, energization
~ **des contacts**: contact actuation
~ **par choc**: impact excitation
~ **par impulsion**: impulse excitation
~ **propre**: self-excitation
à ~ **en dérivation**: shunt-excited
à ~ **série**: series-excited

excitatrice *f* : exciter

excité: excited, energized
~ **en dérivation**: shunt-wound
~ **en série**: series-wound

exciter: to excite, to energize; **s'~**: (relais) to pick up

exciton *m* : exciton

excursion *f* : deviation
~ **de fréquence**: frequency deviation, frequency swing
~ **de phase**: phase deviation, phase departure, phase excursion, phase swing
~ **de puissance**: power excursion

exécution *f* : execution, execute, run; workmanship; (d'un projet) imple-mentation; (d'un contrat) performance
~ **de commandes uniques**: job work
~ **du travail**: job run
~ **soignée**: good workmanship
d'~ **spéciale**: tailored, tailor made, custom made

exemplaire *m* : copy; part (of a set)
~ **d'archive**: file copy

exercer: to exercise; **s'~**: to practice
~ **un effort sur**: to strain
~ **une force**: to exert a force
~ **une pression sur**: to press on

exhaure *f* : mine drainage, water drai-nage, pumping [out]; (solaire) dis-charge height

exigeant: demanding, requiring
~ **beaucoup de temps**: time consuming
~ **peu d'entretien**: low-maintenance

exigence *f* : requirement
~ **d'exploitation**: operational requirement
~ **de calcul**: design requirement
~ **de service**: operational requirement

exoénergétique: exoergic

exogène: exogenous

exon *m* : exon

exonder, s': (terre immergée) to emerge

exonucléase *f* : exonuclease

exothermique: exothermic

expanseur *m* : expander
~ **d'échelle**: (spectroscopie) range expander
~ **de son**: level range expander

expansible: expandable

expansion *f* : expansion, growth, development; (méc) expansion

expédier: to send, to forward, to despatch, to ship; (par la poste) to mail, to post

expédition *f* : consignment, shipment, shipping

expérience *f* : (scientifique) experiment; (pratique) experience
~ **en double aveugle**: double blind experiment

expert *m* : (assurance) adjuster; (géomètre) surveyor; *adj* : expert, skilled
~ **en communication**: communicator

expertise *f* : survey
~ **contradictoire**: countersurvey

explant *m* : explant

exploitable: operable; (mine) workable
~ **par machine**: (inf) computer usable, machine usable, machine readable

exploitant *m* **agricole**: farmer

exploitation *f* : (de machine) operation, running, working; (de mine) mining

~ à cadences mixtes: (rob) split-speed operation
~ à cadences variables: (rob) split-speed operation
~ à ciel ouvert: opencast mining, strip mining, surface mining, surface working
~ à l'alternat: (tcm) up-and-down working, alternate operation
~ à la mine: blasting
~ à la tarière: (pétr) auger mining
~ agricole: farm
~ agri-énergétique: biomass farm, energy farm
~ automatique: automatic operation
~ bidirectionnelle: two-way working
~ chassante: (mine) advancing working
~ commutée: switched operation
~ dans un seul sens: one-way operation
~ des ressources: development of resources
~ en automatique: automatic operation
~ en autonome: (inf) off-line working, off-line operation
~ en bancs: (mine) benching
~ en circuit ouvert: open-circuit operation
~ en découverte: strip mining, open-cut mining
~ en fonction de la charge appelée: (él) load following operation
~ en ligne: (inf) on-line operation, on-line working
~ en parallèle: parallel running, parallel working
~ en simultané: simultaneous operation
~ en transit: (tcm) transit operation
~ par cantonnement: (chdef) block system
~ par chambre et piliers: room-and-pillar mining, chamber-and-pillar system
~ par chambres-magasins: shrinkage stoping
~ par découverte: open-pit mining
~ par gradins: bench stoping
~ par gradins droits: underhand mining
~ par longues tailles: longwall mining
~ "salle ouverte": open-shop operation
~ sans attente: demand operating, demand working
~ sur antenne commune: common aerial working
en ~: operational, on stream

exploiter: (une machine) to operate, to work, to run; (des ressources) to develop; (énergie hydraulique) to harness; (une mine) to mine, to operate a mine, to work a mine

explorateur *m* : scanner

exploration *f* : exploration, prospecting, reconnoitring; (éon) scan, sweep
~ circulaire: (autour du défaut) swivel scan
~ de ligne: line scan
~ du fichier: file scan
~ en spirale: spiral scanning
~ entrelacée: interlaced scanning
~ pétrolière: oil exploration
~ sectorielle: sector scan[ning]
d'~: exploratory, prospecting

exploser: to explode, to blow up

exploseur *m* : blaster, blasting machine, exploder

explosif *m* : explosive; *adj* : explosive
~ à basse vitesse de détonation: deflagrating explosive, low explosive
~ à grande vitesse de detonation: detonating explosive, high explosive
~ à haute brisance: high explosive
~ agréé: permitted explosive GB, permissible explosive NA
~ au perchlorate: perchlorate explosive
~ brisant: detonating explosive, high explosive
~ d'amorçage: initiating explosive, primary explosive
~ de chargement: secondary explosive
~ de sécurité: permitted explosive GB, permissible explosive NA
~ de sûreté: safety explosive
~ déflagrant: deflagrating explosive, low explosive
~ détonant: detonating explosive, high explosive
~ en bouillie: water[gel] explosive, slurry blasting agent, slurry explosive
~ lent: deflagrating explosive, low explosive
~ primaire: initiating explosive, primary explosive
~ puissant: high explosive
~ pulvérulent: powder explosive
~ très brisant: high explosive

explosion *f* : explosion, burst, outburst
~ aérienne: air burst
~ combinatoire: (IA) combinatory explosion
~ de surface: surface burst
~ sous-marine: underwater burst
faire ~: to burst

exposant *m* : (maths) exponent, index; (graph) superscript; (à un salon) exhibitor

exposimètre *m* : exposure meter

exposition *f* : (à la lumière, aux rayons) exposure; (salon) exhibition, show, trade fair, trade show; (orientation d'un bâtiment) aspect
~ **à l'atmosphère**: weathering
~ **itinérante**: mobile exhibition, road show

expression *f* : (maths, gg/bm) expression
~ **algébrique**: algebraic expression
~ **booléenne**: boolean expression
~ **d'un gène**: gene expression
~ **génétique**: gene expression
~ **phénotypique**: phenotypic expression
~ **transitoire**: transient expression

exprimer: to press out, to squeeze out

exsiccateur *m* : exsiccator, dessicator

exsudat *m* : exudate

exsudation *f* : exudation, oozing [out]; (à la surface d'une pièce, d'un explosif) sweat[ing]

extendeur *m* : (chim) extender

extensibilité *f* : (text) stretching

extensible: expandable, expanding; (système) open-ended; (tissu) stretch; (inf) upgradable

extension *f* : extension
~ **du nom de fichier**: file name extension

extensomètre *m* : extensometer, strain gauge GB, strain gage NA
~ **enregistreur**: recording strain gauge

extérieur *m* : outside; *adj* : exterior, external, outer
~ **à l'entreprise**: out-of-house
à l'~: outdoor

externe: external, outer; offsite, out-of-house

extincteur *m* : extinguisher
~ **à bouteille de gaz**: gas cartridge extinguisher

~ **à mousse**: foam extinguisher
~ **à neige carbonique**: dry ice extinguisher
~ **à poudre sèche**: dry chemical extinguisher
~ **automatique**: sprinkler
~ **d'arc**: arc extinguisher
~ **d'incendie**: fire extinguisher

extinction *f* : extinction; (de flamme, d'onde) quenching; (tcm) blackout, blanking; (de la chaux) slacking, slaking; (métall) quenching; (aérosp) thrust cutoff, vacuum burnout
~ **à l'air**: air slaking
~ **d'arc**: arc extinguishing, arc blowout, arc quenching, arc suppression
~ **de moteur**: blowout, burnout, cutoff; (par excès d'air) lean die-out
~ **de réacteur**: engine flame out
~ **du coke**: damping down, coke cooling, coke quenching
~ **par commande**: (astron) cutoff
~ **par épuisement**: (astron) burnout
~ **par excès d'air**: lean die-out
~ **par excès de carburant**: rich blowout

extinguible: extinguishable

extra: extra
~ **doux**: (métal) dead soft
~ **plat**: slimline, thin line

extra-courant *m* : extra-current

extracteur *m* : extractor, puller; (de gaz) exhauster
~ **à piston circulaire**: rotary exhauster
~ **à pistons rotatifs**: rotary-impeller exhauster
~ **d'eau de condensation**: steam trap
~ **d'engrenage**: gear puller
~ **de carotte**: (moulage) sprue puller; (pétr) core extractor
~ **de pieux**: pile drawer, pile extractor
~ **de roulement**: bearing puller

extraction *f* : extraction; (pétr) extraction, output; (mine) extraction, mining, winning, hoisting, winding, output; (inf) readout, retrieval
~ **brute**: as-mined output, run-of-mine output, raised-and-weighed output
~ **de racine carrée**: extraction of square root
~ **liquide-liquide**: liquid-liquid extraction
~ **par absorption**: absorption extraction
~ **par solvant**: solvent extraction

extrados *m* : (d'arc); (de pale, d'hélice) back, suction face, upper surface; (aile) top skin, upper skin, wing upper surface

extrafort: high-strength, extra strong

extraire: to extract; (méc) to draw [out], to pull; (du charbon, du minerai) to extract, to mine, to win; (inf) to fetch, to retrieve; (résumer) to abstract
  ~ **à la presse**: to press out
  ~ **de la mémoire**: to read out
  ~ **des données**: to call in data, to pull data
  ~ **la boue**: to desludge, to desilt
  ~ **la racine carrée**: to extract the square root
  ~ **par ébullition**: to boil off
  ~ **par tri**: to outsort

extrait *m* : extract
  ~ **de viande**: meat extract
  ~ **sec**: dry extract

extrapolation *f* : extrapolation

extraterrestre: extra terrestrial

extrême pression ▶ **EP**: extreme pressure

extrémité *f* : end
  ~ **à l'air libre**: open termination
  ~ **adhésive**: (gg/bm) adhesive end, sticky end
  ~ **cohésive**: (gg/bm) cohesive end, cohesive terminus
  ~ **côtière**: shore terminal (of cable)
  ~ **de câble**: cable terminal, sealing end
  ~ **de déchargement**: delivery end (of conveyor)
  ~ **de départ**: (tél) originating end
  ~ **de ligne**: line terminal, line termination
  ~ **éboutée**: cropped end
  ~ **émission**: sending end, transmit end
  ~ **femelle**: socket end, female end
  ~ **franche**: (gg/bm) blunt end, flush end
  ~ **libre**: (d'un fil) loose end
  ~ **lisse**: (de tube) plain end
  ~ **mâle**: (d'un joint) pin end, male end
  ~ **rapprochée**: near end
  ~ **réceptrice**: receiving end
  ~ **sous tension**: live end

extrudeuse *f* : extruder

extrusion *f* : extrusion
  ~ **à filière plate**: slot-die extrusion, flat-sheet extrusion
  ~ **de feuille mince**: film extrusion
  ~ **par choc**: impact extrusion
  ~ **par étirage**: pultrusion
  ~-**soufflage**: blown extrusion

exutoire *m* : outlet
  ~ **de fumée**: smoke vent

F → force; **f.** → feuille

FA → facteur d'activité

fabricant *m* : maker, manufacturer
~ **d'équipement d'origine**: original equipment manufacturer

fabrication *f* : making, manufacture, manufacturing, production
~ **assistée par ordinateur ▶ FAO**: computer-aided manufacture
~ **courante**: series production
~ **de série**: standard production
~ **en [grande] série**: mass production
~ **en petites séries**: job lot production
~ **par ordinateur intégré**: computer-integrated manufacturing
~ **suivie**: regular production

fabriqué: made, manufactured, produced
~ **en grande série**: mass produced, bulk

façade *f* : front (of a building)
~ **légère**: exterior non-loadbearing wall, light cladding

face *f* : face, side
~ **cachée**: (sur dessin) far side
~ **chaude**: hot face (furnace)
~ **comprimée**: face in compression; (placage) tight side
~ **travaillant en compression**: face in compression
~ **travaillant en traction**: face in tension
~ **d'appui**: bearing face, seating face
~ **d'entrée**: entering side (of tooth)
~ **de joint**: joint face, contact surface; (d'un moule) parting face, parting line
~ **du tiroir**: valve face

~ **polaire**: pole face
~ **tendue**: face in tension
~ **texte**: (graph) opposite text
une ~: single-sided

facette *f* : facet, face (of crystal)

facilité *f* : ease
~ **d'accès**: accessibility
~ **d'application**: (peinture) brushability
~ **d'entretien**: maintenability, serviceability
~ **d'utilisation**: user friendliness
~ **de pose**: ease of installation

façon *f* : way, method
~ **de procéder**: method, procedure
à ~: custom-made

façonnage *m* : shaping, working; (par enlèvement de métal) machining

façonné: (matériau, tissu) figured; (bois) turned; (métal) fabricated, machined

façonnier *m* : converter; (plast) custom molder; (inf) computer bureau

facteur *m* : factor, coefficient, ratio
~ **d'absorption**: absorptance
~ **d'activité ▶ FA**: activity factor
~ **d'adhérence**: bonding strength
~ **d'amortissement**: damping factor, decay factor
~ **d'encombrement**: space factor
~ **d'utilisation**: duty factor; (él) load factor
~ **de charge**: load factor
~ **de compression**: bulk factor
~ **de consommation**: (él) demand factor
~ **de fertilité**: (gg/bm) fertility factor, f factor, F element
~ **de gaz**: gas/oil ratio
~ **de groupage**: (inf) blocking factor
~ **de libération**: (gg/bm) release factor
~ **de marche**: duty factor, duty ratio
~ **de mérite**: (él) Q factor, figure of merit
~ **de puissance**: power factor
~ **de qualité**: (él) figure of merit, Q factor
~ **de réduction**: (des caractéristiques) derating factor
~ **de remplissage**: fill factor; bulk factor; packing factor; (f.o.) filling coefficient, filling factor
~ **de résistance**: (gg/bm) resistance factor
~ **de service**: operating duty, operating time ratio
~ **de surtension**: magnification factor

~ **de transmission**: (flux lumineux) transmittance
~ **de vide**: (tube à gaz) gas ratio
~ **F**: (gg/bm) f factor, F element, fertility factor
~ **important**: prime factor
~ **pyramidal d'entrée**: (inf) fan-in ratio
~ **pyramidal de sortie**: (inf) fan-out ratio
~ **R**: (gg/bm) R factor, resistance factor
~ **sexuel**: sex factor
~ **sigma**: sigma factor, sigma subunit
~ **tueur**: killer factor

factice: dummy

facturation *f* : invoicing
~ **séparée**: (inf) unbundling

facture *f* : invoice, bill GB; check NA

facturé globalement: (inf) bundled

fade: (alim) tasteless

faible: low, weak; (dimension) scant; (son) faint; (vitesse) low, slow
~ **encombrement**: compactness
~ **teneur en solides** ► FTS: low solids
~ **tirant d'eau**: shallow draught
~ **trafic**: light traffic
à ~ **bruit**: quiet, noiseless
à ~ **taux de mouvement**: slow moving
à ~ **teneur**: low-grade
de ~ **diamètre**: (forage) slim
de ~ **durée**: short-lived
de ~ **échantillon**: scant (dimension)
de ~ **encombrement**: compact, space efficient
de ~ **puissance**: light-duty

faiblir: to weaken; to give (under a load); (moteur) to lose power

faïençage *m* : checking, crazing
~ **à mailles larges**: cracking

faïence *f* : glazed earthenware
~ **fine**: china

faille *f* : (géol) fault
~ **de dislocation**: shift
~ **transversale**: cross fault

faisabilité *f* : feasiblity

faisable: feasable, practicable

faisceau *m* : (de lumière, de rayons) beam; (de lignes, de force, de fibres) bundle; (de cercles, de courbes) pencil
~ **cathodique**: cathode beam
~ **cohérent**: (f.o.) coherent beam

~ **d'accumulation**: holding beam
~ **d'analyse**: scanning beam
~ **d'antenne**: antenna beam
~ **d'attente**: holding beam
~ **d'émission**: transmitting beam
~ **d'exploration**: scanning beam
~ **d'ions**: ion beam
~ **de câbles**: cable bundle, cable form, cable harness, cable loom
~ **de circuits interurbains**: (tél) trunk group
~ **de circuits**: (tél) circuit group
~ **de conducteurs**: harness
~ **de fibres**: (f.o.) fiber bundle
~ **de garage**: (chdef) storage yard
~ **de lignes groupées**: (tél) trunk group
~ **de pieux**: bent pile
~ **de radiateur**: (autom) radiator core, radiator matrix
~ **de radioalignement de piste**: (aéro) localizer beam
~ **de rayonnement d'antenne**: antenna beam
~ **de triage**: (chdef) classification yard, marshalling yard
~ **de tubes**: tube bundle
~ **de voies**: (chdef) set of sidings
~ **divisé**: split beam
~ **électronique**: E beam, electron beam
~ **étroit**: narrow beam, pencil beam
~ **évasé**: fanned-out beam, flared beam
~ **explorateur**: scanning beam
~ **interurbain**: (tél) trunk group
~ **inverse**: back beam
~ **ionique**: ion beam
~ **laser**: laser beam
~ **linéaire**: linear beam
~ **lumineux**: light beam
~ **ordonné**: ordered beam
~ **ponctuel**: spot beam
~ **principal**: main beam
~ **simple**: simple beam
~ **sorti**: (nucl) ejected beam
~ **tubulaire**: (chaudière) nest of tubes

fait *m* : fact; *adj* : made
~ **à façon**: custom-made
~ **au gabarit**: made to gauge
~ **maison**: home-made
~ **sur commande**: purpose-made, custom-made
~ **sur mesure**: made to measure
~**s**: (IA) data

famille *f* : (de courbes, d'ordinateurs) family
~ **de gènes**: gene family, multiple genes
~ **multigène**: gene family, multiple genes

fanal m : (mar) lamp, lantern, light

fané: (bot) faded, withered

fanes f : (de légumes) tops; (de pomme de terre) haulm

faneuse f : tedding machine

fantôme m : echo; (graph) ghosting

FAO → **fabrication assistée par ordinateur**

farce f : (alim) stuffing, forcemeat

fardeau m : load, burden
~ **génétique**: genetic load

fardelage m, **fardelisation** f : (conditionnement) bundling, grouping

farinacé: farinaceous

farine f : flour
~ **blanche**: white flour, light flour
~ **complète**: wholemeal
~ **d'avoine**: oatmeal
~ **de froment**: wheat[en] flour
~ **de maïs**: corn meal, Indian meal NA
~ **de ménage**: household flour
~ **de poisson**: fish meal
~ **panifiable**: "strong" wheat flour

farinage m : chalking, dusting

farineux: floury, mealy, farinose

fatigue f : fatigue
~ **des métaux**: metal fatigue
~ **due à la corrosion**: corrosion fatigue
~ **excessive**: undue strain
~ **de flexion**: bending fatigue GB, flexural fatigue NA
~ **oligocyclique**: low-cycle fatigue
~ **par charge axiale**: axial-load fatigue
~ **par cisaillement**: shear fatigue
~ **par contrainte de torsion**: torsional-stress fatigue
~ **par vibrations**: vibration fatigue

fatiguer: to labour GB, to labor NA; to strain (a machine)

faucardage m : weed control, weed cutting (along rivers, in ponds)

faune f : fauna

fausse: false; → aussi **faux**
~ **alarme**: false warning
~ **barre**: dummy bar

~ **cannelure**: (laminage) blind pass, dummy pass, false pass
~ **cartouche**: dummy cartridge
~ **communication**: (tél) wrong connection
~ **couverture**: (de livre) dust cover
~ **duite**: broken pick, mispick
~ **équerre**: bevel rule, bevel square, sliding bevel
~ **installation**: (mil) decoy
~ **manœuvre**: mishandling
~ **page**: even page, left-hand page
~ **prise**: (béton) early stiffening, false set
~ **résolution**: (micrographie) spurious resolution

fausser: to distort, to put out of true, to warp
~ **un filetage**: to cross a thread

faute f : error, mistake; fault
~ **d'impression**: printer's error, misprint
~ **d'orthographe**: spelling error
~ **de frappe**: keystroking error, keying error
~ **en trame**: (tissage) broken pick

faux m : imitation; adj : false; → aussi **fausse**
~ **alignement**: misalignment, mismatch
~ **arbre**: dummy shaft, stub shaft
~ **carter**: dummy crankcase
~ **châssis**: engine subframe, underframe
~ **contact**: bad contact
~ **départ**: wrong start, false start
~ **écho**: indirect echo
~ **fond**: false bottom
~ **frais**: incidental cost
~ **joint**: dummy joint; (bétonnage) control joint
~ **numéro**: wrong number
~ **pieu**: (de battage) helmet
~ **plafond**: false ceiling, dropped ceiling
~ **plancher**: floating floor, subfloor, raised floor, access floor, false floor
~ **pli**: (tissu) crease; (pap) wrinkle
~ **rivet**: dummy rivet
~ **rond**: out of round, ovality; (de roue) [radial] runout
~ **titre**: bastard title

FBF → **formules bien formées**

FC → **fin de course**

fèces f : faeces, feces

fécondation *f* : fecundation, fertilization
  ~ **croisée**: cross fertilization
  ~ **directe**: self-fertilization

fécule *f* : fecula, farina
  ~ **de pomme de terre**: potato starch, farina
  ~ **modifiée**: modified starch

féculent *m* : starchy food; *adj* : starchy

feeder *m* : feeder
  ~ **à sorties multiples**: teed feeder
  ~ **d'interconnexion**: trunk feeder, interconnecting feeder
  ~ **multiple**: teed feeder
  ~ **secondaire**: subfeeder

feldspath *m* : fel[d]spar

fem → **force électromotrice**

fendage *m* : splitting

fendillement *m* : crazing

fendre: to split, to slit; (se fêler) to crack

fendu: (en deux) split; (fêlé) cracked

fenêtrage *m* : (constr) windows, fenestration; (inf) windowing

fenêtre *f* : (constr, inf, envelope) window; (de carte perforée) aperture
  ~ **à battants**: casement window
  ~ **à coulisse**: sliding window
  ~ **à guillotine**: sash window
  ~ **à l'anglaise**: casement window (opening outward)
  ~ **à la française**: casement window (opening inward)
  ~ **de pressurisation**: seal (wave guide)
  ~ **de second jour**: borrowed light
  ~ **dormante**: fixed window
  ~ **en saillie**: bay window; (arrondie) bow window
  ~ **gisante**: horizontal window
  ~ **oscillo-battante**: tilt-and-turn window
  ~ **panoramique**: picture window

fenouil *m* : fennel

fente *f* : slit, slot, split; (fissure) crack
  ~ **annulaire**: (bobine à fer) circular slot
  ~ **au cœur**: (bois) heart shake
  ~ **d'observation**: observation slit
  ~ **d'introduction**: feed slot; (de distributeur) coin slot
  ~ **de retrait**: shrinkage crack, check (in wood)

~ **pour tête de lecture**: head window
~ **rayonnante**: slot radiator

fenugrec *m* : fenugreek

fer *m* : iron; section, bar, rod
  ~ **à béton**: reinforcing bar, reinforcing rod
  ~ **à boudin**: bulb iron
  ~ **à cheval**: horseshoe
  ~ **à souder**: soldering iron, soldering tool, soldering bit
  ~ **aigre**: short iron
  ~ **cassant**: short iron
  ~ **de construction**: structural iron
  ~ **de faible échantillon**: light section iron
  ~ **de rabot**: plane iron
  ~ **delta**: delta iron
  ~ **demi-rond**: half round [iron]
  ~ **doux**: soft iron
  ~ **ébauché à plat**: mill bar
  ~ **en U**: channel iron
  ~ **étranger**: (fonderie) tramp iron
  ~ **forgé**: wrought iron
  ~ **galvanisé**: galvanized iron
  ~ **gamma**: gamma iron
  ~ **laminé**: rolled iron, rolled section
  ~ **malléable**: malleable iron
  ~ **marchand**: commercial iron, merchant iron, merchant bar
  ~ **méplat**: flat bar
  ~ **mobile**: (d'aimant) moving iron
  ~ **noir**: black iron, black plate
  ~ **plat**: flat bar
  ~ **profilé**: section[al] iron, shaped iron
  ~ **rond**: round iron; (à béton) round reinforcing bar
  ~ **Té**: tee section
  ~**s divers**: miscellaneous sections
  ~**s en U adossés**: back-to-back channel sections

fer-blanc *m* : tin plate

fer-crayon *m* : pencil [soldering] iron

ferblantier *m* : tinsmith

ferme *f* : (agriculture) farm; (constr) [roof] truss, principal [truss]; *adj* : firm, fast, steady
  ~ **à entrait brisé**: scissors truss
  ~ **à poinçon et contre-fiches**: king post truss
  ~ **en écharpe**: scissors truss
  ~ **en shed**: sawtooth truss
  ~ **éolienne**: wind farm
  ~ **laitière**: dairy farm

fermé: closed; covered, protected; (robinet) off; (palier) solid; (circuit) closed, made; (appareil électrique)

totally enclosed; (moteur électrique) canned
~ **à demi-tour**: on the latch
~ **auto-ventilé**: totally enclosed fan ventilated

fermentable: fermentable

fermentatif: fermentative

fermentation *f* : fermentation, fermenting; (du vin) working; (du pain) rising
~ **haute**: (brasserie) top fermentation
~ **lente**: sluggish fermentation
~ **méthanique**: methane fermentation
~ **putride**: putrid fermentation
~ **secondaire**: after-fermentation, secondary fermentation
~ **visqueuse**: (brasserie) ropy fermentation

fermentescible: fermentable

fermenteur *m* : digester, fermentation tank, fermenter, fermentor

ferme-porte *m* : door check, door closer

fermer: to close, to shut; (gaz, él) to switch off, to turn off, to put out, to shut off
~ **à clé**: to lock
~ **le circuit**: to complete the circuit, to make the circuit, to switch on
~ **le courant**: to switch off, to turn off
~ **les gaz**: (d'un moteur) to throttle an engine
~ **un puits**: to cover a well over, to close in a well; to abandon a well

fermeté *f* : firmness, solidity

fermeture *f* : closure; (d'usine, de machine) closedown, shutdown; (d'un circuit) closing, making, completion; (par robinet) shutoff
~ **à baïonnette**: bayonet catch
~ **à clé**: locking
~ **à déclic**: click
~ **à détente**: click
~ **à glissière**: zip [fastener]
~ **à ressort**: click
~ **avant rupture**: make-before-break
~ **de boucle**: loop closure
~ **de contact**: contact closing, contact closure
~ **de session**: (inf) sign[ing] off, logging off
~ **en fondu**: fade out
~ **graduelle du diaphragme**: irising-out
~ **hermétique**: hermetic seal

~ **hydraulique**: water seal
~ **inviolable**: (conditionnement) tamper-evident closure, tamper-resistant closure
~ **pelable**: peeloff closure, peeloff seal
~ **transitive**: (IA) transitive closure
à ~ **automatique**: self-closing
à ~ **rapide**: (él) quick-make

ferraillage *m* : (béton) bar bending

ferraille *f* : scrap, scrap iron, scrap metal
~ **d'origine extérieure**: external scrap
~ **du commerce**: external scrap, bought scrap
~ **intérieure**: home scrap, mill scrap

ferrailleur *m* : scrap merchant; bar bender; steel fixer

ferrite *f* : ferrite

ferro-alliage *m* : iron alloy

ferro-silicium *m* : ferrosilicon

ferroutage *m* : rail-road transport, piggy-back transport

ferrures *f* : (constr) [metal] fittings, hardware
~ **de porte**: door fittings, door furniture

fertilisation *f* : fertilization
~ **croisée**: cross fertilization

fétuque *f* : fescue

feu *m* : (incendie, tir) fire; (éclairage) light
~ **à éclats**: flashing light, flasher
~ **à éclipses**: occulting light
~ **à occultations**: occulting light
~ **avant**: (de train) headlamp, head-light
~ **clignotant**: flash light, blinking light, blinker
~ **couvant**: smouldering fire GB, smoldering fire NA
~ **d'approche**: approach light
~ **d'artillerie**: artillery fire, gun fire
~ **d'encombrement**: clearance light, gauge light
~ **d'impossibilité de manœuvre**: (mar) breakdown light
~ **de côté**: (autom) side light GB, fender light NA
~ **de croisement**: dipped beam GB, low beam NA
~ **de détresse**: hazard warning light
~ **de gabarit**: clearance lamp
~ **de mouillage**: anchor light, riding light
~ **de piste**: runway light

~ **de position**: (autom) side light, parking light, (sur camion) marker light; (aéro, mar) position light
~ **de recul**: reversing light
~ **de route**: (autom) main beam GB, high beam NA; (mar) navigation light
~ **de signalisation**: (route) traffic light; (chdef) signal light
~ **de stationnement**: parking light
~ **de stop**: stoplight
~ **encastré**: (aviation) blister light
~ **franchissable**: (chdef) permissive signal
~ **infranchissable**: (chdef) absolute stop light
~ **jaune**: amber light
~ **nourri**: heavy fire
~ **nu**: naked light, open fire
~ **réglementaire**: regulation light
~ **roulant**: running fire
~ **tournant**: revolving light
~ **vert**: green light; (autorisation) go-ahead
faire ~: to shoot, to fire

feuil *m* : surface film

feuillage *m* : foliage

feuillaison *f* : foliation

feuillard *m* : strip iron; hoop iron
~ **d'acier**: steel strip; (pour tuyaux) skelp
~ **pour cercler les emballages**: strap iron

feuille *f* : leaf; sheet
~ **composée**: sandwich foil
~ **continue**: (pap) web
~ **d'aluminium**: aluminium foil
~ **d'ensouple**: back cloth, runner cloth
~ **d'étain**: tin foil
~ **d'or**: gold leaf
~ **de calcul**: (inf) spreadsheet
~ **de garde**: (graph) fly leaf, end leaf
~ **de fibres dure**: sheet of hardboard
~ **de minutage**: (tv) cue sheet
~ **de passe**: (graph) waste sheet
~ **de placage**: veneer
~ **de plomb**: lead foil
~ **de programmation**: (inf) coding form, program form
~ **de ressort**: spring leaf, spring blade
~ **de route**: waybill
~ **de style**: (inf) style sheet
~ **de trèfle**: cloverleaf
~ **en gaine**: (plast) tubular film, lay-flat
~ **en matière plastique**: plastic sheet, plastic film
~ **métallique transformée**: converted foil
~ **mince**: film

~ **mince coulée**: (plast) cast film
~ **non imprimée**: blank sheet
~ **pressée**: (plast) pressed sheet
~ **soufflée**: (plast) blown film
~ **volante**: fly leaf, fly sheet
~**s**: (plast) sheeting
~**s en continu**: (inf) unburst stationery

feuillet *m* : (de livre) leaf; (men) thin sheet; (de ruminant) omasum, third stomach

feuilleté: (roche) lamellar, lamellate; (verre) laminated

feutrage *m* : felting; (de cylindre) clothing

feutre *m* : felt
~ **à polir**: buffing felt
~ **aiguilleté**: needled felt
~ **bitumé**: roofing felt
~ **coucheur**: couch felt
~ **de poil**: hair felt
~ **de sous-toiture**: underlining felt, sarking felt
~ **graisseur**: greasing pad, lubricating felt
~ **pour toiture**: roofing felt
~ **surfacé**: mineral-surface felt

fève *f* : broad bean
~ **de cacao**: cocoa bean

féverole *f* : field bean, horse bean

fiabilité *f* : reliability, dependability
~ **admissible**: acceptable reliability
~ **en exploitation**: field reliability
~ **estimée**: assessed reliability

fiable: reliable, dependable

fibrage *m* : (f.o) fibre drawing, fibre production

fibre *f* : fibre GB, fiber NA; (du bois) grain; → aussi **fibres**
~ **à cœur liquide**: liquid-core fiber
~ **à deux fenêtres**: double-window fiber, dual-window fiber
~ **à faibles pertes**: low-loss fiber
~ **à gradient d'indice**: graded-index fiber
~ **à gradient exponentiel**: power-law index fiber
~ **à gradient linéaire**: uniform-index fiber
~ **à saut d'indice**: step-index fiber
~ **à saut d'indice silice-silice**: step-index all-silica fiber
~ **à saut d'indice silice-silicone**: step-index silicon-clad-silica fiber
~ **alimentaire**: dietary fibre GB, dietary fiber NA

~ **amorce**: [fibre] pigtail
~ **apparente**: (plast) fibre show
~ **autofocalisante**: self-focusing fiber
~ **coupée**: (text) staple fibre
~ **de bois**: wood wool, excelsior
~ **de carbone**: carbon fiber
~ **de plastique**: plastic fiber, polymer fiber
~ **de silice**: silica fiber
~ **de verre**: (matérau) fibreglass; (f.o.) glass fiber
~ **de verre à composants multiples**: compound glass fiber, multicomponent glass fiber
~ **de verre composite**: compound glass fiber: multicomponent glass fiber
~ **discontinue**: (plast) staple fibre
~ **extrême**: extreme fibre
~ **frisée**: curly fibre; (text) crimped staple
~ **intermédiaire de couplage**: fibre pigtail
~ **multicomposant**: compound glass fiber, multicomponent fiber
~ **multimode**: multimode fiber
~ **musculaire**: muscle fibre
~ **nerveuse**: nerve fibre
~ **neutre**: neutral fibre
~ **ondulée**: curly fibre
~ **optique**: optical fiber
~ **plastique**: plastic fiber, polymer fiber
~ **sans gaine**: unclad fiber
~ **silice-plastique**: plastic-clad silica fiber
~ **synthétique**: man-made fibre
~ **unimodale**: monomode fiber

fibres *f* : fibres, fibers; (bois) grain
~ **arrachées**: torn grain
~ **coupées**: chopped fibres
~ **discontinues**: staple fibres
~ **optiques**: fibre optics
~ **soulevées**: raised grain

fibrille *f* : fibril[la]

fibrine *f* : fibrin

fibrinogène *m* : fibrinogen; *adj* : fibrinogenic, fibrinogenous

fibroblaste *m* : fibroblast

fibrociment *m* : asbestos cement

fiche *f* : (écrite, imprimée) slip, card, sheet; (prise de courant mâle) plug; (tél) jack; (de pieu) buried length, ultimate set
~ **à trois broches**: three-pin plug
~ **banane**: banana plug
~ **bipolaire**: two-pin plug
~ **d'appareil**: appliance plug

~ **d'instructions de maintenance**: maintenance instruction sheet
~ **d'intervention**: service sheet, service card
~ **d'interconnexion**: connecting plug
~ **de branchement**: connecting plug
~ **de classement**: index card, record card
~ **de court-circuitage**: short-circuit plug
~ **de jack**: jack plug
~ **de réponse**: (tél) answering plug
~ **de suivi**: history card
~ **double**: double plug
~ **intermédiaire**: adapter plug
~ **isolante**: dummy plug
~ **mâle**: male plug
~ **multibroche**: multipin plug
~ **signalétique**: specification card, specification sheet, engineering data sheet
~ **suiveuse**: log card, process card, trailer card
~ **technique**: data sheet
~ **triplite**: adapter [plug]
~ **tripolaire**: three-pin plug
à ~**[s]**: plug-in

fichier *m* : card index; (inf) file
~ **à accès direct**: random-access file
~ **actif**: active file
~ **central**: master file
~ **courant**: active file
~ **d'accès réservé**: restricted file
~ **d'enregistrement**: record file
~ **de base**: master file
~ **de détail**: transaction file
~ **de données**: data file
~ **de travail**: scratch file
~ **des articles**: item file
~ **de travail**: work file
~ **des travaux**: job file
~ **inactif**: dead file
~ **journal**: logging file
~ **maître**: master file
~ **mécanographique**: punched card file
~ **mouvements**: change file, movement file
~ **non mouvementé**: inactive file
~ **original**: master file
~ **père**: father file
~ **permanent**: main file, master file
~ **suite**: continuation file
~ **sur bande**: tape file
~ **sur cartes perforées**: punched card file
~ **sur cassette**: cassette file
~ **sur film**: film file
~ **vidéo**: image file

fictif: dummy

fidélité *f* : (de reproduction) consistency

figeage *m* : congealing, setting

fignolage *m* : fine tuning

fil *m* : (text) thread, yarn; (métallique) wire; (él) wire, cable, cord, lead; (d'un outil) cutting edge; → aussi **fils**
~ **à bout perdu**: dead-ended wire
~ **à brocher**: stitching wire
~ **à contact glissant**: slide wire
~ **à deux conducteurs**: double wire
~ **à empreintes**: (béton) indented wire, deformed wire
~ **à freiner**: lockwire
~ **à piano**: piano wire
~ **à plomb**: plumb line
~ **à plomber**: sealing wire
~ **aérien**: open [line] wire, overhead wire
~ **barbelé**: barbed wire
~ **blindé**: shielded wire
~ **boudiné**: spiral [wound] wire
~ **boutonné**: slub yarn
~ **cannelé**: corrugated wire
~ **chauffant**: heater (of valve)
~ **chiné**: flake yarn
~ **continu**: filament yarn
~ **d'acier cuivré**: copper-covered steel wire
~ **d'amarrage**: anchoring wire, stretching wire, stay wire
~ **d'amenée**: leading-in wire, feed wire
~ **d'ancrage**: anchoring wire, stretching wire, stay wire
~ **d'antenne**: aerial wire
~ **d'armure**: armour wire, armouring wire
~ **d'arrêt**: (de ligne) end wire, stay wire
~ **d'arrivée de courant**: lead
~ **d'Ecosse**: lisle thread
~ **d'entrée**: leading-in wire
~ **de base**: (plast) strand
~ **de bobinage**: magnet wire
~ **de branchement**: appliance wire
~ **de branchement d'abonné**: service wire
~ **de chaîne**: warp end, warp thread
~ **de comptage**: meter wire
~ **de connexion**: connecting wire, connector wire, hookup wire, plug wire, strap wire, jumper wire
~ **de conversation**: speech wire
~ **de détonateur**: leg wire
~ **de fer pour clôture**: fence wire
~ **de fibres continues**: filament yarn
~ **de fourrure**: filler thread
~ **de freinage**: lock[ing] wire
~ **de garde**: bonding wire, earth wire, ground wire

~ **de gros diamètre**: coarse gauge wire
~ **de liaison**: jumper wire
~ **de ligature**: binding wire, tie wire, lashing wire
~ **de masse**: earth wire, ground wire, ground lead
~ **de métallisation**: bonding wire
~ **de nuque**: (relié à la sonnerie) ring wire
~ **de phase**: live wire, phase conductor
~ **de protection**: guard wire
~ **de repère**: tracer [wire]
~ **de retour**: return conductor
~ **de retour commun**: common return [wire]
~ **de service**: service wire
~ **de signalisation**: signal wire
~ **de sonnerie**: bell wire
~ **de terre**: earth wire GB, ground wire, ground conductor NA
~ **de tirage**: fish[ing] wire
~ **de trame**: weft thread, weft yarn
~ **dénudé**: bare wire, exposed wire, stripped wire
~ **droit**: (bois) straight grain
~ **émaillé**: enamel-covered wire, enamelled wire
~ **en attente**: spare wire
~ **en canette**: cop yarn
~ **en écheveaux**: hank yarn
~ **enroulé**: (en attente) pigtail
~ **façonné**: profile[d] wire
~ **flammé**: flake yarn
~ **frisé**: crimped wire
~ **gonflant**: bulk[ed] yarn
~ **guipé**: braided wire, covered wire
~ **jarretière**: jumper wire
~ **machine**: (usinage) wire rod
~ **machine demi-rond**: half-round wire rod
~ **massif**: solid wire
~ **méplat**: flat wire
~ **monométallique**: plain conductor
~ **mou**: slack wire
~ **neutre**: neutral conductor, neutral wire, midpoint wire
~ **non pris**: (tissage) end out
~ **nu**: (aérien) open [line] wire, open conductor; (dénudé) bare wire, naked wire
~ **ondulé**: crimped wire
~ **peigné**: worsted yarn
~ **pilote**: pilot wire, P-wire
~ **plat**: flat wire
~ **plein**: solid wire
~ **porte-câble**: cable suspension wire
~ **positif**: plus wire
~ **profilé**: profile[d] wire
~ **rectiligne**: (bois) straight grain
~ **relié à la douille**: (d'une fiche, d'un jack) sleeve wire

~ **retors**: ply yarn
~ **retors simple**: twisted yarn
~ **secteur**: line wire
~ **souple**: flexible wire, flex
~ **sous caoutchouc**: rubber wire
~ **sous coton**: cotton-covered wire
~ **sous tension**: live wire, hot wire
~ **sous tresse**: braided wire
~ **témoin**: pilot wire, P-wire
~ **tendeur**: span wire
~ **tendu**: taut wire
~ **toronné**: stranded wire
~ **torsadé**: spiral-wound wire
~ **tréfilé**: drawn wire
~ **tressé**: braided wire
~ **volant**: jumper [cable]
au ~ **de l'eau**: run-of-river

filage m : (text) spinning; (par fillière) extrusion; (peinture) streaking
~ **à la presse**: extrusion
~ **à la presse par choc**: impact extrusion
~ **à la presse de barres pleines**: rod extrusion
~ **à torsion floche**: soft spinning
~ **d'image**: (tv) streak
~ **en gros**: (text) slubbing
~ **inverse**: backward extrusion

filament m : filament
~ **à simple boudinage**: single-coil filament
~ **boudiné**: spiral-wound filament
~ **chauffant**: heating filament, heater (of valve)
~ **de route**: (autom) main-beam filament
~ **étiré**: drawn filament
~ **monocristallin**: whisker
~ **rectiligne**: line filament

filasse f : flax fibre; tow; oakum

filature f : spinning; [spinning] mill
~ **à fibres libérées**: open-end spinning
~ **open-end**: open-end spinning

file f : line (of people, of vehicles)
~ **d'attente**: queue GB, [waiting] line NA
~ **de travaux en attente**: hold queue

filé m : spun yarn; adj : spun
~ **de continu**: ring spun yarn
~ **extensible**: stretch yarn

filer: (text) to spin; (métall) to extrude
~ **de l'huile**: (mar) to release oil
~ **en gros**: (text) to slub
~ **le loch**: (mar) to stream the log

~ **un câble**: (mar) to pay out a cable, to run out a cable

filerie f : wiring
~ **intérieure**: inside wiring

filet m : (à mailles) net; (écoulement d'un fluide) stream; (de vis) thread; (graph) rule; (de bœuf, de poisson) fillet; (de mouton, de porc) loin
~ **à droite**: right-hand thread
~ **à gauche**: left-hand thread
~ **à pas irrégulier**: drunken thread
~ **à pas rapide**: coarse screw thread
~ **à pas simple**: single thread
~ **abattu**: chamfered thread
~ **cadre**: shaded rule
~ **carré**: flat thread, square thread
~ **conique**: taper thread
~ **cylindrique**: parallel thread
~ **d'air**: air stream
~ **d'encadrement**: border rule
~ **de palette**: pallet net
~ **de vis**: screw thread
~ **déshydraté artificiellement**: mechanically dried fillet (cod)
~ **double**: (poisson) block fillet, cutlet
~ **extérieur**: male thread, outside thread, external thread
~ **faussé**: crossed thread
~ **femelle**: female thread, inside thread, internal thread
~ **foiré**: bruised thread, stripped thread
~ **gras-maigre**: shaded rule
~ **incomplet côté extrémité**: lead thread
~ **incomplet côté tige**: thread runout
~ **intérieur**: female thread, inside thread, internal thread
~ **mâle**: male thread, outside thread, external thread
~ **maté**: burred thread
~ **pas du gaz**: gas thread
~ **rapporté**: thread insert
~ **rectangulaire**: flat thread
~ **roulé**: rolled thread
~ **simple**: (de vis) single thread; (de poisson) single fillet
~ **taillé**: cut thread
~ **trapézoïdal**: buttress thread

filetage m : screw cutting, thread cutting, screwing, threading; screw thread
~ **arraché**: torn thread
~ **au peigne**: chasing
~ **conique**: tapered thread
~ **cylindrique**: straight thread
~ **multiple**: multiple-start thread

fileté: threaded, screw[ed]

fileter: to cut a thread, to thread; (au peigne) to chase a thread

filiation *f* : line (of breeding)
~ **mâle**: male line
~ **maternelle**: female line

filière *f* : die (drawing, extrusion, thread cutting); (industrie) procedure, process; (de traitement) type, family, version, system, line
~ **à fileter**: die plate
~ **à tréfiler**: draw[ing] plate
~ **administrative**: channels
~ **annulaire**: tubular die
~ **de boudineuse**: extrusion die
~ **de filetage**: screwing die
~ **de réacteurs**: reactor family, reactor type
~ **droite**: slot die
~ **droite plate**: slit die
~ **énergétique**: energy system
~ **plate**: fantail die, slot die
~ **simple**: die plate, screw plate

filiforage *m* : slimhole drilling

filiforme: threadlike, filiform, pencil shape

filigrane *m* : (pap) watermark

filin *m* : (mar) rope
~ **d'acier**: steel rope
~ **goudronné**: tarred rope
~ **non goudronné**: white rope

film *m* : film
~ **à bulles [d'air]**: bubble wrap
~ **à développement thermique**: heat developing film
~ **à retrait**: shrink film
~ **adhérent étirable**: cling film
~ **anodique**: anode film
~ **argentique**: silver film
~ **autopositif**: direct-image film
~ **cinématographique**: picture [film] GB, motion picture, movie NA
~ **d'information**: fact film
~ **de démoulage**: release membrane
~ **développé**: processed film
~ **étirable**: stretch film
~ **fixe**: filmstrip
~ **gélatino-argentique**: silver-gelatin film
~ **inversible**: colour reversal film
~ **infrarouge couleur**: CIR film
~ **pelable**: peelable film, peel-off film
~ **pour operculage**: lid[ding] film
~ **rétractable**: shrink film
~ **publicitaire**: commercial film; (tv) television commercial
~ **sonore**: sound film, sound picture
~ **super-huit**: supereight film
~ **vierge**: unexposed film; (cin) raw stock film

filmogène: film building, film forming

filmothèque *f* : film library

filoguidé: wire-guided

filon *m* : (mine) seam, vein, lode
~ **à pendage fort**: rake vein
~-**couche**: bed vein, bedded vein
~ **croiseur**: cross vein, cross lode
~ **épuisé**: dead lode
~ **mère**: mother lode
~ **métallifère**: ore vein
~ **principal**: mother lode

fils *m* : wires, wiring; (fibre de verre) strands
~ **d'araignée**: cross wires
~ **de base coupés**: chopped strands
~ **de base non coupés**: continuous strands
~ **de réticule**: cross hairs
~ **groupés**: bunched wires
~ **nus**: open wiring

filtrage *m* : filtering; (él) filtering, screening, smoothing; (IA) pattern-making, semi-unification

filtration *f* : filtration
~ **de bas en haut**: upward filtration
~ **de haut en bas**: downward filtration
~ **lente sur sable**: slow sand filtration
~ **sous vide**: vacuum filtration
~ **sur couches multiples**: multi-layer filtration
~ **sur support à mailles**: filtration through mesh medium
~ **sur support à précouche**: filtration through pre-coated supporting medium

filtre *m* : filter
~ **à air**: (autom) air cleaner GB, air filter NA
~ **à air à bain d'huile**: oil-bath air cleaner
~ **à air imprégné d'huile**: oil-moistened air filter
~ **à auto-épuration**: self-cleaning filter
~ **à bain d'huile**: oil-bath filter
~ **à bande transporteuse**: band filter, belt filter
~ **à cartouche**: cartridge filter
~ **à charbon**: carbon filter
~ **à contre-réaction**: inverse feedback filter
~ **à couche unique**: single medium filter, single layer filter
~ **à cristal**: crystal filter
~ **à diatomées**: diatomaceous-earth filter

~ **à égouttement**: trickling filter
~ **à galets**: pebble filter
~ **à granulométrie continue**: graded filter
~ **à lit filtrant**: filter-bed filter
~ **à lit double**: dual media filter, double bed filter
~ **à manche**: bag filter GB, sack filter NA
~ **à manche de toile**: textile sleeve filter
~ **à permutite**: permutite filter
~ **à précouche**: precoat filter
~ **à quartz**: crystal filter
~ **à retour d'eau**: backwash filter
~ **à sac**: bag filter GB, sack filter NA
~ **à tamis**: strainer filter
~ **à vide**: vacuum filter
~ **accordé**: matched filter
~ **acoustique**: clarifier
~ **antibrouillage**: [wave] trap, rejector circuit
~ **anticalorique**: heat [absorbing] filter
~ **antiparasite**: noise filter, noise suppressor, interference eliminator, interference suppressor; static suppressor
~ **antironflement**: hum filter
~ **aspirant**: suction filter
~ **bactériologique**: bacteria filter
~ **coloré**: colour filter
~ **compensateur de couleur**: colour-compensating filter
~ **coupe-bande**: band elimination filter, band rejection filter, band stop filter, band suppression filter
~ **d'aiguillage directionnel**: separation filter
~ **d'arrêt**: stop filter
~ **d'extraction**: abstractor
~ **d'harmoniques**: harmonic trap, harmonic filter, harmonic suppressor
~ **d'ondes**: wave filter
~ **de contact**: contact filter
~ **de lissage**: smoothing filter, smoother
~ **de nitrocellulose**: nitrocellulose filter
~ **de porteuse**: carrier filter
~ **dégradé**: graduated filter
~ **dégrossisseur**: preliminary filter, roughing filter
~ **écrasé**: collapsed filter
~ **éliminateur de bande**: band elimination filter, band stop filter, band suppression filter
~ **en tissu**: fabric filter
~ **épurateur d'huile**: oil purifier
~ **goutte à goutte**: trickling filter
~ **gravitaire**: gravity filter
~ **gris neutre**: neutral density filter
~ **humide**: wet filter
~ **lamellaire**: edge type filter

~ **multicouche**: multi-media filter
~ **noyé**: submerged filter
~ **optique**: optical filter
~ **ouvert**: gravity filter
~ **par gravité**: gravity filter
~ **passe-bande**: passband filter
~ **passe-bas**: low-pass filter
~ **passe-fréquence**: pick-off filter
~ **passe-haut**: high-pass filter, low-stop filter
~ **passe-pilote**: pilot pick-off filter
~ **passe-tout**: all-pass filter
~-**peigne**: comb filter
~ **percolateur**: trickling filter, percolating filter
~ **piézoélectrique**: crystal filter
~ **plissé**: fluted filter
~ **préparatoire**: preliminary filter
~-**presse**: filter press, press-filter
~ **rapide à sable**: rapid sand filter
~ **redresseur**: rectifier filter
~ **sous vide**: vacuum filter
~ **soustractif**: subtractive filter
~ **suppresseur d'harmoniques**: harmonic suppressor
~ **vissé**: spin-on filter

filtrer: to filter [out]; (le courant) to smooth

fin *f* : end; *adj* : fine; close (grain, texture); → aussi **fines**
~ **anormale**: abnormal end[ing]
~ **au plus tôt**: earliest finish time
~ **d'appel**: (tél) ring-off
~ **d'exécution**: end of run
~ **de bande**: end of tape; tape trailer
~ **de bloc**: end of block
~ **de combustion**: (astron) burnout
~ **de connexion**: (tcm) sign[ing] off
~ **de course ▶ FC**: limit switch
~ **de données**: end of data
~ **de fichier**: end of file
~ **de filetage**: thread runout
~ **de papier**: (inf) end of form, paper out
~ **de prise**: (ciment) final set
~ **de session**: (inf) log-off
~ **de support**: end of medium
~ **de transmission**: end of transmission
~ **de travail**: end of job

fines *f* : fines, small coal

finesse *f* : fineness; sharpness (of picture)
~ **de filtration**: degree of filtration
~ **de la pale**: blade lift/drag ratio

fini *m* : finish; *adj* : finished

~ **machine**: machine finished; (pap) mill finished

~ **ondulé**: wrinkle finish

~ **sur toutes les faces**: finish all over

finissage *m* : finishing; (fonderie) fettling GB, cleaning NA; (verre) fine polishing

finition *f* : finishing, finish

~ **dépolie**: mat finish

~ **mate**: mat finish

~ **par projection**: (plast) blast finishing (flash removal)

fiole *f* : phial, flask

~ **à filtrer**: filter flask

~ **conique**: boiling flask

firme *f* : firm; corporation NA

fissible: (nucl) fissile, fissionable

fissile: (roche) fissile; (nucl) fissile, fissionable

fission *f* : fission

fissipare: fissiparous

fissuration *f* : cracking

~ **par corrosion acide sous tension**: (pétr) sulfide stress cracking

~ **par corrosion sous contrainte**: stress corrrosion cracking

~ **par corrosion sous tension**: stress corrosion cracking

~ **sous contrainte dans un environnement donné**: environmental stress cracking

fissure *f* : crack; (géol) cleft, rift

~ **à la base**: (sdge) root crack

~ **de fatigue**: fatigue crack

~ **de tassement**: (constr) settling crack

~ **en dents de scie**: meandering crack

fixateur *m* : (phot) fixing bath, fixing agent; (teinture) fixer

fixation *f* : fastening, fixing, mounting; (chim) fixation

~ **de l'azote**: nitrogen fixation

~ **des clichés**: (sur rotative) plating up

~ **par collier**: clamping

à ~ **immédiate**: snap-on

de ~: (goupille) attaching, mounting

fixe: fixed, fast; built-in, non-removable; (constant) fixed, stable, stationary

fixé: fixed

~ **en permanence**: non-removable

~ **au mur**: wall-mounted

fixer: to fix, to fasten, to secure; (des conditions, une date) to set

~ **avec des coins**: to wedge

~ **par collier**: to clamp

~ **un prix**: to set a price, to fix a price, to price

flache *f* : (bois) wane; (surface d'une route, d'un trottoir) depression; (plast) sink mark

flacon *m* : small bottle; (lab) flask

~ **à réactif**: reagent bottle

~ **bouché à l'émeri**: glass-stoppered bottle

~ **compte-gouttes**: dropping bottle

~ **laveur**: wash bottle

~ **pressable**: squeeze bottle

flagelle *m* : flagellum

flagellé *m* : flagellate

flambage *m* : bending, yielding, collapse (under axial load); (de colonne) buckling, lateral flexure; (text) gassing, singeing; (de moule) skin drying

flambement *m* : bending, yielding, collapse (under axial load); (de colonne) buckling, lateral flexure

flamber: to buckle; (brûler) to burn, to burst into flame; (text) to sear, to singe; (une volaille) to singe

flamme *f* : flame

~ **blanche**: neat flame

~ **éclairante**: luminous flame

~ **jaillissante**: jet flame

~ **nue**: naked light, open flame

~ **réductrice**: reducing flame

~ **sonore**: singing flame

flan *m* : blank; (graph) matrix

~ **de clicherie**: flong, mat

~ **estampé**: precut blank

flanc *m* : side, flank; (de pneu) side wall; (d'anticlinal) leg

~ **arrière**: (de roue dentée) non-working flank; (d'impulsion) trailing edge

~ **avant**: (de roue dentée) working flank; (d'impulsion) leading edge

~ **d'impulsion**: pulse edge

~ **de creux**: dedendum flank

~ **de la dent**: tooth flank

~ **de pied**: radial flank

~ **de saillie**: addendum flank
~ **de tête**: addendum flank
~ **en pression**: driving flank (of tooth)
~ **en traction**: driven flank (of tooth)
~**s conjugués**: mating flanks

flasque *m* : end cover, end shield; (de rotor) end plate; (d'arbre, de bobine) flange; (de mortaise, de poulie) cheek
~**-bride**: mounting flange
~ **d'appui**: support flange
~ **de manivelle**: crank disk, crank web, crank cheek
~ **de montage**: (de moteur, de pompe) mounting flange
~ **de moyeu**: hub flange
~ **de roue**: wheel disc

flavine *f* : flavin[e]

flèche *f* : arrow; (de grue) jib, boom; (d'une portée, d'un arc) rise; (déformation) bending, deflexion, sag[ging]; (aéro) sweep (of wing)
~ **à portée variable**: luffing jib
~ **arrière**: (inf) back arrow; (aéro) trailing sweep
~ **articulée**: luffing jib
~ **brisée**: swan-neck jib
~ **de l'aile**: wing sweep[back]
~ **de la voilure**: wing sweep
~ **de levage**: gin pole
~ **latérale**: side boom
~ **négative**: (dans plan vertical) camber, hogging; (aéro) forward sweep
~ **relevable**: derricking jib, luffing jib
en ~: (pale, aile) sweptback
faire ~: (poutre) to deflect; (arbre) to whip

fléchir: to weaken, to yield; (sous un poids) to bend, to curve, to sag

fléchissement *m* : sagging, yielding; deflection, deflexion, flexion

flegmatiser: (explosifs) to desensitize, to phlegmatize

flétan *m* : halibut

fleur *f* : (bot) flower, bloom; (d'arbre) blossom; (poudre) flour, flower; (en surface) bloom
~ **d'eau**: algal bloom, water bloom
~ **de cobalt**: cobalt bloom
~ **de farine**: superfine flour
~ **simple**: single flower
~**s de soufre**: flowers of sulphur
à ~ **de**: flush with, level with

fleuret *m* : (de marteau perforateur) bit, drill rod

fleuve *m* : river
~ **à marée**: tidal river

flexibilité *f* : (physique) flexibility, pliability; adaptability, flexibility, versatility,

flexible *m* : (tuyau) hose, hosepipe; (él) flex, (de balai) pigtail; *adj* : (souple) flexible, pliable
~ **avec armature de fils métalliques**: wire-reinforced hose
~ **d'aspiration**: suction hose
~ **d'injection**: (forage) mud hose
~ **haute pression**: high pressure hose

fleximètre *m* : deflexion gauge, deflectometer, flexure meter

flexion *f* : flexion, deflection, deflexion; bending GB, flexure NA
~ **alternée**: reversed bending
~ **au choc**: impact bending
~ **déviée**: oblique bending, unsymmetrical bending
~ **élastique**: elastic bending
~ **gauche**: oblique bending, unsymmetrical bending
~ **pure**: pure bending
~ **simple**: simple bending
~**s alternées**: alternate bending
de ~: bending GB, flexural NA
en ~: flexed, under flexure, under bending load, bending GB, flexural NA

flexoforage *m* : flexodrilling

flexographie *f* : flexographic printing, flexography

flint *m* : flint glass

flle → **feuille**

flocage *m* : flocking

flochage *m* : buckling (of bottom of can)

flocon *m* : flake; (de fibres) tuft; → aussi **flocons**

flocons *m* : flakes
~ **d'avoine**: porridge oats
~ **de morue**: flaked codfish
~ **de poisson**: fish flakes

floculant *m* : flocculant

floculateur *m* : flocculating tank, flocculation tank, flocculator

floculation f : flocculation
~ **à voile de boue**: sludge blanket flocculation

floraison f : flowering, blooming, blossoming; (bot) florescence

flore f : flora, plant life
~ **aquatique**: aquatic flora
~ **intestinale**: intestinal flora
~ **marine**: marine flora

flot m : flow; (marée) flood [tide]
~ **de temps sec**: dry weather flow
~ **des commutations de paquets**: packet switch stream
~ **des données**: data flow, data stream
~ **des instructions**: instruction stream
à ~: afloat, waterborne

flottabilité f : buoyancy

flottaison f : floating; (mar) waterline
~ **en charge**: load line, load watermark
~ **en lège**: light watermark

flottation f : flotation
~ **à l'air dissous**: dissolved air flotation
~ **avec insufflation d'air**: air flotation
~ **par moussage**: froth flotation

flotte f : (aéro, mar) fleet
~ **de commerce**: merchant fleet

flottement m : (de courroie) flapping; (de roue) wobble
~ **de la direction**: (autom) steering wobble
~ **de la porteuse**: carrier float
~ **de pale**: blade flutter
~ **des roues**: (autom) wheel wobble, shimmy
~ **latéral de la bande**: weave

flotter: to float; (courroie) to flap

flotteur m : float, float gear; (de robinet) ball
~ **sphérique**: ball float

flou m : (image) blur, fuzziness; (IA) fuzziness; adj : blurred, fuzzy
~ **artistique**: (phot) soft focus
~ **chromatique**: chromatic softness

fluage m : crawling, creep, flow
~ **à chaud**: hot flow
~ **à froid**: cold flow
~ **en flexion**: flexural creep

~ **en traction**: tensile creep
~ **latéral**: (mécanique des sols) lateral yield
~ **sous contrainte**: creep under load

fluence f : fluence
~ **de particules**: particle fluence
~ **énergétique**: energy fluence

fluide m : fluid; adj : fluid; (oil) thin; (circulation) smooth, flowing
~ **à viscosité constante**: Newtonian fluid
~ **adaptateur d'indice**: index-matching fluid
~ **caloporteur**: coolant, heat carrier, heat carrying fluid, heat extraction fluid, heat transfer medium
~ **frigorigène**: refrigerant fluid, refrigerating medium
~ **moteur**: (turbine) working medium
~ **parfait**: perfect fluid
~ **porteur**: carrier fluid
~ **thermique**: heat carrier, heat carrying fluid
~ **véhiculé**: fluid handled
~s: (eau, gaz, él, air comprimé) utilities

fluidifiant m : thinning agent, thinner

fluidifié: fluidized; cutback (bitumen, liquid asphalt)

fluidique f : fluidics

fluidisé: fluidized

fluidité f : fluidity, flowability
~ **au gobelet**: cup flow

fluor m : fluorine

fluoration f : fluoridation

fluorescence f : fluorescence, bloom

fluorescéine f : fluorescein

fluorescent: fluorescent

fluorine f : fluorite

fluorite f : fluorite

fluorocarbone m : fluorocarbon

fluorochrome m : fluorochrome

fluoroscope m : fluoroscope

fluorure m : fluoride

fluotournage *m* : flow turning, floturning, flowspinning, flow forming

flux *m* : flow; (marée) flow, flood, flood tide, rising tide; (él, information) flow; (d'un vecteur) flux
~ **à travers un rotor**: rotor inflow
~ **d'une grandeur vectorielle**: flux of a vector quantity
~ **de cisaillement**: shear flow
~ **de chaleur**: flow of heat, heat flow
~ **de courant**: current flow
~ **de dispersion**: stray flux, leakage flux
~ **de données**: data stream, data flow
~ **électronique**: electron flow GB, electron drift NA (valve)
~ **et reflux**: ebb and flow, rise and fall (of the sea)
~ **ionique**: ion flow
~ **lumineux**: light flux
~ **magnétique**: magnetic flux
~ **sans rayons gamma**: gamma-free flux
~ **transfrontière de données** ▶ FTFD: transnational data flow
~ **transversal**: crossflow
~ **visqueux**: viscous flow

fluxé: cutback, fluxed

fluxmètre *m* : fluxmeter

FNC → **forme normale conjonctive**

foc → **focale**

focale ▶ **foc** *f* : (distance focale) focal distance, focal length

focalisation *f* : focusing
~ **ponctuelle**: (capteur solaire) point focusing

focalisé: in focus

fœtus *m* : foetus GB, fetus NA

foire *f* : trade fair, trade show

foirer un filet: to strip a thread

foliotage *m* : (graph) foliation, pagination

folioteuse *f* : paging machine

follicule *m* : follicle

fonçage *m* : (pétr) sinking
~ **de pieux**: pile driving; (par jet d'eau) jetting; (par cémentation) grouting
~ **de puits de mine**: shaft sinking, shaft boring

foncer: (un puits, une matrice) to sink; (un pieu) to drive in a pile

fonction *f* : function
~ **algébrique**: algebraic function
~ **calculable**: computable function
~ **de base**: standard feature
~ **de hachage**: hash function
~ **de renversement**: reversal function
~ **de transfert**: transfer function
~ **de valeur**: value function
~ **échelon**: step function
~ **inverse**: inverse function
~ **logique**: logic function, switching function
~ **réciproque**: inverse function
~ **vectorielle**: vector function
~**s propres**: eigen functions

fonctionnant: operating, working
~ **sur secteur**: line-powered

fonctionnement *m* : operation, working, running
~ **à charge réduite**: part-load operation
~ **à sous-tension**: undervoltage tripping
~ **à surintensité**: overcurrent tripping
~ **à vide**: no-load operation; open-circuit operation
~ **automatique**: unattended operation
~ **d'un réseau**: network operation
~ **en balayage unique**: single-sweep operation
~ **en court-circuit**: short-circuit operation
~ **en duplex**: duplex operation
~ **en mode dégradé**: (inf) degradation
~ **en mode direct**: (inf) on-line working
~ **en moulinet**: (aéro) windmilling
~ **en parallèle**: parallel working
~ **en semi-duplex**: half duplex
~ **en tandem**: tandem operation, tandem working
~ **en temps réel**: real time operation
~ **expérimental**: trial run
~ **sans incident**: trouble-free operation
~ **séquentiel**: sequential operation
~ **simultané**: simultaneous operation
~ **sûr**: trouble-free operation
en ~: operating, working; (usine) on stream

fonctionner: to operate, to run, to work
faire ~: to actuate, to operate

fond *m* : (de récipient) bottom; (de la mer) bottom, bed, floor; (de dent, de filet) root; (de cylindre, de pompe)

cover; (graph) background; → aussi
fonds
~ **amovible**: loose bottom
~ **avant**: (de cylindre) rod end; (de
roquette) front end section
~ **basculant**: tilting bottom
~ **d'onde**: valley
~ **de cale**: bilge
~ **de cylindre**: cylinder cover, cylinder
head
~ **de fouille**: (tranchée) bottom; (mine)
floor
~ **de panier**: (tcm) backplane, backpanel; (inf) motherboard
~ **de piston**: piston top, piston head
~ **de sculpture**: (pneu) tread groove
~ **détouré**: (graph) cutout background
~ **du carter**: crankcase bottom, crankcase lower half
~ **du chanfrein**: (sdge) root
~ **du réservoir**: tank bottom
~ **en coupole**: dome bottom
~ **marin**: ocean floor, seabed
~ **matricé**: stamped bottom
~ **mobile**: drop bottom
~ **océanique**: ocean floor
~ **ouvrant**: drop bottom
~ **sonore**: background music
au ~, de ~: (mine) underground; (pétr)
downhole, bottomhole

fondant *m* : (métall) flux; (confiserie)
fondant

fondation *f* : foundation
~ **directe**: natural foundation
~ **isolée**: blob foundation
~ **superficielle**: shallow foundation,
spread footing
~**s sur pieux**: pile foundations
~**s sur radier**: raft foundations GB,
mat foundations NA

fonderie *f* : casting, smelting, foundry;
(usine) foundry, smelting works
~ **sur album**: repetition foundry
~ **sur modèle**: jobbing foundry

fondeur *m* : caster, founder, smelter

fondoir *m* : (pour bitume) heating kettle,
melting kettle; (pour produit de revêtement) cooker

fondre: to melt; (métall) to smelt;
(dégeler) to melt, to thaw; (fusible) to
blow

fonds *m* : bottoms
~ **de réservoir**: tank bottoms, resid-
uals; sump fuel
~ **et tréfonds**: soil and subsoil

fondu: *m* : (phot, cin) fade, fading; *adj* :
melted; (métall) cast, molten; (fusible)
burnt out
~ **au gris**: fade grey
~ **au noir**: fade-out
~ **enchaîné**: cross fade, cross fading,
fade-over, lap dissolve

fongicide *m* : fungicide; *adj* : fungicidal

fongique: fungal

fonte *f* : melting; (métall) [cast] iron;
(dégel) thaw
~ **à cœur blanc**: white heart cast iron
~ **à graphite sphéroïdal**: spheroidal
graphite iron
~ **aciérée**: semi-steel
~ **alliée**: alloy cast iron
~ **au coke**: coke iron
~ **brute**: pig iron
~ **d'acier**: cast steel
~ **de première fusion**: pig iron
~ **délectrique**: electric furnace iron
~ **malléable**: malleable cast iron
~ **mécanique**: engineering cast iron,
machine casting
~ **nodulaire**: nodular iron
~ **résistant à l'usure**: nihard
~ **truitée**: mottled pig, mottled cast
iron

forage *m* : boring, drilling; (trou de
forage) borehole, hole
~ **à découvert**: open hole drilling,
uncased drilling
~ **à grande profondeur**: deep drilling
~ **à injection**: wash boring
~ **à l'eau**: wet drilling
~ **à l'entreprise**: contract boring
~ **à la corde**: rope drilling
~ **à la grenaille**: shot drilling
~ **au brouillard**: mist drilling
~ **au câble**: cable drilling
~ **au large des côtes**: offshore drilling
~ **aux ultrasons**: ultrasonic drilling
~ **d'exploitation**: exploitation drilling
~ **d'évaluation**: appraisal drilling
~ **d'exploration**: exploratory drilling,
wildcat drilling
~ **d'un avant-trou**: ratholing
~ **de développement**: proven area
drilling
~ **de reconnaissance**: wildcat drilling
~ **dévié**: side tracked hole
~ **du trou de rat**: ratholing
~ **en mer**: offshore drilling
~ **en mer profonde**: deep-sea drilling
~ **humide**: wet drilling
~ **hydrodynamique**: jet drilling
~ **oblique**: slant drilling
~ **par battage**: percussion drilling,
spudding

~ **percutant**: percussion drilling, percussive drilling
~ **rotary**: rotary drilling
~ **sismique**: shot-hole drilling
~ **sous-marin**: offshore drilling
~ **thermique**: thermal drilling, jet piercing
~ **vertical**: straight-hole drilling

force *f* : force; (de résistance) strength
~ **antagoniste**: controlling force, counteracting force, restoring force
~ **armée**: armed force
~ **attractive**: attraction
~ **centrifuge**: centrifugal force
~ **cohésive**: cohesive bond
~ **contraire**: counterforce
~ **contre-électromotrice**: back electromotive force
~ **coulombienne**: coulomb force
~ **d'accélération**: G-force
~ **d'attraction terrestre**: earth's gravity
~ **d'accouplement**: (él) engaging force, mating force (of conductor, of contact)
~ **d'adhérence**: adhesive strength
~ **d'attraction**: (d'un aimant) attraction, pull
~ **d'inertie**: inertia
~ **de cohésion**: cohesive bond
~ **de compression**: compressive load
~ **de désaccouplement**: separating force, unmating force (of conductor, of contact)
~ **de frappe**: strike force
~ **de levage**: lifting capacity
~ **de levier**: mechanical advantage
~ **de liaison**: bonding strength
~ **de propulsion**: propelling force, propulsion
~ **de rétablissement**: restoring force
~ **de rupture**: breaking strength
~ **de rupture en traction**: tensile breaking force
~ **de sustentation**: lifting force, lifting power
~ **de traction**: tensile load; (de locomotive) tractive power
~ **de traction d'un conducteur**: conductor pullout force, conductor tensile force
~ **du corps**: (graph) body [size], type size, point size
~ **électromotrice f.e.m**: electromotive force
~ **hydraulique**: water power
~ **magnétomotrice**: magnetomotive force
~ **motrice**: motive power, moving power, driving power, propelling power
~ **opposée**: counterforce

~ **portante**: carrying capacity, lifting capacity; buoyancy (of floating object)
~ **propulsive**: propelling force, propulsive force
~ **répulsive**: repelling power
~ **tensorielle**: tensor force
~ **vive**: kinetic energy, momentum

forcerie *f* : forcing house

forer: (pétr) to drill, to make hole; (un canon) to bore
~ **en aveugle**: to drill blind

foret *m* : drill, bit
~ **hélicoïdal**: twist drill
~ **à centrer**: centre drill
~ **à langue d'aspic**: arrow-headed drill, pointed drill
~ **à queue conique**: taper shank drill
~ **à queue cylindrique**: parallel shank drill
~ **à téton**: centre bit
~ **américain**: twist drill
~ **conique**: countersinking bit
~ **extra-court**: stub drill
~ **hélicoïdal**: twist drill

forêt *f* : forest
~ **décidue**: deciduous forest
~ **tropicale**: tropical forest

foreur *m* : driller, well borer

foreuse *f* : drilling machine, boring machine; (mine) rock drill
~ **à câble**: churn drill, cable-tool drill
~~**grue-tarière**: crane drill

forfait *m* : package (of services)

forgeage *m* : forging; (par martelage) hammer forging; (par matriçage) die forging
~ **par refoulement**: upsetting

formage *m* : forming
~ **par étirage**: draw forming
~ **par soufflage**: blow forming
~ **profond**: deep drawing
~ **sur moule positif**: stretch forming, drape forming

format *m* : size (of a sheet); (de présentation) format
~ **brut**: untrimmed size
~ **d'image**: (tv) aspect ratio
~ **d'imprimante**: printer format
~ **de codage**: coding format
~ **en largeur**: landscape format
~ **fini**: finished size, trimmed size
~ **horizontal**: landscape format
~ **vertical**: portrait format

formatage *m* : (inf) formatting

formateur *m* : (inf) formatter

formation *f* : (géol) formation; (mil) formation, unit; (de trains) making up; (d'une bobine) building [up]; (de personnel) training
~ **aquifère**: aquifer
~ **aquifère artésienne**: artesian aquifer
~ **blindée**: armoured formation
~ **d'étincelles**: sparking
~ **d'images**: imaging
~ **d'un arc**: arcing
~ **d'un cône d'eau**: water coning
~ **de boues épaisses**: sludging
~ **de halo**: halation
~ **de la foule**: (tissage) shedding
~ **de peaux**: skinning
~ **de projections**: (sdge) spatter formation
~ **de retassures**: (métall) piping
~ **de rides**: (peinture, revêtement) rivelling
~ **de sédiments**: deposition
~ **des cops**: cop building
~ **des trains**: marshalling
~ **directe**: on-the-job training
~ **du pas**: (tissage) shedding
~ **houillère**: coal measure
~ **meuble**: unconsolidated formation
~ **pratique**: hands-on training
~ **rocheuse**: rock formation
~ **sur le tas**: on-the-job training

forme *f* : shape, form; (pap) mould; (mar) dock
~ **d'onde**: wave shape, waveform
~ **de câbles**: cable form, harness
~ **de pulvérisation**: spray pattern
~ **de radoub**: graving dock, dry dock
~ **en béton**: oversite concrete
~ **canonique**: (IA) canonical form
~ **clausale**: (IA) clausal form
~ **réplicative**: (bio) replicative form
~ **ronde**: (pap) cylinder mould
~ **sauvage**: (gg/bm) wild type
en ~ **d'arc**: arcuated
en ~ **d'X**: X-shaped
en ~ **de coin**: wedge-shaped
en ~ **de colonne**: columnar

former: to form, to shape; (du personnel) to train (staff)
~ **un bord**: to flange
~ **un numéro**: (tél) to dial a number
~ **un train**: to make up a train

formeuse *f*, ~ **de barquettes**: tray former, traymaker

~~-**remplisseuse-scelleuse**: form-fill-seal machine

formulaire *m* : [printed] form, questionnaire
~ **vierge**: blank form

formule *f* : (chim, maths) formula; (formulaire) [printed] form
~ **à remplir**: blank [form]
~**s bien formées** ► FBF: (IA) well-formed formulae

formyle *m* : formyl

fort: strong, sturdy; → aussi **forte**
~ **trafic**: heavy traffic
à ~ **trafic**: (tcm) high-usage
de ~ **trafic**: busy (period)

forte: strong, sturdy
~ **pente**: steep gradient
~ **perte**: heavy loss
~ **pression**: heavy pressure
à ~ **intensité énergétique**: energy intensive
à ~ **intensité pétrolière**: oil intensive
à ~ **rotation**: fast moving
à ~ **teneur en**: high in
de ~ **puissance**: high-powered, high-rated

fortement: strongly, vigourously
~ **allié**: high-alloy, highly alloyed
~ **collé**: hard sized
~ **fumé**: hard smoked
~ **salé**: hard salted

fosse *f* : (constr) pit
~ **à boues**: (épuration) sludge trap
~ **à sable**: (épuration) sand trap
~ **d'essais**: test pit
~ **de coulée**: casting pit
~ **de réparation**: repair pit
~ **de réception**: collecting pit
~ **de visite**: inspection pit
~ **Dortmuund**: Dortmund tank
~ **Imhoff**: Imhoff tank
~ **septique**: septic tank

fossé: ditch, trench
~ **d'infiltration**: (captage) infiltration ditch
~ **de drainage**: drainage ditch
~ **filtrant**: infiltration ditch
~ **intercepteur**: intercepting ditch

fossoyage *m* : ditching, trenching

FOT → **fréquence optimale de trafic**

fou: (arbre, poulie) loose; (train, camion) runaway; (instrument) unsteady

foudre *f* : lightning; *m* : large vat

foudroyage *m* : (explosifs) caving
~ **après sous-cavage**: undercut caving
~ **par sous-étages**: sub-level caving
~ **par sous-niveaux**: sub-level caving

fouetter: (des œufs) to whisk, to beat; (de la crème) to whip

fouille *f* : excavation, digging, excavating
~ **à ciel ouvert**: open cut, open excavation
~ **en déblai**: surface excavation, cutting (earthmoving)

foulage *m* : (graph) hard impression, overimpression; (text) milling; (raisin) treading, pressing, crushing

foulard *m* : padding mangle, padding machine, padder

foule *f* : (text) shed
~ **d'en bas**: bottom shed
~ **superposée**: double shed

fouloir *m* : (constr) tamper, rammer; (méc) [stuffing box] gland, packing follower

four *m* : oven, furnace; (céram) kiln
~ **à arc**: arc furnace
~ **à bain**: bath furnace
~ **à bassin[s]**: tank furnace
~ **à calciner**: roasting furnace, roaster, calciner
~ **à chauffage indirect par résistance**: indirect resistance furnace
~ **à chaux**: lime kiln
~ **à ciment**: cement kiln
~ **à cloche**: bell furnace
~ **à coke**: coke oven
~ **à creuset**: crucible furnace, pot furnace
~ **à cuve**: shaft furnace
~ **à essais**: assay furnace
~ **à fusion**: melting furnace
~ **à griller**: calciner
~ **à induction**: induction furnace
~ **à moufle**: muffle furnace
~ **à passage**: continuous furnace
~ **à pot**: pot type furnace
~ **à réchauffer**: reheating furnace
~ **à réduction**: reduction furnace
~ **à résistance**: resistance furnace
~ **à reverbère**: reverberatory furnace
~ **à rigole**: gutter furnace
~ **à sole**: open-hearth furnace
~ **à vent froid**: cold blast furnace
~ **à wagonnets**: bogie furnace

~ **continu**: straight flow furnace
~ **d'égalisation**: soaking pit
~ **d'essayeur**: assay furnace
~ **de coupellation**: cupel[lation] furnace
~ **de fusion**: (de métal) melting furnace; (de minerai) smelting furnace, smelter
~ **de grillage**: roasting furnace, roaster
~ **de séchage**: drying oven, dryer; drying kiln
~ **de trempe**: hardening furnace
~ **Martin**: open hearth furnace
~ **Martin acide**: acid open-hearth furnace
~ **pit**: soaking pit
~ **pour traitement thermique**: heating furnace
~ **poussant**: pusher type furnace
~ **rotatif**: revolving furnace; rotary kiln
~ **sous vide à parois froides**: cold-wall vacuum furnace
~**-tunnel**: tunnel furnace; tunnel kiln

fourche *f* : fork; Y
~ **d'articulation**: hinge fork
~ **d'embrayage**: clutch fork; (de courroie) belt fork, strap fork, belt striker, belt shifter
~ **de débrayage**: clutch fork; (de courroie) belt fork, strap fork, belt striker, belt shifter
~ **de réplication**: (gg/bm) replication fork

fourchettage *m* : bracketing

fourchette *f* : fork; (de fonctionnement) range; (phot, stats, tir) bracket
~ **de baladeur**: change speed fork GB, shifter fork NA
~ **de commande de changement de vitesse**: gear-change selector
~ **de courroie**: belt shifter, belt striker
~ **de débrayage**: clutch release yoke, clutch release fork; (de courroie) belt shifter, belt striker

fourgon *m* : van
~ **à bagages**: luggage van GB, baggage car NA
~ **frigorifique**: reefer [car]
~**-pompe**: fire engine GB, fire truck NA

fourneau *m* : (de chaudière, de forge) furnace; (de mine) mine chamber

fourni: supplied
~ **par l'utilisateur**: user supplied
~ **par le client**: customer supplied

fournisseur *m* : supplier, vendor
~ **d'information**: information supplier
~ **exclusif**: sole supplier

fourniture *f* : supply
~ **d'énergie**: (él) power supply
~**s de bureau**: office requisites
~**s publicitaires**: publicity materials

fourrage *m* : fodder
~ **[en] sec**: dry fodder

fourreau *m* : bushing; (d'arbre, de tuyau) sleeve
~ **d'indépendance**: expansion pipe sleeve
~ **de broche**: (m-o) quill
~ **de distribution**: valve sleeve
~ **de protection**: (pipeline) casing
~ **porte-tresse**: stuffing box insert, packing box insert

fourrure *f* : bushing, lining; filler plate
~ **de protection**: wear bushing
~ **intermédiaire**: adapter bushing

foxé: (vin) foxy

foyer *m* : combustor, fire box, fire end (of furnace); (maths, phot) focus; (constr) hearth (of fireplace)
~ **à lit fluide**: fluid-bed combustor
~ **d'incendie**: seat of fire, source of fire
~ **de chaleur**: source of heat
~ **de chaudière**: boiler furnace
~ **de la pale**: blade aerodynamic center
~ **de profil d'aile**: aerodynamic centre
~ **linéaire**: line focus

fraction *f* : (maths, chim) fraction; (pétrole brut) cut
~ **de cœur**: heart cut
~ **de queue**: bottom, heavy end, end cut
~ **de recombinaison**: (gg/bm) recombination fraction, recombination frequency
~ **légère**: light end, light fraction
~ **molaire**: mole fraction
~ **ordinaire**: (maths) vulgar fraction
~ **simple**: proper fraction, simple fraction

fractionnement *m* : (division) splitting into parts, dividing; (d'articles, de fichier) split[ting]; (pétr) fractionation, topping

fracture *f* : fracture, rupture
~ **à nerf**: fibrous rupture
~ **chromosomique**: chromosome break, chromosomal break

~ **en sifflet**: splayed rupture
~ **soyeuse**: silky rupture

fragilisation *f* : embrittlement

fragilité *f* : fragility; (métall) brittleness, shortness
~ **à chaud**: hot shortness, hot brittleness
~ **à froid**: cold shortness, cold brittleness
~ **au bleu**: blue brittleness
~ **caustique**: caustic embrittlement
~ **de décapage**: acid brittleness
~ **de revenu**: temper brittleness
~ **par décapage**: acid embrittlement, pickling embrittlement
~ **par l'hydrogène**: hydrogen embrittlement

fragment *m* : fragment
~ **centrique**: centric fragment
~ **centromérique**: centromeric fragment
~ **cloné**: cloned fragment
~ **de jonction**: junction fragment
~ **de restriction**: restriction fragment

fragmentation *f* : fragmenting, fragmentation; (verre) shattering

frai *m* : spawn; spawning; spawning time

frais *m* : cost; *adj* : fresh; cool
~ **d'exploitation**: operating costs
~ **d'installation**: initial cost, prime cost
~ **de dépôt**: yardage costs
~ **de grue**: cranage
~ **de premier établissement**: capital expenditure
~ **de stockage en réservoir**: tankage
~ **de transport**: haulage
~ **divers**: sundries
~ **généraux**: indirect costs, overheads

fraisage *m* : milling
~ **au gabarit**: copy milling
~ **combiné**: straddle milling
~ **d'angle**: angle milling
~ **de forme**: form milling
~ **en avalant**: climb milling
~ **en bout**: end milling
~ **en plongée**: plunge milling
~ **normal**: upcut milling

fraise *f* : [milling] cutter, mill; (fruit) strawberry
~ **à alésage lisse**: bore cutter
~ **à dégrossir**: roughing mill
~ **à dents rapportées**: inserted tooth cutter
~ **à denture taillée**: solid tooth milling cutter

~ **à denture cannelée**: grooved milling cutter
~ **à fileter**: thread milling cutter
~ **à lames amovibles**: inserted tooth cutter
~ **à profiler**: profile cutter
~ **à rainurer**: slotting cutter; key seat cutter
~ **à surfacer**: face cutter
~ **à tailler les engrenages**: gear cutter
~ **à tailler les filets**: screw cutting milling cutter
~ **à tranchées**: trencher, wheel ditcher
~-**aiguilles**: needle cutter
~ **angulaire**: rose countersink
~ **conique**: tapered mill; countersink
~ **d'amorce**: starting mill
~ **d'angle**: angle milling cutter, angular cutter
~ **de dégrossissage**: roughing mill
~ **de forme**: profile cutter
~ **détalonnée**: backed-off cutter
~ **en bout**: end mill, end milling cutter
~ **profilée**: profile cutter
~-**scie**: [metal] slitting saw
~ **taillée**: rose countersink
~ **trois tailles**: side and face [milling] cutter

fraise-mère *f* : hob, gear cutter
~ **à segments rapportés**: inserted segment hob
~ **monobloc**: one-piece hob, solid gear hob

fraiser: to mill; (un trou) to countersink; (un engrenage) to hob

fraiseuse *f* : milling machine
~ **à portique mobile**: gantry type milling machine
~ **à reproduire**: copy milling machine, contour miller
~ **d'outillage**: toolroom milling machine
~ **raboteuse**: slab miller

fraisurage *m* : countersinking

fraisure *f* : countersunk hole

frappe *f* : striking; (mil) strike; (à la machine à écrire) typing; (au clavier) keyboarding, keystroking, keying
~ **d'une touche**: keystroke, key depression
~ **de monnaie**: minting

frapper: (heurter) to knock, to hit; (une touche) to strike
~ **monnaie**: to mint

fratrie *f* : siblings, phratry

frayer: to spawn

frayère *f* : spawning ground

frein *m* : brake
~ **à air comprimé**: air brake (of vehicle)
~ **à bande**: band brake, strap brake, belt brake
~ **à câble**: cable brake
~ **à cliquet**: snatch brake
~ **à collier**: band brake
~ **à cône [de friction]**: cone brake
~ **à courants de Foucault**: eddy current brake
~ **à court circuit**: short-circuit brake
~ **à disque**: disk brake
~ **à disques multiples**: multiple disc brake
~ **à expansion**: expanding brake
~ **à inertie**: overrun[ning] brake
~ **à mâchoires**: shoe brake, block brake
~ **à main**: parking brake, hand brake
~ **à ruban**: belt brake, band brake, strap brake
~ **à sabot[s]**: block brake, shoe brake
~ **à tambour**: drum brake
~ **à vis**: screw brake
~ **assisté**: servo brake, power [assisted] brake
~ **d'arrêt**: holding brake
~ **d'écrou**: lock washer, safety plate, nut lock
~ **d'embrayage**: clutch brake
~ **d'immobilisation**: stopping brake
~ **de maintien**: holding brake
~ **de secours**: emergency brake
~ **de service**: (autom) service brake
~ **de stationnement**: parking brake
~ **de translation**: travel brake, travelling brake GB, traveling brake NA
~ **de voie**: (chdef) [car] retarder
~ **différentiel**: differential brake
~ **dynamométrique**: torque brake
~ **monodisque**: single disk brake
~ **moteur**: engine brake; (descente de côte) low gear
~ **multidisque**: multiple disk brake
~ **sur différentiel**: differential brake
~ **sur jante**: rim brake
~ **sur la transmission**: transmission brake
~ **sur moyeu**: hub brake
~**s à double circuit**: dual braking system

freinage *m* : braking; (de la visserie) safetying, screw locking
~ **à contre-courant**: reverse braking
~ **par condensateur**: capacitor braking

~ **par coups de poinçon**: (de vis, de boulon) staking
~ **par courant opposé**: countercurrent braking
~ **par inversion de phases**: plug braking, plugging braking
~ **rhéostatique**: dynamic braking

freiner: to brake; (méc) to lock, (au pointeau) to centre punch

freinte *f* : loss (during manufacture, transport, etc)

frelater: to adulterate (wine, foodstuff)

fréquence *f* : frequency
~ **à puissance moitié**: half-power frequency
~ **acoustique**: audio frequency
~ **allélique**: gene frequency
~ **audio**: audio frequency
~ **centrale**: centre frequency
~ **d'appel**: ringing frequency
~ **d'échantillonnage**: sampling rate
~ **d'exploration**: (tv) vertical frequency
~ **d'ondulation**: ripple frequency
~ **de balayage**: sweep frequency, slew rate, vertical frequency
~ **de base**: clock rate, clock frequency
~ **de battement**: beat frequency
~ **de commutation**: switching rate
~ **de coupure**: cut-off frequency
~ **de lignes**: (trc) horizontal frequency
~ **de service**: service frequency, operating frequency
~ **de trame**: frame frequency
~ **de vobulation**: sweep frequency
~ **des cycles**: cycling speed
~ **des enjambements**: (gg/bm) crossover frequency
~ **des évanouissements**: fading rate
~ **étalon**: standard frequency
~ **fondamentale**: immediate frequency
~ **génique**: gene frequency
~ **image**: image frequency
~ **industrielle**: power frequency
~ **infra-téléphonique**: subtelephone frequency
~ **intermédiaire**: intermediate frequency
~ **latérale**: side frequency, sideband frequency
~ **maximale utilisable**: maximum usable frequency
~ **mère**: master frequency, parent frequency
~ **milieu**: midband frequency
~ **minimale utilisable**: lowest usable frequency
~ **nominale**: centre frequency

~ **optimale d'utilisation**: optimum working frequency
~ **optimale de trafic** ▶ FOT: optimum working frequency
~ **parasite**: spurious frequency
~ **pilote**: pilot frequency, control frequency, holding frequency
~ **porteuse**: carrier frequency
~ **propre**: natural frequency
~ **supra-acoustique**: super-audio frequency
~ **supra-téléphonique**: super-telephone frequency
~ **téléphonique**: speech frequency
~ **vocale**: voice frequency

fréquencemètre *m* : frequency meter

fret *m* : cargo, freight
~ **aérien**: air cargo
~ **d'aller**: outward freight
~ **de retour**: return freight, home freight
~ **de sortie**: outward freight
~ **maritime**: ocean freight

frettage *m* : binding, hoop reinforcement, hooping

frette *f* : [binding] band, hoop; (moulage des plastiques) chase; (de pieu) ferrule, pile hoop
~ **posée à chaud**: shrunk-on ring

fretter: to band, to hoop, to bind (with a ring)
~ **à chaud**: to sweat on, to shrink on

friche *f* : wasteland
~ **industrielle**: industrial wasteland

friction *f* : friction, rubbing

frigorifique: refrigerated; refrigerating

frigorigène *m* : refrigerant

frisons *m* : (men) [curled] shavings
~ **de papier**: paper wool

frittage *m* : (métall) sintering; (verre, céram) calcining, fritting

friture *f* : (alim) fried food; (radio) crackling
~ **de poisson**: fried fish

froid *m* : cold; refrigeration [engineering]; *adj* : cold, cool

fromage *m* : (alim) cheese; (bobine croisée) cheese; (antenne) cheese antenna, cheese aerial

~ **à pâte dure**: hard cheese
~ **à pâte molle**: soft cheese
~ **à pâte persillée**: blue mould cheese, blue veined cheese
~ **à tartiner**: cheese spread
~ **aveugle**: blind cheese
~ **bien fait**: ripe cheese
~ **blanc**: soft white cheese, cottage cheese
~ **bleu**: blue mould cheese, blue veined cheese, blue cheese
~ **de chèvre**: goat's milk cheese
~ **de tête**: brawn
~ **demi-gras**: low fat cheese
~ **fondu**: processed cheese
~ **frais**: soft white cheese
~ **pas encore fait**: green cheese
~ **persillé à la sauge**: sage cheese

fromager *m* : cheese maker; cheese-monger

froment *m* : wheat

front *m* : (d'impulsion) edge; (météo) front; (mil) front, font line; (mine) face
~ **arrière**: trailing edge
~ **avant**: leading edge
~ **d'avancement**: heading face
~ **d'onde**: wave front
~ **de mer**: waterfront
~ **de taille**: working face, coal face, breast
~ **descendant**: falling edge
~ **montant**: rising edge

frontière *f* : frontier, border; (plasma) edge

frottement *m* : rubbing; (méc) friction; (d'usure) chafing
~ **de glissement**: sliding friction
~ **de la pointe**: drag (of stylus)
~ **de roulement**: rolling friction
~ **latéral**: (d'un pieu) skin friction
~ **négatif**: drag
~ **superficiel**: skin friction

frotter: to rub, to chafe; (pour nettoyer) to scrub

frotteur: (él) brush, wiper, collecting shoe; (méc) friction piece, wiper
~ **de contact**: contact shoe

frottis *m* : smear test, swab test

fructose *m* : fructose, fruit sugar

fruit *m* : (alim) fruit; (d'un mur) batter
~ **à cuire**: cooker
~ **à noyau**: stone fruit, drupe

~ **comestible**: edible fruit
~ **confit**: candied fruit
~ **glacé**: glacé fruit
~ **sec**: dried fruit
~ **tombé**: windfall
~**s de mer**: seafood
~**s en bocaux**: bottled fruit
avoir du ~: to batter

FTFD → **flux transfrontière de données**

FTS → **faible teneur en solides**

fuchsine *f* : fuchsin[e]

fuel *m* : fuel oil
~ **domestique**: fuel oil Nr 2, home heating oil
~ **domestique désodorisé**: fuel oil Nr 2-D
~ **léger**: fuel oil Nr 4
~ **lourd**: heavy [fuel] oil, bunker oil

fuir: to leak, to escape

fuite *f* : leak; (d'un gaz) escape
~ **à la terre**: earth leak
~ **de trop-plein**: leak-off
~ **superficielle**: (d'isolateur) surface leakage
~ **sur un isolateur**: arc over

fulmicoton *m* : gun cotton

fumage *m* : (alim) smoking, smoke curing, curing; (agriculture) manuring

fumaison *f* : (alim) smoking, smoke curing, curing

fumée *f* : smoke; ~**s**: fumes
~ **épaisse**: dense smoke
~**s de combustion**: flue gas, waste gas
~**s d'échappement**: exhaust fumes, exhaust gas

fumer: to smoke; (alim) to cure, to smoke; (un champ) to manure

fumet *m* : smell, aroma
~ **de poisson**: fish stock

fumigateur *m* : fumigator

fumigation *f* : fumigation

fumigène: smoke producing

fumimètre *m* : smoke meter

fumivore: smoke consuming, smokeless (appliance)

fumivorité *f* : smoke absorption

fumure *f* : manure, manuring
~ **de couverture**: top dressing
~ **potassique**: potash manure

funiculaire *m* : cable railway, funicular railway

fuseau *m* : (gg/bm, men, text) spindle; (de parachute, de ballon) gore, panel; (aéro) pod
~ **achromatique**: achromatic spindle
~ **creux**: (gg/bm) hollow spindle
~ **éclaté**: (gg/bm) split spindle
~ **granulométrique**: grading range, grading envelope
~ **horaire**: time belt, time zone
~ **moteur**: engine nacelle, engine pod
~ **réacteur**: engine nacelle, engine pod

fusée *f* : (d'arbre, de cabestan) spindle; (autom) stub axle GB, steering knuckle NA; (d'obus, de mine) fuse GB, fuze NA; (ballistique) rocket; (pyrotechnie) rocket, flare, light; (peinture) streak
~ **à chape**: yoke end knuckle, forked stub axle, forked swivel axle
~ **à étages [multiples]**: step rocket
~ **à liquides**: liquid rocket
~ **à percussion**: percussion fuse
~ **à plasma**: plasma rocket
~ **à poudre**: solid rocket, powder rocket
~ **à retardement**: slow fuze, delay fuse, time fuse
~ **auxiliaire**: booster rocket
~ **d'essieu**: axle spindle, bearing neck
~ **d'ogive**: nose fuse, point fuse
~ **de direction**: steering knuckle, stub axle
~ **de lancement**: (tcm) launcher, launch vehicle
~ **de proximité**: proximity fuse
~ **de roue**: wheel spindle
~ **de signalisation**: flare
~ **éclairante**: flare, Very flare, Very light
~ **fusante**: time fuse
~ **interplanétaire**: space rocket
~ **lumineuse**: flare
~ **percutante**: percussion fuse
~ **porteuse**: carrier rocket
~ **solide-liquide**: solid-liquid rocket
~ **sonde**: sounding rocket
~ **traçante**: tracer rocket

fuselage *m* : fuselage, body (of aircraft)

fusible *m* : (él) fuse; *adj* : fusible
~ **à action retardée**: slow [blow] fuse, slo fuse

~ **à bouchon**: plug fuse
~ **à cartouche**: cartridge fuse
~ **à expulsion dirigée**: expulsion fuse
~ **à extinction en liquide**: liquid [quenched] fuse
~ **à fusion libre**: open-wire fuse
~ **à fusion rapide**: quick-acting fuse
~ **à indicateur de fusion**: indicating fuse
~ **à l'air libre**: open fuse, open-wire fuse
~ **à haut pouvoir de coupure**: high rupture capacity fuse
~ **à lame**: strip fuse
~ **à lames**: laminated fuse
~ **de sécurité**: safety fuse
~ **fondu**: blown fuse
~ **instantané**: quick-break fuse

fusil *m* : (de guerre) rifle; (de chasse) shotgun
~ **à air comprimé**: air gun
~ **à deux coups**: double-barreled gun
~ **à un coup**: single-barrel gun
~ **lance-grenade**: grenade rifle
~~-**mitrailleur**: automatic rifle, light machine gun

fusion *f* : melt, melting; (de minerai) smelting; (él) blowing (of a fuse); (nucl, gg/bm) fusion; (inf) merging
~ **cellulaire**: cell fusion, cell hybridization
~ **centrique**: centric fusion
~ **centrométrique**: centric fusion
~ **chromosomique**: chromosome fusion
~ **de chromosomes**: chromosome fusion
~ **de gènes**: gene fusion
~ **de réplicons**: replicon fusion
~ **de l'ADN**: DNA fusion
~ **de protoplastes**: protoplast fusion
~ **effervescente**: wild melt
~ **génique**: gene fusion
~ **par laser**: laser fusion
~ **sur sole**: hearth melting
~ **traductionnelle**: translational fusion
~ **transcriptionnelle**: transcriptional fusion

fût *m* : (récipient) cask, barrel, drum; (d'un tambour) barrel, body; (de rivet) shaft, shank, stem
~ **d'un pylône**: tower body
~ **de la cheminée**: chimney shaft
~ **de rabot**: plane stock
~ **perdu**: one-trip barrel

fuyage *m* : blow-by

fuyard *m* : (emballage) leaker

G

G → **guanine**

gabarit *m* : template, templet, jig, pattern; (construction navale) mould; (véhicule) clearance [line]
~ **conformateur**: (plast) cooling fixture, shrinkage block, shrinkage jig
~ **d'encombrement limite**: vehicle gauge
~ **d'enroulement**: winding form
~ **d'estampage**: stamping jig
~ **de chargement**: loading gauge
~ **de copiage**: pattern, copying gauge, copying template
~ **de passage**: clearance gauge
~ **de traçage**: marking template
~ **de transit**: (chdef) transit gauge
~ **étalon**: master template
~ **de vérification**: checking template
~ **modèle**: contour plate

gâchage *m* : (ciment, mortier) mixing

gâchée *f* : batch (of cement, of concrete)

gâchette *f* : (arme, éon) trigger

gadidé *m* : gadid

gain *m* : gain
~ **à la réception**: receiving gain
~ **au raffinage**: processing gain
~ **dans le lobe**: inbeam gain
~ **en puissance**: power gain
~ **en régime de saturation**: saturation gain
~ **en tension**: voltage gain
~ **équivalent**: effective gain
~ **nul**: zero gain
~ **transductique**: transducer gain

gainage *m* : (de protection, pétr) casing; (constr) boxing; (f.o.) cladding; (nucl) cladding, canning

gaine *f* : jacket, protective cover; (constr) duct, shaft; (f.o.) cladding; (de câble électrique) serving, jacket, conduit, covering, sheath; (nucl) cladding, canning; (plasmas) sheath; (anatomie) sheath; (enrobage) investment
~ **d'air**: air duct
~ **d'ascenseur**: lift shaft
~ **d'ascension**: (él) cable shaft, rise shaft, riser
~ **d'étanchéité**: [sealing] boot
~ **de combustible**: (nucl) fuel can, fuel cladding
~ **de distribution**: (él) bus duct, busway
~ **de myéline**: myelin sheath
~ **de plasma**: plasma sheath
~ **de plomb**: lead sheath, lead covering
~ **de reprise**: collecting duct
~ **de ressort**: spring gaiter
~ **de thermomètre**: thermometer well
~ **de ventilateur**: (autom) radiator cowl
~ **epoxy**: epoxy cladding, epoxy buffer
~ **extérieure**: (de câble) sheath[ing]
~ **isolante**: (él) tubing
~ **métallique**: metal sheath
~ **non résistante**: (nucl) collapsible cladding
~ **optique**: [optical] cladding
~ **souple de câble**: tubing
~ **technique**: pipe duct, service shaft
~ **verticale**: rise shaft, riser

galactogène *m* : (bio) galactagogue, galactogogue agent; *adj* : galacto-gogue, galactopoietic

galactomètre *m* : [ga]lactometer

galactose *m* : galactose

gale *f* : (chez l'homme) scabies; (chez les animaux) scab, mange; (bot) scale, scurf; (métall) scab

galerie *f* : gallery; tunnel; (de mine) road, drift; (él, tél) underground conduit; (sur voiture) luggage rack
~ **à flanc de coteau**: adit
~ **au rocher**: stone drift
~ **d'aérage**: (mine) airway, air course; (ship) ventilating course
~ **d'avancement**: [advance] heading
~ **d'évacuation**: spillway tunnel
~ **d'exhaure**: blind level

~ **d'infiltration**: (captage de l'eau) infiltration gallery
~ **de câbles**: cable tunnel, cable subway
~ **de circulation**: manway
~ **de conduites**: pipe gallery
~ **de roulage**: haulage way
~ **de retour d'air**: return airway
~ **des filtres**: (traitement de l'eau) filter gallery
~ **filtrante**: (captage) infiltration gallery
~ **marchande**: arcade GB, mall NA
~ **principale**: trunk road
~ **technique**: pipe gallery

galet *m* : (roue) roller; (pierre) shingle, pebble
~ **à boudin**: flanged wheel
~ **à un seul boudin**: single-flange rail wheel
~ **d'entraînement**: (de bande magnétique) capstan
~ **de came**: cam follower, cam roller, cam bowl
~ **de chenille**: track roller
~ **de direction**: caster roller, castor roller
~ **de guidage**: guide roller, idler roller, idler pulley, jockey pulley
~ **de poussoir**: tappet roller, lifter roller
~ **de renvoi**: tape idler, belt idler
~ **de roulement**: runner, live roller, rail wheel; (d'engin à chenilles) track roller
~ **de soudage**: roll electrode, contact roller
~ **de tension**: jockey wheel
~ **orientable**: [swivel] castor, [swivel] caster
~ **palpeur**: (m-o) contact roller
~ **presseur**: pinch roller, pressure roller
~ **tendeur**: belt tightener, tightening pulley, jockey pulley, idler pulley

galette *f* : pancake coil, wafer

galopin *m* : jockey pulley, idler pulley
~ **de tension**: tensioning pulley, tension roller

galvanisation *f* : galvanization, galvanizing

galvanomètre *m* : galvanometer
~ **à cadre**: loop galvanometer
~ **à cadre mobile**: moving coil galvanometer
~ **à corde**: string galvanometer
~ **à fil chaud**: hot-wire galvanometer
~ **à mirroir**: mirror galvanometer
~ **à torsion**: torsion galvanometer
~ **apériodique**: dead beat galvanometer

galvanoplastie *f* : electrodeposition, electroplating, plating
~ **au rhodium**: rhodanizing
~ **au tonneau**: barrel plating
~ **par immersion**: immersion plating

galvanotypie *f* : electrotyping

gamète *m* : gamete
~ **non réduit**: unreduced gamete
~ **équilibré**: balanced gamete

gamma *m* : gamma
~ **de capture**: capture gamma
~ **instantané**: prompt gamma

gamme *f* : range
~ **d'accord**: tuning range
~ **d'exploitation**: operational range
~ **de contrôle**: inspection specifications, inspection procedure
~ **de gris**: grey scale
~ **de mesure**: measuring range
~ **de montage**: assembly plan, assembly procedures, assembly schedule
~ **de produits**: product line
~ **des fréquences acoustiques**: audible range
~ **des mesures**: instrument range

GAP → **générateur automatique de programme**

garage *m* : garage; (route) passing place; (chdef) passing track
~ **d'autobus**: bus depot GB, car barn NA

garde *f* : (protection) guard; (tél) line hold
~ **au sol**: (d'un véhicule) road clearance
~ **d'eau**: (plomb) air trap, trap, trap seal, seal
~ **d'huile**: (de gazomètre) oil seal
~ **de la pédale d'embrayage**: clutch pedal free travel
~ **de pédale**: pedal clearance
~ **de sécurité**: (aérosol headspace

garde-chaîne *m* : chain case, chain cover, chain guard

garde-corps *m* : breast rail, hand rail

garde-côte *m* : coastguard

garde-fou *m* : breast rail, handrail, parapet

garde-gouttes *m* : splash guard

garde-signaux *m* : (chdef) signalman GB, towerman NA

gardé: (passage à niveau, parking) manned

garder: (conserver) to keep, to retain; (protéger) to guard

gardien *m* : attendant, keeper; (d'immeuble) caretaker

gare *f* : (de voyageurs) station
~ **d'embranchement**: junction
~ **de formation**: make-up yard
~ **de marchandises**: freight depot, goods station
~ **de triage**: shunting yard, marshalling yard
~ **routière**: bus station, coach station

garni: lined
~ **d'antifriction**: babbitt-lined
~ **de briques [réfractaires]**: bricklined
~ **de caoutchouc**: (rouleau) rubbercoated

garnir: (revêtir intérieurement) to line
~ **un palier**: to bush a bearing
~ **d'antifriction**: to babbit
~ **d'une chemise**: to jacket
~ **de dents**: to cog
~ **de zéros**: to zeroize
~ **une carte**: (inf) to populate a card

garnissage *m* : lining (of furnace), packing (of scrubber), setting brickwork, internal masonry (of oven)
~ **de la sole**: hearth lining
~ **de zéros**: zero fill
~ **réfractaire**: refractory lining mixture

garniture *f* : (méc) packing, stuffing; (de carde) clothing; (alim) filling (for sandwich), garnish (of dish), vegetables (served with meat)
~ **à labyrinthe**: labyrinth packing
~ **à tresse**: soft packing (pump)
~ **chromosomique**: chromosome complement, chromosome set
~ **d'embrayage**: clutch facing, clutch lining
~ **d'étanchéité**: (constr) sealing strip; (pétr) seal assembly, stripper
~ **d'étanchéité d'arbre**: shaft seal
~ **d'étanchéité de presse-étoupe**: packing ring, gland packing, packer
~ **de fond**: (pétr) bottomhole assembly
~ **de frein**: brake lining
~ **de pompe**: pump gear
~ **de presse-étoupe**: stuffing packing, packing (of stuffing box)

~ **de tige de piston**: piston rod packing
~ **intérieure**: (autom) upholstery
~ **mécanique**: mechanical seal (of pump)

gas-oil *m* : diesel fuel

gâteau *m* : cake
~ **de boues**: mud cake, sludge cake
~ **de filtration**: filter cake
~ **de miel**: honeycomb
~ **de presse**: press cake
~ **mousseline**: sponge [cake]
~ **de paraffine**: wax cake

gauchi: out of true, warped, bent, buckled, twisted

gauchir: to bend, to buckle, to twist, to warp

gauchissement *m* : bending, buckling, twisting, warping; (aero) warping, roll
~ **négatif**: (aéro) washout (of wing tip)
~ **positif**: (aéro) washin (of wing tip)

gaufrage *m* : embossing
~ **toile**: (pap) cloth finish, linen finish

gavage *m* : (d'animaux) force feeding

gaz *m* : gas
~ **à l'air**: producer gas, air gas
~ **à l'eau**: water gas
~ **à l'eau carburé**: carburetted water gas
~ **ammoniac**: ammonia
~ **asphyxiant**: poison gas
~ **brûlé**: stack gas, waste gas, flue gas
~ **brûlé à la torche**: flared gas
~ **brut**: raw gas
~ **carbonique**: carbon dioxide
~ **carburant**: power gas
~ **combustible**: fuel gas
~ **corrosif**: sour gas
~ **craqué**: cracked gas
~ **d'eaux résiduaires**: sewage gas
~ **d'échappement**: flue gas, off-gases, waste gases; (brûlés) exhaust gas
~ **d'éclairage**: city gas, illumination gas, lighting gas
~ **d'égout**: sewage gas, sewer gas
~ **d'extinction**: quenching gas
~ **de carneau**: flue gas
~ **de cokerie**: [coke] oven gas
~ **de colonne de production**: tubing gas
~ **de combustion**: flue gas
~ **de digestion**: digester gas, digestion gas
~ **de distillation**: still gas

~ **de gazogène**: producer gas
~ **de gueulard**: stack gas, top gas
~ **de haut-fourneau**: blast furnace gas
~ **de houille**: city gas, coal gas
~ **de pétrole**: oil gas, petroleum gas
~ **de pétrole liquéfié ▶ GPL**: liquefied petroleum gas
~ **de pyrolyse**: pyrolytic gas
~ **de raffinerie**: refinery gas
~ **de synthèse**: synthesis gas
~ **de tête de puits**: wellhead gas
~ **de torchère**: flare gas
~ **de ventilation**: vent gases
~ **de ville**: town gas, city gas
~ **des marais**: marsh gas
~ **désessencié**: stripped gas
~ **distribué**: mains gas
~ **électronique**: electron gas
~ **en bouteille**: bottle[d] gas
~ **évacués**: (dans l'atmosphère) vent gases
~ **hilarant**: laughing gas
~ **idéal**: perfect gas
~ **incondensables**: refinery tail gases
~ **inflammable**: flammable gas
~ **lacrymogène**: tear gas
~ **manufacturé**: manufactured gas, process gas
~ **naturel**: natural gas
~ **naturel liquéfié ▶ GNL**: liquefied natural gas
~ **naturel de susbstitution**: substitute natural gas
~ **neutre**: (éon) carrier gas
~ **noble**: noble gas
~ **non corrosif**: sweet gas
~ **non désulfuré**: sour gas
~ **non épuré**: raw gas
~ **non sulfureux**: sweet gas
~ **occlus**: entrapped gas
~ **parfait**: ideal gas
~ **pauvre**: dry gas, lean gas
~ **perdus**: waste gases
~ **plasmagène**: plasma gas
~ **porteur**: carrier gas
~ **rare**: noble gas
~ **réduits**: engine idling
~ **réduits à fond**: engine at idle rpm
~ **résiduaire**: residue gas, tail gas
~ **riche**: (en hydrocarbures liquides, en condensat): wet gas
~ **sans goudrons**: clear gas
~ **sec**: dry gas
~ **suffocant**: choking gas
~ **sulfureux**: sour gas
~ **support**: carrier gas
~ **tonnant**: explosive mixture
~ **toxique**: poison gas
~ **vecteur**: carrier gas
~ **vésicant**: vesicant gas, blister gas

gazage *m* : (text) singeing, gassing

gazéifère: gas bearing

gazéifiant: gasifying

gazéification *f* : gasification
~ **en lit entraîné**: entrained-bed gasification
~ **en lit fluidisé**: fluidized-bed gasification
~ **intégrale**: complete gasification

gazeux: gaseous

gazoduc *m* : gas pipeline

gazogène *m* : gasifier, producer (of gas)
~ **à air pulsé**: air-blown gasifier
~ **à cycle combiné**: hybrid gasifier
~ **à fusion de cendres**: slagging gasifier, slagging producer
~ **à lit fixe**: solid-bed gasifier, fixed-bed gasifier
~ **à lit fluidisé**: fluidized-bed gasifier
~ **complexe**: hybrid gasifier

gaz-oil → **gazole**

gazole *m* : gas-oil; diesel fuel

gazon *m* : turf, lawn

gazonnage *m*, **gazonnement** *m* : turfing, sodding

GC: guanine, cytosine

gel *m* : (froid) frost; (chim) gel
~ **d'agarose**: agarose gel
~ **de silice**: silica gel

gélatine *f* : gelatin[e]
~ **explosive**: blasting gelatine

gélatinisation *f* : gelatinization, gelling, jelling

gelée *f* : (froid) frost; (dessert) [fruit] jelly GB, jello NA
~ **blanche**: white frost
~ **de groseilles**: redcurrant jelly
~ **de pied de veau**: calf's foot jelly
~ **royale**: royal jelly
en ~: jellied

geler: to freeze

gélif: sensitive to frost

gélifiant *m* : gelling agent, gellant

gélification *f* : gelling, jelling, jellification

gélignite *f* : gelignite

gélivité *f* : liability to frost damage

gélose *f* : gelose, agar-agar
~ **nutritive**: nutrient agar

gemmation *f* : gemmation
~ **basale**: basal gemmation

gemme *f* : pine resin

gemmule *f* : gemmule

gemmipare: gemmiparous

gène: gene
~ **allèle**: allelic gene, allele, allelomorph
~ **antimutateur**: antimutator gene
~ **artificiel**: artificial gene, synthetic
gene
~ **chimère**: chimera gene, chimeric
gene
~ **complémentaire**: complementary
gene
~ **d'expression**: expression gene
~ **de contrôle**: regulator[y] gene,
control gene
~ **de fixation de l'azote**: nitrogen
fixation gene, nitrogen fixing gene, nif
gene
~ **de ménage**: housekeeping gene
~ **de régulation**: regulator[y] gene,
control gene
~ **de structure**: structural gene
~ **de type sauvage**: wild type gene
~ **domestique**: housekeeping gene
~ **dominant**: dominant gene
~ **dupliqué**: duplicate gene
~ **fragmenté**: discontinuous gene
~ **fixateur d'azote**: nitrogen fixation
gene, nitrogen fixing gene, nif gene
~ **homéotique**: hom[o]eotic
~ **hybride**: chimeric gene, hybrid gene
~ **inhibiteur**: inhibiting gene
~ **labile**: labil gene
~ **lét[h]al**: lethal gene
~ **marqueur**: marker gene
~ **mutant**: mutant gene
~ **muté**: mutated gene
~ **non allèle**: nonallelic gene
~ **opérateur**: operator [gene]
~ **précoce**: early gene
~ **récessif**: recessive gene
~ **recouvrant**: overlapping gene
~ **régulateur**: regulator[y] gene,
control gene
~ **sauteur**: transposon, jumping gene
~ **suppresseur**: suppressor gene
~ **suppresseur de changement de
phase**: frameshift suppressor
~ **synthétique**: artificial gene, synthetic gene

~ **tampon**: buffer[ing] gene
~ **tardif**: late gene

généalogie *f,* genealogy; (animal de
race) pedigree

générateur *m* : generator; *adj* : generating, generator
~ **à chute d'eau**: water-to-carbide
generator
~ **à gaz**: gas producer, gas generator
~ **alternatif**: a.c. generator
~ **asynchrone**: induction generator
~ **automatique de programme ▶
GAP**: report program generator
~ **auxiliaire de bord**: auxiliary power
unit
~ **d'analyseur**: (inf) parser generator
~ **d'harmoniques**: harmonic generator
~ **d'impulsions**: pulse generator,
pulser
~ **d'impulsions arythmiques**:
jitterbug
~ **d'impulsions codées**: pulse coder
~ **d'interférences**: interference unit
~ **d'ondes pilotes**: pilot generator
~ **d'ultrasons**: ultrasonic generator
~ **de balayage**: sweep frequency
generator, sweeper
~ **de compilateurs**: compiler-compiler
~ **de couple magnétique**: magnetic
torquing system
~ **de dents de scie**: sawtooth
generator
~ **de distorsion**: distorter
~ **de données de test**: test data
generator
~ **de mire**: pattern generator
~ **de pointe**: peaking generator
~ **de points et de barres**: dot bar
generator
~ **de rythme**: (éon) clock
~ **de signaux**: signal generator
~ **de signaux d'horloge**: timing
generator
~ **de sonnerie**: (tél) ring[ing] generator
~ **de soutien**: (él) load following
generator
~ **de synchronisation pour
transmission**: baud rate generator
~ **de système expert**: (IA) expert
system shell
~ **de tourbillons**: vortex generator
~ **de vapeur**: boiler plant, steam
generator, steam producer
~ **photovoltaïque**: solar cell array
~ **solaire**: solar array, solar cell
generator

génération *f* : generation
~ **d'impulsions**: pulsing

~ **de caractères câblée**: hardware character generation
~ **de courant**: current generation
~ **de système**: system generation, sysgen
~~**exécution**: generate-and-go

génératrice f : (él) generator, generating set; (maths) generating line, generatrix
~ **asynchrone**: induction generator
~ **d'essieu**: axle-driven generator
~ **de c.c.**: d.c. generator
~ **en dérivation**: shunt generator
~ **polymorphique**: multiple current generator, multicurrent generator
~ **tachymétrique**: tachometer generator, tachogenerator

générique m : (inf) generic; (cin) credit titles, credits; adj : generic

génétique f : genetics
~ **expérimentale**: experimental genetics
~ **moléculaire**: molecular genetics
~ **somatique**: somatic cell genetics

généticien m : geneticist, expert in genetics

génie m : engineering; (mil) engineers
~ **chimique**: chemical engineering
~ **civil**: civil engineering
~ **cognitif**: (IA) knowledge engineering
~ **de la connaissance**: (IA) knowledge engineering
~ **de la production**: production engineering
~ **des procédés**: process engineering
~ **génétique**: genetic engineering
~ **industriel**: engineering
~ **logiciel**: software engineering
~ **maritime**: naval engineering
~ **rural**: agricultural engineering
~ **sanitaire**: sanitary engineering

genièvre m : (plante) juniper; (eau-de-vie) gin

géniteur m : sire, [male] parent, [male] breeding animal

génitrice f : dam, [female] parent, [female] breeding animal

génocopie f : genocopy

génome m : genom[e]

génothèque f : gene library

génotype m : genotype
~ **résiduel**: residual genotype, background genotype

~ **résiduaire**: residual genotype, background genotype

genou m : (de tuyauterie) knee, knee joint, elbow
~ **vif**: square elbow

genouillère f : knuckle joint, swing joint, toggle joint

géocentrique: geocentric

géodésique: geodesic[al], geodetic

géologie f : geology

géomètre m : surveyor; building surveyor; (arpenteur) land surveyor

géométrie f : geometry
~ **dans l'espace**: solid geometry, three-dimensional geometry
~ **des articulations**: joint geometry (of linkage)
~ **plane**: plane geometry
~ **variable**: (aéro) variable geometry

géophysicien m : geophysicist

géophysique f : geophysics; adj : geophysical

géostation f : earth station, space ground station

géotextile m : engineering fabric

géothermie f : geothermics

géothermique: geothermal

géothermisé: geothermally heated

gerbage m : stacking (mechanical handling)

gerbe f : shower
~ **cosmique**: cosmic ray shower
~ **en cascade**: cascade shower

gerber: to stack; (pétr) to pick up, to rack (drill pipes)

gerbeur m : [pallet] stacker, stacking truck

gerce f : check (in wood); ~s: (bois) checking; (fonderie) finning GB, veining NA

géré: managed
~ **par le système central**: host-based, host-driven
~ **par serveur**: server-managed

germe *m* : (bio) germ; (de cristallisation) seed, nucleus

germen *m* : germen

germer: to germinate, to sprout

germicide *m* : germicide; *adj* : germicidal

germinal: germinal

germinatif: germinative

germination *f* : (bot) germination; (métall, cristal) nucleation

germoir *m* : seed tray; (brasserie) malt floor

gésier *m* : gizzard

gestion *f* : management
~ **de base de données**: data base management
~ **de l'information**: information management
~ **de la production**: production control
~ **de la production assistée par ordinateur ► GPAO**: computer-aided management
~ **de processus industriels**: process control
~ **de réseau**: network control, network management
~ **de réseau[x]**: networking, network management
~ **de réseau en bande de base**: baseband networking
~ **de transmission**: transmission control
~ **des erreurs**: error handling, error management
~ **des fichiers**: file handling, file management
~ **des ressources**: resource management
~ **des stocks**: stock control GB, inventory control NA
~ **du trafic**: load management, traffic control
~ **informatisée des stocks**: computerized stock management
~ **interne**: housekeeping
~ **inter-réseaux**: internetworking
~ **prévisionnelle**: forward planning
de ~: administrative, managerial; (inf) business, business-oriented

gestionnaire *m* : manager, administrator; (inf) handler, driver
~ **d'interruption**: interrupt handler
~ **de base de données**: database administrator

~ **de fichiers**: file manager
~ **de messages**: message handler
~ **de terminaux**: terminal driver
~ **des interruptions**: interrupt handler

gibbéreline *f* : gibberellin

giclée *f* : (de liquide) spurt, squirt; (de signaux) burst

gicleur *m* : [spray] nozzle; (de carburateur) jet
~ **à aiguille**: needle jet
~ **d'alimentation**: main jet
~ **d'atomiseur**: atomizing nozzle
~ **de brûleur**: burner jet
~ **de combustible**: metering jet
~ **de ralenti**: slow running jet, slo running jet, idler jet
~ **de reprise**: accelerating jet
~ **noyé**: submerged jet, flooded jet

gigaoctet *m* : gigabyte

gilet *m* : vest
~ **de sauvetage** *m* : lifejacket GB, Mae west NA
~ **pare-balles**: bulletproof vest

gingembre *m* : ginger

giration *f* : gyration; (mar) turning; (grue) slewing

giravion *m* : rotary wing aircraft, rotorcraft

gisement *m* : (géol) bed, deposit; (mar, aéro) bearing
~ **à la boussole**: compass bearing
~ **d'eau chaude**: hot water field
~ **de gaz**: gas field, gas reservoir, gas pool
~ **de géopression**: geopressured deposit
~ **de houille**: coal measure
~ **de la côte**: lie of the coast
~ **de pétrole**: oil pool
~ **du but**: bearing of target
~ **énergétique**: energy arising
~ **inverse**: reverse bearing
~ **métallifère**: ore deposit
~ **vierge**: maiden field

gîte *f* : (mar) list[ing], heel

gîte *m* : (géol) bed, deposit; (constr) joist, sleeper

givrage *m* : ice formation, icing; (congélation du poisson) glazing

glace *f*: ice; (verre) plate glass; (autom) window; (de tiroir, de cylindre) face; (alim) glaze (on meat, on pastry), ice cream
~ **à la dérive**: drift ice
~ **à la vanille**: vanilla ice cream
~ **argentée face arrière**: back-silvered glass
~ **carbonique**: carbon dioxide ice, dry ice
~ **de distribution**: valve seat
~ **de fond**: anchor ice, bottom ice
~ **flottante**: loose ice, ice floe
~ **sèche**: carbon dioxide ice, dry ice

glacé: (froid) icy, cold, frozen; (clim) chilled; (pap) glazed, glossy

glacer: (refroidir) to chill; (satiner) to glaze; (alim) to glaze (meat), to frost (a cake), to polish (rice); **se** ~: (abrasif) to glaze

glacis *m*: gentle slope, shelving; transparent coating; (constr) weathering GB, wash NA

glaçon *m*: block of ice; (alim) ice cube

glaçure *f*: (céram) glaze; (fonderie) cover coat
~ **plombifère**: lead glaze
~ **stannifère**: tin glaze

glaise *f*: pot clay, tile clay

gland *m*: (de presse-étoupe): packing gland, stuffing gland

glande *f*: gland
~ **à secrétion interne**: ductless gland
~ **endocrine**: endocrine gland, ductless gland
~ **exocrine**: exocrine gland

glissement *m*: sliding, slipping; gliding; (avance lente) creeping (of belt, of cylinder)
~ **amont d'un magnétron**: magnetron pushing
~ **aval d'un magnétron**: magnetron pulling
~ **de la bande**: cinching
~ **de phase**: phase shift
~ **de pôle**: pole slipping
~ **de terrain**: landslide, landslip
~ **des pièces de contact**: contact wipe
~ **des spires**: cinching
~ **horizontal de l'image**: (tv) line slip
~ **sur la jante**: creep (of tyre)
~ **vertical de l'image**: (tv) picture slip

glisser: to glide, to slide, to slip; (ramper) to creep (cylinder, belt)

glissière *f*: slide, slide rail, slideway; guide, guide bar, guideway; (de manutention) chute GB, shoot NA
~ **de bielle**: slipper
~ **de crosse**: guide bar, crosshead guide
~ **de glace**: (autom) window runner, window slide
~ **de sécurité**: crash barrier
~ **porte-étiquette**: (de rayonnage) shelf strip
~ **prismatique**: (m-o) Vees, V-way, Veeway
~ **trapézoïdale**: V-slideway

globule *m*: (petite goutte) globule
~ **blanc**: leucocyte, white blood cell, white blood corpuscle
~ **rouge**: erythrocyte, red blood cell, red blood corpuscle
~ **sanguin**: blood corpuscle, blood cell

globuline *f*: globulin

glomérule *m*: (anatomie) glomerulus; (bot) glomerule

glucagon *m*: glucagon

glucide *m*: carbohydrate, saccharide

glucocorticoïde *m*: glucocorticoïd

glucose *m*: glucose
~ **sanguin**: blood sugar

glucoside *m*: glucoside

glume *f*: glume

glutamate *m*: glutamate

glycéride *m*: glyceride

glycérine *f*: glycerin[e], glycerol

glycine *f*: (acide aminé) glycine

glycogène *m*: glycogen, animal starch

glycogénèse *f*: glycogenesis

glycogénogénèse *f*: gluconeogenesis, glyconeogenesis

glycol *m*: glycol

glycolyse *f*: glycolysis

glycoprotéine *f* : glycoprotein

GNL → **gaz naturel liquéfié**

GNS → **gaz naturel de substitution**

GO → **grandes ondes**

godet *m* : cup; (de manutention) bucket, scoop
~ **à huile**: oil cup
~ **basculant**: tipping bucket
~ **d'élévateur**: elevator bucket
~ **de niveleuse**: skimmer scoop
~ **de pelle mécanique**: dipper
~ **de terrassement**: excavating bucket
~ **graisseur**: grease cup, lubricator
~ **oscillant**: tilting bucket
~ **pour graissage forcé**: pressure grease cup

gommage *m* : (enduction) rubber spreading, coating with rubber; (pap) gumming; (d'un piston) seizing, sticking (of piston rings)

gomme *f* : gum; (à effacer) [india] rubber, eraser
~ **adragante**: tragacanth
~ **arabique**: acacia gum, gum arabic; mucilage NA
~ **explosive**: blasting gelatin

gommé: (pap) gummed; (tex) rubber coated

gomme-laque *f* : [gum] lac
~ **en feuilles**: shellac
~ **en grains**: seedlac

gomme-résine *f* : gum resin

gonade *f* : gonad

gonadotrope: gonadotrop(h)ic, gonatrop[h]ic

gondolage *m* : waviness (defect); (bois) warping; (pap) cockling, curl; (de tôle) buckling

gondoler, se ~: to buckle, to warp, to cokle, to curl, to buckle

gonflable: inflatable

gonflage *m* : (extrusion de plastiques) blowing; (de pneus) inflation

gonflant *m* : blowing agent

gonflement *m* : inflation, inflating; (du sol) heave; (dû à l'humidité) swelling

~ **des boues**: (épuration) [sludge] bulking
~ **excessif**: over-inflation
~ **insuffisant**: under-inflation

gonfler: (un pneu) to pump [up], to blow up, to inflate; (un accumulateur hydraulique) to charge
~ **un moteur**: to hot up an engine

gonfleur *m* : inflator, air line, air pump

goniomètre *m* : goniometer, direction finder

gonocyte *m* : gonocyte

gorge *f* : throat, neck; (arch) cavetto; (méc) recess; (de poulie, de segment de piston) groove; (de presse) throat; (d'aérosol) swage
~ **d'étanchéité**: seal groove
~ **d'huile**: oil collecting groove
~ **de dégagement**: undercut relief, clearance groove
~ **du moule**: (plast) spew relief, spew groove, flash groove
à ~: V-, V-shaped (rope pulley, brake)

goudron *m* : tar
~ **bitumineux**: bitumen tar mixture
~ **de houille**: coal tar
~ **de pétrole**: oil tar
~ **routier**: road tar

goudronnage *m* : tarring; (route) tar-spraying

goudronneuse *f* : tar sprayer, tar spreader

goujon *m* : (méc) dowel pin, stud [pin]; (de charnière) pintle, hinge pin
~ **d'assemblage**: set pin
~ **de bielle**: connecting rod gudgeon
~ **de calage**: set pin
~ **de centrage**: guide pin, locating pin, centring pin
~ **de cylindre**: cylinder stud
~ **fileté**: dowel screw, stud [bolt]
~ **palpeur**: sensing pin
~ **prisonnier**: set pin

goulot *m* : neck (of bottle)
~ **d'étranglement**: bottleneck

goulotte *f* : chute GB, shoot NA
~ **d'alimentation**: feed chute
~ **de coulée**: spout, lander, launder
~ **de remplissage**: filler tube
~ **en Y**: breeches chute
~ **pneumatique**: air slide

goupille f : dowel, dowel pin, pin
~ **cannelée**: grooved pin
~ **conique**: taper pin
~ **cylindrique**: parallel pin
~ **d'arrêt**: lockpin, stop pin; detent pin
~ **de centrage**: centring pin, locating dowel
~ **de cisaillement**: shear pin
~ **de fixation**: retaining pin
~ **de positionnement**: locating pin
~ **de sécurité**: shear pin, shear dowel, safety pin
~ **éjectrice**: knockout pin
~ **élastique**: roll pin, spring dowel
~ **fendue**: split pin, split cotter, cotter [pin]

gourde f : (alim) squash

gousse f : (de pois) pod, shell
~ **d'ail**: clove of garlic
~ **de vanille**: vanilla bean, vanilla pod

gousset m : gusset, gusset plate, stay plate; (de voile) batten pocket
~ **de coin**: corner plate
~ **en équerre**: angle plate

goutte f : drop; (de métal fondu) bead
~ **de soudure**: weld bead
~ **froide**: (plast) cold slug; (fonderie) cold shot, cold lap

gouttière f : (de toiture) gutter; (autom) drip moulding; (de transport) chute GB, shoot NA; (mar) stringer, waterway (on deck of a ship)
~ **à monnaie**: coin chute
~ **de câbles**: cable channel, wiring raceway
~ **transporteuse à secousses**: jigger

gouvernail m : rudder; (barre) helm, tiller
~ **de profondeur**: (mar) diving rudder; (aéro) elevator

gouverne f : (mar) steering; (aéro) control surface
~ **compensée**: balanced control surface
~ **de direction**: (aéro) vertical rudder
~ **de profondeur**: elevator

gouverner: (mar) to steer, to handle a ship; (méc) to govern, to regulate
~ **à la lame**: to steer by the sea
~ **d'après le vent**: to steer by the wind

GP → **grand pas, groupe primaire**

GPAO → **gestion de la production assistée par ordinateur**

GPL → **gaz de pétrole liquéfié**

gradateur m : grading rheostat, step-by-step resistor
~ **de lumière**: dimmer [switch]

gradient m : gradient
~ **d'indice**: (f.o.) graded index
~ **de densité**: (centrifugation) density gradient
~ **de pesanteur**: gravity gradient
~ **de potentiel**: potential gradient
~ **de température**: temperature gradient
~ **de vitesse de cisaillement**: shear rate
~ **hydraulique**: hydraulic gradient
~ **thermique**: thermal gradient

graduateur m : graduator
~ **de réglage en charge**: (él) on-load tap changer, on-load switch, on-load adjuster

graduation f : graduation; (d'instrument) division, graduating

gradué: graduated

graduel: progressive, stepped

grain m : grain; (méc) bush, ring; (pap) tooth; (météo) sudden shower, squall; (de blé, de poivre) corn; → aussi **grains**
~ **de café**: coffee bean
~ **de combustible**: fuel pellet
~ **de fond**: junk ring, packing ring
~ **de moutarde**: mustard seed
~ **de poivre**: peppercorn
~ **de raisin**: grape
~ **fin**: close grain
~ **grossier**: coarse grain
~ **serré**: close grain

grainage m : embossing, graining

graine f : seed
~ **de carvi**: caraway seed
~ **de colza**: rapeseed
~ **de lin**: linseed
~ **de moutarde**: mustard seed
~ **oléagineuse**: oilseed

grains m : grain (crop)
~ **abrasifs**: grit
~ **de plomb**: lead shot
à ~ orientés: grain-oriented
en ~: whole (coffee, pepper)

graissage m : greasing, lubrication, oiling
~ **à carter sec**: dry sump lubrication

~ **à vie**: lifetime lubrication, lubrication for life
~ **central monocoup**: one-shot lubrication
~ **compte-gouttes**: drop-feed lubrication
~ **en régime limite**: boundary lubrication
~ **forcé**: flood lubrication
~ **goutte à goutte**: drop-feed lubrication
~ **limite**: boundary lubrication
~ **noyé**: flood lubrication
~ **par bague**: ring lubrication, ring oiling
~ **par bain d'huile**: oil-bath lubrication
~ **par barbotage**: splash lubrication
~ **par brouillard d'huile**: spray lubrication, [oil] mist lubrication
~ **par capillarité**: capillary lubrication
~ **par frotteur**: wiper lubrication
~ **par gravité**: gravity-feed lubrication, gravity oiling
~ **par mèche**: wick-feed lubrication, wick oiling
~ **par projection**: splash lubrication
~ **par pulvérisation**: oil-spray lubrication
~ **par tampon**: oil-pad lubrication
~ **sous pression**: pressure lubrication, pressure greasing
à ~ **automatique**: self-lubricating, self-oiling

graisse *f*: (alimentation) fat; (méc) grease
~ **à bas point de congélation**: cold setting grease
~ **à base d'aluminium**: aluminium grease
~ **à base de silicone**: silicone grease
~ **à godet**: cup grease
~ **à la chaux**: lime grease
~ **à la soude**: soda grease
~ **animale**: animal fat
~ **au savon de lithium**: lithium soap grease
~ **calcique**: calcium grease, lime grease
~ **consistante**: cup grease, heavy grease, thick grease
~ **de silicone**: silicone grease
~ **de porc**: lard
~ **de rognon de bœuf**: suet
~ **de rôti**: drippping
~ **en briquette**: block grease
~ **en pains**: block grease
~ **fibreuse**: fibre grease
~ **filante**: tacky grease
~ **graphitée**: graphite grease
~ **incongelable**: antifreeze grease
~ **pour graissage forcé**: grease-gun grease, pressure-gun grease
~ **sans savon**: non-soap grease
~ **sodique**: soda grease
~ **solide**: brick grease
~ **spongieuse**: sponge grease
~ **végétale**: vegetable fat

graisseur *m*: (personne) greaser, oiler; (appareil) lubricator, grease cup, oil cup, grease nipple, oiler
~ **à aiguille**: needle lubricator
~ **à bague**: ring lubricator, ring oiler
~ **à bille**: grease nipple
~ **à chapeau**: cap lubricator, screw-down grease cup
~ **à coup de poing**: hand oiler, hand-pump lubricator
~ **à débit visible**: sight-feed lubricator, sight-feed oil cup
~ **à levier**: squirt gun, grease gun
~ **à mèche**: wick lubricator, wick-feed oil cup, wick-feed oiler
~ **à pression**: grease gun
~ **à réserve**: grease cup
~ **compte-gouttes**: drip-feed lubricator, drop lubricator, drop oiler
~ **sous pression**: forced-feed lubricator

Gram, ~ **négatif**: gram negative
~ **positif**: gram positive

grammage *m*: (pap) weight, substance; (verre textile) mass per unit area

grammaire *f*: (inf, IA) grammar
~ **contextuelle**: context-dependent grammar
~ **d'arbres**: tree grammar
~ **d'attributs**: attribute grammar
~ **dépendante du contexte**: context-sensitive grammar
~ **indépendante du contexte**: context-free grammar
~ **linéaire à gauche**: left-linear grammar
~ **non contextuelle**: context-free grammar

gramme-équivalent *m*: gram-equivalent

grand: large, big; → aussi **grande**
~ **angle**: wide angle
~ **axe**: (d'une ellipse) main axis, major axis
~ **écran**: wide screen
~ **fond**: (mar) deep water, deep sea; (graph) fore-edge margin, outside margin
~ **format**: king size
~ **mât**: main mast
~ **modèle**: king size
~ **pas** ▶ GP: coarse pitch

~ **pignon**: (de bicyclette) chain wheel
~ **public**: general public
~ **rayon**: long radius; (de courbe) long sweep
~ **rendement**: efficiency, productive (mining, oil)
~ **routier**: long-haul truck
~ **tourbillon**: whirlpool
~ **vin**: vintage wine
~ **utilisateur**: heavy user
à ~ **débit**: high-capacity, heavy-duty
à ~ **rendement**: high-capacity, heavy-duty, efficient

grande: large, big
~ **circulation**: heavy traffic
~ **friture**: deep frying
~ **informatique**: macrocomputing, supercomputing
~ **ligne**: (chdef) main line GB, trunk line NA
~ **marée**: spring tide
~ **ouverture**: (faisceau) wide angle
~ **pêche**: deep-sea fishing
~ **portée**: long range
~ **pureté**: high purity
~ **réparation**: major repair
~ **sensibilité**: (d'un appareil) sharp sensitivity
~ **série**: long run
~ **vitesse**: high speed; (autom) high gear, top gear
~**s ondes** ▶ GO: (désuet) long waves; → **ondes kilométriques**
à ~ **distance**: long-distance, long-range; (transport) long-haul; (tél) toll, trunk
de ~ **puissance**: large capacity, heavy duty, high-power

grandeur f : size, magnitude; (maths) value
~ **commandée**: controlled variable
~ **contrôlée**: controlled quantity
~ **corrigée**: adjusted quantity
~ **d'entrée**: input variable
~ **d'influence**: actuating quantity, actuating value, actuating variable, influencing quantity
~ **de commande**: control quantity, manipulated variable
~ **de sortie**: output quantity
~ **du lot**: batch size
~ **finie**: finish size
~ **mesurée**: measured variable
~ **nature**: actual size, full size
~ **ondulée**: pulsating quantity
~ **physique**: physical quantity
~ **pulsatoire**: pulsating quantity
~ **réelle**: natural size
~ **réglante**: correcting condition, manipulated variable

~ **réglée**: controlled variable, controlled quantity, controlled condition
~ **scalaire**: scalar quantity
~ **vectorielle**: vector quantity

granulat m : aggregate
~ **à granulométrie serrée**: short-range aggregate
~ **concassé**: angular aggregate, crushed aggregated
~ **enrobé**: coated aggregate
~ **roulé**: round aggregate

granulation f : granulation; grain coarsening; graininess

granulé m : pellet; adj : granulated
~ **de combustible**: fuel pellet

granulométrie f : grain size, grain size distribution
~ **discontinue**: gap grading
à ~ **fermée**: close-graded
à ~ **serrée**: short-range

graphe m : graph
~ **à secteurs**: pie graph
~ **biconnexe**: biconnected graph
~ **biparti**: bipartite graph
~ **connexe**: connected graph
~ **non connexe**: disconnected graph
~ **orienté**: oriented graph, directed graph, digraph
~ **pondéré**: weighted graph

graphiciel m : graphic software

graphimatique f : computer graphics

graphique m : chart, graph; graphics; f : graphic arts, graphics; adj : graphic
~ **à barres**: bar chart
~ **à bâtonnets**: rod chart
~ **à secteurs**: pie chart
~ **circulaire**: pie chart
~ **en image fil de fer**: wire-frame graphics
~ **vidéo**: video graphics

graphisme m : graphics, artwork

graphiste m : graphic designer

graphite m : graphite, black lead
~ **en paillettes**: flake graphite
~ **lamellaire**: flake graphite, graphite flake
~ **sphéroïdal**: spheroidal graphite
~ **de fourneau**: kish

grappe f : (inf, éon, tcm) cluster; (fonderie, moulage) stack, stack mould
~ **d'ions**: ion cluster
~ **de combustible**: fuel cluster
~ **de contrôle**: rod cluster

grappin *m* : grapple, hook; (mar) grapnel; (appareil de levage) grab, grab bucket; (pour monter à un poteau) climbing iron, climbing spur, climber
~ **à bois**: timber grab
~ **à plusieurs coquilles**: cactus grab, orange peel grab
~ **de repêchage**: (pétr) pickup grab, tool grab
~ **pour câbles**: (pétr): rope grab, wireline grapple

gras *m* : thickness; *adj* : fat, fatty; (charbon) rich; (argile, sable) strong; (graph) heavy, bold
~ **sur la largeur**: allowance in width

gratte-coussinets *m* : bearing scraper

gratte-tubes *m* : tube scraper

gratter: to scrape; (text) to brush (a fabric)

grattoir *m* : scraper

gravats *m* : demolition rubble, demolition waste

grave: (son) deep, low, low-pitch[ed]

grave-émulsion *f* : emulsion gravel

grave-laitier *f* : gravel-slag mixture

graver: to cut, to engrave
~ **à l'eau forte**: to etch
~ **en relief**: to emboss
~ **en mémoire morte [reprogrammable]**: to burn in

gravide: gravid

gravier *m* : gravel
~ **d'empierrement**: (pour routes) binding gravel
~ **de carrière**: pit gravel
~ **de concassage**: crushed gravel
~ **tout venant**: bank [run] gravel

gravillon *m* : fine gravel, grit

gravillonnage *m* : tertiary crushing; (de route) chipping, gritting

gravillonneur *m* : fine crusher

gravillonneuse *f* : grit spreader, gritter

gravitation *f* : gravitation, gravitational pull, earth's attraction

gravité *f* : gravity
~ **nulle**: zero gravity

gravois *m* : demolition rubble, demolition waste

gravure *f* : engraving; picture, print
~ **au trait**: line engraving, line work
~ **à l'eau forte**: etching
~ **chimique**: etching
~ **en creux**: intaglio engraving
~ **en taille-douce**: copperplate engraving
~ **hors texte**: full-page plate

gréement *m* : rigging
~ **courant**: running rigging
~ **dormant**: standing rigging

greffage *m* : grafting

greffe *f* : (végétale, de tissu) graft; (d'organe) transplant

grenade *f* : grenade; (fruit) pomegranate
~ **à manche**: stick grenade
~ **fumigène**: smoke grenade
~ **incendiaire**: incendiary grenade
~ **sous-marine**: depth charge

grenaillage *m* : shot blasting
~ **angulaire**: grit blasting
~ **d'écrouissage**: shot peening
~ **sphérique**: shot blasting

grenaille *f* : shot
~ **anguleuse**: grit
~ **de charbon**: carbon granules
~ **de plomb**: lead shot

grès *m* : sandstone; (poterie) earthenware
~ **cérame**: stoneware
~ **ferrugineux**: iron sandstone
~ **vernissé**: glazed ware

grésil *m* : cullet

grève *f* : (rivage) strand; (conflit) strike

griffe *f* : claw; (phot) accessory shoe
~ **d'entraînement**: coupling claw, engaging dog
~ **de démarreur**: starter dog
~ **de lancement**: starting claw
~ **de monteur**: climbing iron, climber
~ **de serrage**: gripping jaw

grignoteuse *f* : nibbling machine, nibbler

grillage *m* : (de minerai) burning, calcination, calcining, roasting; (du café) roasting, burning; (caoutchouc) scorching; (métallique) fencing, wire netting; (fondations) grillage
~ **en fil de fer**: wire netting

grillagé: (él) screen-protected; (verre) wired; (enceinte) fenced-in (with wire netting)

~-**abrité**: drip-proof screen-protected

grille f: (de clôture) [métal] gate, railings; (par terre) grating; (de protection) grille (door, counter); (él) grid; (de transistor) gate; (inf) mask, screen form[at], grid (on screen)
~ **à barreaux**: grizzly [screen]
~ **à la masse**: earthed grid
~ **accélératrice**: (nuc) accelerator grid
~ **d'aération**: ventilation grille
~ **d'arrêt**: suppressor grid
~ **de commande**: control grid
~ **de visualisation**: screen format
~-**écran**: screen grid
~ **suppresseuse**: suppressor grid

grille-pain m: toaster

griller: (du minerai) to burn, to roast; (une lampe) to burn out; (un fusible) to blow; (du pain) to toast

grimpette f: climbing iron, [pole] climber

griotte f: morello cherry

grippage m: seizing, binding, jamming

gris: grey GB, gray NA

grisou m: fire damp, mine gas, pit gas

GP → **gros plan**

groisil m: cullet

gros m: wholesale trade; adj: large, big; (grossier) coarse; → aussi **grosse**
~ **appareils électroménagers**: white goods
~ **béton**: coarse aggregate concrete, mass concrete
~ **bloc de pierre roulé**: boulder, bowlder
~ **bout**: (de poteau) butt end
~ **carton**: millboard
~ **diamètre**: (de fil métallique) coarse gauge
~ **engin de terrassement à chenilles**: big cat
~ **filetage**: coarse thread
~ **granulat**: coarse aggregate
~ **intestin**: large intestine
~ **morceau**: lump
~ **numéro**: (de fil) coarse count
~ **œuvre**: carcass, shell (of a building)
~ **ordinateur**: main frame computer
~ **ouvrage**: structural work, rough work
~ **plan** ▶ **GP**: close up
~ **plâtre**: coarse plaster
~ **rouleau**: (de calandre) king roll
~ **sable**: coarse sand
~ **sel**: coarse salt
~ **temps**: heavy weather

~ **titre**: headline
~ **usager**: heavy user
~ **utilisateur**: heavy user
~ **volume**: bulk

groseille f [**rouge**]: redcurrant

gros-porteur m: jumbo jet, wide-bodied aircraft

grosse: large, big, heavy; coarse
~ **chaudronnerie**: boiler making, heavy plate work
~ **lame**: heavy sea
~ **maille**: wide mesh, coarse mesh
~ **mer**: heavy sea
~ **pièce de fonte**: heavy casting
~ **production**: large-scale production
~ **taille**: rough cut
~ **toile**: canvas, crash
~ **toile à sacs**: sacking
~ **toile d'emballage**: hessian GB, burlap NA, sacking
~ **trame**: (graph) coarse screen

grosseur f: size (of particle); (text) thick place
~ **du grain**: grain size

grossier: rough, coarse; crude (method, equipment)

grossir: to enlarge, to magnify

grossissement m: (opt) magnification, magnifying power
~ **du grain**: coarsening of grain

groupage m: grouping; (transports) consolidation, bulking (of parcels); (inf) batching, blocking, clustering
~ **de fichiers**: file batching
~ **par paquets**: packetization

groupe m: (inf, tcm, chim) group; (méc) unit; (él) set
~ **à condensation**: condensing set
~ **acyle**: acyl group
~ **auxiliaire au sol**: (aéro) ground power unit
~ **azoïque**: azo group
~ **bulbe**: bulb type unit
~ **combinable**: (tél) phantom group
~ **commutatif**: commutative group
~ **convertisseur**: converter set, motor generator set
~ **d'excitation**: exciter set
~ **d'ions**: ion cluster
~ **d'octets**: gulp
~ **de charge d'accumulateur**: charging set
~ **de complémentation**: (gg/bm) complementation group
~ **de conduits**: chimney stack (inside)

~ **de démarrage**: starting set
~ **de gènes**: gene cluster
~ **de liaison**: (gg/bm) linkage group
~ **de multiplets**: gulp
~ **de pompage monobloc**: unit construction pump
~ **de recharge**: (accumulateurs) charging set
~ **de refroidissement**: cooling unit
~ **de secours**: (aéro) emergency power unit; (él) emergency set
~ **de servitude au sol**: (aéro) ground ancillary unit
~ **de soudage**: welding set
~ **de suralimentation**: supercharging set
~ **de symétrie**: (inf) symmetry group
~ **de touches**: key cluster
~ **de traction**: tractive unit
~ **dibenzylique**: dibenzyl group
~ **Diesel**: Diesel set
~ **électrogène**: generator set, generating set, generator, power unit, power generator
~ **méthyle**: methyl group
~ **moteur**: power plant, power unit
~ **moteur-générateur**: motor generator set
~ **motopropulseur**: power train
~ **ponctuel**: (cristal) point group
~ **primaire ▶ GP**: (tél) channel group, through group GB, thru group NA
~ **propulseur**: power plant
~ **quaternaire**: (tél) supermastergroup
~ **secondaire**: (tél) supergroup
~ **spatial**: space group
~ **surpresseur**: booster pump
~ **témoin**: control group
~ **tertiaire**: master group
~ **turbo-réacteur ▶ GTR**: (aéro) power plant

groupement *m* : grouping, bunching
~ **d'antennes**: antenna array

grouper: to group, to bundle, to combine, to gang
~ **les données par paquets**: to packetize

groupiste *m* : generating set operator

grue *f* : crane
~ **à aimant porteur**: magnet crane
~ **à benne preneuse**: grab[bing] crane, clamshell crane
~ **à brames**: slab crane
~ **à chenilles**: crawler-mounted crane
~ **à colonne**: column crane
~ **à console**: bracket crane, wall crane
~ **à crochet**: cargo crane
~ **à démouler**: stripping crane

~ **à déplacement horizontal de la charge**: level luffing crane
~ **à déplacement non horizontal de la charge**: derricking crane
~ **à électro-aimant**: magnet crane
~ **à flèche**: jib crane
~ **à flèche articulée**: level luffing crane
~ **à flèche relevable**: luffing crane
~ **à grappin**: grab crane
~ **à mât télescopique**: climbing crane
~ **à pivot**: slewing crane, revolving crane
~ **à portée fixe**: fixed-radius crane
~ **à portée variable**: derrick[ing] crane, luffing crane
~ **à portique**: gantry crane, portal crane
~ **à potence**: bracket crane, wall crane
~ **à volée variable**: derricking crane, luffing crane
~ **automotrice**: mobile crane, tractor crane
~ **d'applique**: wall crane
~ **de bord**: deck crane
~ **de chantier**: depot crane; (constr) building crane
~ **de secours**: (chdef) breakdown crane, wrecking crane
~ **de terre**: dockside crane
~ **dépanneuse**: breakdown crane GB, wrecking crane NA
~ **enfourneuse**: charging crane, feeding crane
~ **fixe**: fixed-jib crane, fixed crane
~ **marteau**: cantilever crane, hammerhead crane
~ **mobile**: mobile crane
~ **mobile sur camion**: truck crane
~ **murale**: bracket crane, wall crane
~ **pivotante**: revolving crane, swing crane, swinging crane
~ **portique**: portal crane
~ **roulante**: mobile crane, walking crane, travel[l]ing crane
~ **sur chenilles**: crawler crane, crawler-mounted crane, caterpillar-mounted crane
~ **sur porteur**: truck crane
~ **sur portique**: portal crane
~ **télescopique**: climbing crane
~ **Titan**: Titan crane, tower crane
~**-tour**: tower crane
~ **vélocipède**: walking crane
~ **volante**: flying crane

grume *f* : log (of timber)

grumeau *m* : (sauce) lump; (lait) curdle

grutier *m* : crane driver, crane operator

GTR → **groupe turbo-réacteur**

guanine ► **G** *f* : guanine

guanosine *f* : guanosine

guerre *f* : war, warfare
~ **bactériologique**: bacteriological
warfare, germ warfare
~ **spatiale**: space war

guêtre *f* : (méc) boot, gaiter

gueulard *m* : charging hole, mouth,
throat, top (of blast furnace)

gueuse *f* pig iron; (de lest) kentledge

guichet *m* : (de banque) counter, window
~ **automatique**: automatic counter,
walk-up window, automatic teller
machine

guichetier *m* : teller

guidage *m* : guiding; (mil, éon) guidance,
tracking
~ **de l'opérateur**: (inf) prompting
~ **par alignement**: beam riding
~ **par images infrarouges**: infrared
imaging guidance
~ **par itération**: iterative guidance
~ **sur faisceau**: beam-rider guidance
à ~ **par infrarouge**: heat-seeking
de ~: guiding; (poulie) leading; (trou)
pilot

guide *m* : guide; (d'ondes) waveguide
~ **à ailette**: fin waveguide
~ **à cannelures**: corrugated waveguide
~ **adapté**: matched waveguide
~ **d'ondes**: waveguide
~ **d'ondes à fente**: leaky waveguide
~ **d'ondes à moulures**: ridge waveguide
~ **d'ondes à ruban**: microstrip
~ **d'ondes cylindrique**: wave duct
~ **d'ondes en hélice**: helix waveguide
~ **d'ondes évanescent**: cut-off waveguide
~ **d'ondes hélicoïdal**: helix waveguide
~ **d'ondes multimodal**: multimode
waveguide
~ **d'ondes nervuré**: ridge waveguide
~ **[d'ondes] optique**: [optical] fiber
waveguide, optical waveguide
~ **de perçage**: (m-o) jig bush
~ **de pied de bielle**: crosshead guide
~ **de poussoir**: tappet block
~ **de tige de soupape**: valve stem
guide
~ **en fibre**: fiber guide
~ **flexible**: flexible waveguide

~ **optique**: fibre guide
~ **souple**: flexible waveguide
~ **unifilaire**: guide wire

guide-mèche *m* : (filature) roving traverse motion, traverse guide

guidon *m* : (de bicyclette) handlebar; (de
fusil) sight

guignol *m* : bell crank, crank lever
~ **d'aileron**: aileron lever

guillotine *f* : guillotine
~ **de soudure**: cutter sealer

guimauve *f* : marshmallow

guipage *m* : braiding, covering (of electric wire)
~ **simple**: single lapping
à ~ **deux couches soie**: double silk
covered
à ~ **deux couches coton**: double
cotton covered

guipé, ~ **d'amiante**: asbestos-covered
(cable)
~ **une couche papier**: single-paper
covered

guiper: to braid, to tape, to wrap (an
electric wire)

gunitage *m* : shotcreting

gunite *f* : shotcrete

guniteuse *f* : cement gun

gutta-percha *f* : gutta percha

GV → **grande vitesse**

GW-an: gigawatt year, GW-year

gypse *m* : gypsum

gyrase f: gyrase

gyrateur *m* : gyrator

gyrocompas *m* : gyrocompass

gyrophare *m* : (autom) revolving light

gyrofinissage *m* : rumbling, tumbling
(finishing of casting)

gyrolaser *m* : laser gyro

gyropilote *m* : gyropilot, automatic pilot

gyroscope *m* : gryroscope, gyro

h → hauteur

habileté *f* : craft, skill

habilitation *f* **sécurité**: security clearance

habillage *m* : (d'appareil) cabinetry; (autom) upholstery; (de structure) trim; (pap) clothing, covering, dressing (of cylinder)
d'~: (carter) decorative

habillé: equipped

habille-palette *m* : pallet cover

habitabilité *f* : habitability; (de véhicule, d'ascenseur) capacity

habitable: habitable, inhabitable, fit for habitation

habitacle *m* : (de voiture) interior; (d'autobus) passenger space; (mar) binnacle; (aéro) cockpit, flight deck

habitant *m* : inhabitant, resident

habitat *m* : housing
~ insalubre: slum

habitation *f* : dwelling, housing unit
~ à loyer modéré ▶ HLM: social housing; council house GB, low-cost housing NA
~ collective: multifamily dwelling
~ individuelle: single-family dwelling

habité: (logement) inhabited; (vol spatial) manned

hacher: to chop (wave, fibres); (alim) to mince (meat), to chop (vegetables)

hachoir *m* : mincer

hachurage *m* : hatching
~ croisé: crosshatching

hachure *f* : hatch, hachure; **~s**: hatching, hachures

hachuré: hatch-filled, hachured

halage *m* : (mar) hauling, warping; (par remorqueur) towage

halde *f* : (mine) waste dump
~ de résidus miniers: tailing dump
~ de verse: dumping ground

haler: (tirer sur un câble) to haul
~ de l'arrière: (mar) to haul astern

halètement *m* : (de combustion) chuffing

hall *m* : (constr) entrance hall; (de gare) concourse; (d'usine) bay
~ d'exposition: showroom
~ de coulée: casting bay
~ de montage: erection bay, assembly shop

halle *f* : covered market; (d'usine) bay
~ d'assemblage: (astron) assembly building
~ de cornues: retort house
~ de coulée: pouring bay, teeming bay
~ de montage: erection bay

halo *m* : halo; (phot) halation

halogénation *f* : halogenation

halogène *m* : halogen; *adj* : halogenoid, halogenous

halogéné: halogenated

halogénure *m* : halide

haloïde *m* : haloid

halomètre *m* : halometer

halophyte *f* : halophyte; *adj* : halophytic

hangar *m* : shed; (aéro) hangar
~ d'empotage: packing shed (for containers)
~ de locomotives: engine shed
~ démontable: portable hangar

haploïde: haploid

hareng *m* : herring
~ **bouffi**: bloater

haricot *m* : (légume) bean; (roue libre à coincement de cale) sprag
~ **à rames**: runner bean
~ **beurre**: wax bean
~ **blanc**: haricot bean
~ **nain**: dwarf bean
~ **sans fil**: snap bean
~ **sec**: dried bean
~ **vert**: French bean, green bean, string bean

harmonique *m* : harmonic
~ **d'ordre pair**: even harmonic
~ **d'ordre plus élevé**: higher harmonic
~ **d'ordre impair**: odd harmonic
~ **de rang plus élevé**: higher harmonic
~ **inférieur**: subharmonic, undertone
~ **sphérique**: spherical harmonic
~ **supérieur**: overtone

harnais *m* : harness; (él) cable harness, wiring harness
~ **d'engrenages**: gearing; (m-o) change wheels
~ **pyrométrique**: fire detection harness

harpon *m* : harpoon, grapple

hauban *m* : guy rope, guy cable, guy line, guy wire; (mar) shroud
~ **d'ancrage**: anchor guy
~ **de retenue**: stay wire, bracing wire
~ **tendeur**: span wire
~ **tendeur entre deux poteaux**: pole-to-pole guy

haubanage *m* : guying, [wire] bracing

haubané: guyed, cable-stayed, stayed

hausse *f* : rise, increase; (de fusil) backsight, hindsight
~ **à trou**: peep sight
~ **de la température**: temperature rise
~ **des prix**: price escalation

haut *m* : top; *adj* : high, hi, deep; upper;
~**s**: topsides (of ship, of offshore platform); → aussi **haute**
~**/bas** ► H/B: high-low, hi-lo
~ **de casse**: upper case
~ **de course**: top of stroke
~ **de gamme**: top of the range, upmarket, high-grade
~ **de page**: head [margin], top of page
~ **de piston**: piston top, piston head
de ~ **en bas**: top down

haute: high
~ **conductivité**: high conductivity
~ **définition**: high definition
~ **densité**: (plast, disquette) high density
~ **fiabilité**: high reliability, hi-rel
~ **fidélité**: high fidelity, hi-fi
~ **fréquence**: high frequency
~ **fréquence minimale utilisable**: lowest useful high frequency
~ **mer**: deep sea, open sea; (marée) high tide, high water
~ **précision**: high precision
~ **pression** ► HP: high pressure
~ **priorité**: high priority
~ **résolution**: high definition
~ **technologie**: high technology, hi-tec
~ **teneur en soufre** ► HTS: high sulphur content
~ **tension** ► HT: high tension, high voltage
~**s eaux**: highwater
à ~ **définition**: fine-focus, pinsharp
à ~ **énergie**: high-energy
à ~ **performance**: high-performance
à ~ **résistance**: high-strength, high tensile
à ~ **teneur**: (métall) high-grade
à ~ **teneur en**: rich in
à ~ **teneur en carbone**: high-carbon
à ~ **teneur en matières volatiles**: high-volatile
de ~ **mer**: seagoing, oceangoing
de ~ **qualité**: high-quality, high-grade
de ~ **sécurité**: high-integrity

hauteur ► h *f* : height; (géog) hill, rise in ground; (d'impulsion) amplitude; (d'un triangle, d'un astre) altitude; (de poutre, d'écrou) depth; (d'un son) pitch
~ **au-dessous du primitif**: dedundum
~ **au-dessus du niveau de la mer**: height above sea level
~ **au-dessus du sol**: height above ground
~ **capillaire**: capillary head
~ **d'aspiration**: suction head, suction height
~ **d'aspiration d'une pompe**: pump suction lift
~ **d'attaque**: (d'une pelle) cutting height, digging height
~ **d'écoulement**: depth of flow
~ **d'élévation**: (pompage) pumping head, static head, static lift
~ **de charge**: [pressure] head
~ **de charge artésienne**: artesian head
~ **de charge de l'eau souterraine**: groundwater pressure head
~ **de charge dynamique**: dynamic head

~ **de chute**: height of fall; head of water
~ **de clavette**: thickness (of key)
~ **de dent**: depth of tooth, tooth depth
~ **de déversement**: dumping clearance
~ **de feuillet**: page length
~ **de fiche**: (d'un pieu) driving depth
~ **de flèche**: boom height
~ **de fuite**: (coussin d'air) daylight clearance, daylight gap, air gap, escape height
~ **de gorge**: throat depth (of weld)
~ **de l'entrefer**: gap width
~ **de la pleine mer**: height of high water
~ **de la basse mer**: height of low water
~ **de la pression statique**: static head
~ **de levage**: hoisting height, lifting height, height of lift, range of lift
~ **de marche**: rise of a step
~ **de page**: page length, page depth
~ **de passage**: headroom
~ **de pointe**: (d'un tour) swing
~ **de refoulement**: pressure head, delivery head; pumping head, lift, throw (of pump)
~ **de remblai**: (d'une tranchée) cover
~ **de ruissellement**: depth of run-off
~ **de voûte**: headroom
~ **des épaules**: shoulder height, shoulder level
~ **des pointes** ▶ HDP: height of centres
~ **disponible sous broche**: clearance under spindle
~ **du remblai**: height of fill
~ **équivalente de la vitesse**: velocity head
~ **hors sol**: height above ground
~ **libre**: clearance height; overhead clearance; ground clearance, road clearance; (constr) headroom; (d'un pont) headway
~ **libre entre plateaux**: (d'une presse) daylight GB, mold opening NA
~ **manométrique**: delivery head
~ **pratique d'aspiration**: (de pompe) net positive suction head
~ **sous clé**: (d'un égout) crown height
~ **sous crochet**: height of hook
~ **sous plafond**: ceiling height
~ **totale**: overall height, height overall
~ **utile**: working height; headroom, headway
~ **utile de denture**: working depth of teeth
en ~: (réglage, fenêtre) vertical

haut-fond *m* : shallow water, shallows

haut-fourneau *m* : blast furnace

haut-parleur *m* : loudspeaker, speaker
~ **à condensateur**: capacitor loudspeaker
~ **à conducteur mobile**: moving conductor loudspeaker, moving coil loudspeaker
~ **à membrane conique**: cone loudspeaker
~ **à pavillon**: horn loudspeaker
~ **aigu**: tweeter [loudspeaker]
~ **d'aigus**: treble loudspeaker
~ **de graves**: woofer
~ **électrodynamique**: moving conductor loudspeaker, moving coil loudspeaker
~ **électrostatique**: capacitor loudspeaker, condenser loudspeaker
~ **piézoélectrique**: crystal loudspeaker
~ **pour fréquences basses**: woofer, boomer
~ **pour fréquences élevées**: tweeter, treble loudspeaker

hauturier *m* : oceangoing ship; deepsea pilot; *adj* : deepsea, ocean

havage *m* : (mine) coal cutting; (génie civil) shaft sinking (with caisson pile)
~ **au mur**: undercutting
~ **au toit**: roof cutting

haveuse *f* : coal cutter, coal cutting machine
~-**chargeuse**: cutter-loader
~-**chargeuse à tambour**: shearer-loader

hayon *m* : (de voiture) fifth door; (de camion) tailboard GB, tailgate NA
~ **élévateur**: power tailgate, tailboard lift, tailgate lift

H/B → **haut/bas**

HDP → **hauteur des pointes**

hélice *f* : (géométrie, gg/bm) helix; (méc) propeller, prop, screw; (d'avion) airscrew
~ **à ailes rapportées**: built-up propeller
~ **à changement de pas automatique**: automatic propeller
~ **à courbure variable**: variable camber propeller
~ **à droite**: right-handed helix
~ **à mise en drapeau**: feathering propeller
~ **à pas constant**: constant-pitch propeller

~ **à pas fixe**: fixed-pitch propeller
~ **à pas réglable**: adjustable propeller
~ **à pas réversible**: reversible-pitch propeller
~ **à pas variable**: variable-pitch propeller
~ **à vis**: screw conveyor, spiral conveyor
~ **aérienne**: airscrew, air propeller
~ **alpha**: (gg/bm) alpha helix
~ **carénée**: ducted propeller, shrouded propeller
~ **contrarotative**: contraprop
~ **de pas à droite**: right-handed propeller
~ **de propulsion**: propelling screw
~ **démultipliée**: geared propeller
~ **élévatrice**: (convoyeur) lifting screw
~ **marine**: marine propeller, water propeller, water screw
~ **monopale**: single-blade propeller
~ **orientable**: swivelling propeller
~ **primitive**: pitch helix
~ **propulsive**: pusher propeller, pushing propeller
~ **réversible**: reversible-pitch propeller
~ **se mettant en drapeau**: feathering propeller
~ **sustentatrice**: lifting propeller
~ **tournant à gauche**: left-handed propeller
~ **tractive**: driving propeller, pulling propeller
~ **transporteuse**: spiral conveyor, screw conveyor
~ **tripale**: three-blade propeller
~ **supraconvergente**: in-turning propeller
~ **supradivergente**: propeller turning outwards
~**s jumelles**: twin screws
en ~: helical

hélicocentrifuge: (roue, pompe) mixed-flow

hélicocentripète: inward-flow

hélicoïdal: helical, screw-shaped, spiral, spirally wound; (bague) single-turn

hélicoïde m : helicoid
~ **à développante**: involute helicoid

hélicoptère m : helicopter, chopper
~ **à pulsoréaction**: pulse-jet helicopter
~ **à réaction**: jet-propelled helicopter
~ **à rotors en tandem**: tandem-rotor helicopter
~ **à statoréacteur**: ram-jet helicopter
~ **à usage général**: utility helicopter
~ **ABC**: advancing blade concept helicopter
~ **bimoteur**: twin helicopter
~ **birotor**: dual-rotor helicopter
~ **biturbine**: twin-turbine helicopter
~ **combiné**: compound helicopter
~ **de transport**: cargo helicopter
~ **de transport lourd**: heavy-lift helicopter
~ **embarqué**: carrier-borne helicopter
~ **gros porteur**: heavy-lift helicopter
~ **polyvalent**: utility helicopter
~ **ravitailleur**: tanker helicopter
~ **utilitaire**: utility helicopter

hélicosurface f : helipad

héligare f : heliport building

héligrue f : flying crane, rotor crane, sky crane

helminthe m : helminth

hélioarchitecture f : solar architecture

héliocapteur m : solar collector

héliocentrale f : solar power plant, solar power farm

héliographe m : heliograph. sunshine recorder

héliographie f : (astron) heliography; (graph) heliographic printing

héliogravure f : intaglio printing, photogravure, gravure [printing]
~ **rotative**: rotogravure

hélio-ingénierie f : solar engineering

hélion m : helium nucleus

héliotechnique f : solar engineering

héliothermicien m : solar heating engineer

hélipont m : helideck

héliport m : heliport
~ **en terrasse**: roof-top heliport

héliporté: heliborne, helicoptered

hélistation f : helistop

hélisurface f : helipad

hélitreuillage m : helihoisting

ématite f : haematite

ématoblaste m : haematoblast GB, hematoblast NA

ématologie f : haematology GB, hematology NA

ématopoïèse f : haematopoiesis GB, hematopoiesis NA

émi-cellule f : half cell

émiédrique: hemihedral

émisphère f : hemisphere

émisphérique: hemispherical; dome-shaped

émoculture f : blood culture

émoglobine f : haemoglobin GB, hemoglobin NA

émophile m : haemophile GB, hemophile NA; adj : heamophiliac GB, hemophiliac NA

émophilie f : haemophilia GB, hemophilia NA

épatite f : hepatitis

eptagonal: seven-sided

eptamère m : septamer

eptane m : heptane

eptode f : heptode

erbe f : (agriculture) grass; (alim) herb; (trc) grass; radar clutter
en ~: green, unripe (corn)

erbicide m : weedkiller

erbivore m : herbivore; adj : herbivorous

érédité f : (gg/bm) heredity, inheritance
~ chromosomique: chromosomal inheritance
~ cytoplasmique: cytoplasmic heredity
~ du sexe: sex inheritance
~ extra-chromosomique: extrachromosomal inheritance
~ extranucléaire: extranuclear inheritance
~ liée au sexe: sex-linked inheritance

~ maternelle: maternal inheritance
~ matrocline: matriclinous inheritance, matroclinous inheritance, matroclinal inheritance
~ non mendélienne: non-mendelian heredity, non-mendelian inheritance
~ polygénique: polygenic inheritance
~ retardée: delayed inheritance
~ sexuelle: sex[ual] inheritance

hérisson m : bottle brush, flue brush; pipe brush, go-devil, scraper; spiked roller, toothed roller; (constr) layer of hardcore

héritage m : inheritance
~ multiple: (IA) multiple inheritance

hermétique: airtight, gastight, vapourtight; sealed, sealed-off

herse f : (agriculture, antennes) harrow; (antennes) rectangular array; (de câbles) cable rack

hétérochromatine f : heterochromatin

hétérochromosome m : heterochromosome

hétérodimère m : heterodimer

hétéroduplex m : heteroduplex

hétérodyne nf : heterodyne; adj: heterodyne

hétérogame: heterogamous

hétérogamétique: heterogametic

hétérogamie f : heterogamy

hétérogène: heterogeneous

hétérogénéité f : heterogeneity, heterogeneousness

hétérojonction f : heterojunction

hétéropolaire: heteropolar

hétérosis f : heterosis, hybrid vigour

hétérosome m : heterochromosome

hétérostructure f : heterostructure

hétérotrophe: heterotrophic

hétérozygote m : heterozygote; adj : heterozygous

heure *f* : hour; time (by the clock); →
aussi **heures**
~ **chargée**: busy hour
~ **creuse**: non-busy hour, offpeak hour
~ **d'affluence**: peak hour, rush hour
(traffic)
~ **d'arrivée prévue**: estimated time of
arrival
~ **d'établissement**: (tél) connection
time
~ **d'ouvrier**: man hour
~ **de départ prévue**: estimated time of
departure
~ **de faible trafic**: offpeak hour
~ **de fin d'occupation**: (tél) time off
~ **de grande écoute**: (radio, tv) peak
time
~ **de main-d'œuvre**: man hour
~ **de pointe**: (tél) heavy hour, busy
hour; (trafic) rush hour, peak hour
~ **de trafic intense**: (tél) heavy hour
~ **du fuseau horaire**: zone time
~ **hors-pointe**: offpeak hour
~ **légale**: standard time
~ **locale**: local time GB, standard time
NA
à l': on time, on schedule

heures *f* : hours
~ **d'ouverture**: business hours
~ **de bureau**: office hours
~ **supplémentaires**: overtime

heuristique *f* : heuristics; *adj* : heuristic

hexadécimal: hexadecimal

hexagonal: hexagonal, six-sided

hexaphasé: hexaphase, six-phase

hexode *f* : hexode

hexose *m* : hexose

hiérarchie *f* : hierarchy
~ **des données**: data hierarchy
~ **des travaux**: (inf) job classification
de ~ supérieure: higher

hiérarchisé: prioritized

hile *m* : (bot) hilum; (anatomie) hilus

hiloire *f* : (de protection) coaming
~ **d'écoutille**: hatch coaming

hissage *m* : hoisting

histamine *f* : histamine

histidine *f* : histidine

histiocyte *m* : histiocyte

histochimie *f* : histochemistry

histocompatibilité *f* : histocompatibility

histogénèse *f* : histogenesis, histogeny

histogramme *m* : histogram

histologie *f* : histology

histolyse *f* : histolysis

histone *f* : histone

historique *m* : [case] history

hiverisation *f* : winterization

hivernage *m* : wintering; winter fodder

hiverner: to winter

hiverniser: to winterize

HLM → **habitation à loyer modéré**

hologramme *m* : hologram

holographie *f* : holography
~ **en infrarouge**: infrared holography
~ **gamma**: gamma ray holography

holoplancton *m* : holoplankton

homard *m* : lobster
~ **œuvé**: lobster in berry

homéoboîte *f* : homeo box

homéostase *f* : hom[o]eostasis

homme *m* : man
~ **de barre**: helmsman
~ **du métier**: expert
~-**heure**: man hour
~-**minute**: man minute, manit
~ **mort**: dead man (safety device)
~ **standard**: standard man
~-**poste**: manshift

homme-grenouille *m* : frogman

homoéotique: homoeotic

homogène: homogeneous, uniform,
consistent

homogénéité *f* : homogeneity, consistency

homogéniser: to homogenize

homologation *f* : official approval, certification
~ **de type**: type certification, type approval

homologué: approved, certified

homologue *m* : homologue; *adj* : homologous, equivalent

homologuer: to approve, to certify, to validate

homopolaire: homopolar

homopolymère *m* : homopolymer

homozygote *m* : homozygote; *adj* : homozygous

horaire *m* : time table GB, schedule NA; *adj* : hourly, per hour
~ **à la carte**: flexible working hours, flexitime
~ **variable**: flexible working hours, flexitime

horizon *m* : horizon; skyline; (géol) layer, stratum
~ **aquifère**: water bearing layer, water bearing stratum
~ **d'abattage**: mining horizon
~ **gyroscopique**: gyro horizon
~ **pédologique**: soil horizon
~ **pétrolifère**: oil horizon
~ **productif**: pay horizon, pay zone

horizontale *f* : horizontal line

horizontalité *f* : horizontality, horizontalness; (d'une courbe) flatness

horloge *f* : clock; interval timer
~ **à temps relatif**: relative-time clock
~ **atomique**: atomic clock
~ **centrale**: master clock
~ **de pointage**: time clock
~ **en temps réel**: real-time clock
~ **génératrice de rythme**: clock generator
~ **horodatrice**: date and time stamping clock
~-**mère**: master clock
~ **parlante**: speaking clock
~ **pilote**: master clock
~ **principale**: master clock

hormone *f* : hormone
~ **de croissance**: growth hormone
~ **gonadotrope**: gonadotropic hormone

~ **végétale**: plant hormone, phyto-hormone
~ **végétale de croissance**: plant growth hormone

horodaté: time-stamped

horodateur *m* : clock meter, date and time stamping clock; (de stationnement) parking meter

hors: out of, outside
~ **axe**: off axis
~ **bande**: out of band, outband
~ **carte**: (inf) off board
~ **circuit**: (él) off circuit, off, dead, deenergized; (traitement) off line; (installation cessant de fonctionner) off-stream
~ **cote**: off size
~ **cotes**: off gauge
~ **d'aplomb**: out of plumb
~ **d'état d'être réparé**: beyond repair
~ **d'exploitation**: (aero) non-revenue (flight)
~ **émission**: off air
~ **faisceau**: out of beam
~ **foyer**: out of focus
~ **gabarit**: over dimensional limits
~ **lieux**: off premises
~ **ligne**: off line
~ **limites**: out of tolerance
~ **machine**: off machine
~ **nomenclature**: non-listed (assembly, component)
~ **normes**: non-conforming
~ **pointe**: offpeak
~ **poussière**: tack free
~ **production**: off production
~ **réacteur**: (nucl) out-of-pile
~ **réseau**: non-network
~ **série ▶ h.s.**: tailored
~ **service**: out of operation, non-working; out of order
~ **sol**: above ground, above grade
~ **spécifications**: off specifications
~ **synchronisme**: out of step
~ **taxes ▶ HT**: exclusive of tax
~ **tension**: power off
~ **type**: (gg/bm) off-type
~ **voie**: off track
~ **œuvre**: (constr) out-to-out (measurement)
~ **route**: off highway
~ **série**: special, specially manufactured

hors-bord *m* : outboard motor boat; *adj* : outboard

hors-profil *m* : (mine) backbreak, overbreak

hors-texte *m* : insert, inset

horticulteur *m* : horticulturist

hôte *m* : (inf) host

hotte *f* : (de forge, de laboratoire) hood
~ **aspirante**: suction hood
~ **d'évacuation**: exhaust hood
~ **d'extraction**: exhaust hood

houblon: hop; (brasserie) hops

houille *f* : black coal, mineral coal, pit coal
~ **anthraciteuse**: hard coal
~ **blanche**: water power
~ **bleue**: tidal power
~ **d'or**: solar energy
~ **grasse**: rich coal, caking coal, channel coal
~ **tendre**: soft coal

houiller: (terrain, gisement) coal bearing

houillère *f* : coal mine, colliery

houle *f* : swell (of the sea), motion of the waves
~ **centennale**: hundred-year wave
~ **de fond**: ground swell

houlographe *m* : wave recorder

houlomarégraphe *m* : wave-and-tide gauge

housse *f* : [loose] cover
~ **de palette**: pallet wrap, pallet cover

HP → **haute pression, hauteur sous plafond**

HS → **hors service**

h.s. → **hors série**

HT → **haute tension, hors taxes**

HTS → **haute teneur en soufre**

hublot *m* : (mar) porthole; (aéro) window; (éclairage) bulkhead fitting
~ **d'observation**: view port
~ **de prise de vue**: camera port
~ **de regard**: peep hole, sightglass

huilage *m* : (lubrification) oiling; (du gaz) oil fogging, oiling

huile *f* : oil
~ **à broches**: spindle oil

~ **à point d'ébullition élevé**: high-boiling oil
~ **animale**: animal oil
~ **anthracénique**: anthracene oil
~ **antipoussière**: dust binder, dust laying oil
~ **antirouille**: slushing oil, rust proof
~ **auto**: motor oil
~ **bitumineuse**: asphaltic oil
~ **bitumineuse pour routes**: road oil
~ **blonde**: pale oil
~ **brute**: crude oil, live oil
~ **comestible**: edible oil
~ **corrosive**: sour oil
~ **cuite**: boiled oil
~ **cuite à température élevée**: hard-boiled oil
~ **cylindres**: cylinder stock
~ **d'absorption**: absorption oil
~ **d'arachides**: groundnut oil
~ **d'amande**: almond oil
~ **d'éclairage**: lamp oil; (catégorie des kérosènes) burning oil
~ **d'imprégnation**: penetrating oil
~ **d'olive**: olive oil, sweet oil
~ **de baleine**: whale oil
~ **de base**: blending stock, base stock
~ **de blanc de baleine**: spermaceti oil
~ **de cachalot**: sperm oil
~ **de colza**: rapeseed oil
~ **de coton**: cottonseed oil
~ **de coupe**: cutting coolant, cutting oil
~ **de disjoncteurs**: switchgear oil
~ **de fluxage**: flux oil
~ **de foie de morue**: cod liver oil
~ **de houille**: coal-derived oil
~ **de laminage**: rolling oil
~ **de lin cuite**: boiled linseed oil
~ **de lin épaissie**: bodied linseed oil
~ **de maïs**: maize oil GB, corn oil NA
~ **de palme**: palm oil
~ **de pépins de raisin**: grapeseed oil
~ **de pin**: pine tar oil
~ **de poisson**: fish oil
~ **de raffinage sélectif**: selective oil
~ **de récupération**: reclaimed oil
~ **de recyclage**: rerun oil
~ **de ricin**: castor oil
~ **de rinçage**: flushing oil, wash oil
~ **de schiste**: shale oil, slate oil
~ **de sésame**: gingili oil, gingelli oil, gingelly oil
~ **de soja**: soya oil
~ **de soute**: bunker oil
~ **de synthèse**: synthetic oil
~ **de table**: salad oil
~ **de traitement**: process oil
~ **décolorée**: bleached oil
~ **diélectrique**: dielectric oil, electrical [insulating] oil
~ **durcie thermiquement**: hard-boiled oil

~ **émulsifiable**: emulsifying oil
~ **épaissie**: boiled oil, thickened oil
~ **épuisée**: spent oil
~ **essentielle**: essential oil
~ **filante**: storm oil
~ **fluide**: light oil, thin oil
~ **frigélisée**: winterized oil
~ **graphitée**: graphite oil
~ **hydrogénée**: hydrogenated oil
~ **inhibée**: inhibited oil
~ **isolante**: electric oil, electrical [insulating] oil
~ **lampante**: burning oil
~ **lourde**: black oil; fuel oil; (visqueuse) heavy oil
~ **lubrifiante**: lubricating oil, lube oil
~ **minérale**: mineral oil
~ **minérale pure**: straight mineral oil
~ **minérale sans additifs**: straight-run mineral oil
~ **monograde**: single-grade oil
~ **moteur**: engine oil, motor oil, crankcase oil
~ **multigrade**: multigrade oil
~ **neutre**: acid-free oil
~ **noire**: black strap, black oil
~ **non siccative**: non-drying oil
~ **partiellement émulsionnée**: cut oil
~ **pauvre**: lean oil
~ **peu visqueuse**: light oil
~ **pour chauffage domestique**: domestic oil
~ **pour disjoncteurs**: switchgear oil
~ **pour engrenages**: gear oil, transmission oil
~ **pour friture**: cooking oil
~ **pour laminoirs**: rolling oil
~ **pour machines**: machine oil
~ **pour machine frigorifique**: refrigeration oil
~ **pour moteur**: engine oil, motor oil, crankcase oil
~ **pure**: straight oil
~ **raffinée**: refined oil
~ **récupérée**: recovery oil
~ **recyclée**: rerun oil
~ **régénérée**: rerun oil
~ **routière**: road oil
~ **sans fluorescence**: bloomless oil
~ **sans paraffine**: wax-free oil
~ **sans reflet**: bloomless oil
~ **siccative**: drying oil, quick-drying oil
~ **soufflée**: blown oil
~ **spéciale ▶ HD**: heavy duty oil
~ **très fluide**: thin oil
~ **usée**: spent oil, used oil, waste oil
~ **végétale**: vegetable oil
~ **vierge**: virgin stock; (alim) virgin oil
~ **visqueuse**: heavy oil
à ~: oil, oil-filled
à ~ **et refroidissement par eau**: oil-insulated water-cooled

à ~ **et refroidissement naturel**: oil-insulated self-cooled
dans l'~: oil-immersed

huisserie *f* : doorframe in partition

huître *f* : oyster

humectage *m* : damping, dampening

humecter: to moisten

humidificateur *m* : humidifier

humidifuge: moisture-repellent

humidimètre *m* : moisture meter

humidité *f* : humidity, damp[ness], wetness; moisture, moisture content
~ **ascensionnelle**: rising damp
~ **atmosphérique**: air moisture
~ **constitutionnelle**: inherent moisture
~ **équivalente**: moisture equivalent
~ **relative**: relative humidity
~ **sur brut**: moisture content on wet basis
~ **sur sec**: moisture content on dry basis

humus *m* : humus, leaf mould, vegetable mould

hybridation *f* : hybridization
~ **ADN-ADN**: DNA-DNA hybridization
~ **cellulaire**: cell[ular] hybridization
~ **de colonies**: colony hybridization
~ **de séquences recouvrantes**: overlap hybridization
~ **in situ**: in situ hybridization
~ **moléculaire**: nucleic acids hybridization
~ **somatic**: somatic hybridization
~ **sur colonie**: colony hybridization
~ **sur filtre**: filter hybridization
~ **sur plages**: plaque hybridization

hybride: hybrid
~ **ADN-ARN**: DNA-RNA hybrid
~ **de clone**: clone hybrid
~ **deux voies**: two-way hybrid
~ **somatique**: somatic hybrid

hybrider: to hybridize

hybridome *m* : hybridoma

hydratation *f* : hydration

hydrate *m* : hydrate
~ **de carbone**: carbohydrate

hydraulicien *m* : hydraulic engineer

hydraulique *f* : hydraulics; hydraulic engineering; water and irrigation engineering; *adj* : hydraulic; (à eau) water (wheel, turbine)

hydravion *m* : seaplane

hydrazine *f* : hydrazine

hydrocarboduc *m* : coal [slurry] pipeline

hydrocarboné: (revêtement routier) bituminous

hydrocarbure *m* : hydrocarbon
  ~ **à point d'ébullition proche**: close-boiling hydrocarbon
  ~ **cyclique**: ring hydrocarbon
  ~ **liquide**: hydrocarbon oil
  ~ **polycylique aromatique**: polycyclic aromatic hydrocarbon

hydrocraquage *m* : hydrocracking

hydrocraqueur *m* : hydrocracker

hydrocyclone *m* : cyclone washer

hydrodispersable: water-dispersible

hydroéjecteur *m* : hydroejector, jet pump

hydroextraction *f* : dewatering

hydroformage *m* : hydroforming

hydrofracturation *f* : (pétr) hydraulic fracturing

hydrofugation *f* : damp-proofing, water-proofing

hydrofuge: moisture-repellent, water-repellent, water-resisting

hydrogazéification *f* : hydrogasification

hydrogénation *f* : hydroprocessing, hydrotreating

hydrogène *m* : hydrogen
  ~ **sulfuré**: hydrogen sulphide

hydroglisseur *m* : hydroplane

hydrogramme *m* : hydrograph

hydrographe *m* : hydrographer

hydrojet *m* : hydrojet

hydrolase *f* : hydrolase

hydrolysat *m* : hydrolysate

hydrolyse *f* : hydrolysis

hydromécanique: hydromechanical

hydromel *m* : mead

hydromètre *m* : hydrometer; (autom) battery tester

hydrophile *m* : hydrophile; *adj* : hydrophilic

hydrophobe: hydrophobic

hydrophone *m* : hydrophone

hydrophyte *f* : hydrophyte; *adj* : hydrophytic

hydroplanage *m* : hydroplaning

hydroptère *m* : hydrofoil

hydroréacteur *m* : hydrogasifier

hydroréfrigéré: water-cooled

hydrorésistant: water resistant

hydrosoluble: water soluble

hydrostatique: hydrostatic

hydrotimétrie *f* : water hardness measurement

hydroxyde *m* : hydroxide
  ~ **de potasse**: potassium hydroxide

hydroxyle *m* : hydroxyl

hygiène *f* : hygiene; (science) hygienics
  ~ **du milieu**: environmental health
  ~ **publique**: public health

hygiénique: hygienic, sanitary

hygromètre *m* : hygrometer
  ~ **à cheveu**: hair hygrometer
  ~ **à condensation**: dew-point hygrometer
  ~ **à fronde**: sling hygrometer

hygrométrie *f* : hygrometry, relative humidity

hygroscopique: hygroscopic

hygrostat *m* : humidistat

hypercompoundage *m* :
hypercompounding, overcompounding

hypercompoundé: overcompounded

hyperfréquence *f* : very high frequency,
microwave [frequency]

hyperglycémiant: hyperglycaemic GB,
hyperglycemic NA

hypernoyau *m* : hypernucleus

hyperplasie *f* : hyperplasia

hyperstatique: (constr) redundant
(frame)

hypersustentation *f* : high lift

hypertrempe *f* : rapid quenching

hypocalorique: low-calory, calorie
reduced

hypoglucidique: low in carbohydrates

hypoïde: hypoid

hypolimnion *m* : hypolimnion

hypolipidique: low-fat

hyposodé: low-salt

hypothèse *f* : assumption
~ **de base**: base case
~ **de calcul**: design basis
~ **de charge**: assumed load
~ **la plus défavorable**: worst case
dans l'~ où: assuming that

hypoxanthine *f* : hypoxanthine

hypsogramme *m* : hypsogram, level
diagram

hypsomètre *m* : hypsometer; level
measuring set

hystérésimètre *m* : hysteresis meter

hystérésis *f* : hysteresis

IA → **intelligence artificielle**

IAO → **ingénierie assistée par ordinateur**

ichtyocolle *f* : isinglass

ichthyologie *f* : ichthyology

iconoscope *m* : iconoscope
 ~ **à transfert d'image**: image iconoscope

identification *f* : identification, recognition
 ~ **ami ou ennemi**: identification friend or foe
 ~ **optique**: optical recognition
 ~ **radio**: radio recognition

idiotype *m* : idiotype

IF, IFN → **interféron**

igname *f* : yam

ignifugation *f* : fireproofing

ignifuge: fire resistant, flame resistant

île *f* : island
 ~ **artificielle**: artificial island, manmade island
 ~ **de forage**: drilling island

illicite: unlawful

illustration *f* : illustration, picture
 ~ **à livre ouvert**: double-spread illustration
 ~ **d'une annonce**: artwork

 ~ **en double page**: double-spread illustration
 ~ **hors texte**: plate

illustré *m* : (périodique) magazine; *adj* : illustrated, pictorial

îlot *m* : small island, islet; (d'immeubles) block
 ~ **de vente**: display rack, merchandiser
 ~ **insalubre**: slum

îlotage *m* : (urbanisme) block patrolling; (él) network splitting; (nucl) plant shutdown

image *f* : image, picture; (tc) frame; (sur écran radar) trace
 ~ **arrêtée**: still frame
 ~ **contrastée**: harsh picture
 ~ **d'archives**: (cin) stock shot
 ~ **d'une antenne**: ground image
 ~ **de fond**: (radar) clutter
 ~ **de marque**: brand image
 ~ **de spectre**: spectrum display, spectrum pattern
 ~ **de synthèse de couleurs**: colour additive image
 ~ **dédoublée**: double image, echo image, ghost, ghost signals, ghosting
 ~ **double**: double image, echo image, ghost, ghost signals, ghosting
 ~ **écran**: screen display, soft copy
 ~ **en noir et blanc**: black-and-white picture
 ~ **fantôme**: double image, echo image, ghost, ghost signals, ghosting
 ~ **filtrée au passe-bas**: low-pass image
 ~ **fixe**: still [picture]
 ~ **fortement contrastée**: high-contrast image
 ~ **gravée**: burned-in image
 ~ **individuelle**: single frame
 ~ **matricielle**: raster image
 ~ **médistancée**: slant range image
 ~ **miroir**: mirror image
 ~ **monochrome**: black-and-white picture
 ~ **multicapteur**: multisensor image
 ~ **multidate**: multidate image, multitemporal image
 ~ **multisatellite**: multisatellite image
 ~ **nette**: sharp picture
 ~ **réfléchie**: mirror image
 ~ **retenue**: (tc) burned-in image, image burn
 ~ **sans contraste**: flat picture

imageur *m* : imager, imaging device, imaging system

imbibition *f* : imbibition

imbrication *f* : (inf) interleaving, nesting

imbrûlé: unburned

imitation *f* : imitation; (contrefaçon) copy

immatriculation *f* : (de bande, de disque) labelling; (autom) vehicle registration GB, vehicle license NA

immédiatement: immediately, without delay
~ **inférieur**: next lower
~ **supérieur**: next higher

immergé: immersed, submerged, underwater

immersion *f* : immersion; dip[ping], plunging; (de câble) sinking
~ **à chaud**: hot dip
à ~ **dans l'huile**: oil-immersed

immeuble *m* : building
~ **à usage d'habitation**: block of flats GB, apartment building NA
~ **à usage locatif**: rental building
~ **administratif**: office building
~ **banalisé**: shell building
~ **commercial**: business premises
~ **de bureaux**: office building, office block
~ **de grande hauteur**: high-rise building, tower block
~ **de rapport**: investment property
~ **mirroir**: glass building
~ **tour**: tower block

immobile: stationary, motionless

immobilisation *f* : (de machine) stop, stopping, downtime; (circulation) standstill; (aéro) grounding
~ **pour maintenance**: maintenance downtime

immobiliser: to immobilize; (une machine) to bring to a standstill, to stop; (aéro) to ground; (méc) to lock, to secure

immun *m*, *adj* : immune

immunité *f* : immunity
~ **acquise**: acquired immunity
~ **de lysogénie**: lysogenic immunity

immunogéne: immunogenic

immunologie *f* : immunology

immunoglobuline *f* : immunoglobuline

immuno-réaction *f* : immunoreaction

immuno-récessif: immunorecessive

impact *m* : impact; (tir) hit; (aéro) touch-down

impair: odd, uneven

imparité *f* : odd parity, odd-ones parity

impasse *f* : (urbanisme) close, cul-de-sac; (inf) deadlock

impédance *f* : impedance
~ **à vide**: no-load impedance
~ **adaptée**: matched impedance
~ **au terminal**: terminal impedance
~ **aux bornes**: terminal impedance
~ **d'onde**: surge impédamce
~ **de défaut**: fault impedance
~ **de sortie**: sending end impedance
~ **en circuit ouvert**: open-circuit impedance
~ **inverse**: negative phase sequence impedance
~ **par rapport à la terre**: impedance to earth
à ~ **adaptée**: impedance-matched

impédancemètre *m* : impedance meter

impératif *m* : requirement; *adj* : imperative, mandatory

imperfection *f* : imperfection, defect, flaw, shortcoming
~ **perceptible**: blemish

imperméabilisant: waterproofing

imperméabilisation *f* : waterproofing

imperméabilisé: water repellent

imperméabilité *f* : impermeability, imperviousness
~ **aux parasites**: noise immunity

imperméable: impervious; water repellent, waterproof
~ **à l'air**: airtight
~ **à l'humidité**: moisture-proof
~ **à la chaleur**: opaque to heat
~ **à la poussière**: dustproof

impesanteur *f* : weightlessness

implant *m* : implant

implantation *f* : siting, location; (d'une industrie) setting up, establishment; (constr) laying out, staking out; (disposition) layout
~ **du puits**: well site
~ **en espace fonctionnel**: landscape arrangement
~ **ionique**: ion implantation

implanter: to locate, to site; to set, to establish; to stake out

imploser: to implode

implosion *f* : implosion

importance *f* : importance; size, extent; (inf) significance
d'~ **secondaire**: minor

imposition *f* : (graph) imposition
~ **en ailes de moulin**: work-and-twist imposition
~ **en demi-feuille**: print-and-turn imposition, work-and-turn imposition, half-sheet work
~ **en feuilles**: work-and-back imposition, front-and-back imposition, print-and-back imposition, sheetwise imposition
~ **tête-à-queue**: work-and-roll imposition, print-and-tumble imposition, work-and-tumble imposition, work-and-flop imposition

imposte *f* : transom; transom window, fanlight

imprégnation *f* : impregnation, permeation; (éon) encapsulation

impression *f* : (graph) printing; print; (empreinte) indentation
~ **à la planche**: block printing
~ **à la volée**: on-the-fly printing
~ **à plat**: planography, straight printing
~ **au laser**: laser printing
~ **au minimum de pression**: kiss printing
~ **au verso**: backing up
~ **de droite à gauche**: backward printing
~ **du contenu de la mémoire**: memory printout
~ **en creux**: intaglio printing
~ **en gras**: (par frappe multiple) shadow printing
~ **en héliogravure**: gravure printing
~ **en lacets**: bidirectional printing
~ **en mode rapide**: draft mode printing
~ **en relief**: embossed printing
~ **en taille-douce**: copperplate printing
~ **en traitement direct**: on-line printing

~ **fraîche à fraîche**: wet-on-wet printing
~ **offset**: offset printing
~ **par contact**: contact printing
~ **par effleurage**: kiss printing
~ **par jet d'encre**: ink-jet printing
~ **par transfert thermique**: thermal [transfer] printing, heat transfer printing
~ **qualité courrier**: letter quality printing
~ **sans impact**: non-impact printing, non-contact printing
~ **second côté**: backing up
~ **sur rotative**: rotary printing
~ **typographique**: letterpress printing

imprimante *f* : printer (for computer)
~ **à aiguilles**: mosaic printer, needle printer
~ **à bande**: band printer, belt printer
~ **à boule**: golfball printer
~ **à chaîne**: chain printer
~ **à clavier**: keyboard printer
~ **à impact**: impact printer
~ **à jet d'encre**: ink-jet printer
~ **à la volée**: on-the-fly printer
~ **à laser**: laser printer
~ **à laser pour facsimilé**: facsimile laser printer
~ **à marguerite**: daisywheel printer
~ **à mosaïque**: mosaic printer
~ **à police solide**: solid-font printer
~ **à répétition**: multipass printer
~ **à tambour**: barrel printer, drum printer
~ **à transfert thermique**: thermal transfer printer
~ **caractère par caractère**: character printer
~ **courrier**: letter quality printer
~ **de guichet**: counter printer
~ **électrosensible**: electrosensitive printer
~ **en lacet**: bidirectional printer
~ **ligne par ligne**: line-at-a-time printer, line printer
~ **matricielle**: [dot] matrix printer
~ **page par page**: page printer, page-at-a-time printer
~ **par points**: mosaic printer, [dot] matrix printer
~ **qualité courrier**: letter quality printer
~ **quasi courrier**: near letter quality printer
~ **sans clavier**: receive-only printer
~ **sans impact**: non-impact printer
~ **série[lle]**: character printer, serial printer
~ **thermique**: thermal printer
~ **traçante**: printer plotter

imprimé *m* : [printed] form; *adj* : printed
~ **en continu**: endless form

imprimer: to print; (depuis un ordinateur) to print out
~ **au verso**: to back up
~ **en mémoire morte**: to cast in silicon
~ **un mouvement**: to impart a movement

imprimerie *f* : printing; (usine) printing works

improductif: non-producing, unproductive; (puits) dry

impropre: incorrect, wrong; unfit, unsuitable

impulsion *f* : impetus, momentum; (él, éon) impulse, pulse
~ **allongée**: stretched pulse
~ **créée par le lancement d'un courant**: make impulse
~ **d'encadrement**: (radar) bracket pulse
~ **d'horloge**: clock pulse
~ **d'information**: digit pulse
~ **de blocage**: inhibit pulse
~ **de commande**: drive pulse
~ **de comptage**: meter pulse
~ **de décalage**: shift pulse
~ **de déclenchement**: trigger[ing] pulse, enabling pulse
~ **de montage**: edit pulse
~ **de synchronisation de trame**: field synchronizing pulse
~ **de taxation**: (tél) charge pulse
~ **en dents de scie**: sawtooth pulse
~ **impaire**: odd pulse
~ **perturbatrice**: noise pulse
~ **stroboscopique**: strobe pulse
à ~**s**: pulsed

impulsionnel: impulse, pulsed

impureté *f* : impurity
~ **acceptrice**: acceptor impurity
~ **donneuse**: donor impurity

imputrescibilisation *f* : rotproofing

imputrescible: rotproof

inaccesibble: inacessible; (inf) inacessible, irretrievable, unrecoverable

inactif: inactive, dead; (chim) inert; (inf) dormant

inactivité *f* : inactivity; (de machine) downtime
~ **chimique**: inertness

inaltérable: incorruptible; (métal) non-corrosive; (couleur) fast, fade-resistant; (encre) permanent
~ **à l'air**: unaffected by air
~ **à l'eau**: unaffected by water

inamovible: fixed, non-removable, undetachable

inapte: (à un emploi) improper, unfit; (personne) inefficient

inattaquable aux acides: acid resistant, acid proof

inaudible: inaudible

incandescence *f* : incandescence, glow
~ **résiduelle**: afterglow

incandescent: incandescent, glowing

incassable: unbreakable

incendiaire *m* : arsonist; *adj* : incendiary

incendie *m* : fire, blaze
~ **instantané**: flash fire
~ **naissant**: incipient fire
~ **spontané**: flash fire
~ **volontaire**: arson

incendier: to set on fire

incertain: uncertain; (peu fiable) unreliable

incertitude *f* : (IA) uncertainty

inchangé: unchanged, unaffected, undisturbed

incidence *f* : (opt) incidence

incident *m* : incident, trouble; (de machine) failure; (inf) crash, glitch; *adj* : incident
~ **de fonctionnement**: malfunction
~ **machine**: (inf) hardware failure
~ **permanent**: (inf) hard failure
~ **technique**: technical hitch

incinérateur *m* : incinerator

incinération *f* : incineration
~ **des boues**: sludge incineration
~ **des ordures**: refuse incineration

inclinable: tilt[ing]
~ **et orientable**: tilt-and-swivel

inclinaison *f* : cant, slant, pitch, tilt; (du sol) gradient, incline, slope; (tir)

elevation; (mine) drift, hole angle, slant; (d'une aiguille magnétique, d'une orbite) inclination
~ **de la racle**: angle of wipe of doctor blade
~ **des flancs**: (d'une coque de navire) tumble home
~ **latérale**: (aéro) bank
~ **magnétique**: magnetic dip
~ **par rapport à la verticale**: (d'un poteau) rake
~ **par rapport à l'horizontale**: slope GB, rake NA

incliné: pitching; (terrain) shelving; (étai) raking

incliner: to cant, to tilt
~ **sur l'aile**: (aéro) to bank

inclineur *m* : tilting device; vane deflection meter

inclinomètre *m* : inclinometer
~ **à fil tendu**: taut-wire inclinometer
~ **à orientation**: single-shot inclinometer

incohérent: inconsistent; (signal, message) garbled

incolore: colourless; clear (lacquer)

incombustible: fire resistant, incombustible

incompressible: incompressible

inconditionnel: unconditional

inconsistance *f* : inconsistency (of results); looseness (of material, of soil)

inconvénient *m* : disadvantage, drawback, nuisance

incorporé: built-in, inbuilt, embodied, integral

incorrect: incorrect, inaccurate, wrong

incrément *m* : increment

incrémentiel: incremental

incrustation *f* : (de chaudière) scale, scaling

incubateur *m* : (couveuse) incubator

incubation *f* : incubation; (médecine) incubation [period]

incuber: to incubate

incuit *m* : (céram) unburnt lump; *adj* : in the clay state; ~**s**: (coke) black ends, non-calcinated parts

incurver: to curve, to bend, to sag

indéchiffrable: (message) undecipherable

indécidabilité *f* : (inf, IA) undecidability

indéformable: keeping its shape; rigid (frame)

indégorgeabilité *f* : colour fastness to washing

indélébile: (encre) permanent

indépendant: independent; separate; off-line; self-contained
~ **de**: insensitive to
~ **de la machine**: machine independent
~ **du code utilisé**: code insensitive

indéréglable: foolproof, troubleproof

indésirable: undesirable, unwanted

indesserrable: (boulon, rondelle) self-locking, shakeproof

indéterminé: indefinite, indeterminate

indétrempable: (métall) heat resisting

index *m* : (d'instrument) marker, pointer; (liste) index
~ **de base**: root index
~ **de viscosité**: viscosity index
~ **détaillé**: fine index
~ **général**: gross index
~ **principal**: master index

indexation *f* : indexing

indicateur *m* : (instrument) indicator; (traceur) tracer
~ **à cadran**: dial indicator
~ **à flotteur**: float gauge
~ **altitude-distance**: range-height indicator
~ **anémométrique**: wind indicator
~ **biologique**: biological indicator
~ **cartographique**: map unit, map display
~ **d'acheminement**: routing indicator
~ **d'angle de barre**: tiller telltale
~ **d'attitude**: attitude display
~ **d'appel**: ring indicator
~ **d'effraction**: security seal

~ **d'erreur de gisement**: bearing deviation indicator
~ **d'état**: (inf) flag
~ **d'extinction**: flame detector (of burner)
~ **d'ordre des phases**: phase sequence indicator
~ **de barre**: helm indicator
~ **de changement de direction**: direction indicator GB, turn signal NA
~ **de débit**: flow meter, flow indicator
~ **de débit par tube venturi**: venturi meter
~ **de déviation de cap**: course deviation indicator
~ **de fin d'appel**: ring-off indicator
~ **de fonction**: role indicator
~ **de g**: G-meter
~ **de mise en circuit**: power-on indicator
~ **de mise hors circuit**: power-off indicator
~ **de niveau**: level gauge
~ **de niveau d'essence**: petrol gauge
~ **de niveau d'huile**: oil level indicator, oil gauge
~ **de pertes à la terre**: leak locator
~ **de pointe**: maximum demand meter
~ **de polarité**: pole finder
~ **de pôle**: pole finder
~ **de pression**: pressure gauge
~ **de profondeur**: depth indicator, depth gauge, depthometer
~ **de qualité d'image** ▶ **IQI**: image quality indicator
~ **de route**: course indicator, heading indicator
~ **de signe**: sign flag
~ **de température**: temperature gauge
~ **de tirage**: draught gauge GB, draft gage NA
~ **de tri**: (inf) sort key
~ **de vide**: vacuum gauge
~ **de virage**: (aéro) turn indicator
~ **de zéro**: null detector, null indicator, zero reading instrument, zero flag
~ **gyrodirectionnel**: gyroscopic direction indicator
~ **panoramique**: (radar) plan position indicator

indicatif *m* : call letters; (tél) code
~ **d'accès**: access code
~ **d'appel**: call signal, call sign
~ **d'un téléimprimeur**: answerback code
~ **de central**: office code
~ **de classement**: sequence key
~ **de pays**: country code
~ **littéral**: letter code
~ **musical**: signature tune
~ **régional**: area code

indice *m* : index, factor, number, rating, value; sign, trace; (d'un document) issue [number]
~ **d'acide**: acid number, acid value
~ **d'affaiblissement sonore**: sound transmission loss
~ **d'émulsion**: emulsion number
~ **d'ester**: ester number
~ **d'iode**: iodine number, iodine value
~ **d'octane**: octane number, octane rating, octane value, knock rating
~ **d'octane en mélange pauvre**: lean mixture knock rating
~ **d'octane en mélange riche**: rich mixture knock rating
~ **d'octane moteur**: motor octane number
~ **d'octane route** ▶ **IOR**: road octane number
~ **d'octane théorique**: research octane number
~ **de boue**: (épuration) sludge index
~ **de bruit**: noise factor
~ **de cétane**: cetane number, cetane rating
~ **de cohésion du floc**: floc strength index
~ **de détonation**: (d'essence) knock rating
~ **de dureté**: hardness number
~ **de faible viscosité**: low viscosity index
~ **de fragilité caustique**: caustic embrittlement ratio
~ **de gaz**: gas show
~ **de glissement amont**: (él) pushing figure
~ **de glissement aval**: (él) pulling figure
~ **de matières volatiles**: volatile matter content
~ **de mise à jour**: revision number
~ **de pétrole**: oil show
~ **de plasticité**: plasticity number; cup flow figure
~ **de productivité**: productivity index
~ **de réfraction**: index of refraction, refractive index
~ **de saponification**: saponification number, saponification value
~ **de spectre**: spectral index
~ **de stability**: (d'un sol) stability number
~ **de surface**: (mécanique des sols) area ratio
~ **de transmission du son aérien**: airborne sound rating
~ **de viscosité**: viscosity index
~ **de volume des boues** ▶ **IVB**: (épuration) sludge volume index
~ **des vides**: voids ratio
~ **inférieur**: (graph) subscript

~ **pondéré**: weighted index
~ **portant de Californie**: California bearing ratio
~ **portant du sol**: soil bearing value
~ **supérieur**: (graph) superscript

indiquer: to indicate, to show
~ **la fin**: to terminate
~ **les modifications**: (sur dessin) to mark up
~ **les valeurs moyennes**: (instrument) to average

indisponible: unavailable

individuel: individual, personal; separate, single

inductance *f* : inductance; (bobine d'~) inductance coil, inductor
~ **additionnelle**: series inductor
~ **de protection**: current limiting reactor
~ **propre**: self-inductance

inducteur *m* : (él) inductor, field magnet; (d'enzyme): inducer; *adj* : inducing, inductive
~ **à noyau**: core-type inductor
~ **de crossing-over**: crossover inducer
~-**galette**: pancake inductor
~ **gratuit**: gratuitous inducer

induction *f* : induction
~ **électrique**: electric flux density
~ **magnétique**: magnetic induction, magnetic flux density
~ **mathématique**: mathematical induction
~ **propre**: self-induction

induire: to induce

induit *m* : armature; *adj* : induced
~ **à barres**: bar-wound armature
~ **à rainures**: slotted armature
~ **coulissant**: sliding armature
~ **de dynamo**: generator armature
~ **du commutateur**: commutator armature
~ **en anneau**: ring armature
~ **en disque**: disc armature
~ **en double T**: shuttle armature
~ **en tambour**: drum armature
~ **lisse**: smooth armature
~ **ouvert**: open coil armature

industrialisé: industrialized; (constr) prefabricated

industrie *f* : industry

~ **aérospatiale**: space industry
~ **alimentaire**: food industry
~ **artisanale**: cottage industry
~ **automobile**: motor industry, automobile engineering
~ **brassicole**: brewing industry
~ **chimique**: chemical engineering
~ **d'amont**: mother industry, supplying industry
~ **de la conserve**: canning industry, tinning industry
~ **de la sous-traitance**: support industry
~ **de matière grise**: knowledge industry
~ **de pointe**: advanced technology industry
~ **de transformation**: processing industry
~ **des accessoires**: (autom) support industry
~ **du froid**: refrigeration
~ **électrotechnique**: electric industry
~ **familiale**: cottage industry
~ **lourde**: heavy industry
~ **viticole**: wine industry

industriel *m* : industrialist; *adj* : industrial, industry-oriented, process

IOR → **indice d'octane route**

ineffaçable: non-erasable

inefficace: ineffective, inefficient

inégal: unequal; uneven, not flat

inégalité *f* : (maths) inequality; (irrégularité) unevenness
~**s dans l'enrobage**: rich and lean spots

inéprouvé: untested, untried

inépuisable: inexhaustible

inerte: inert, inactive

inertie *f* : inertia; (pap) dimensional stability
~ **de masse**: mass inertia
à ~, par ~: inertial

inertiel: inertial

inessayé: untested

inétanchéité *f* : leakiness

inexact: incorrect, wrong, inaccurate

inexactitude *f* : inaccuracy, incorrectness, inexactitude

inexécution *f* : (de contrat) non-performance

inexploitable: (machine) inoperable; (mine) unworkable

inexploité: (ressources) undeveloped, untapped

infanterie *f* : infantry

infection *f* : infection
~ **bactérienne**: bacterial infection
~ **virale**: virus infection

inférence *f* : (IA) inference

inférieur: inferior, lower, bottom
~ **à**: less than, smaller than, below
~ **à la moyenne**: below average, less than average
~ **ou égal à**: less than or equal to

infiltration *f* : infiltration, permeation, seepage, percolation

infini *m* : infinity; *adj* : infinite

infinitésimal: infinitesimal

inflammabilité *f* : flammability, inflammability

inflammable: inflammable, flammable

inflammation *f* : ignition
~ **par frottement**: frictional ignition
~ **spontanée**: spontaneous ignition

infléchir: to bend, to curve; **s'~**: to curve; (rayon) to be inflected

influx *m* : inflow

infographie *f* : computer graphics
~ **matricielle**: raster graphics

informaticien *m* : computer engineer, information engineer

information *f* : information, intelligence;
~s: (inf) data
~ **erronée**: misinformation
~ **génétique**: genetic information, genetic message
~ **graphique**: graphic data
~ **prédictive**: advance information
~ **sur un produit**: product information
~s déformées: (inf) junk

informatique *f* : information technology, computer science, data processing;
adj : computing
~ **de gestion**: commercial computing, commercial data processing
~ **répartie**: distibuted data processing, distributed computing

informatisation *f* : computerization

informatiser: to computerize

infra-acoustique: subaudio

infrasonique: infrasonic

infranchissable: impassable

infraréfraction *f* : subrefraction

infrarouge: infrared
~ **lointain**: far infrared
~ **proche**: near infrared

infrason *m* : infrasound

infrasonore: infrasonic

infrastructure *f* : infrastructure; ground organisation
~ **de route**: road foundation
~ **du réseau**: ground network support

infraudable: tamperproof

infuser: to brew

ingélif: unaffected by frost

ingénierie *f* : engineering
~ **assistée par ordinateur ▶ IAO**: computer aided engineering
~ **de l'information**: information engineering
~ **de la connaissance**: knowledge engineering
~ **génétique**: genetic engineering
~ **logicielle**: software engineering
~ **logicielle assistée par ordinateur**: computer-assisted software engineering
~ **de la circulation**: traffic engineering
~ **du logiciel**: software engineering

ingénieur *m* : [graduate] engineer
~ **agronome**: agricultural engineer
~ **analyste**: (inf) system engineer
~ **après-vente**: customer engineer
~ **architecte**: structural engineer
~ **automaticien**: process engineer
~ **chimiste**: chemical engineer
~ **commercial**: sales engineer

~-**conseil**: consultant engineer
~-**consultant**: consultant engineer
~ **d'application**: (inf) implementor
~ **d'études**: design engineer
~ **de bureau d'études**: design engineer
~ **de petites études**: detail designer, detailer
~ **du son**: sound operator, sound recordist
~ **en construction**: structural engineer
~ **hydraulicien**: hydraulic engineer
~ **hydrographe**: hydrographer
~ **mécanicien**: mechanical engineer
~ **naval**: marine engineer
~ **système**: systems engineer
~ **technico-commercial**: application engineer; sales engineer

inhabitable: uninhabitable

inhiber: to inhibit

inhibiteur *m* : inhibitor; *adj* : inhibiting
~ **de corrosion**: corrosion inhibitor
~ **de corrosion acide**: acid inhibitor
~ **de croissance**: growth inhibitor
~ **de germination**: germination inhibitor

ininflammable: non-combustible, non-flammable, non-inflammable, uninflammable

inintelligible: unintelligible

ininterrompu: unbroken; no-break (power suppply)

initial: initial, original; (in time) starting

initialisation *f* : (inf) bootstrapping, initialization

initiative *f* **de défense stratégique** ▶ **IDS**: strategic defence initiative

injecteur *m* : nozzle; (de moteur diesel, de ciment, d'électrons) injector
~ **à plusieurs trous**: multihole nozzle
~ **à téton**: pintle nozzle, pintle-type fuel injector
~ **à trous**: multihole nozzle
~ **de démarrage à froid**: cold-start injector
~ **multijet**: multiple jet nozzle

injection *f* : injection; grouting
~ **au démarrage**: priming
~ **d'air**: (pétr) air flooding
~ **d'eau**: (pétr) water flooding
~ **d'essence**: petrol injection GB, gasoline injection NA

~ **de boue**: mud grouting
~ **de ciment**: cement grouting
~ **de consolidation**: cementation
~ **de gaz**: gas injection
~ **de vapeur**: steaming
~ **mécanique**: airless injection, solid injection
~ **pneumatique**: air blast injection
~ **sans air**: solid injection
~-**soufflage**: injection-blow (moulding)

innovateur *m* : pioneer

inoccupé: unoccupied, vacant

inoculation *f* : inoculation

inodore: odourless GB, odorless NA

inondation *f* : flood, flooding

inondé: flooded, underwater, awash

inonder: to flood
~ **le marché**: to flood the market, to swamp the market

inorganique: inorganic, mineral

inoxydable: non-oxidizing; (acier) stainless

insalubre: insanitary

insaturé *m* : unsaturate; *adj* : unsaturated

inscription *f* : entry (in a register)
~ **à l'annuaire**: listing in directory

inscrire: (par écrit) to enter; (inf) to post
~ **un label**: (sur bande, sur disque) to label

insect *m* : insect
~ **nuisible**: insect pest
~ **xylophage**: wood borer

insectarium *m* : insectarium

insecticide *m* : insecticide; *adj* : insecticidal
~ **biologique**: biocide

insectivore *m* : insectivore; *adj* : insectivorous

insémination *f* **articicielle**: artificial insemination

insensibilité *f* : insensitiveness
~ **au brouillage**: immunity to interference
~ **au bruit**: noise immunity

insensible (à): insensitive (to)
~ **au vieillissement:** non-ageing

insérat *m* : insert (genetic engineering)

insérer: to insert; (inf) to edit in, to paste in

insert *m* : (méc, cin, tv, gg/bm) insert
~~-**écrou:** inserted nut

insertion *f* : insert, insertion
~ **d'erreurs:** (inf) error seeding
~ **par permutation:** (inf) swap-in
~-/**extraction alternées:** shuttle-in shuttle-out

insolation *f* : insolation; exposure (of litho plate)

insoluble: insoluble
~ **dans l'eau:** water insoluble, insoluble in water

insonore: soundproof, noise free

insonorisant: sound absorbing, acoustic

insonorisation *f* : acoustic control, acoustic insulation, acoustic treatment, quietizing; (constr) sound insulation, sound proofing

insonoriser: to quietize; (constr) to soundproof

inspection *f* : inspection, examination
~ **au tapis roulant:** line inspection
~ **en usine:** factory inspection
~ **renforcée:** tightened inspection
~ **visuelle:** appearance check

instabilité *f* : instability; (de fonctionnement) hunting; (radar) jitter
~ **à coques:** (plasma) kink instability
~ **d'échange:** (plasma) interchange instability
~ **de diode:** diode flutter
~ **de double faisceau:** (plasma) two-stream instability
~ **de l'image:** (tc) picture jitter
~ **verticale de l'image:** (tc) bouncing, vertical hunting

instable: unstable

installateur *m* : installer, fitter

installation *f* : installation, installing, fitting, setting up; plant, [production] facility, setup; (lieu d'~) site; (inf) hook up, outfit; → aussi **installations**

~ **à ciel ouvert:** outdoor plant, open air plant, outside plant
~ **à découvert:** (él) exposed wiring, open wiring; surface mounting
~ **à demeure:** fixture
~ **à l'air libre:** outdoor plant, open air plant
~ **affectée à demeure:** dedicated plant
~ **après coup:** retrofitting
~ **clandestine:** unauthorized installation
~ **d'abonné:** user facility
~ **d'apprêtage:** sizing plant (text)
~ **d'engommage:** sizing plant (pap)
~ **d'épuration:** (des eaux usées) waste water treatment plant
~ **d'essai:** experimental plant, pilot plant
~ **d'essais:** test facility
~ **d'extraction:** (mine) hoisting plant
~ **d'instruments de mesure:** instrumentation
~ **de dégazolinage:** gasolene plant, gasoline plant, extraction plant
~ **de désessenciement:** gasolene plant, gasoline plant, extraction plant
~ **de filtration:** filter plant
~ **de forage:** [drilling] rig
~ **de forage mobile:** trailer rig
~ **de forage rotary:** rotary rig, rotary-drilling rig
~ **de lavage en cascade:** cascaded washer
~ **de maintenance:** maintenance facility
~ **de manutention:** conveying plant
~ **de manutention des conteneurs:** container handling facility
~ **de secours:** standby facility
~ **de triage:** separation plant, grading plant; (chdef) marshalling yard
~ **dissimulée:** (él) concealed wiring
~ **du jour:** (mine) surface plant
~ **électrique:** wiring
~ **en rattrapage:** retrofitting
~ **en surface:** (él) exposed wiring, surface mounting
~ **fixe:** fixture
~ **frigorifique:** cooling plant; (de produits alimentaires) cold storage plant
~ **nucléaire:** nuclear plant
~ **sous tubes:** (él) conduit wiring
~ **visible:** (él) exposed wiring

installations *f* : facilities, equipment
~ **à bord:** ship's equipment
~ **aériennes:** (tél) overhead network
~ **annexes:** offsites
~ **de pont:** (mar) deck fittings
~ **extérieures:** (pétr) offsites

~ **portuaires**: harbour facilities, port facilities
~ **sanitaires**: plumbing
à ~**s multiples**: multisite

installé: installed, fitted
~ **à poste fixe**: fixed (equipment)

installer: to fit, to install; (l'eau, l'électricité) to lay; (tcm) to set up
~ **une machine**: to put in a machine, to set up a machine

instanciation *f* : (IA) instantiation

instance *f* : (IA, inf) instance
~ **commune la plus générale**: most general common instance
~ **fermée**: ground instance
en ~: waiting

instantané *m* : (phot) snap[shot]; *adj* : instant, instantaneous; (méc) snap-action

instruction *f* : (inf) instruction; (mil) training; ~**s**: instructions, orders
~ **à addresse immédiate**: immediate instruction
~ **à addresse unique**: single-address instruction
~ **d'appel**: call instruction
~ **d'arrêt**: halt instruction
~ **d'exécution**: run instruction
~ **de branchement**: branch instruction
~ **de lecture**: read instruction, get
~ **de renvoi mémoire**: memory reference instruction
~ **de saut**: jump instruction
~ **fictive**: dummy instruction
~ **ineffective**: no-op[eration] instruction, do-nothing instruction
~ **inopérante**: do-nothing instruction, no-op[eration] instruction,
~ **opératoire**: effective instruction
~ **sans adresse**: no-address instruction, zero-address instruction
~ **sans renvoi mémoire**: non memory reference instruction

instrument *m* : instrument; (outil) implement, tool; ~**s**: instrumentation
~ **à aiguille**: pointer instrument
~ **à aimant mobile**: moving-magnet instrument
~ **à blocage d'équipage**: instrument with locking device
~ **à dilatation**: thermal expansion instrument
~ **à échelle mobile**: moving-scale instrument
~ **à fil chaud**: thermal instrument, hot-wire instrument

~ **à fonctions multiples**: multifunction instrument
~ **à palpeur**: stylus instrument
~ **à suppression de zéro**: instrument with suppressed zero
~ **d'étalonnage**: standard instrument
~ **d'optique**: optical instrument
~ **de lecture à distance**: remote-reading instrument
~ **de mesure**: measuring instrument
~ **de mesure à lecture directe**: indicating instrument
~ **de navigation**: navigational aid
~ **de nivellement**: levelling instrument
~ **de référence**: master instrument
~ **enregistreur**: recording instrument
~~**-étalon**: master instrument, standard instrument, calibrator
~ **thermique**: [thermal] expansion instrument, hot-wire instrument

insubmersible: unsinkable

insuffisamment: insufficiently, inadequately
~ **gonflé**: underinflated
~ **graissé**: underlubricated

insuffisance *f* : deficiency, lack, shortage, want, inadequacy

insuffler: to blow in

insuffleuse *f* : blowing machine

insuline *f* : insulin

intarissable: (ressource) inexhaustible; (source) perennial

integral: integral, whole, complete

intégrale *f* : integral
~ **de résonance**: resonance integral
~ **définie**: definite integral
~ **linéaire**: line integral

intégrateur *m* : integrator; *adj* : integrating
~ **à pas de progression**: incremental integrator
~ **de route**: course and distance computer

intégration *f* : integration
~ **à grande échelle**: large-scale integration
~ **à moyenne échelle**: medium-scale integration
~ **à très grande échelle**: very-high-scale integration

~ à ultra grande échelle: super-large-scale integration
~ numérique: numerical integration

intégré: integral, integrated; built-in; (inf) silicon-based, on-chip

intégrer: to integrate, to incorporate, to embed, to build into

intégrité *f*: (des données, des fichiers) integrity

intelligence *f*: intelligence
~ artificielle ► IA: artificial intelligence

intelligibilité *f*: intelligibility; (IA) understandability

intempéries *f*: [bad] weather

intempestif: ill-timed; incorrect, inadvertent, false (operation), spurious

intensificateur *m* **d'image**: image intensifier

intensifier: to intensify; to boost (force, pressure)

intensiostatique: constant-current

intensité *f*: intensity; (d'une couleur) depth, strength; (d'un son) loudness; (él) current, intensity
~ absorbée: current input
~ au secondaire: secondary current (of transformer)
~ de champ: field strength, field intensity
~ de courant admissible: [current] carrying capacity, ampacity
~ de courant: amperage
~ de déclenchement: tripping current
~ de désexcitation: (d'un relais) dropout current
~ de réception: (d'un signal) strength of signal, signal level
~ de trame: field intensity
~ du champ magnétique: magnetic field strength
~ du signal: signal strength
~ du trafic: (tél) traffic density, traffic load
~ efficace: effective current
~ lumineuse: light intensity
~ minimale d'excitation: pull-in current, pick-up current
~ nominale: ampere rating, rated current
~ sonore: loudness

intention *f*: (IA) intension

interactif: (inf) conversational, interactive

interaction *f*: interaction, interacting; reciprocal action, reciprocal effect
~ de révolution: cylindrical interaction
~ tensorielle: tensor interaction

interbancaire: interbank

interbande: interband

interbloc: interblock

interblocage *m*: deadlock, interlock

intercalaire *m*: inset, insert

intercaler: to insert; to put between, to sandwich
~ des feuilles: (graph) to interleave

intercanal: interchannel

intercentraux: (tél) interoffice

intercepteur *m*: (aéro) interceptor, intercepter; intercepting sewer
~ de graisse: grease trap

interception *f*: interception; (tél) intercept

interchangeabilité *f*: (de pièces) interchangeability; (inf) portability transportability (of software)

interchangeable: interchangeable, changeable, detachable, replaceable; unit; plug-in; (inf) machine-independent; portable, transportable (software)
~ en clientèle: field replaceable
~ sur place: field replaceable

interclassement *m*: (inf) collation
~ texte/adresse: mail merge

interclasseur *m*: collator

interclasseuse *f*: card collator

intercommunication *f*: intercommunication; (chdef) alarm system
~ carburant: (aero) fuel cross-feed

interconnecter: to connect together, to cross-connect, to interconnect, to link [up]; to connect up, to hook up
~ en réseau: to network

interconnexion *f*: interconnection, cross connection, cross coupling

~ **de réseaux**: network inter-connection, internetworking, internetting
~ **de systèmes ouverts**: open-systems interconnection

intercristallin: intercrystalline

interdépendant: interacting, interactive

interdiction *f* : prohibition; (de manœuvre) interlock, override
~ **d'accès**: access barred
~ **d'écriture**: (inf) write protect[ion]
~ **de vol**: (aéro) grounding

interdire: to prohibit; to inhibit
~ **l'accès**: to lock out

interdit: forbidden; (inf) illegal, invalid

interface *f* : interface; (cristal) grain boundary
~ **cœur-gaine**: (f.o.) core-cladding interface
~ **homme-machine**: (inf) man-machine interface, human-computer interface
~ **outil portable**: portable tool interface
~ **pour infographie**: computer graphics interface
~ **série**: serial interface
~ **standard**: standard interface
~ **usager**: user interface

interférence *f* : interference
~ **atmosphérique**: atmospherics
~ **chiasmatique**: chiasma interference
~ **chromatidique**: chromatid interference
~ **d'avion**: aeroplane effect
~ **de taillage**: (engrenage) cutter interference, undercut
~ **électromagnétique**: electromagnetic interference
~ **entre puits**: (pétr) well interference
~ **par la bande latérale**: sideband interference
~ **par station voisine**: breakthrough

interféromètre *m* : interferometer
~ **laser**: laser interferometer

interféron ► **IFN** *m* : interferon

intergranulaire: intergranular

intérieur *m* : interior, inside; (d'un carton) filler, middle; *adj* : interior, internal, inner; indoor; (commerce, marché) domestic; (autom) in-vehicle

~ **d'un pays**: inland
à l'~ **de l'entreprise**: in-house
à l'~ **du bord**: inboard

interlettrage *m* : letterspacing

interlignage *m* : linespacing

interligne *m* : space (between lines), line space; pitch (of array), row pitch
~ **simple**: single space

interlocuteur *m* : speaker; contact (business)

intermittent: intermittent; (sonnerie) non-continuous

intermodulation *f* : cross modulation, intermodulation

interne: internal, inner; in-house, in-plant; inboard

internégatif *m* : (phot) colour intermediate negative

interphase *f* : (bio) interphase

interphone *m* : intercom

interporteuse *f* : intercarrier

interpositif *m* : (phot) colour intermediate positive

interrégional: (tél) intra-area

interréseau: crossnet, internet

interrogation *f* : question; (inf) enquiry, inquiry, interrogation;
~ **automatique**: autopolling
~ **avec exemple**: query by example
~ **par clavier**: keyboard inquiry
~ **séquentielle**: polling

interrompre: to stop, to interrupt, to halt; (une opération) to abort; (une communication téléphonique) to break off, to cut off

interrupteur *m* : switch (on-off type); breaker, button
~ **à action différée**: delayed switch
~ **à action instantanée**: snap-action switch
~ **à air**: air break switch
~ **à autodéclenchement**: self-releasing switch
~ **à bac unique**: single-tank switch
~ **à bain l'huile**: oil-break switch, oil switch

~ **à bascule**: tumbler switch, toggle switch
~ **à bouton**: button switch
~ **à clé**: key switch, key-operated switch
~ **à cordon**: ceiling switch
~ **à cornes**: horn switch
~ **à coulisse**: sliding switch, slide switch
~ **à couteau[x]**: knife switch
~ **à déclic**: snap switch
~ **à deux directions**: two-way switch
~ **à fiche**: plug switch
~ **à flotteur**: float switch
~ **à fusibles**: switch fuse
~ **à galette**: wafer switch
~ **à glissière**: slide switch
~ **à gradation de lumière**: dimmer switch
~ **à huile**: oil switch
~ **à impulsion**: impulse circuit breaker
~ **à l'huile**: oil-break switch
~ **à lames souples**: reed switch
~ **à levier**: lever-controlled switch, lever switch
~ **à levier inverseur**: toggle switch, tumbler switch
~ **à manette**: lever-controlled switch, lever switch
~ **à mercure**: mercury switch
~ **à ouverture automatique**: circuit breaker
~ **à poire**: pear switch
~ **à poussoir**: pushbutton switch
~ **à pression**: press switch
~ **à ressort**: snap switch
~ **à rupture brusque**: snap switch, quick-break switch
~ **à rupture lente**: slow-break switch
~ **à rupture simple**: single-break switch
~ **à tambour**: drum switch
~ **à tirage**: pull switch, cord switch
~ **à tirette**: pull switch, cord switch
~ **à vide**: no-load switch
~ **bipolaire**: double-pole switch, two-pole switch
~ **bipolaire à une direction**: double-pole single-throw switch
~ **blindé**: enclosed switch
~ **commandé par lyre**: lever-operated switch
~ **d'actionnement**: (rob) drive switch
~ **d'éclairage**: light switch
~ **dans l'air**: air-break switch
~ **dans l'huile**: oil-break switch, oil switch
~ **de charge**: charging switch
~ **de télécommande**: remote-control switch
~ **de commande**: control switch
~ **de contrôle**: test switch

~ **de coupure en charge**: load-break switch
~ **de démarrage**: starting switch, line starter
~ **de faisceau**: (opt, tc) chopper
~ **de fin de course**: limit switch
~ **de mise à la terre**: ground[ing] switch
~ **de plafond**: ceiling switch
~ **de poteau**: pole switch
~ **de sectionnement**: isolating switch, isolator
~ **de secours**: emergency switch
~ **de sécurité**: protective switch, safety switch
~ **de surcourse**: overtravel switch
~ **disjoncteur**: breaker switch
~ **en saillie**: surface switch
~ **encastré**: flush switch, flush-mounted switch, sunk switch, recessed switch
~ **général**: main switch, master switch
~ **horaire**: time switch, timer
~ **inverseur**: double-throw switch
~ **marche-arrêt**: on-off switch
~ **monopolaire**: sigle-pole switch
~ **multiple**: gang switch
~ **non protégé**: open-type switch
~ **principal**: master switch
~ **protégé**: enclosed switch
~ **rotatif**: rotary switch, turn switch, turn-button switch
~ **sans maintien**: momentary action switch
~~**sectionneur**: switch disconnector, switch isolator
~ **sensible**: sensitive switch
~ **simple**: one-way switch, single-break switch
~ **sous coffret**: enclosed switch
~ **sur crépi**: surface switch, surface-mounted switch
~ **thermique**: thermoswitch
~ **tripolaire**: three-pole switch
~ **unipolaire**: single-pole switch
~ **unipolaire à une direction**: single-pole single-throw switch
~ **va-et-vient**: three-way switch

interruption *f* : stop, halt; (él) break, breaking; (panne) outage; (inf): interrupt; (de courte durée) dropout (in communication)
~ **d'un moule**: metal break
~ **du voyage**: stopover
~ **due à une éclipse**: eclipse outage
~ **entre deux émissions**: commercial slot
~ **totale**: complete outage
~ **vectorisée**: vectored interrupt
à ~ **rapide**: quick-break

intersection *f* : (géom) intersection; (croisement) crossing (of roads)

interurbain: intercity; (tél) intertoll, long distance
~ **automatique**: trunk dialling
~ **semi-automatique**: operator distance dialling

intervalle *m* : interval, distance; (dans le temps) pause; (étendue) range; (él) gap; (entre cylindres) bite, roll clearance, nip, opening
~ **d'allumage**: starter gap
~ **d'amorçage**: starter gap
~ **d'ébullition**: boiling range
~ **dans l'air**: air gap
~ **de confiance**: confidence interval
~ **de contact**: break distance, break gap, contact gap
~ **de distillation**: distillation range
~ **de fuite**: (coussin d'air) daylight clearance, daylight gap, air gap
~ **de graduation**: scale interval
~ **de mesure**: (d'un instrument) span, range
~ **de température**: temperature range
~ **depuis pose**: time since installation
~ **entre deux gorges**: land between grooves
~ **entre deux véhicules**: headway (traffic)
~ **entre révisions**: time between overhauls
~ **moyen entre les pannes**: mean time between failures
~ **unitaire**: (tcm) signal interval

intervenir: (tél) to break in, to challenge

intervention *f* : action (of an operator); (méc) repair, maintenance, servicing; (tél) break in, challenge
~ **de l'opérateur**: operator action
~ **manuelle**: manual control
~ **prioritaire**: override

interverrouillage *m* : interlock

intervertir: to invert, to transpose

intestin *m* : intestine, gut, bowel
~ **grêle**: small intestine

intoxication *f* **alimentaire**: food poisoning

intrabande: inband, within band

intrados *m* : lower surface (of arch); (aéro) wing undersurface, underwing, bottom skin, lower skin panel, lower surface (of wing)

~ **de pale**: blade lower surface, [blade] pressure face, pressure

intraficable: (conditionnement) tamper-proof

introduction *f* : introduction; feeding side; (inf) input, entry (of data)
~ **au clavier**: keying [in]
~ **d'erreurs**: bugging
~ **en temps réel**: real-time input
~ **manuelle**: keyboard entry
~ **par clavier**: keyboard entry

introduire: to insert, to introduce, to feed, to input
~ **au clavier**: to stroke in, to keystroke, to key in
~ **des données**: to enter data
~ **en mémoire**: to write into memory
~ **par décalage**: to shift in
~ **progressivement**: to phase in

intron *m* : intron

introuvable: (inf) irretrievable

intrus *m* : (inf) hacker

intumescent: intumescent

intussusception *f* : intussusception

inutilisable: unuseable, unserviceable

inutilisé: unused; spare (wire); (ressource) untapped

invalider: to inhibit, to invalidate

invar *m* : invar

invariant *m* : invariant; *adj* : invariant
~ **dans le temps**: time-invariant
~ **de boucle**: loop invariant

invendus *m* : sales returns

inventaire *m* : inventory, stock list
~ **des eaux souterraines**: groundwater survey
faire l'~: to take an inventory, to be stock taking

inverse *f* : inverse, reciprocal; *adj* : inverse, inverted; reverse, converse, opposite; (maths) reciprocal

inversement proportionnel: in inverse ratio

inverser: to inverse, to reverse
~ **la polarité**: to changeover

~ **le courant**: to reverse the current, to throw over
~ **logiquement**: to negate

inverseur *m* : reversing device, reverser; (él) changeover switch, throw-over switch, double-throw switch; (inf) inverter, negator
~ **à bascule**: rocker switch
~ **automatique émission/réception**: automatic send/receive
~ **bipolaire**: double-pole double-throw switch
~ **code**: (autom) dipper switch
~ **de courant**: current reverser
~ **de jet**: thrust reverser
~ **de marche**: reversing switch, reverser
~ **de polarité**: pole reverser, pole changer, pole changing switch
~ **de pôles**: pole changing switch, pole changer
~ **de poussée**: thrust reverser
~ **de sens de marche**: reverser
~ **parallèle-série**: parallel-to-serial converter
~-**sectionneur**: reverser-disconnect

inversible: reversible; (phot) reversal

inversion *f* : inversion; reversing (of thrust, of pitch); (phot) reversal (film processing); (él) switching over, changeover; (inf) case shift
~ **chromosomique**: chromosomal inversion
~ **de branchement**: crossed connection
~ **de courant**: reverse power
~ **de la poussée**: thrust reversal, reverse thrust
~ **de marche**: reversing
~ **de phase**: phase reversal
~ **de polarité**: pole changing
~ **de signe**: sign reversing, sign changing
~ **des pôles**: pole changing
~ **des sollicitations**: stress reversal
~ **du courant**: current reversal
~ **logique**: negation

invertase *f* : invertase

investissement *m* : investment, capital cost
~**s irrécupérables**: intangible costs
~**s récupérables**: tangible costs

inviolabilité *f* **des données**: data security

inviolable: (emballage) tamper-evident,

tamper-resistant; (serrure) burglar-proof

invitation *f*, ~ **à émettre**: polling
~ **à recevoir**: selecting
~ **à transmettre**: "ready" signal

invite *f* : (inf) prompt

iodat *m* : iodate

iode *f* : iodine

ioder: to iodate, to iodize

iodhydrique: hydriodic (acid)

iodoforme *m* : iodoform

iodure *m* : iodide

ion *m* : ion
~ **gazeux**: gaseous ion

ionique: ionic, ion

ionisant *m* : ionizer; *adj* : ionizing

ionisation *f* : ionization
~ **par choc**: impact ionization
~ **par rayonnement**: radiation ionization
~ **thermique**: thermal ionization

ioniser: to ionize

ionomètre *m* : ionometer

ionoplastie *f* : ion plating

ionosphère *f* : ionosphere

IQI → **indicateur de qualité d'image**

iris *m* : iris, diaphragm; (de guide d'ondes) waveguide window, waveguide diaphragm
~ **capacitif**: capacitive window
~ **inductif**: inductive window

irisation *f* : iridescence

IRM → **imagerie par résonance magnétique**

irradiation *f* : irradiation, exposure
~ **admissible**: permissible exposure
~ **aiguë**: acute irradiation
~ **des aliments**: food irradiation
~ **naturelle**: background exposure
~ **par contact**: contact irradiation
~ **par laser**: laser exposure
~ **par les UV**: UV irradiation

irrégulier: irregular, erratic, uneven, non-uniform

irrémédiable: unrecoverable (error, loss)

irréparable: beyond repair; irrecoverable, irretrievable (error, loss)

irrétrécissable: unshrinkable, non-shrink

irréversible: irreversible, non-reversible

irrigant *m* : irrigator

irrigation *f* : irrigation
~ **à débit constant**: continuous-flow irrigation
~ **au goutte à goutte**: drip irrigation, trickle irrigation
~ **avec eaux de crues**: inundation irrigation
~ **avec élévation d'eau**: lift irrigation
~ **d'appoint**: supplemental irrigation
~ **par aspersion**: overhead irrigation, broad irrigation, spray irrigation, sprinkler irrigation
~ **par l'eau souterraine**: groundwater irrigation
~ **par planches**: border irrigation, strip iirrigation
~ **par submersion**: flood irrigation
~ **pérenne**: perennial irrigation
~ **saisonnière**: seasonal irrigation, non perennial irrigation
~ **souterraine**: subsurface irrigation

irrotationnel: irrotational

isobare *f* : isobar

isobathe *f* : isobath, depth contour line

isochrome: isochromatic

isochrone *m* : isochrone; *adj* : isochronous

isocline *f* : isocline, isoclinal line

isogamie *f* : isogamy

isogène: isogenous

isohyète *f* : isohyet; *adj* : isohyetal

isolant *m* : insulant, insulating material, insulation [material]; *adj* : insulating, non-conductor, non-conducting
~ **à surface réfléchissante**: reflective insulation
~ **d'enrobage**: coating insulant
~ **d'un connecteur**: connector insert

~ **de bourrage**: loose-fill insulation
~ **de séparation**: (fonderie) parting compound
~ **en granulés**: loose-fill insulation
~ **en matelas**: insulation bat
~ **en plaque**: board insulation, slab insulant
~ **en vrac**: loose-fill insulation

isolateur *m* : insulator
~ **à boule**: globe insulator
~ **à cloche**: bell-shaped insulator, petticoat insulator
~ **à fût massif**: solid-core insulator
~ **à jupe**: petticoat insulator
~ **à noyau massif**: solid-core insulator
~ **à tige**: rod insulator, stick insulator, pin insulator
~ **antivibratile**: vibration mount
~ **capot et tige**: cap-and-pin insulator, cap-and-rod insulator
~ **d'ancrage**: strain insulator
~ **d'arrêt**: dead-end insulator
~ **d'entrée**: lead-in insulator
~ **de console**: bracket insulator
~ **de traversée**: bushing
~ **en cloche**: cup insulator
~ **imperforable**: puncture proof insulator
~ **latéral**: edge insulator
~ **support**: post insulator
~ **suspendu**: chain insulator

isolation *f* : insulation
~ **acoustique**: acoustic insulation; (d'un appareil) quieting
~ **aux bruits de chocs**: impact-sound insulation
~ **de bobine entre phases**: phase coil insulation
~ **double-peau**: double-coated insulation
~ **entre spires**: interturn insulation
~ **phonique**: sound insulation, sound proofing
~ **plastique expansé**: cellular insulation
~ **thermique**: heat insulation

isolé: isolated; non-contiguous, stand alone; one-shot, one-off; (maison) detached; insulated
~ **à l'huile**: oil-insulated

isolement *m* : insulation; (séparation) isolation

isoler: (mettre à part) to isolate, to segregate; (sectionner) to isolate; (él) to insulate

isoleucine *f* : isoleucine

isomère *m* : isomer

isoplèthe *f* : isopleth

isoprène *m* : isoprene

isorel *m* : hardboard

isoschizomère *m* : isoschizomere

isoséiste, isosiste *f* : isoseismal line, isoseismic line; *adj* : isoseismal, isoseismic

isosonie *f* : equivalent sound intensity

isotherme *f* : isotherm, isothermal line; *adj* : (météo) isothermal; (transport) insulated, temperature controlled

isotone: isotone

isotope *m* : isotope
  ~ **chaud**: radioactive isotope
  ~ **froid**: non-radioactive isotope
  ~ **traceur**: tracer isotope
  ~ **père**: parent isotope

isotrope: isotropic

issue *f* : exit; ~**s**: (de céréales, de viande) by-product
  ~ **de secours**: fire exit, emergency exit

itératif: iterative

itération *f* : (inf) iteration

itinéraire *m* : route

itinérant: travelling GB, traveling NA, mobile

IVB → **indice de volume des boues**

J

jachère *f*: fallow
en ~: out of crop, fallow

jack *m*: (tél) jack
~ **à rupture**: break jack
~ **à un contact**: pin jack
~ **à volet**: annunciator jack
~ **banane**: banana jack
~ **d'interruption**: cut-off jack
~ **d'occupation**: busy jack
~ **de manipulateur**: key jack
~ **de mise en garde**: holding jack
~ **général**: multiple jack

jaillir: (fluide) to gush, to spout [up], to squirt [out]; (arc) to arc
faire ~ un arc: to draw an arc, to strike an arc
faire ~ une étincelle: to strike a spark, to produce a spark

jaillissement *m*: (de fluide) spouting, gushing, squirting, outrush
~ **d'étincelles**: sparking
~ **d'arc**: arcing

jalon *m*: range pole
~ **de pointage**: (mil) aiming post

jalonnement *m*: marking out, staking [out], pegging [out]

jambage *m*: leg; (de porte, de fenêtre) jamb, post
~ **ascendant**: (graph) ascender
~ **descendant**: (graph) descender

jambe *f*: leg
~ **de force**: (en traction ou en compression) strut; (en compression) brace
~ **élastique hydraulique**: (aéro) oleo leg, oleo strut

~ **oléopneumatique**: (aéro) oleo leg, oleo strut

jambon *m*: ham
~ **blanc**: boiled ham
~ **de montagne**: raw ham
~ **de pays**: raw ham, cured ham

jambonneau *m*: knuckle of ham

jante *f*: rim (of wheel)
~ **à base creuse**: well-base rim
~ **à rebords**: flanged rim
~ **à talon**: beaded rim
~ **amovible**: detachable rim
~ **étanche**: sealed rim

jaquette *f*: jacket, case; (reliure) dust cover, [dust] jacket
~ **réfrigérante**: cooling jacket

jardin *m*: garden; (autour d'une maison) garden GB, yard NA
~ **[en] terrasse**: roof garden
~ **à l'anglaise**: landscape garden
~ **à la française**: formal garden
~ **maraîcher**: market garden GB, truck garden NA
~ **potager**: kitchen garden

jardinière *f*: window box; (alim) mixed vegetables

jarret *m*: (d'une courbe) break, knee

jarretière *f*: (tél) jumper [wire]
~ **de masse**: bonding strip

jaspage *m*: (pap) marbling

jauge *f*: (instrument) gauge GB, gage NA; (mar) burden, tonnage (of a ship)
~ **à coulisse**: calliper gauge
~ **à huile**: dipstick
~ **à radioélément**: radioactive gauge
~ **à trépan**: bit gauge
~-**bague**: female gauge
~ **brute**: (mar) gross register[ed] tonnage
~ **conformatrice**: (plast) cooling fixture, cooling jig
~ **d'épaisseur**: thickness gauge; (à lames) feeler gauge
~ **d'épaisseur des tôles**: metal gauge
~ **d'essence**: petrol gauge
~ **d'extensométrie**: strain gauge
~ **d'huile**: (autom) dipstick
~ **de contrainte**: strain gauge
~ **de réglage**: setting gauge
~ **enregistreuse**: recording gauge
~-**étalon**: reference gauge, standard gauge

~ **micrométrique**: vernier cal[l]iper
~ **pour fil métallique**: wire gauge
~ **pour tôles épaisses**: plate gauge
~ **pour tôles minces**: sheet gauge

jaugeage *m* : gauging GB, gaging NA
~ **d'un cours d'eau**: stream gauging
~ **par dilution**: chemical gauging
~ **par flotteurs**: float gauging
~ **par le creux**: (réservoir) outage
~ **par traceur**: tracer gauging

jauger: to gauge GB, to gage NA

jaugeur *m* : (personne) gauger GB,
gager NA; (instrument) gauge GB,
gage NA
~ **de réservoir**: level indicator,
quantity indicator
~ **de réservoir carburant**: fuel gauge
tank unit

jaune *m* **d'œuf**: yolk

jet *m* : (de fluide) jet, squirt; (pap) ply (of
board, of paper)
~ **à bulles**: bubble jet
~ **à la mer**: jettison[ing]
~ **d'air**: air blast
~ **d'eau**: (dans bassin) fountain;
(autom) drip strip, drip moulding;
(constr) weather moulding, weather-
board (of door, of window)
~ **d'encre**: (imprimante) ink jet
~ **d'encre thermique**: thermal ink jet
~ **de coulée**: (fonderie) sprue, runner
~ **de fossé**: earth thrown up (from a
trench)
~ **de métal**: stream
~ **de plasma**: (usinage) plasma jet
~ **de réacteur**: jet wash
~ **de sable**: sand blast
~ **en éventail**: spreader jet

jetée *f* : jetty, pier; (entre aérogare et
satellite) finger

jeter: to throw; to throw away; (projeter)
to throw off
~ **bas les feux**: to draw the fires
~ **des étincelles**: (él) to spatter
~ **l'ancre**: to cast anchor
~ **les fondations**: to lay the foundations
à ~: (emballage) one-trip, throw-away

jeton *m* : token

jeu *m* : game; (ensemble) set; (de
pièces) kit; (mouvement libre) looseness, play, slack, clearance
~ **à fond de course**: bottom clearance
~ **à la coupe d'un segment de**

piston: piston ring gap
~ **axial**: end play
~ **d'entreprise**: business game
~ **d'essai**: (mécanographie) test deck,
test pack
~ **d'usure**: wear play
~ **de caractères**: character set
~ **de caractères graphiques**: graphic
set
~ **de cartes**: card deck, card pack
~ **de contacts**: set of contacts
~ **de denture**: tooth clearance,
backlash
~ **de fonctionnement**: working
clearance, running clearance
~ **de modification**: modification kit
~ **de soupape**: valve clearance
~ **de voiles**: suit of sails
~ **des poussoirs**: tappet clearance
~ **en bout**: end play
~ **entre dents**: backlash
~ **inutile**: lost motion
~ **lâche**: (d'un ajustage) easy fit
~ **léger**: (d'un ajustage) easy fit
~ **libre**: running clearance
~ **mort**: dead travel, lost motion
~ **primitif**: (d'un engrenage) circumferential backlash
~ **tournant**: running clearance

jeun, à ~: on an empty stomach

jeûne *m* : fast[ing]

joint *m* : joint, connection, coupling;
(d'étanchéité) seal; (soudé) seam
~ **à boulet**: cup-and-ball joint
~ **à brides**: flange connection,
flange[d] joint
~ **à clin**: lap joint; (tôle) lap seam
~ **à collerette**: flanged seam, flanged
joint
~ **à coulisse**: sliding joint, slip joint
~ **à douille**: sleeve joint
~ **à emboîtement**: [socket and] spigot
joint
~ **à francs bords**: flush joint
~ **à genou**: knee joint
~ **à lèvre**: lip seal, wiper seal
~ **à manchon**: muff coupling
~ **à raccord**: nipple connection
~ **à recouvrement**: lap joint; (tôle) lap
seam
~ **à rotule**: cup-and-ball joint, cup joint,
ball-and-socket joint, ball joint, knuckle
joint, globe joint
~ **à soufflet**: expansion joint
~ **à surépaisseur**: reinforced seam
~ **à torsade**: twist joint
~ **à vis**: screw[ed] joint
~ **abouté**: butt joint
~ **affleuré**: flush joint

~ **annulaire**: ring joint, ring gasket
~ **anti-fuite**: retainer seal
~ **articulé**: knee joint, knuckle [joint], pin joint, swivel joint
~ **au plomb**: lead joint
~ **aveugle**: dummy joint
~ **biseauté**: scarf joint
~ **carré**: abutting joint, butt joint
~ **circulaire**: girth joint, ring joint
~ **collé**: glued joint
~ **coulé**: [run] lead joint
~ **coulé à chaud**: hot-poured joint
~ **d'angle**: corner joint
~ **d'assise**: bed joint, horizontal joint (in masonry)
~ **d'étanchéité**: seal
~ **d'étanchéité axial**: face seal
~ **d'huile**: oil seal
~ **de boîtier**: housing seal
~ **de bordé**: (mar) shell plating joint
~ **de cardan**: universal joint, universal Cardan coupling
~ **de cisaillement**: (géol) shear joint
~ **de construction**: construction joint
~ **de culasse**: [cylinder] head gasket
~ **de dilatation**: expansion joint
~ **de dilatation thermique**: thermal expansion joint
~ **de lit**: bed joint
~ **de presse-étoupe**: packing ring, packing gasket
~ **de reprise**: (constr) cold joint
~ **de retrait**: contraction joint
~ **de séparation**: (fonderie) parting
~ **de stratification**: bedding joint
~ **de tête**: face seal
~ **debout**: standing seam
~ **en about**: butt joint
~ **en caoutchouc**: rubber gasket
~ **en charnière**: knuckle joint
~ **en sifflet**: splayed joint, diagonal joint
~ **étanche**: tight joint
~ **étanche à l'air**: air seal
~ **étanche aux gaz**: gas seal
~ **étanche aux poussières**: dust seal
~ **flexible**: flexible joint
~ **glissant**: sliding joint, slip joint
~ **hermétique**: hermetic seal
~ **homocinétique**: double universal joint, double cardan joint; (traction avant) constant velocity joint
~ **horizontal**: bed joint (in masonry)
~ **hydraulique**: liquid seal, water seal
~ **lenticulaire**: lens ring
~ **lisse**: flush joint
~ **mal nourri**: starved joint
~ **mâle**: male joint
~ **maté**: caulking seam
~ **métal sur métal**: face-to-face joint
~ **métallique**: metal-to-metal joint
~ **métalloplastique**: copper-asbestos gasket, metal-asbestos gasket

~ **métalloplastique enrobé métal**: jacketed gasket
~ **métalloplastique enrobé métal fermé avec recouvrement**: over-lapped jacketed gasket
~ **métalloplastique enrobé métal fermé par rapprochement**: single jacketed gasket
~ **moulé**: extrusion
~ **plat**: flush joint; (carré) abutting joint, butt joint; (méc) gasket
~ **plein**: blind flange
~ **racleur**: wiper seal
~ **recouvert**: lapped joint
~ **rivé**: riveted joint, riveting joint
~ **rodé**: ground joint
~ **sans lut**: dry seal joint, self-sealing joint, luteless joint
~ **sec**: dry seal joint, metal-to-metal joint
~ **soudé par capillarité**: sweat joint
~ **sphérique**: cup-and-socket joint, cup joint, ball-and-socket joint, ball joint, globe joint
~ **spiralé**: spiral-wound gasket
~ **strié**: grooved metal ring
~ **sur bord**: (soudure) edge joint
~ **sur coussinet**: (chdef) chaired joint
~ **télescopique**: telecopic joint
~ **thermique**: heat seal
~-**tore**: ring gasket, ring-type joint
~ **torique**: O-ring GB, doughnut ring NA
~ **tournant**: revolving joint, rotating joint; rotary seal
~ **universel**: universal Cardan coupling
~ **vertical**: cross joint, head joint (in masonry)
~ **vif**: sharp joint; (de maçonnerie) dry joint
~ **vissé**: screw[ed] joint
~**s croisés**: alternate joints (in masonry)

jointage *m* : assembling, joining; (f.o.) soldering
~ **de fibres**: fiber soldering

jointoiement *m* : (maçonnerie) pointing
~ **au mortier liquide**: grouting
~ **en montant**: jointing (of brickwork)

jointoyer: to point (brickwork)

jointure *f* : (moulage des plastiques) flash ridge, flash area, spew area, spew ridge

jonc *m* : (méc) circlip; (plast, f.o.) rod
~ **cylindrique rainuré**: grooved core (of cable)
~ **de retenue**: retaining ring

~ **de retenue graisse**: grease retainer
~ **élastique**: spring clip

joncteur *m* : junctor
~ **d'acheminement**: route junctor

jonction *f* : junction, joining, connection; (chdef, transistor) junction
~ **collecteur**: collector junction
~ **d'épissage**: (gg/bm) splicing junction
~ **de câbles**: cable joint GB, cable splice NA
~ **de tuyaux**: pipe connection
~ **entrante**: incoming junction
~ **exon-intron**: (gg/bm) left splicing junction
~ **hybride**: hybrid junction
~ **intron-exon**: right splicing junction
~ **micro-alliée**: microalloy junction
~ **N**: N-junction
~ **p-n**: p-n junction
~ **par diffusion**: diffused junction
~ **par tirage**: growth junction, grown junction

joue *f* : (de mortaise, de poulie) cheek; (de bobine, de poulie, de tambour) flange
~ **de coffrage**: cheek board
~ **de morue**: cod cheek
~ **du vilebrequin**: crankshaft flange

jour *m* : day; (dans mur) aperture, light; (éclairage) light
~ **de fort trafic**: high day
~ **ouvrable**: working day
~ **solaire moyen ▶ jsm**: mean solar day
à ~: up to date, updated
au ~: (mine) above ground
mettre à ~: to bring up to date, to update

journal *m* : newspaper; record, book
~ **de bord**: log book
~ **télévisé**: television news

journée *f* : day
~ **portes ouvertes**: open day

jsm → **jour solaire moyen**

jujube *m* : jujube

jumeaux *m* : twins
~ **dizygotes**: fraternal twins
~ **monozygotes**: identical twins

jumelé: twin[ned]; double, ganged

jumelle *f* : (de ressort) spring shackle; → aussi **jumelles**

jumelles *f* : field glasses
~ **de sonnette**: leads (of pile driver)

jupe *f* : skirt
~ **d'isolateur**: petticoat
~ **de piston**: piston skirt
~ **segmentée**: segmented skirt (of hovercraft)

jusant *m* : ebb [tide]

justificatif *m* : accounting voucher; (publicité) checking copy
~ **du passage d'une annonce**: agency copy

justification *f* : (graph) justification
~ **à gauche**: left justification

justifié: (graph) justified
~ **à droite**: right justified

jute *m* : jute

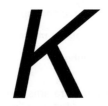

kaolin *m* : kaolin, china clay

kascher: kosher

kelvinomètre *m* : kelvinometer

kénotron *m* : kenotron

kératine *f* : keratin, ceratin

kérosène *m* : kerosene

kier *m* : kier (text)

kieselguhr *m* : kieselguhr

kilobase *f* : (gg/bm) kilobase

kilométrage *m* : mileage

kilométrique: mileage (point, recorder)

kilomot *m* : kiloword

kinase *f* : kinase

kiosque *m* : kiosk, news stand; (de sous-marin) conning tower
~ **de la barre**: wheelhouse

kiwi *m* : kiwi

klystron *m* : klystron
~ **à cavité**: cavity klystron
~ **à cavités multiples**: multicavity klystron
~ **multicavité**: multicavity klystron

krarupisation *f* : [continuous] coil loading, krarup loading

krypton *m* : krypton

L → laitier de haut fourneau

L4G → langage de 4e génération

label *m* : label (quality, tape)
~ **de début de fichier**: file header label
~ **début**: header label
~ **fin**: ending label, trailer label

labellisé: labelled (with quality label)

labile: labile, unstable

laborantin *m*, **laborantine** *f* : laboratory assistant

laboratoire *m* : laboratory; (de four) melting chamber, charge chamber
~ **chaud**: hot laboratory
~ **d'essai[s]**: testing laboratory
~ **de haute activité**: hot laboratory
~ **de langues**: language laboratory
~ **de recherche**: research laboratory, research station
~ **non radioactif**: cold laboratory

labourage *m* : ploughing GB, plowing NA

labyrinthe *m* : labyrinth

lac *m* : (géogr) lake
~ **de barrage**: artificial lake
~ **salé**: salt lake

lacet *m* : lace; (aéro) yaw; (rob) yaw motion; ~**s**: yawing
en ~: winding; (virage) hairpin; (inf) wraparound

lâche: loose; (corde) slack

lâcher: to release, to let go
~ **la détente**: (d'un fusil) to pull the trigger
~ **la vapeur**: to let off steam, to blow off steam

lactalbumine *f* : lactalbumin

lactame *m* : lactam

lactarium *m* : [human] milk bank

lactase *f* : lactase

lactescent: lactescent

lactigène: lactogenic

lactobacille *m* : lactobacillus

lactodensimètre *m* : [ga]lactometer

lactoflavine *f* : lactoflavin

lactomètre *m* : [ga]lactometer gauge

lactone *f* : lactone

lactoprotéine *f* : lactoprotein

lactose *m* : lactose

lactosérum *m* : whey

lacune *f* : (d'électron) vacancy; (s.c.) hole

lacustre: lacustrine

lagon *m* : lagoon

laine *f* : wool
~ **d'acier**: steel wool
~ **d'amiante**: asbestos wool
~ **de bois**: wood wool GB, excelsior NA
~ **de laitier**: slag wool GB, mineral wool, mineral cotton NA
~ **de roche**: mineral wool, rock wool
~ **de silice**: silica wool
~ **de verre**: glass silk, glass wool
~ **minérale**: mineral wool
~ **vierge**: new wool, virgin wool

laineuse *f* : (text) raising machine

laisse *f* : foreshore
~ **de basse mer**: low-water mark
~ **de haute mer**: high-water mark

laisser passer: to let through; (le courant, la chaleur) to conduct

lait *m* : milk
~ **aigre**: sour milk
~ **aromatisé**: flavoured milk
~ **bourru**: raw milk, milk straight from the cow
~ **caillé**: curdled milk, curd
~ **concentré**: condensed milk
~ **cru**: raw milk
~ **de chaux**: milk of lime, limewash, whitewash
~ **de ciment**: grout
~ **de couche**: slip
~ **de longue conservation**: long life milk
~ **écrémé**: skimmed milk
~ **emprésuré**: junket
~ **en poudre**: dried milk, milk powder
~ **entier**: full cream milk
~ **frappé**: chilled milk
~ **homogénéisé**: homogenized milk
~ **mouillé**: watered milk
~ **non sucré**: unsweetened milk
~ **pasteurisé**: pasteurized milk

laitage *m* : dairy produce, milk food

laitance *f* : (de poisson mâle) soft roe; (béton) bleed[ing], chalking

laiterie *f* : dairy

laiteux: milky

laitier *m* : milkman; (métall) slag
~ **basique**: basic slag
~ **de ciment**: cement slurry
~ **de forage**: slurry
~ **de haut fourneau** ▶ **L**: blast furnace slag
~ **de queue**: tail slurry
~ **de tête**: lead slurry
~ **expansé**: expanded slag
~ **granulé**: granulated slag

laiton *m* : brass
~ **au silicium**: silicon brass
~ **deuxième titre**: naval brass
~ **en feuilles**: latten brass
~ **jaune**: yellow metal
~ **laminé**: latten brass
~ **pour coussinets**: bearing brass
~ **premier titre**: half-yellow brass, yellow brass

laitonnage *m* : brass plating

laitue *f* : lettuce
~ **pommée**: cabbage lettuce

laize *f* : (pap) machine width

lamage *m* : spotfacing; counterbore, recess

lamanage *m* : inshore piloting

lambrissage *m* : (constr) wood panelling

lame *f* : thin plate, strip; (de couteau, de contact, d'engin de terrassement) blade; (de ressort) leaf; (mer) wave
~ **d'aiguille**: (chdef) point blade, point tongue
~ **d'air**: air gap, air space (in cavity wall)
~ **d'alésage**: boring cutter
~ **d'eau**: (par-dessus un réservoir) nappe
~ **d'épandage**: spreader
~ **de collecteur**: commutator segment, commutator bar, collector segment
~ **de contact**: contact blade, switch blade
~ **de couteau**: knife blade
~ **de cuivre**: copper strip
~ **de fond**: ground swell
~ **de parquet**: floor strip
~ **de refroidissement**: heat sink
~ **de ressort**: spring plate, spring leaf, spring blade
~ **déversante**: (d'un réservoir) overflowing sheet
~ **équipée**: blade assembly
~ **évidée**: hollow blade
~ **frontale de bulldozer**: mouldboard
~ **maîtresse**: (de ressort) main leaf, main plate
~ **niveleuse**: angle blade
~ **oblique**: angular blade
~ **porte-objet**: (de microscope) slide
~ **rapportée**: inserted blade
~ **traînante**: trailing blade
~ **vibrante**: vibrating reed
à ~**s**: laminated (toothed chain, spring)
en ~ **de couteau**: knife-edge

lamellaire: lamellar, lamellate

lamelle *f* : thin sheet; (de mica) film, flake; (de store vénitien) slat; (bio) lamella; (de champignon) gill, lamella
~ **couvre-objets**: (de microscope) cover glass
~ **de casse-chaîne**: (tissage) drop wire
~ **de collecteur**: commutator segment
~ **de refroidissement**: heat sink

lamellé *m* : (plast) laminate; *adj* : lamellate[d]
~-**collé**: glued-laminated, glulam
~ **de parement**: face laminate
~ **décoratif hors série**: custom-design laminate
~ **massif**: solid laminate

~ **sérigraphié**: silk-screen laminate
~ **textile**: fabric laminate

amer: to counterbore, to spotface

amifier: (plast) to laminate

aminabilité *f* : rollability

aminage *m* : (métall) rolling; (réglage du débit) throttling, flow restriction; (du papier) calendering
~ **à chaud**: hot rolling
~ **à froid**: cold rolling
~ **à la plaque**: (pap) plate glazing
~ **à plat**: flat rolling
~ **d'écrouissage**: pinch [pass] rolling, skin rolling
~ **de tubes**: hollow rolling
~ **des brames**: slabbing
~ **des tôles**: plate rolling
~ **final**: rolling down
~ **finisseur**: rolling down
~ **superficiel à faible pression**: pinch [pass] rolling, dressing
~ **sur chant**: edge rolling
~ **transversal**: cross rolling GB, broadsiding NA

aminaire: laminar

aminé *m* : (métall) rolled iron, rolled section; (plast) laminate; *adj:* (métall) rolled; (papier, carton) laminated
~ **à froid**: cold-rolled, cold-reduced
~ **à la plaque**: (pap) plate-glazed
~ **au PE**: PE-laminated
~ **en une seule chaude**: rolled at one heat
~ **marchand**: standard section
~ **stratifié**: laminate

aminer: to laminate; (métall) to roll; (un fluide) to throttle; (pap) to calender

amineur *m* : rolling mill operator, roller
~ **dégrossisseur**: rougher

aminoir *m* : (métall) rolling mill; (pap) calliper calender, thickness calender
~ **à bande**: strip mill
~ **à barres**: bar mill
~ **à blooms**: blooming mill
~ **à brames**: slabbing mill
~ **à dresser**: skin pass mill
~ **à fers marchands**: merchant mill
~ **à feuillards**: strip mill
~ **à fil [de fer]**: wire mill
~ **à fil machine**: rod mill
~ **à n cages**: n-stand train
~ **à pas de pélerin**: pilger mill
~ **à profilés**: section mill
~ **à tôle**: plate mill

~ **à tubes**: tube mill
~ **calibreur**: sizing mill
~ **d'écrouissage**: pinch pass mill, skin pass mill
~ **de feuilles**: sheeting machine, sheeting mill
~ **de réchauffage**: (plast, caoutchouc) preheating mill, warming mill
~ **dégrossisseur**: breakdown mill, roughing mill
~ **double duo**: double two-high rolling mill
~ **duo**: two-high mill
~ **ébaucheur**: breakdown mill, roughing mill
~ **en cascade**: in-series mill
~ **étireur-réducteur**: stretch reducing mill
~ **marchand**: merchant mill
~ **raffineur**: refiner mill
~ **réversible**: reversing mill
~ **trio**: three-high mill

lampe *f* : lamp; (ampoule d'éclairage) bulb
~ **à alcool**: spirit lamp
~ **à amorçage à chaud**: hot-start lamp, preheated lamp
~ **à amorçage à froid**: instant-start lamp, cold lamp
~ **à arc**: arc lamp
~ **à arc à [vapeur de] mercure**: mercury arc lamp, mercury discharge lamp
~ **à arc au charbon**: carbon arc lamp
~ **à atmosphère gazeuse**: gas-filled lamp
~ **à braser**: blowlamp, brazing lamp, blowtorch
~ **à décharge**: gas discharge lamp
~ **à double bobinage**: coiled-coil lamp
~ **à filament de charbon**: carbon-filament lamp
~ **à filament métallique**: metal-filament lamp
~ **à filament spiralé**: single-coil lamp
~ **à incandescence**: incandescent lamp
~ **à lumière noire**: black-light lamp
~ **à luminescence**: glow lamp
~ **à plusieurs filaments**: multifilament lamp
~ **à rayons ultra-violets**: ultraviolet lamp
~ **à réflexion**: reflector lamp
~ **à souder**: blowlamp, blowtorch, soldering torch, soldering lamp, welding torch
~ **à vapeur de mercure**: mercury-vapour lamp
~ **à vapeur de sodium**: sodium-vapour lamp

~ **à vapeur métallique**: metal-vapour lamp
~ **au néon**: neon lamp
~ **au tungstène**: tungsten lamp
~ **aux halogénures**: halide lamp
~ **d'occupation**: (tél) busy lamp
~ **de bord**: (autom) dashboard lamp
~ **de contrôle**: test lamp
~ **de poche**: torch, torchlight GB, flash lamp, flashlight NA
~ **de signalisation**: warning light, indicator light, signal lamp
~ **de tablier**: (autom) dashboard lamp
~ **flamme**: candle lamp
~ **flood**: (phot) floodlight
~ **fluorescente**: fluorescent lamp
~ **fluorescente à allumage sans starter**: starterless fluorescent lamp
~ **fluorescente à allumage par starter**: switch start fluorescent lamp
~ **halogène**: halogen lamp
~ **incandescente**: filament bulb
~ **infrarouge**: infrared lamp
~ **lumière du jour**: daylight lamp
~ **phare-code**: (autom) double filament light bulb
~ **pisiforme**: pea lamp
~ **témoin**: indicating lamp, indicator lamp, pilot lamp, pilot light, warning light

lampisterie f : lamp locker, lamp room

lance f : (de tuyau) nozzle; (tuyau) hose; (aéro) probe (in-flight refuelling)
~ **à ciment**: cement gun
~ **à oxygène**: (métall) oxygen lance
~ **d'arrosage**: garden hose
~ **d'incendie**: fire hose [nozzle]

lance-bombes m : bomb rack

lancée f : momentum, impetus (of a vehicle)

lance-flammes m : flame thrower

lance-fusées m : rocket launcher

lance-gouttes m : oil slinger

lance-grenades m : grenade launcher
~ **à fusil**: rifle grenade launcher
~ **sous-marines**: depth-charge thrower

lancement m : throwing; (d'un navire) launch[ing]; (d'un moteur) starting, cranking; (inf) activation, initiation; booting (of a program, of a system); (aérosp) blast-off; (de bombes) dropping, release, releasing; (d'un produit) introduction, launching

~ **du rotor**: rotor spinning
~ **par catapultage**: catapult start

lancer: to throw; (un navire) to launch; (un produit) to launch, to introduce; (un moteur) to start up, to crank; (un rotor, une hélice) to spin, to swing
~ **des étincelles**: to emit sparks
~ **en fabrication**: to release for manufacture
~ **une torpille**: to fire a torpedo

lance-roquettes m : rocket launcher

lance-satellite m : satellite launcher

lance-torpille m : torpedo tube

lanceur m : launch[ing] vehicle, launcher

langage m : language
~ **à assignation unique**: single-assignment language
~ **algébrique**: algebraic language
~ **assembleur**: assembly language
~ **clair**: plain language
~ **d'arbres**: tree language
~ **d'énoncé de problème**: problem statement language
~ **de 4e génération ▶ L4G**: fourth-generation language
~ **de commande**: control language
~ **de conception numérique**: digital design language
~ **de contrôle des opérations ▶ LCO**: operation control language
~ **de contrôle des travaux**: job control language
~ **de description de page**: page description language
~ **de haut niveau**: high-level language, high-order language
~ **dépendant du contexte**: context-sensitive language
~ **évolué**: advanced language, high-level language, high-order language
~ **fonctionnel**: applicative language, functional language
~ **indépendant du contexte**: context-free language
~ **logique**: logic language
~ **machine**: machine language
~ **naturel**: natural language
~ **objet**: object language
~ **orienté objet**: object-oriented language
~ **procédural**: procedural language, procedure-oriented language
~ **source**: source language

langouste f : crawfish, rock lobster, spiny lobster

angoustine f : scampi, Dublin bay prawn

anguette f : tongue; (méc) feather key
~ **de commutation**: switching link
~ **de déchirage**: tear-off strip, tear tab
~ **rapportée**: (men) loose tongue

anterne f : lantern; (sur véhicule) light;
(méc) lantern; (de serrage, de tension)
turnbuckle; (fonderie) core barrel
~ **arrière**: rear light, tail light
~**-support**: (de pompe) bearing
lantern

anterneau m : monitor, raised skylight
~ **d'éclairage zénithal**: dome light

apidaire m : stone grinder, grinder, lapping wheel

aquage m : lacquering; lacquered
surface

aque f : (vernis) lacquer; (résine) lac;
(peinture) lake
~ **cellulosique**: cellulose lacquer
~ **de nitrocellulose**: nitrocellulose
lacquer
~ **en bâtons**: stick lac
~ **en écailles**: shellac
~ **jaune**: yellow lake
~ **de Chine**: japan

ard m : (maigre) pork belly; (salé ou
fumé) streaky bacon

ardon m : wear strip
~ **de guidage**: guide bar, gib
~ **de guidage en coin**: taper gib
~ **de rattrapage du jeu**: adjusting gib

argage: (aéro) release, releasing, dropping (of supplies, of bombs); jettisoning (throwing away); (de troupes
aéroportées) dispatching, dropping

arge m : open sea; adj : wide, broad
au ~ des côtes: offshore

argeur f : width, breadth; (d'un navire)
beam
~ **angulaire à mi-puissance**: half-
power beamwidth
~ **au fort**: extreme breadth
~ **d'abord**: (IA) breadth first
~ **d'allée**: aisle width (in factory)
~ **d'impulsion**: pulse width
~ **de bande**: bandwidth
~ **de denture**: face width (of gear
wheel)
~ **de passage**: (d'une porte) clear
width

~ **de raie**: line width
~ **de toile utile**: (pap) maximum
deckle
~ **de bande interdite**: band gap
~ **développée**: (de pneu) tread arc
width
~ **du boudin**: face width (of rail)
~ **du faisceau**: beam aperture
~ **hors membrures**: moulded breadth
~ **hors tout**: overall width
~ **rognée**: trimmed width
~ **sur pans**: width across flats
~ **utile**: (constr) coverage (of corrugated sheet), width cover (of panel)
~ **utile de chargement**: (véh) [body]
inside width
en ~: crosswise
~**s non assorties**: random widths

larguer: (un cordage) to loose, to
release; (aérosp) to release
~ **les amarres**: to cast off
~ **une bombe**: to release a bomb, to
drop a bomb

largueur m : (de personnel) [jump] dispatcher; (de matériel) dropmaster

larmier m : (constr) drip mould[ing],
weather check

laser m : laser
~ **à cavité**: cavity laser
~ **à impulsions**: pulsed laser
~ **à injection**: laser diode
~ **à liquide**: liquid laser
~ **à modes multiples**: multimode laser
~ **à pompage chimique**: chemical
laser, chemically-pumped laser
~ **à pompage optique**: optically-
pumped laser
~ **à semi-conducteurs**: junction diode
laser, semiconductor laser
~ **à verre néodyme**: Nd glass laser
~ **annulaire**: ring laser
~ **au néodyme**: neodymium laser
~ **au séléniure de gallium**: GaSe
laser
~ **[aux rayons] gamma**: gamma ray
laser, graser
~ **chimique**: chemical laser
~ **continu**: CW laser
~ **[dopé] au néodyme**: neodymium-
doped laser
~ **émettant à la température
ambiante**: room temperature laser
~ **émettant dans l'infrarouge
lointain**: far-infrared laser, fair-IR laser
~ **émettant dans le vert**: green [light]
laser
~ **émettant dans le visible**: visible
laser

~ **émettant dans l'infrarouge proche**: near-infrared laser, near-IR laser
~ **monomode**: single-mode laser
~ **multicascade**: cascaded laser
~ **multimodal**: multimode laser
~ **pulsé**: pulsed laser
~ **relaxé**: free-running laser

latence *f*: latency; (d'un défaut) dormancy
~ **de segrégation**: segregation latency

latent: (chaleur) latent; (défaut) dormant

latéralement: sideways

latex *m*: latex
~ **concentré par évaporation**: evaporated rubber latex

latitude *f*: latitude

lattage *m*: lathing, battening

latte *f*: (constr) batten, lath, slat
~ **de vaigrage**: hold batten, cargo batten
~ **et enduit**: lath and plaster

lattis *m*: lathing, lath work

laurier *m*: (alim) bay leaf

lavabilité *f*: washability

lavabo *m*: washbasin, washbowl; ~**s**: lavatory, washroom

lavage *m*: washing; (du charbon) cleaning, washing; (pétr) scrubbing, stripping
~ **à contre-courant**: backwash
~ **au large**: (text) open-width washing
~ **de minerai**: ore washing, buddling
~ **du moule**: flushing through (a mould); (fonderie) sand wash of mould
~ **par inversion de courant**: backwash
~ **par retour de courant**: backwash
~ **sur crible à secousses**: jigging

lave *f*: lava

lave-glace *m*: windscreen washer GB, windshield washer NA

lave-phare *m*: headlamp washer

laver: to wash; (charbon) to clean, to dress; (un gaz) to scrub
~ **à grande eau**: to wash in plenty of water
~ **au jet d'eau**: to hose down

laveur *m*: washer; (gaz, pétr) scrubber
~ **à barbotage**: bubble washer, bubble scrubber
~ **à couloir**: (charbon) trough washer
~**-classeur**: washing classifier
~ **d'air**: air scrubber
~ **de gaz**: gas scrubber, gas purifier, gas cleaner

laverie *f*: (de linge) laundry; (minerai) washery

lavoir *m*: (charbon) washery

LCO → **langage de contrôle des opérations**

lèchefrite *f*: drip[ping] pan

lécheur *m*: oil wiper, wiper ring

lécithine *f*: lecithin

lecteur *m*: reader, scanner
~ **à fente**: slot reader
~ **de bande magnétique**: magnetic tape reader, tape drive
~ **de caractères en clair**: optical character scanner
~ **de caractères magnétiques**: magnetic character reader
~ **de cartes perforées**: punched card reader
~ **de code à barres**: bar code scanner
~ **de code à barres optiques**: optical bar code reader
~ **de courbes**: curve follower
~ **manuel**: wand
~ **optique**: optical scanner, optical reader
~ **optique de caractères**: optical character reader
~ **optique de marques**: optical mark reader, optical mark scanner
~**/reproducteur**: (micrographie) reader printer

lecture *f*: read; scan, sensing; (instrument) reading
~ **à distance**: remote reading
~ **anticipée**: (inf) look ahead, read ahead
~ **arrière**: reverse reading
~ **avec éclatement**: scatter read
~ **avec effacement**: destructive readout
~ **de compteur**: meter reading
~ **de l'aiguille**: indicator reading
~ **de marques**: mark reading, mark sensing
~ **dispersée**: scatter read
~ **destructive**: destructive read[out]

~ **hors échelle**: off-scale reading
~ **non destructive**: non-destructive read[out]
~ **optique de marques**: optical mark reading
~ **par anticipation**: lookahead
~ **par exploration**: sensing
~ **par réflexion**: reflection reading
~ **par transmission**: transmission reading
~ **sans effacement**: non-destructive read
~ **statique**: static sensing
~ **sur l'échelle**: on-scale reading
~-**écriture**: read/write
~-**écriture par rafales**: burst read/write

légende f : caption; (de figure) legend

légume m : vegetable
~ **sec**: legume
~ **à gousse**: pulse
~ **déshydraté**: dehydrated vegetable
~ **vert**: green vegetable

legumine f : legumin

légumineuse f : legume, leguminous plant

lenticelle f : lenticel

lenticulaire: lens-shaped, lenticular

lentille f : (bot) lentil; (opt) lens
~ **à échelons**: zoned lens, stepped lens
~ **à gas**: gas lens
~ **à grille**: gauze lens
~ **à lames parallèles**: parallel-plate lens
~ **à trame rectangulaire**: egg-box lens
~ **à zones**: stepped lens, zoned lens
~ **biconcave**: biconcave lens, concavo-concave lens
~ **biconvexe**: biconvex lens, convexo-convex lens
~ **concave**: concave lens
~ **convergente**: converging lens
~ **convexe**: convex lens
~ **d'eau**: duckweed
~ **d'objectif**: (phot) component of [photographic] lens
~ **de balancier**: pendulum bob
~ **de sable**: sand lens
~ **de sable pétrolifère**: oil lens
~ **de voyant**: cover glass (of pilot light)
~ **divergente**: diverging lens
~ **électronique**: electron lens
~ **plan-concave**: plano-concave lens
~ **plan-convexe**: plano-convex lens

lessivage m : (de linge) washing; (pap) boiling, cooking

lessivation f : lixiviation

lessive f : washing powder; (ind) lye; (pap) [cooking] liquor
~ **à la potasse**: potash lye
~ **alcaline**: alkaline lye
~ **caustique**: caustic lye
~ **de soude**: soda lye
~ **épuisée**: spent liquor
~ **noire**: black oil; (pap) black liquor
~ **résiduaire**: waste liquor
~ **usée**: spent liquor, spent lye

lessiveur m : (pap) boiler, cooker, digester

lest m : (mar) ballast; (de grue) kentledge
~ **liquide**: water ballast
faire son ~: to take on ballast
sur ~: in ballast

lestage m : (mar) ballasting
~ **liquide**: (de pneus agraires) hydroflating

lesté: weighted
~ **de plomb**: lead-weighted

létal: lethal

letchi m : lychee, litchi, letchi

lettre f : letter
~ **accentuée**: accented letter
~ **ascendante**: ascending letter, ascender
~ **bas de casse**: lower case letter
~ **d'intention**: letter of intent
~ **de rappel**: reminder
~ **descendante**: descending letter, descender
~ **minuscule**: lower case letter, small letter
~ **piégée**: letter bomb

leucine f : leucin[e]

leucite f : (géol) leucite; m : leucoplast, leucoplastid

leucocyte m : leucocyte GB, leukocyte NA

leucopoïèse f : leucopoiesis, leukopoiesis

levage m : hoisting, lifting
~ **au cric**: jacking [up]
~ **et manutention**: lifting and conveying

~ **par hélicoptère**: heli-lifting
à ~: lift-on lift-off, lo-lo (container carrier)

levain *m* : leaven, leavening

levé *m* : (topographique) survey
~ **à la chaîne**: chain survey
~ **à la planchette**: plane survey
~ **à la stadia**: stadia survey
~ **aérien**: aerial survey
~ **de reconnaissance**: exploratory survey
~ **de terrain**: land survey
~ **gravimétrique**: gravity survey
~ **par cheminement**: traversing
~ **photogrammétrique**: aerial survey
~ **terrestre**: ground survey

levée *f* : lift; section (of gasholder); (text) doffing, lifting motion; (le long d'un fleuve) levee
~ **de bétonnage**: concreting lift
~ **de came**: cam lift, cam throw
~ **de soupape**: valve lift
~ **de terre**: levee
faire la ~: (text) to doff

lève-glace *m* : window winder GB, window regulator NA

lever: to lift
~ **avec un cric**: to jack up
~ **l'ancre**: to heave up anchor, to weigh anchor
~ **une épreuve**: (graph) to pull a proof
~ **une option**: to take an option

lève-roue[s]: wheel jack

lève-soupape *m* : valve lifter

levier *m* : lever
~ **à bascule**: toggle lever
~ **à boule**: ball-ended lever
~ **à cliquet**: ratchet lever, pawl lever, catch lever
~ **à contrepoids**: balance lever
~ **à crans**: notch lever
~ **à déclic**: trip lever
~ **à galet**: roller lever
~ **à genouillère**: toggle lever
~ **à main**: hand lever
~ **à poignée**: handle lever
~ **à rochet**: ratchet lever
~ **à rotule**: ball lever
~ **articulé**: toggle lever
~ **basculant**: rocker
~ **brisé**: angle lever
~ **coudé**: bell-crank lever, angle lever
~ **d'armement**: (de fusil) cocking lever
~ **d'arrêt**: locking lever

~ **d'embrayage**: clutch lever, engaging lever
~ **de battage**: (pétr) walking beam
~ **de changement de vitesse**: gear [shift] lever, gear stick
~ **de changement de marche**: changeover lever
~ **de commande**: control lever, operating lever
~ **de commande de direction**: steering drop arm, steering lever GB, Pitman arm NA
~ **de commande de fusée**: (autom) steering arm GB, steering knuckle arm NA
~ **de commande [de profondeur]**: (aéro) control column
~ **de débrayage**: throwout lever, [clutch] release lever
~ **de déclenchement**: release lever
~ **de direction**: steering drop arm GB, Pitman arm NA
~ **de manœuvre**: operating lever
~ **de pompe**: pump handle
~ **de marche arrière**: reversing lever
~ **de papillon**: throttle control [lever], throttle lever
~ **de renversement de marche**: reversing lever
~ **de renvoi**: reversing lever
~ **de sectionneur**: isolator handle
~ **de verrouillage**: locking lever
~ **des vitesses**: gear lever GB, gearshift lever, gearshift stick NA
~ **oscillant**: swing lever
~ **roulant**: roller lever
~ **simple**: single-armed lever
~ **triangulé**: (autom) wishbone

lévigation *f* : levigation

lévitation *f* : levitation
~ **magnétique**: magnetic levitation, maglev

lévogyre: laevorotatory, laevorotary, laevogyrate GB; levorotatory, levorotary, levogyrate NA

lèvre *f* : lip; land (of drill, of reamer)
~ **de faille**: fault wall
~ **pare-poussière**: dust lip

levure *f* : yeast
~ **basse**: bottom yeast
~ **chimique**: baking soda, baking powder
~ **de bière**: brewer's yeast
~ **de boulanger**: baker's yeast
~ **de fermentation lactique**: lactic yeast
~ **haute**: top fermenting yeast

~ **lactée**: whey yeast
~ **pressée**: yeast cake, pressed yeast

levurier *m* : yeast manufacturer

lézarde *f* : crack (in wall); (graph) gutter, river [of white]
~ **de tassement**: settlement crack

LGN → **liquide de gaz naturel**

liaison *f* : (chim) bond, linkage; (él) connect[ion], hookup; (tcm) link, linkup; (maçonnerie) bonding; (transports) link, line; (alim) thickening (of sauce)
~ **à haute tension continue**: high-voltage direct-current link
~ **à ondes décamétriques**: high-frequency link
~ **ascendante**: upline
~ **câblée**: (inf) hardwired link
~ **chimique**: chemical binding
~ **commutée**: switching link
~ **covalente**: covalent bond
~ **de continuité**: continuity bond
~ **de covalence**: covalent bond
~ **de données**: data link
~ **de données en exploitation automatique**: automatic data link
~ **de transmission de données**: data link
~ **de valence**: valence bond
~ **descendante**: downline
~ **directe**: direct connection
~ **en groupe primaire**: (tél) group link
~ **espace-espace**: space-to-space link
~ **espace-terre**: downlink
~ **et mise à la terre**: bonding and grounding
~ **ferroviaire**: rail link
~ **génétique**: linkage
~ **hertzienne**: radio link, microwave link
~ **hydrogène**: hydrogen bonding
~ **interurbaine**: (tél) trunk connection
~ **multipoint**: multidrop line
~ **optique**: (f.o.) optical link
~ **par adhérence**: bond
~ **par bus**: (inf) bus link
~ **par câble**: cable link, cable connection
~ **par câble sous-marin**: submarine cable link
~ **par faisceaux hertziens**: radio link
~ **par fibres optiques**: fibre optic link
~ **par satellite**: satellite link
~ **régulière**: (aéro) regular flight
~ **satellite-terre**: downlink
~ **par transformateurs**: transformer coupling
~ **satellite-sol**: downlink

~ **spécialisée**: (tél) leased circuit connection
~ **spécialisée de qualité téléphonique**: leased voice-grade circuit
~ **téléphonique**: telephone link
~ **terrestre**: land line
~ **urbaine**: (f.o.) junction link
à ~ rigide: (méc) positively connected

liant *m* : binder
~ **à noyaux**: core binder
~ **hydrocarboné**: bituminous binder
~ **pour peinture**: paint medium

liasse *f* : bundle (of documents); multi-part form
~ **carbonée**: carbon interleaved form
~ **de plans**: set of drawings

libellé *m* : text (of message)

liber *m* : liber

libération *f* : release; (désaffectation) deallocation
~ **par le demandeur**: calling party release
~ **par le premier abonné**: first party release

libérer: (dégager) to release, to free; (inf) to clear (a circuit); (désaffecter) to deassign

liberté *f* : freedom, liberty; (jeu) looseness
~ **de l'information**: freedom of information

librairie *f* **de gènes** (impropre, → **génothèque**)

libre: free; (inutilisé) spare, vacant; (inf) clear; (méc) disengaged, out of gear, uncoupled; (passage) unobstructed; (écoulement) free, unrestricted; (portée) unsupported
~ **parcours moyen**: mean free path
~-**service**: self-service
en ~ service: (inf) walk-up

librement aménageable: (arch) open-plan

lidar *m* : lidar

lie *f* : (vin) dregs, lees, grounds

lié au type de machine: (inf) device dependent

liège *m* : cork
~ **aggloméré**: composition cork, compound cork
~ **en plaques**: cork board

lieu *m* : place; ~**x**: (constr) premises
~ **d'essai pilote**: (inf) beta site
~ **d'incendie**: scene of fire
~ **d'installation**: (inf) site
~ **de pêche**: fishery
~ **de travail**: place of work
~ **de vente**: point of sale
~ **géométrique**: locus

lieur *m* : (gg/bm) linker
~ **multisite**: polylinker

ligand *m* : ligand

ligase *f* : ligase

ligaturé: lashed, bound, tied; (gg/bm) ligated

ligature *f* : lashing, binding, cable tie; (gg/bm) ligation
~ **circulaire**: ligation into circles
~ **d'arrêt**: (des fils) dead end tie

ligaturer: to bind, to lash (a cable); (gg/bm) to ligate

ligne *f* : (él, tcm, transports, trait) line; (rangée) row
~ **à 25% de la corde**: quarter-chord line
~ **à découvert**: open-wire line
~ **à grand trafic**: (tél) busy line
~ **à grande sécurité de service**: high-reliability power line
~ **à retard ▶ LR**: delay line
~ **à retard à magnétostriction**: magnetostrictive delay line
~ **à retard acoustique**: acoustic delay line
~ **à voie unique**: (chdef) single-track line
~ **aérienne**: aerial [wire] line, open-wire line, overhead line
~ **aérienne transversale**: feeder route
~ **affluente**: (chdef) feeder line
~ **axiale**: centre line
~ **bifilaire**: two-conductor line, two-wire line
~ **bouclée**: terminated line
~ **commune**: (tél) party line
~ **continue**: solid line
~ **courbe**: curve
~ **d'affaires**: business line
~ **d'alimentation**: feeder [line]
~ **d'amenée**: supply line
~ **d'analyse**: scanning line
~ **d'apport**: feeder line

~ **d'arbres**: shafting
~ **d'arrivée**: incoming line
~ **d'écoulement**: flow line
~ **d'égal tassement**: (constr) settlement contour
~ **d'égales contraintes**: stress contour
~ **d'engrenages**: (roue dentée) pitch line
~ **d'engrènement**: line of contact
~ **d'essai**: test line
~ **d'exploration**: scanning line
~ **d'influence**: influence line
~ **de balayage**: scanning line
~ **de banlieue**: suburban line
~ **de base**: baseline, datum line
~ **de bavure**: flash line, spew line (in moulded plastic)
~ **de boue**: mud line
~ **de branchement**: branch line, service line
~ **de carène**: (mar) body line
~ **de carte**: (inf) card row
~ **de champ**: line of flux
~ **de charge**: load line
~ **de communication**: transmission line
~ **de contact**: (de cylindres) nip of rollers; (d'engrenages) path of contact
~ **de coulée**: (moulage des plastiques) flow line
~ **de coupe**: knife line
~ **de courant**: stream line, flow line
~ **de cylindres**: bank of cylinders
~ **de démarcation**: dividing line
~ **de départ**: outgoing line
~ **de dérivation**: branch line
~ **de dispersion**: leakage line
~ **de duse**: choke line
~ **de faille**: fault line
~ **de flanc**: tooth trace
~ **de flottaison**: waterline
~ **de flottaison en charge**: deep waterline, Plimsoll line
~ **de flottaison sur lest**: ballast waterline
~ **de flux**: line of flux, flow line
~ **de foi**: fiducial line
~ **de force**: line of force
~ **de force du champ**: magnetic field line
~ **de fuite**: (dessin) vanishing line; (él) creepage distance
~ **de joint**: (moulage) parting line, seam (left by mould,) flash line
~ **de liaison**: (inf) flow line
~ **de mesure**: slotted line
~ **de mire**: line of sight
~ **de moindre résistance**: line of least resistance
~ **de niveau**: level line, grade line; (cartographie) contour line

~ **de partage**: dividing line
~ **de partage des eaux**: watershed GB, water divide NA
~ **de plaine**: (chdef) level line
~ **de plus grande pente**: full dip
~ **de pression**: (d'un cylindre) nip
~ **de production**: flow line
~ **de quadrillage**: grid line
~ **de référence**: datum line
~ **de repérage**: match line
~ **de rouleaux d'amenée**: feeding roller table
~ **de sauvetage**: lifeline
~ **de secours**: spare line
~ **de sonde**: sounding line
~ **de sortie**: outgoing line
~ **de soudure**: seam, flow line, weld line, knit line, weld mark
~ **de tir**: (mil) line of fire; (explosifs) lead[ing] wire
~ **de toit**: arris (of roof)
~ **de tranchage**: (plast) knife line, sheeter line
~ **de transmission**: (méc) [line of] shafting
~ **de transmission de données**: data line
~ **de transmission de force**: (él) power line
~ **de transport d'électricité**: power line
~ **de trusquinage**: centre line (of rivets, of holes)
~ **de tuyauterie**: pipe run
~ **de vol**: flight path
~ **dérivée**: branch line
~ **des zéros**: (terrassement) no-cut no-fill line
~ **descendante**: (généalogie) line of descent
~ **directe**: (tél) direct line, hot line; (chdef) through line
~ **directrice**: guideline
~ **disponible**: spare line
~ **droite**: straight line
~ **élastique de flexion**: deflection curve
~ **électrique**: [electric] power line
~ **en dérangement**: faulty line
~ **en dérivation**: branch line
~ **en fils nus [aériens]**: open-wire line
~ **en sommaire**: (graph) hanging line
~ **en tirets**: dashed line
~ **en traits pleins**: solid line
~ **enterrée**: underground line
~ **expérimentale**: test track
~ **extérieure**: (tél) trunk line
~ **fendue de mesure**: (guide d'ondes) slotted line
~ **fixée**: fixed line
~ **fonctionnelle**: flow line (in flow chart)
~ **haute tension**: high-voltage line
~ **interurbaine**: (tél) trunk line

~ **louée**: (tél) leased line, dedicated line
~ **mal isolée**: leaky line
~ **médiane**: centre line (in road)
~ **métallique**: wire line
~ **microbande**: microstrip
~ **microruban**: microstrip
~ **neutre**: neutral line; (emprise de cylindres) neutral point, non-slip point
~ **"O"**: baseline, datum line
~ **occupée**: busy line
~ **partagée**: party line
~ **pointillée**: dotted line
~ **primitive**: (d'engrenage) pitch line
~ **pupinisée**: loaded line
~ **quart d'onde**: quarter-wave line
~ **rouge**: hot line (between Washington and Moscow)
~ **secondaire**: (chdef) branch line
~ **séparatrice**: (moulage) joint line, parting line
~ **souterraine**: underground line
~ **spécialisée**: dedicated line, leased line
~ **sur poteaux**: pole line
~ **télégraphique**: telegraph line
~ **téléphonique**: telephone line, speech line
~ **terrestre**: land line
~ **verte**: hot line (between Paris and Moscow)
~ **zéro**: baseline, datum line
en ~: (tcm, inf) on line; (aligné) straight, in line

lignée f : lineage, line, descendants, issue
~ **cellulaire**: cell line
~ **germinale**: germ line
~ **pure**: pure line

ligneux: ligneous

lignine f : lignin

lignite m : lignite, brown coal
~ **brun terreux**: earth coal
~ **tendre**: soft brown coal

limace f : spiral conveyor, screw

limaille f : filings

limbochemin m : limb path

limbosondeur m : limb sounder

limbotrajet: limb path

lime f : (outil) file; (alim) [sweet] lime
~ **demi-douce**: middle cut file
~ **douce**: smooth file

~ **superfine**: dead smooth file
~ **tiers-point**: three-quarter file
~ **triangulaire**: three-quarter file

limer: to file [off]

limette f : [sweet] lime

liminimètre m : level meter

limitation f : limitation, limiting
~ **de vitesse**: speed restriction
~ **en courant**: current limiting

limite f : (abstraite) limit; (physique) border, boundary, fence
~ **d'élasticité**: elastic limit
~ **d'endurance**: endurance limit
~ **d'explosion**: explosive limit
~ **d'utilisation**: serviceability limit
~ **de charge du sol**: soil bearing limit
~ **de fatigue**: fatigue limit
~ **de fatigue sous corrosion**: corrosion fatigue limit
~ **de fatigue déterminée sur barreau lisse**: polished fatigue limit, smooth fatigue limit
~ **de fluage**: creep limit
~ **de la bande d'absorption**: (opt) absorption edge
~ **de la fréquence audible**: pitch limit
~ **de la zone d'ombre d'une antenne**: antenna shadow boundary
~ **de liquidité**: (produits routiers, mécanique des sols) liquid limit
~ **de propriété**: boundary line GB, lot line NA
~ **de qualité finale moyenne** ▶ **LQFM**: average outgoing quality level
~ **de vie**: maximum permitted life
~ **de vie atteinte**: expired life
~ **des neiges**: snow line
~ **des neiges éternelles**: permanent snow line
~ **du gisement**: (pétr) reservoir boundary
~ **du mot**: word boundary
~ **élastique**: yield strength, yield point, yield
~ **entre**: (d'une pièce) go limit
~ **inférieure**: lower limit
~ **maxi**: upper limit (of gauge)
~ **mini**: lower limit (of gauge)
~ **n'entre pas**: (d'une pièce) no-go limit
~ **supérieure**: upper limit
~**s extrêmes**: range
dans les ~s: within the limits

limité: limited
~ **par l'ordinateur**: computer bound

limiteur m : limiter
~ **d'emballement**: overspeed limiter
~ **de course**: travel stop
~ **de vitesse de cabine**: (d'ascenseur) car retarder

limnigramme m : water level graph

limnigraphe m : water level recorder

limnimètre m : water level gauge

limnologie f : limnology

limon m : (géol) loam, silt; (constr) notchboard, string

limonade f : lemonade; ~s: soft drinks, mineral waters, minerals

limonadier m : manufacturer of soft drinks; keeper of small bar, owner of café; soda fountain keeper NA

limpide: clear (liquid, air)

linéarité f : linearity

linéique: per unit of length

lingot m : ingot; (d'or, d'argent) bullion

lingotière f : ingot mould

linguet m : pawl, click, catch
~ **de soupape**: (autom) valve rocker arm

linteau m : lintel

lipase f : lipase

lipide m : lipid[e]

lipolyse f : lypolysis

lipophile: lipophilic, lipotropic

lipoprotéine f : lipoprotein

liposoluble: fat soluble

liposome m : liposome

liquation f : liquation

liquéfaction: liquefaction
~ **du sol**: soil liquefaction

liqueur f : (chim) liquor; (alim) liqueur
~ **épuisée**: (pétr) black oil
~ **mère**: mother liquor
~ **noire**: (pétr) black oil, black liquor

liquide *m* : liquid; *adj* : liquid
~ **à viscosité variable:** complex liquid, non-newtonian liquid
~ **adaptateur d'indice:** (f.o.) index-matching fluid
~ **d'arrosage:** (usinage) coolant, cutting fluid
~ **d'étanchéité:** sealing liquid
~ **d'imprégnation:** penetrant
~ **de freins:** brake fluid
~ **de gaz naturel ▶ LGN:** natural-gas liquid
~ **de refroidissement:** coolant
~ **newtonien:** simple liquid, newtonian liquid
~ **non newtonien:** complex liquid, non-newtonian liquid
~ **obturateur:** sealing liquid

lire: to read; (par exploration) to sense; (une bande) to play

lisibilité *f.* legibility; (inf) readability

lisier *m* : liquid manure

lisière *f* : selvedge, selvage

lissage *m* : (él, stats) smoothing; (fonderie) slicking; (à la truelle) trowelling

lisse *f* : rail, strake; (constr) side rail GB, girt NA (of frame); (tissage) heddle, heald; *adj* : (surface) smooth; (arbre, trou) plain; (arme à feu) unrifled
~ **d'appui:** head rail
~ **de façade légère:** sheeting rail, side rail, cladding rail
~ **de fuselage:** (aéro) stringer
~ **de pavois:** (mar) bulwark rail
~ **de plat-bord:** gunnel, gunwale

lissé *m* : (pap) smoothness; *adj* : smoothed

lisser: to smooth; (fonderie) to sleek (the surface of a mould)

lissoir *m* : (de cimentier, de bitumier) smoothing tool, smoother; (fonderie) slicker

listage *m* : listing
~ **d'ordinateur:** computer printout

liste *f* : list; (nomenclature) schedule
~ **à double chaînage:** doubly-linked list, two-way list
~ **à servir:** (stocks) pick list
~ **d'interconnexions:** netlist
~ **d'options:** (inf) menu list
~ **de colisage:** packing list
~ **de contiguïté:** adjency list
~ **de contrôle:** checklist
~ **de diffusion:** distribution list, mailing list
~ **de matériel:** bill of materials
~ **de vérification:** checklist
~ **des fenêtres:** window schedule
~ **des pièces [détachées]:** bill of materials
~ **directe:** (inf) popup list, pushup list
~ **finie:** finite list
~ **inversée:** (inf) pushdown list
~ **libre:** available list, free list
~ **sélective:** need-to-know list
~ **vide:** empty list, null list
à la ~ **rouge:** (tél) ex-directory, unlisted

lit *m* : bed
~ **bactérien:** trickling filter, percolating filter, bacteria bed
~ **bactérien à forte charge:** high-rate trickling filter
~ **bactérien étagé:** stage trickling filter
~ **catalytique:** catalyst bed
~ **d'évaporation:** evaporator bed
~ **de carrière:** natural face (of stone)
~ **de contact:** contact bed, contact filter
~ **de coulée:** casting bed
~ **de filtrage:** filter bed
~ **de fusion:** burden, charge (of blast furnace)
~ **de galets:** (d'accumulateur) rock bed, pebble bed
~ **de pierres:** (d'accumulateur) rock bed, pebble bed
~ **de pose:** (d'une canalisation) pipe bed
~ **de sable:** sand bed
~ **de séchage des boues:** sludge drying bed
~ **du cubilot:** bed charge
~ **en jaillissement:** (charbon) spouted bed
~ **entraîné:** moving bed, entrained [suspended] bed
~ **filtrant:** filter bed
~ **fixe:** fixed bed
~ **fixe agité:** stirred fixed bed
~ **fluidisé:** fluidized bed
~ **fluidisé à l'air:** air-blown fluidized bed
~ **majeur:** high-water bed, major bed
~ **mobile:** moving bed, entrained [suspended] bed
~ **multicouche:** mixed-media bed
~ **percolateur:** trickling filter, percolating filter
~ **pulsé:** pulsed bed
~ **ruisselant:** trickle bed
~ **tassé:** packed bed

lité: (géol) banded, bedded, layered

liteau *m* : slate batten, slate lath, tile batten

litchi *m* : lychee, litchi, letchi

littoral *m* : coastline, seaboard, shore, sea-shore

livraison *f* : delivery
~ **du fil**: (filature) yarn feed
~ **immédiate**: off-the-shelf delivery
~ **lettre lue**: off-the-shelf delivery
~ **partielle**: partial delivery
~ **sous palan**: tackle delivery, overside delivery

livre *m* : book
~ **cartonné**: case-bound book
~ **de bord**: logbook
~ **de bord d'un forage**: driller's log[book]
~ **de paie**: payroll
~ **de poche**: paper back
~ **relié**: bound book

livrer: to deliver (goods)
~ **à la circulation**: to open to traffic

livret *m* : booklet, handbook
~ **de moteur**: engine log[book]

lixiviation *f* : lixiviation

ln → **logarithme népérien**

lobe *m* : lobe; (arch) foil
~ **d'antenne**: antenna lobe, antenna beam
~ **de came**: cam lobe
~ **latéral**: side lobe (of antenna)
~ **principal**: main beam (of antenna)
~ **radar**: radar lobe
~ **secondaire**: side lobe (of antenna)

local *m* : building, premises; *adj* : local
~ **à archives**: storage vault
~ **commercial**: business premises
~ **technique**: plant room

localisateur *m* : locator
~ **de défaut**: fault locator

localisation *f* : location, position; localization, locating
~ **des dérangements**: fault tracing, fault finding

localiser: (une panne) to isolate, to find, to trace

location *f* : hire, hiring, rent[ing]
~ **d'avion avec équipage**: wet lease
~ **d'un avion sans équipage**: dry lease
~ **de voiture sans chauffeur**: hiring of self-drive car

loch *m* : log

locomotive *f* : locomotive, railway engine
~ **à bogies**: bogie locomotive
~ **bi-courant**: dual-current locomotive
~ **de manœuvre**: shunting locomotive, shunter GB, switch engine, switcher NA
~ **de pousse**: banking locomotive, pusher locomotive
~ **de renfort**: banking locomotive, assisting locomotive; helper NA
~ **diesel-électrique**: diesel-electric locomotive
~ **haut-le-pied**: light engine
~ **tous services**: mixed-traffic locomotive

locus *m* : (gg/bm) locus

lœss *m* : loess

log → **logarithme**

logarithme *m* : log[arithm}
~ **à n décimales**: n-figure logarithm, n-place logarithm
~ **décimal**: common logarithm, decimal logarithm
~ **népérien** ► **ln**: natural log

logement *m* : housing, dwelling; (méc) housing, recess
~ **collectif**: multiple dwelling, multifamily housing
~ **d'atterrisseur**: landing gear well
~ **d'axe de piston**: gudgeon pin hole
~ **dans la culasse**: (de bougie) cylinder head housing
~ **de clavette**: keyway, key slot
~ **de l'équipage**: (mar) accommodation
~ **de lampe**: lamp housing
~ **de palier**: bearing housing
~ **de train**: (aéro) [landing] gear well
~ **du train avant**: nose gear bay
~ **pour extension**: (inf) expansion slot

loger: to house, to accommodate

logiciel *m* : software
~ **à diffusion libre**: shareware
~ **adapté**: custom software
~ **compris dans le prix**: bundled software

~ **configuré**: middleware
~ **croisé**: cross software
~ **de gestion de réseau[x]**: networking software
~ **de gestion industrielle**: process software
~ **de jeux**: arcade software, game software
~ **de série**: canned software
~ **de transition**: bridging software, bridgeware
~ **en domaine public**: public domain software
~ **industriel**: process software
~ **maison**: in-house software
~ **mémoire morte**: romware
~ **standard**: canned software

logicien *m* : logic engineer

logique *f* : logic; *adj* : logical; (inf) logic
~ **à couplage par l'émetteur**: emitter-coupled logic
~ **à diodes et transistors**: diode-transistor logic
~ **à diodes tunnel**: tunnel-diode logic
~ **à fluides**: fluid logic
~ **à injection de courant**: current-injection logic
~ **à réseau programmable**: programmable-array logic
~ **à résistances et transistors**: resistor-transistor logic
~ **câblée**: wired logic
~ **classique**: (IA) classic logic
~ **combinatoire**: combinational logic, combinatory logic, combinatorial logic
~ **des prédicats**: (IA) predicate logic, first order logic
~ **des propositions**: (IA) propositional logic, zero order logic
~ **modale**: modal logic
~ **multivaluée**: multiple-valued logic, multivalued logic
~ **non classique**: non-classical logic
~ **temporelle**: temporal logic
~ **transistor-transistor**: transistor-transistor logic

logistique *f:* logistics; *adj* : logistic

logotype *m* : logo

loi *f,* ~ **d'inertie**: law of inertia
~ **de l'inverse du carré**: inverse square law
~**s de la pesanteur**: laws of gravity

lompe *f* : lumpfish

long: long; → aussi **longue**
~**-courrier**: long-haul aircraft

~ **métrage**: feature film
~ **rapport de bain**: long liquor ratio
au ~ **cours**: (mar) oceangoing
en ~: lengthwise
le ~ **de la corde**: chordwise
le ~ **du bord**: (mar) alongside

longeron *m* : longitudinal member, side beam; (autom): longitudinal GB, side rail NA, side member; (aéro) spar
~**-caisson**: box spar
~ **de pale**: (aéro) blade spar
~ **mobile**: walking beam

longévité *f* : life, working life, service life

longitudinal: longitudinal, lengthways, lengthwise

longrine *f* : (constr) pile cap; ledger (of scaffoldling); (chdef) side sill (of bodywork)

longue: long
~ **répétition terminale**: (gg/bm) long terminal repeat
~ **taille**: (mine) longwall
à ~ **portée**: long-range
de ~ **durée**: lasting, long-life

longueur *f* : length
~ **calibrée**: parallel length (test)
~ **d'adhérence d'armature**: bond length, grip length
~ **d'arrêt**: braking distance, stopping distance
~ **d'article**: (inf) item size
~ **d'atterrissage**: landing run
~ **d'huile**: oil length
~ **d'onde**: wavelength
~ **d'onde critique**: cut-off wavelength, wavelength at cut-off
~ **d'onde équivalente**: effective wavelength
~ **de bloc**: (inf) block size, block length
~ **de câble**: cable run
~ **de cellule**: cell size
~ **de course**: (du piston) length of stroke, height of stroke
~ **de flambage**: (de colonne) effective length
~ **de mesure**: gauge length
~ **de piste nécessaire au décollage**: take-off distance required
~ **de rayonnement**: radiation length
~ **de référence**: gauge length (on specimen)
~ **de roulement à l'atterrissage**: landing distance
~ **de roulement au décollage**: take-off run
~ **de roulement utilisable au**

décollage: take-off run available
~ **de serrage**: (d'un boulon) grip length
~ **de table**: (d'un cylindre) face length
~ **des filets incomplets**: (d'un filetage) length of runout
~ **développée**: developed length
~ **du parcours**: (transports) conveying distance, carrying distance
~ **entre pointes**: length between centres
~ **entre repères**: gauge length
~ **équivalente d'entrefer**: gap effective length
~ **focale**: focal distance
~ **hors-tout**: length overall, overall length
~ **initiale entre repères**: [original] gauge length
~ **libre**: (constr) unsupported length
~ **montée**: (de conduites) laid length
~ **utile de chargement**: [body] inside length (of vehicule body)
~ **utile du tube à ailettes**: finned length (of heat exchanger
~**s diverses et mélangées**: mill lengths, random lengths

lopin *m* : billet, bloom

loqueteau *m* : catch
~ **à bille**: ball catch
~ **magnétique**: magnetic catch

losange *m* : (géom) rhombus; diamond (pattern)
en ~: diamond-shaped, rhombic

lot *m* : batch, lot; (de production) series, run; (jeu de pièces) kit
~ **chromosomique**: chromosome set
~ **de contrôle**: inspection lot
~ **de modernisation**: update kit
~ **de modification**: modification kit
~ **de première nécessité**: temporary repair kit
~ **de rattrapage**: retrofit kit
~ **de réparation**: repair kit
~ **désassorti**: job lot
~ **pilote**: pilot production, pilot run
~ **pour inspection**: inspection lot

lotissement *m* : housing estate, development

louche *m* : (chim) cloudiness, muddiness; *f* : (ustensile de cuisine) ladle GB, dipper NA

louer: to hire, to rent; (à quelqu'un) to hire out, to rent out

loupe *f* : magnifying glass, magnifier
~ **à faible grossissement**: low-power magnifier

lourd: heavy
~ **du haut**: top-heavy
~ **sur l'avant**: nose-heavy

louvoyage *m* : tacking

louvoyer: to tack

lover: to coil (a rope)

LQFM → **limite de qualité finale moyenne**

LR → **ligne à retard**

LTR → **longue terminaison répétée**

lubrifiant *m* : lubricant, lube; *adj* : lubricating
~ **non pétrolier**: non-petroleum lubricant

lubrification *f* : lubrication
~ **à carter humide**: wet sump lubrication
~ **à carter sec**: dry sump lubrication
~ **en régime limite**: boundary lubrication
~ **fluide**: fluid lubrication
~ **limite**: boundary lubrication
~ **par barbotage**: splash lubrication
~ **par brouillard**: oil mist lubrication
~ **par film mince**: thin film lubrication
~ **par mèche**: wick oiling
~ **par un liquide**: fluid lubrication

lucarne *f* : roof light, skylight, dormer [window]

ludiciel *m* : [computer] game software, gameware

lueur *f* : glow
~ **cathodique**: cathode glow

luire: to shine

lumière f: light; (orifice) opening, port; (de moule) daylight onening GB, mould opening NA
~ **anodique**: anode glow, positive glow
~ **basse**: dim light
~ **blanche**: white light
~ **cohérente**: coherent light
~ **d'appoint**: fill-in light
~ **d'échappement**: exhaust port
~ **de balayage**: scavenging port

~ **de décharge**: spill port
~ **de graissage**: oil hole
~ **de pompage**: (laser) pumped light
~ **diffuse**: diffuse light
~ **diffusée**: diffused light
~ **du jour**: daylight
~ **inactinique**: (phot) safe light
~ **monochromatique**: monochromatic light
~ **naturelle**: daylight
~ **noire**: black light
~ **positive**: anode glow, positive glow
~ **solaire**: sunlight
à ~**s**: ported

luminaire *m* : light fitting, light fixture
~ **intensif**: narrow angle light fitting

luminance *f* : luminance
~ **énergétique**: (f.o.) radiance

luminescence *f* : luminescence

luminophore *m* : phosphor

lunette *f* : (astronomique) telescope, scope; (de fusil) sight[s]; → aussi **lunettes**
~ **à suivre**: (m-o) travel[l]ing steady
~ **arrière**: (de voiture) rear window
~ **arrière chauffante**: heated rear window
~ **d'instrument**: bezel
~ **de pointage**: aiming sight, sighting telescope
~ **de tour**: steady rest, lathe rest, steady
~ **de visée**: sight tube, sighting telescope
~ **panoramique**: wraparound rear window (of car)

lunettes *f* : spectacles, glasses
~ **de protection**: goggles
~ **de soudage**: welding goggles

lut *m* : lute, luting, sealing compound, filling putty, jointing compound

luter: to stop up (with a sealant), to seal

lutte *f* : (pour maîtriser) control
~ **anti-pollution**: pollution control
~ **anti-sous-marine**: anti-submarine warfare
~ **contre l'incendie**: firefighting
~ **contre la pollution**: pollution control
~ **contre le bruit**: noise abatement, noise control

luxmètre *m* : light meter

luzerne *f* : lucern[e], alfalfa

lyddite *f* : lyddite

lymphe *f* : lymph

lymphoblaste *m* : lymphoblast

lymphocyte *m* : lymphocyte

lyophilisation *f* : freeze drying

lyre *f* : (de tour) adjustment plate, adjusting plate, quadrant plate, gear quadrant
~ **de dilatation**: expansion loop, expansion bend

lyse *f* : lysis

lyser: to lyse, to lyze

lysine *f* : lysine

lysogénie *f* : lysogenicity

lysosome *m* : lysosome

lysozyme *m* : lysozyme

lytique: lytic

MA → modulation d'amplitude, modulation en amplitude

macadam *m* : macadam
~ **à l'eau**: waterbound macadam
~ **au goudron**: tarmacadam

macaron *m* : badge; (alim) macaroon

macérateur *m* : macerator

mâche *f* : lamb's lettuce, corn salad

mâchefer *m* : clinker

machine *f* : machine, engine GB, motor NA
~ **à affûter**: grinding machine, grinder
~ **à air chaud**: caloric engine
~ **à aléser et à fraiser**: boring and milling machine
~ **à angle de rotation limité**: limited rotary motor
~ **à balancier**: beam engine
~ **à border**: beading machine, flanging machine
~ **à boudiner**: extruder
~ **à brocher**: broaching machine
~ **à brocher les intérieurs**: internal broaching machine
~ **à calculer**: calculator, number cruncher
~ **à carton**: board machine
~ **à cingler**: squeezer
~ **à cintrer à rouleaux**: roller bending machine
~ **à cintrer les tuyaux**: tube bending machine, tube bender
~ **à combustion interne**: internal combustion engine
~ **à contrecoller**: pasting machine

~ **à couler**: casting machine
~ **à dégauchir**: surface planer
~ **à dénuder**: stripper
~ **à détente**: expansion engine
~ **à distribution par tiroir**: piston valve steam engine
~ **à dresser à rouleaux**: roller straightener
~ **à écrire**: typewriter
~ **à écrire de pupitre**: console typewriter
~ **à enduire**: coater
~ **à excitation différentielle**: differential compounded machine
~ **à expansion**: expansion engine
~ **à expansion constante**: fixed-expansion machine
~ **à fardeler**: bundling machine, bundler
~ **à fendage**: splitter
~ **à fer tournant**: inductor machine
~ **à flot de données**: dataflow machine
~ **à forme ronde**: (pap) mould machine, cylinder machine
~ **à fraiser les engrenages par développante**: gear hobbing machine
~ **IA**: AI machine
~ **à injection**: injection moulding machine
~ **à lainer**: raising machine
~ **à métalliser**: metal coating machine
~ **à miroirs**: (plasmas) mirror machine
~ **à mortaiser**: mortising machine, morticing machine, mortiser
~ **à mouler à secousses**: bumper, jolter
~ **à mouler à secousses et pression**: jolt squeeze machine
~ **à mouler les noyaux**: core-making machine
~ **à mouler par projection de sable**: sandslinger
~ **à mouler sous pression**: squeeze moulding machine
~ **à onduler**: (les tôles) corrugator; (les fils) crimper
~ **à paginer**: paging machine
~ **à pastiller**: preforming machine
~ **à percer**: drilling machine
~ **à percer à colonne**: pillar-type drilling machine
~ **à percer à coordonnées**: coordinate drilling machine
~ **à planer**: (les tôles) planishing machine, planisher
~ **à plastifier**: (des documents) plastic laminator
~ **à pointer**: jig boring machine, jig borer
~ **à poser les câbles**: cable layer
~ **à refendre**: splitter

~ à rouler les filets: thread rolling machine
~ à simple effet: single-acting machine
~ à souder: welder
~ à souder par points: spot welder
~ à surfacer: surfacer
~ à tailler les engrenages: gear shaver
~ à tailler les engrenages par vis-fraise: gear hobbing machine
~ auxiliaire: donkey engine
~ BDD ▶ MBDD: data base machine
~ centrifuge: centrifuge
~ comptable: accounting machine
~ connexioniste: connexion machine
~ coupe-bordure: trimming machine
~ cryptographique: ciphering machine
~ d'épuisement: pumping engine
~ d'essai: testing machine, tester
~ d'extraction: (mine) winding gear
~ de bureau: business machine
~ de configuration de base: basic machine
~ de détente: expansion motor
~ de renfort: jack engine, assistant engine; (chdef) bank engine
~ de réserve: spare machine
~ de secours: donkey engine GB, helper NA
~ de traitement de texte: word processor
~ de traitement diazoïque: diazo processor
~ fermée: totally enclosed machine
~ formée d'automates cellulaire: cellular automata machine
~ frigorifique à air: air refrigerating machine
~ homopolaire: homopolar machine
~-langage: (IA) dedicated hardware
~ lisp: (IA) lisp machine
~ marine: marine engine
~ motrice: driving machine, mover
~-outil: machine-tool
~-outil à commande numérique ▶ MOCN: numerically-controlled machine-tool
~ réceptrice: driven machine
~ remise à neuf: rebuilt machine
~ thermique: heat engine
~ tournant à gauche: lefthand engine
~ transfert: transfer machine
~[s]: equipment, outfit, machinery; (inf) hardware
faire ~ arrière: to back the engine

machinerie *f*: machines, outfit, machinery; machine room

machiniste *m*: machine attendant, machine operator, machinist; bus driver

mâchoire *f*: jaw; (d'un étau) grip
~ comprimée: (de frein) leading shoe
~ de frein: brake shoe
~ de serrage: gripping jaw
~ primaire: (de frein) leading shoe
à ~: clip-on

macis *m*: mace

macle *f*: macle, twin [crystal]

maçon *m*: mason
~ en briques: bricklayer

maçonnerie *f*: masonry; bricklaying
~ de brique: brickwork
~ de la cuve: shaft lining
~ en élévation: above-grade work
~ en fondation: below-grade work
~ en liaison: bonded masonry
~ en moellons: rubblework
~ en pierres: stonework
~ externe: (de four) facework GB, external masonry NA
~ interne: (de four) setting brickwork GB, internal masonry NA
~ non apparente: rough work
~ plaquée: veneered masonry
~ plein sur joint: broken joint masonry

macro-assembleur *m*: macro-assembler

macroattaque *f*: deep etching (test)

macrobiotique *f*: macrobiotics; *adj*: macrobiotic

macrocristallin: macrocrystalline

macrofibre *f*: (f.o.) superlarge core fiber

macrographie *f*: macrography
~ aux rayons X: X-ray macrography

macro-informatique *f*: macrocomputing

macro-instruction *f*: macro-instruction

macromolécule *f*: macromolecule

macronoyau *m*: (gg/bm) macronucleus

macrophage *m*: macrophage; *adj*: macrophagic

macroprocesseur *m*: macroprocessor

macroprogrammation *f* : macroprogramming

macroscopique: macroscopic

maculage *m* : smear, smudge; (graph) set-off, offsetting (of inks)

maculature *f* : (graph) interleaf, set-off sheet, slip sheet

macule *f* : interleaf, set-off sheet, slip sheet

magasin *m* : (de vente) shop, store; (de stockage) stockroom, storeroom, warehouse; (d'arme à feu) magazine
~ **d'alimentation**: (inf) card bin, delivery hopper, feeder bin, feed hopper, magazine
~ **d'exposition**: showroom
~ **d'usine**: factory shop
~ **en libre-service**: self-service store

magasinage *m* : storing, warehousing; warehouse dues, storage charges

magasinier *m* : storekeeper, store clerk, warehouse keeper

magma *m* : magma

magnésie *f* : magnesia, magnesium oxyde

magnésite *f* : magnesite

magnétiquement, ~ **doux**: magnetically soft
~ **dur**: magnetically hard

magnétisable: magnetizable

magnétisation *f* : magnetization

magnétisme *m* : magnetism
~ **terrestre**: earth magnetism

magnéto *f* : magneto, generator
~ **d'appel**: (tél) magneto generator

magnéto-ionique: magnetoionic

magnéto-optique: magnetooptic[al]

magnétodynamique *f* : magnetodynamics
~ **des fluides**: magnetohydrodynamics

magnétographie *f* : magnetic printing

magnetographique: magnetographic

magnétohydrodynamique ► MHD *f* : magnetohydrodynamics

magnétomoteur: magnetomotive

magnéton *m* : magneton

magnétophone *m* : [magnetic} tape recorder

magnétorésistance *f* : magnetoresistor

magnétorésistant: magnetoresistive

magnétoscope *m* : video tape-recorder

magnétoscopie *f* : video tape recording; magnetic particle inspection
~ **par voie humide**: wet magnetic particle inspection

magnétothèque *f* : tape (recording) library

magnétron *m* : magnetron
~ **à cavités**: cavity magnetron
~ **à ondes progressives**: multicavity magnetron
~ **en régime continu**: continuous wave magnetron
~ **en régime pulsé**: pulsed magnetron

maigre: (charbon, argile) lean; (graph) light; (dimension) scant; (viande) lean

maillage *m* : (de réseau) grid mesh; riveting pattern

maille *f* : (de filet, de réseau) mesh; (d'une chaîne) link; (de tricot) stitch; (bonneterie) knitwear
~ **brisée**: split link
~ **courante**: common link
~ **cristalline**: crystal lattice
~ **cubique à faces centrées**: face-centred cubic lattice
~ **de la grille**: grid mesh
~ **de tamis**: screen opening
~ **de réseau**: network mesh
~ **étançonnée**: stud link

maillechort *m* : nickel silver, German silver

maillon *m* : chain link
~ **antigiratoire**: swivel link
~ **coudé**: cranked link
~ **fendu**: split link

main *f* : hand

~ **courante**: handrail, rail
~ **d'essieu**: axle support
~ **de fer**: handhold
~ **de ressort**: spring bracket
~ **de suspension**: suspension bracket
~ **du papier**: bulk, body, handle
~**s libres**: hands free
à ~: manual, hand-operated
à ~ levée: (dessin) free-hand

main-d'œuvre *f* : labour GB, labor NA,
   manpower
~ **en régie**: day labour
~ **indigène**: local labour
~ **qualifiée**: skilled labour
~ **spécialisée**: semi-skilled labour

maintenance *f* : maintenance, housekeeping, servicing
~ **améliorative**: perfective maintenance
~ **assistée par ordinateur** ▶ **MAO**:
   computer-aided maintenance
~ **corrective**: corrective maintenance,
   remedial maintenance, unscheduled
   maintenance
~ **dans une période de temps**
   déterminée: hard-time maintenance
~ **interne**: housekeeping
~ **logicielle**: program maintenance,
   software maintenance
~ **matérielle**: hardware maintenance
~ **par un tiers**: third-party maintenance
~ **périodique**: routine maintenance,
   regular maintenance
~ **planifiée**: scheduled maintenance
~ **préventive**: preventive maintenance
~ **sur appel**: on-call maintenance
~ **sur place**: on-site maintenance
~ **systématique**: routine maintenance

maintenir: to maintain, to keep up; (une
   flamme) to keep alive
~ **le synchronisme**: to keep in step
~ **une touche abaissée**: to hold down
   a key

maintien *m* : holding; retention
~ **d'homogénéisation**: (métall)
   soaking
~ **de la cohérence**: (IA) truth maintenance
~ **en position**: (astr) station keeping

maïs *m* : maize GB, corn NA
~ **doux**: sweet corn, sugar corn
~ **en épi[s]**: corn on the cob

maison *f* : (logement) house; (entreprise)
   house, firm
~ **d'édition**: publishing house

~ **en dur**: conventional house
~ **jumelée**: semi-detached house
~ **semi-finie**: core house
~ **témoin**: show house GB, model
   house NA
~ **traditionnelle**: conventional house
~**s en bande**: terraced houses GB,
   row houses NA

maître *m* : master; (mar) petty officer;
   adj : master, main
~ **d'équipage**: boatswain, bosun
~ **d'œuvre**: (constr) main contractor,
   prime contractor, project engineer,
   project manager
~ **d'ouvrage**: (constr) promoter, owner
~**-esclave**: master-slave

maître-chien *m* : dog handler

maître-couple *m* : (aéro) master cross-
   section; (mar) midship frame

maître-cylindre *m* : master cylinder

maître-foreur *m* : boring master

maître-gabarit *m* : master template

maître-moule *m* : chase

maître-oscillateur *m* : master oscillator

maître-sondeur *m* : drilling foreman

maîtresse: (mère) master, main
~ **partie**: (mar) middle section
~ **pièce**: principal member
~ **poutre**: main beam
~ **tige** ▶ **MT**: (pétr) drill collar

maîtrise *f* : control; (personnel) super-
   visors, supervisory staff
~ **de l'énergie**: energy control
~ **des coûts**: cost control
~ **des mers**: command of the sea

majuscule *f* : capital [letter], upper case
   letter, block letter

mal *m* : disease, sicknes; *adv*: badly
~ **aligné**: misaligned
~ **classer**: to missort
~ **de mer**: seasickness
~ **des caissons**: caisson disease
~ **des rayons**: radiation sickness
~ **équilibré**: unbalanced
~ **exécuté**: shoddy
~ **fait**: shoddy
~ **isolé**: (él) leaky
~ **nourri**: (peinture, colle) starved
~ **réglé**: maladjusted
~ **vidé**: (éon) leaky (tube)

maladie *f* : disease
~ **carentielle**: deficiency disease
~ **d'entreposage**: (froid) storage disorder
~ **des caissons**: caisson disease
~ **hydrique**: waterborne disease
~ **infantile**: childhood disease
~ **parasitaire**: parasitic disease
~ **professionnelle**: occupational disease
~ **sexuellement transmissible** ▶ MST: sexually transmitted disease
~s **infantiles**: (industrie) teething troubles

malaxage *m* : mixing

malaxer: to mix; (cér) to knead, to pug; (plast) to plasticate (a thermoplastic compound)

malaxeur *m* : mixer; kneader; (fonderie) sand mill, sand mixer
~ **à auges**: trough mixer
~ **à cylindres**: roller mill
~ **à débit discontinu**: batch mixer, batcher
~ **de boue**: mud mixer
~ **discontinu**: batch mixer, batcher

mâle *m* : male; (de gros mammifère) bull, (de petit mammifère) dog, (d'oiseau) cock; *adj* : male

malfaçon *f* : bad workmanship, defective workmanship; defective work

malléable: malleable

malnutrition *f* : malnutrition

malsain: unhealthy, detrimental to health, insanitary, unwholesome

malt *m* : malt
~ **séché à la touraille**: kiln dried malt
~ **séché au four**: kiln dried malt
~ **torréfié**: black malt
~ **touraillé**: cured malt
~ **vert**: green malt

maltage *m* : malting

maltase *f* : maltase

malterie *f* : malt house, malting

malteur *m* : maltster, malt maker

malthène *m* : malthene

maltose *m* : maltose

mamelon *m* : nipple
~ **d'étanchéité**: seal nipple
~ **de raccordement**: pipe adaptor
~ **de réduction**: reducing nipple
~ **double**: barrel nipple GB, long nipple NA, double union
~ **simple**: running nipple GB, close nipple NA

manche *f* : sleeve; (tuyau) hose pipe
~ **à air**: wind sock
~ **d'incendie**: fire hose
~ **de manœuvre**: (forage) brace head
~ **en toile**: canvas hose

manche *m* : handle
~ **à balai**: [control] stick, control column, joystick; (inf) joystick
~ **de pilotage**: (rob) joystick

manchette *f* : newspaper headline, first page headline; (méc) seal washer
~ **à chapeau**: stem seal
~ **de raccordenent**: adapter
~ **souple de raccordement**: flexible connector
~ **sur toute la largeur de la page**: banner

manchon *m* : sleeve, bushing; (méc) coupling
~ **à coquilles**: coupling sleeve, sleeve coupling
~ **à gaz**: gas mantle
~ **à plateaux**: flange coupling
~ **à vis**: screw coupling
~ **anti-abrasif**: chafing sleeve
~ **coulissant**: sliding sleeve
~ **cylindrique**: muff coupling
~ **d'accouplement**: coupling sleeve, coupling box, box coupling
~ **d'antiparasitage**: sleeve-type suppressor
~ **d'emboîtement**: pipe socket GB, pipe bell NA
~ **d'embout**: (de câble) terminal box
~ **d'embrayage**: clutch sleeve, clutch coupling
~ **d'entraînement**: driving sleeve
~ **d'épissure**: splice sleeve
~ **d'étanchéité**: packoff nipple, seal nipple
~ **d'étiquetage**: sleeve label
~ **d'extrémité**: (de câble) sealed end, end bell, sealing end GB, pothead NA, shipping seal NA
~ **de centrage**: adapter [sleeve], location bush
~ **de centrage de roulement**: bearing adapter, bearing adaptor sleeve, inner race centring sleeve
~ **de cimentation**: (pétr) cementing

collar, cementing nipple, cementer
~ **de dérivation**: bridging sleeve
~ **de raccordement**: (de fils) splicing
sleeve; (de tubes électriques) conduit
coupling
~ **de réchauffage**: heating muff
~ **de réduction**: reducing coupling,
reducer
~ **de repérage**: cable identification
sleeve
~ **de tuyauterie**: pipe sleeve
~ **double vissé**: screwed sleeve GB,
sleeve nut NA
~ **droit**: sleeve, collar
~ **du tube**: conduit bushing
~ **en deux pièces**: split collar GB, split
sleeve NA
~ **fileté**: barrel nut, nipple, screwed
sleeve GB, sleeve nut NA
~ **mâle-mâle**: reducing nipple
~ **taraudé**: pipe coupling
~ **tête de câble**: terminal box

mandarine *f* : tangerine, mandarin[e]

mandrin *m* : mandrel; drift [pin]; (de tour)
chuck; (de bobine) core
~ **à centrer**: centring chuck
~ **à collet fendu**: split-collet chuck
~ **à foret**: drill chuck
~ **à griffes**: prong chuck
~ **à mors**: jaw chuck
~ **à pince**: collet chuck
~ **à toc**: dog clutch
~ **de cintrage**: bending block, bending
bar
~ **de serrage**: clamping chuck
~ **de vérification**: test mandrel
~ **étagé**: step chuck
~ **extensible**: (pap) expanding
mandrel, expandable mandrel; (plast)
stretcher bar GB, expander NA
~ **porte-fraise**: cutter arbor, cutter
spindle, cutter mandrel
~ **pour tubes**: tube expander
~ **ressort**: spring drift
~ **universel**: combination chuck

mandrinage *m* : drifting out; (d'un trou)
enlarging; (sur tube) flare; (usinage)
broaching, chucking

mandriner: (un trou) to drift; (usiner) to
chuck; (un tube) to expand, to bead
~ **à la broche**: to broach

maneton *m* : (de manivelle, de vilebrequin) crankpin

manette *f* : handle, operating handle,
hand lever
~ **croisillon**: cross handle

~ **de blocage**: clamping lever
~ **de commande**: control lever, hand
lever; (aéro) joystick
~ **de commande des gaz**: throttle
lever
~ **de jeu**: joystick
~ **de réglage**: adjustment lever
~ **des gaz**: throttle control [lever],
throttle
~ **moletée**: knurled handle

manganèse *m* : manganese

manganésifère: manganiferous

manganeux: manganous

mange-tout *m* : mange-tout, sugar pea

mangue *f* : mango

maniabilité *f* : (d'une pâte) workability;
(des commandes) controllability; (d'un
avion) manoeuvrability, handling

maniable: workable, easily worked;
manoeuvrable; controllable

maniement *m* : handling
~ **du fusil**: rifle drill
~ **facile**: ease of operation

manière *f* : manner, way; mode (of
operation), procedure
de ~ **aléatoire**: at random

manifestation *f* : event (cultural,
sporting); occurrence
~ **commerciale**: trade fair
~ **hydrocarburée**: (pétr) oil show

manille *f* : shackle
~ **d'assemblage**: coupling shackle
~ **droite**: dee shackle, D shackle
~ **lyre**: bow shackle

manioc *m* : cassava, manioc, manioca

manipulateur *m* : (él) hand-operated
switch; (tcm) key [switch], operating
key, sending key; (rob) manipulator,
mechanical claw
~ **à cames**: camshaft controller
~ **à coordonnées cylindriques**:
cylindrical coordinate manipulator
~ **à touches**: key sender
~ **de forge**: forging manipulator
~ **esclave**: (rob) slave manipulator
~ **maître**: (rob) master manipulator
~ **manuel**: (rob) manual manipulator
~ **Morse**: Morse key

manipulation *f* : (de marchandises) handling; (de touches) keying
~ **à suppression d'onde porteuse**: backshunt keying
~ **anode**: anode keying, plate keying
~ **d'amplitude**: amplitude keying
~ **dans la grille**: grid keying
~ **de données**: data handling
~ **de pile**: (inf) stack manipulation
~ **de symboles**: (inf) symbol manipulation
~ **des binaires**: bit handling
~ **des fichiers**: file handling
~ **marche-arrêt**: on-off keying
~ **par court-circuit**: short-circuit keying
~ **par tout ou rien**: on-off keying
~ **plaque**: plate keying
~ **subséquente**: (gg/bm) subsequent manipulation
~ **symbolique**: (IA) symbolic evaluation
~**s génétiques**: genetic manipulations; (déconseillé) genetic engineering

manipuler: to handle, to manipulate; to key

manivelle *f* : crank handle, crank
~ **à bouton**: knob handle
~ **à excentrique**: eccentric crank
~ **à plateau**: disk crank
~ **de démarrage**: starting handle GB, starting crank NA
~ **de lancement**: starting handle GB, starting crank NA
~ **de lève-glace**: window winder handle GB, window regulator crank NA
~ **de pompe**: pump handle
~ **oscillante**: oscillating crank

manne *f* : manna

mannequin *m* : (essais de véhicules) dummy
~ **de soudage**: welding jig

mannitol *m* : mannitol, mannite

mannose *m* : mannose

mano → **manomètre**

manocontact[eur] *m* : pressure switch
~ **anémométrique**: ram pressure switch

manodétendeur: pressure reducing valve

manœuvrable: manoeuvrable GB, maneuverable NA

manœuvre *m* : labourer GB, laborer NA

manœuvre *f* : manoeuvre GB, maneuver NA; actuation, operation (of switch), switching; → aussi **manœuvres**
~ **au sol**: (aéro) ground handling
~ **de dépassement latéral**: (autom) lane change
~ **de wagons**: shunting GB, switching NA
~ **du registre de vapeur**: throttling

manœuvres *f* : (mar) rigging; (mil) manœuvres, exercise
~ **courantes**: running rigging
~ **dormantes**: standing rigging

manœuvrer: to manoeuvre GB, to maneuver NA; (actionner) to operate, to work; (chdef) to shunt GB, to switch NA

manomètre *m* : manometer, pressure gauge GB, pressure gage NA
~ **à air libre**: open-tube gauge
~ **à cloche**: bell manometer
~ **à écrasement**: crusher
~ **à fil chaud**: hot-wire gauge
~ **à flotteur**: float-type pressure gauge
~ **à membrane**: diaphragm-type pressure gauge
~ **à mercure**: mercury gauge
~ **à piston**: piston gauge
~ **à ressort**: spring manometer
~ **anéroïde**: bellows gauge
~ **de vide**: vacuum meter, vacuum gauge
~ **différentiel**: differential manometer, differential pressure gauge
~ **enregistreur**: manograph
~**-étalon**: standard pressure gauge, master pressure gauge
~ **pression/vide**: compound gauge

manostat *m* : pressure switch, pressurestat

manquant: missing; (quantité) short; (en poids) underweight
~ **de matériel**: underequipped, underplanted
~ **de personnel**: undermanned

manque *m* : (pénurie) shortage, want, deficiency, lack; (peinture) holiday
~ **à la livraison**: short delivery
~ **à remplir**: (de réservoir) ullage
~ **d'allongement**: shortness
~ **d'eau**: water shortage
~ **d'encre**: break (in printing)
~ **d'espace**: restricted space
~ **d'homogénéité**: inconsistency

~ **d'uniformité du champ magné-tique**: non-uniformity of magnetic field
~ **de courant**: power failure
~ **de maturité**: (vin) newness
~ **de parallélisme des roues**: (autom) misalignment of wheels
~ **de poids**: short weight
~ **de pression**: low pressure; pressure break (in laminated plastics)
~ **de souplesse**: inflexibility
~ **de synchronisme**: mismatch
~ **de tension**: loss of voltage, under-voltage
à ~ **de tension**: no-volt[age] (relay, circuit-breaker)

manteau m : (géol) mantle
~ **de moule**: chase; bolster (die casting)
~ **du cubilot**: cupola shell
~ **modérateur**: (fusion nucléaire) moderator blanket

mantisse f : mantissa

manuel m : handbook, manual; adj : manual, hand-operated
~ **d'entretien**: maintenance manual
~ **d'exploitation**: operating manual
~ **d'utilisation**: operator manual, operator's handbook

manufacturé: manufactured, machine made, factory made

manutention f : [material] handling, mechanical handling
~ **à distance**: remote handling
~ **à levage**: lift-on/lift-off system
~ **horizontale**: roll-on roll-off system, ro-ro system
~ **verticale**: lift on/lift-off system, Lo-Lo system

MAO → **maintenance assistée par ordinateur**

mappage m : (inf) mapping

mappe f : (inf) map, mapping
~-**mémoire**: memory mapping

maquereau m : mackerel

maquette f : model; (graph) artwork, layout; (publicité) dummy copy
~ **à échelle réduite**: scale model
~ **aérodynamique**: wind tunnel model
~ **d'encombrement**: space model
~ **définitive**: finished layout
~ **grandeur nature**: mockup
~ **sur table**: breadboard model

maquettiste m : model maker; (graph) layout man

maraîchage m : market gardening GB, truck farming NA

marais m : marsh, swamp, bog
~ **salant**: salt marsh, salina

marbre m : (pierre) marble; (méc) surface plate, surface table; (de presse) press bed, type bed
~ **à dresser**: dressing plate, straight-ening plate
~ **d'atelier**: face plate, surface plate
~ **de traçage**: marking table; (aéro) lofting table

marbré: marbled, variegated, veined, veiney

marbrure f : marbling, veining; (tc) smear, smudging

marc m : (résidu de fruits, eau-de-vie) marc
~ **de café**: coffee grounds
~ **de pomme[s]**: pomace
~ **de raisin**: marc, rape

marchandisage m : merchandising

marchandise f : merchandise, goods
~s **au mètre**: (text) cut goods
~s **de détail**: (chdef) part-load traffic GB, less-than-carload freight NA
~s **diverses**: (mar) general cargo
~s **transportées par mer**: ocean freight

marchant: (machine) working; → aussi **marcher**
~ **24 h sur 24**: non-stop
~ **à l'essence**: petrol-type GB, gas-powered NA
~ **au fuel**: oil-burning, oil-fired
~ **au gaz**: gas-fired
~ **au mazout**: oil-burning, oil-fired
~ **sur batterie**: battery-driven, battery-operated
~ **sur pile**: battery-driven, battery-operated

marche f : (fonctionnement) operation, running; (d'escalier) step
~ **à régime établi**: normal running
~ **à suivre**: procedure
~ **à vide**: idle running, idling, light running; (él) no-load operation, no-load running
~-**arrêt**: on-off, stop-go
~ **arrière**: reverse motion
~ **au coup par coup**: inching

~ **au débrayé**: (autom) coasting
~ **au ralenti**: idle running, idling
~ **avant**: forward motion
~ **d'arrivée**: end step, top step
~ **d'essai**: trial run
~ **de départ**: starting step
~ **douce**: smooth running
~ **droite**: (constr) flier
~ **en double traction**: (chdef) assisted running
~ **en monophasé**: single phasing
~ **en palier**: level running
~ **en parallèle**: parallel running, parallel working
~ **en pousse**: (chdef) banking GB, pusher operation NA
~ **en réversible**: (chdef) push-pull running
~ **haut-le-pied**: (chdef) light running
~ **hors synchronisme**: out-of-step operation
~ **instable**: uneven running
~ **le long d'un chromosome**: chromosome walking
~ **palière**: end step, landing tread, landing step
~ **par à-coups**: jogging, inching
~ **par inertie**: coasting
~ **régulière**: smooth running
~ **stable**: smooth running
~ **sur l'erre**: coasting
~ **uniforme**: even running
en ~: moving, in motion; (machine) on, running; (usine) on stream; (haut-fourneau) in blast
en ~ **arrière**: (autom) in reverse [gear]
en ~ **avant**: (autom) in forward [gear]
faire ~ **arrière**: to back [up], to reverse
mettre en ~: to start (a machine)

marché m : market; contract
~ **clés en mains**: turnkey contract
~ **de fournitures**: supply contract
~ **des constructeurs OEM**: OEM market
~ **grand public**: mass market
~ **intérieur**: home market, domestic market
~ **public**: government contract
~ **unique**: single market

marchéage m : marketing mix

marcher: to run, to work, to operate; (→ aussi **marchant**
~ **à pleine puissance**: to run full load
~ **à vide**: to run idle, to run light
~ **au débrayé**: to coast
~ **au coup par coup**: to inch
~ **au ralenti**: to run idle
faire ~: to run, to operate (a machine)
faire ~ **par à-coups**: to jog

marcottage m : layering

marécage m : bog, marsh, swamp

marée f : tide; (alim) fresh fish
~ **basse**: low tide, low water
~ **de morte-eau**: neap tide
~ **de vive-eau**: spring tide
~ **descendante**: ebb tide, outgoing tide
~ **haute**: high tide, high water
~ **montante**: flood tide, rising tide, incoming tide
~ **noire**: oil slick
~ **rouge**: red tide
à ~, de ~: tidal

marégraphe m : tide gauge GB, tide gage NA

margarine f : margarine
~ **tartinable**: soft margarine

marge f : margin
~ **bénéficiaire**: profit margin, mark-up
~ **d'amorçage**: singing margin
~ **d'erreur**: margin of error
~ **de manœuvre**: manoeuvre margin
~ **de pied**: (graph) bottom margin, tail margin
~ **de protection contre les évanouissements**: fading margin
~ **de sécurité**: safety margin
~ **du plateau continental** ▶ MPC: outer continental shelf
~ **excédentaire**: excess capacity
~ **intérieure**: (graph) binding margin, back margin, inside margin
~ **supérieure**: (graph) top margin, head margin
~ **nulle**: (chemin critique) zero float

margeur m : margin stop

marguerite f : daisy wheel

mariculture f : ocean farming, sea farming

marie-salope f : mud barge, dredging barge, hopper barge

marin m : sailor; adj : marine, ocean, offshore

marinade f : marinade, souse, sousing
faire une ~: to marinate

marine f, ~ **de guerre**: Navy
~ **marchande**: merchant navy
~ **Nationale**: French navy

marinier *m* : bargee

maritime: maritime

marjolaine *f* : marjoram

marmite *f* : cooking pot
~ **à pression**: pressure-cooker
~ **de géant**: pothole

marnage *m* : tidal range

marne *f* : marl

marneux: marly

marquage *m* : marking; (gg/bm) labelling
~ **à chaud**: hot stamping
~ **bref**: pulse labelling
~ **par translation d'entaille**: nick translation labelling
~ **terminal**: terminal labelling

marque *f* : (défaut, repère) mark; (de fabricant) make, brand; (d'éditeur, d'imprimeur) imprint; (nucl) label
~ **d'homologation**: approval seal
~ **de commerce**: trademark
~ **de données**: data mark
~ **de fabrique**: trademark
~ **de qualité**: certification mark
~ **de référence**: gauge mark (on specimen)
~ **de repère**: [match] mark, [line-up] mark
~ **de toile**: (pap) wiremark
~ **déposée**: [registered] trademark
~ **réfléchissante**: (de bande magnétique) reflective foil
de ~: (produit) branded, proprietary

marqué: (nucl) labelled GB, labeled NA; (par radioéléments) tagged

marqueur *m* : marker; (nucl) tracer
~ **de fin de fichier**: file terminator
~ **début de bande**: beginning-of-tape marker
~ **fin de bande**: end-of-tape marker
~ **génétique**: genetic marker
~ **radioactif**: radioactive marker, tracer

marquise *f* : (de magasin) awning; (de gare, de porte) canopy

marteau *m* : hammer
~ **à buriner**: chipping hammer
~ **à deux mains**: aboutsledge, sledge hammer
~ **à frapper devant**: aboutsledge, sledge hammer

~ **à panne**: peen hammer, pane hammer
~ **à panne fendue**: claw hammer
~ **à panne sphérique**: ball-pane hammer, ball-peen hammer
~ **à piquer**: chipping hammer, scale hammer
~ **à piquer le laitier**: deslagging hammer
~ **à planer**: planishing hammer
~ **à river**: riveting tool
~ **agrafeur**: stapling hammer
~ **brise-béton**: road breaker
~ **burineur**: chipping hammer
~ **d'impression**: print hammer
~ **de frappe**: print hammer
~ **mécanique**: power hammer
~ **perforateur**: hammer drill, jackhammer, rock drill
~ **perforateur à air comprimé**: pneumatic drill
~~**pilon**: drop hammer
~ **piqueur**: pneumatic drill, pickhammer; pavement breaker, paving breaker, road breaker
~ **pneumatique**: air hammer, pneumatic drill
~ **pneumatique de démolition**: air breaker, pneumatic breaker, paving breaker, road breaker
~ **riveur**: riveting hammer

martelage *m* : hammering, beating [out]
~ **à froid**: hammer hardening

martensite *f* martensite

maser *m* : maser
~ **à ammoniaque**: ammonia maser
~ **à cavités**: cavity maser

masquage *m* : masking
~ **à couche d'oxyde**: oxide masking

masque *m* : (de personne) mask, face guard, face shield; (inf, phot) mask
~ **à cartouche filtrante**: cartridge mask
~ **antipoussières**: dust mask
~ **d'écran**: (inf) screen form
~ **d'interruption**: (inf) interrupt mask
~ **de soudeur**: face shield, welding hood
~ **de touches**: key overlay
~ **inhalateur**: (aéro) regulator mask
~ **respiratoire**: respirator

masquer: to mask
~ **les feux**: to obscure the lights

masse *f* : (phys) mass, weight; (él) earth, ground, frame

~ **à frapper devant**: sledge hammer
~ **à vide de base**: (aéro) basic empty weight
~ **atmosphérique**: air mass
~ **centrifuge**: flyweight
~ **d'alourdissement**: (tracteur) ballast weight
~ **d'eau**: body of water
~ **d'équilibrage**: balance mass, balance weight, counterpoise, counterweight
~ **de calcul**: design weight
~ **de lestage**: weight clamp (on pipeline)
~ **de mouton de cassage**: drop ball, skull cracker
~ **de remplissage**: cable compound
~ **en fusion**: melt
~ **exploitable de gisement**: (mine) arising
~ **filtrante**: filter mass, filtering medium
~ **fondue**: melt
~ **isolante**: (él) insulating compound
~ **marchande**: (pap) saleable mass
~ **parking**: (aéro) maximum ramp weight
~ **polaire**: pole piece
~ **sans carburant**: (aéro) zero fuel weight
~ **surfacique**: mass per unit area
~ **suspendue**: (autom) sprung mass
~ **thermique**: thermal mass
~**-tige**: (forage) drill collar
~ **totale sans carburant**: (aéro) zero fuel weight
~ **végétale**: phytomass
~ **volumique**: density
~ **volumique après tassement**: tap density, tapped bulk density, compacted bulk density
~ **volumique en vrac**: bulk density
~ **volumique sans tassement**: loose bulk density, free-flow bulk density

masselotte f : (de régulateur) bobweight, governor weight; (fonderie) feeder head, feed[ing] head, sprue

massicot m : guillotine, paper trimmer

massif m : (constr) concrete block (foundation); adj : solid
~ **d'ancrage**: anchor block
~ **filtrant**: (captage) gravel pack[ing]

mastic m : compound, mastic
~ **à reboucher**: stopping compound, stopper
~ **d'étanchéité**: sealant, sealing compound
~ **de fer**: iron cement

~ **de calfeutrage**: caulking compound
~ **de fermeture pour joints**: joint sealer, joint sealing compound
~ **de vitrier**: putty
~ **pâteux formé**: preformed sealant
~ **pour joints**: joint compound
~ **pour joints de tuyaux**: pipe compound

masticage m : cementing, puttying, stopping, filling in (small defects)

masticateur m : masticator, plasticator

mastiquer: to putty, to cement, seal (with a compound), to fill; (résine, caoutchouc) to masticate

mat m : mat; adj : (surface) matt, dull, flat; (couleur, son) dead, flat, dull
~ **à fils continus**: continuous strand mat
~ **à fils coupés**: (verre textile) chopped strand mat

mât m : mast; (structure) pylon, tower; (de pavillon) staff
~ **d'antenne**: antenna tower
~ **d'arrêt**: terminal pole (of electric line)
~ **d'artimon**: mizzen mast
~ **de charge**: derrick, cargo boom (on ship)
~ **de forage**: drilling mast
~ **de levage**: gin pole
~ **de misaine**: foremast
~ **de signaux**: (mar) christmas tree; (chdef) signal post, signal mast
~ **haubanné**: stayed mast, guyed mast
~ **réacteur**: (aero) engine pylon
~ **télescopique**: telescoping mast

matage m: hammering, peening, caulking; (freinage par coups de poinçon) staking; (d'un boulon) burring

matelas m : layer, bed; (de vapeur, d'air, de gaz) cushion
~ **de roches**: (mine) rock cushion
~ **de vapeur**: steam cushion
~ **isolant**: blanket insulation, insulation bat

matelassé: (contre les chocs) cushioned; (siège) padded

mater: to caulk, to hammer, to peen; (un tube) to bead; (un filetage) to burr

matériau m : material; → aussi **matériaux**
~ **barrière**: barrier material

~ **composite**: compound [material]
~ **composite à base de fibres de carbone**: carbon-fibre composite
~ **d'étanchéité**: sealing compound
~ **d'origine**: parent material
~ **de base**: (solaire) bulk material
~ **enrobé**: coated material
~ **excavé [excédentaire]**: (terrassement) spoil
~ **filtrant**: filtering medium
~ **magnétiquement dur**: magnetically hard material
~ **meuble**: loose material
~ **réfractaire**: refractory, high-temperature material, heat-resisting material

matériaux *m* : materials
~ **d'empierrement**: road metal
~ **de construction**: building materials, builder's supplies
~ **demi-finis**: (constr) sections
~ **finis**: (constr) units
~ **routiers**: road materials

matériel *m* : equipment, installation, plant, gear, machinery; (inf) hardware; *adj* : material, physical
~ **à ondes métriques**: VHF equipment
~ **à poste fixe**: fixed equipment, stationary equipment
~ **annexe**: ancillary equipment
~ **antidéflagrant**: explosive atmosphere equipment
~ **autonome**: (inf) off-line equipment
~ **banalisé**: bulk material (nuts, bolts, etc.)
~ **bivocal**: speech-plus-duplex equipment
~ **classique**: conventional equipment
~ **complémentaire**: add-on [equipment]
~ **consommable**: expendable equipment
~ **d'avant-garde**: state-of-the-art equipment
~ **d'exploitation**: operating machinery
~ **de base**: basic equipment
~ **de bureau**: office equipment
~ **de communications**: communication gear
~ **de guerre**: ordnance
~ **de publicité détaillants**: dealer aids
~ **de secours**: backup equipment
~ **de servitude**: ancillary equipment (of airfield)
~ **de servitude au sol**: ground support equipment
~ **de signalisation**: signal[l]ing facility
~ **de transmission de données**: data communication equipment
~ **électrique**: electric equipment

~ **embarqué**: (inf) flight hardware
~ **en location**: rental equipment
~ **fixe**: stationary equipment
~ **génétique**: genetic material
~ **installé à poste fixe**: fixed equipment
~ **mobile**: portable equipment
~ **moteur**: (chdef) tractive stock
~ **non réutilisable**: expendable hardware
~ **périphérique**: peripheral equipment
~ **périphérique autonome**: off-line equipment
~ **portatif**: portable equipment
~ **remorqué**: (chdef) trailing stock
~ **roulant**: (chdef) rolling stock
~ **supplémentaire**: (inf) add-on
~ **tubulaire**: tubular goods, tubulars
~**s divers**: miscellaneous [equipment]

maternisé: (lait) humanized

matière *f* : material; → aussi **matières**
~ **à changement de phase**: phase-change material
~ **à mouler**: (plast) moulding compound GB, macerate NA
~ **à mouler à charge textile**: fabric-filled moulding material
~ **à usiner**: work material
~ **alimentaire**: (animaux) feedstuff, (homme) foodstuff
~ **amylacée**: amylaceous matter
~ **azotée**: nitrogenous matter
~ **brute**: unprocessed material; (nucl) source material
~ **carbonée**: carbonaceous matter
~ **chaude**: (radioactive) hot material
~ **colorante**: dyestuff
~ **d'apport**: additive
~ **d'enrobage**: coating material; (éon) encapsulant
~ **de base**: feedstock
~ **de charge**: filler, extender
~ **de liaison**: binding material
~ **de moulage**: moulding compound
~ **de remplacement**: substitute material
~ **de remplissage**: filling
~ **de revêtement**: coating compound
~ **en suspension**: suspended matter
~ **filtrante**: filter material
~ **grasse**: fat; (pour pâtisserie) shortening
~ **grasse laitière**: butterfat
~ **isolante**: insulating material, insulant
~ **organique**: organic matter
~ **plastique**: plastic
~ **plastique renforcée par fibres de carbone**: carbon-fibre reinforced plastic

~ **plastique stratifiée**: laminated plastic
~ **première**: raw material
~ **pulvérulente**: granular material
~ **réfractaire**: refractory
~ **sèche**: dry matter
~ **thermoplastique**: thermoplastic

matières *f* : materials, stuff
~ **décantables**: settleable solids
~ **en suspension**: suspended matter, suspended solids
~ **fécales**: faecal matter, faeces GB, fecal matter, feces NA
~ **flottantes**: skimmings
~ **indigestibles**: (alim) roughage, bulk
~ **inertes**: (mine) inerts
~ **organiques**: organic matter
~ **premières**: raw materials
~ **premières énergétiques**: energy feedstocks
~ **solides**: solids
~ **solides en solution**: dissolved solids
~ **volatiles** ▶ **MV**: volatile matter

matité *f* : dullness, flatness (of colour, of sound)

matras *m* : boiling flask
~ **de distillation**: distillation flask
~ **jaugé**: volumetric flask

matriçage *m* : die forging, drop forging; die stamping; swaging

matrice *f* : (liant) matrix, binding material; (inf, maths) matrix; (forgeage) die; (moulage des plastiques) mould, die; (bio, gg/bm) template
~ **à bande**: band matrix
~ **à découper**: blank[ing] die
~ **à poinçonner**: punching die
~ **à refouler**: upsetting die, heading die
~ **d'ADN**: DNA template
~ **d'emboutissage**: stamping die, drawing die
~ **d'estampage**: stamping die
~ **de connexité**: adjacency matrix, connectivity matrix
~ **de découpe**: punching die
~ **de fibre optique**: fibre optic matrix
~ **de perforation**: punch die
~ **de points**: dot matrix
~ **de stockage**: storage matrix
~ **de tirage**: printing master
~ **mémoire**: memory array

matrocline: matroclinous, matriclinous

matroclinie *f* : maternal inheritance

matte *f* : matte

maturase *f* : maturase

maturateur *m* : (pétr) soaker

maturation *f* : maturing, ripening; (béton) ageing; (bio) maturation; (fruits, vin) ripening; (fromage) ripening, maturing
~ **de l'ARN**: RNA processing
~ **des boues**: sludge ripening
~ **moléculaire**: processing

mature: mature; (poisson) ready to spawn

maturité *f* : maturity; ripeness

mauvais: bad; poor, wrong; → aussi **mauvaise**
~ **alignement**: misalignment
~ **conducteur**: poor conductor
~ **contact**: loose contact
~ **emploi**: misuse
~ **fonctionnement**: malfunction
~ **montage**: (él) wrong connection
~ **numéro**: wrong number
~ **réglage**: misadjustment
~ **sens**: wrong way
~ **sol**: (pour fondations) loose soil, soft ground

mauvaise: bad, poor, wrong
~ **connexion**: wrong connection
~ **construction**: jerry building
~ **herbe**: weed
~ **mise à la terre**: faulty earthing
~ **paire**: (tél) bad pair
~ **soudure**: dry joint
~**s données mauvais résultats**: (inf) garbage in garbage out
de ~ **qualité**: low-grade, poor, shoddy, low-quality, poor-quality

maximiser, maximaliser: to maximize

maximum *m* : maximum
à ~ **de courant**: over-current
à ~ **de tension**: overvoltage

mazout *m* : fuel oil, heavy oil

mazouter: (mar) to refuel; (pollution) to foul, to pollute with oil

MBDD → **machine base de données**

MBM → **mémoire à bulles magnétique**

MC → **mémoire centrale**

MCF → **mélange charbon-fuel**

IDP → **modulation par déplacement de phase**

mécanicien *m* : engineer, mechanic GB, mechanician NA; (chdef) engine driver GB, engineer NA
~ **d'automobile**: motor mechanic
~ **de bord**: ship's engineer
~ **de train**: engineer NA
~ **navigant**: (aéro) flight engineer

mécanique *f* : mechanics, mechanical engineering; *adj* : mechanical; (à moteur) power, motor
~ **d'armure**: (tissage) dobby
~ **de précision**: light engineering, precision engineering
~ **des fluides**: fluid mechanics
~ **des sols**: soil mechanics
~ **navale**: naval engineering, marine engineering
~ **ondulatoire**: wave mechanics
~ **quantique**: quantum mechanics

mécanisation *f* : mechanization

mécanisme *m* : mechanism, works, device, gear
~ **à action solidarisée**: interlocking gear
~ **à bielle et manivelle**: crank drive, crank gear
~ **à crémaillère**: rack and pinion [gear]
~ **à genouillères**: toggle mechanism
~ **articulé**: linkage
~ **d'arrêt**: stop motion
~ **d'entraînement**: drive, driving mechanism
~ **d'horlogerie**: clockwork
~ **d'inversion**: reversing gear
~ **de commande**: drive [mechanism]
~ **de commande de la grue**: crane gear
~ **de commande des soupapes**: valve gear
~ **de détente**: release gear, release device
~ **de renversement de marche**: (sur machine) reversing gear; (sur tour) change gear
~ **de sécurité**: safety gear, safety mechanism, safety device
~ **distributeur d'huile**: oil distributor

mécano-soudé: fabricated

mèche *f* : wick; (filature) roving, sliver; (de perçage) bit; (explosifs) cord, blasting fuse, fuze, squib
~ **à centrer**: centre drill, centre bit
~ **à combustion lente**: blaster fuse
~ **à huile**: oil-feed wick

~ **américaine**: twist drill, twist bit
~ **de sûreté**: Bickford fuse, blasting fuse, safety fuse
~ **de tarière**: auger bit
~ **lente**: Bickford fuse, blasting fuse, safety fuse
~ **ordinaire**: common fuse

média *m* : (information, publicité) medium; ~**s**: media
~ **publicitaire**: advertising medium

médian *m* : (stats) median; *adj* : medial, median, middle

médiane *f* : (géom) median [line]; (stats) median (of a distribution)

médiatrice *f* : (d'un triangle) median

médicament *m* : drug, medicine

médicinal: medicinal

méduse *f* : jelly fish

mégabit *m* : megabit

mégaloblaste *m* : megaloblast

mégalocyte *m* : megalocyte

mégamot *m* : megaword

méga-octet *m* : megabyte

mégaphone *m* : megaphone

mégissé: tawed

megohmmètre *m* : megohmmeter, megger

meilleur: (comparatif) better; (superlatif) best
~ **ajustement**: best fit
~ **d'abord**: (IA) best first
~**s procédés pratiquement utilisables**: best practical means

méiose *f* : meiosis
~ **en une seule division**: one-division meiosis

mélamine *f* : melamine
~~**formaldéhyde**: melamine formaldéhyde

mélange *m* : mixing, blending; mix, mixture
~ **à contre-courant**: back mixing
~ **à mouler**: moulding compound

~ **à point d'ébullition constant**: constant boiling mixture
~ **au jet**: jet mixing
~ **azéotropique**: constant boiling mixture
~ **binaire**: two-component mixture
~ **carburant-comburant**: fuel-air mixture
~ **carburé**: (autom) gas-air mixture
~ **charbon-fuel ▶ MCF**: coal-oil mixture
~ **d'huile [lubrifiante] et d'essence**: petroil
~ **détonant**: explosive mixture
~ **en canalisation**: (pétr) in-line blending, line blending
~ **en centrale**: plant mix
~ **essence-éthanol**: gasohol
~ **gazeux**: gas mixture
~ **maître**: master batch
~ **mère**: master batch
~ **pauvre**: (autom) lean mixture
~ **préalable**: premix
~ **réfrigérant**: refrigerating mixture, freezing mixture
~ **respiratoire**: breathing mixture
~ **riche**: rich mixture
~ **routier**: road mix
~ **sec**: dry mixture

mélanger: to mix, to blend; (thés, cafés) to blend

mélangeur m : mixer
~ **à ailettes**: wing mixer
~ **à palettes**: blade mixer
~ **à tambour**: mixing drum
~ **de modes**: (f.o.) mode mixer
~ **de plusieurs matières solides**: solid-solid mixer
~ **doublement symétrique**: double-balanced mixer

mélanine f : melanin

mélanocyte m : melanocyte

mélasse f : molasses, [black] treacle
~ **raffinée**: golden syrup

mellifère: melliferous, mellific

MEM → **mémoire morte**

membrane f : membrane; (souple) dia-phragm (control)
~ **antiévaporante**: curing membrane
~ **de charbon**: carbon diaphragm
~ **conique**: (de haut-parleur) cone [diaphragm]
~ **vitelline**: vitelline membrane; (d'œuf) yolk sac

membre m : member; (d'une équation) side
~ **comprimé**: compression member
~ **en compression**: compression member
~ **en flexion**: flexural member

membrure f : (constr) boom, chord, flange (of girder); (mar) frame
~ **à mi-longueur**: midship frame
~ **d'âme**: (d'une ferme) web member
~ **cintrée**: curved frame
~ **de remplissage**: filling frame
~ **dévoyée**: cant frame
~ **en compression**: compression flange
~ **inclinée**: pitched chord
~ **supérieure**: upper boom, upper chord, upper flange
~ **tendue**: tension flange
~ **de maîtresse partie**: main body frame

même: similar, identical
~ **signe**: like sign
dans un ~ **canal**: cochannel
de ~ **phase**: cophasal, in phase

mémoire m : memorandum; (constr) contractor's account
~ **de travaux**: memorandum of costs

mémoire f : (inf) storage, store, memory
~ **à accès direct**: direct-access memory, random-access memory
~ **à accès en lecture et en écriture**: read/write memory
~ **à accès rapide**: fast-acess memory
~ **à bulles**: bubble memory
~ **à bulles magnétique ▶ MBM**: magnetic bubble memory
~ **à couches minces**: thin-film memory
~ **à court terme**: (IA) short-term memory
~ **à créneaux**: slot memory
~ **à disques magnétiques**: magnetic disc storage
~ **à double accès**: dual-port memory
~ **à fil magnétique**: magnetic-wire memory, magnetic-wire store
~ **à laser**: laser memory
~ **à lecture majoritaire**: read mostly memory
~ **à rafraîchissement**: refresh memory, regenerative memory
~ **à supra-conducteur**: super-conducting memory
~ **à tambour magnétique**: magnetic-drum storage
~ **à temps d'attente nul**: zero-access storage

~ **à tores**: core storage, core store, core memory

~ **adressable par son contenu**: content-addressable memory

~ **associative**: associative memory

~ **auxiliaire**: auxiliary memory, backing store, bulk memory, secondary memory

~ **bloc-notes**: scratch pad memory

~ **cache**: cache memory

~ **centrale ▶ MC**: main storage, main store, main memory

~ **cryogénique**: cryogenic memory

~ **d'entretien**: refresh memory

~ **de contrôle**: control memory

~ **de masse**: bulk memory, bulk storage, mass memory, mass storage, mass store

~ **de sauvegarde**: backing store

~ **de travail**: scratch [pad] memory, scratchpad

~ **démontable**: demountable memory

~ **directe**: one-level memory

~ **double porte**: dual port memory

~ **dynamique à accès direct**: dynamic random access memory

~ **effaçable**: erasable store

~ **intermédiaire**: buffer

~ **morte ▶ MEM**: read only memory, ROM

~ **morte effaçable électriquement**: electrically erasable read-only memory

~ **morte modifiable électriquement**: electrically alterable read-only memory

~ **morte programmable et effaçable**: erasable programmable read-only memory

~ **tampon**: buffer memory, buffer store, buffer storage

~ **vive ▶ MEV**: read-write memory

~ **volatile**: volatile memory

émorisation *f*: (inf) store, storing
~ **et restitution**: store and forward

émoriser: (inf) to store

énisque *m*: meniscus

enotte *f*: (de ressort, de suspension) shackle

enthe *f*: mint
~ **poivrée**: peppermint

entonnet *m*: catch (of latch), stop; (came) lever, wiper; (chdef) flange (of wheel); (fusil) cocking piece
~ **lubrificateur**: (de bielle) oil dipper
~ **d'entraînement**: catch pin, latch pin

enu *m*: (de charbon) slack [coal], fine coal; (inf) menu; *adj*: small; → aussi **menus**
~ **appelable sur l'écran**: pulldown menu
~ **d'aide**: help menu
~**es pièces**: consumables

menuiserie *f*: woodwork, wood finishings; joiner's finish, joinery GB, carpenter's finish, finishing carpentry NA
~ **préfabriquée**: millwork

menuisier *m*: joiner GB, carpenter NA

menus *m*: smalls; *adj*: small
~ **de crible**: siftings
~ **de tamis**: screenings
~ **frais**: incidental cost
~ **ouvrages**: (constr) minor work, smaller work, finishings

méplat *m*: flat bar; flat spot, flat part
~ **de soudure**: root face
~ **de roue**: wheel flat, flat wheel

mer *f*: sea
~ **basse**: low tide
~ **belle**: smooth sea
~ **étale**: slack sea
~ **forte**: rough sea
~ **grosse**: high sea
~ **haute**: high tide
~ **intérieure**: landlocked sea, enclosed sea
~ **peu agitée**: slight sea
en ~: (navire) underway; (pétr) offshore

mercaptan *m*: mercaptan, thiol

mère *f*: mother; (animal reproducteur) dam
~ **de vinaigre**: mother of vinegar

méridien *m*: meridian

merise *f*: sweet cherry, wild cherry, gean

méristème *m*: meristem

merlan *m*: whiting

merlu *m*: hake

merluche *f*: hake; dried cod (unsalted)

mésappariement *m*: mismatch, mispairing

mésenchyme *m*: mesenchyme, mesenchyma

mésentère *m* : mesentery

mésoblaste *m* : mesoblast, mesoderm

mésocarpe *m* : mesocarp

mésoderme *m* : mesoblast, mesoderm

mésomorphe *m* : mesomorphe; *adj* : mesomorphic

méson *m* : meson

mésophylle *m* : mesophyll[um]

mésophyte *f* : mesophyte; *adj* : mesophytic

mésosphère *f* : mesosphere

mésotrophe: mesotrophic

message *m* : message
~ **chiffré**: coded message
~ **cryptographique**: coded message
~ **d'acceptation**: accept message
~ **de guidage**: (inf) prompt
~ **de service**: (tcm) non-revenue message
~ **enregistré**: [recorded] announce-ment
~ **multidestinataire**: multiaddress message
~ **multidiffusion**: multiaddress message
~ **oral**: spoken message
~ **payable à l'arrivée**: sent-collect message
~ **privilégié**: dedicated message
~ **publicitaire**: (tv) publicity spot
~ **sonore**: audio message, spoken message

messagerie *f* **électronique**: electronic mail

mesurage *m* : measuring, measurement; (par des instruments) metering, gauging
~ **par comparaison**: comparison measurement
~ **par complément**: complementary mesurement
~ **par substitution**: substitution measurement
~ **par zéro**: null measurement
~ **sur place**: field measurement

mesure *f* : measure, measurement
~ **à prendre**: action [to be taken]
~ **brute**: actual reading
~ **comble**: heaped-up measure
~ **corrigée**: corrected value

~ **corrective**: remedial measure, remedial action
~ **dans œuvre**: (constr) inside measurement
~ **de longueur**: linear measure
~ **de moyennes quadratiques**: mean square measure
~ **de sécurité**: safety measure, safeguard
~ **de superficie**: square measure
~ **de volume**: cubic measure
~ **des performances**: performance monitoring
~ **en c.c.**: d.c. measurement
~ **en pont**: (él) bridge measurement
~**-étalon**: standard measure
~ **hors œuvre**: (constr) outside measurement
~ **hors tout**: overall measurement
~ **non perturbatrice**: non-intrusive measurement
~ **par le creux**: ullage measurement
~ **par rétrodiffusion**: (f.o.) back-scattering measurement
~ **préventive**: preventive action
~ **provisoire**: temporary measure
~ **rase**: strike measure
sur ~: made to measure, tailor-made, tailored

mesurer: to measure; to meter, to gauge

mesureur *m* : measurer
~ **de pression**: pressure gauge
~ **de courant**: current meter

métaboliser: to metabolize

métabolisme *m* : metabolism
~ **basal**: basal metabolism
~ **lipidique**: fat metabolism
~ **protidique**: protein metabolism

métabolite *m* : metabolite

métacompilateur *m* : metacompiler

métaconnaissance *f* : (IA) metaknowl-edge

métadyne *f* : metadyne

métafichier *m* : metafile

métal *m* : metal
~ **à haute teneur**: high-grade metal
~ **alcalino-terreux**: alkaline earth metal
~ **anti-friction**: antifriction metal, babbit [metal], bearing metal
~ **blanc**: (usiné) bright metal; (pour paliers) antifriction metal

~ **brillant**: (mar) brightwork
~ **centrifugé**: spun metal
~ **clair**: bright metal
~ **commun**: base metal
~ **d'apport**: (sdge) filler metal
~ **de base**: (sdge) parent metal; (galvanoplastie) base
~ **déployé**: expanded metal
~ **déposé**: weld metal, deposited metal
~ **en état de fusion**: molten metal, hot metal
~ **en feuilles**: sheet metal
~ **en saumons**: pig metal
~ **ferreux**: ferrous metal
~ **fin**: fine metal
~ **lourd**: heavy metal
~ **mou**: soft metal
~ **noble**: noble metal
~ **non ferreux**: non-ferrous metal
~ **pour coussinets**: bush metal
~ **pré-affiné**: blown metal
~ **raffiné**: fine metal
~ **réfractaire**: heat-resistant metal
~ **tendre**: soft metal
~ **terreux**: earth metal
~ **trempé**: hard metal

étaldéhyde *f* : metaldehyde

étalimnion *m* : metalimnion

étallerie *f* : (constr) metal doors and windows

étallifère: metalliferous, ore bearing

étallisation *f* : metallizing GB, metalizing NA; (él) bonding
~ **au pistolet]**: metal spraying
~ **par électrolyse**: metal plating
~ **par projection**: metal spraying
~ **plasma**: plasma metal spraying

étallisé: metallized GB, metalized NA; metal-clad, metal-coated

étallo *m* : metal worker, metallist GB, metalist NA

étallographie *f* : metallography

étalloïde *m* : metalloid

étalloplastique: (joint) copper-asbestos

étalloscope *m* : magnetic crack detector

étallurgie *f* : metalllurgy
~ **des métaux non ferreux**: non-ferrous metallurgy

~ **des poudres**: powder metallurgy
~ **par voie ignée**: pyrometallurgy

métallurgiste *m* : metallurgist, metal worker

métamère *m* : metamere

métamérie *f* : metamerism, metamery, metameric segmentation

métamorphose *f* : metamorphosis

métaphase *f* : metaphase

métastable: metastable

metastase *f* : metastasis

metazoaire *m* : metazoan

météore *m* : meteor

météorologie *f* : meteorology, weather forecasting

méthacrylate *m* : methacrylate
~ **de méthyle**: methyl methacrylate

méthane *m* : methane, marsh gas

méthanier *m* : methane carrier, methane tanker, LNG carrier, LNG tanker

méthanisation *f* : methane fermentation

méthaniseur *m* : biogas plant, digester

méthanol *m* : methanol

méthémoglobine *f* : methaemoglobine GB, methemoglobin NA

méthionine *f* : methionine

méthode *f* : method; mode (of operation), procedure
~ **d'accès avec file d'attente**: queued access method
~ **d'analyse par spectroscopie**: analytical spectroscopic method
~ **d'approximations successives**: trial-and-error method
~ **d'échantillonnage**: sampling procedure
~ **d'essai normalisée**: standard testing method
~ **d'opposition**: back-to-back method
~ **de graphiquage**: diagramming method
~ **de l'élément fini**: finite-element method

~ **de la coupure**: cut-back technique
~ **de la puissance inverse**: inverse power method
~ **de la vraisemblance maximale**: method of maximum likelihood
~ **de mesurage différentiel**: differential method of measurement
~ **de prévision-correction**: predictor-corrector method
~ **de réduction à zéro**: null method
~ **de travail**: working procedure
~ **des moindres carrés**: least-square method
~ **dos à dos**: back-to-back method
~ **du champ proche**: near-field method
~ **du chemin critique**: critical path method
~ **du cône et de quartation**: coning and quartering
~ **du double creuset**: double-crucible method
~ **du gradient**: (IA) hill climbing
~ **du zéro**: null method, zero method
~ **empirique**: rule of thumb, trial-and-error method
~ **en vase ouvert**: open-cup method
~ **expérimentale**: experimental method
~ **linéaire à plusieurs étapes**: linear multistep method
~ **normalisée**: standard method
~ **par approximation**: approximate method
~ **par centrifugation**: centrifuge method
~ **par diffusion**: scattering method
~ **par rétrodiffusion**: backscattering method
~ **température-retrait**: temperature-retraction procedure
~ **tout ou rien**: go-no-go operation

méthylamine *f* : methylamine

méthylase *f* : methylase
~ **de maintenance**: maintenance methylase

méthylation *f* : methylation
~ **de l'ADN**: DNA methylation

méthyle *m* : methyl

méthylène *m* : methylene

méthylorange *m* : methyl orange

métier *m* : occupation; (manuel) craft, trade; (habileté manuelle) craftsmanship; (text) frame
~ **à anneau**: ring frame
~ **à filer**: spinning frame

~ **à mécanique d'armure**: dobby loom
~ **à plusieurs navettes**: multiple-box loom
~ **à ratière**: dobby loom
~ **à tisser**: loom
~ **continu à retordre à ailettes**: fly twister

métrage *m* : measurement (in metres), yardage

mètre *m* : metre GB, meter NA
~ **à ruban**: measuring tape
~ **carré**: square metre
~ **courant**: running metre
~ **cube**: cubic metre
~ **pliant**: folding rule

métré *m* : quantity surveying; bill of quantities

métro *m* : underground GB, subway NA rapid transit system, metro
~ **léger**: light subterranean railway

métrologie *f* : metrology
~ **du logiciel**: software metrics
~ **informatique**: compumetrics

mettre: to put
~ **à bord**: to ship
~ **à feu**: (haut-fourneau) to blow in
~ **à flot**: to float
~ **à jour**: to bring up to date, to update
~ **à l'air libre**: to vent [to atmosphere]
~ **à l'eau**: (une embarcation) to launch
~ **à l'épreuve**: to test, to try
~ **à la cape**: to heave to
~ **à la masse**: to earth, to return to earth GB, to ground, to return to ground NA, to connect to frame
~ **à la poste**: to post
~ **à la terre**: to earth, to return to earth GB, to ground, to return to ground NA
~ **à longueur**: to cut to length
~ **à niveau**: to level; (araser) to make flush; (moderniser) to retrofit
~ **à nu**: to expose, to uncover
~ **à part**: to segregate
~ **à sec**: (mar) to ground
~ **à terre**: (mar) to land
~ **à zéro**: to reset, to zeroize
~ **au courant**: to train (staff)
~ **au point**: to adjust; (radio) to tune up; (un produit) to develop
~ **au rebut**: to scrap
~ **au tas**: to stack
~ **au zéro**: to adjust to zero
~ **bas**: (jument) to foal; (chèvre) to kid (brebis) to lamb; (vache) to calve GB, to freshen NA; (truie) to farrow
~ **bout à bout**: to join end to end

~ **d'aplomb**: (mur) to plumb
~ **d'équerre**: to square
~ **de côté**: to set aside
~ **debout**: to stand
~ **en antémémoire**: to cache
~ **en application**: to implement
~ **en attente**: (tcm) to put on hold
~ **en boîtier**: (éon) to package
~ **en bouteille**: to bottle
~ **en circuit**: to switch on, to turn on, to connect
~ **en commun**: (des ressources) to pool
~ **en communication**: (tcm) to connect
~ **en conserve**: to preserve
~ **en danger**: to jeopardize
~ **en dérivation**: to branch off, to bypass
~ **en drapeau**: (une hélice) to feather
~ **en file d'attente**: (inf) to enqueue
~ **en fonction**: to activate
~ **en forme**: to shape, to form; (des données) to edit
~ **en fusion**: to melt
~ **en garde**: (tél) to put on hold
~ **en majuscules**: to capitalize
~ **en marche**: to set in motion, to start up
~ **en marche productive**: (une installation) to bring on stream
~ **en mémoire**: to store
~ **en mémoire tampon**: to buffer
~ **en mouvement**: to actuate
~ **en œuvre**: to implement
~ **en orbite**: to launch into orbit
~ **en page**: (graph) to paste up
~ **en paquets**: (tcm) to packetize
~ **en parallèle**: to parallel, to bridge
~ **en perce**: (vin) to tap, to broach
~ **en phase**: to phase; se ~ **en phase**: to pull into step, to come into step
~ **en place**: to position; (installer) to put in, to install (machinery), to introduce, to implement (a system)
~ **en portefeuille**, se ~ **en portefeuille**: (véhicule) to jackknife
~ **en pot**: to pot
~ **en pression**: to pressurize
~ **en prise**: to put into gear, to throw into gear, to engage a gear
~ **en registre**: (graph) to register
~ **en rotation**: to rotate, to spin up
~ **en route**: to start up
~ **en séquence**: to sequence
~ **en série**: to serialize
~ **en service**: to put into operation, to activate; (pour la première fois) to commission
~ **en tas**: to heap [up]
~ **en température**: to warm up
~ **en valeur**: to develop (an area)

~ **en veilleuse**: to reduce, to turn down; (les feux) to bank; (un haut-fourneau) to damp down; (un projet) to shelve
~ **en vigueur**: (une décision) to put into effect, to put into force; (un plan) to put into operation
~ **en zigzag**, se ~ **en zigzag**: (véhicule) to jackknife
~ **entre parenthèses**: to bracket
~ **fin à**: to terminate
~ **fin prématurément**: to abort
~ **hors circuit**: to switch off, to turn off, to disconnect
~ **hors de service**: to put out of action (machine)
~ **hors fonction**: to deactivate
~ **hors service**: (une machine) to put out of action, to cripple; (él) to switch off, to power off, to turn off, to deenergize; (inf) to inhibit
~ **hors tension**: to switch off, to power off, to turn off, to deenergize, to deactivate
~ **le cap sur**: to head for, to make for
~ **le contact**: (autom) to switch on
~ **le feu à**: to set fire to
~ **le moteur au ralenti**: to throttle down the engine
~ **les tiges en gerbe**: (forage) to rack
~ **sous boîtier**: (c.i.) to package
~ **sous carter**: to enclose (in a casing)
~ **sous cocon**: to mothball
~ **sous forme de chaîne**: (inf) to concatenate
~ **sous forme de macro-instructions**: to macroize
~ **sous gaine**: (él) to box in
~ **sous pression**: to apply pressure
~ **sous tension**: to apply power, to power on, to switch on, to energize
~ **sous tresse**: to braid
~ **sous vide**: to pump out
~ **sur orbite**: to orbit
~ **un bouton à zéro**: to clear a button
~ **un coussinet**: to bush
~ **un satellite en orbite**: to launch a satellite into orbit
~ **un trait d'union**: to hyphenate

meuble *m* : piece of furniture; ~**s**: furniture; *adj* : (sans cohésion) loose (material, soil)
~ **de rangement**: storage unit
~ **frigorifique**: refrigerated cabinet
~**s capitonnés**: upholstery

meulage *m* : grinding
~ **conique**: taper grinding

meule *f* : grinder, [grinding] wheel; (meunerie) wheel

~ **à aiguiser**: grindstone
~ **à dégrossir**: roughing wheel
~ **à ébarber**: trimming wheel
~ **à polir**: buffing wheel, buffer, polishing wheel
~ **à roder**: abrading wheel
~ **[abrasive]**: abrasive wheel
~ **boisseau**: cup grinding wheel
~ **courante**: runner
~ **de fibre**: fibre wheel
~ **de forme**: shaped wheel
~ **de fromage**: round cheese
~ **de rectification**: grinding wheel
~ **diamantée**: diamond wheel
~ **embrevée**: recessed wheel
~ **émeri**: emery wheel
~ **en carborundum**: carborundum wheel
~ **en fils métalliques**: wire wheel
~ **flexible**: (en chiffon) mop
~ **segmentée**: segment wheel
~ **verticale**: (de broyeur) edge runner

meuler: to grind
~ **à l'eau**: to grind wet

meuleuse f : grinding machine
~ **à bande abrasive**: linishing machine
~ **à jet de sable**: sand blast machine
~ **portative**: hand grinder

meulière f : millstone

meunerie f : milling, milling industry

MEV → **mémoire vive**

mezzanine f : mezzanine; horizontal slot window

MF → **modulation de fréquence, microfilm**

MFLB → **modulation de fréquence à large bande**

MH → **machine hybride**

MHD → **magnétohydrodynamique**

MIA → **modulation d'impulsions en amplitude**

MIC → **modulation par impulsions codées, modulation par impulsions et codage**

micelle f : micell[e], micella

mica m : mica

micelle f : micelle

micro → **microphone, micro-informatique**

microanalyse f : microanalysis

microbalance f : microbalance

microbande f : microstrip

microbe m : microbe, germ

microbouture f : microcutting

microcircuit m : microcircuit

microclimat m : microclimate

microcline m : (géol) microcline

microconditionnement m : micro-packaging

microcoque m : micrococcus

microcourbure f : (f.o.) microbending

microdiamétrage m : (forage) micro-caliper log

microdiamétreur m : (forage) micro-caliper

microdureté f : microhardness

microédition f : desk top publishing

microempreinte f : microindentation

microfiche f : [micro]fiche
~ **de duplication**: duplicating microfiche
~ **optique numérique**: digital optical microfiche
sur ~s: fiched

microfilm ► **MF**: microfilm
~ **à codage optique**: optical coding microfilm
~ **de prise de vue**: camera microfilm
~ **en sortie d'ordinateur**: computeur output microfilm
~ **gélatino-argentique**: silver-gelatin type microfilm

microfilmeur m : microfilmer

microflore f : microflora

microforme f : microform

microgamète m : microgamete

micrographie *f* : (au microscope) micrography; (inf) micrographics

micro-informatique *f* : microcomputing, microcomputers, microcomputer business

micrologiciel *m* : firmware

micromanipulateur *m* : micromanipulator

micromanipulation *f* : (gg/bm) micromanipulation

micromètre *m* : micrometer, micrometer gauge GB, micrometer gage NA
~ **à vis**: micrometer screw gauge
~ **d'extérieur**: micrometer calliper

micromonde *m* : (IA) microworld

micro-onde *f* : microwave

micro-ordinateur *m* : microcomputer

micro-organisme *m* : microorganism

microphone *m* : microphone, mike; (tél) transmitter
~ **à bobine mobile**: moving-coil microphone, dynamic microphone
~ **à charbon**: carbon microphone
~ **à condensateur**: capacitor microphone
~ **à fil chaud**: hot-wire microphone
~ **à grenaille**: carbon microphone
~ **à main**: hand-held microphone, hand mike
~ **à perche**: boom microphone
~ **à ruban**: ribbon microphone
~ **de bouche**: lip microphone
~ **de boutonnière**: lapel microphone
~ **de larynx**: laryngaphone
~ **de masque**: mask microphone
~ **électrodynamique**: moving-coil microphone
~ **électrostatique**: capacitor microphone
~ **espion**: bug (in room)
~ **labial**: lip microphone
~ **piézoélectrique**: crystal microphone
~ **thermique**: hot-wire microphone

microplaquette *f* : (inf) [ceramic] chip

micropoliuant *m* : micropollutant

microporosité *f* : microporosity

microprocesseur *m* : microprocessor

microprogramme *m* : microprogram, firmware
~ **stocké dans des mémoires ROM, PROM ou EPROM**: romware

micropropagation *f* : (bio) micropropagation

microretassure *f* : (métall) microshrinkage, shrink porosity

microruban *m* : microstrip

microrupteur *m* : microswitch

microscope *m* : microscope
~ **à balayage**: scanning microscope
~ **à champ émissif**: filed emission microscope
~ **à coupe optique**: split-beam microscope
~ **à immersion**: dipping microscope
~ **à projection**: projection microscope
~ **composé**: compound microscope
~ **électronique**: electron microscope
~ **électronique magnétique**: magnetic electron microscope
~ **optique**: light microscope

microscopie *f* : microscopy
~ **à éclairage indirect**: reflected-light microscopy
~ **électronique**: electron microscopy

microsillon *m* : microgroove; (disque) long-playing record

microsonde *f* : microprobe

microtome *m* : microtome

micro-usinage *m* : micromachining

MID → modulation d'impulsions en durée

mi-dur: half hard, medium hard, semihard

miel *m* : honey

mignonette *f* : pea gravel

migration *f* : migration
~ **électrophorétique**: electrophoretic migration
~**s alternantes**: commuting
~**s pendulaires**: commuting

mil *m* : millet

MIL → modulation d'impulsions en largeur

mildiou *m* : mildew

milieu *m* : medium; environment; *adj* : mid, middle
~ **accepteur**: (laser) host substance
~ **ambiant**: environment
~ **bruyant**: noisy location
~ **de culture**: [culture] medium
~ **de culture nutritif**: nutrient medium
~ **de gamme**: midrange
~ **dense**: dense medium
~ **du bateau**: midship
~ **gazeux**: gaseous medium
~ **génétique**: genetic background
~ **hostile**: harsh environment
~ **industriel**: industrial environment, factory environment
~ **marin**: marine environment
~ **multiplicateur**: (nucl) multiplying medium
~ **neuf**: (de culture) fresh medium
~ **nutritif**: nutrient medium
~ **récepteur**: (des eaux usées) receiving [body of] water
~ **rapide**: fast medium
~ **réglé**: controlled medium
au ~ **du navire**: amidships
en ~ **anaérobie**: anaerobic

militarisé: militarized; (version de matériel) defence

mille-pattes *m* : multiaxle heavy goods vehicle

millet *m* : millet

milliard: milliard, a thousand million GB, billion NA

millième *m* : thousandth, thou

minage *m* : (exploitation minière) blasting, shotfiring; (mil) mining

mince: slim, thin; (tôle) light gauge

mine *f* : (explosifs) mine; (de charbon) colliery, pit, mine
~ **à ciel ouvert**: open-pit mine, opencast mine
~ **à orin**: moored mine
~ **amorcée**: activated mine
~ **antipersonnel**: antipersonnel mine
~ **de charbon**: coal mine, coal pit, colliery
~ **de contact**: contact mine
~ **de houille**: coal mine, coal pit, colliery
~ **de plomb**: (d'un crayon) pencil lead
~ **dérivante**: drifting mine
~ **terrestre**: land mine

miner: (poser des mines) to mine; (creuser en-dessous) to undermine, to sap

minerai *m* : ore
~ **abattu**: (par le tir) blasted ore
~ **classé**: screened ore
~ **concentré**: dressed ore
~ **de fer**: ironstone, iron ore
~ **en filons**: vein ore
~ **en rognons**: nodular ore
~ **exploitable**: pay ore
~ **pauvre**: low-grade ore
~ **riche**: rich ore, high-grade ore

minéral: mineral, inorganic

minéralier *m* : ore carrier, ore ship

minéralier-pétrolier *m* : oil-ore carrier

mineur *m* : miner; *adj* : minor

miniaturisé: miniaturized

minicellule *f* : minicell

miniclavier *m* : keypad, pad
~ **d'appel**: (tél) phone pad

minigène *m* : minigene

minimaliser: to minimize

minimum *m* : minimum; *adj* : minimum; basic
~ **d'une courbe**: valley
à ~ **de courant**: undercurrent (relay, protection)
à ~ **de tension**: undervoltage (relay, protection)

miniplasmide *m* : miniplasmid

minium *m* : minium, red lead

minoterie *f* : flour mill, flour milling

minuscule *f* : low-case letter; *adj* : minuscule, tiny, thumbnail

minutage *m* : timing

minute *f* : minute
~ **de main-d'œuvre**: man minute, manite
~ **de travail standard ▶ MTS**: standard work minute

minuterie *f* : time switch, timing device, [automatic] timer
~ **de compteur**: timing element

MIP → modulation d'impulsions en position

mi-puissance *f* : half power

mirage *m* : (des œufs) candling

mire *f* : (tv) test card, test chart, test pattern
~ **à barres de couleur**: colour bar pattern
~ **à damier**: checkerboard pattern
~ **d'arpenteur**: levelling staff, levelling rod
~ **de contrôle**: test pattern
~ **de couleur**: colour test chart
~ **de résolution**: resolution test chart
~ **normalisée**: test chart
~ **quadrillée**: checkerboard pattern, grid pattern

mirer: (des cartes perforées) to sight check; (des œufs) to candle

miroir *m* : mirror; (chauffage solaire) concentrator; (solaire, prospection sismique) reflector
~ **à concentration linéaire**: linear concentrator
~ **à dos argenté**: silver-back mirror
~ **à facettes**: segmented mirror
~ **cylindro-parabolique**: trough concentrator
~ **espion**: two-way mirror GB, see-through mirror NA
~ **parabolique**: dish concentrator
~ **plan**: flat mirror

mis, ~ **à chaud**: shrunk on
~ **à jour**: updated; (dessin) marked up
~ **à l'air libre**: open to atmosphere, vented
~ **à la masse**: earthed GB, grounded NA
~ **en bouteille**: bottled
~ **en communication avec**: connected up with
~ **en dérivation**: shunted
~ **en forme**: edited (data)
~ **en parallèle**: paralleled
~ **hors service**: (installation) decommissioned
~ **sous tension**: switched on, turned on, energized

miscible: miscible

mise *f*, ~ **à dimensions**: sizing
~ **à feu**: (artillerie, haut-fourneau) firing; (aérosp) blast off
~ **à jour**: update, updating
~ **à jour d'un fichier**: file updating, file maintenance

~ **à l'air libre**: venting; air vent, vent [pipe]
~ **à l'eau**: (mar) launching
~ **à l'échelle**: scaling
~ **à l'épaisseur**: (d'une planche) thicknessing
~ **à la masse**: bonding, [frame] earthing GB, [frame] grounding NA
~ **à la terre**: earth connection, earthing, earth GB, ground connection, grounding, ground NA
~ **à la terre de protection**: protective earth
~ **à la terre directe**: solid earthing GB, solid grounding NA
~ **à la terre du neutre**: neutral earth, neutral earthing, neutral ground[ing] NA
~ **à la cote**: sizing
~ **à la ferraille**: scrapping
~ **à niveau**: levelling GB, leveling NA; (d'une machine) upgrading
~ **à niveau en clientèle**: field retrofit
~ **à terre franche**: solid earthing GB, solid grounding NA
~ **à vif**: baring
~ **à zéro**: zero setting, clearing, reset[ting] (of counter)
~ **accidentelle à la terre**: earth fault GB, ground fault NA
~ **au banc d'essai**: benchmark[ing]
~ **au courant**: familiarization
~ **au galbe**: (aéro) shaping
~ **au mille**: (métall) gross charge per tonne, yield
~ **au point**: (réglage) adjustment; (d'un produit) development; (d'un moteur) tuning, timing; (phot) focusing; (inf) debugging
~ **au point automatique**: (phot) autofocus
~ **au point mort pneumatique**: air knockdown neutral
~ **au repos**: stoppage; (relais) dropout
~ **au repos du contact**: contact release
~ **au silence**: silencing
~ **au travail**: (relais) pick-up
~ **bas**: dropping (of young); (vache) calving GB, freshening NA; (truie) farrowing; (jument) foaling; (chèvre) kidding; (brebis) lambing
~ **bout à bout pour soudage**: (d'un pipeline) lining up GB, line-and-tack NA
~ **de dessous**: (graph) underlay
~ **de dessus**: (graph) overlaying
~ **en action**: actuation
~ **en activité**: activation
~ **en application**: implementation
~ **en armement**: (d'un navire) commissioning

~ **en attente**: (d'un avion) stacking; (d'un appel) clamp-on
~ **en auge**: troughing (of conveyor belt)
~ **en boîte**: (conserverie) canning, tinning
~ **en bouteille[s]**: bottling; (de gaz naturel) packaging
~ **en caractères gras**: boldfacing, bolding
~ **en chantier**: start of work; house start
~ **en charge**: loading (of structure)
~ **en circuit**: switching in, switching on, connecting up, connection, power on
~ **en code**: (d'un message) encoding; (autom) dimming (of headlights)
~ **en coffrage**: placing (of concrete)
~ **en commun**: pooling
~ **en communication**: (tél) connection
~ **en conserve**: canning, tinning, preserving
~ **en contact**: contact making
~ **en court-circuit**: short-circuiting, shorting
~ **en décharge**: (de résidus urbains) tipping
~ **en dérivation**: tap[ping], bridging, shunting
~ **en drapeau**: feathering
~ **en eau**: (d'un réservoir) filling
~ **en émulsion**: emulsifying
~ **en enveloppe**: (tcm) enveloping
~ **en état**: conditioning
~ **en éventail**: fanning
~ **en évidence**: highlighting
~ **en file d'attente**: (tél) call queuing
~ **en forme**: shaping; (d'un texte) edit[ing]; (d'un signal, d'un faisceau) shaping
~ **en forme des plastiques**: forming
~ **en fouille**: (d'une canalisation) lowering in, snaking in
~ **en fût**: casking
~ **en garde**: (tél) holding, call park, call hold
~ **en gras**: boldfacing
~ **en ligne**: (alignement d'un pipeline) line-up
~ **en marche**: starting, throwing into gear; (d'un moteur) starting, cranking
~ **en mémoire**: storing
~ **en mémoire et expédition**: store and forward
~ **en mémoire-tampon**: buffering
~ **en œuvre**: (application) implementation; (de béton) placing; (d'une source d'énergie) harnessing
~ **en ordre**: ordering, housekeeping
~ **en page**: (graph) layout, [page] make-up, page setting; (inf) formatting

~ **en palier**: (aéro) levelling off, levelling out
~ **en parallèle**: bridging, bypassing; paralleling, parallelization
~ **en phase**: phasing
~ **en phase des voies**: channel phasing
~ **en phase d'impulsions**: pulse phasing
~ **en phase sur noir**: phase black
~ **en place**: placing, positioning; (d'un film, d'une bande) insertion, introduction, loading, threading; (inf) implementation
~ **en place du béton**: concrete placement, placing of concrete, pouring of concrete
~ **en place facile**: ease of installation
~ **en pression**: pressurization
~ **en prise**: engagement, meshing (of gears)
~ **en réseau**: netting
~ **en réservoir**: tankage
~ **en route**: starting up; warming up; (inf) boot
~ **en sac[s]**: bagging
~ **en séquence**: sequencing
~ **en série**: serialization
~ **en service**: switching-in, activation; (installation d'une machine) commissioning; (passage à une nouvelle machine) cutover
~ **en solution**: solution treatment
~ **en stock**: storing, storage
~ **en synchronisme**: synching
~ **en tas**: [stock] piling
~ **en température**: preheating, warming up, heating up
~ **en train**: starting [up]
~ **en travers**: (déroulement d'une bande) skew
~ **en valeur**: (graph) highlighting; (aménagement) improvement of land, development
~ **en virage**: (aero) banking
~ **entre parenthèses**: bracketing
~ **et reprise au stock**: stocking and reclaiming
~ **hors circuit**: switching off, turning off, power off, tripping, deactivation, cutoff
~ **hors d'eau**: (constr) roofing in
~ **hors fonctionnement**: deactivation
~ **hors service**: (d'une machine) shutdown; (inf) deactivation, inhibiting
~ **hors tension**: switching off, turning off, power off, tripping, deactivation
~ **sous carton**: cartoning
~ **sous tension**: energization, power up, powering up, power on
~ **sous tension pour essai**: (inf) smoke out

~ **sous vide**: pump out, pumping down
~ **sur catalogue**: cataloguing
~ **sur vérin**: jacking up

missile *m* : missile
~ **antibalistique**: anti-ballistic missile
~ **autoguidé**: guided missile
~ **air-sol**: air-to-surface missile
~ **sol-air**: surface-to-air missile, ground-to-air missile
~ **sol-sol**: ground-to-ground missile
~ **sous-marin-air**: underwater-to-air-missile

mission *m* : role (of aircraft)
~ **de servitude**: utility role

mite *f* : (acarien) mite; [clothes] moth

mitochondrie *f* : mitochondrion

mitose *f* : mitosis

mitraillage *m* : machine-gunning
~ **au sol**: strafing

mitraille *f* : (mil) case shot, canister shot, grape shot
~ **de fer**: scrap iron (of small dimensions)

mitraillette *f* : submachine gun

mitrailleuse *f* : machine gun
~ **à boue**: (forage) mud gun

mitre *f* : chimney cowl

mix *m* **des produits**: sales mix

mixage *m* : (cin) mixing

mixte: mixed, combined, combination, composite; auto/manual; parallel/series

MMAO → **management de la mainte-nance assistée par ordinateur**

mobile: moving, movable, moveable; (compresseur) portable; (itinérant) travelling GB, traveling NA; (charge) live; (poulie) live, loose

mobilier *m* : furniture
~ **urbain**: street furnishings

MOCN → **machine-outil à commande numérique**

mode *m* : mode (of operation)

~ **à enrichissement**: enhancement mode
~ **asservi**: slave mode
~ **bloc à bloc**: single-block mode of operation
~ **brouillon**: draft mode
~ **conversationnel**: conversational mode
~ **d'emploi**: instructions [for use], directions
~ **d'exécution**: procedure
~ **d'opération par flot**: streaming
~ **de fonctionnement**: method of operation
~ **[de transfert] continu**: burst mode
~ **dégénéré**: degenerate mode
~ **dégradé**: degraded mode
~ **dialogué**: conversational mode, dialogue mode
~ **interactif**: conversational mode
~ **mains libres**: hands-free mode
~ **opératoire**: method of operation, operating procedure, operating instructions
~ **opératoire normalisé**: standard operating procedure
~ **rapide**: (inf) draft mode
~ **simulation**: what-if mode
~ **télétraitement**: remote mode
~ **utilisateur absent**: absentee mode

modelage *m* : (fonderie) modelling, pattern making

modèle *m* : model; design; (fonderie) pattern; (IA) structural model, process model
~ **à échelle réduite**: scale model
~ **à l'échelle**: scale model
~ **comportant système d'alimentation**: gated pattern
~ **de la goutte liquide**: drop model
~ **de laboratoire**: breadboard model
~ **déposé**: registered design
~ **en cascade**: waterfall model
~ **en deux parties**: split pattern, cope-and-drag pattern
~ **en vraie grandeur**: full-scale model
~ **expérimental**: experimental design
~ **factoriel**: factorial design
~ **mère**: master pattern
~ **réduit**: [scale] model

modeleur *m* : (fonderie) pattern maker

modélisation *f* : modelling GB, modeling NA
~ **volumique**: solids modelling

modéliste *m* : model maker
~ **ferroviaire**: model railway enthu-siast

modem *m* : modem, data set
~ **à égalisation automatique:** automatic adaptive modem
~ **en bande de base:** baseband modem
~ **intégré:** internal modem
~ **intelligent:** smart modem
~ **pour transmission parallèle:** parallel modem
~ **prêt:** data set ready
~ **unidirectionnel:** simplex modem

modernisation *f* : modernization; (constr) refurbishing; (de machine) update

modifiable par l'utilisateur: (inf) field alterable

modificateur *m* : modifier; (gg/bm) modifier [gene], modifying gene

modification *f* : modification, alteration, change
~ **technique:** engineering change

modularisation *f* : modularization

modularité *f* : modularity

modulateur *m* : modulator; *adj* : modulating
~ **en anneau:** ring [diode] modulator
~ **en phase:** phase [shift] modulator
~ **optique:** light modulator

modulation *f* : modulation; keying
~ **angulaire:** angle modulation
~ **anodique:** anode modulation, plate modulation
~ **d'amplitude ▶ MA:** amplitude modulation
~ **d'impulsions:** pulse modulation
~ **d'impulsions dans le temps:** pulse-time modulation
~ **d'impulsions en amplitude ▶ MIA:** pulse-amplitude modulation
~ **d'impulsions en amplitude et en phase ▶ MIAP:** pulse-amplitude-phase modulation
~ **d'impulsions en durée ▶ MID:** pulse-duration modulation, pulse-length modulation
~ **d'impulsions en fréquence ▶ MIF:** pulse-frequency modulation
~ **d'impulsions en largeur ▶ MIL:** pulse-width modulation
~ **d'impulsions en phase ▶ MIP:** pulse-phase modulation
~ **d'impulsions en position ▶ MIP:** pulse-position modulation
~ **dans l'anode:** anode modulation

~ **de fréquence:** frequency modulation
~ **de fréquence à large bande ▶ MFLB:** wideband frequency modulation
~ **de fréquence modifiée:** modified frequency modulation
~ **de la porteuse:** carrier modulation
~ **de phase ▶ MP:** phase modulation
~ **en amplitude ▶ MA:** amplitude modulation
~ **en fréquence de sous-porteuse:** subcarrier frequency modulation
~ **en phase ▶ MP:** phase modulation
~ **par déplacement de fréquence:** frequency shift keying
~ **par déplacement de phase ▶ MDP:** phase shift keying
~ **par impulsions:** pulse modulation
~ **par impulsions codées ▶ MIC:** pulse-code modulation
~ **par impulsions et codage ▶ MIC:** pulse-code modulation
~ **par inversion de phase:** phase-inversion modulation
~ **par la grille:** grid modulation
~ **par sous-porteuse:** subcarrier modulation
~ **par variation de la tension de grille:** grid-voltage modulation
~ **par variation de polarisation de grille:** grid-bias modulation
~ **parasite:** spurious modulation
~ **sur l'anode:** plate modulation
à ~ **d'amplitude:** amplitude-modulated
à ~ **par impulsions:** pulse-modulated
de ~: modulating

module *m* : (aérosp, inf) module; (maths, méc) modulus
~ **d'écoute:** listener
~ **d'élasticité:** modulus of elasticity, elastic modulus
~ **d'émision optique:** optical transmitter
~ **d'instruction:** (rob) joystick
~ **de compressibilité:** bulk modulus
~ **de données:** data module
~ **élastique:** modulus of elasticity, elastic modulus
~ **mémoire:** memory module

modulé: modulated
~ **en amplitude:** amplitude modulated
~ **par la parole:** speech modulated

modulo *m* : modulo

modulomètre *m* : modulation [factor] meter

modus, ~ ponens: (IA) modus ponens
~ **tollens:** (IA) modus tollens

moelle *f* : (d'un os) marrow; (bot) marrow, medulla, pith; (du bois) pith
~ **épinière**: spinal cord
~ **osseuse**: bone marrow

moellon *m* : quarry stone
~ **équarri**: ashlar
~**s irréguliers**: random rubble

moindre: (comparatif) less; (superlatif) least
~**s carrés**: least squares

moins: minus; less (than)
le ~ **significatif**: least significant

moins-value *f* : depreciation, drop in value, decrease in value

moirage *m* : (tv) moiré

moire *f* : shot silk, watered silk

moiré *m* : moire effect, moiré

moirure *f* : moiré, shot silk effect

moisage *m* : (men) double lap joint, sandwich construction (of joint)

moise *f* : waling, binding piece

moisi *m* : mould GB, mold NA, mildew; *adj* : mouldy GB, moldy NA, mildewy

moisissure *f* : mould GB, mold NA, mildew

moisson *f* : harvest, harvesting, harvest time

moissonneuse-batteuse *f* : combine harvester

môle *m* : pier, breakwater, mole

mole *f* : mole

molécule *f* : molecule
~ **à longue chaîne**: long-chain molecule
~ **cage**: cage molecule
~ **circulaire déroulée**: open-circle DNA, relaxed circular DNA
~ **double brin**: double-stranded molecule
~ **enzymatique**: enzyme molecule
~ **fille**: daughter molecule
~ **impaire**: odd molecule
~ **marquée**: labelled molecule
~ **non occupée**: empty molecule
~ **rayonnante**: emitting molecule

moletage *m* : knurl[ing]; (papier) perforations
~ **croisé**: diamond knurl
~ **incliné**: spiral knurl
~ **longitudinal**: marginal perforations
~ **transversal**: horizontal perforation

molettes *f* : toothed wheel; knurling tool, knurling wheel; (roue moletée) thumbwheel; (de coupe-tubes) cutter wheel; (mine) headwheel, pulley; (pour papier) perforator
~ **de marquage**: marking roll
~ **de réglage**: adjustment knob
~ **de soudage**: welding wheel
~ **de vitrier**: glass cutter, cutting wheel

mollisol *m* : active layer, mollisol

mollusque *m* : mollusc GB, mollusk NA

molybdène *m* : molybdenum

moment *m* : moment, time; (phys) moment
~ **actif**: disturbing moment, driving moment
~ **angulaire**: angular momentum
~ **d'encastrement**: encastre moment, fixed-end moment
~ **d'exécution**: execution time
~ **d'inertie**: moment of inertia
~ **de flexion**: bending moment
~ **de rappel**: restoring moment
~ **de redressement**: righting moment
~ **de résistance**: moment of resistance
~ **de rotation**: turning moment
~ **de roulis**: rolling moment
~ **de torsion**: torsional moment
~ **des quantités de mouvement**: moment of momentum
~ **dipolaire**: dipole moment
~ **fléchissant**: bending moment
~ **fléchissant au milieu**: bending moment at mi-span
~ **fléchissant négatif**: hogging moment
~ **fléchissant positif**: sagging moment
~ **magnétique ampérien**: magnetic area moment
~ **magnétique coulombien**: Coulomb magnetic moment
~ **moteur**: disturbing moment, driving moment
~ **par rapport à**: moment about
~ **résistant**: moment of resistance
~ **stabilisateur**: restoring moment

mondage *m* : (grain) husking; (orge) hulling; (amandes) blanching

monde *m* : world
  ~ **du bureau**: office environment

mondial: global, round-the-world,
  world[wide]

mondovision *f* : world television

monergol *m* : monopropellant

moniteur *m* : (inf, tv) monitor; (personne)
  instructor; (lutte contre l'incendie)
  monitor
  ~ **d'émission**: master monitor, on-the-
  air monitor
  ~ **de criticité**: criticality monitor
  ~ **de rupture de gaine**: burst can
  monitor GB, failed fuel element
  monitor NA
  ~ **logiciel**: software monitor

monitorage *m* : monitoring

monnaie *f* : (d'un pays) currency; (usine
  de fabrication) mint; (pièces reçues ou
  données) change

monobain: monobath

monobloc: monobloc, one-piece, unit

monobroche: single-spindle

monocanal: single-channel

monocarburant: monofuel

monochromateur *m* : monochromator

monochrome: monochrome

monocombustible: monofuel

monocomposant: one-part (adhesive,
  sealant)

monocotylédone *f* : monocotyledon

monocoup: single-shot, one-shot

monocristallin: single-crystal, mono-
  crystalline

monoculture *f* : monoculture, single crop
  farming

monocylindre *m* : single-cylinder engine;
  adj : single-cylinder

monocyte *m* : monocyte

monoétage: single-stage

monoface: single-sided
  ~ **double densité**: (inf) single-sided
  double-density

monofilament *m* : monofilament

monofrappe: (rivet) single-shot; (ruban
  d'imprimante) single-strike

monofréquence *f* : single-frequency

monogénèse, **monogénie** *f* : mono-
  genesis, monogeny

monogramme *m* : monogram
  ~ **de la marque de qualité**: certification mark

monohybride *m* : monohybrid

monoïde: monoid

monolocuteur: speaker-dependent

monomère *m*, *adj* : monomer

monomode: monomode, single-mode

monomoteur *m* : single-engine aircraft;
  adj : single-engine

monopalpeur: single-probe

monophasé: single-phase

monophonique: monaural, monophonic

monoploïde: monoploid

monopoutre *m* : single-girder [overhead]
  crane; *adj* : monobeam

monorail *m* : monorail
  ~ **à balancelles**: skip monorail

monoréglage *m* : one-knob control,
  single-knob control, single control

monosaccharide *m* : monosaccharide

monotonie *f* : (IA) monotony

monotriche: monotrichous, monotrichic

mono-utilisateur *m* : single-user

monovalent: monovalent, univalent

monovibrateur *m* : monostable circuit,
  monostable multivibrator

monoxyde *m* : monoxide
  ~ **de carbone**: carbon monoxide

montage *m* : mounting; (de machine) erection, assembling, assembly, installation, set[ting] up; (d'un appareil) hookup; (él) circuitry, connection; (cinéma, bande) editing; (m-o) fixture, jig
~ **à base commune**: grounded-base connection
~ **à bride**: flange mounting
~ **à double voie**: double-way connection
~ **à la chaîne**: conveyor line assembly
~ **à ras**: flush mounting
~ **apparent**: surface mounting
~ **contacteur**: switch connection
~ **dans un mandrin**: (m-o) chucking
~ **de la chaîne**: (tissage) warp beaming
~ **de laboratoire**: breadboard construction
~ **de perçage**: drilling fixture, drilling jig
~ **des fils**: wiring
~ **dos-à-dos**: back-to-back mounting
~ **élastique**: shock mounting
~ **en baie**: (tél) racking
~ **en boucle**: loop connection
~ **en collecteur commun**: common-collector connection
~ **en delta**: mesh connection
~ **en dérivation**: parallel connection, shunt connection, shunting
~ **en émetteur commun**: common-emitter connection
~ **en étoile**: wye connection, Y-connection, star connection
~ **en étoile-triangle**: star-delta connection
~ **en parallèle**: banking, shunt connection, parallel connection, paralleling
~ **en pi**: pi network
~ **en polygone**: mesh connection
~ **en pont**: bridge circuit
~ **en pont ouvert**: incomplete bridge connection
~ **en saillie**: surface mounting
~ **en série**: series circuit, series connection
~ **en série-parallèle**: series-parallel connection
~ **en shunt**: shunting, shunt connection, parallel connection
~ **en surface**: surface mounting
~ **en triangle**: delta connection
~ **encastré**: flush mounting
~ **expérimental**: breadboard [construction]
~ **homogène**: uniform connection
~ **hors réacteur**: out-of-pile rig
~ **modulaire**: building-block system
~ **neutrodyne**: neutrodyne circuit

~ **sonore**: (cin) sound editing
~ **sur chantier**: (de produit préfabriqués) site assembly
~ **sur enduit**: surface mounting
~ **sur le chantier**: field erection
~ **sur le tour**: chucking
~ **sur panneau**: panel mounting
~ **sur poteau**: pole mounting
~ **sur table**: breadboard [construction]
~ **symétrique**: pushpull circuit, push-pull connection
~ **va-et-vient**: pushpull
de ~: mounting; (rivet) tacking

montant *m* : vertical member, stanchion, staunchion; (de porte, de fenêtre) [frame] jamb, stile; (de derrick, de pylône) leg; (de pare-brise) pillar, post; (m-o) column; (comptabilité) amount, total; *adj* : rising, ascending, upward
~ **à glissière incorporée**: (m-o) integral way column
~ **d'angle**: corner post, corner pillar
~ **d'extrémité**: end post
~ **d'un pylône**: tower leg
~ **de baie**: (de wagon) intermediate pillar, window post, window pillar
~ **de départ**: (d'un derrick) starting leg
~ **de pare-brise**: windscreen pillar
~ **de porte**: door pillar
~ **droit**: upright
~ **ferré**: (de porte) hinged jamb
~ **total**: sum total
~**s et diagonales**: web members (of a truss)

monte *f* : (d'animaux domestiques) mating, service, covering

monté: mounted, fitted, set; equipped
~ **à cheval**: straddle-mounted
~ **à fleur**: flush-mounted
~ **à force**: press-fitted
~ **en étoile**: star connected
~ **en porte-à-faux**: overhanging, overhung
~ **en usine**: factory-built
~ **par l'arrière**: back-mounted
~ **sur chantier**: fitted at site
~ **sur patins**: skid-mounted
~ **sur ressort**: sprung
~ **sur roues**: travelling
~ **sur socle**: pedestal-mounted
~ **sur tableau**: base-mounted
~ **sur traîneau**: skid-mounted

monte-acides *m* : acid egg

monte-charge *m* : service lift, goods lift, hoist
~ **à godets**: skip hoist

montée f : (pente) slope, gradient, upgrade; (aéro) climb; (de piston) upward stroke, up stroke; (d'un escalier) [flight] rise; (de température) build up
~ **d'eau**: inflow of water
~ **de vitesse**: (autom) shifting up
~ **du lait**: (physiologie) milk flow
~ **en accélération**: acceleration build up
~ **en flèche**: steep increase, steep rise
~ **en pression**: pressure build up
~ **et descente**: up and down movement
~ **subite**: (de courant) surge

monte-jus m : blow case GB, acid egg NA

monte-matériaux m : [building] hoist GB, building elevator NA

monter: to mount; to rise; (installer une machine) to erect, to set up, to assemble, to put together, to install; (sur une machine) to fit on, to fit up; (une bande magnétique, un disque) to load; (él) to wire [up], to connect; (plante) to shoot, to sprout
~ **à bord**: (mar, aéro) to board
~ **en avion**: to board an aircraft, to emplane
~ **en chandelle**: to zoom
~ **en graine**: to run to seed
~ **en parallèle**: to connect in parallel, to shunt
~ **en rattrapage**: to retrofit
~ **en série**: to connect in series, to gang
~ **ensemble**: to gang
~ **et descendre**: to move up and down
~ **la bobine dans le râtelier**: (text) to creel
~ **la chaîne**: (tissage) to warp
~ **la pièce**: (sur m-o) to clamp the workpiece
~ **les vitesses**: (autom) to change up GB, to shift up NA
~ **sur ressort[s]**: to spring
~ **sur roulement**: to mount on a ball bearing

monteur m : erector, erecting engineer, installer; (méc) fitter;
~ **de charpentes métalliques**: steel erector
~ **de lignes**: (él, tél) climber, cableman, lineman
~ **de tuyaux**: pipe fitter

monte-wagons m : waggon lift GB, car elevator NA

montgolfière f : hot-air balloon

montre f : watch
~ **pyroscopique**: standard pyrometric cone

monture f : mount
~ **à baïonnette**: bayonet mount
~ **d'objectif**: lens mounting
~ **x-y**: X-Y mounting

moquette f : carpet

moraine f : moraine

mordache f : clamp, grip, jaw

mordançage m : mordanting; (graph) etching

mordancer: to mordant

mordant m : mordant; (d'un outil, d'un abrasif) bite; adj : (acide) corrosive; (lime, sable) sharp

morphogène: morphogenic

morphogénèse f : morphogenesis

morpionner: to tack rivet

mors m : grip, jaw
~ **d'attache**: grip (of testing machine)

morsure f : (graph) etching

mortaise f : mortise, mortice, slotted joint, female joint
~ **borgne**: blind mortise, stub mortise
~ **passante**: through mortise GB, thru mortise NA

mortaiser: to mortise, to mortice

mortaiseuse f : mortising machine, morticing machine, mortiser, slotting machine, slotter

mort-aux-rats f : rat poison

mortalité f **infantile**: infant mortality

morte-eau f : neap tide

mortier m : (constr, mil) mortar
~ **à tube lisse**: unrifled mortar
~ **bâtard**: lime-and-cement mortar
~ **clair**: grout
~ **d'injection**: grouting mortar
~ **de chaux**: lime mortar
~ **de pose**: bedding mortar

~ **et pilon**: mortar and pestle
~ **gras**: rich mortar
~ **liquide**: grout
~ **maigre**: lean mortar
~ **projeté**: gunite, shotcrete

ort-terrain *m* : barren rock, burden, dead ground
~ **de recouvrement**: overburden, capping

orue *f* : cod
~ **dépouillée**: skinned cod
~ **salée**: salt cod
~ **verte**: salt cod

orula *f* : morula

osaïque *f* : (dallage, tv, phot) mosaic; scatter chart, scatter gram

osaïquer: to mosaic

ot *m* : word
~ **d'adresse du canal**: channel address word
~ **d'appel**: call word
~ **d'état**: status word
~ **de chaînage**: link word
~ **de commande de canal**: channel command word
~ **de passe**: password
~ **machine**: computer word, machine word
~-**clé**: keyword

oteur *m* : engine; (autom) engine, motor; (él) motor; (phot) [auto]winder; *adj* : actuating, motive, moving; (course) working; (machine) driving
~ **à air chaud**: hot-air engine, thermo-motor, calorific engine
~ **à allumage par étincelle**: spark-ignition engine, spark engine
~ **à allumage par compression**: compression-ignition engine
~ **à amortissement inertiel**: inertia-damped motor
~ **à axe vertical**: vertical-shaft motor
~ **à bagues**: slip-ring motor
~ **à balayage en continu**: uniflow scavenging engine
~ **à bride de fixation**: flange[d] motor
~ **à cage d'écureuil**: squirrel-cage motor
~ **à changement de marche**: reversing motor
~ **à collecteur**: commutator
~ **à collecteur polyphasé**: polyphase commutator motor
~ **à combustion interne**: internal combustion engine

~ **à commutation de polarité**: pole-changing motor
~ **à compresseur**: supercharged engine
~ **à condensateur de démarrage**: capacitor-start motor
~ **à condensateur permanent**: capacitor start-and-run motor, permanent split capacitor motor
~ **à couple constant**: torque motor GB, torquer NA
~ **à crosse**: crosshead engine
~ **à cycle ouvert**: open-cycle engine
~ **à cylindrée constante**: fixed-displacement motor
~ **à cylindrée variable**: variable-displacement engine
~ **à cylindres opposés**: opposed-cylinder engine, pancake engine
~ **à cylindres en ligne**: in-line engine
~ **à démarrage par résistance**: resis-tance-start motor
~ **à démarrage par self**: reactor-start motor
~ **à deux cylindres**: twin-cylinder engine
~ **à deux temps**: two-stroke engine
~ **à double flux**: double-flow engine
~ **à échappement libre**: open-exhaust engine
~ **à enroulement auxiliaire de démarrage**: split-phase motor
~ **à essence**: petrol engine GB, gasolene engine, gasoline motor NA
~ **à étincelles**: spark ignition engine
~ **à explosion**: internal combustion engine
~ **à faible consommation spécifique**: energy efficient engine
~ **à flasque-bride**: flange[d] motor
~ **à flux axial**: axial-flow engine, tubular motor
~ **à gaz**: gas engine
~ **à gaz liquéfié**: liquid-gas engine
~ **à hélice propulsive**: pusher engine
~ **à huile lourde**: oil engine
~ **à huit cylindres en ligne**: straight-eight engine
~ **à huit cylindres en V**: V-eight engine
~ **à induction**: induction motor
~ **à induction à cage**: cage induction motor
~ **à induction linéaire**: linear induction motor
~ **à injection**: [fuel] injection engine
~ **à ions**: ion engine
~ **à l'arrière**: rear engine
~ **à nombre de pôles variable**: pole changing motor
~ **à pistons**: piston engine, recipro-cating engine

~ **à piston rotatif**: rotary piston engine, rotary piston motor
~ **à plusieurs polarités**: pole-changing motor
~ **à poussée constante**: (aéro) flat-rated engine
~ **à prise directe**: gearless motor
~ **à puissance constante**: flat-rated engine
~ **à quatre temps**: four-stroke engine
~ **à réaction**: jet engine
~ **à réducteur**: geared-down engine
~ **à refroidissement par air**: air-cooled engine
~ **à refroidissement par ailettes**: flange-cooled engine
~ **à régime variable**: variable speed motor
~ **à rotation à droite**: right-handed engine
~ **à soupapes en tête**: overhead-valve engine
~ **à soupapes latérales**: side-valve engine
~ **à stator chemisé**: canned motor
~ **à une direction**: non-reversing motor
~ **aérobie**: air-breathing engine
~ **alternatif**: reciprocating engine
~ **alternatif à combustion interne**: reciprocating internal combustion engine
~ **[amovible]**: power unit
~ **arrêté**: power off
~ **asynchrone**: induction motor
~ **asynchrone à bagues collectrices**: sliping induction motor
~ **asynchrone synchronisé**: synchronous induction motor
~ **au moyeu**: wheel-hub motor
~ **au ralenti**: engine at idle, engine idling
~ **auxiliaire**: booster motor, donkey engine
~ **avionné**: embodied engine, installed engine
~ **bicylindre**: two-cylinder engine, twin engine
~ **bicylindre à plat**: flat twin [motor]
~ **blindé**: [totally] enclosed motor
~ **carré**: square engine, square motor
~ **combiné turbo-statoréacteur**: turboramjet engine
~ **compound**: compound motor, compound-wound motor
~ **couple**: torque motor GB, torquer NA
~ **cuirassé**: enclosed motor
~ **d'aviation**: aero engine
~ **d'entraînement**: driving motor GB, driver NA, prime mover
~ **d'inférence**: (IA) inference engine

~ **de base habillé utilisable**: (aéro) engine unit
~ **de commande**: actuator
~ **de forage**: drilling engine
~ **de lancement**: cranking motor
~ **de mouflage**: closing motor
~ **de propulsion**: propelling motor, driving motor
~ **de renversement de marche**: reversing motor
~ **de sustentation**: lift engine
~ **de traction**: drive motor
~ **de translation**: travelling motor (of travelling crane)
~ **démultiplié**: geared-down engine
~ **Diesel**: diesel engine, oil engine, compression-ignition engine
~ **Diesel-électrique**: diesel electric engine
~ **directement accouplé**: gearless motor
~ **du jour**: (mine) bank engine
~ **en dérivation**: shunt motor, shunt-wound motor
~ **en double ligne**: twin-bank engine
~ **en double étoile**: double-row radial engine
~ **en étoile à plusieurs rangées de cylindres**: multibank radial engine
~ **en nacelle**: podded engine
~ **étanche aux intempéries**: weatherproof motor
~ **extérieur**: outboard engine
~ **-fusée**: rocket engine, rocket motor
~ **gonflé**: hotted up engine
~ **habillé**: power unit
~ **héliothermodynamique**: solar heat engine
~ **horizontal à pistons opposés**: horizontally opposed engine
~ **hors-bord**: outboard motor
~ **inversé**: inverted engine
~ **ionique**: ion engine
~ **linéaire**: linear motor
~ **magnétoélectrique**: permanent magnet motor
~ **marin**: marine engine
~ **monocylindre**: single-cylinder engine
~ **non réversible**: unidirectional engine
~ **pas à pas**: step-by-step motor, stepper motor, step[ping] motor
~ **pneumatique**: air motor
~ **poly-carburant**: multifuel engine
~ **poussé**: hotted-up engine
~ **primaire**: prime mover
~ **propulseur**: pusher engine
~ **qui ne tire pas**: sluggish motor
~ **radial**: radial engine
~ **-réducteur**: geared motor
~ **réduit**: motor at idle

~ **refroidi par air**: air-cooled engine
~ **refroidi par eau**: water-cooled engine
~ **rotatif**: rotary piston engine
~ **sans démultiplication**: direct-drive engine
~ **sans engrenage**: gearless motor
~ **sec**: (aéro) basic engine
~ **série**: series-wound motor, series motor
~ **shunt**: shunt-wound motor, shunt motor
~ **super-carré**: oversquare engine
~ **suralésé**: oversized engine
~ **suralimenté**: supercharged engine
~ **surcomprimé**: high-compression engine
~ **synchrone**: synchronous motor
~ **synchrone à auto-démarrage**: self-starting synchronous motor
~ **thermique**: heat engine, internal combustion engine
~ **thermique solaire**: solar heat engine
~ **tournant à gauche**: left-handed engine
~ **transversal**: transverse engine
~ **tubulaire**: tubular motor
~ **ventilé extérieurement**: surface-cooled motor
~ **volumétrique**: positive displacement motor
à ~: power [driven], powered
à ~ à essence: petrol driven
à ~s en tandem: (aéro) push-pull

notif *m* : (inf, graph) pattern
~ **antigénique**: antigenic pattern
~ **configurationnel**: (polymère) configurational unit

motobrouette *f* : power barrow

motocompresseur *m* : motor compressor [set], compressor unit

motoculteur *m* : [power-driven] cultivator

motoculture *f* : mechanized farming

motofaucheuse *f* : power mower

motonautisme *m* : motorboating

motoniveleuse *f* : motor patrol

motopompe *f* : engine-driven pump, motor-driven pump, motor pump, power pump

motoréducteur *m* : gear[ed] motor

motoriste *m* : motor mechanic, engine mechanic

motoventilateur *m* : motor fan

motrice *f* : motor carriage, motor coach GB, motor car NA

mou *m* : (de courroie) slack, backlash; *adj* : (tendre) soft; (corde, commande, courroie) slack

mouchard *m* : control clock; (autom) tachograph; (aéro) spy plane, snooper plane

mouche *f* : fly
~ **à viande**: bluebottle
~ **domestique**: house fly
~ **du vinaigre**: vinegar fly
~ **tsé-tsé**: tsetse fly

mouchetis *m* : rough rendering

mouflage *m* : reeving
~ **à deux brins**: two-part reeving
~ **fixe**: crown block
~ **mobile**: hoisting block, travelling block

moufle *m* : (de four) muffle

moufle *f* : hoisting block, tackle [block] moufle; (de poulies) [pulley] block,
~ **à chape ouvrante**: snatch block, snap block
~ **mobile**: travelling block

mouillabilité *f* : wettability

mouillage *m* : damping, dampening, wetting; (du lait) watering; (mar) anchorage, mooring, berth
~ **de mines**: mine laying
~ **sur corps mort en zone d'échouage**: drying berth
être au ~: to ride at anchor

mouiller: to damp, to dampen, to wet
~ **l'ancre**: to cast anchor
~ **une mine**: to lay a mine

mouilleur *m* : moistener, damper
~ **de câbles**: cable-laying ship
~ **de mines**: minelayer

moulabilité *f* : castability

moulage *m* : moulding GB, molding NA; (coulée) casting
~ **à découvert**: open-sand casting
~ **à la presse**: pressing
~ **à la machine**: mechanical moulding

~ **à la cire perdue**: lost-wax casting, lost-wax process
~ **à noyau**: core casting
~ **à partir de poudres**: powder moulding
~ **à secousses**: jolt moulding, jolting
~ **au choc**: impact moulding
~ **au sac**: bag moulding
~ **au sac sous pression**: pressure bag moulding
~ **au sol**: floor moulding
~ **au trempé**: dip moulding
~ **au trousseau**: sweep moulding, strickle moulding
~ **court**: short moulding
~ **en carapace**: shell moulding
~ **en châssis**: flask casting, box moulding
~ **en coquilles**: shell moulding
~ **en moules rotatifs**: rotational moulding
~ **en sable**: sand moulding
~-**forgeage**: squeeze casting
~ **par boudinage**: extrusion moulding
~ **par carrousel**: rotary moulding
~ **par centrifugation**: centrifugal moulding
~ **par coulée**: casting
~ **par embouage**: slush casting
~ **par extrusion**: extrusion moulding
~ **par injection**: injection moulding
~ **par injection-soufflage**: injection blow moulding
~ **par rotation**: rotational moulding
~ **par soufflage**: blow moulding
~ **par transfert**: transfer moulding
~ **sous pression**: pressure die casting

moule *m* : mould GB, mold NA; (coulée sous pression) die; (nombre de poissons au kilo) count
~ **à canaux chauffés**: hot-runner mould
~ **à cavités multiples**: multiple-cavity mould
~ **à charnière latérale**: book mould
~ **à coins**: split mould
~ **à échappement**: flash mould
~ **à éléments interchangeables**: unit die
~ **à empreinte unique**: single-impression mould GB, single-cavity mold NA
~ **à empreintes interchangeables**: combination die
~ **à empreintes différentes**: composite mould
~ **à gâteau**: cake tin
~ **à gaufres**: waffle iron
~ **à sac**: bag mould
~ **à vert**: green-sand mould
~-**carapace**: shell mould
~ **de coulée sous pression**: die casting die

~ **ébaucheur**: blank mould
~ **en châssis**: flask mould
~ **en deux parties**: single-split mould
~ **en fosse**: pit mould
~ **en sable vert**: green-sand mould
~ **en sable étuvé**: dry-sand mould
~ **et contre-moule [rigides]**: matched metal dies
~ **femelle**: female mould, female die, negative die
~ **inversé**: inverted mould, reverse mould
~ **mâle**: male die, positive die
~ **monobloc**: block mould
~ **multiple**: combination mould, multiple cavity mould; (béton) gang mould
~ **négatif**: female mould, female die, negative die
~ **non rempli**: poured-short mould
~ **perdu**: waste mould
~ **permanent**: casting die
~ **positif**: male mould, male die, positive die
~ **sur glissière**: slide mould, sliding carriage mould GB, sliding bed mold NA

moule *f* : mussel
~ **d'étang**: freshwater mussel

moulée *f* : lift (in moulding)

mouler: to mould GB, to mold NA, to cast

mouleur: moulder GB, molder NA, caster
~ **à façon**: custom moulder
~ **à la caisse**: bench moulder
~ **à la table**: bench moulder

moulin *m* : mill
~ **à café**: coffee mill, coffee grinder
~ **à farine**: flour mill
~ **à légumes**: food mill
~ **à poivre**: pepper mill

moulinet *m* : (hydrologie) current meter; (touret) reel; (constr) [rendering] paddle; (d'accès) turnpike
~ **à coupelles**: cup-type current meter
~ **à hélices**: propeller-type current meter
~ **de loch**: log reel

mouliste *m* : mould designer, mould manufacturer GB, mold designer, mold manufacturer NA

moulure *f* : moulding GB, molding NA; (autom) trim moulding; ~**s**: (constr): trim
~ **biseautée**: cant
~ **concave**: (constr) cove, coving

~ **convexe**: (men) bead
~ **couvre-joint**: cover strip
~ **de parement**: (constr) face moulding
~ **rapportée**: planted moulding

mousqueton *m* : safety hook, snap
hook, spring hook, clip hook

moussage *m* : foaming

mousse *f* : foam; (savon, détergent)
lather; (végétale) moss; (de
champagne) bubbles
~ **de latex**: latex foam
~ **de plastique**: plastic foam
~ **de platine**: platinum foam
~ **de polystyrène**: polystyrene foam
~ **flexible**: flexible foam
~ **élastique**: flexible foam
~ **microporeuse**: microfoam
~ **souple**: flexible foam
~ **stratifiée**: foam laminate

mousseux: foaming, foamy; (vin)
sparkling; (champagne) bubbly

moustiquaire *f* : fly screen, insect
screen, window screen

moût *m* : (bière) wort; (raisin) must

mouton *m* : [hammer] tup, power hammer; (génie civil) monkey, pile driver;
(animal) sheep; (viande) mutton
~ **à chute libre**: drop hammer
~ **de battage**: pile hammer, pile driver,
monkey
~ **de démolition**: skull cracker
~ **de sonnette**: pile driver ram
~ **mâle**: (entier) ram; (castré) wether
~-**pendule**: shock pendulum, impact
pendulum

mouture *f* : grinding, milling (of grain, of
coffee)
~ **fine**: fine grinding
~ **grossière**: coarse grinding

mouvement *m* : motion, movement; (inf)
transaction, change (in file, in memory); (de troupes, de trains) movement;
~**s**: (inf) activity
~ **à vide**: dead travel, lost motion
~ **alternatif**: reciprocating motion
~ **basculant**: rocking motion, seesaw
motion; tipping movement, tilting
movement
~ **composé**: compound motion
~ **d'entraînement**: driving motion;
feed motion
~ **d'horlogerie**: clockwork

~ **d'orientation**: (de grue) slewing
motion
~ **de bascule**: seesaw motion, rocking
motion; tipping movement, tilting
movement
~ **de lacet**: (rob) yaw motion
~ **de lacet du poignet**: wrist yaw
motion
~ **de montée et de descente**: up-and-
down movement
~ **de pivot**: (rob) sweep
~ **de pivot du poignet**: wrist sweep
motion
~ **de relevage de la flèche**: (grue)
derricking motion, luffing motion
~ **de retour**: back motion, back stroke
~ **de roulis**: rolling motion
~ **de traînée**: (de pale) lagging
~ **de translation**: (de grue) travelling
motion
~ **de va-et-vient**: alternate motion,
pendulum motion, reciprocating
motion, back-and-forth motion
~ **des terres**: shifting of earth
~ **du papier**: paper feed
~ **entrée**: (inf) input transaction
~ **latéral d'une structure**: (constr)
sway
~ **lent**: creep
~ **longitudinal**: lengthwise motion
~ **ondulatoire**: wave motion
~ **oscillant**: rocking motion
~ **oscillatoire**: oscillating motion,
oscillation
~ **pendulaire**: pendulum motion
~ **perpétuel**: perpetual motion
~ **pivotant**: revolving motion
~ **planétaire**: planet wheel motion,
planetary motion
~ **propre**: background [effect]
(radiation meter)
~ **sinusoïdal**: [simple] harmonic
motion
~ **tournant**: revolving motion
~ **transversal**: cross motion
~ **vibratoire**: vibrating motion
~**s de lacet**: yawing

mouvoir: to actuate, to drive; **se** ~: to
move
se ~ **sur sa lancée**: to coast
se ~ **par inertie**: to coast

moyen *m* : means, aid; (de production)
resources, facility; procedure, method;
adj : mean, average; medium, middle
~ **courrier**: medium haul (aircraft)
~ **de communication**: means of
communication
~ **de production**: production facility
~ **de transport**: means of transport
~ **requis**: requirements

moyenne *f* : average, mean
~ **annuelle de température**: mean annual temperature
~ **approximative**: rough average
~ **arithmétique**: arithmetic average, arithmetic mean
~ **des cycles entre déposes**: mean cycle between removals
~ **des temps d'imobilisation**: mean downtime
~ **des temps de travaux de réparation** ▶ MTTR: mean time to repair
~ **des temps de bon fonctionnement** ▶ MTBF: mean time between failures
~ **des temps d'apparition des défaillances**: mean time to failure
~ **fréquence**: medium frequency
~ **géométrique**: geometric mean
~ **pondérée**: weighted mean
~ **pression**: medium pressure
~ **quadratique**: [root] mean square
~ **tension**: medium voltage
~ **vitesse**: medium speed
à ~ **distance**: (transport) medium-haul
de ~ **grandeur**: medium-size
de ~ **puissance**: (machine) medium-size
faire la ~: to average, to take the mean
faire la ~ **des lectures**: to average the readings

moyeu *m* : hub, centre (of wheel, of pinion), wheel boss
~ **à cannelures**: splined hub
~ **cannelé**: splined hub
~ **d'embrayage**: clutch hub
~ **de frein**: brake hub
~ **de la roue conique**: nave (of bevel gear)
~ **de rotor arrière**: tail rotor head
~ **de roue**: wheel hub
~ **porte-bobine**: reel hub
~ **porte-meule**: grinding wheel hub
~ **rembourré**: padded hub (of steering wheel)

MP → **modulation de phase**

MPC → **marge du plateau continental**

MST → **maladie sexuellement transmissible**

MT → **masse-tige**

MTBF → **moyenne des temps de bon fonctionnement**

MTS → **minute de travail standard**

MTTR → **moyenne des temps de travaux de réparation**

mû: driven, actuated, propelled
~ **par moteur**: motor-driven
~ **par courroie**: belt-driven

mucilage *m* : (bot) mucilage

multicanal: multichannel, multiway

multicarburant: polyfuel

multiclavier: multistation

multiconducteur: multiwire

multicouche: multilayer

multi-étage: multistage

multifaisceau: multibeam

multifenêtrage: (inf) windowing

multifilaire: multiwire; (câble) multicore

multifréquence: multiple-frequency

multigénie *f* : multigeny

multilocuteur: speaker-independent

multimètre *m* : all-purpose meter, multi-meter

multinorme: (tv) multistandard

multipare *f* : multipara; *adj* : multiparous

multiperforation *f* : multiple punching, multipunching

multipiste: multitrack

multiplet *m* : byte

multiplex *m* : multilayer paper, multilayer board

multiplexage *m* : multiplexing
~ **par division de fréquence**: frequency-division multiplexing
~ **par division de temps**: time-division multiplexing
~ **temporel**: time-division multiplexing

multiplexeur *m* : multiplexer
~ **des entrées/sorties**: input/output multiplexer
~ **diviseur de temps**: time-division multiplexer

~ **temporel**: time-division multiplexer
~-**démultiplexeur**: multiplexer-demultiplexer

multiplicateur *m* : multiplier
~ **de pression**: pressure intensifier
~ **de dépression**: vacuum booster

multiplication *f* : (maths) multiplication; (engrenage) gearing up, stepping up, step-up ratio, multiplication; (levier) advantage

multiplier: to multiply; (méc) to gear up

multipoint: multipoint; (sdge) multispot

multipolaire: multipolar, multipole

multipolice: multifont

multiprocesseur *m* : multiprocessor

multispire: multiturn

multitâche: multitask[ing]

multitraitement *m* : multiprocessing

multiutilisateur: multiuser

multivibrateur *m* : multivibrator
~ **monostable**: monostable multivibrator, one-shot multivibrator

multivoie: multichannel, multiway

munitions *f* : ammunition, munitions
~ **à blanc**: blank ammunition
~ **à agents multiples**: multi-agent munitions
~ **chimiques binaires**: binary chemical munitions
~ **d'exercice**: practice ammunition
~ **pour tir réel**: live ammunition

mur *m* : wall; ~**s**: walling
~ **à pan coupé**: cant wall
~ **capteur à stockage thermique**: trombe wall
~ **coupe-feu**: fire wall; (autour d'un réservoir de stockage) bundwall, bund [fire] wall
~ **creux**: cavity wall
~ **d'amont**: (d'un ouvrage hydraulique) head wall
~ **d'appui**: breast wall
~ **de gros-œuvre**: main wall
~ **de refend**: interior wall, cross wall
~ **de retenue**: retaining wall
~ **de séparation**: partition [wall]
~ **de soutènement**: retaining wall
~ **double**: cavity wall

~ **du son**: sound barrier
~ **écran**: (d'un barrage) core wall
~ **en béton banché**: poured concrete wall
~ **en élévation**: above-grade wall
~ **en retour**: return wall
~ **mitoyen**: party wall
~ **orbe**: blind wall
~ **plein**: blank wall, blind wall
~ **porteur**: bearing wall
~-**rideau**: curtain wall
~ **thermique**: heat barrier, thermal barrier

mûr: (fruit) ripe; (vin) mellow

mural: wall, wall-mounted

mûre *f* : (de ronce) blackberry, brambleberry; (de mûrier) mulberry

mûrir: (fruit) to ripen; (fromage) to mature, to ripen; (vin) to mellow

mûrisserie *f* : ripening room, ripening depot

muscat *m* : (raisin) muscat[el] grape, muscadel; (vin) muscat wine, muscatel, muscadel

muscle *m* : muscle
~ **lisse**: smooth muscle, unstriated muscle
~ **strié**: striated muscle

musique *f* : music
~ **d'ambiance**: background music
~ **enregistrée**: canned music

musoir *m* : breakwater head, jetty head, pierhead

mutage *m* : (vin) mutage

mutagen *m* : mutagen; *adj* : mutagenic

mutagénèse *f* : mutagenesis
~ **dirigée**: site-directed mutagenesis, site-specific mutagenesis
~ **localisée**: localized mutagenesis
~ **par insertion**: insertion mutagenesis

mutant *m* : mutant
~ **auxotrophe**: auxotrophic mutant
~ **constitutif**: constitutive mutant
~ **inverse**: reverse mutant, revertant
~ **réverse**, ~ **réversé**: reverse mutant, revertant
~ **thermosensible**: temperature sensitive mutant
~ **ts**: temperature sensitive mutant

mutation *f*: mutation
- ~ **[à effet] polaire**: polar mutation
- ~ **ambre**: amber mutation
- ~ **conditionnelle**: conditional mutation
- ~ **constitutive**: constitutive mutation
- ~ **contre-sens**: missense mutation
- ~ **de régulation**: regulation mutation
- ~ **de retour**: back mutation
- ~ **déphasante**: [reading] frameshift mutation
- ~ **directe**: forward mutation
- ~ **du cadre de lecture**: [reading] frameshift mutation
- ~ **faux-sens**: missense mutation
- ~ **fuyante**: leaky mutation
- ~ **inverse**: back mutation, reversion
- ~ **lét[h]ale**: lethal mutation
- ~ **lét[ha]le conditionnelle**: conditional lethal mutation
- ~ **non sens**: nonsense mutation
- ~ **ponctuelle**: point mutation
- ~ **réverse**: back mutation, reversion
- ~ **silencieuse**: silent mutation
- ~ **somatique**: somatic mutation
- ~ **spontanée**: spontaneous mutation
- ~ **suppressive**: suppressor mutation
- ~ **thermosensible**: temperature-conditional mutation, temperature-sensitive mutation

muter: to mutate

mutilation *f*: (d'un message) garbling, corruption
- ~ **de la parole**: (tcm) clipping

mutilé: (signal, message) garbled; (document) mutilated, mute

muton *m* : muton

MV → **matières volatiles**

mycélium *m* : mycelium

myciculteur *m* : mushroom grower

mycoderme *m* : mycoderm, mycoderma

myéline *f*: myelin[e]

myoglobine *f*: myoglobin

myrtille *f*: blueberry, bilberry; huckleberry NA; whinberry, whortleberry

mytiliculture *f*: mussel farming

myxomycète *m* : myxomycete

~ de câbles: bunched cables
~ de ceinture: breaker ply, belt ply
~ de charriage: (géol) nappe
~ de pétrole: (pollution) oil slick
~ de renforcement: tread ply
~ isolante: insulation bat
~ libre: unconfined groundwater, free groundwater
~ perchée: perched water
~ pétrolifère: oil deposit
~ phréatique: ground water, water table
~ suspendue: perched [ground]water

nature *f* : nature; *adj* : (alim) plain, unflavoured

naturel: natural; unprocessed, raw; (propre) inherent

navalisé: adapted for naval purpose

navel *f* : navel orange

navet *m* : [white] turnip

navette *f* : (text, transport) shuttle; (éclairage) festoon lamp; (voisine du colza) rape
~ spatiale: space shuttle

navigabilité *f* : (d'un fleuve) navigability; (d'un navire) seaworthiness; (aéro) airworthiness
en [bon] état de ~: seaworthy, airworthy

navigants *m* : (aéro) flight personnel
~ techniques: cockpit crew
~s commerciaux: cabin crew

navigateur *m* : navigator

navigation *f* : (aéro) navigation; (mar) navigation, sailing, shipping
~ à l'estime: dead reckoning
~ à la cueillette: tramping
~ à voile: sailing
~ aérienne: air navigation, aerial navigation
~ au cabotage: home trade, coastal navigation
~ côtière: coastal navigation
~ fluviale: river navigation
~ hauturière: deepsea navigation
~ inertielle: inertial navigation
~ intérieure: inland navigation
~ orthodromique: great-circle navigation, great-circle sailing
de ~, pour la ~: navigational

naviguer: to navigate; (mar) to sail

N/A → **numérique/analogique**

nacelle *f* : (aero) nacelle, pod; (d'aérostat) basket, car; (chim) boat, dish); (d'échafaudage) boat scaffolding
~ de visite: inspection platform (hanging type)
~ pour incinérations: incinerating dish

nageoire *f* : (aéro) sponson; (de poisson) fin

naissant: incipient

nannoplancton *m* : nan[n]oplankton

napalm *m* : napalm

naphta *m* : naphtha
~ à coupe étroite: narrow-cut naphtha
~ à coupe large: full-range naphtha

nappe *f* : (de pneu) [casing] ply; (de carde) lap; (de câbles) bundle, layer
~ aérienne: pipe rack
~ aquifère: aquifer
~ artésienne: artesian aquifer
~ au sol: (de tuyaux) pipe way
~ câblée: (de pneu) cord ply
~ captive: confined groundwater
~ croisée: biased ply, cross ply
~ d'armature: belt ply, breaker ply
~ d'eau: (nappe aquifère) water table; (en surface) body of water, sheet of water; (de déversoir) nappe
~ d'eau souterraine: underground water
~ d'huile: (pollution) oil slick

navire *m* : boat, ship, vessel
~ **à chargement vertical**: lift-on/lift-off ship
~ **à levage**: lift on/lift-off ship
~ **à manutention horizontale**: roll-on/roll-off ship
~ **à produits blancs**: clean-oil vessel
~ **à produits noirs**: dirty-oil vessel
~-**atelier**: repair ship
~ **au long cours**: oceangoing ship
~ **brise-glaces**: ice breaker
~ **câblier**: cable laying ship, cable layer
~ **charbonnier**: coaler
~ **chauffé au mazout**: oiler
~-**citerne**: tanker
~ **d'intervention**: (forage) utility vessel
~ **de commerce**: merchant ship, merchant vessel
~ **de forage**: drillship
~ **de guerre**: warship
~ **de relève**: crew boat
~ **de sauvetage**: salvage vessel
~ **de servitude**: service ship
~ **de soutien**: supply ship
~-**école**: training ship
~-**hôpital**: hospital ship
~ **hydrographe**: survey[ing] ship
~-**jumeau**: sister ship
~ **lège**: light vessel, lightship
~ **maniable**: handy ship
~ **marchand**: merchantman, merchant ship, merchant, vessel
~-**mère**: mother ship
~ **météorologique**: weather ship
~ **méthanier**: LPG tanker
~ **minéralier**: ore carrier
~ **multicargo**: multipurpose carrier
~-**navire**: ship-to-ship
~ **o/b/o**: ore-bulk-oil carrier
~ **o/c/o**: oil-coal-ore carrier
~ **o/o**: oil-ore carrier
~ **pétrolier**: oil carrier
~ **porte-barges**: lighter aboard ship
~ **porte-conteneurs**: container ship
~-**soutien**: support vessel
~ **sur lest**: ship on ballast
~-**terre**: ship-to-shore
~ **transroulier**: roll-on/roll-off ship
~ **transbordeur**: car-ferry
~-**usine**: factory ship
~**s de la même série**: sister ships

nébuleuse *f* : nebula

nébullisation *f* : fine spraying

nébulosité *f* : cloud amount, cloud cover

nécessité *f* : necessity, requirement
~ **d'exploitation**: operational requirement

nectarine *f* : nectarine

necton *m* : nekton

nèfle *f* : medlar

négatif *m* : (phot) negative; *adj* : negative
~ **pour reproduction**: master film
~ **sous-exposé**: light negative
~ **sur papier**: paper negative
~ **tramé**: halftone negative, screened negative

négation *f* : negation

néguentropie *f* : negentropy

neige *f* : snow
~ **carbonique**: carbon dioxide snow, carbon dioxide ice, dry ice
~ **fondante**: slush

nématode *m* : nematode, nematode worm, thread worm

néon *m* : neon

néoprène *m* : neoprene

népérien: naperian

néritique: neritic

nerveux: (moteur) lively; (fer) fibrous

nervosité *f* : (du moteur) liveliness

nervure *f* : rib; (de feuille) rib, vein; ~**s**: ribbing; (défaut de fonderie) veining
~ **de raidissement**: stiffening rib, stiffener
~ **de renforcement**: reinforcing rib
~ **déformable**: crushable rib
~ **triangulée**: braced rib
à ~**s**: ribbed; stiffened, reinforced

net: (poids, prix) net, nett; (image, son) clear

netteté *f* : (d'image) sharpness, definition; (de son) definition
~ **de la parole**: speech articulation

nettoyage *m* : cleaning
~ **à jets d'air**: air blasting
~ **à l'huile**: (du gaz naturel) oil scrubbing
~ **au chalumeau**: flame deseaming, flame chipping
~ **avec des cannes**: (d'égout) rodding
~ **de mémoire**: (inf) garbage collection
~ **des cylindres**: (text) roller clearing

~ **des données**: data cleaning
~ **hydraulique**: hydroblasting
~ **par voie humide**: wet cleaning

nettoyer: to clean; (avec abrasif) scour
~ **au chalumeau**: to scarf, to deseam
~ **au jet d'eau**: to hose down
~ **au jet**: to jet

neuf: new, unused; fresh (air, sand)

neuroblaste *m* : neuroblast

neurosciences *f* : neural sciences

neuston *m* : neuston

neutralisation *f* : (chim) neutralization, neutralizing treatment; (d'un dispositif) deactivation, inhibiting

neutraliser: to neutralize; (une alarme) to cancel (une force) to inhibit, to compensate

neutre *m* : neutral point, neutral conductor; *adj* : neutral, inert
~ **isolé**: isolated neutral

neutrodyne *m, adj* : neutrodyne

neutrodynage *m* : neutralization
~ **avec diviseur de grille**: split-grid neutralization
~ **avec diviseur anodique**: split-anode neutralization

neutrographie *f* : neutron radiography

neutron *m* : neutron
~ **différé**: delayed neutron
~ **instantané**: prompt neutron
~ **rapide**: fast neutron
~ **retardé**: delayed neutron
~ **thermique**: thermal neutron
~ **vagabond**: stray neutron

neutrophile *m* : neutrophil[e]; *adj* : neutrophil[e], neutrophilic

nez *m* : nose
~ **d'entrée**: (aéro) nose fairing
~ **d'injecteur**: [injector] nozzle
~ **d'injecteur à téton**: pintle injector nozzle
~ **de broche**: spindle nose
~ **de came**: cam lobe, cam nose
~ **de pont**: (autom) final drive casing, drive pinion carrier

NF → **normalement fermé**

NI: NOR
~ **exclusif**: exclusive NOR
~~**NI**: NEITHER-NOR

niche *f* : recess; (dans tunnel) refuge hole; (pose de tuyau) bell hole, joint[ing] hole
~ **de presse-étoupe**: stuffing box recess
~ **écologique**: biotope

nichée *f* : litter; brood

nichrome *m* : nichrome

nickel *m* : nickel
~~**fer**: nife
~~**chrome**: nichrome

nicotine *f* : nicotine

nid *m* : nest; (poche) pocket
~ **de cailloux**: rock pocket
~ **de minerai**: pocket of ore
~~**de-pie**: crow's nest
~~**de-poule**: pothole
~**s d'abeilles**: honeycomb cracking
en ~~**d'abeilles**: honeycomb[ed]

nidation *f* : nidation

nitration *f* : nitration

nitré: nitrated

nitreux: nitrous

nitrifier: to nitrify

nitrile *m* : nitrile

nitrique: nitric

nitrobacter *m* : nitrobacterium

nitrobenzène *m* : nitrobenzene

nitrocellulose *f* : nitrocellulose

nitroglycérine *f* : nitroglycerin[e] GB, NA, nitroglycerol NA, blaster oil

nitrosyle *m* : nitrosyl

nitruration *f* : nitriding, nitrogen hardening
~ **[en phase] gazeuse**: gas nitriding
~ **par bombardement ionique**: ion nitriding

nitrure *m* : nitride

niveau *m:* level; (constr) grade; (outil) levelling instrument, level
~ **aquifère**: aquifer
~ **à bulle**: spirit level GB, NA, air level NA
~ **accepteur**: acceptor level
~ **d'eau**: water gauge
~ **d'étiage**: lowest water level (of a river)
~ **d'huile**: oil gauge
~ **d'isosonie**: loudness level
~ **de connaissances informatiques**: computer literacy
~ **de crue**: flood level
~ **de débordement**: (plomb) flood level
~ **de fond de fouille**: bottom grade
~ **de la mer** ▶ NM: sea level
~ **de la haute mer**: high-water mark
~ **de lit**: (rivière) bed level
~ **de luminosité**: light value
~ **de maçon**: plumb level
~ **de qualité acceptable**: acceptable quality level
~ **de référence**: datum level
~ **de traitement**: (de l'eau) degree of treatment
~ **des remblais**: formation level
~ **des stocks en fin de période**: closing-stock level
~ **donneur**: donor level
~ **du blanc**: white level, picture white
~ **du noir**: black level, picture black
~ **énergétique**: energy level
~ **intermédiaire**: (mine) by level, sublevel, blind level
~ **limite moyen de qualité**: average outgoing quality level
~ **maximum de l'eau** ▶ NME: high water
~ **minéralisé**: ore horizon
~ **moyen annuel**: annual mean water level
~ **moyen d'étiage**: mean low-water level (of river)
~ **moyen de la mer**: mean sea level
~ **moyen des basses eaux**: mean low-water level (of the sea)
~ **naturel**: existing grade
~ **repère**: (mine) key bed
~ **sonore**: sound level
~ **visible**: gauge glass

nivelage *m* : levelling

niveler: to level; (typographie) to take the level; (génie civil) to grade
~ **au plus bas**: to level down
~ **par le haut**: to level up

niveleur *m* : leveller GB, leveler NA

niveleuse *f* : [road] grader
~ **auotomotrice**: motor grader

nivellement *m* : levelling; (arpentage) surveying, ground survey; (génie civil) grading

NM → niveau de la mer

NME → niveau maximum de l'eau

NO → normalement ouvert

noble: (forme d'énergie) high-grade; (métall) noble

nocif: harmful, noxious

nocturne: night

nodal: nodal

nodulaire: nodular

nodule *m* : (géol) nodule; (métall) pellet

noduleux: nodular

nœud *m* : (de cordage, de bois) knot; (de canalisation) junction [point]; (plomberie) wiped joint; (de poutre triangulée) panel point; (d'orbite, de courbe, d'oscillation, de réseau, d'arbre) node
~ **de ferme**: truss joint
~ **adhérent**: tight knot
~ **coulant**: running knot, slip knot
~ **d'assemblage**: (de tubes) joint
~ **de canalisations**: mains junction
~ **de chaise**: bowline [knot]
~ **de hauban**: shroud knot
~ **de la charge**: load center
~ **de tisserand**: weaver's knot
~ **ferroviaire**: railway junction
~ **feuille**: (inf) leaf node, terminal node, external node
~ **interne**: (inf) interior node
~ **plat**: reef knot
~ **terminal**: (inf) leaf node, terminal node, tip node
~ **vicieux**: unsound knot

noir: black
~ **animal**: animal black, animal charcoal, bone black
~ **d'acétylène**: acetylene black
~ **de carbone**: carbon black
~ **de fonderie**: blacking
~ **de fumée**: lamp black, smoke black
~ **perturbé**: noisy blacks

noircissement *m* : blackening

noisette *f* : hazelnut, cobnut, filbert

noix *f* : (nom générique) nut; (fruit du
noyer) walnut; (de robinet) plug; (men)
halfround groove
  ~ **à billes recirculantes**: circulating
ball nut
  ~ **à tenon**: (joint homocinétique) inner
joint
  ~ **cajou**: cashew nut
  ~ **d'articulation**: hinge yoke
  ~ **d'engrenage**: gear centre
  ~ **d'entraînement**: chain wheel
  ~ **de cardan**: yoke
  ~ **de coco**: coconut
  ~ **de cola**: kola nut
  ~ **de Pécan**: Pecan nut
  ~ **de la broche**: (filature) spindle
wharve
  ~ **de lancement**: cranking dog
  ~ **de serrage**: tightening yoke
  ~ **muscade**: nutmeg
  ~ **vomique**: nux vomica

nom *m* : name
  ~ **contraire**: opposite name
  ~ **d'accès**: (inf) pathname
  ~ **de code**: (inf) code name
  ~ **de marque**: brand name
  ~ **vulgaire**: common name
  de ~ contraire: (pôles) unlike, of
opposite sign

nombre *m* : number; (dénombrement)
count
  ~ **aléatoire**: random number
  ~ **cardinal**: cardinal number
  ~ **d'erreurs**: error count
  ~ **d'impuretés**: dirt count
  ~ **d'ondes**: wave number
  ~ **de bits**: (d'un microprocesseur) bit
size
  ~ **de filets**: (filetage) number of starts
  ~ **de fils**: (él) lead count
  ~ **de liaisons**: (de l'ADN) linking
number
  ~ **de masse**: mass number
  ~ **de mots**: word count
  ~ **de places assises**: seating capacity
  ~ **du diaphragme**: (phot) f-number
  ~ **entier**: integer, integral number,
whole number
  ~ **entier naturel**: natural number
  ~ **guide**: (phot) guide number
  ~ **impair**: odd number
  ~ **inverse**: reciprocal number
  ~ **pair**: even number
  ~ **parfait**: perfect number
  ~ **premier**: prime number
  ~ **quantique**: quantum number

nomenclature *f* : bill of materials, parts
list, schedule (of parts)
  ~ **de l'acier d'armature**: bar list GB,
bar schedule NA

nominal: nominal, rated

nomogramme *m* : nomogram

non, ~ **à l'échelle**: not to scale
  ~ **abrité**: (site) open
  ~ **affecté**: unallocated
  ~ **aimantable**: non-magnetisable
  ~ **alimenté**: (él) dead, deenergised
  ~ **allié**: unalloyed
  ~ **amorcé**: unfired
  ~ **amorti**: undamped
  ~ **apprêté**: (text) unfinished
  ~ **armé**: (câble) unarmoured GB,
unarmored NA
  ~ **assorti**: (min) unscreened; random
  ~ **au repérage**: (graph) off register
  ~ **automoteur**: non-powered
  ~ **autorisé**: unauthorised
  ~ **banalisé**: specialized
  ~ **bâti**: unbuilt
  ~ **biaisé**: unbiassed GB, unbiased NA
  ~ **blindé**: unarmoured, unscreened
  ~ **branché**: off-line
  ~ **brouillé**: interference-free
  ~ **cadencé**: (courant d'appel, tonalité)
permanent
  ~ **cadré**: (graph) unjustified
  ~ **calibré**: ungraded (according to size)
  ~ **chargé**: non-loaded, unloaded
  ~ **classé**: unclassified; (qualité)
ungraded; (charbon) unscreened
  ~**-coaxialité**: axial offset
  ~ **cohérent**: cohesionless
  ~**-concordance**: mismatch
  ~ **conducteur**: non-conductor, non-
conducting
  ~ **conforme**: off specifications
  ~ **conjugué**: (chim) unconjugated
  ~ **connecté**: offline
  ~ **consécutif**: non-contiguous
  ~ **consigné**: non-returnable, one-way
  ~ **consommable**: (carburant dans
réservoir) trapped
  ~ **contrôlé**: unchecked, unaudited
  ~ **corrosif**: (pétr) non-corroding, sweet
  ~ **crépiné**: (tuyau) blank
  ~ **cristallin**: non-crystalline
  ~ **cuirassé**: unarmoured GB,
unarmored NA
  ~ **cuit**: (brique) unburnt GB, unburned
NA; (plast) uncured; (céram) unfired,
clay state
  ~ **dégagé**: unrelieved
  ~ **destructif**: non-destructive
  ~ **détalonné**: unrelieved
  ~ **dilué**: neat (solution)
  ~ **disponible**: unavailable
  ~ **dissociable**: (inf) bundled
  ~ **élaboré**: crude
  ~ **en état de fonctionnement**:
unserviceable

~ **équilibré**: unbalanced
~-**ET**: NAND
~ **étanche**: leaky
~-**exécution**: non-performance
~ **exploité**: (mine) unworked
~ **façonné**: unfinished
~ **ferreux**: non-ferrous
~ **fiable**: unreliable
~-**fonctionnement**: failure to operate
~ **formé**: (personnel) untrained
~ **gâché**: (mortier) untempered
~ **gardé**: unmanned
~ **garni**: (de cartes etc) unpopulated
~ **gazeux**: non-gaseous
~ **gélif**: frostproof
~ **goudronné**: (cordage) white
~ **habité**: (engin spatial) unmanned
~ **haubanné**: self-supporting (tower, mast)
~ **hygroscopique**: moisture-proof
~ **ionisé**: unfired
~ **isolé**: uninsulated
~ **justifié**: unjustified
~ **magnétique**: (fonte) no-mag
~ **maître de sa manœuvre**: (mar) not under command
~ **malaxé**: (graisse) unworked
~ **manipulé**: (tcm) unkeyed
~ **métallique**: non-metal
~ **miscible**: immiscible
~ **modifié**: unchanged
~ **mouvementé**: (fichier) inactive, unchanged
~ **normalisé**: (conteneur) odd
~ **orientable**: non-castering
~-**OU**: NOR
~ **oxydant**: non-oxidizing
~ **pelucheux**: lint free
~ **perforé**: (inf) punchless
~ **pertinent**: irrelevant
~ **plastifié ▶ NP**: unplasticized
~ **polarisé**: unbiassed GB, unbiased NA
~ **pondéré**: unweighted
~ **ponté**: (embarcation) open
~ **porteur**: non-load bearing
~ **prévu**: (à l'horaire) unscheduled
~ **prioritaire**: overridable; (inf) background
~ **protégé**: unprotected; (él) open-type, (câble) unshielded
~ **protidique**: non-protein
~ **pupinisé**: non-loaded, unloaded
~ **rapporté**: (solidaire) integral (with)
~ **réciproque**: one-way
~ **récupérable**: fully expendable; (inf) unrecoverable
~ **référencé**: uncataloged
~ **réglable**: fixed
~ **réglé**: unadjusted
~ **rempli**: unfilled; (fonderie) short poured (mould)
~ **renouvelable**: non-renewable

~ **rentable**: uneconomic[al], unprofitable
~ **réparable**: unrecoverable
~ **répertorié**: uncataloged
~ **repris**: non-returnable, throw-away (packaging)
~ **réservé**: (inf) non-dedicated, unallocated
~-**retour à zéro**: non-return to zero
~ **réutilisable**: single-use
~ **réversible**: unidirectional (engine)
~ **rogné**: (graph) uncut
~ **saturé**: unsaturated
~ **soumis à la flamme**: unfired
~ **spécialisé**: (inf) non-dedicated, undedicated
~ **sujet au vieillissement**: non-ageing
~ **sulfureux**: (pétr) sweet
~ **surveillé**: unattended, unmanned
~ **suspendu**: (autom) unsprung (weight)
~ **syndiqué**: non-union
~ **taillé**: (méc) blank, uncut; (pierre) undressed
~ **tamisé**: unscreened; all-in (aggregate, ballast)
~ **terminé**: unfinished
~-**tissé**: non-woven
~ **traité**: untreated
~ **travaillant**: (constr) non structural
~ **trempé**: unhardened
~ **trié**: ungraded
~ **tubé**: (puits) uncased
~ **universel**: (inf) machine specific
~ **usinable**: unworkable
~ **usiné**: unfinished, non-machined
~ **variable**: fixed
~ **vérifié**: unaudited, unchecked
~ **vidé**: (poisson) ungutted
~ **voulu**: unintentional
~-**voyant**: blind [person]

nord *m* : North
~-**est**: north-east
~ **géographique**: true north, geographic north
~ **magnétique**: compass north, magnetic north
~-**ouest**: north-west
~ **vrai**: true north

noria *f* : bucket elevator, bucket chain

normal: normal; standard; (caractéristique) rated; perpendicular
~-**secours**: (interrupteur) main and standby

normalement, ~ fermé ▶ NF: normally closed
~ **ouvert ▶ NO**: normally open
~ **sous courant**: failsafe

normalisation *f* : standardization

normaliser: to standardize; (métall) to normalize

norme *f* : standard
~ **de sécurité**: safety standard

notation *f* : notation
~ **à base fixe**: fixed-radix notation
~ **en virgule fixe**: fixed-point notation
~ **en virgule flottante**: floating-point notation
~ **infixée**: infix notation
~ **non parenthèsée**: parenthesis-free notation
~ **polonaise**: Polish notation
~ **polonaise inversée**: reverse Polish notation
~ **postfixée**: postfix notation, suffix notation
~ **préfixée**: prefix notation
~ **suffixée**: suffix notation, postfix notation

note *f* : (musique) note; (écrite) note, memorandum, memo
~ **aiguë**: high note, treble
~ **en bas de page**: footnote
~ **grave**: low note
~ **harmonique**: overtone

notice *f* : instructions, directions
~ **d'emploi**: directions for use
~ **de fonctionnement**: operating instructions

noue *f* : valley (of roof)

noueux: (bois) knotty

nourrice *f* : jerrican, [spare] petrol can; (réservoir supplémentaire d'alimen-tation de chaudière, de moteur) auxiliary tank, feed[er] tank, feeder; (pièce d'où partent plusieurs tuyauteries divergentes) manifold
~ **en charge**: header tank

nourrisseur *m* : (de bestiaux) feeder

nourriture *f* : food, nurishment

nouveau tirage: reprint

nouveau-né *m* : newborn child; (bio) neonate

noyage *m* : flooding
~ **en pluie**: (constr) sprinkler system

noyau *m* : (él, géol, inf, fonderie) core; (IA) seed; (bio, nucl) nucleus; (de roue, de bande magnétique) hub; (de fruit) stone
~ **à poudre de fer**: dust core
~ **à rainures**: slotted core
~-**carapace**: (fonderie) shell core
~ **d'accord**: tuning slug
~ **d'aimant**: magnetic core
~ **d'air**: air core
~ **d'escalier**: newel
~ **d'induit**: armature core
~ **de barrage**: dam core
~ **de bobine**: coil core, coil slug
~ **de ferrite**: ferrite core
~ **de recul**: recoil nucleus
~ **de soudure**: nugget
~ **de système expert**: (IA) expert system shell
~ **diploïde**: diploid nucleus
~ **en bande enroulée**: strip-wound magnetic core
~ **en fer doux**: soft-iron core
~ **en pot**: pot core
~ **en tôle**: iron plate core, laminated core
~ **en tôles empilées**: stack of sheets, stampings
~ **feuilleté**: laminated core
~-**filtre**: (fonderie) core strainer
~ **graphique**: (inf) graphics kernel
~ **impair-impair**: odd-odd nucleus
~ **impair-pair**: odd-even nucleus
~ **magnétique**: magnetic core
~-**miroir**: mirror nucleus
~ **mobile**: (él) plunger
~ **original**: (bio) parent nucleus
~ **pair-impair**: even-odd nucleus
~ **pair-pair**: even-even nucleus
~ **plongeur**: plunger, slug
~ **polaire**: pole core, pole body
~-**sécurité**: (inf) security kernel
~ **végétatif**: vegetative nucleus

noyautage *m* : coring, core work

noyauteur *m* : core maker

noyé: flooded, submerged; (clavette, vis) sunk, flush; (câblage) concealed
~ **dans le béton**: embedded in concrete

noyer *m* : walnut tree, walnut wood

noyer: to flood, to submerge; (un câble) to sink; (une vis) to countersink; (dans le béton) to embed
~ **le marché**: to swamp the market

NP → **non plastifié**

nu *m* : (d'une pièce) main surface, reference surface; *adj* : bare, naked;

(moteur) unequipped; (flamme) naked; (apareil électrique) open-mounted; (fil électrique) bare, naked, uninsulated; (sans gaine) unclad (fiber) **~ d'un mur**: wall plane, wall face **à ~**: exposed

nuage *m* : cloud
~ de points: scatter chart, dot chart

nuance *f* : (de couleur) shade; (métall) grade

nuancier *m* : colour chart, colour swatch, shade card

nucléase *f* : nuclease

nucléé: nucleate

nucléide *m* : nuclide

nucléoïde: nucleoid

nucléole *m* : nucleolus, nucleole

nucléoplasme *m* : nucleoplasm

nucléoprotéine *f* : nucleoprotein

nucléoside *m* : nucleoside
~-triphosphate: nucleoside triphosphate

nucléotide *m* : nucleotide

nuisance *f* : nuisance (pollution)

nuisible: detrimental, harmful, noxious, injurious

nul: nil, zero

nullipare *f* : nullipara; *adj* : nulliparous

numéraire *m* : cash

numération *f* : numeration, notation; (microbiologie) count[ing]
~ bactérienne: bacterial count
~ chromosomique: chromosome count
~ décimale: decimal notation
~ de colonies bactériennes: colony count
~ octale: octal notation

numérique: numeric[al]; (inf) digital
~/analogique ▶ N/A: digital/analog

numérisation *f* : digitization

numériser: to digitalize, to digitize

numériseur *m* : digitizer, bitpad
~ à laser: laser digitizer

numéro *m* : number; (text) count, number (of yarn); (de journal) number, issue
~ d'appel: call number, dial number
~ d'identification personnel: personal identification number, PIN number
~ d'ordre: issue number, sequence number
~ d'un poste: (tél) extension number
~ de la liste rouge: ex-directory number GB, non-published number NA
~ de nomenclature: schedule number
~ de série: serial number
~ du demandeur: calling number
~ fin: fine count

numérotage *m* : numbering

numérotation *f* : numbering; (tél) dialling
~ abrégée: abbreviated dialling, speed dialling, speed calling
~ au clavier: pushbutton dialling, keyboard dialling
~ automatique: auto dialling
~ consécutive: serialization
~ directe: subscriber dialling, customer dialling, through dialling
~ directe de postes supplémentaires: in-dialling
~ tout chiffres: all-figure dialling, all-number dialling

numéroteur *m* : numbering device, numbering stamp; (tél) [automatic] dialling unit, dialler GB, dialer NA
~ automatique: auto dialler

nutation *f* : (astr, bot) nutation

nutriment *m* : nutrient, nutriment
~ banal: non essential nutrient
~ disponible: available nutrient
~ indispensable: essential nutrient
~ utilisable: available nutrient

nutritif: nutritive, nutritious

nutrition *f* : nutrition

nutritioniste *m* : nutritionist

nycthémère *m* : nychtemeron

nymphe *f* : (d'insecte) nymph

béissance *f* : (des commandes, d'un organe) response
~ **immédiate**: ready response

bésité *f* : obesity

bjectif *m* : (but) target; (opt) lens, lens assembly; (de microscope) objective, object glass; *adj* : objective, unbiassed GB, unbiased NA
~ **à [distance] focale variable**: zoom lens
~ **à grande ouverture**: high-speed lens, fast lens
~ **bleuté**: coated lens
~ **d'exploitation**: operating target
~ **fixe**: stationary target
~ **grand angulaire**: wide-angle lens
~ **mobile**: moving target
~ **normal**: standard lens
~ **petit angulaire**: narrow-angle lens
~ **ponctuel**: point target
~ **terrestre**: ground target
~ **zoom**: zoom lens

bligatoire: mandatory, statutory

blique *f* : oblique line; *adj* : oblique; slant[ing], raking

bliquité *f* : obliqueness, skew

bservation *f* : (examen) observation; (d'un règlement, d'une norme) observance; (d'un instrument) reading; (d'un missile) tracking
~ **aberrante**: outlier
~ **aérienne**: aerial observation
~ **infrarouge**: thermal imaging
~**s appariées**: paired observations

observer: to observe, to watch; (un impératif, un règlement) to comply (with), to adhere (to)

obsolescence *f* : obsolescence
~ **calculée**: built-in obsolescence, planned obsolecence

obstruer: to obstruct; (tuyauterie, filtre) to clog, to choke

obturateur *m* : (bouchon) stopper, bung, pipe plug; (phot) [lens] shutter; (couvercle) blanking cover, blind flange
~ **à iris**: iris diaphragm shutter
~ **à rideau**: roller blind shutter
~ **à vis**: screw cap
~ **à volet**: drop shutter, flap shutter
~ **annulaire**: annular preventer
~ **arrière**: behind-the-lens shutter
~ **d'air**: (autom) air throttle
~ **de puits**: (forage) [blowout] preventer
~ **de vanne**: valve wedge
~ **focal**: focal-plane shutter

obturer: to plug, to block [off], to cap; (un trou, un tuyau) to stop; (un tuyau) to blank off; (avec des briques) to brick up

obtus: obtuse

obus *m* : (mil) shell
~ **à charge explosive puissante**: high explosive shell
~ **à mitraille**: canister shell, shrapnel shell
~ **d'exercice**: dummy shell
~ **de chambre à air**: tyre valve plug, valve core
~ **de rupture**: armour piercing shell
~ **de valve**: valve plug, valve core
~ **éclairant**: flare, star shell GB, illuminating shell NA
~ **empenné**: finned shell
~ **explosif**: explosive shell
~ **fumigène**: smoke shell
~**-fusée**: rocket-propelled shell
~ **incendiaire**: incendiary shell
~ **non explosé**: dud
~ **perforant**: armour-piercing shell
~ **traceur**: tracer shell

obusier *m* : howitzer

OC → **onde courte**

occasion, d'~: second-hand, used

occlus: (air, gaz) entrapped

occultation *f* : blackout, blanketing, shadowing, shielding
~ **d'écran**: blackout
~ **d'ouverture**: aperture blocking
à ~**s**: flashing, occulting, intermittent

occupation *f* : occupancy
~ **non-occupation**: occupancy/vacancy
~ **totale**: (tél) all-trunks busy, last trunk busy

occupé: busy; (tél) engaged GB, busy NA; (bâtiment) occupied

occuper: to occupy
~ **un créneau**: to fill a gap

occurrence *f* : occurrence

océan *m* : ocean

octaédrique: octahedral, eight-sided

octal: octal
~ **codé binaire**: binary-coded octal

octane *m* : octane

octet *m* : (inf) [eight-bit] byte, octet

octogonal: eight-angle, octagonal

octogone *m* : octagon

oculaire *m* : eyepiece

OD → **oxygène dissous**

odeur *f* : smell, odour GB, odor NA

odomètre *m* : odometer

odorat *m* : sense of smell

œil *m* : eye; (graph) [type] face
~ **à queue filetée**: eye bolt
~**-de-bœuf**: bull's eye, oculus
~ **de câble**: thimble
~ **de pied de bielle**: small-end hole
~ **de poisson**: (sdge) fish eye
~ **de référence colorimétrique**: (opt) standard observer
~ **nu**: naked eye

œillet *m* : eyelet; (passe-fil) grommet
~ **de câble**: cable lug
~ **de cordon**: cord eye
~ **fileté**: eye bolt

œnanthique: oenanthic GB, enanthic NA

œsophage *m* : oesophagus GB, esophagus NA

œstradiol *m* : oestradiol GB, estradiol NA

œstral: oestrous, oestrual GB, estrous, estrual NA

œstrogène *m* : oestrogen GB, estrogen NA

œstrus *m* : oestrus GB, estrus NA

œuf *m* : egg; (bio) ovum; ~**s**: (de poisson) [hard] roe; (de crustacés) berry
~ **brouillé**: scrambled egg
~ **du jour**: new[ly] laid egg
~ **dur**: hard-boiled egg
~ **en poudre**: dried egg, dehydrated egg
~ **monté**: beaten egg white

œuvre *f* : work
~**s mortes**: deadworks, topsides
~**s vives**: quickworks
dans ~: (constr) inside (measuremen stairs)

office *m* : (aéro) galley

officier *m* : officer
~ **de marine**: naval officer
~ **de transmissions**: communication officer
~ **en second**: executive officer
~ **marinier**: petty officer
~ **mécanicien**: (aéro) flight engineer
~ **pilote**: (aéro) first officer
~ **supérieur**: senior officer

offset *m* : offset printing
~ **creux**: etch offset, intaglio offset
~ **grand creux**: deep-etch offset

ogive *f* : (architecture) rib; (d'obus) hea (de missile) war head; (de fusée) nos cone
~ **ablative**: ablative nose cone
~ **de guidage**: guide bush
~ **de roue**: impeller hub cap

ohmmètre *m* : ohmmeter

oignon *m* : (alim) onion; (plante) bulb

oiseau *m* : bird
~ **de basse-cour**: poultry, fowl

oléagineux *m* : oilseed; *adj* : oleaginous

éfine *f*: olefin[e]

éfinique: (plastique, résine) olefin

éiculture *f*: cultivation of the olive; olive-oil industry

éifère: oleiferous

éïne *f*: olein

éoduc *m*: oil pipeline

éomargarine *f*: oleomargarin[e]

éophobe: oleophobic

éopneumatique: air-oil, oleopneumatic

éorésine *f*: oleoresin

éorésistant: oil-repellent

éoserveur *m*: (aero) servicer (at airport)

éosoluble: oil-soluble

actif: olfactory

action *f*: olfaction, sense of smell

go-élément *m*: trace element

gomère *m*: oligomer

gosaccharide *m*: oligosaccharide

gotrophe: oligotrophic

bilical: umbilical

bre *f*: shade
~ **portée**: [cast] shadow

éga *m*: (profilé) [top] hat section

nibus *m*: stopping train GB, accommodation train NA

nidirectionnel: omnidirectional, non-directional

nivore *m*: omnivore; *adj*: omnivorous

cogène *m*: oncogene; *adj*: onco-genic, oncogenous
~ **cellulaire**: cell oncogene
~ **viral**: viral oncogene

ctuosité *f*: oiliness; (d'une peinture) greasiness; (d'une huile de graissage) lubricity

onde *f*: wave; → aussi **ondes**
~ **à charge d'espace**: space-charge wave
~ **à front raide**: steep-front wave, surge
~ **acoustique**: acoustic wave, speech wave
~ **amortie**: damped wave, absorbed wave
~ **auto-entretenue**: self-sustained wave
~ **basse fréquence**: kilometric wave, audio-frequency wave, low-frequency wave
~ **calorifique**: heat wave
~ **carrée**: flat-topped wave, square wave
~ **centimétrique**: centimetric wave
~ **continue**: continuous wave
~ **coupée**: chopped wave
~ **courte ▶ OC**: short wave
~ **d'écho**: echo wave, reflected wave
~ **d'émission**: sending wave
~ **d'espace**: indirect wave, space wave
~ **de charge d'espace**: space-charge wave
~ **de choc**: shock wave, surge, impulse
~ **de choc sans collision**: (nucl) col-lisionless shock wave
~ **de contre-manipulation**: back wave
~ **de crue**: flood wave
~ **de dérive**: (nucl) drift wave
~ **de détente**: expansion wave
~ **de détonation**: detonation wave
~ **de flexion**: bending wave
~ **de manipulation**: keying wave
~ **de modulation**: modulation wave
~ **de plasma ionique**: ion plasma wave
~ **de plasma électronique**: electron plasma wave
~ **de pression**: pressure wave
~ **de sol**: ground wave, surface wave
~ **de surface**: ground wave, surface wave
~ **de travail**: operating wave
~ **décamétrique**: decametric wave
~ **décimétrique**: decimetric wave
~ **découpée**: chopped wave
~ **diffusée**: scattered wave
~ **directe**: ground wave, surface wave
~ **électromagnétique hybride**: hybrid electromagnetic wave
~ **en dents-de-scie**: sawtooth wave
~ **entretenue**: continuous wave, sus-tained wave
~ **entretenue interrompue**: inter-rupted continuous wave
~ **entretenue modulée**: modulated continuous wave

~ **explosive**: explosion wave
~ **fondamentale**: natural wave
~ **haute fréquence**: wage, high-frequency wave
~ **hectométrique**: hectometric wave
~ **hertzienne**: electric wave, radio wave, hertzian wave
~ **incidente**: incident wave
~ **inverse**: backward wave
~ **ionique**: ion wave
~ **ionosphérique**: indirect wave, sky wave
~ **irrotationnelle**: irrotational wave
~ **kilométrique**: kilometric wave
~ **limite**: boundary wave
~ **longue**: long wave
~ **lumineuse**: light wave
~ **métrique**: metric wave
~ **migratrice**: travel[l]ing wave
~ **millimétrique**: millimeter wave
~ **modulante**: modulating wave
~ **modulée**: modulated wave
~ **modulée en phase**: phase-modulated wave
~ **modulée manipulée**: keyed modulation wave
~ **modulée par impulsions**: pulse-modulated wave
~ **moyenne**: medium wave
~ **myriamétrique**: myriametric wave
~ **ordinaire**: ordinary wave, O-wave
~ **pilote**: pilot [wave]
~ **pilote de commutation**: switching pilot
~ **plane**: plane wave
~ **porteuse**: carrier [wave]
~ **porteuse de données**: data carrier [wave]
~ **porteuse de l'émetteur**: transmitter carrier [wave]
~ **porteuse de l'image**: picture carrier [wave]
~ **porteuse supprimée**: suppressed carrier [wave]
~ **progressive**: travel[l]ing wave
~ **pseudosonore**: (plasma) ion acoustic wave
~ **radioélectrique**: radio[electric] wave
~ **rectangulaire**: square wave
~ **réfléchie**: reflected wave, sky wave
~ **réfléchie par le sol**: ground-reflected wave, earth-reflected wave
~ **régressive**: backward wave
~ **séismique**: earthquake wave
~ **siffleuse**: whistler wave
~ **singulière**: single wave
~ **sinusoïdale**: sine wave
~ **sinusoïdale plane**: plane sine wave
~ **sonore**: sound wave
~ **sphérique**: spherical wave
~ **stationnaire**: standing wave GB, stationary wave NA

~ **TM**: transverse magnetic wave
~ **transitoire**: surge, transient wave
~ **transversale magnétique**: transverse magnetic wave
~ **ultra-courte**: ultra-short wave
~ **ultrasonore**: ultrasonic wave

ondes f : waves; (à tort) frequency
~ **centimétriques**: centimetric waves, super-high frequency [waves]
~ **courtes**: short waves, high-frequency [waves]
~ **décamétriques**: decametric waves, high frequency [waves]
~ **décimétriques**: decimetric waves, ultra-high frequency [waves]
~ **hectométriques**: hectometric waves, medium frequency [waves]
~ **kilométriques**: kilometric waves, low frequency [waves]
~ **longues**: long waves, low frequenc [waves]
~ **métriques**: metric waves, very-high frequency [waves]
~ **moyennes**: (déconseillé) medium waves, medium frequency [waves]
~ **myriamétriques**: myriametric waves, very-low frequency [waves]
les ~: airways (broadcasting)

ondulateur m : undulator

ondulation f : undulation, ripple, waviness; (text) curliness (of fibre); (tôle) corrugation
~ **d'amplitude**: amplitude ripple
~ **d'image**: picture weaving
~ **de diode**: diode flutter
~ **de gain**: gain ripple

ondulatoire: undulatory, wave (motion)

ondulé: wavy; (tôle, carton) corrugated; (grandeur, effort) pulsating
~ **double face**: double-face corrugated
~ **double-double**: double-double-fac corrugated
~ **simple face**: single-face corrugate

onduleur m : converter, [current] invert
~**-convertisseur**: dc-to-ac converter

onduleuse f : corrugator

onglet m : (menuiserie) mitre GB, miter NA; (de fichier) tab

ongulé m : ungulate; adj : ungulate; (bétail) hoofed

ontogénèse f, **ontogénie** f : ontogenesis, ontogeny

oocyte *m* : oocyte

oolithique: oolithic

opacifiant *m* : opacifier

opacité *f* : opacity; (phot) density; (peinture) hiding power
~ **sur fond blanc**: white backing opacity

opalescence *f* : (laque, vernis) bloom, blushing

opaque: opaque, impervious to light, lightproof

opérande *m* : operand
~ **d'une somme**: summand

opérateur *m* : (de machine) operator, attendant; (inf, IA) operator; (gg/bm) operator [gene]
~ **d'union**: meet operator
~ **de prise de vues ▶ OPV**: cameraman, camera operator
~ **de localisation**: location operator
~ **logique**: logic[al] operator

opération *f* : operation
~ **courante**: routine operation
~ **d'intendance**: (inf) chore, housekeeping operation
~ **de déplacement**: shift operation
~ **de servitude**: service operation, chore, housekeeping operation
~ **de stockage**: tankage
~ **diadique**: dyadic operation
~ **duale**: dual operation
~ **en régime permanent**: steady-state operation
~ **en traitement libre**: open-shop operation
~ **en traitement spécialisé**: closed-shop operation
~ **en virgule flottante**: floating-point operation
~ **nullaire**: nullary operation
~ **obligatoire**: must-do operation
~ **OU**: OR operation
~ **sous surveillance**: attended operation
~ **unaire**: unary operation

opérationnel: operational; (machine) up and running, working

opercule *m* : (de poisson, de mollusque, de mousse) operculum; (conditionnement) membrane seal, membrane closure
~ **de vanne**: valve plug, valve gate

~ **en aluminium mince**: foil closure, foil seal
~~**fraîcheur**: inner seal

opéron *m* : operon

optimalisation *f*, **optimisation** *f* : optimization
~ **de données**: data massaging

optimiser: to optimize

option *f* : option, optional feature; ~**s**: (inf) bells and whistles
en ~, sur ~: optional

optique *f* : optics; *adj* : optical
~ **à fibres**: fiber optics
~ **intégrée**: (f.o.) integrated optics

optoélectronique *f* : optoelectronics

optométriste *m* : optometrist

optronique *f* : optronics

OPV → **opérateur de prise de vues**

OF → **ordre de fabrication**

OI → **ordinateur individuel**

OP → **ordinateur personnel**

or *m* : gold
~ **blanc**: white gold
~ **en barre**: ingot gold, bullion
~ **en feuille**: gold leaf
~ **en lingot[s]**: bullion
~ **vert**: electrum
~ **vierge**: native gold

orange *f* : orange
~ **amère**: bitter orange, Seville orange
~ **navel**: navel orange
~ **sanguine**: blood orange

orangeade *f* : orange squash

orangeat *m* : candied orange peel

orbitale *f* : (nucl) orbital; (transport) orbital road
~ **antiliante**: antibonding orbital
~ **avec spin**: spin orbital
~ **liante**: bonding orbital

orbite *f* : orbit
~ **circumterrestre**: near-earth orbit
~ **d'attente**: parking orbit
~ **d'équilibre**: equilibrium orbit
~ **de libération**: escape orbit

~ **terrestre**: earth orbit
~ **stable**: equilibrium orbit
d'~: orbital
en ~: orbiting, in orbit
en ~ autour de la terre: earth orbiting
mettre en ~: to put in orbit
sur ~: orbiting, in orbit
sur ~ basse: low-orbiting

orbiteur *m* : orbiter

ordinaire: ordinary, plain, standard;
(essence, huile moteur) regular

ordinateur *m* : computer
~ **à mémoire tampon**: buffered
computer
~ **à programme câblé**: wired-program
computer
~ **central**: main computer, host
computer
~ **d'amateur**: hobby computer
~ **d'exécution**: target computer
~ **de bord**: (aéro) on board- computer;
(autom) trip computer
~ **de bureau**: desktop computer
~ **domestique**: home computer
~ **embarqué**: on-board computer
~ **en temps réel**: real-time computer
~ **familial**: home computer
~ **hôte**: host computer
~ **individuel ▶ OI**: home computer,
personal computer
~ **industriel**: process computer,
sensor-based computer
~ **intégré**: embedded computer
~ **nodal**: node computer
~ **parallèle**: parallel computer
~ **personnel ▶ OP**: personal computer
~ **pilote**: master computer
~ **portable**: laptop computer, portable
computer
~ **portatif**: laptop computer, portable
computer
~ **pour PME**: small-business computer
~ **principal**: main computer, host
computer
~ **satellite**: remote computer, satellite
computer
~ **sériel**: serial computer
~ **spécialisé**: dedicated [application]
computer
~ **universel**: general-purpose
computer

ordinogramme *m* : flowchart

ordonnancement *m* : (de travaux)
progressing, scheduling

ordonnée *f* : ordinate, Y-coordinate

ordre *m* : order, arrangement, sequence;
(commandement) command, order;
(maths, architecture) order
~ **à la barre**: rudder command
~ **croissant**: ascending order, increasing order
~ **d'achat**: purchase order
~ **d'allumage**: (d'un moteur) firing
order, firing sequence
~ **d'apparition**: order of appearance
~ **d'injection**: injection sequence
~ **d'un harmonique**: harmonic order
~ **de colonne**: (inf) column major
order
~ **de fabrication ▶ OF**: work order,
manufacturing order
~ **de grandeur**: order of magnitude
~ **de marche**: running order, working
order
~ **de modification**: variation order
~ **de modification technique**: engineering change order
~ **de modification en clientèle**: field
change order
~ **de priorité**: order of precedence,
order of priority
~ **de soudage**: welding sequence
~ **de succession des corps d'état**:
(constr) sequence of trades
~ **décroissant**: decreasing order,
descending order
~ **des opérations**: sequence of
operations
~ **des phases**: phase rotation [order],
phase sequence
~ **quelconque**: random order
en ~ d'exploitation: operational, in
working order
en ~ de vol: ready for flight

ordures *f* : rubbish GB, garbage NA,
trash
~ **ménagères**: household rubbish,
household refuse, domestic waste GB
garbage NA

oreille *f* : (organe) ear; (d'écrou, de vis)
wing; (fruit) half
~ **de châssis**: lug

oreillon *m* : (d'abricot) apricot half

organe *m* : component, device, member
part; ~**s**: gear, train
~ **actif**: driving member
~ **d'assemblage**: connector, fastener
~ **d'entraînement**: driving part
~ **d'entrée**: (inf) input device
~ **de blocage**: locking device
~ **de commande**: actuator, driving
member; (aéro, autom) control
~ **de conduite**: (de machine) control;

(de locomotive) cab equipment GB, car equipment NA
~ **de lecture**: sensing device
~ **de machine**: machine member
~ **de publicité**: advertising medium
~ **de régulation**: control device
~ **de sûreté**: (par rupture) shearing member
~ **final**: (régulation) final control element
~ **mobile**: moving part
~ **moteur**: driving member
~ **périphérique**: external unit
~ **récepteur**: driven member
~ **réfrigérateur**: cooling device
~ **reproducteur**: reproductive organ
~ **sensible**: transducer
~ **terminal de préhension**: (rob) end effector
~**s de manœuvre**: operating gear
~**s de transmission**: drive train
~**s génitaux**: genitals, genitalia

organelle *f*: organelle

organicien *m*: organic chemist

organigramme *m*: (d'une entreprise) organization chart; (de production) flowchart, flow diagram, flow sheet
~ **d'exploitation**: run chart
~ **de données**: dataflow diagram
~ **de programmation**: program [flow]chart
~ **détaillé**: low-level flowchart
~ **général**: main-line flowchart, top-level flowchart
~ **récapitualitf**: top-level flowchart

organigraphe *m*: [diagramming] template, [charting] template

organisation *f*: organization, setup
~ **de la gestion**: management engineering
~ **du travail**: job engineering
~ **industrielle**: industrial engineering
~ **pilote**: lead organization
~ **scientifique du travail ▶ OST**: organization and methods

organisme *m*: body, organization; (biologie) organism
~ **aquatique**: aquatic organism
~ **officiel**: official body, authority

organite *m*: organelle

organogenèse *f*: organogenesis

organoleptique: organoleptic

organométallique: organometallic

organosol *m*: organosol

orge *f*: barley
~ **de brasserie**: brewer's barley
~ **fourragère**: feed barley
~ **mondé** *m*: hulled barley
~ **perlé** *m*: pearl barley

orientable: swinging, swivel[ling]; (antenne, faisceau) steerable; (pale) adjustable

orientation *f*: orientation; (d'un bâtiment) aspect; (aérosp) attitude; (d'une grue) slewing
~ **des roues**: (aéro) wheel steering
~ **train avant**: nosewheel steering

orienté: oriented, orientated
~ **objet**: object-oriented
~ **par les problèmes**: problem-oriented

orienter: to orient, to position, to point, to direct (towards), to turn (towards); (une antenne) to align, to pan, to set; (une grue) to slew, to swing

orienteur-marqueur *m*: (mil) pathfinder

orifice *m*: orifice, aperture, hole, mouth; (de vérin, de soupape) port; ~**s**: porting
~ **calibré**: gauged orifice, metering hole
~ **constant**: fixed orifice
~ **d'admission**: intake port
~ **d'échappement**: exhaust port
~ **d'entrée**: inlet [port]
~ **d'évacuation**: outlet
~ **d'injection**: metering jet
~ **de balayage**: scavenge port
~ **de coulée**: tap hole, running gate
~ **de décharge**: spill port
~ **de dégagement**: vent hole
~ **de formation de la flamme**: burner port, flame port
~ **de mise à l'air libre**: vent hole
~ **de purge d'eau**: drain port
~ **de refoulement**: delivery connection
~ **de sortie**: outlet
~ **de soupape**: valve port
~ **de transfert**: transfer port
~ **de tréfilage**: draw hole
~ **de ventilation**: vent [hole]
~ **de visite**: inspection hole
~ **du puits**: (mine) pit mouth, pit top
~ **invariable**: fixed orifice
à ~: ported

origan *m* : oregano, marjoram, origan

original *m* : (d'un document) original [copy]; (dactylographie) top copy
~ **bon à reproduire**: camera copy, camera-ready copy, reproduction copy
~ **prêt à reproduire**: camera copy, camera-ready copy, reproduction copy

origine *f* : origin
~ **de réplication**: (gg/bm) replication origin
d'~: original; starting; (pièce) genuine part, manufacturer's part
d'~ extérieure: foreign; bought out

orin *m* : buoy rope

ornière *f* : rut

orthochromatique: orthochromatic

orthodromie *f* : orthodromy, great-circle sailing

orthodromique: orthodromic, [great] circle (route)

orthogonal: orthogonal, right-angled

orthohydrogène *m* : orthohydrogen

orthorhombique: orthorhombic

orthotrope: orthotropic

os *m* : bone
~ **à moelle**: marrow bone
~ **de seiche**: cuttle bone
~ **long**: long os
~ **spongieux**: spongy bone

oscillateur *m* : oscillator
~ **à cavité [résonante]**: cavity oscillator
~ **à couplage électronique**: electron-coupled oscillator
~ **à déphasage**: phase-shift oscillator
~ **à diapason**: tuning-fork oscillator
~ **à fréquence variable**: variable-frequency oscillator
~ **à phase bloquée**: phase-locked oscillator
~ **à quartz**: crystal-controlled oscillator
~ **auto-amorti**: self-quenching oscillator
~ **de battement**: beat oscillator
~ **de blocage**: blocking oscillator
~ **de découpage**: quenching oscillator
~ **déphaseur**: phase-shift oscillator
~ **pilote**: master oscillator
~ **symétrique**: pushpull oscillator

oscillation *f* : oscillation; (de pendule) swing[ing]; (balancement) rocking; (d'un instrument) flicker; (pompage d'un moteur) hunting
~ **amortie**: damped oscillation, dying oscillation, stable oscillation
~ **auto-entretenue**: self-sustained oscillation
~ **complète**: (d'un pendule) double oscillation
~ **forcée**: constrained oscillation
~ **naturelle**: natural oscillation, self-oscillation
~ **pendulaire**: pendulum oscillation, pendulum swing
~ **propre**: natural oscillation, self-oscillation

osciller: to oscillate, to swing; to rock; to flicker; to hunt

oscillographe *m* : oscillograph
~ **à corde**: string oscillograph
~ **cathodique**: cathode-ray oscillograph

oscilloscope *m* : oscilloscope, scope
~ **à mémoire**: storage oscilloscope
~ **à rayons cathodiques**: cathode-ray oscilloscope
~ **cathodique**: cathode-ray oscilloscope

oseille *f* : sorrel

osmomètre *m* : osmometer

osmose *f* : osmosis
~ **inverse**: reverse osmosis

ossature *f* : skeleton, structure, frame, framework, framing
~ **métallique**: metal frame
~ **non contre-ventée**: unbraced frame
~ **secondaire**: subframe

osséine f: ossein, ostein

ostéoclaste *m* : osteoclast

ostéogénèse *f*, **ostéogénie** *f* : osteogenesis, osteogeny

ostéophone *m* : bone conduction receiver

ostréiculture *f* : oyster farming

OU: OR
~ **exclusif**: exclusive OR
~ **inclusif**: inclusive OR

ouate *f* : [cotton] wadding; (pharmacie) cotton wool

ouïe *f* : hearing; (orifice) inlet (of fan); (de poisson) gill
~ **de prise d'air**: louvre GB, louver NA

ouragan *m* : hurricane

ourdissage *m* : warping

ourdisseur *m* : warper

ourdissoir *f* : warping frame

ourlet *m* : (text) hem; (métall) lap seam, welt

oursin *m* : sea urchin

outil *m* : tool; implement, aid; (forage) bit
~ **à border**: curling tool
~ **à carbure de tungsène**: carbide tool
~ **à découper**: cutting tool; blanking die
~ **à détartrer**: scaling tool
~ **à main**: hand tool
~ **à molettes**: rock bit, rock roller bit, roller bit
~ **à pastilles**: button bit
~ **à polir**: polishing tool
~ **à roder**: grinding tool
~ **à tranchant**: edge tool
~ **coupant**: cutting tool
~ **de carottage**: core bit
~ **de coupe**: cutting tool, cutter
~ **de curage**: well-cleaning tool
~ **de découpage**: cutting tool (of press)
~ **de découpage de flan**: blanking tool
~ **de démontage**: puller, extractor
~ **de forage au câble**: cable tool
~ **de forage**: drill[ing] bit, drilling tool
~ **de pose**: (forage) running tool, setting tool
~ **de programmation**: programming aid
~ **de repêchage**: (forage) fishing tool, pulling tool
~ **de tour**: turning tool
~ **émoussé**: dull tool
~ **multiple**: gang tool
~ **percutant**: percussive tool
~ **pneumatique**: air tool

outillage *m* : tooling, tools, outfit
~ **étalon**: master tooling
~ **mécanique**: power tools

outiller: to supply with tools, to fit out with tools; (une machine, une usine) to equip

outilleur *m* : toolmaker

ouvert: open; (él) open-type, non-enclosed (apparatus), incomplete, open (circuit); (inf) open-ended
~ **en grand**: wide open

ouverture *f* : opening; (orifice) aperture, opening; (phot) f-number
~ **angulaire**: (d'une antenne) beam width
~ **[angulaire] à mi-puissance**: half-power beamwidth
~ **d'induit**: armature gap
~ **de chantier**: (constr) start of work
~ **de clé**: (méc) wrench width, width between jaws, gap of spanner width over flats
~ **de l'objectif**: lens aperture
~ **de la presse**: daylight
~ **de maille**: aperture size, mesh size, mesh aperture
~ **de panneau**: (mar) hatchway
~ **de session**: (inf) log-in, log-on, sign on, signing on
~ **de ventilation**: air vent
~ **de visite**: inspection hole
~ **des roues**: (autom) toe-out
~ **du diaphragme**: (phot) lens stop
~ **du faisceau**: beam width, beam angle, beam opening
~ **du mandrin**: (m-o) capacity of chuck
~ **du moule**: daylight (of press)
~ **du sol**: (constr) ground breaking
~ **en fondu**: fade-in
~ **graduelle du diaphragme**: irising-in
~ **libre**: clear span
~ **numérique**: numerical aperture

ouvrabilité *f* : workabilitiy, plasticity (of concrete)

ouvrage *m* : (tâche) work; (constr) work, construction, structure; → aussi **ouvrages**
~ **à claire-voie**: open work
~ **au-dessous du niveau du sol**: below-grade structure
~ **d'art**: permanent structure, permanent work, [engineering] structure
~ **de dérivation**: diversion work
~ **de franchissement**: bridge
~ **de prise d'eau**: water intake, intake structure
~ **de soutènement**: supporting structure, retaining structure
~ **en agglomérés**: blockwork
~ **en élévation**: above-grade structure
~ **en maçonnerie**: masonry [work]
~ **en parpaings**: blockwork
~ **enterré**: below-grade structure
~ **provisoire**: false work

~ **souterrain**: below-grade structure
~ **voûté**: arched structure

ouvrages *m* : works
~ **d'amenée**: (hydr) power channels
~ **d'art**: construction works
~ **de menuiserie légère**: trim
~ **en terre**: earthworks

ouvraison *f* : (text) [bale] opening

ouvrant *m* : (de fenêtre) opening light;
(de porte) leaf; *adj* : opening; (fenêtre)
operable

ouvreau *m* : quarl (of burner)

ouvreuse *f* : cotton opener
~ **à balles**: bale opening machine

ouvrier *m* : worker, workman, hand,
operative
~ **à domicile**: outworker, homeworker
~ **de fond**: (mine) miner, underground
workman
~ **de plancher**: (forage) floorman
~ **du jour**: (mine) surfaceman, surface
worker
~**-foreur**: rotary helper
~ **métallurgiste**: metal worker,
metallist GB, metalist NA
~ **non qualifié**: labourer GB, laborer
NA
~ **qualifié**: craftsman, skilled workman
~ **spécialisé**: semi-skilled worker
~**-terrassier**: navvy

ouvrir: to open; (l'électricité) to switch on,
to turn on; (un robinet) to turn on; (une
soupape) to unseat; (un circuit, une
boucle) to break; (avec une clé) to
unlock
~ **en faisant pesée**: to prize open
~ **le circuit**: to break the circuit, to
switch off
~ **le feu**: (mil) to open fire
~ **légèrement**: (une soupape) to crack
~ **une session**: (inf) to sign on, to log
in, to log on

ovale *m*, *adj* : oval

ovalisé: out-of-round

oviducte *m* : oviduct

ovin *m* : sheep; *adj* : ovine

ovipare: oviparous

ovocyte *m* : ovocyte

ovogénèse *f*, **ovogénie** *f* : ovogenesis

ovoïde: egg-shaped

ovovivipare: ovoviviparous

ovule *m* : ovule, ovum

oxyacétylénique: oxyacetylene

oxacide *m* : oxyacid

oxycoupage *m* : oxygen cutting, torch
cutting, gas cutting
~ **à l'arc**: oxy-arc cutting

oxydable: oxidizable

oxydase *f* : oxidase

oxydant *m* : oxidant, oxidizer; *adj* : oxidizing

oxydation *f* : oxidation, oxidizing
~ **anodique**: anodizing
~ **biochimique**: biochemical oxidation
~ **biologique**: bio-oxidation
d'~: oxidative (enzyme etc)

oxyde *m* : oxide
~ **de calcination**: calx
~ **de calcium**: calcium oxide
~ **de carbone**: carbon monoxide

oxyder: to oxidize; to corrode

oxydo-réduction *f* : oxidation-reduction,
redox

oxyduc *m* : oxygen pipeline

oxygénation *f* : oxygenation

oxygène *m* : oxygen
~ **dissous ▶ OD**: dissolved oxygen
~ **liquide**: liquid oxygen, lox

oxygéner: to oxygenate, to oxygenize;
(le sang) to aerate

oxyhémogloboine *f* : oxyhaemoglobin
GB, oxyhemoglobin NA

ozonateur *m* : ozonizer

ozonation *f* : ozonization

ozoner, ozoniser: to ozonize

ozoniseur *m* : ozonizer

ozonosphère *f* : ozonosphere, ozone
layer

PA → pilote automatique

PAC → pompe à chaleur

packer *m* : (forage) packer
~ **à ancre**: anchor packer
~ **à coins d'ancrage**: anchor packer
~ **combiné**: combination packer
~ **de production**: tubing packer
~ **latéral**: sidewall packer
~ **pour complétions multiples**: multiple-string packer
~ **pour trou ouvert en plein diamètre**: open-hole packer
~ **pour trou réduit à garniture conique**: rat-hole packer

paddy *m* : paddy rice

PAE → prêt à émettre

page *f* : page
~ **de texte**: text page
~ **de titre**: title page
~ **en regard**: opposite page
~ **impaire**: odd page, uneven page
~ **paire**: even page
~ **rédactionnelle**: text page
~ **verso**: back page

pagination *f* : foliation, pagination; (inf) paging
~ **à la demande**: demand paging

paiement *m* : payment
~ **comptant**: cash payment
~ **contre livraison**: cash on delivery
~ **contre vérification ▸ PCV**: (tél) reverse charge GB, sent-collect NA; → aussi **appel**

paillasse *f* : laboratory bench

paille *f* : straw
~ **de fer**: steel wool
~ **fourragère**: fodder straw
~ **hachée**: chaff

paillette *f* : (de mica, de savon, de graphite) flake; (radar) chaff, rope; (défaut de papier) shiner

pain *m* : bread; (individuel) loaf; (de savon, de résine) cake
~ **azyme**: unleavened bread
~ **bis**: brown bread
~ **complet**: wholemeal bread
~ **de beurre**: packet of butter
~ **de campagne**: farmhouse bread, farmhouse loaf
~ **de seigle**: rye bread
~ **de sucre**: sugar loaf
~ **moulé**: tin loaf
~ **noir**: black rye bread, buckwheat bread
~ **rassis**: stale bread

pair: even
~**-impair**: even-odd
~**-pair**: even-even

pairage *m* : pairing

paire *f* : pair, couple
~ **adaptée**: matched pair
~ **attribuée**: (tél) committed pair, assigned pair
~ **d'électrons**: electron pair
~ **de bases**: (gg/bm) base pair
~ **de fils**: wire set
~ **de roues**: wheel set
~ **défectueuse**: (tél) bad pair
~ **électron-trou**: electron-hole pair
~ **en dérangement**: (tél) bad pair
~ **en service**: working pair
~ **ordonnée**: ordered pair
~ **pilote**: tracer pair
~ **pupinisée**: coil-loaded pair
~ **symétrique**: balanced pair
~ **torsadée**: twisted pair
~ **trou-électron**: hole-electron pair

palan *m* : block and fall, block and tackle, hoist, pulley block, purchase, tackle
~ **à chaîne**: chain pulley block, chain hoist, chain block, chain tackle
~ **de chèvre**: gin block
~ **de levage**: lifting tackle, hoisting tackle
~ **double**: twofold purchase
~ **fixe**: crown block
~ **mobile**: travelling block

pale *f* : (de roue, de mélangeur) paddle; (aube) blade, vane
~ **à géométrie avancée**: advanced geometry blade
~ **avançante**: advancing blade
~ **d'hélice**: propeller blade
~ **de rotor**: rotor blade
~ **orientable**: adjustable blade
~ **traînante**: hunting blade

palée *f* : (constr) bent pile
~ **de stabilité**: sway frame

palette *f* : (d'un mélangeur) paddle; (pale) blade, vane; (de conditionnement) pallet; (d'électroaimant) plate; (de convoyeur) flight, paddle; (de peintre) palette
~ **à ailes**: wing pallet
~ **à deux entrées**: two-way pallet
~ **à double plancher**: double-deck flat pallet
~ **à entrées multiples**: multiple-entry pallet
~ **à montants**: builtup pallet, stacking pallet
~ **à plancher débordant**: wing pallet
~ **à plancher non jointif**: open-deck pallet
~ **à prises multiples**: multiple-entry pallet
~ **à ridelles**: post pallet, stacking pallet
~ **à simple plancher**: single-deck pallet
~ **électronique**: (inf) paint system
~ **perdue**: expendable pallet, non-reusable pallet, one-way pallet
~ **reversible**: double-face pallet
~ **simple**: flat pallet

palette-caisse *f* : box pallet
~ **ouverte**: open box pallet
~ **sans couvercle**: open box pallet

palettisé: palletized

palettiseur *m* : pallet loader

palier *m* : (méc) bearing, bearing block; (d'escalier) landing; (allure de courbe) flat part, level part; (étape) step, increment
~ **à brides**: flange bearing
~ **à collet**: collar bearing
~ **à douille**: sleeve bearing
~ **à gaz**: gas bearing
~ **à glissement**: slide bearing
~ **à graissage par arrosage**: flood-lubricated bearing
~ **à graissage par bagues**: oil-ring lubricated bearing
~ **à monture élastique**: flexible bearing

~ **à patin**: pad-type bearing
~ **à potence**: bracket hanger
~ **à pression d'huile**: oil-jacked bearing
~ **à rotule**: swivel bearing, self-aligning bearing
~ **à roulement à billes**: ball bearing
~ **à roulement à rouleaux**: roller bearing
~ **à roulement à aiguilles**: needle-roller bearing
~ **à tourillon sphérique**: ball-and-socket bearing
~ **arrière**: (tv) back porch
~ **articulé**: self-aligning bearing
~ **autolubrifiant**: self-lubricating bearing
~ **auxiliaire**: outboard bearing, outer bearing
~ **côté commande**: (pompe) inboard bearing
~ **côté libre**: (pompe) outboard bearing
~ **d'arbre à cames**: camshaft bearing
~ **de bout**: end bearing
~ **de butée**: thrust bearing
~ **de manivelle**: crankshaft bearing
~ **de noir**: (tv) black porch
~ **de pied de bielle**: small-end bearing GB, piston pin bearing, wrist bearing NA
~ **de repos**: intermediate landing, half pace
~ **de tête de bielle**: big-end bearing
~ **de tourillon**: trunnion bearing
~ **de vilebrequin**: (autom) main bearing, crankshaft bearing
~ **échauffé**: hot bearing
~ **en deux pièces**: split bearing
~ **en porte-à-faux**: outboard bearing
~ **érodé**: wiped bearing
~ **extérieur**: outboard bearing
~ **fermé**: solid journal bearing
~ **frontal**: end bearing
~ **graisseur à bague**: oil-ring bearing
~ **grippé**: seized bearing
~ **guide**: guide bearing
~ **intermédiaire**: (méc) centre bearing; (constr) half pace; (tv) breezeway
~ **libre**: floating bearing
~ **lisse**: plain bearing, journal bearing, sleeve bearing, slide bearing, sliding bearing
~ **lisse cylindrique**: sleeve bearing
~ **lisse massif**: solid plain bearing
~ **ordinaire**: pillow block, plummer block, pedestal bearing
~ **plein**: solid bearing
~ **principal**: main bearing
~ **régulé**: babitted bearing, white metal bearing
~ **rigide**: straight-seated bearing

~ **rotule**: spherical bearing
en ~: on the flat, level, on the level;
(aéro) horizontal (flight)

palification f : (fondations) piling

palindrome m : (gg/bm) palindrome

palindromique: palindromic

palissade f : hoarding, paling, picket
fence

palladiage m : palladium plating

palmer m : micrometer calliper,
micrometer gauge, calliper gauge

palmiste m : cabbage palm, cabbage
tree, cabbage palmetto

palmitine f : palmitin

palonnier m : (méc) compensation bar,
rocking lever; (manutention) lifting
beam
~ **automatique**: (de conteneur)
spreader
~ **de levage**: spreader
~ **du gouvernail de direction**: rudder
bar

palpeur m : feeler; (capteur) probe,
sensor, sensing arm, sensing device,
sensing finger; (m-o) stylus, tracer

palplanche f : sheet pile, pile plank; ~**s**:
[sheet] piling

paludisme m : malaria

pamplemousse m : grapefruit

pan m : section (of a surface); (de
prisme) face, side; (d'écrou) flat
~ **abattu**: chamfer
~ **coupé**: cant
~ **de bois**: timber frame
~ **de mur entre baies**: field

panachage m : (des charges, de combustible) mix[ing]

panais m : parsnip

panchromatique: panchromatic

pané: in breadcrumbs

panicule f : panicle

panier m : basket; (forage) junk retriever

~ **à cartes**: (inf) card cage
~ **de coulée**: tundish
~ **de gondole**: shelf basket
~ **de présentation en vrac**: dump bin
~ **garni**: food hamper
~ **lance-roquettes**: rocket pod
~ **porte-anode**: anode basket
~**-repas**: luncheon basket

panification f : breadmaking, bread
manufacture, panification

panmixie f : panmixia, panmixis

panne f : (de fonctionnement)
breakdown, failure, fault, trouble,
outage, stoppage; (d'ordinateur)
crash, bomb; (de marteau) pane,
peen; (de toiture) purlin; (de porc) leaf
fat
~ **cataleptique**: catastrophic failure
~ **d'alimentation**: power failure
~ **d'écran**: blackout
~ **de secteur**: mains failure
~ **dormante**: undetected failure
~ **d'électricité**: power outage, power
cut
~ **d'équipement**: (inf) hard failure
~ **de courant**: power failure
~ **de fer à souder**: bit (of soldering
iron)
~ **de moteur**: engine failure
~ **en treillis**: lattice purlin, trussed
purlin
~ **franche**: straight failure, permanent
fault
~ **fugitive**: (inf) soft failure
~ **passagère**: (inf) soft failure
~ **sphérique**: ball pane
en ~: broken down, out of order, failed,
inoperative

panneau m : panel; ~**x**: panelling
~ **à âme panneautée**: battenboard
~ **à surface frontale lisse**: (él) dead-
front panel
~ **alvéolé**: waffle panel
~ **avivé**: edged board
~ **arrière**: (de racordement) backpanel
~ **bitumé**: bituminous board
~ **carré**: (mar) hatchway
~ **chauffant**: heating pannel
~ **contreplaqué à âme lamellée**:
laminboard
~ **contreplaqué à âme lattée**:
blockboard
~ **d'affichage**: (privé) notice board;
(publicitaire) hoarding GB, billboard
NA
~ **d'aggloméré**: particle board
~ **d'arrimage**: (mar) trimming hatch
~ **d'arrivée**: (él) incoming panel

~ **d'assemblage**: mounting panel
~ **d'écoutille**: (mar) hatch cover
~ **de cale**: hatch, hatch cover
~ **de cellules solaires**: solar cell panel
~ **de commande**: [operator] control panel
~ **de commutation**: (tél) jack field, jack panel
~ **de construction**: building board
~ **de contrôle**: test board
~ **de départ**: (él) outgoing panel
~ **de distribution**: switchboard
~ **de fibre perforée**: pegboard
~ **de fibres**: fibre building board, hardboard
~ **de fibres agglomérées**: composition board, fibreboard
~ **de fibres extra-dur**: tempered hardboard
~ **de fibres mi-dur**: medium-density hardboard
~ **de fibres tendre**: softboard, insulating fibreboard
~ **de hauteur**: standing panel
~ **de jacks**: (tél) jack field, jack panel
~ **de liège**: cork slab
~ **de particules**: particle board, chipboard
~ **de pistage**: (rob) tracking window
~ **de raccordement**: connector panel, patch panel
~ **de revêtement**: skin panel
~ **de signalisation**: indicator panel
~ **de signalisation routière**: road sign
~ **de tôlage**: skin panel
~ **dur**: hardboard
~ **dur à deux faces lisses**: duo face harboard
~ **dur perforé**: pegboard
~ **en bois reconstitué**: particle board
~ **en retrait**: sunk panel
~ **fractionné**: sectional panel
~ **frontal**: face plate
~ **indicateur**: indicator panel; (signalisation routière) road sign
~ **latté**: core board
~ **plaqué**: veneered board
~ **publicitaire**: hoarding GB, billboard NA
~ **radiant**: radiant panel
~ **solaire**: solar array
~ **stratifié**: laminated panel
~ **vitré**: glass panel

panneresse *f* : stretcher (constr)

panoplie *f* : (d'outils) tool board

panoramique *m* : (tv, cin) pan shot, pan, panning

pantographe *m* : pantograph

panure f: breadrumbs

PAO → **publication assistée par ordinateur**

papaïne *f* : papain

papaye *f* : papaya, papaw, pawpaw

papeterie *f* : stationery; (magasin) stationer's [shop]; (fabrication de papier) paper making; (usine) paper mill

papetier *m* : stationer; paper maker

papier *m* : paper
~ **à canneler**: corrugating medium
~ **à en-tête**: headed notepaper
~ **à la cuve**: handmade paper, vat paper
~ **à la forme**: handmade paper
~ **à onduler**: corrugating medium
~ **à plat**: flat paper
~ **alfa**: esparto paper
~ **armé**: reinforced paper
~ **asphalté**: asphalt paper
~ **au bromure**: bromide paper
~ **auto-adhésif**: pressure sensitive paper
~ **autocollant**: pressure sensitive paper
~ **autocopiant**: carbonless copy paper, no-carbon paper, no-carbon required paper
~ **beurre**: greaseproof paper
~ **bitumé**: asphalt paper
~ **bouffant**: bulky paper
~ **brut**: base paper, plain paper; (sans apprêt) unfinished paper
~ **bulle**: manilla paper
~ **cache**: masking tape
~ **calandré**: calender[ed] paper, calender-finished paper
~ **calque**: tracing paper
~ **carbone**: carbon paper
~ **carboné**: carbon-coated paper, carbonized paper
~ **cartouche**: cartridge paper
~ **collant**: gummed paper
~ **collé**: sized paper
~ **collé à la cuve**: tub-sized paper
~ **collé à la pile**: beater-sized paper
~ **couché**: coated paper, art paper
~ **couché mat**: mat coated paper
~ **crêpé**: crepe paper
~ **cristal**: glassine
~ **d'armure**: (text) paper pattern (for dobbies)
~ **d'emballage**: brown paper, wrapping paper

~ **d'étain**: tin foil
~ **de bureau**: plain paper
~ **de chiffons**: rag paper
~ **de riz**: rice paper
~ **[de rouge] à polir**: crocus paper
~ **de sécurité**: security paper
~ **de soie**: tissue [paper]
~ **de sûreté**: safety paper
~ **de tournesol**: litmus paper
~ **de verre**: sandpaper
~ **doublé-bitumé**: union paper
~ **émeri**: emery paper
~ **en bobines**: web paper
~ **en continu**: (inf) listing paper, continuous form
~ **en continu à pliage paravent**: fanfold paper
~ **en l'état**: unprocessed paper
~ **entoilé**: reinforced paper
~ **fiduciaire**: currency paper, security paper
~ **filtre**: filter paper
~ **gaufré**: embossed paper
~ **glacé**: glazed paper
~ **goudronné**: tar paper
~ **goudronné entoilé**: burlap-lined paper
~ **gris**: brown paper
~ **hélio**: gravure paper
~ **infalsifiable**: safety paper
~ **inimitable**: security paper
~ **jeune**: green paper
~ **Joseph**: filtering paper
~ **journal**: news stock, newsprint
~ **kraft**: kraft paper
~ **mécanique**: machine-made paper
~ **métallisé**: metallized paper
~ **millimétrique**: graph paper, scale paper
~ **mince**: flimsy paper
~ **mousseline**: tissue [paper]
~ **multicouche**: multilayer paper
~ **multijet**: multilayer paper
~ **non carboné**: carbonless copy paper
~ **non collé**: unsized paper
~ **non rogné**: untrimmed paper
~ **ordinaire**: plain paper
~ **paraffiné**: wax paper
~ **peint**: wallpaper
~ **pelure**: copying paper, onion skin paper
~ **procédé**: scraper board GB, scratch board NA
~ **protecteur**: backing paper
~ **pur chiffon**: all-rag paper
~ **pure paille**: yellow strawpaper
~ **quadrillé**: graph paper, plotting paper, scale paper, square-ruled paper, squared paper
~ **réactif**: test paper
~ **réglé**: ruled paper

~ **sans apprêt**: unfinished paper
~ **sans bois**: wood-free paper
~ **satiné**: glazed paper, supercalendered paper
~ **sensible**: bromide paper
~ **similicouché**: imitation art paper
~ **simplex**: single-ply paper
~ **sous bande**: (graph) banded stock
~ **suédé**: flocked paper, flock-coated paper
~ **sulfurisé**: greaseproof paper, parchment paper
~ **support**: base paper, body paper
~ **support pour couchage**: coating paper
~ **thermosensible**: thermal paper
~ **toile**: cambric paper
~ **tournesol**: litmus paper
~ **vélin**: vellum paper
~ **velours**: flock-coated paper, flocked paper
~ **vergé**: laid paper
~ **vierge**: unprocessed paper

papillon *m* : butterfly valve, butterfly throttle; (registre sur conduit) damper; (étiquette) sticker; (antenne) batwing antenna
~ **adhésif**: stick-on label
~ **des gaz**: (carburateur) throttle [valve]

paquet *m* : parcel, packet; (d'ondes) group, packet; (de données) burst; (de cartes) pack
~ **d'erreurs**: error burst
~ **d'interruptions**: interruption burst
~ **de cartes**: card deck, card pack
~ **de données**: data burst
~ **de tôles**: (laminage) stack of sheets; (de transformateur) stampings, laminations
~ **de tôles rotor**: rotor laminations
~ **de tôles stator**: stator laminations

paquetage *m* : (éon) packaging; (de soldat) kit bag, pack
~ **à haute densité**: density packaging
~ **de survie**: survival kit

PAR → **puissance apparente rayonnée**

par habitant et par jour: per capita per day

parabiose *f* : parabiosis

parabole *f* : parabola

paraboloïde *m* : paraboloid

parabruit *m* : acoustical panel

parachèvement *m* : finishing, final finish; (fonderie) finishing and cleaning

parachutage *m* : parachute drop
faire un ~: to parachute, to drop by parachute

parachute *m* : parachute, chute; (d'ascenseur) gripgear
~ **antivrille**: antispin parachute
~ **de freinage**: parabrake
~ **de queue**: tail chute, drag chute
~ **dorsal**: back-pack parachute
~ **ventral**: lap-pack parachute, reserve [para]chute

parachutiste *m* : parachutist; (mil) paratrooper

paradiaphonie *f* : near-end crosstalk

paradichlorobenzène ► PDB *m* : paradichlorobenzene

paraffine *f* : paraffin wax
~ **écaille**: scale wax
~ **liquide**: (pharmacie) paraffin oil

paraffiné: wax[ed] (paper, board)

parafoudre *m* : lightning conductor, lightning protector, lightning arrester; protective gap, surge diverter, surge arrester
~ **à chute cathodique**: cathode drop arrester
~ **à corne[s]**: horn [gap] arrester
~ **à expulsion**: expulsion-type arrester
~ **de mise à la terre**: earth arrester

parafouille *f* : cutoff [wall]

parage *m* : (de la viande) trimming

paragraphe *m* : paragraph
~ **carré**: flush paragraph
~ **invariant**: (inf) boiler plate
~ **passe-partout**: (inf) canned paragraph
~ **standard**: (inf) canned paragraph

para-informatique: computer-related

paraison *f* : parison

parallaxe *f* : parallax

parallèle *f* : parallel [line]; *adj* : parallel
en ~: (él) bridge, shunt, in parallel; abreast (connection)
~-série ► PS: parallel-to-serial

parallélisme *m* : parallelism
~ **des roues**: (autom) wheel alignme

parallélogramme *m* : parallelogram
~ **articulé**: (méc) parallel motion
~ **des forces**: parallelogram of force

paramécie *f* : paramecium

paramétrage *m* : parameterization

paramètre *m* : parameter
~ **d'exploitation**: operating paramet
~ **effectif**: actual parameter

parapet *m* : parapet; wall above roof level

parasismique: earthquake resistant

parasitaire: parasitic

parasite *m* : noise, interference; (radar) clutter, grass; *adj* : (courant, voltage) stray; (fréquence, modulation, signal) spurious; (enregistrement magnétiqu) drop-in; (bio) parasite, pest; → aussi **parasites**
~ **cellulaire obligatoire**: obligatory intercellular parasite
~ **essentiel**: obligate parasite
~ **industriel**: manmade noise
~ **obligatoire**: obligate parasite
~ **radar**: (sur écran cathodique) hash line

parasites *m* : interference, mush, noise (tv) spottiness, snow; (écho radar) clutter
~ **atmosphériques**: atmospherics, statics
~ **dûs aux câbles**: cable noise
~ **impulsifs**: impulse noise, impulsive noise
~ **industriels**: manmade noise, manmade interference
~ **intermittents**: disturbance
sans ~ atmosphériques: static[s]-fre

parasiticide *m, adj* : parasiticide

parasitologie *f* : parasitology

parasoleil *m* : lens hood

parasurtension *m* : surge diverter

paratonnerre *m* : lightning arrester, lightning conductor

parc *m* : park; yard; (de matériel) inventory; (de logements, de machines)

stock; (chdef) rolling stock GB, rolling equipment NA; (d'élevage) pen
~ **à charbon**: coal yard
~ **à ferrailles**: scrap yard
~ **à huîtres**: oyster bed
~ **à lingots**: ingot yard
~ **à matériaux**: stock yard
~ **à réservoirs**: (pétr) tank farm
~ **automobile**: (d'un pays) number of cars; (d'une entreprise) fleet
~ **d'ordinateurs**: computer population
~ **d'utilisateurs**: user base, user population
~ **de logements**: housing stock
~ **de machines**: machine population, field-installed machines, installed base
~ **de matériel**: equipment inventory
~ **de stationnement**: car park GB, parking lot NA
~ **de stationnement couvert**: undercover car park
~ **de stockage**: (hydrocarbures) tank farm
~ **de véhicules**: fleet
~ **de wagons**: waggon stock
~ **des acides**: acid room
~ **informatique**: computing equipment
~ **moteur**: (chdef) tractive stock
~ **mytilicole**: mussel bed

arcelle f : (de terrain) plot of land, lot

arclose f : glazing bead

arcourir: (un texte) to examine to go over; (inf) to scan (a list); (él) to flow

arcours m : route, path; distance covered, mileage; (de canalisation) run; (graphe) traversal
~ **à l'atterrissage**: landing run
~ **à l'endroit**: preorder traversal
~ **à l'envers**: endorder traversal, postorder traversal
~ **du courant**: current path
~ **du signal**: signal path
~ **en plongée**: (sous-marin) submerged run
~ **symétrique**: inorder traversal, symmetric traversal

arcouru: (distance) covered
~ **par le courant**: current carrying, live, traversed by current

aré: (mar) ready; (viande) trimmed
~ **à virer**: ready about
~ **pour levage**: (forage) strung up

are-balles m : (de tir) shelter; (mil) bullet shield; adj : bullet-proof

pare-brise m : windscreen GB, windshield NA
~ **panoramique**: wraparound windshield
~ **teinté**: tinted screen

pare-chocs m : bumper

pare-éclats m : splinter-proof shield

pare-étincelles m : (chdef, cubilot) spark arrester, spark arrestor, spark catcher; (él) arcing contact, arcing tip

pare-feu m : fire break

pare-flamme m : flame arrester, flame guard, flame trap

pare-gouttes m : splash guard, oil guard

parement m : (de mur) face, facing; (autre qu'en maçonnerie ou stuc) siding, cladding
~ **à mi-bois**: drop siding
~ **brut**: natural face
~ **de brique**: brick veneer
~ **en bois**: weather boarding
~ **rustique**: rough siding

parenchyme m : parenchyma

pare-neige m : snow fence

parenté f : kinship; siblings

parenthèse f : [round] bracket

pare-pluie m : rain barrier, rain shield

pare-poussière m : dust shield, dust-guard

pare-soleil m : (phot) [lens] hood; (autom) sun visor

pare-vapeur m : moisture barrier, vapour barrier

pare-vent m : wind barrier

parité f : parity

parking m : car park GB, parking lot NA
~ **de dissuasion**: off-centre car park

paroi m : wall; casing, lining, shell
~ **cellulaire**: cell wall
~ **de contact**: (échangeur) contact wall
~ **en planches**: siding

~ **intérieure**: web (of hollow masonry unit)
~ **latérale**: sidewall
~ **magnétique**: charged wall (magnetic bubble memory)
~ **rabattable**: dropside
à ~ **mince**: thin-wall
à ~ **pleine**: blank (pipe, liner)

parpaing m : (pierre) bindstone, bonder; (en béton) [precast] concrete block
~ **de laitier**: breeze block

parquet m : wood floor[ing]
~ **mosaïque**: inlaid parquet, mosaic parquet

partage m : division, distribution, partition; (mise en commun) sharing
~ **contrôlé**: (inf) controlled sharing
~ **de colonne**: (inf) column split
~ **de fichiers**: file sharing
~ **de temps**: (inf) time sharing
~ **des eaux**: watershed GB, divide, water parting NA

partager: to divide; to share
~ **en deux**: to halve
~ **proportionnellement**: to divide pro rata GB, to prorate NA

parthénogénèse f : parthenogenesis

particularisation f : customization

particularité f : detail; characteristic
~ **technique**: [special] feature

particule f : particle
~ **chargée**: charged particle
~ **de recul**: recoil particle
~ **élémentaire**: elementary particle
~ **habillée**: (plasma) dressed particle
~ **ionisante**: ionizing particle
~ **non chargée**: uncharged particle
~ **"nu"**: nu particle, nu body
~ **rapide**: fast [fusion] particle
~ **témoin**: (plasma) test particle
~ **transductrice**: transducing particle
~ **virale**: virus particle
~s **abrasives**: grit

partie f : part; → aussi **parties**
~ **arrière**: (aéro) tail [section] (of fuselage)
~ **ascendante d'une courbe**: rise of a curve
~ **avant**: (aéro) nose section (of fuselage)
~ **cémentée**: (métall) case
~ **collée à une autre**: adherend
~ **d'écran**: subscreen

~ **de filière à section constante**: die land, orifice land
~ **droite**: straight section; (de filière) land
~ **humide**: (pap) wet end (of machine
~ **mécanique**: power end
~ **mise à nu**: bare spot
~ **rigide**: (rob) rigid member
~ **saillante**: raised spot
~ **terminale**: back end (of nuclear cycle)
en deux ~: two-part

partiellement: partly, partially
~ **protégé**: (él) semi-enclosed, semi-protected

parties f, ~ **par million** ▶ **ppm**: parts pe million
~ **en poids**: parts by weight
~ **en volume**: parts by volume

parution f : publication (of book, of newspaper)

pas, ~ **d'aplomb**: out of plumb, off straight
~ **d'équerre**: out of square
~ **dans une boîte**: uncased (magneti tape)
~ **de circuit**: no circuit
~ **libre**: engaged; (tél) not ready
~ **mûr**: (fruit) unripe

pas m : pace, step; (méc) pitch (of tooth of chain, of thread)
~ **à pas**: step-by-step; (moteur, relais stepping
~ **allongé**: coarse pitch
~ **apparent**: (d'engrenage) transverse pitch
~ **au collecteur**: commutator pitch
~ **au primitif**: circular pitch
~ **aux encoches**: slot pitch
~ **bâtard**: (de vis) odd pitch
~ **carré normal**: (de faisceau tubulaire) in-line square pitch
~ **carré renversé**: (de faisceau tubulaire) rotated square pitch
~ **circulaire**: circular pitch
~ **constant**: uniform pitch
~ **d'en bas**: (tissage) lower shed
~ **d'en haut**: (tissage) upper shed
~ **d'enroulement**: winding pitch (of drum), [length of] lay (of rope)
~ **de bobinage**: coil span
~ **de dent[ure]**: tooth pitch
~ **de grille**: grid pitch
~ **de l'aubage**: blade pitch
~ **de la vis sans fin**: worm pitch
~ **de mise en drapeau**: feathering pitch
~ **de pale**: blade pitch

~ de pupinisation: coil spacing, loading-coil spacing
~ de réduction: decrement
~ de régénération: (f.o.) repeaters spacing
~ de régression: decrement
~ de spire: helical pitch
~ diamétral: diametral pitch
~ du collecteur: commutator pitch
~ du réseau: lattice pitch, grid pitch
~ effectif: effective pitch
~ horizontal des caractères: character pitch, character spacing
~ inverse: reverse pitch
~ large: coarse pitch
~ longitudinal: array pitch; (de bande perforée) row pitch
~ négatif: reverse pitch
~ polaire: pole pitch
~ raccourci: short pitch (of winding)
~ rapide: coarse pitch
~ rectiligne: chordal pitch
~ régulier: even pitch
~ relatif: (rapport du pas au diamètre) pitch ratio
~ transversal: track pitch; (de rivets) transverse pitch
~ triangulaire normal: (de faisceau tubulaire) triangular pitch
~ triangulaire renversé: (de faisceau tubulaire) in-line triangular pitch
~ variable: uneven spacing

ıssage *m* : gangway, walkway, manway; (traversée de route, de fleuve) crossing; (sur machine) run; (d'un robinet) bore; (à une autre installation) changeover, cutover; (à un autre mode) conversion; (astronomie) transit
~ à niveau: level crossing, railway crossing GB, railroad crossing, grade NA
~ à niveau non gardé: unmanned railway crossing
~ à zéro: zero crossing
~ au méridien: meridian passage
~ au noir: (fonderie) blackening
~ au peigne: (tissage) reeding
~ au tamis: screening
~ couvert: (entre deux bâtiments) breezeway
~ d'antenne: antenna lead-in, antenna duct
~ d'eau: culvert
~ d'essai: test run, dry run
~ de cloison: bulkhead piece
~ de contrôle: (inf) monitor run, monitor session
~ de courant: current flow
~ de fermé à ouvert: off-to-on transition

~ de jeton: (inf) token-ring passing
~ de l'arbre de distribution: camshaft drive hole
~ de la barre: (m-o) bar capacity
~ de roue: (autom) wheel arch, wheel housing
~ direct: throughpath GB, thru path NA
~ en-dessus: overpass, overbridge
~ inférieur: underbridge, underpass
~ préférentiel: channeling
~ souterrain: subway, underpass
~ supérieur: overpass, overbridge
~ voûté: archway
à ~ direct: straight through (piston pump), straight way (valve)
à ~ intégral: (raccord, robinet) full-flow
à ~ unique: once-through

passager *m* : passenger; *adj* : momentary

passant *m* : (d'un crible) undersize [material]

passavant *m* : (mar) catwalk

passe *m* : → **passe-partout**

passe *f* : (de navigation) channel, fairway, pass; (passage en machine) pass, run; (de m-o) cut; (de soudage) layer, run
~ à marée: tidal outlet, tidal sluice
~ à poissons: fish ladder, fish pass, fishway
~ à vide: (usinage) blind pass, false pass, dummy pass
~ d'ébauche: roughing cut
~ d'écrouissage: pinch pass
~ de dégrossissage: roughing cut
~ de fond: root pass, root bead, root run
~ de havage: cutting run
~ de la courroie: shifting of belt
~ de soutien: (sdge) backing pass
~ en-dessous: undergrade crossing
~ étroite: (navigation) narrows
~ inférieure: undergrade crossing
~ large: (sdge) weave bead
~ profonde: (m-o) heavy cut
~ sur l'envers: (sdge) back pass
~ terminale: final run

passe-bande *m* : band pass

passe-bas *m* : low-pass filter

passe-câble *m* : cable bushing, cable grommet

passe-courroie *m* : belt shifter, striking gear

passe-fil *m* : cable bushing, grommet

passe-haut *m* : high-pass filter

passe-partout *m* : master key

passer: to pass; (un fleuve) to cross; (un disque) to play; (un film) to show; (couleur) to fade
~ **à travers**: (filtrer) to pass through
~ **devant**: to move past
~ **en code**: (autom) to dim the headlights
~ **les vitesses**: to go through the gears
~ **sur l'avant**: (mar) to cut across the bow
~ **une vitesse**: to engage a gear
~ **[une] commande**: to place an order
faire ~ **(par)**: to run (through)
faire ~ **sur une machine**: to put through a machine, to run on a machine

passerelle *f* : footbridge; (mar) bridge; (aéro) jetway; (de grue) platform; (sur réservoir, sur machines) walkway, catwalk; (inf) gateway
~ **à signaux**: (chdef) signal bridge, signal gantry
~ **d'accès**: walkway
~ **de coupée**: (mar) gangway
~ **de débarquement**: (mar) gangway
~ **de manœuvre**: (pétr) pipe walk
~ **de manutention**: (plate-forme de forage) walkway
~ **extérieure**: walkaround, runaround
~ **pipeline**: pipe bridge
~ **pour canalisations**: pipe rack
~ **volante**: (mar) catwalk

passe-tout *m* : all-pass network, all-pass filter

passivation *f* : passivation

passoire *f* : (à légumes) colander

pastèque *f* : water melon

pasteurisation *f* : pasteurization

pastille *f* : pellet; (placage) patch; (éon) wafer, chip; (d'outil) tip; (de microphone) cap[sule]; (bonbon) drop
~ **à protubérances**: flip chip
~ **antifuite**: (réservoir) repair plug
~ **antirémanente**: (relais) antifreeze stud, antifreeze pin, residual pin, residual stud
~ **d'équilibrage**: balance dough, balance patch

~ **de carbure**: carbide insert
~ **de menthe**: mint [sweet]
~ **de métal poinçonné**: knockout
~ **de positionnement**: locating disk
~ **de sécurité**: bursting disk
~ **de silicium**: silicon chip, silicon wafer

pastilleuse *f* : pelleting machine GB, tablets press NA

patate [douce] *f* : sweet potato

pâte *f* : paste; compound; (pap) pulp; (alim) dough, pastry; → aussi **pâtes**
~ **à calfeutrage**: caulking compoun[d]
~ **à choux**: chou pastry
~ **à frire**: batter
~ **à joints**: joint compound, joint fille[r]
~ **à la soude**: (pap) soda pulp
~ **à papier**: pulp; (travaillée) stuff
~ **à roder**: grinding compound, lappi[ng] compound
~ **à souder**: solder flux
~ **à tartiner**: spread
~ **abrasive**: abrasive compound
~ **au bisulfite**: sulphite pulp GB, sul[f] pulp NA
~ **au chlore**: chlorine pulp
~ **blanchie**: bleached pulp
~ **brisée**: short pastry
~ **d'anchois**: anchovy paste
~ **d'émeri**: emery paste
~ **de chaux**: lime putty
~ **de feuillus**: hardwood pulp
~ **de fruit**: crystallized fruit
~ **chimico-mécanique**: chemi-mechanical pulp
~ **de remplissage**: joint filler, filling compound; (él) cable compound
~ **de tréfilage**: drawing compound
~ **demi-blanchie**: semi-bleached pu[lp]
~ **dure**: (céram) hard paste
~ **engraissée**: (pap) slow stock
~ **épurée**: accept, accepted stock
~ **feuilletée**: puff pastry
~ **grasse**: (pap) slow stock, wet stoc[k]
~ **isolante**: insulating compound
~ **maigre**: (pap) fast pulp
~ **mécanique**: ground wood pulp, mechanical pulp
~ **mi-blanchie**: semi-bleached pulp
~ **tendre**: (céram) soft paste

pâté *m* : pâté
~ **de foie**: liver pâté
~ **de viande**: meat pie
~ **en croûte**: [raised] pie
~ **en terrine**: pâté, terrine

pâtée *f* : dog food, cat food; (pour bétai[l] volailles) mash; (pour porcs) swill

îtes *f* alimentaires: pasta

îteux: (pain) doughy

athogène: pathogenic

athogénèse *f*, pathogénie *f*:
pathogenesis, pathogeny

athogénique: pathogenetic

atin *m*: runner, skid; (de rail) base,
flange, foot
~ à billes: ball slide
~ à galets: roller slide
~ de butée: thrust pad
~ de chenille: track shoe, track link
~ de crosse: crosshead shoe
~ de frein: slipper, brake block
~ de glissière: guide block
~ de pédale: pedal pad
~ de pression: pressure pad
~ de queue: (aéro) tail skid
~ de scellement: (constr) fixing plate,
anchor[ing] plate
~ de tuyau: pipe shoe
~ isolant: insulating pad

atinage *m*: (d'embrayage, de courroie)
slip; (de roues) spinning; (de
fréquence) slippage; (avance lente)
creep

atiné: (métall) patinated; (par le temps)
weathered

atiner: (roue) to skid, to spin;
(embrayage, courroie) to slip

âtisserie *f*: (aliment) pastry, pastry
making; small cake; (magasin) cake
shop

âtissier *m*: pastry cook, confectioner

atrouille *f*: patrol

atrouilleur *m*: patrol boat

atte *f*: lug, tag; (d'envelope) flap
~ d'araignée: oil groove, oilway
~ d'attache: fastening lug, fixing lug,
mounting lug, mounting bracket
~ d'usinage: tooling lug
~ de chien: (forage, tuyau) dogleg
~ de déchirage: tearoff strip, tear tab
~ de fixation: fastening lug, fixing lug,
mounting lug, mounting bracket
~ de mise à la terre: ground lug
~ de métallisation: bonding tab
~ de montage: mounting lug
~ de positionnement: locating lug

~ de scellement: masonry anchor
~ de suspension d'un moteur:
engine bracket

pâturage *m*: pasture; grazing

pause *f*: stop, pause
~ de fermeture d'un moule: dwell

pauvre: poor; (béton, gaz) lean;
(mélange) weak; (minerai) of low
content

pavage *m*: paving, pavement

pavé *m*: cobble stone, paving block,
paving stone; (revêtement) pavement,
paving
~ d'organigramme: box
~ de décision: (organigramme) choice
box
~ de texte: (inf) block of text
~ numérique: (inf) numeric] keypad

pavie *f*: cling peach

pavillon *m*: (architecture) pavilion;
(d'hôpital) block; (acoustique) horn;
(drapeau) flag; (autom) roof [panel],
top
~ d'armateur: house flag
~ d'écouteur: earpiece
~ de banlieue: suburban house
~ de complaisance: flag of
convenience
~ national: national flag
~ protecteur: (de chariot élévateur)
[cab protection] canopy

pavois *m*: (mar) bulwark

payable: payable
~ à la livraison: payable on delivery
~ à l'arrivée: (tél) sent-collect

payé: paid
~ au départ: (tél) sent paid

payer: to pay
~ comptant: to pay cash
~-prendre: cash-and-carry

pays *m*: country; region, locality
~ d'arrivée: (tél) terminal country
~ d'origine: country of origin
~ sans côtes marines: landlocked
country
de ~: local; home-grown

paysage *m*: landscape
~ informatique: computer
environment

paysagiste *m* : landscape designer, landscape gardener

PC → post-combustion, pouvoir calorifique, puissance calorifique

PCF → plan de circulation des fluides

PCI → pouvoir calorifique inférieur

PCN → puissance continue nette

PCS → pouvoir calorifique supérieur

PCT → poste central de triage

PCV → paiement contre vérification

PDA → photodiode à avalanche

PDB → paradichlorobenzène

PDG → président directeur général

péage *m* : toll GB, pike NA

peau *f* : skin; (tannage) hide, skin; (de mouton, de chèvre) fleece; (de fruit) peel, rind
~ **brute**: raw hide
~ **chamoisée**: washleather
~ **d'orange**: (peinture) orange peel
~ **de crapaud**: alligatoring
~ **de crocodile**: alligatoring, orange peel
~ **de démoulage**: release membrane
~ **de laminage**: rolling skin, rolling scale, mill scale
~ **en poil**: rawhide
~ **verte**: raw hide, raw skin
avec ~: (poisson) unskinned

peaufinage *m* : fine adjustment, fine tuning

PEB → puissance équivalente au bruit

PEbd → polyéthylène basse densité

pechblende *f* : pitchblende

pêche *f* : fishing; (lieu) fishery, fishing grounds; (poissons pris) catch, draught; (fruit) peach
~ **au chalut**: trawling
~ **côtière**: inshore fishing, coastal fishing
~ **en eau douce**: freshwater fishing
~ **hautière**: fishing on the open sea
~ **minotière**: industrial fishery

pêcherie *f* : fishery, fishing grounds; (construction fixe) fish trap

pectine *f* : pectin

pédale *f* : pedal
~ **à double effet**: treadle
~ **de débrayage**: clutch pedal
~ **de démarreur**: starter pedal
~ **phare-code**: foot dip switch
~ **suspendue**: pendant pedal

pédalier *m* : (autom) pedal bracket; (de bicyclette) crank gear

pédologie *f* : pedology, soil science

pédologue *m* : pedologist, soil enginee

pédomètre *m* : pedometer

peignage *m* : (text, peinture) combing; (filetage) chasing

peigne *m* : comb; (tissage) reed
~ **à fileter**: (à main) screw die; (au tour) chasing tool, chaser
~ **d'envergeure**: lease reed
~ **de câbles**: cable form, cable harness
~ **de filière**: cutting die
~ **détacheur**: (text) doffer comb, doffing comb
~ **femelle**: inside chaser
~ **mâle**: outside chaser

peigné *m* : worsted cloth

peigneur *m* : doffer, comber

peindre: to paint
~ **au pistolet**: to spray paint

peiner: (machine) to labour GB, to labo NA

peinturage *m* : painting
~ **au pistolet**: spray painting

peinture *f* : paint
~ **à l'huile**: oil paint
~ **à séchage rapide**: sharp paint
~ **alkyde**: alkyd paint
~ **antirouille**: antirust paint, rust protective paint
~ **antisalissure**: antifouling paint
~ **antisolaire**: shading paint
~ **antisonique**: antinoise paint
~ **au caoutchouc**: latex paint
~ **au latex**: latex paint
~ **au pinceau**: brushing paint
~ **au pistolet**: spray-on paint
~ **autolavable**: self-cleaning paint
~ **brillante**: gloss paint
~ **cellulosique**: cellulose paint

~ **craquelée**: crackle finish
~ **d'aspect**: cosmetic paint
~ **d'impression**: primer, priming paint (on porous surface)
~ **de carène**: ship bottom paint
~ **de fond**: primer, priming paint (on non-porous surface)
~ **émail**: enamel [paint]
~ **émulsion à l'huile**: emulsion paint
~ **givrée**: crackle paint
~ **glycérophtalique**: alkyd paint
~ **humide sur humide**: wet-on-wet paint
~ **intumescente**: intumescent paint
~ **latex**: rubber emulsion paint
~ **lumineuse**: fluorescent paint
~ **mate**: flat paint
~ **métallisée**: metallic paint
~ **par ruissellement**: flow coating
~ **perméable à la vapeur d'eau**: breather paint
~ **primaire**: metal primer
~ **primaire réactive**: wash primer
~ **pyrométrique**: heat-sensitive paint
~ **réfractaire**: heat-resistant paint
~ **respirante**: breather paint
~ **sanitaire**: rot-proofing paint
~ **siccative**: quick-drying paint
~ **vermiculée**: crackle paint, wrinkle paint

pelage *m* : (fruit, légume) peeling; (animal) coat, pelage

pélagique: pelagic

pelle *f* : shovel, scoop; (d'aviron) blade
~ **à benne traînante**: dragline
~ **de découverte**: stripper
~ **en butte**: face shovel, crowd shovel, push shovel
~ **équipée en fouille**: drag shovel
~ **mécanique**: excavator, mechanical shovel, power shovel
~ **niveleuse**: skimmer shovel
~ **rétro[caveuse]**: back digger, backacter, backacting shovel GB, backhoe NA, pull shovel, drag shovel
~ **rétrocaveuse pour tranchées**: trench hoe

pelletage *m* : shovelling

pelletée *f* : shovelful

pelleteuse *f* : power shovel, excavator

pellicule *f* : thin film; (phot) [roll] film; (cin) stock
~ **à faible sensiblité**: low-speed film
~ **de coulée**: casting skin
~ **de laminage**: rolling skin

~ **rétrécissable**: shrinkable film
~ **ultrasensible**: high-speed film
~ **vierge**: non-exposed stock

peluchage *m* : (pap) picking, fluffing

peluche *f* : (tissu) plush

pelure *f* : peel, skin
~ **à copier**: copying paper
~ **carbone**: carbonizing paper
~ **d'oignon**: onion peel, onion skin
~ **extérieure**: skin
~ **surglacée**: onion-skin paper

pendage *m* : (mine) dip
~ **vrai**: true dip

pendagemètre *m* : dipmeter

pendagemétrie *f* : dip logging, dipmeter log

pendulaire: pendular, rocking, swinging, oscillating (like a pendulum)

pendule *m* : pendulum
~ **à boules**: ball governor
~ **de torsion**: torsion pendulum

pendule *f* : clock
~ **de pointage**: time clock
~ **mère**: master clock
~ **murale**: wall clock

pêne *m* : bolt (of lock)
~ **à ressort**: spring bolt
~ **demi-tour à cran d'arrêt**: dead latch
~ **demi-tour**: latch bolt
~ **dormant**: dead bolt

pénéplaine *f* : peneplain

pénétration *f* : penetration; (s.c.) punch-through (between 2 PN junctions); (graph) strike-through (of ink); (constr) projection through roof
~ **à l'aiguille**: (pétr) needle penetration
~ **après malaxage**: (graisse) worked penetration
~ **non autorisée**: (inf) break-in
~ **sans malaxage préalable**: (graisse) unworked penetration

pénétrance *f* : (génétique) penetrance
~ **complète**: complete penetrance
~ **incomplète**: incomplete penetrance
~ **partielle**: incomplete penetrance

pénétromètre *m* : penetrometer

péniche *f* : barge
~ **à moteur**: motor barge

pénicilline *f* : penicillin

pénicillium *m* : penicillium

pentaèdre *m* : pentahedron

pentagonal: pentagonal, five-sided

pentagone *m* : pentagon

pentavalent: pentavalent, quinquevalent

pente *f* : slope, gradient, incline; (d'un tuyau, d'une rivière) fall; (de toit) pitch; (d'un tuyau) slope, fall
~ **ascendante**: uphill slope, upgrade
~ **asservie**: (de la modulation) continuously variable slope
~ **d'éboulis**: talus
~ **de gain**: gain slope
~ **de montée**: climb gradient
~ **de tube**: (éon) mutual conductance GB, transconductance NA
~ **descendante**: downhill slope, downgrade
~ **montante**: adverse grade
~ **opposée**: counterslope
~ **raide**: steep slope, heavy gradient
~ **régulière**: (de canalisation) even slope
~ **transversale**: cross slope, crossfall; (de chaussée) camber

pent[h]ode *f* : pentode

pentose *m* : pentose

pénurie *f* : scarcity, shortage
~ **d'eau**: water shortage
~ **de main-d'œuvre**: shortage of labour

pépin *m* : pip, seed

pépinière *f* : [plant] nursery

pépite *f* : nugget

pepsine *f* : pepsin[e]

peptidase *f* : peptidase
~-**signal**: signal peptidase

peptide *m* : peptide
~ **signal**: signal peptide

peptone *f* : peptone

perçage *m* : boring, drilling

~ **par poinçonnage**: punching GB, blanking NA

perce *f* : (dans placage) sand[ing] through
mettre en ~: (fût, vin) to broach

percée *f* : opening, break (in vista, in wall); (mil) breakthrough
~ **de coulée**: tapping; tap hole
~ **technologique**: technological breakthrough
faire une ~: to break through; (métall) to tap

percement *m* : piercing, boring; (de rue) opening; (diélectrique) breakdown, puncture
~ **de câble**: cable breakdown
~ **de tunnel**: tunnel driving, tunnelling GB, tuneling NA

perceptible: perceptible, sensible
~ **à l'oreille**: audible

percer: to perforate, to pierce; to open (a street, a tunnel); (un haut-fourneau): to tap
~ **un avant-trou**: to rough drill
~ **un code**: to crack a code, to break a code
~ **un trou**: to drill a hole, to bore a hole
~ **un tunnel**: to drive a tunnel, to cut a tunnel, to tunnel
~ **une fenêtre**: to make a window (in an existing wall)
~ **une rue**: to open a street

perceuse *f* : boring machine, drilling machine
~ **à conscience**: breast drill
~ **à forets multiples**: gang drill[er]
~ **à main**: hand drill
~ **à percussion**: impact drill[ing machine]
~ **[électrique]**: electric drill, power drill
~-**fraiseuse**: drilling and milling machine
~-**mortaiseuse**: boring and mortising machine
~ **radiale**: radial drilling machine
~ **sensitive**: sensitive drill, sensitive drilling machine
~-**taraudeuse**: drilling and tapping machine

perche *f* pole; (aéro, tv, cin) boom
~ **d'échafaudage**: scaffolding pole
~ **de mise à la terre**: grounding stick, grounding rod NA, earthing rod GB
~ **de tir**: blasting stick, blasting pole

perchiste *m* : (cin, tv) perchman, boom operator

percolation *f* : percolation, seepage

percussion *f* : percussion, impact
~ **centrale**: (arme à feu) centre fire
~ **périphérique**: (arme à feu) rim fire

percuteur *m* : (arme à feu) firing pin, striker

perditance *f* : leakance

perdu: lost; wasted; (tête de vis, pierre) sunk; (emballage) expendable, throw away, non-returnable, one-trip, one-way, single-service

père *m* : (IA) father, mother; master; master [copy] (of disk); (reproducteur) sire

péremption *f* : time limitation

pérenne: perennial (river, spring)

perfectionnement *m* : improvement, enhancement; advanced feature

perforamètre *m* : puncture tester

perforant: perforating; (obus) armour-piercing

perforateur *m* : perforator; (de bande) punch, tape puncher; punch operator
~ **à balles**: (forage) bullet-gun perforator, bullet perforator, gun perforator
~ **à charge creuse**: shaped-charge perforator
~ **à clavier**: keyboard perforator
~ **à jet**: jet perforator
~ **de puits non tubé**: open-hole perforator
~ **de tubage**: casing gun, casing perforator

perforation *f* : perforation, perforating; (accidentelle) puncturing; (mécanographie) punching, punch hole; (él) puncture (of insulant, of insulator)
~ **à balles**: (pétr) bullet perforating, gun perforating
~ **d'entraînement**: feed hole, pin hole, sprocket hole
~ **en série**: gang punching
~ **hors-texte**: overpunching
~ **par jet abrasif**: (pétr) abrasive-jet drilling, abrasive jetting, abrasive perforating

~ **partielle**: chadless punching
~**s en grille**: lace punching
~**s marginales**: marginal punching
à ~**s complètes**: chadded

perforatrice *f* : (outil, machine) drill[er, drilling machine; (inf) perforator, card punch, punch operator
~ **à clavier**: keypunch, keyboard punch
~ **à percussion**: percussion drill
~ **[au rocher]**: rock drill
~ **d'avancement**: drifter drill
~ **de bande**: tape punch
~ **imprimante**: printing punch

perforer: to perforate; to bore, to drill; (pneu) to puncture; (inf) to punch
~ **au clavier**: to keypunch
~ **en série**: to gang punch
~ **hors-texte**: to overpunch

perforeuse *f* : keypunch operator, puncher

performance *f* : performance; (agriculture) yield
~ **d'engraissement**: fattening yield
~ **laitière**: milk yield
~ **théorique**: design performance

pergélisol *m* : permafrost

péricarpe *m* : pericarp

péricline *f* : pericline

périgée *m* : perigee

périmé: out of date, outdated, superseded

périmètre *m* : perimeter
~ **de captage**: (d'un puits) catchment area
~ **de protection**: (eau) protective zone
~ **de sécurité**: safety area, safety zone
~ **mouillé**: (eau) wetted perimeter

période *f* : period, time; (de fraction décimale) repetend; (radioactivité) half life
~ **biologique**: (nucl) biological half life
~ **d'indisponibilité**: (d'une machine) downtime
~ **d'occupation**: (tél) holding time
~ **de développement**: development period
~ **de dormance**: latent period
~ **de fort trafic**: (tél) busy period
~ **de froid moyenne**: average cold spell

~ **de marche effective**: on-stream time
~ **de non conduction**: off period
~ **de récurrence**: (statistiques) return period
~ **de taxation**: (tél) charge[d] period
~ **effective**: (nucl) effective half life
~ **orbitale**: orbital period
~ **transitoire**: decay time, dying-down time, dying-out time

périodemètre *m* : period meter

périodicité *f* : periodicity, interval
~ **moyenne des révisions**: mean time between overhauls

périodique *m* : periodical [publication]; *adj* : periodic[al]; intermittent; recurring, recurrent; (entretien) routine

périoste *m* : periosteum

périphérique *m* : (inf) peripheral equipment, peripheral device; (boulevard) ring road GB, beltway NA; *adj* : peripheral
~ **de sortie**: output device
~ **dépendant**: dumb device

périphyton *m* : periphyton

périscope *m* : periscope

périssable *f* : perishable (goods)

perle *f* : bead
~ **de soudure**: welding bead
~ **en verre**: glass bead

perlite *f* : (roche) pearlite, perlite; (métall) perlite

perluète *m* : ampersand

permagel *m* : permafrost

permanence *f* : permanence, permanency; (bureau) office open outside normal hours; skeleton staff
~ **de l'alimentation**: no-break power suppply
~ **de nuit**: night service
~ **téléphonique**: absent subscriber service, telephone answering service
de ~: on duty, on call (outside normal hours)

permanent: permanent; (régime) stable, steady; (accord) ongoing

permeabilité (à) *f* : perviousness, permeability (to)

~ **aux fluides**: fluid permeability
~ **magnétique**: magnetic permeability
~ **réelle**: effective permeability

perméable: pervious

perméamètre *m* : permeameter

permettre: to permit, to allow
~ **un gain de place**: to be space saving

permis *m* : licence GB, license NA, permit; *adj* : allowed, permitted, legitimate
~ **d'exploitation**: development licence
~ **de construire**: building permit GB, building licence NA
~ **de feu**: (pétrol) hot work permit
~ **de forage**: (pétr) well permit, drilling permit
~ **de recherche**: prospecting licence

permutateur *m* : circuit-changing switch, changer

permutation *f* : permutation, transposition, changeover; (de disquettes) swap[ping]; (de pneus) rotation
~ **circulaire**: (gg/bm) circular permutation

peroxyde *m* : peroxide

perpendiculaire *f* : perpendicular [line]; *adj* : perpendicular
~ **à**: perpendicular to, square with
~ **à la stratification**: (stratifié) flatwise

persel *m* : persalt

persistance *f* : (radar) afterimage; (rémanence) sticking; (traînage) hangover
~ **d'adhérence**: aftertack
~ **d'écran**: afterglow

personnalisation *f* : customization, personalization, tailoring

personnalisé: tailor-made, tailored, made to measure, non-standard, customized

personnel *m* : personnel, staff, manning, hands; *adj* : personal
~ **au sol**: (aéro) ground crew
~ **d'accompagnement**: (chdef) crew
~ **d'atelier**: production workers
~ **d'encadrement**: supervisory staff
~ **de bureau**: clerical staff, office staff

~ **de direction**: management
~ **de maîtrise**: foremen
~ **exploitant**: plant personnel
~ **informaticien**: manware
~ **navigant**: aircrew
~ **navigant commercial** ► **PNC**: cabin crew
~ **navigant technique** ► **PNT**: flight crew
~ **non navigant**: ground personnel, ground crew

perte f : loss, wastage
~ **à l'arrimage**: broken stowage
~ **à la mise en eau**: (d'un barrage) priming loss
~ **à la terre**: earth leakage, earth fault, ground leak
~ **à la cheminée**: flue loss, stack loss
~ **à vide**: no-load loss
~ **au feu**: melting loss; volatile solids
~ **au raccord**: matching waste
~ **au remplissage**: filling loss
~ **au rouge**: volatile solids
~ **aux parois**: wall loss
~ **d'entrefer**: gap loss
~ **d'information**: (inf) drop-out
~ **dans la fibre**: (f.o.) fibre loss
~ **dans le fer**: iron loss, core loss
~ **dans le cuivre**: copper loss
~ **de charge**: pressure loss, loss of head
~ **de charge due au choc**: impact loss
~ **de charge à la sortie**: exit loss
~ **de couplage**: (f.o.) coupling loss
~ **de courbure**: (f.o) bending loss
~ **de gradation**: (tc) crushing, compression
~ **de la hauteur de chute**: head loss
~ **de niveau**: (de signal) drop-out
~ **de puissance**: loss of power
~ **de qualité**: degradation
~ **de raffinage**: refinery losses
~ **de transport**: transmission loss
~ **de viscosité par dilution**: dilution thinning
~ **de vitesse marginale**: (aéro) tip stall
~ **du garnissage**: lining burn back
~ **due à la charge**: load loss
~ **due aux épissures**: splicing loss
~ **[électrique]**: leakage
~ **en cours de transport**: (de l'eau) conveyance loss
~ **en ligne**: line loss, conveyance loss, line drop
~ **ohmique**: ohmic loss
~ **par absorption**: absorption loss
~ **par absorption terrestre**: ground absorption loss
~ **par adhérence**: adhesion loss

~ **par calcination**: volatile solids
~ **par coïncidence**: coincidence loss
~ **par condensation**: condensation loss
~ **par courants parasites**: eddy-current loss
~ **par courants de Foucault**: eddy-current loss
~ **par effet de couronne**: corona loss
~ **par effet corona**: corona loss
~ **par effet Joule**: ohmic loss
~ **par évaporation**: evaporation loss
~ **par hystérésis**: hysteresis loss
~ **par infiltration**: leakage
~ **par les parois**: wall loss
~ **par projection**: spatter loss
~ **par rayonnement**: radiation loss
~ **par réflexion**: reflection loss, return loss
~ **par tourbillons**: (turbine) eddy loss
~ **par ventilation**: windage loss
~ **sèche**: clear loss, dead loss

perturbation f : disturbance
~ **atmosphérique**: atmospheric
~ **brusque**: hit
~ **de l'image**: picture interference
~ **électromagnétique**: electro-magnetic interference
~ **industrielle**: manmade noise
~ **ionosphérique**: ionospheric disturbance
~ **magnétique**: magnetic disturbance
~ **par bruits impulsifs**: impulse-noise interference

pervibrateur m : immersion vibrator; (béton) poker vibrator

pesage m : weighing

pesanteur f : gravity

pèse-acide m : hydrometer

pesée f : weighing; leverage
faire ~ **avec un levier**: to prize

pèse-lait m : lactometre GB, lactometer NA

peser: to weigh
~ **sur**: to bear on

peson m : weight indicator
~ **à ressort**: spring balance

peste f : plague, pest
~ **aviaire**: fowl pest
~ **bovine**: cattle plague
~ **porcine**: swine plague

pesticide *m* : pesticide

pétard *m* : (chdef) detonator, detonating cartridge

petit: small, minor, thumbnail; → aussi petite, petites
~ axe: minor axis
~-bois: (constr) sash bar, window bar, glazing bar GB, astragal NA
~ bouteur: calfdozer
~ bulldozer: calfdozer
~ diamètre du filet: diameter at bottom of thread
~ équipement: gadget
~ fer: small section; (constr) glazing bar
~ fond: shallow water; (graph) back margin, binding margin, inside margin
~ matériel de montage: hardware
~ matériel de voie: track fastenings
~ oignon: spring onion
~ ordinateur de gestion: small business computer
~ outillage: minor tooling, small tools
~ pain: bread roll
~ pas ▶ PP: fine pitch
~ pois: garden pea
~ réseau local: (tél) small area network
~s fruits: small fruit, soft fruit
de ~ format: miniature
de ~ rayon: (courbe) quick-sweep

petite, ~ annonce: classified advertisement
~ avance: (m-o) fine feed
~ entreprise: small business
~ étude: detail design, detailed drawing
~ marée: neap tide
~ mécanique: light engineering
~ multiplication: (méc) low-gear ratio
~ noix: (charbon) pea
~ réparation: minor repair
~ série: short run, short batch
~ tache: speck
~ vitesse: (autom) low gear
~ voiture: small car GB, compact [car] NA

petites, ~ longueurs: (bois de construction) shorts
~ ondes ▶ PO: (déconseillé) → ondes hectométriques; medium waves; (plaque de couverture) galvanized iron profile
~ pièces: consumables, incidentals
à ~ mailles: fine mesh

petit-lait *m* : whey

pétrin *m* : (de boulanger) kneader, kneading machine, dough mixer; (céram) pug mill

pétrisseur *m* : dough maker, dough mixer, kneader

pétrochimie *f* : petrochemical industry; (science) petrochemistry

pétrochimique: petrochemical

pétrole *m* : [mineral] oil, petroleum
~ brut: crude oil, crude petroleum, crude
~ brut à forte teneur en eau: wet oil
~ brut non corrosif: sweet crude
~ brut non sulfuré: sweet crude
~ brut salin: salt bearing crude
~ carburant: power kerosene, [tractor] vaporizing oil GB, tractor fuel NA
~ de roche: rock oil
~ de traitement: process oil
~ dérivé du charbon: coal-derived oil, coal oil
~ exploitable: producible oil
~ initial en place: original oil in place
~ [lampant]: paraffin [oil], fuel oil Nr 1; burning oil, lamp oil GB, kerosene, kerosine NA
~ synthétique: synthesis oil
~ vert: green fuel

pétrolier *m* : oilman; (mar) oil tanker, oiler
~ géant: supertanker, ultra-large crude carrier
~-minéralier: oil-ore carrier
~ pour produits blancs: clean oil tanker
~-vraquier-minéralier: oil-bulk-ore carrier

pétrolifère: oil-bearing, petroliferous

pétrominéralier *m* : oil-ore carrier

pétrovraquier *m* : oil-bulk-ore ship

peu, ~ à peu: gradually
~ bruyant: low-noise
~ collé: soft-sized
~ coûteux: cheap
~ élevé: low
~ encombrant: space saving, space efficient
~ fiable: unreliable
~ perméable: (joint, sable) close; (roche) tight
~ profond: shallow, near-surface
~ sensible: (phot) slow (emulsion)
~ sulfureux: (charbon, pétrole) sweet
~ tordu: loosely twisted
~ volumineux: compact

peuplement *m* : (d'un étang) stocking; (sylviculture) plantation, stand
~ **piscicole**: fish stock
~ **végétal**: vegetation (of an area)

PFE → **pièce finie extérieure**

phage *m* : phage
~ **auxiliaire**: helper phage
~ **défectif**: defective phage
~ **intempéré**: intemperate phage
~ **lysogénique**: lysogenic phage
~ **tempéré**: temperate phage
~ **transducteur**: transducing phage
~ **virulent**: virulent phage

phagocytaire: phagocytic

phagocyte *m* : phagocyte

phagocytose *f* : phagocytosis

phanérogame *m* ou *f* : phanerogam; *adj* : phanerogamic, phanerogamous

phare *m* : (construction) lighthouse; (mar) light; (aéro) beacon, light; (autom) headlight, headlamp
~ **à éclats**: flashing light
~ **à feu fixe**: fixed light, fixed beacon
~ **à feu tournant**: revolving light, revolving beacon
~ **antibrouillard**: foglight, foglamp
~ **code**: dipped headlight
~ **de balisage**: airway beacon
~ **de recul**: reversing light, back-up light
~ **encastré**: built-in headlight
~ **longue portée**: full beam GB, high beam NA
~ **monobloc**: sealed-beam headlight
~ **radar**: radar beacon

pharmacie *f* : pharmacy; (magasin) chemist's chop GB, drugstore NA

pharmacien *m* : pharmacist; (tenant une pharmacie) chemist GB, druggist NA

pharmacopée *f* : pharmacopoeia GB, pharmacopeia NA

phase *f* : (étape) phase, stage, step; (chim, él) phase; (fil de phase) phase conductor
~ **auxiliaire**: split phase
~ **d'exécution**: (inf) execute phase
~ **de base**: root phase
~ **de propulsion**: (aérosp) burn phase, powered phase
~ **dispersée**: disperse phase
~ **en avance**: leading phase

~ **en retard**: lagging phase
~ **gazeuse**: gaseous phase
~ **inactive**: dwell phase
~ **non propulsive**: (aérosp) coasting phase
~ **solide**: solid phase
~ **vapeur**: vapour phase
en ~: cophasal, in phase, in step
mettre en ~: to phase in, to bring into step

phasemètre *m* : phasemeter

phénol *m* : phenol

phénologie *f* : phenology

phénolphtaléine *f* : phenolphtalein

phénoplaste *m* : phenolic plastic, phenoplast

phénothiazine *f* : phenothiazine

phénotype *m* : phenotype

phénylalanine *f* : phenylalanine

phényle *m* : phenyl

phonomètre *m* : noise meter, phono-meter, sound-intensity meter

phonon *m* : phonon

phosgène *m* : phosgene

phosphatase *f* : phosphatase

phosphate *m* : phosphate
~ **trisodique**: trisodium phosphate

phosphore *m* : (élément) phosphorus; (éon) phosphor

phosphorescence *f* : phosphorescence

phosphorylation *f* : phosphorylation

phosphoryle *m* : phosphoryl

phosphure *m* : phosphide

photocalque *m* : blue print

photocathode *f* : photocathode

photochimie *f* : photochemistry

photochromique: photochromic

photocoagulation *f* : (f.o.) photocoagulation

photocomposeuse *f* : phototypesetting machine

photocomposition *f* : photocomposition, photo[type]setting

photoconducteur *m* : photoconductor; *adj* : photoconductive, light-positive

photoconduction *f* : photoconduction, photoconductive effect

photocopieur *m*, **photocopieuse** *f* : photocopier

photocourant *m* : photocurrent

photodétecteur *m* : light detector, optical detector
~ **à avalanche**: avalanche [photodiode] detector

photodiode *f* : photodiode
~ **à avalanche ► PDA**: avalanche photodiode

photoélastique: photoelastic

photoémetteur: photoemissive

photoémission *f* : photoemission

photographe *m* : photographer
~ **de plateau**: rostrum cameraman

photographie *f* : (technique) photography; (image) photograph, photo
~ **à l'infrarouge**: infrared photography
~ **aérienne**: aerial photgraphy; aerial photograph
~ **multibande**: multispectral photography

photogravure *f* : (graph) [photo]gravure, photoengraving; (c.i.) photoetching

photokinésie *f* : photokinesis

photolyse *f* : photolysis

photomètre *m* : light meter, photometer
~ **à intégration**: integrating photometer

photomontage *m* : photomontage

photomultiplicateur *m* : photomultiplier

photon *m* : photon

photoneutron *m* : photoneutron

photopile *f* : photoelectric cell, solar cell
~ **noire**: (solaire) black cell

photorésistance *f* : photoresistor

photosensible: light sensitive, photosensitive

photostat *m* : photostat

photostyle *m* : light pen

phototaxie *f* : phototaxis, phototaxy

phototélégraphie *f* : phototelegraphy, picture transmission

photothèque *f* : photographic library, photolibrary

phototitrage *m* : photolettering

phototransistor *m* : phototransistor

phototropisme *m* : phototropism

phototypie *f* : photogelatin printing, photogelatin process, collotype printing, collotype process

physicien *m* : physicist
~ **nucléaire**: nuclear physicist

physico-chimie *f* : physical chemistry

physico-chimique: physicochemical

physico-chimiste *m* : physical chemist

physiologie *f* : physiology
~ **végétale**: plant physiology

physique *f* : physics; *adj* : physical
~ **nucléaire**: nuclear physics

phytobiologie *f* : phytobiology, plant biology

phytogénèse *f* : phytogenesis, phytogeny

phytohormone *f* : phytohormone

phytopathologie *f* : phytopathology, plant pathology

phytophage *m* : phytophagan; *adj* : phytophagous

phytoplancton *m* : phytoplankton

phytosanitaire: agrochemical

ytozoaire *m* : zoophyte, phytozoon

c *m* : (sommet) peak; (outil) pick
~ **d'échappement**: (spectrométrie) leakage peak
~ **de fuite**: (spectrométrie) leakage peak
~ **de haveuse**: cutter pick

ck-up *m* : (phonographe) pickup; (véhicule) pickup [truck]

nomètre *m* : pycnometer

cot *m* : (sur roue) sprocket; (de fer barbelé) barb
~ **d'entraînement**: (d'imprimante) [tractor] feed pin
~ **de fixation**: locating pin

ctogramme *m* : pictogram

ce *f* : (constr) room; (méc) component, part; (morceau) piece; (d'une charpente) member; → aussi **pièces**
~ **à noyaux**: cored casting
~ **à usiner**: (m-o) workpiece
~ **amovible**: loose piece
~ **brute de fonderie**: rough casting
~ **commune**: common part
~ **conformée**: shaped casting
~ **coulée**: casting
~ **coulée en coquille**: chilled casting
~ **courante de fonderie**: commercial casting
~ **d'appui**: backing piece
~ **d'artillerie**: gun, piece of artillery
~ **d'attache**: fastening, fastener
~ **d'eau**: garden pond
~ **d'écartement**: distance piece
~ **d'usure**: wearing part
~ **de campagne**: field gun
~ **de charpente**: structural member
~ **de consommation courante**: bulk item
~ **de construction**: structural component, structural member
~ **de contact**: (él) contact tip, contact point
~ **de fixation**: fixture, retainer
~ **de fonderie**, ~ **de fonte**: casting
~ **de forme**: (brique) shape [block], special brick shape
~ **de forge**: forging
~ **de liaison**: adapter
~ **de monnaie**: coin, piece
~ **de montage**: fitting
~ **de raccordement**: adapter, make-up length
~ **de rechange**: spare part, replacement part

~ **de rechange d'origine**: genuine [spare] part
~ **de repérage**: locator
~ **de sécurité**: safety critical item
~ **de tissu**: bale, bolt (of cloth)
~ **de vente courante**: fast-moving part
~ **découpée**: stamping
~ **défectueuse**: defective [item]
~ **démontable**: loose piece
~ **détachée**: spare part
~ **du marché**: contract document
~ **élémentaire**: detail part, basic part
~ **emboutie**: stamping
~ **en compression**: compressed member
~ **en cours d'usinage**: (m-o) workpiece
~ **en mouvement**: running part, moving part
~ **estampée**: drop forging
~ **finie extérieure ▶ PFE**: bought-out finished part
~ **forgée**: forging
~ **incomplète**: (moulage) short moulding
~ **intermédiaire**: connecting piece
~ **maîtresse**: (d'un système) centre piece, heart
~ **matricée**: drop forging, stamping
~ **mécanique**: working part, operating part
~ **mobile**: working part
~ **moulée**: casting, moulding
~ **moulée à la cire perdue**: lost-wax casting
~ **non mécanique**: non-operating part
~ **normalisée**: standard part
~ **noyautée**: cored casting
~ **polaire**: pole piece, pole shoe, field pole, pole tip
~ **primaire**: detail part, basic component (of assembly)
~ **principale**: principal member
~ **rapportée**: (méc) insert
~ **réformée**: rejected part
~ **refusée**: rejected part
~ **saine**: sound casting
~ **soumise à l'usure**: wearing part
~ **standardisée**: standard part
~ **travaillant à la compression**: compressed member, member in compression

pièces *f* : parts, components
~ **ajustées entre elles**: matched parts
~ **appariées**: paired components
en ~ détachées: completely knocked down

pied *m* : foot; (de colonne, de mur) base; (de carrosserie d'automobile) pillar, post; (de derrick, de meuble) leg; (de

mur, de poteau) heel; (de talus) toe; (d'aube de pale) butt, blade shank; (de dent d'engrenage) root; (support) stand; (phot) tripod
~ **à colonne**: pillar stand
~ **à coulisse**: [sliding type] calliper GB, caliper NA, calliper rule, calliper gauge
~ **à denture**: tooth caliper
~ **central**: (autom) centre pillar
~ **d'aube**: (moteur) blade root
~ **d'une impulsion**: root
~ **de bielle**: crank end, [connecting rod] small end
~ **de centrage**: locating dowel, locating pin, centring dowel
~ **de légume**: head (of celery, of lettuce)
~ **de pale**: blade shank
~ **de positionnement**: locating dowel
~ **de poteau**: sta[u]nchion base; butt end
~ **de taille**: (mine) delivery end
~ **de vigne**: vinestock
~**-droit** → **piédroit**
~ **mère**: (horticulture) stool
~ **milieu**: (autom) centre pillar, middle pillar
~ **presseur**: press foot (on sewing machine)
à ~: (à pédale) pedal, foot-operated, foot
à ~ **d'œuvre**: on site
sur ~: pedestal-type (sanitary ware); (animal) live

pied-de-biche *m* : pinch bar, ripping bar, nail puller, wrecking bar

piédroit *m* : (autom) pillar; (architecture) pier; (tunnel) abutment
~ **de culée**: abutment pier

piège *m* : trap
~ **à boue**: silt trap, silt chamber
~ **à crasse**: (fonderie) slag dam, skim gate
~ **à faisceau**: beam trap
~ **à goutte [froide]**: [cold] slug well
~ **à ions**: ion trap, ion-beam dump
~ **à ondes**: wave trap
~ **chaud**: hot trap
~ **pétrolifère**: (géol) oil trap

piégeage *m* : trapping
~ **à chaud**: hot trapping

pierraille *f* : broken stone, road metal

pierre *f* : stone; → aussi **pierres**
~ **à aiguiser**: grinding stone, whetstone

~ **à chaux**: limestone
~ **à bâtir**: building stone
~ **à huile**: oilstone
~ **à repasser**: whetstone
~ **angulaire**: corner stone
~ **artificielle**: artificial stone, cast stone
~ **calcaire**: limestone
~ **d'angle**: quoin
~ **de taille**: ashlar
~ **en boutisse**: bonder
~ **en parpaing**: binding stone, throu[g] stone GB, thru stone NA
~ **inerte**: (mine) stone dust
~ **naturelle**: natural stone
~ **ponce**: pumice stone
~ **reconstituée**: cast stone, reconstructed stone
~ **taillée**: dressed stone
~ **tendre**: soft stone
~ **véritable**: natural stone

pierres, ~ **concassées**: chippings
~ **de triage**: (mine) picking dirt

piétage *m*, ~ **femelle**: locating hole
~ **mâle**: locating stud

pieu *m* : post, stake; (génie civil) pile; (constr) picket
~ **à pointe portante**: end-bearing pil[e]
~ **à vis**: screw pile
~ **à vrille**: screw pile
~ **battu**: driven pile
~ **battu cimenté**: driven-and-grouted pile
~**-caisson foncé**: drilled-in caisson
~ **chemisé**: cased pile
~ **cimenté**: grouted pile
~ **creux**: tubular pile
~ **de clôture**: fence post
~ **de sable**: sand pile
~ **en cloche**: belled pile
~ **foré**: bored pile
~ **foré cimenté**: drilled-and-grouted pile
~ **incliné**: batter pile, raking pile
~ **moulé dans le sol**: cast-in-place pile, in-situ pile
~ **non chemisé**: uncased pile
~ **préfabriqué**: precast pile
~ **travaillant à l'arrachement**: uplift pile

piézoélectrique: piezoelectric

pige *f* : gauge
~ **d'épaisseur**: feeler gauge

pigment *m* : pigment
~ **de charge**: extender [pigment], ine[rt] pigment

~ **minéral naturel**: earth pigment
~ **pelliculant**: leafing pigment

gnon *m* : (constr) gable; (méc) pinion, gear [wheel]
~ **à chaîne**: chain wheel, sprocket [wheel]
~ **à chaîne d'arbre à cames**: camshaft sprocket
~ **à double denture**: double-toothed pinion
~ **à queue**: stem pinion, shaft gear
~ **arbré**: pinion shaft
~ **baladeur**: sliding gear
~ **central**: sun pinion
~ **conique**: bevel gear, mitre gear
~ **coulissant**: sliding pinion
~ **d'angle**: bevel gear, mitre gear
~ **d'attaque**: driving pinion, driver
~ **d'entraînement**: driving pinion, driver
~ **de chaîne**: chain sprocket, sprocket wheel
~ **de commande**: driving pinion, driver
~ **de demi-vitesse**: splitter gear
~ **de distribution**: [crankshaft] timing gear
~ **de marche arrière**: reverse gear
~ **droit**: spur gear
~ **étagé**: stepped gear
~ **étalon**: master pinion
~ **fou**: idler gear
~ **multiple**: cluster gear
~ **planétaire**: sun gear
~ **pour chaîne de distribution**: crankshaft sprocket
~ **récepteur**: driven gear
~ **satellite**: planet wheel, planet gear, side gear
~ **tendeur**: jockey wheel
~ **tendeur de chaîne**: chain tensioner

e *f* : (tas) pile, heap, stack; (de pont) pier; (él) battery; (inf) stack
~ **à combustible**: fuel cell, fuel pile
~ **à photolyse**: photolysis cell
~ **à neutrons**: neutron pile
~ **à un liquide**: one-fluid cell, single-fluid cell
~ **au charbon**: carbon combustion cell
~ **blanchisseuse**: (pap) bleaching engine, potcher
~ **d'anode**: anode battery GB, plate battery NA, B-battery
~ **de cartes**: card stack
~ **de contrôle**: (inf) control stack
~ **de culée**: abutment pier
~ **de polarisation**: grid battery, C-battery
~ **de sortie**: delivery pile
~ **défileuse**: (pap) breaker
~ **directe**: pushup stack

~ **étalon**: standard cell
~ **hollandaise**: (pap) beater, hollander
~ **inversée**: pushdown stack
~ **laveuse**: (pap) potcher, washing engine
~ **liquide**: wet cell
~ **non amorcée**: inert cell
~ **raffineuse**: (pap) beater, beating engine
~ **sèche**: (él) dry cell
~ **solaire**: solar battery, solar cell
~ **thermoélectrique**: thermopile
~**s-secteur**: battery-mains

pilier *m* : column, pillar, post; (mine, construction métallique) post
~ **central**: (autom) centre pillar
~ **de limite**: (mine) barrier pillar
~ **de pare-brise**: windscreen pillar
~ **en profilés renforcés**: compound pillar
~ **fretté**: hooped column

pilon *m* : rammer, punner; (pharmacie) pestle
~ **à air comprimé**: pneumatic rammer

pilotage *m* : (navigation) pilotage, piloting; (aéro) pilotage, flying; (régulation) control; (de réacteur) fine control, [fine] regulating; (astr) attitude control, steering; (constr) pile driving, piling
~ **aux instruments**: instrument flying
~ **piézo-électrique**: crystal control
~ **sans visibilité ▶ PSV**: blind flying

pilote *m* : (mar, aéro) pilot; (autom) driver; *adj* : pilot, experimental; (principal) master
~ **à quartz**: crystal-controlled oscillator
~ **automatique ▶ PA**: autopilot
~ **d'émetteur**: carrier oscillator, master oscillator
~ **d'essai**: test pilot
~ **de course**: racing driver
~ **de ligne**: airline pilot
~ **réceptionnaire**: acceptance test pilot

piloté: pilot-controlled, driven
~ **par menu**: (inf) menu-oriented, menu-driven, menu-based
~ **par microprogramme**: firmware based
~ **par ordinateur**: computer-driven
~ **par quartz**: crystal-controlled

piloter: (transport) to pilot; (un avion) to fly; (une voiture) to pilot, to drive; (régulation) to control

pilotis *m* : pile, pilotis; piling

piment *m* : chilli
~ **brûlant**: capsicum, red pepper, hot pepper, chilli
~ **doux**: sweet pepper
~ **rouge**: capsicum, red pepper, hot pepper, chilli

pince *f* : pliers, nippers; (de serrage) clamp, clip; (de levage) tongs; (rob) gripper; (d'animal) claw, pincer
~ **à bec rond**: round-nose pliers
~ **à dénuder**: stripping pliers
~ **à épiler**: tweezers
~ **à épisser**: splicer
~ **à levier**: pinch bar
~ **à long bec**: long-nose pliers
~ **à rails**: (chdef) track lifter
~ **à ressort**: spring clip
~ **à sertir**: crimping pliers, crimper
~ **à souder**: gun welder
~ **à tôles**: plate grip
~ **à tuyaux**: pipe tongs
~ **absorbante**: absorbing clamp
~ **américaine**: (m-o) collet
~ **ampèremétrique**: clip-on ammeter
~ **coupante**: [cutting] nippers, cutting pliers, snips, wire cutter
~ **coupante de côté**: side cutters
~ **crocodile**: crocodile clip, alligator clip, alligator wrench
~ **d'agrafage**: fastening clip
~ **d'électrode**: electrode clamp
~ **de démoulage**: stripper tongs
~ **de serrage**: (m-o) [spring] collet
~ **emporte-pièce**: punch pliers
~ **monseigneur**: crowbar, jemmy GB, jimmy NA
~ **multiprise**: adjustable pliers
~ **plate**: flat-nose pliers
~ **porte-électrode**: electrode holder
~ **pour tuyaux souples**: tube clamp
~ **ronde**: round pliers
~ **transversale**: (boulons, rivets) edge distance
~ **universelle**: combination pliers

pinceau *m* : (peinture) [paint] brush; (faisceau) narrow beam, spot beam, thin beam
~ **vaporisateur**: aerograph, air brush

pincement *m* : nipping, pinching
~ **des roues avant**: (autom) toe-in

pinnule *f* : sight (of alidade, of sextant)
~ **à œilleton**: aperture sight

pintade *f* : Guinea fowl

pioche *f* : pick, pickaxe

pion *m* : (méc) pin, spigot; (nucl) pion
~ **d'entraînement**: driving pin
~ **de butée**: stop pin
~ **de centrage**: locating stud, locatin pin, centring pin
~ **de verrouillage**: locking pin

pipe *f* : pipe
~ **d'arrivée**: inlet pipe
~ **d'entrée d'antenne**: aerial lead-in tube
~ **de refoulement du compresseur** compressor delivery duct

pipeline ► PL *m* : pipeline

pipelinier *m* : pipeliner

pipette *f* : pipette
~ **à souffler**: blow-out pipette
~ **à un trait**: one-mark pipette
~ **d'échantillonnage**: thief tube
~ **graduée**: graduated pipette GB, measuring pipette NA

piquage *m* : (de chaudière) chipping, scaling; (du béton) puddling; (sur conduite) tap[ping], branch [connection]
~ **au fil métallique**: (reliure) wire stitching
~ **en peigne**: (tissage) reeding the warp
~ **non pénétrant**: set-on branch
~ **pénétrant**: set-in branch
~ **sur conduite en charge**: under-pressure connection, hot tap
faire un ~ **sur une ligne**: to tap a lin

piqué *m* : (aéro) [nose] dive; *adj* : pitted
~ **pleins gaz**: power dive
faire un ~: to dive, to pitch down

piquer: (couture) to stitch; (aéro) to div to pitch down; (une chaudière) to chi to scale
~ **à cheval**: (reliure) to saddle stitch
~ **le laitier**: to deslag

piquet *m* : stake, post; (de tente) peg; (mil, grève) picket
~ **de [mise à la] terre**: earth rod GB ground rod NA

piquetage *m* : (d'un terrain) pegging ou staking out

piqueter: (constr) to set out, to stake o to mark out, to peg out; (conflit du travail) to picket

piqueur *m* : (mineur) breaker, hewer, getter

piqûre *f* : (faite avec un objet pointu) prick; (tache) spot, speck; (défaut de surface) pinhole, pit; (couture) [machine] stitching; (reliure) stitching, wire binding; → aussi **piqûres**
~ **à cheval**: (reliure) saddle stitching, saddle wire binding
~ **à plat**: side stitching
~ **d'humidité**: mould stain

piqûres *f* : (métall) pitting
~ **d'humidité**: mildew
~ **de corrosion**: corrosion pitting
~ **de vers**: wormholes

piratage *m* : (inf) piracy
~ **logiciel**: software piracy

pirate *m* : (inf) hacker
~ **de l'air**: hijacker

piraterie *f* : piracy
~ **aérienne**: hijacking, skyjacking
~ **informatique**: computer hacking

pisciculture *f* : fish farming, pisciculture

piscine *f* : (de natation) [swimming] pool; (nucl) pond
~ **couverte**: indoor pool
~ **de désactivation**: cooling pond
~ **de plein air**: open-air pool, outdoor pool
~ **hors-sol**: above-ground swimming pool

pisé *m* : rammed earth, cob

pissette *f* : wash bottle

pistache *f* : pistachio

piste *f* : (d'aéroport) runway; (éon) track
~ **audio**: audio track, sound track
~ **bétonnée**: concrete runway
~ **cyclable**: cycle track GB, bikeway NA
~ **d'adresses**: address track
~ **d'asservissement**: control track
~ **d'atterrissage**: air strip, landing strip
~ **d'entraînement**: sprocket track
~ **d'ordres**: (vidéo) cue track
~ **de lecture**: reading track
~ **de synchronisation**: clock track, control track
~ **magnétique**: magnetic track
~ **périphérique**: (aéro) perimeter track
~ **pilote**: cue track, guide track
~ **son**: sound track
~ **vidéo**: video track

pistolage *m* : gun aplication, spraying; (plast) spray-up

~ **de peinture**: spray painting
~ **sans air [comprimé]**: airless spraying

pistolet *m* : (arme) pistol, gun; (de pistolage) [spray] gun; (instrument de dessin) French curve
~ **à air comprimé**: air pistol
~ **à peinture**: spray gun
~ **capteur**: (éon) wand reader
~ **de distributeur d'essence**: petrol pump delivery nozzle
~ **de scellement**: stud gun, cartridge gun
~ **graisseur**: grease gun, squirt gun
~ **lance-fusée**: flare pistol, Very pistol
~**-mitrailleur** ▶ **PM**: submachine gun, tommy gun
~ **pour projection**: spray gun
~ **pulvérisateur**: spray gun

piston *m* : piston, plunger
~ **à fourreau**: trunk piston
~ **à gradins**: step piston
~ **à lames de contact**: bucket piston, bucket plunger
~ **à piège**: (éon) choke piston, choke plunger
~ **à piège sans contact**: non-contacting piston, non-contacting plunger
~ **à segments**: ring piston
~ **à tête plate**: flat-top piston
~**-clapet**: valve-type piston
~ **d'amortissement**: dashpot
~ **d'éjecteur**: (moulage) ejection ram GB, ejection plunger NA
~ **d'injection**: injection ram GB, injection plunger NA
~ **de court-circuit**: adjustable short circuit, variable short circuit
~ **de manœuvre**: actuating piston
~ **de rappel**: drawback piston
~ **de retour**: (sur presse) pullback ram
~ **de transfert**: transfer plunger GB, pot plunger NA
~ **différentiel**: shouldered piston, step[ped] piston
~ **étagé**: shouldered piston, step[ped] piston
~ **fourreau**: trunk piston
~ **hydraulique**: ram
~ **moteur**: actuating piston
~ **oscillant**: rocking piston
~ **plat**: flat-top piston
~ **plongeur**: plunger, ram
~ **racleur**: [pipe] scraper, go-devil, pig
~**s opposés**: opposed pistons
à ~**[s]**: reciprocating (engine), piston-type

pitchpin *m* : pitchpine

piton *m* : eye bolt, eye screw, ring bolt, screw ring

pivot *m* : pivot; [hinge] pin; (de levier) fulcrum
~ **à rotule**: ball pivot, ball stud, ball swivel
~ **central**: centre pin
~ **d'arrêt**: detent pin
~ **d'attelage**: coupling pin
~ **d'entraînement**: catch pin
~ **d'un arbre vertical**: vertical journal
~ **de fusée**: (autom) king pin; swivel axle pin GB, steering knuckle pivot NA
~ **de guidage**: guide pin
~ **du fléau**: (bascule) beam fulcrum

pivotant: pivoting, revolving, swivelling; (galet orientable) castering

PK → **point kilométrique**

PL → **pipeline**

placage *m* : (bois, maçonnerie); veneer; (métall) plating
~ **à la flamme**: flame plating
~ **chimique**: chemical plating, electroless plating
~ **extérieur**: face veneer

place *f* : (espace) room, space
~ **à quai**: berth
~ **assise**: seat
sur ~: in the field, on the spot, on site, in situ, in-plant, in-house

placebo *m* : placebo

placenta *m* : placenta

placer: to place, to position, to put in place
~ **bout à bout**: (des tuyaux) to abut
~ **la bobine dans le râtelier**: (text) to creel

placoplâtre *m* : (nom déposé) plasterboard

plafond *m* : (constr, aéro) ceiling; (mine) roof
~ **à gorges**: coved ceiling
~ **lumineux à paralumes**: louvered ceiling
~ **pratique**: (aéro) service ceiling
en ~: overhead

plafonnier *m* : ceiling fitting, ceiling light

plage *f* : beach; (d'instrument) [measuring] range; (gg/bm) plaque

~ **arrière**: (autom) parcel shelf; (mar) quarterdeck
~ **d'insensibilité**: neutral zone
~ **d'utilisation**: operating range
~ **de contact**: (él) contact lug
~ **de fonctionnement**: operating range, working range
~ **de lyse**: lysis plaque, phage plaque
~ **de mesure**: measuring range
~ **de raccordement**: [flat] connection lug
~ **de réglage**: adjustment range
~ **fossile**: abandoned beach
~ **lumineuse**: light area, highlight
~ **sombre**: (opt, tc) dark spot

plaine *f* : plain
~ **alluviale**: alluvial plain
~ **côtière**: coastal plain
~ **inondable**: flood plain
~ **lacustre**: lacustrine plain
~~**montagne**: (chdef) level-gradient

plan *m* : (géom) plane; (dessin) plan, drawing; (projet) plan, scheme, schedule, design; *adj* : flat, plane; even (surface)
~ **à l'échelle**: scale drawing
~ **américain**: (phot) close medium shot
~ **au sol**: ground plan
~ **automoteur**: (chdef) shunting gradient GB, switching grade NA
~ **comme construit**: as-built drawing
~~**concave**: plano-concave
~~**convexe**: plano-convex
~ **coté**: dimensional drawing
~ **d'adressage**: (inf) adressing scheme
~ **d'adressage étendu**: augmented addressing scheme
~ **d'aménagement**: (d'une région) development plan; (d'une construction) floor layout, layout drawing
~ **d'eau**: water body
~ **d'échantillonnage**: sampling plan
~ **d'échantillonnage multiple**: multiple sampling plan
~ **d'échantillonnage progressif**: sequential sampling plan
~ **d'ensemble**: master plan; general arrangement drawing; (cin) long shot
~ **d'étage**: floor plan
~ **d'étude**: design drawing
~ **d'exécution**: working drawing
~ **d'implantation**: layout plan, layout drawing
~ **d'intervention**: contingency plan
~ **d'occupation des sols** ► **POS**: land use plan
~ **d'orbite**: orbital plane
~ **d'origine**: datum plane

~ **de câblage**: cable layout
~ **de cassure**: fracture plane
~ **de circulation des fluides** ▶ PCF: flow diagram
~ **de cisaillement**: shear plane
~ **de clivage**: (cristal) cleavage face; (géol) clivage plane
~ **de collage**: glue line
~ **de faille**: fault plane
~ **de forage**: drill pattern
~ **de glissement**: slip plane
~ **de graissage**: lubricating chart
~ **de joint**: joint face; (méc) [mating] face
~ **de joint du moule**: mould[ing] parting line, opening surface (of mould)
~ **de la moindre résistance**: plane of least resistance
~ **de masse**: (constr) layout plan
~ **de montage**: erection drawing, installation drawing; (él) circuit diagram
~ **de pose**: mounting face, mounting surface, locating face
~ **de présentation**: presentation drawing, display drawing
~ **de projection**: plane of projection
~ **de récolement**: post completion drawing, record drawing, as-built drawing
~ **de référence**: datum plane
~ **de réseau**: network layout, network diagram
~ **de stratification**: bedding plane
~ **de sustentation**: (aéro) aerofoil
~ **de symétrie**: plane of symmetry
~ **de terrain**: ground plan
~ **de tir**: plane of fire; (mine) blasting pattern
~ **de travail**: (constr) counter, worktop
~ **de vol**: flight plan
~ **des couples**: (mar) body plan
~ **des fondations**: ground plan
~ **directeur**: master plan
~ **du disque balayé**: (d'un hélicop-tère) tip path plane
~ **écorché**: cutaway drawing
~ **en damier**: (urbanisme) grid layout, checkerboard plan
~ **en grille**: (urbanisme) grid layout, checkerboard plan
~ **en plongée**: (cin) high-angle shot
~ **fixe horizontal**: (aéro) tailplane, [horizontal] stabilizer
~ **fixe vertical**: (aéro) [tail] fin, vertical stabilizer
~ **focal**: focal plane
~ **général**: (cin) long shot
~-**guide**: general arrangement drawing
~ **incliné**: incline, inclined plane; (de manutention) chute GB, shoot NA

~ **incliné automoteur**: (mine) gravity incline, self-acting incline
~-**masse**: layout plan
~ **média**: media planning
~ **médian**: mid plane
~ **moyen**: (cin) medium shot
~ **orbital**: orbital plane
~ **orthogonal**: (urbanisme) grid layout, checkerboard plan
~-**paquet**: pack shot
~-**produit**: pack shot
~ **quinquennal**: five-year plan
~ **rapproché**: (cin) close shot
~ **réticulaire**: (cristal) lattice plane
~ **sécant**: cutting plane

planche *f*: board, plank; (métall) sheet; (graph) printing plate; → aussi **planches**
~ **à clins**: clapboard
~ **à dessin**: drawing board
~ **à noyaux**: (fonderie) core board
~ **à rainure et languette**: matched board, matchboard
~ **à tasseaux**: (constr) crawling board
~ **bouvetée**: matchboard
~ **du râtelier**: (text) creel board
~ **en couleur[s]**: colour plate

planchéiage *m*: boarding, planking

plancher *m*: (constr) floor, flooring; (de palette) deck
~ **brut**: rough floor GB, blind floor NA, subfloor
~-**dalle**: slab floor
~ **de chargement**: charging floor, charging platform
~ **de forage**: derrick floor, drill floor, rig floor
~ **de manœuvre**: (forage) derrick floor
~ **de travail**: (forage) derrick floor
~ **en ciment**: cement floor
~ **massif**: solid floor

planches *f*: boarding
~ **bouvetées**: match boarding
~ **non jointives**: open boarding
à ~ **jointives**: close-boarded
à ~ **non jointives**: open-boarded

planchette *f*: small board, small plank
~ **à bornes**: (él) terminal strip, terminal board
~ **[topographique]**: plane table

plancton *m*: plankton

planéité *f*: evenness, smoothness (of a flat surface)

planétaire *m*: (de différentiel) side pinion, [differential] side gear, sun gear, sun wheel; *adj* : (astronomie) planetary; (train d'engrenages) epicyclic

planeur *m* : (aéro) glider

planeuse *f* : planishing machine; (de tôles) leveller GB, leveler NA

planification *f* : planning

planifié: planned; (entretien) routine, scheduled

planigramme *m* : planning chart

planimétrie *f* : planimetry; plane surveying

planning *m* : planning, scheduling

plante *f* : plant
~ **alimentaire**: food plant
~ **à fleurs**: flowering plant
~ **aquatique**: aquatic, aquatic plant
~ **autotrophe**: autotrophic plant
~ **dulcaquicole**: freshwater plant
~ **halophile**: halophyte
~ **hétérotrophe**: heterotrophic plant
~ **mère**: parent plant, stool
~ **régénérée**: regenerated plant
~ **sucrière**: sugar plant

plantule *f* : plantlet

plaque *f* : (métall) plate; (de matière fissile, d'isolant) slab; (él) anode GB, plate NA; (cliché) plate
~ **à bornes**: terminal board, terminal block
~ **à gaufrer**: embossing plate
~ **à orifice**: orifice plate
~ **à trous**: aperture plate
~ **antirémanente**: antifreeze plate
~ **chauffante**: hot plate, boiling plate
~ **collectrice**: (nucl) collector plate
~ **combustible**: fuel plate
~ **d'accumulateur**: accumulator plate, battery plate
~ **d'appui**: backing plate, bearing plate
~ **d'assise**: baseplate, sole plate, bedplate
~ **d'égout**: manhole cover
~ **d'éjection**: ejector plate
~ **d'extrémité**: (de noyau, de pôle) end plate
~ **d'immatriculation**: (autom) number plate
~ **d'obturation**: blanking plate
~ **de blindage**: armour plate GB, armor plate NA
~ **de butée**: thrust plate
~ **de culture**: culture dish

~ **de dévêtissage**: stripper plate (on extruder)
~ **de déviation**: deflecting plate, baffle plate
~ **de fermeture**: cover plate
~ **de fibres dure**: sheet of hardboard
~ **de fixation**: clamping plate
~ **de fondation**: baseplate
~ **de frottement**: chafing plate
~ **de garde**: guard plate, shield
~ **de liège**: cork slab
~ **de microtitrage**: microtiter plate
~ **de montage**: mounting plate GB, clamping plate NA; baseboard, adapter plate, assembly plate
~ **de moule**: (plastiques) die plate, platen
~ **de parement**: (constr) plasterboard
~ **de parement en plâtre**: gypsum plasterboard
~ **de propreté**: finger plate
~ **de raccord**: adapter plate
~ **de recouvrement**: cover plate
~ **de renfort**: doubler, stiffening plate
~ **de revêtement**: (constr) wall board
~ **de terre**: earth plate GB, ground plate NA
~ **dévêtisseuse**: (fonderie) stripper plate
~ **du constructeur**: [manufacturer's] nameplate
~ **dure**: rigid sheet
~ **empâtée**: pasted plate (of battery)
~**-frein**: locking plate
~**-modèle**: (fonderie) pattern plate
~ **ondulée**: corrugated sheet
~ **perforée**: orifice plate
~ **polymétal**: (graph) multimetal plate
~ **porte-clapets**: valve plate
~ **porte-poinçon**: plunger retaining plate
~ **rigide**: rigid sheet
~ **serre-fils**: terminal board, terminal strip
~ **signalétique**: nameplate, rating plate
~ **striée**: chequer plate GB, checker plate NA
~ **tournante**: turntable
~ **tubulaire**: (de chaudière) tube plate

plaqué: plated
~ **or**: gold-plated

plaquer: (métal) to plate; (bois) to vene

plaquette *f* : small plate; (éon) slice, wafer; (méc) square washer
~ **d'arrêt**: lockplate
~ **de céramique**: ceramic wafer
~ **de circuit[s] imprimé[s]**: printed-circuit board

~ **de connexions**: terminal strip, terminal block
~ **de frein**: brake pad
~~**frein**: lockplate
~ **oblique**: square tapered washer
~ **porte-caractères**: (graph) slug
~ **rapportée**: (d'outil) tip, tool insert
~ **sanguine**: blood platelet

plasma m : plasma
~ **collisionnel**: collision-dominated plasma
~ **de faible énergie**: low-energy plasma
~ **dominé par les collisions**: collision-dominated plasma
~ **ionisé avec choc**: shock-ionized plasma
~ **sans collisions**: collisionless plasma

plasmagène: plasmagenic

plasmide m : plasmid
~ **à faible nombre de copies**: oligo-copy number plasmid, low copy number plasmid
~ **amplifiable**: amplifiable plasmid
~ **artificiel**: artificial plasmid
~ **autoamplifiable**: runaway plasmid
~ **autotransférable**: autotransferable plasmid
~ **chimère**: chimeric plasmid
~ **conjugatif**: autotransferable plasmid, conjugative plasmid
~ **de conjugaison**: conjugative plasmid
~ **de résistance**: resistance plasmid, R plasmid
~ **de type relâché**: relaxed plasmid
~ **de type strict**: stringent plasmid
~ **F'**: F' plasmid, F-prime plasmid
~ **hybride**: recombinant plasmid
~ **inducteur de racines**: root-inducing plasmid
~ **mobilisable**: mobilizable plasmid
~ **multicopie**: multicopy plasmid
~ **non conjugatif**: non conjugative plasmid
~ **naturel**: natural plasmid
~ **R**: R plasmid, resistance plasmid
~ **recombiné**: recombinant plasmid
~ **tueur**: killer plasmid
~ **vecteur**: vector plasmid

plasmocyte m : plasmocyte

plasmoïde: plasmoid

plasmolyse f : plasmolysis

plastic m : plastic explosive

plasticité f : plasticity
de ~ **absolue**: (constr) rigid plastic
de ~ **totale**: (constr) rigid plastic

plastifiant m : plasticizer

plastification f : plastification, plasticizing; (pelliculage) lamination

plastifié: plasticized; plastic coated; (document) laminated

plastigel m : plastigel

plastique m, adj : plastic
~ **à alvéoles fermées**: closed-cell [cellular] plastic
~ **à alvéoles ouvertes**: open-cell [cellular] plastic
~ **à base de lignine**: lignin plastic
~ **acétalique**: acetal plastic
~ **acrylique**: acrylic plastic
~ **alvéolaire**: cellular plastic, expanded plastic
~ **anti-UV**: UV plastic
~ **armé**: reinforced plastic
~ **armé de verre**: glass-reinforced plastic
~ **chlorovinylidénique**: vinylidene chloride plastic
~ **chlorovinylique**: vinyl chloride plastic
~ **époxydique**: epoxy plastic
~ **estérique**: ester plastic
~ **éthylénique**: ethylene plastic
~ **expansé**: cellular plastic, expanded plastic, foam plastic
~ **expansé mécaniquement**: mechanically-foamed plastic
~ **fluoré**: fluoroplastic
~ **fluorocarboné**: fluorocarbon plastic
~ **hydrocarboné**: hydrocarbon plastic
~ **oléfinique**: olefin plastic
~ **polyacrylique**: polyacrylic plastic
~ **polyamidique ▶ PA**: polyamide plastic
~ **polybutylène**: polybutylene plastic
~ **polycarbonate**: polycarbonate plastic
~ **polyestérique**: polyester plastic
~ **polyoléfinique**: polyolefin plastic
~ **polypropylène**: polypropylene plastic
~ **polystyrène**: polystyrene plastic
~ **propylénique**: propylene plastic
~ **renforcé**: reinforced plastic
~ **renforcé à la fibre de verre**: fiberglass reinforced plastic
~ **rigide**: hard plastic
~ **silicone**: silicone plastic
~ **soufflé**: blown plastic
~ **souple**: flexible plastic

~ **stratifié**: laminate plastic
~ **styrène/acrylonitrile**: styrene-acrylonitrile plastic
~ **styrène/butadiène** ▶ **S/B**: styrene-butadiene plastic
~ **styrène/caoutchouc**: styrene-rubber plastic
~ **styrénique**: styrene plastic
~ **uréthanique**: urethane plastic
~ **vinylique**: vinyl plastic

plastisol *m* : plastisol

plastomère *m* : plastomer

plat *m* : flat part; (entre deux gorges) land; *adj* : flat, level; (saveur) weak tasting, flat; (vin) stale; (eau de boisson) flat
~ **à boudin**: beaded flat, bulb plate, bulb flat
~ **d'usure**: wear strip
à ~: (batterie) run down
sur ~: across flats

plat-bord *m* : gunwale, gunnel

plateau *m* : (géol, palier de courbe) plateau; (de camion) platform; (d'embrayage) plate GB, disk NA; (de manchon) [coupling] flange; (de distillation) tray; (cin) set
~ **à barbotage**: bubble tray
~ **à chicanes**: baffle plate
~ **à cloches**: bubble tray
~ **à deux passes**: split-flow tray
~ **alvéolé**: (conditionnement) compartmented tray
~ **angulaire**: (m-o) angle plate
~ **circulaire**: circular plate, face plate
~ **continental**: continental shelf
~ **d'accouplement**: coupling flange; (de semi-remorque) fifth wheel
~ **d'arbre**: shaft flange
~ **d'arbre d'hélice**: (mar) propeller blade flange
~ **d'assemblage**: coupling flange
~ **d'embrayage**: clutch plate GB, clutch disk NA
~ **d'entraînement**: driving plate
~ **de balance**: pan
~ **de barbotage**: bubble tray
~ **de butée**: thrust bearing plate, thrust collar
~ **de colonne**: (pétr) bubble tray
~ **de cylindre**: cylinder cover
~ **de distribution**: valve plate
~ **de fixation**: mounting plate GB, clamping plate NA
~ **de l'arbre de butée**: thrust shaft flange
~ **de la manivelle**: crank disc

~ **de mandrin**: chuck plate
~ **de membrane**: diaphragm actuator
~ **de pression**: (d'embrayage) pressure plate
~ **de serrage**: clamping plate
~ **de tour**: face plate
~ **de vilebrequin**: crankshaft flange
~ **diviseur**: (m-o) index plate
~ **éjecteur**: ejector plate
~ **en chicane**: baffle plate
~ **magnétique**: (m-o) magnetic chuck
~ **manivelle**: crank disc
~ **mobile**: (de presse) floating platen
~ **oscillant**: swashplate, wobble plate
~ **perforé**: sieve tray
~ **porte-soupapes**: valve plate
~ **sinus**: (m-o) sine table
~ **tournant**: (m-o) rotary table
~ **tourne-disques**: turntable

plate-bande *f* : (architecture) flat arch, straight arch, jack arch; flat moulding, lintel course; (de poutre) flange
~ **porte-anneaux**: (filature) ring rail

plate-forme *f* : platform; (de route) [road] bed; (pétr) platform; (chdef) flat truck
~ **à embase-poids**: gravity-base structure
~ **à lignes tendues** ▶ **PLT**: tension-leg platform
~ **auto-élévatrice**: jack-up platform
~ **d'accès**: service platform
~ **d'accrochage**: racking platform
~ **d'atterrissage pour hélicoptères**: helipad
~ **de chargement**: charging floor, charging platform
~ **de coulée**: casting floor
~ **de forage**: drilling platform, drilling rig, derrick platform
~ **de lancement**: launching pad, launcher
~ **de logement**: accomodations platform
~ **de tir**: gun platform
~ **élévatrice**: hoisting platform
~ **gravitaire**: gravity platform
~ **gyroscopique**: gyro platform
~ **habitation**: quarters platform
~ **marine**: offshore platform
~ **panoramique**: pan head (of camera)
~ **support de torche**: flare platform
~ **tournante**: (de tir) gun turntable
à ~ **surbaissée**: low-loader (trailer, wagon)

platelage *m* : decking, flooring

platinage *m* : platinizing

platine *m* : platinum
~ **irridié**: platinirium

platine *f* : (de montage) baseboard, base plate, mounting plate; (de montre, de serrure) plate; (d'électrophone) [tape] deck; (graph) platen
~ **porte-objet**: microscope stage

platiné: platinum plated

plat-pont *m* : flat deck, flush deck

plâtrage *m* : plastering, plaster work

plâtre *m* : gypsum plaster
~ **aluné à prise rapide**: Keene's cement
~ **amaigri**: sanded plaster
~ **armé de fibres**: fibered plaster
~ **cellulaire**: aerated gypsum
~ **éventé**: dead plaster
~ **semihydrate**: hemihydrate plaster

plausibilité *f* : (IA) plausibility

plein: full; (massif) solid; (trait) continuous, solid; → aussi **pleine**
~ **débit**: full flow
~ **diamètre**: full bore, full gauge
~ **régime**: full throttle
~ **temps**: full-time
~**s gaz**: full power
à ~ **régime**: at full load
à ~ **rendement**: at full capacity
à ~**s gaz**: at full throttle, full out
de ~ **air**: open-air, outdoor
en ~ **cintre**: (fenêtre, porte) circular, semicircular
faire le ~: to fill up (a tank), to refuel

pleine: full; (femelle) pregnant, full
~ **mer**: high tide; high seas
en ~ **extension**: fast growing
en ~ **mer**: on the high seas

plein-vent *m* : tree grown in the open

pleurage *m* : wow

pli *m* : pleat, fold; (défaut) crease; (couche) ply
~ **à cœur**: core sheet
~ **anticlinal**: anticline
~ **extérieur**: face ply
~ **synclinal**: syncline
~ **transversal**: (placage) cross banding

pliage *m* : folding, pleating; (essais de matériaux) bending; (rob) pitch; (sur presse plieuse) pressing, doubling

over
~ **à bloc**: flat bend[ing]
~ **à l'endroit**: normal bend[ing]
~ **à l'envers**: reverse bend[ing]
~ **accordéon**: accordion pleat GB, accordeon fold NA, concertina fold, fanfold
~ **du poignet**: (rob) wrist-bend [motion]
~ **en zigzag**: accordion pleat GB, accordeon fold NA, concertina fold, fanfold
~ **et redressement**: bending and unbending
~ **paravent**: accordion pleat GB, accordeon fold NA, concertina fold, zigzag folding, fanfold

pliant: folding, collapsible

plie *f* : plaice

plié: folded; bent
~ **à bloc**: bent flat
~ **en accordéon**: accordeon pleated, accordeon folded
~ **en paravent**: accordeon pleated, accordeon folded

plieuse *f* : folding machine; bending machine
~ **de tôles**: [sheet metal] bending machine, plate doubler

plinthe *f* : (constr) skirting GB, baseboard, mopboard, washboard NA; (de protection) kickplate; (d'échafaudage) toe guard, toeboard

pliure *f* : folding

plomb *m* : lead; (fusible) fuse; (de fil à plomb) [plumb] bob; (de chasse) shot; (pour vitrail) came
~ **aigre**: hard lead
~ **argentifère**: silver lead
~ **commercial**: common lead
~ **de garantie**: seal
~ **de sonde**: sinker, sounding lead
~ **en feuille**: sheet lead
~ **en saumons**: pig lead
~ **intact**: unbroken seal
~ **tétraéthyle**: tetraethyl lead
sans ~: (carburant) unleaded

plombagine *f* : black lead, plumbago, graphite

plombé: leaded; (câble) lead-coated; sealed

plomber: to plumb; to seal

plomberie *f* : plumbing industry;
plumbing system
~ **brute**: roughing-in

plombier *m* : plumber

plombifère: plumbiferous, lead-bearing

plongée *f* : dive, diving; (cin) high-angle
shot; (de voiture, d'avion) plunge
~ **à incursion**: bounce diving
~ **autonome**: scuba diving
~ **en saturation**: saturation diving
~ **profonde**: deep diving
en ~: (sous-marin) submerged; (rectification) in-feed

plongeur *m* : diver; (méc) plunger
~ **de détection**: sensing pin
~ **de lecture**: sensing pin
~ **monocoup**: one-shot plunger

plot *m* : (de colle, de plâtre) dab, dot; (él)
fixed contact, stationary contact,
[contact] stud
~ **d'armature**: armature stud
~ **de contact**: contact piece, contact
plate
~ **de mise en court-circuit**: short-
circuit plug
~ **de remplissage**: filler plug, sealing
plug (in connector)
~ **lumineux**: button light

pluie *f* : rain
~ **intense**: heavy rain
~ **provoquée**: artificial rain
~ **verglaçante**: freezing rain
~s acides: acid rain

pluricombustible: multi-fuel

plus, ~ **évolué**: upgraded
~ **grand commun diviseur**: greatest
common divisor
~ **grande particule passante**: largest
particle passed
~ **léger que l'air**: lighter than air
~ **petit commun multiple**: least
common multiple
~ **récent**: (modèle) newer, later
~-value: appreciation
~ **tard**: later
le ~ à gauche: leftmost

plusieurs: several
à ~ brins: (filature) multifil
à ~ conducteurs: multiwire
à ~ couches: multiply, multilayer
à ~ étages: multistep, multistage;
(constr) multistory
à ~ filets: multithread

à ~ fils: multiwire
à ~ gammes: multirange (measuring
instrument)
à ~ sensibilités: multirange
à ~ spires: multiturn
à ~ voies: multiway (valve)

pluviographe *m* : recording rain gage
~ **totalisateur**: totalizer rain gauge

pluviomètre *m* : rain gauge, pluviometer

PM → **pistolet mitrailleur**

PMB → **point mort bas**

PMH → **point mort haut**

PNC → **personnel navigant
commercial**

pneu *m* : [pneumatic] tyre, [rubber] tyre
GB, tire NA
~ **à carcasse radiale**: radial-ply tyre
~ **à carcasse diagonale**: cross-ply
tyre GB, bias-ply tire NA
~ **à ceinture**: belted tire
~ **à chambre**: tubed tyre
~ **à clous**: studded tyre
~ **à cordes**: corded tyre
~ **à flanc blanc**: white-wall tyre
~ **à nappes croisées**: cross-ply tyre
~ **à talon**: clincher tyre
~ **à tringles**: wired tyre
~ **auto-obturable**: self-sealing tyre
~ **ballon**: balloon tyre
~ **boue et neige**: mud-snow tyre
~ **ceinturé**: belted tyre
~ **confort**: balloon tyre
~ **dégonflé**: flat tyre
~ **génie civil**: earth-mover tyre
~ **increvable**: puncture-proof tyre
~ **lisse**: bald tyre
~ **poids lourd**: giant tyre GB, truck tire
NA
~ **rechapé**: retread[ed tyre]
~ **sans chambre à air**: tubeless tyre
~ **neige**: snow tyre
~ **taille basse**: low-profile tyre
~ **tourisme**: car tyre
~ **usé**: bald tyre

pneumatique *m* → **pneu**; *f* : pneumatics;
adj : pneumatic, air; (gonflable)
inflatable

PNT → **personnel navigant technique**

poche *f* : pocket; void (in cellular plastic);
(de fonderie) ladle; (sac) pouch, bag
~ **à coulée par le bec**: tip-pour ladle
~ **à quenouille**: stopper ladle, bottom-
pour ladle

~ basculante: tilting ladle, tip-pour ladle
~ d'air: air pocket
~ d'eau: water trap
~ de coulée: casting ladle, pouring ladle, teeming ladle
~ de gaz: (dans tuyauterie) vapour lock; (pétr) gas pocket
~ de minerai: nest of ore, pocket of ore
~ de sable: sand pocket
~ tambour: drum ladle, cylindrical ladle
~-théière: tilting ladle, tip-pour ladle
~-tonneau: drum ladle, cylindrical ladle
~-torpille: torpedo ladle
de ~: pocket-size; (sous-marin) midget

pochette *f* : (sac) pouch, bag; (de disque) sleeve
~ matelassée: jiffy bag, padded post bag

pochoir *m* : stencil [plate]; (sérigraphie) [silk] screen

podomètre *m* : pedometer

podzol *m* : podsol, podzol

poêle *m* : stove
~ à feu continu: allnight burner, slow-burning stove

poids *m* : weight; (inf) significance, place value
~ à l'état sec: dry weight
~ à vide: empty weight, tare weight, unladen weight
~ à vide en ordre d'exploitation: (aéro) operating empty weight
~ au crochet: hook load
~ au lancement: (d'un engin) pad weight
~ brut: gross weight, shipping weight
~ brut initial: (aero) basic empty weight
~-curseur: sliding weight
~ d'équilibrage: balance weight
~ en charge: laden weight
~ en ordre de marche: (autom) kerb weight GB, curb weight NA
~ en ordre de vol: (aéro) laden weight
~ et centrage: (aéro) weight and balance
~ et mesures: weights and measures
~ étalon: standard weight
~ individuel: single weight
~ lourd: heavy goods vehicle
~ mort: dead weight, dead load
~ net: net weight
~ non suspendu: unsprung weight

~ propre: dead load, dead weight
~ roulant: live weight, live load, moving weight, moving load
~ sec absolu: oven-dry weight
~ sous l'eau: immersed weight
~ total: (aéro) all-up weight
~ total en état de marche: all-up weight
~ total sans carburant: zero-fuel weight
~ utile: payload
de ~ faible: (inf) low-order, rightmost
de ~ fort: (inf) high-order, leftmost
en ~: by weight

poignée *f* : handle; (quantité) handful
~ à croisillon: star knob
~ à main: handgrip
~ coudée: offset handle
~ d'outil: haft
~ de manœuvre: operating handle
~ de manutention: carrying handle
~ de porte: door handle, door pull
~ dynamométrique: torque handle
~ pistolet: pistol grip, trigger grip
~ sphérique: knob (of gear lever)

poignet *m* : (rob) wrist

poil *m* : (d'animal) hair; (de brosse) bristle; (de tissu) nap; (de tapis) pile

poinçon *m* : punch; (de presse) male die, male mould; (extrudeuse) mandrel; (de marquage) stamp
~ à river: riveting punch
~ chasse-goupille: drift punch
~ de contrôle: inspection stamp
~ de découpage: blanking punch
~ de ferme: (constr) king post
~ de garantie: assay mark, hall mark
~ de perforation: (inf) punching die, punch knife
~ de réception: acceptance stamp
~ de sertissage: crimp indentor
~ et matrice: punch and die
~ filière: die mandrel (on extruder)
~ fixe: fixed core (on extruder)
~ mobile: floating punch, loose punch
~ sérié: gang punch

poinçonnage *m* : punching, blanking; stamping, marking; perforation

poinçonneuse *f* : punch press, punching machine, punch; perforator
~ trou par trou: spot punch

point *m* : point, spot, dot; (navigation) position, fix; (d'une trame) dot; (de couture); (de ponctuation) full stop GB, period NA

~ **aberrant**: (contrôle de la qualité) outlier
~ **bas**: (d'une onde) trough; (d'une conduite) deep point
~ **brillant**: high light
~ **chaud**: hot spot
~ **coté**: spot height; (sur carte) landmark
~ **d'achat**: point of purchase
~ **d'amorçage**: (oscillations) singing point
~ **d'amure**: tack
~ **d'appui**: (constr) [point of] support; (de levier) fulcrum; (de vérin) jack pad
~ **d'arrivée**: end point
~ **d'arrivée d'un circuit**: circuit terminating point
~ **d'articulation**: joint, linkage point; (graphe) cut vertex, articulation point
~ **d'ébullition**: boiling point
~ **d'ébullition final**: final boiling point
~ **d'éclair**: flash point
~ **d'éclair en vase clos**: closed flash point
~ **d'éclair en vase ouvert**: open-cup flash point
~ **d'écoulement**: pour point
~ **d'écoute**: (mar) clew
~ **d'émergence du palpeur**: (ultrasons) probe index
~ **d'émission**: (de données) data source
~ **d'engrènement**: nip point
~ **d'enroulement**: (d'une bande transporteuse) nip point
~ **d'entrée**: entry point
~ **d'exploration**: (radar, tv) scanning spot
~ **d'image**: dot, pixel
~ **d'impact**: point of impact
~ **d'incidence**: (ultrasons) beam index
~ **d'inflammation**: fire point, burning point
~ **d'inflexion**: inflexion point GB, inflection point NA
~ **d'injection**: (plast) feed orifice GB, gate NA
~ **d'interruption**: (inf) breakpoint
~ **d'intersection**: cross point
~ **de bulle**: bubble point
~ **de chute**: (d'un projectile) fall
~ **de combustion**: fire point, burning point
~ **de commande**: control point
~ **de commutation**: switching point
~ **de concentration des tensions**: stress raiser
~ **de consigne**: set point
~ **de consigne d'asservissement**: (rob) control set point
~ **de contact**: (d'engrenage) pitch point; (entre cylindres) nip

~ **de contrôle**: (inf) checkpoint
~ **de coupure**: (éon) cutoff
~ **de croisement**: cross point
~ **de déstockage**: (hydrologie) intake point, headrace
~ **de détérioration**: point of failure
~ **de feu**: burning point, fire point
~ **de flambage**: (constr) buckling point
~ **de flétrissement permanent**: permanent wilting point
~ **de fonctionnement**: duty point
~ **de fuite**: vanishing point
~ **de fumée**: smoke point
~ **de fusion**: melting point
~ **de goutte**: drop point
~ **de grésage**: sinter point
~ **de levage**: jacking point
~ **de mise à la terre**: earth[ing] point GB, ground[ing] point NA
~ **de mise en circuit**: switching point
~ **de nuage**: cloud point
~ **de poussée**: (d'un arc) abutment
~ **de prélèvement**: (hydrologie) intake point, headrace
~ **de prélèvement d'échantillon**: sampling point
~ **de raccordement**: (él) hook, drop-off, terminal
~ **de ramollissement**: softening point
~ **de ramollissement par la méthode bille et anneau**: ring-and-ball softening point
~ **de référence**: reference point, datum point
~ **de rejet**: (d'une bande transporteuse) delivery end
~ **de repère**: [guide] mark, reference mark; landmark
~ **de reprise**: restart point, rerun point; (d'un programme) checkpoint
~ **de restauration**: (inf) recovery point
~ **de restitution**: (hydrologie) tailrace
~ **de retour**: (inf) re-entry point
~ **de rosée**: dew point
~ **de rupture**: (bitume) break point
~ **de simili**: halftone dot
~ **de soudure**: tack
~ **de suite**: leader
~ **de terre**: earth point GB, ground point NA
~ **de tir**: shot point
~ **de trouble**: cloud point
~ **de vente**: point of sale; (débouché) outlet
~ **de verse**: (d'une bande transporteuse) delivery end
~ **de vidage**: (inf) dump point
~ **de virage**: (d'un titrage) end point
~ **de vitrification**: (fonderie) sinterpoint
~ **dur**: (méc) hard spot, rough running point

~ **estimé**: dead reckoning position
~ **final**: end point (of a reaction)
~ **haut**: (d'une onde) crest
~ **identifié**: pinpoint
~ **kilométrique** ▶ PK: mileage point
~ **lumineux**: light spot
~ **médian**: midpoint
~ **milieu**: (transformateur) balance point
~ **mince**: thin place
~ **mort**: (méc) neutral [position], dead centre; (acoustique) dead spot; (de carburateur) flat spot; (comptabilité) breakeven point
~ **mort bas** ▶ PMB: bottom dead center
~ **mort haut** ▶ PMH: top dead centre
~ **moyen des éclatements**: (artillerie) centre of burst
~ **neutre des moments**: centre of moments
~ **neutre**: neutral [point]; (él) midpoint, star point
~ **nodal**: nodal point
~ **observé**: fix
~ **origine**: zero point
~ **sec**: dry point
~ **relevé**: plotted point
~ **surchauffé**: hot spot
~ **typographique**: point
~ **visé**: aiming point
~s **de conduite**: (graph) leaders
à ~ **d'ébullition bas**: low-boiling
au ~ **fixe**: (aéro) static
faire le ~: to take a bearing
mettre au ~: (un produit) to develop; (opt) to focus; (moteur, radio) to tune

pointage m : (sdge) tack welding; (arme à feu) aiming; (radar) plotting; (sur liste) ticking off; (de présence) time-keeping
~ **du canon**: gun laying
~ **en direction**: traverse, traversing
~ **en hauteur**: elevation, elevating

pointe f : point; tip; end; (de tour) centre; (clou) nail, brad; (maximum) peak; (de courant, de tension) spike, surge
~ **à pointe**: peak-to-peak
~ **à tracer**: marking tool, scribing tool, scriber
~ **arrière du fuselage**: tail cone
~ **avant du fuselage**: nose section, nose cone
~ **d'électrode**: electrode tip
~ **d'embarquement**: (pap) tail end
~ **d'impulsion**: spike
~ **d'un pieu**: toe of pile
~ **de bougie**: sparking plug point
~ **de charge**: (él) peak demand
~ **de diamant**: glass cutter; (ornement) nail head

~ **de l'aile**: wing tip
~ **de la canette**: cop nose, cop top
~ **de la contre-poupée**: (tour) dead centre
~ **de lecture**: stylus (of pick-up), stylus tip
~ **de Paris**: wire nail
~ **de temps de pluie**: wet weather peak
~ **de tour**: lathe centre
~ **du palpeur**: [tracing] stylus, tracer finger
~ **fausse-vis**: drive screw
~ **filtrante**: (pétrol) well point
~ **fixe**: (tour) dead centre
~ **journalière**: daily peak
~ **torsadée**: drive screw
~ **tournante**: (tour) live centre, running centre
de ~: maximum, peak; (technique) advanced, state-of-the-art

pointeau m : (outil) centre punch; (de robinetterie) needle, needle valve; (de vis) dog point (set screw)
~ **à tracer**: centre punch
~ **de carburateur**: needle valve
~ **de mécanicien**: centring punch
~ **de soupape**: valve cone, valve needle

pointer: (diriger) to point, to train, to aim; (sur une liste) to tick [off], to check; (amorcer un trou au pointeau) to mark with centre punch; (freiner au pointeau) to centre punch
~ **à l'arrivée**: (personnel) to clock in
~ **à la sortie**: (personnel) to clock off, to clock out
~ **en direction**: (mil) to lay for direction, to traverse
~ **en hauteur**: (mil) to lay for elevation, to elevate
~ **sur une carte**: to plot (a site)
~ **un canon**: to lay a gun, to train a gun

pointeur m : checker; timekeeper; (mil) gun layer; (inf) pointer
~ **de pile**: (inf) stack pointer
~ **solaire**: sun sensor
~ **terrestre**: earth sensor

pointillé m : dotted line
~s **de séparation**: tear-off perforations

poire f : (él) pear switch
~ **en caoutchouc** f : rubber bulb

poison m : poison
~ **consommable**: (nucl) burnable poison
~ **de fission**: fission poison

poix *f* : pitch (made from resin)

polarimètre *m* : polarimeter

polarisation *f* : (él, opt) polarization; (él, éon) bias
~ **automatique**: automatic bias, self-bias
~ **croisée**: cross polarization
~ **dans un plan**: plane polarization
~ **de blocage**: cut-off bias
~ **de coupure**: cut-off bias
~ **de grille**: grid bias
~ **directe**: forward bias
~ **inverse**: reverse bias
~ **négative**: negative bias
~ **négative de grille**: negative grid bias
~ **nulle**: zero bias
~ **rectiligne**: plain polarization
~ **spontanée** ▶ PS: self-polarization
à ~ **verticale**: vertically-polarized
à ~s **croisées**: cross-polar

polarisé: polarized, biassed GB, biased NA
~ **dans un plan**: plane-polarized

polariseur *m* : polarizer; (phot) polarizer filter; *adj* : polarizer, polarizing
~ **rectiligne**: linear polarizer

polarité *f* : polarity
~ **directe**: straight polarity
~ **invers[é]e**: reverse polarity
~ **normale**: straight polarity

pôle *m* : (él, géog) pole; → aussi **pôles**
~ **conséquent**: consequent pole
~ **de commutation**: interpole, commutation pole
~ **géographique**: true pole
~ **inducteur**: field pole
~ **négatif**: minus pole, negative pole
~ **positif**: plus pole, positive pole
~ **rupteur**: breaking pole
~ **saillant**: salient pole

pôles *m*, ~ **de même nom**: like poles
~ **de même signe**: like poles
~ **de nom contraire**: opposite poles

poli *m* : polish, gloss; *adj* : polished; (métal) polished, bright; (pierre) ground
~ **brillant**: high polish
~ **miroir**: mirror finish, specular gloss
~ **spéculaire**: mirror finish, specular gloss

police *f* : (de caractères) font
~ **optique**: optical font
~ **solide**: solid font

polir: to polish; (métal) to buff, to brighten; (roder) to lap
~ **à glace**: to burnish
~ **au tambour**: to tumble

polissage *m* : polishing, buffing, brightening, lapping
~ **au solvant**: solvent polishing
~ **au tampon**: pad polishing
~ **au tonneau**: tumble polishing, tumbling
~ **électrochimique**: electrochemical machining
~ **électrolytique**: electropolishing

polissoir *m* : polishing tool, buff stick, polishing wheel, buffing wheel

pollen *m* : pollen

pollinisation *f* : pollination
~ **croisée**: cross-pollination

pollinie *f* : pollinium

polluant *m* : pollutant, contaminant
~ **du milieu**: environmental pollutant

pollueur *m* : polluter

pollution *f* : pollution
~ **atmosphérique**: air pollution
~ **des cours d'eau**: stream pollution

poly: (chim) poly; (multiple) multi, poly

polyacétal *m* : polyacetal

polyacrylate *m* : polyacrylate

polyacrylonitrile *m* : polyacrylonitrile

polyaddition *f* : polyaddition

polyadénylation *f* : polyadenylation

polyamide ▶ PA *m* : polyamide

polyanodique: multianode

polybutadiène *m* : polybutadiene

polybutylène *m* : polybutylene

polycarbonate *m* : polycarbonate

polycarburant: multifuel

polychlorotrifluoéthylène ▶ PCTFE *m* : polychlorotrifluoroethylene

polychrome: polychrome

polychromie *f*: full-colour printing, multicolour printing

polycistronique: polycistronic

polyclonal: polyclonal

polycondensat *m* : polycondensate

polycondensation *f*: polycondensation

polycopie *f*: duplication, duplicating

polycopier: to cyclostyle, to duplicate

polyculture *f*: mixed farming

polyèdre *m* : polyhedron; *adj* : polyhedral

polyembryonie *f*: polyembryony

polyergol *m* : multipropellant

polyester *m* : polyester
~ **non saturé**: unsaturated polyester

polyétagé: multistage

polyéther *m* : polyether

polyéthylène *m* : polythene GB, polyethylene NA
~ **basse densité ▶ PEbd**: low-density polythene
~ **haute densité ▶ PEHD**: high-density polythene

polygone *m* : polygon; (mil) experimental range
~ **des forces**: polygon of forces

polymérase *f*: polymerase

polymère *m* : polymer
~ **à coloration**: dye polymer
~ **d'addition**: addition polymer
~ **de condensation**: condensation polymer
~ **échelle**: double-strand polymer, ladder polymer
~ **éthylénique**: ethylene polymer
~ **gélifié**: gelled polymer
~ **ramifié**: branched polymer
~ **réticulé**: network polymer
~ **séquencé**: block polymer

polymérisation *f*: polymerization
~ **catalytique**: catalytic polymerization, catpoly
~ **en émulsion**: emulsion polymerization
~ **en masse**: mass polymerization, bulk polymerization

~ **en perle**: bead polymerization
~ **en solution**: solution polymerization
~ **en suspension**: suspension polymerization
~ **par addition**: addition polymerization

polymériser: to polymerize, to cure (a polymer)

polymètre *m* : all-purpose meter, multimeter

polymorphe: polymorphic

polymorphie *f*: polymorphy

polynie *f*: polynya

polynôme *m* : polynomial
~ **indexeur de cycle**: cycle index polynomial
~ **irréductible**: irreductible polynomial

polynucléé: polynucleate

polynucléotide *m* : polynucleotide
~ **kinase**: polynucleotide kinase

polyoléfine *f*: polyolefine

polypeptide *m* : polypeptide

polyphasé: multiphase, polyphase

polypoïde: polypoid

polypropylène *m* : polypropylene
~ **chloré**: chlorinated polypropylene

polysome *m* : polysome, polyribosome

polystyrène ▶ PS *m* : polystyrene
~ **cellulaire**: polystyrene foam

polytétrafluoréthylène ▶ PTEFE *m* : polytetrafluorethylene

polyuréthane *m* : polyurethane

polyvalence *f*: (chim) polyvalency, multivalency GB, polyvalence, multivalence NA; (de matériel) versatility

polyvalent: all-purpose, general purpose, multipurpose, versatile; (chim) polyvalent

polyvinyle *m* : polyvinyl

pompage *m* : pumping; (pour faire le vide) evacuation, exhaustion; (fonctionnement instable) hunting

~ **de laser**: laser pumping
~ **magnétique**: magnetic pumping
~ **par [émission] laser**: laser pumping
~ **par impulsions**: pulse pumping
~ **piloté**: pilot-induced oscillation
~ **pneumatique**: (forage) gas lift
au ~: (pétr) on the beam, on the pump

pompe *f*: pump
~ **à accélération périphérique**: peripheral pump
~ **à ailettes**: vane pump
~ **à air**: air pump
~ **à anneau liquide**: water-ring pump, liquid-ring pump
~ **à aspiration latérale**: side-inlet pump, side-suction pump
~ **à aspiration verticale par le bas**: bottom-inlet pump, bottom-suction pump
~ **à aspiration verticale par le haut**: top-inlet pump, top-suction pump
~ **à auto-amorçage**: self-priming pump
~ **à balancier**: lever-operated hand pump, rocking arm pump; (pétr) [walking] beam pump
~ **à bâti-palier**: pedestal-mounted pump
~ **à bras**: hand pump
~ **à chaleur** ▶ PAC: heat pump
~ **à chaleur air-air**: air-air heat pump
~ **à chaleur sol-air**: earth-air heat pump
~ **à clapet**: flap-valve pump, valve pump
~ **à colimaçon**: volute pump
~ **à commande directe**: close-coupled pump, direct-connected pump
~ **à corps noyé**: wet-sump pump GB, wet-pit pump NA
~ **à corps segmenté**: segmental-type pump
~ **à corps torique**: annular-casing pump, circular-casing pump
~ **à débit constant**: constant-flow pump
~ **à débit mesuré**: metering pump
~ **à débit réglable**: variable-capacity pump, variable-output pump
~ **à débit variable**: variable-delivery pump, variable-flow pump, variable-displacement pump
~ **à débit visible**: sight-feed pump
~ **à dépression**: suction pump
~ **à deux ouïes**: double-suction pump
~ **à diaphragme**: diaphragm pump
~ **à diffuseur à ailettes**: diffuser pump
~ **à diffusion**: (vide) diffusion pump
~ **à double aspiration**: double-suction pump
~ **à double effet**: double-acting pump, lifting-and-forcing pump

~ **à double flux**: double-entry pump
~ **à émulsion**: (pétr) gas lift pump
~ **à engrenage**: gear pump
~ **à éolienne**: windmill [driven] pump
~ **à essence**: petrol pump
~ **à étrier**: stirrup pump
~ **à fluide caloporteur**: heat-transfer pump
~ **à garnissage hydraulique**: fluid-packed pump
~ **à graisse**: grease gun, grease pump
~ **à hélice**: axial-flow pump
~ **à induction**: induction pump
~ **à jet**: jet pump
~ **à joint longitudinal**: axially-split pump
~ **à joint perpendiculaire à l'axe**: radially-split pump
~ **à lobes**: rotary piston lobe type pump GB, lobular pump NA
~ **à main**: hand pump
~ **à membrane**: diaphragm pump
~ **à mouvement alternatif**: reciprocating pump
~ **à n étages**: n-stage pump
~ **à palette**: vane pump
~ **à palette oscillante**: semi-rotary pump
~ **à palier-support**: pedestal-mounted pump
~ **à passage intégral**: non-clog[ging] pump
~ **à piston[s]**: piston pump, plunger pump
~ **à piston-clapet**: valve-type piston pump
~ **à piston plein**: solid-piston pump
~ **à piston[s plongeur[s**: plunger pump
~ **à pistons à commande mécanique**: crank pump
~ **à pistons à cylindres en ligne**: in-line piston pump
~ **à pistons à passage direct**: straight-through piston pump GB, straight-way piston pump NA
~ **à pistons axiaux**: axial-piston pump
~ **à pistons différentiels**: differential-piston pump
~ **à pistons en étoile**: radial [piston] pump
~ **à pistons plongeurs**: ram pump, plunger pump
~ **à pistons radiaux**: radial-piston pump
~ **à pistons rotatifs**: Roots pump, rotary plunger pump
~ **à plateau oscillant**: wobble pump
~ **à plongeur**: piston pump, plunger pump
~ **à plusieurs étages**: multistage pump

~ **à revêtement anti-abrasif**: armoured pump
~ **à rotor gainé**: canned [rotor] pump
~ **à simple effet**: single-acting pump
~ **à simple flux**: single-suction pump, single-entry pump
~ **à spirale**: volute pump
~ **à turbine**: turbine pump, impeller pump
~ **à un étage**: single-stage pump
~ **à vide**: vacuum pump, suction pump
~ **à vis**: screw pump
~ **à vis excentrée**: helical rotor pump
~ **à volute**: volute pump
~ **alimentaire**: donkey pump, feed pump
~ **alternative**: reciprocating pump
~ **aspirante**: suction pump, lift pump
~ **aspirante et élévatoire**: lift-and-force pump
~ **aspirante et foulante**: lift-and-force pump
~ **auxiliaire**: backing pump
~ **axiale**: axial-flow pump
~ **centrifuge**: centrifugal pump
~ **centrifuge à roue à canaux**: channel-impeller pump
~ **centrifuge à roue radiale**: radial-flow [centrifugal] pump
~ **d'accélération**: accelerator pump
~ **d'alimentation**: donkey pump, feed pump
~ **d'amorçage**: priming pump, primer
~ **d'appoint**: booster pump
~ **d'assèchement**: stripping pump, sump pump
~ **d'assèchement de fouille**: trench pump
~ **d'épuisement**: drainage pump, sump pump, exhaust pump, pumping engine
~ **d'exhaure**: (mine) drainage pump
~ **de balayage**: scavenging pump
~ **de ballast**: ballast pump
~ **de cale**: bilge pump
~ **de charge**: (pétr) feed pump, charge pump
~ **de circulation**: circulating pump
~ **de dépotage complémentaire**: tank-residue pump
~ **de dosage**: metering pump, proportioning pump
~ **de fond**: (forage) borehole pump, bottomhole pump, deep-well pump
~ **de fond à tige**: sucker-rod pump
~ **de gavage**: booster pump
~ **de graissage**: grease pump
~ **de lest**: ballast pump
~ **de maser**: maser pump
~ **de mise à vide**: exhauster
~ **de puisard**: sump pump
~ **de rabattement de nappe**: dewatering pump, ground-water drainage pump
~ **de reflux**: (pétr) reflux pump, top return pump
~ **de refoulement**: delivery pump
~ **de refroidissement**: coolant pump
~ **de relais**: (pipe-line) booster pump
~ **de relèvement**: lift pump
~ **de relèvement des eaux d'égout**: sewage pump
~ **de renfort**: booster pump
~ **de reprise**: (autom) accelerator pump; (pétr) [condensate] return pump, recovery pump
~ **de reprise d'huile de balayage**: scavenge oil pump
~ **de réserve**: standby pump
~ **de retour d'huile de balayage**: scavenge oil pump
~ **de suralimentation**: booster pump
~ **de surcompression**: booster pump
~ **désamorcée**: dry pump
~ **doseuse**: proportioning pump
~ **duplex**: duplex pump
~ **élévatoire**: lift pump
~ **éolienne**: wind pump
~ **foulante**: force pump, plunger pump
~ **hélice**: axial-flow pump, propeller pump
~ **hélicocentrifuge**: conical-flow pump, semiaxial-flow pump, mixed-flow pump, screw pump
~ **hélicoïde**: axial pump
~ **hydraulique**: water pump, hydraulic pump
~ **immergée**: submerged pump
~ **longue course**: long-stroke pump
~ **mécanique**: power pump, crank pump
~ **mécanique à plusieurs cylindres**: multiplex pump, multithrow crank pump
~ **mécanique à volant d'inertie**: crank-and-flywheel pump
~ **monobloc**: unit-construction pump
~ **multicellulaire**: multistage pump
~ **péristaltique**: squeeze pump
~ **pneumatique**: air pump
~ **pour installation hors d'eau**: dry-sump pump GB, dry-pit pump NA
~ **pour puits profond**: deep-well pump
~ **process**: (pétr) process pump
~ **régénératrice**: regenerative pump
~ **relais**: booster pump
~ **rotative à ailettes**: rotary vane pump
~ **rotative à vis**: rotary screw pump
~ **sans clapet**: valveless pump
~ **semi-axiale**: mixed-flow pump
~ **semi-rotative**: semirotary pump
~ **sur circuit aller**: advance-leg pump

~ **sur circuit de retour**: return-leg pump
~ **sur lanterne**: lantern-mounted pump
~ **tourbillon**: torque-flow pump
~ **triplex**: three-throw crank pump
~ **vide-cave**: bailing pump
~ **volumétrique**: positive-displacement pump
~ **volumétrique alternative**: oscillating displacement pump

pomper: to pump; (pour faire le vide) to exhaust, to evacuate; (compresseur, moteur) to hunt

pomperie *f* : pump room; pumping station

pompier *m* : fireman
~**s**: fire brigade GB, fire company, fire deparment NA

pompiste *m* : petrol pump attendant

ponceau *m* : culvert
~ **rectangulaire**: box culvert

ponceuse *f* : sander
~ **à bande**: belt sander
~ **et polisseuse**: sander and polisher
~ **orbitale**: orbital sander

ponctuel: point, dot, spot; (à l'heure) punctual, on time, on schedule

pondération *f* : weighting
~ **uniforme**: flat weighting

pondéré: weighted GB, factored NA

pont *m* : (constr, él) bridge; (de navire) deck; (autom) axle; (de tubes, de pipelines) crossover; (roulant) crane
~ **à bascule**: bascule bridge, counterpoise bridge
~ **à curseur**: slide [wire] bridge
~ **à deux vitesses**: dual-range axle
~ **à haubans**: guy-stayed bridge
~ **à poutres**: girder bridge
~ **à poutres à treillis**: truss bridge
~ **à poutres continues**: continuous bridge
~ **à roues motrices et directrices**: steering live axle
~ **à tablier inférieur**: through bridge GB, thru bridge NA
~ **à tablier supérieur**: deck bridge
~ **à transformateur**: transformer bridge
~ **à une travée**: simple bridge
~ **aérien**: air lift
~ **arrière**: (autom) back axle, rear axle; (mar) afterdeck

~ **avant**: (autom) front axle; (mar) foredeck
~ **avant moto-directeur**: driven fr axle
~ **banjo**: banjo axle
~**-bascule**: weighbridge
~ **basculant**: bascule bridge, coun poise bridge
~ **biais**: skew bridge
~ **bipoutre**: double girder crane
~ **chargeur**: charging crane
~ **chromosomique**: chromosome bridge
~ **cristallin**: crystal bridge
~**-dalle**: slab bridge
~ **d'envol**: flight deck
~ **de bateaux**: pontoon bridge
~ **de capacités**: capacitance bridg
~ **de chemin de fer**: railway bridge
~ **de cloisonnement**: bulkhead de
~ **de coulée**: casting crane
~ **de déphasage**: phase-shift brid
~ **de mesure**: measuring bridge
~ **découvert**: weather deck
~ **démouleur**: [ingot] stripping cra
~ **des embarcations**: boat deck
~ **du château**: bridge deck
~ **élévateur**: (autom) [car] hoist, lif ramp, lifting platform
~ **en treillis**: truss bridge
~**-garage**: car deck
~ **inférieur**: (aéro, mar) lower dec (forage) bottom deck, cellar deck
~ **moteur**: driving axle (rigid), live ɛ powered axle
~ **oscillant**: (autom) swing axle
~ **phosphodiester**: phosphodieste linkage
~ **portique**: bridge crane, gantry c
~**-rail**: railway bridge
~ **rigide**: (autom) rigid live axle
~ **roulant**: overhead [travelling] cra traveler NA
~ **roulant de poche**: ladle crane
~ **roulant gerbeur**: stacking crane
~ **roulant strippeur**: stripper crane
~ **roulant suspendu**: underhung crane, ceiling crane
~**-route**: road bridge
~ **strippeur**: [ingot] stripping crane
~ **sur chevalets**: trestle bridge
~ **suspendu**: suspension bridge
~ **thermique**: cold bridge
~ **tournant**: swing bridge
~ **transbordeur**: transporter bridge

pontage *m* : (chim, él) bridging

ponté: (él) bridged; (mar) decked

pontée *f* : deck cargo, deck load

ontier *m* : driver, operator (of overhead travelling crane)

ontil *m* : punty, pontil

onton *m* : pontoon
~-**grue**: floating crane, pontoon crane
~-**grue à portique**: gantry floating crane

opulation *f* : (stats, nucl) population

orcelaine *f* : china, chinaware; (fine) porcelain
~ **dure**: hard-paste porcelain
~ **sanitaire**: vitreous china
~ **tendre**: soft-paste porcelain
~ **vitrifiée**: vitreous china

orosimètre *m* : porosimeter, porosity tester

orosité *f* : porosity
~ **fermée**: closed porosity, sealed porosity
~ **limite**: (pétr) cutoff porosity

ort *m* : (mar) port, harbour GB, harbor NA, docks; (inf, guide d'ondes) port; (courrier) postage
~ **à marée**: tidal harbour
~ **d'accès**: (inf) access port
~ **d'attache**: port of registry GB, port of documentation NA
~ **d'échouage**: dry harbour
~ **d'éclatement**: offshore terminal
~ **d'embarquement**: embarkation port; (de marchandises) shipping port
~ **d'entrée**: port of entry
~ **d'entrée-sortie**: (inf) input-output port
~ **d'escale**: port of call
~ **de cabotage**: coasting port
~ **de charge[ment]**: port of loading, port of shipment
~ **de décharge[ment]**: port of discharge, port of delivery
~ **de guerre**: naval dockyard
~ **de plaisance**: marina
~ **de transit**: port of transit
~ **dû**: carriage forward
~ **en lourd**: deadweight carrying capacity, deadweight tonnage
~ **fluvial**: river port
~ **franc**: free port
~ **intérieur**: innner harbour; (sur fleuve) inland port
~ **maritime**: sea port
~ **payé**: post paid, carriage paid

ortabilité *f* : portability (of software)

portable: mov[e]able; (logiciel) portable

portage *m* : porterage; (de soupape) seating

portance *f* : (aéro) lift; (du sol) bearing capacity

portatif: portable, mov[e]able, handheld

porte *f* : door; (inf) gate, (d'accès) port
~ **à coulisse**: sliding door
~ **à deux battants**: double door
~ **à rideau métallique**: rollup door
~ **à seuil**: (inf) threshold gate
~ **à tambour**: revolving door
~ **à tenons**: plug door
~ **à va-et-vient**: double-acting door
~ **à vantail coupé**: stable door
~ **accordéon**: folding door
~ **amont**: head gate (of lock)
~ **automatique**: automatic door, self-closing door
~ **basculante**: tip-up door, up-and-over door GB, canopy door NA
~ **battante**: swing door
~ **coupe-feu**: fire door
~ **coupée**: stable door
~ **d'accès**: (inf) access port
~ **d'aérage**: (mine) air door
~ **d'amont**: head gate
~ **d'aval**: tail gate
~ **d'entrée/sortie**: input-output port
~ **de bassin de marée**: flood gate
~ **de chargement**: fire door
~ **de communication**: interior door
~ **de décision**: decision gate
~ **de foyer**: fire door
~ **de ramonage**: soot door, cleaning eye GB, cleanout NA
~ **de visite**: access door
~ **escamotable en plafond**: up-and-over door
~ **ET**: AND gate
~ **isoplane**: flush door
~ **magnétique**: (nucl) magnetic gate
~ **NON**: NOT gate
~ **NON-ET**: NAND gate
~ **NON-OU**: NOR gate
~ **OU exclusif**: exlusive-OR gate
~ **palière**: landing door
~ **panoramique**: patio door
~ **parallèle**: (inf) parallel port
~ **pare-fumée**: smoke control door
~ **plane**: flush door
~ **pliante**: multifolding door
~ **pliante escamotable**: stack door
~ **rabattante**: trap door
~ **série**: (inf) serial port
~ **souple à lanières amovibles**: strip curtain

porte-: holder

porte-à-faux *m* : overhang, cantilever

porte-amarre *m* : line-throwing gun

porte-autos *m* : car transporter GB, automobile transporter NA; (chdef) automobile car

porte-avions *m* : aircraft carrier

porte-balai *m* : brush gear, brush holder

porte-barges *m* : lighter carrier
~ **du type LASH**: lighter aboard ship carrier

porte-bobine *m* : (pap, graph) reel stand, roll stand; (text) bobbin holder

porte-câbles *m* : cable hanger

porte-chars *m* : tank transporter

porte-conteneurs *m* : container carrier, container ship
~ **à levage**: lift-on/lift-off container carrier
~ **à roulage**: roll-on/roll-off container carrier

porte-coussinet *m* : bearing insert, bearing cartridge, bearing carrier

portée *f* : (distance atteinte) range, reach; (d'un émetteur) coverage; (de grue) operating radius; (de poutre) span; (méc) bearing area, mating surface; seat (of ball bearing, nut), boss (for nut or washer); (d'engrenage) tooth contact; (d'une soupape) face; (fonderie) core print;
~ **à hauteur de levage maxi**: reach at full lift
~ **boîteuse**: lame tooth contact
~ **contiguë**: adjacent span
~ **corrigée**: (mil) adjusted range
~ **croisée**: crossed tooth contact
~ **d'arbre**: (sur palier) journal
~ **d'attaque**: (d'engin de terrassement) digging reach
~ **de coussinet**: bearing surface
~ **de noyau**: core print, core mark
~ **de nuit**: night range
~ **de soupape**: valve face
~ **de vilebrequin**: crankshaft journal
~ **des dents**: tooth contact [pattern]
~ **des garnitures de frein**: effective brake area
~ **diurne**: day range
~ **du cylindre**: roll neck

~ **en lourd**: (mar) deadweight cap
~ **libre**: clear span
~ **nocturne**: night range
~ **proximale**: near range
~ **utile**: effective span
à ~ **de la main**: within reach

porte-électrode *m* : electrode holder

porte-ensouples *m* : (tissage) beam rack

porte-filière *m* : die block, die stock

porte-foret *m* : drill holder, bit holder

porte-fusible *m* : fuse holder

porte-garniture *m* : packing retainer

porte-gicleur *m* : jet holder

porte-hélicoptères *m* : helicopter car

porte-injecteur *m* : nozzle holder

porte-lame *m* : blade holder; cutter b cutter head

porte-matrice *m* : die holder

porte-objets *m* : slide (of microscope)

porte-outil *m* : tool holder; (de tour) t rest

porter: to carry
~ **à température**: to preheat
~ **en abscisse**: to plot the abscissa
~ **en compte**: to charge to an acc
~ **en ordonnée**: to plot the ordinate
~ **sur**: (constr) to bear (upon), to b supported (on)
~ **un relèvement**: to plot a bearing

porte-satellites *m* : planet carrier, pla pinion cage, pinion carrier, planeta retainer

porte-tuyaux *m* : pipe hanger

porteur *m* : carrier; *adj* : (constr) [load bearing, structural
~ **central**: central strength member
~ **commun**: (entreprise de commu cations) common carrier
~ **de charge**: charge carrier
~ **de germes**: germ carrier
~ **majoritaire**: majority carrier
~ **minoritaire**: minority carrier

porteuse *f* : carrier [frequency]
~ **brouilleuse**: interfering carrier

~ commune: common carrier
~ décalée: offset carrier
~ manipulée: keyed carrier
~ principale: main carrier
~ son: sound carrier
~ supprimée: suppressed carrier

orte-voix *m* : loudhailer, megaphone, speaking tube

ortier *m* : doorkeeper, doorman, porter
~ automatique: door opener
~ électronique: electronic door opener

ortique *f* : (structure) bent, [portal] frame; (de manutention) gantry
~ à étages: multiple-storey frame
~ à signaux: signal bridge, gantry
~ à travées multiples: continuous frame, multiple frame
~ à traverse droite: rectangular frame
~ à traverse brisée: gable frame
~ automoteur de levage: self-propelled gantry
~ bipoutre: twin-girder gantry
~ de contreventement: sway frame
~ de lavage: car wash
~ de signalisation: (chdef) gantry
~ étagé: multiple-storey frame
~ fixe: fixed gantry crane
~ hyperstatique: hyperstatic frame, redundant frame
~ indéformable: rigid frame
~ mobile: mobile gantry
~ roulant: straddle crane, travel[l]ing gantry
~ simple: simple frame
~ statiquement déterminé: statically-determinate frame

ortiqueur *m* : gantry crane operator

ortrait-robot *m* : identity kit picture

OS → **plan d'occupation des sols**

ose *f* : installation, fitting, setting, laying; (phot) exposure, time exposure
~ de câbles: cable laying, cabling
~ de canalisations: pipe laying
~ de carrelage: tiling
~ de la voie: (chdef) plate laying
~ de voie ferrée: track laying
~ des clichés: (sur rotative) plating-up
~ des fils: wiring
~ des tubes: tubing
~ en alignement continu: (carrelage) square-bond tiling
~ libre: (d'affiches) fly posting
~ normale: (carrelage) square bond
~ sous crépi: (él) buried wiring
~ sous tubes: (él) conduit wiring

pose-tubes *m* : side-boom crane; laying cat, pipe layer

posé: laid, set
~ à chaud: (méc) shrunk-on (ring); (revêtement) hot-laid
~ à froid: cold-laid
~ à plat: lying [flat]
~ à sec: (maçonnerie) laid dry
~ en caniveau: laid in ducts
~ sur crépi: mounting on plaster
~-décollé: (aéro) touch-and-go

posemètre *m* : exposure meter, light meter

poser: to put down; (installer) to install, to lay; **se ~**: (aéro) to land, to put down, to touch down
~ à bain de mortier: to bed in mortar
~ à chaud: to shrink on
~ à recouvrement: to overlap
~ de chant: to lay on edge, to set on edge
~ debout: to stand
~ des ardoises: to slate
~ la couverture: to roof
~ les fondations: to lay the foundations
~ les vitres: to glaze
~ un carrelage: to tile

poseur *m* : layer
~ de blindage: trench shorer, cribbing setter
~ de canalisations: pipe layer
~ de mines: minelayer
~ de parquets: floor layer
~ de rails: platelayer
~ de tuyauterie: pipe man
~ de tuyaux: pipe fitter

positif *m* : (phot) positive, print; *adj* : positif
~ son et image: married print, composite print

position *f* : position
~ cis: (gg/bm) cis position, cis configuration
~ coupure: OFF position
~ d'arrêt: OFF position
~ d'enclenchement: holding position
~ d'équilibre: (aéro) trimmed position
~ d'ouverture de circuit: switch-off position
~ de collage: (d'un relais) holding position
~ de contact: (rectification) IN position
~ de coupure de circuit: switch-off position
~ de disjonction: OFF position

~ **de fermeture de circuit**: switch-on position
~ **de fin de course totale**: total travel position
~ **de marche**: ON position
~ **de mise hors circuit**: open position, switch-off position
~ **de mise en circuit**: closed position, switch-on position
~ **de non contact**: (rectification) OUT position
~ **de repos**: OFF position, neutral position
~ **de travail**: ON position
~ **début d'écran**: (inf) home position
~ **du gouvernail**: rudder angle
~ **effective**: (rob) effective position
~ **enfoncée**: (d'une touche) depressed position
~ **finale**: stop position, ultimate position
~ **identifiée**: pinpoint
~ **initiale**: (inf) home position (of cursor)
~ **marche**: ON position
~ **médiane**: neutral position, central position
~ **normale**: normal position; right side up
~ **ouverte**: OFF position
~ **sol**: ground position
~ **zéro**: neutral position

positionnement *m* : positioning, locating; (m-o) indexing

positionneur *m* : locating plate, locator

positron *m* : positron

possibilité *f* : possibility, feasibility; (d'une machine) capability
~ **d'accès**: accessibility
~ **d'amélioration**: (par conception) engineering potentiality
~ **d'effacement**: erasability
~ **d'emport**: (aéro) carrying capacity
~ **d'évolution**: (caractère évolutif) openess (of a system)
~ **d'extension**: add-on facility
~**s pétrolières**: oil prospects

postadhésivité *f* : aftertack

postcombustion ► **PC** *f* : postcombustion, afterburning, re-heat

postcraquage *m* : secondary cracking

postcuisson *f* : afterbake, postcure

post-débit *m* : afterflow

postdécharge *f* : (plasma) afterglow

poste *m* : post, station; (appareil) set (tél) extension number; (horaire de travail) shift; (facture, contrat) item heading
~ **à clavier**: (tél) pushbutton set, touch-tone telephone
~ **à dos d'homme**: packset, pack
~ **à haut-parleur**: speakerphone
~ **à n pinces**: n-operator welding s
~ **à quai**: mooring berth
~ **à transistors**: transistor set
~ **abaisseur**: (él) stepdown station
~ **alimenté par batteries**: battery
~ **asservi**: (télécommande) outsta
~ **avec personnel de conduite**: manned station
~ **central de triage** ► **PCT**: (chdef marshalling yard GB, classification yard NA
~ **d'abattage**: (mine) winning shift
~ **d'aiguillage**: signal box GB, sig tower NA
~ **d'amarrage**: berth
~ **d'approvisionnement**: refuellin point
~ **d'eau**: water supply point
~ **d'écoute**: listening post, listenin station
~ **d'enrobage**: coating plant
~ **d'équipage**: (aéro) cockpit, fligh deck, flight compartment; (mar) cr quarters
~ **d'essence**: petrol [filling] station gas station NA
~ **d'incendie**: fire station
~ **d'interrogation**: (inf) inquiry sta
~ **d'opérateur**: operator station
~ **de changement de direction**: cornering station (of conveyor)
~ **de chargement**: (mar) loading b
~ **de commande**: control desk, co station, control room
~ **de compression**: compressor p
~ **de conduite**: (de machine) operator's stand; (cabine de condu cabin, cab (of crane); (chdef) drive cab GB, engineer's cab NA
~ **de conduite centralisée**: maste station
~ **de conduite de tir**: fire-control station
~ **de conversion**: converter statio
~ **de contrôle**: check point
~ **de couplage**: (él) switching stati
~ **de détente**: pressure-reducing station
~ **de lecture**: sensing station
~ **de manœuvre**: control desk, co station
~ **de mouillage**: [anchoring] berth

~ **de nuit**: night shift
~ **de péage**: toll booth GB, turnpike NA
~ **de pilotage**: flight deck, flight compartment, cockpit
~ **de pompage**: pumping station
~ **de pompage d'eaux d'égout**: sewage pumping station
~ **de pompiers**: fire station NA, firehouse NA
~ **de recompression**: (oléoduc) booster station
~ **de redressement**: rectifier station
~ **de relevage**: (assainissement) pumping station
~ **de saisie**: (inf) work station
~ **de secours**: first-aid post
~ **de soudage**: welding set
~ **de soudage multiple**: multiple-operator welding unit
~ **de surpression**: booster station
~ **de tir**: firing station, fire control post
~ **de transformation**: transformer station
~ **de transformation HT/BT**: HV/LV transforming station
~ **de travail**: work station
~ **demandeur**: (tél) calling extension
~ **électrique**: substation
~ **élévateur**: (él) step-up station
~ **éloigné**: outstation
~ **émetteur**: sending station, sender, transmitting station; transmitting set
~ **en dérivation**: tapped station
~ **extérieur**: outstation
~ **intérieur**: (tél) extension
~ **mains libres**: hands-free station
~ **maître**: master station
~ **minéralier**: ore berth
~ **mobile**: mobile unit
~ **pétrolier**: oil berth
~ **récepteur**: receiving station
~ **satellite**: (télécommande) outstation
~ **secondaire**: (télécommande) outstation, slave sation
~ **supplémentaire**: extension [telephone]
~ **téléphonique à haut-parleur**: speaker telephone
~ **terminal**: terminal, outstation
à ~ **fixe**: fixed, stationary, permanent
de ~ à ~: station-to-station

poste *f* : post office, postal service, mail service; post, mail

postformage *m* : postforming

postglaciaire: postglacial

postluminescence *f* : afterglow

postréchauffeur *m* : afterheater

postrefroidisseur *m* : aftercooler

postsynchronisation *f* : (cin, tv) postsynchronization, dubbing

post-tension *f* : post-tensioning

post-traitement *m* : (plast) afterbake, postcure

pot *m* : pot; (en verre) jar
~ **à poussière**: dust catcher
~ **d'échappement**: (autom) silencer GB, muffler NA
~ **d'étirage**: (filature) drawing can
~ **de cémentation**: case hardening box
~ **de charge**: coil box, coil case
~ **de purge**: drip trap, drip pot
~ **de recuit**: annealing box, annealing pot
~ **de rubans**: (filature) sliver can
~ **de transfert**: (plast) transfer chamber GB, transfer pot NA
~ **tournant**: (filature) coiler can, coiler

potabilité *f* : potability, potableness

potamologie *f* : potamology

potasse *f* : potash
~ **caustique**: potassium hydroxyde

poteau *m* : post, pole; (constr) sta[u]nchion, column (of metal frame), stud (of timber frame)
~ **composé**: built-up column
~ **cornier**: angle post, corner post
~ **court**: short column
~ **creux**: box column
~ **d'amarrage**: (de câble) tension post
~ **d'ancrage**: deadman
~ **d'arrêt de ligne**: dead-end pole, dead-end tower, end pole
~ **d'extrémité de ligne**: dead-end pole, dead-end tower, end pole
~ **d'huisserie**: doorpost, jamb
~ **d'incendie**: fire hydrant
~ **de balustrade**: rail post
~ **de clôture**: fence post
~ **de départ**: (d'escalier) newel post
~ **de dérivation**: tap-off pole
~ **de mine**: pit prop
~ **de rive**: end column
~ **élancé**: long column
~ **encastré**: embedded column
~ **encastré aux bouts**: fixed-end column
~ **indicateur**: signpost
~ **métallique enrobé**: encased stanchion

~ **rempli d'eau**: fluid-filled column
~ **terminal**: end pole
~ **tête de ligne**: end pole
~ **tubulaire**: pipe column
à ~**x et poutres**: post-and-beam, post-and-girder, post-and-lintel

potelet *m* : small post

potence *f* : (support) bracket; (de chariot élévateur) boom, jib
~ **à flexibles**: hose boom
~ **murale**: wall bracket; wall crane

potentiel *m, adj* : potential
~ **calorifique**: fire load
~ **d'utilisation**: useful life
~ **de combustion**: combustive power
~ **de grille**: grid potential
~ **de plaque**: grid potential
~ **de terre**: earth potential
~ **de vie**: estimated service life
~ **entre révisions**: overhaul life, time between overhauls
~ **entre structure et milieu ambiant**: structure-soil potential
~ **spontané ► PS**: self-potential, spontaneous potential

potentiomètre *m* : potentiometer, pot
~ **à contact glissant**: slide-wire pot
~ **à curseur**: slide-wire pot
~ **à déviation**: deflexion potentiometer, deflection potentiometer
~ **à induction**: inductive potentiometer
~ **à prises**: tapped potentiometer
~ **à vernier**: vernier potentiometer
~ **anti-ronfle[ment]**: hum potentiometer, hum balancer

potentiostatique: constant-potential

poterie *f* : (lieu) pottery; (objets) ware
~ **d'étain**: pewter [ware]
~ **de grès**: stoneware
~ **de terre**: earthenware

poteyage *m* : (fonderie) refractory dressing

potin *m* : pewter

poudingue *m* : pudding stone

poudrage *m* : powdering, dusting (with powder)

poudre *f* : powder
~ **à canon**: gunpowder
~ **à mouler**: moulding powder
~ **à roder**: grinding powder
~ **abrasive**: abrasive powder

~ **antimaculage**: (graph) antisetoff powder, dry-spray powder
~ **d'ardoise**: slate flour
~ **de mine**: blasting powder
~ **explosive**: blasting powder
~ **fulminante**: detonating powder
~ **lente**: slow-burning powder
~ **noire**: black blasting powder
~ **sans fumée**: smokeless powder
~ **vive**: fast-burning powder

poudreux: powdery

poulie *f* : pulley; (mouflée) block
~ **à câble**: rope pulley, cable pulley
~ **à chape ouvrante**: snatch block, snap block
~ **à cône**: cone pulley, step pulley, speed pulley
~ **à corde**: cable pulley
~ **à courroie**: belt pulley, band pulley
~ **à émerillon**: swivel block
~ **à gorge**: grooved pulley
~ **à gradins**: step pulley, cone pulley speed pulley
~ **à joues**: flanged pulley
~ **à rebords**: flanged pulley
~ **à simple renvoi**: single-purchase pulley
~ **conduite**: driven pulley
~ **conique**: cone pulley
~ **coupée**: snatch block, snap block
~ **d'angle**: angle pulley
~ **d'entraînement**: driving pulley
~ **d'excentrique**: eccentric pulley
~ **de guidage**: jockey pulley
~ **de palan**: tackle block
~ **de queue**: tail pulley
~ **de renvoi**: idler pulley, guide pulley angle pulley
~ **de retour**: tail pulley, end pulley
~ **de tension**: jockey pulley, idler pulley, stretching pulley, tightening pulley
~ **de tête**: head pulley, crown pulley
~ **démontable**: split pulley
~ **en deux pièces**: split pulley
~ **étagée**: cone pulley, stepped pulley
~ **fixe**: dead pulley, fast pulley
~ **folle**: loose pulley
~~**guide**: idler [pulley]
~ **isolante**: (él) bobbin insulator
~ **menée**: driven pulley
~ **mobile**: live pulley, running block
~ **motrice**: main pulley, primary pulley driving pulley, driver
~ **mouflée**: block pulley
~ **pour câble**: rope pulley
~ **pour courroie trapézoïdale**: V-groove pulley
~ **réceptrice**: driven pulley, output pulley

~ **simple**: single-purchase pulley
~ **tendeuse**: idler pulley, jockey pulley
~ **transmettrice**: output pulley
~ **variable**: adjustable pulley, spring-loaded pulley
~-**volant**: fly pulley

poupe f : stern

poupée f : (m-o) head
~ **à diviser**: indexing head
~ **de cabestan**: capstan head
~ **de tour**: headstock
~ **fixe**: fast head
~ **mobile**: loose headstock, tailstock
~ **porte-meule**: wheel head
~ **porte-pièce**: work head

pourcentage m : percentage
~ **d'armatures**: (béton) percentage of reinforcement
~ **d'erreurs**: percentage errors
~ **d'utilisation d'un câble**: (tél) cable loading
~ **d'utilisation d'une ligne**: (tél) line loading
~ **de défectueux**: percent defectives
~ **en poids**: weight percent[age]

pourri: rotten

pourrir: to rot, to decay

pourrissage m : (céram) ageing, souring

pourriture f : decay, rot[ting]
~ **cubique**: brown rot, dry rot
~ **du bois**: wood rot
~ **humide**: wet rot
~ **sèche**: dry rot

poursuite f : pursuit; (mil) pursuit, chase; (éon) tracking; (commerce) follow-up
~ **automatique**: autotracking
~ **de cible**: target tracking
~ **de la lecture**: (gg/bm) readthrough
~ **en fréquence**: frequency tracking
~ **par échelons**: step tracking
~ **pas à pas**: step tracking

pourtour m : periphery, perimeter

poussage m : (navigation) push towing, push navigation

pousse f : (de plante) shoot

poussée f : thrust
~ **aérostatique**: buoyancy (of the air)
~ **au point fixe**: (aéro) static jet thrust
~ **au sol**: aero ground thrust
~ **au vide**: (constr) outward pressure

~ **axiale**: end thrust
~ **d'Archimède**: buoyancy
~ **de gaz**: (pétr) gas lift, gas drive
~ **des terres**: earth pressure
~ **des voûtes**: arch pressure
~ **du terrain**: ground thrust
~ **du vent**: wind pressure
~ **hydrostatique**: buoyancy
~ **longitudinale**: end thrust
~ **motrice**: impulse (of movement)
~ **sans réchauffe**: (d'un réacteur) dry thrust

pousser: to push; (autom) to hot up (an engine)
~ **au vide**: (mur) to bulge
~-**tirer**: push-pull

pousseur m : [push] towboat; (aérosp) booster
~-**tireur**: push-and-pull device

poussier m : (de charbon) dirt coal, duff coal; fine coal, slack, coal dust
~ **de coke**: coke breeze
~ **de dépoussiérage**: aspirated fines, aspirated dust

poussière f : dust
~ **de cheminée**: flue dust
~ **de gueulard**: flue dust
~ **stérile**: (mine) rock dust
~ **nocive**: injurious dust

poussoir m : push; (méc) push rod, push lever, actuator, thumb piece; (él) pushbutton
~ **à galet**: roller plunger; (autom) roller tappet
~ **à ressort**: trigger
~ **de commande**: control rod
~ **de déverrouillage**: release push-button
~ **de soupape**: valve tappet GB, valve lifter NA
~ **marche**: ON button

poutraison f : beams

poutre f : beam, girder
~ **à ailes parallèles**: parallel-flanged beam
~ **à âme évidée**: castellated beam
~ **à âme pleine**: plate girder, solid-web girder
~ **à membrures parallèles**: flat-chord truss
~ **à riper**: conveyor beam
~ **à treillis**: trussed beam, trussed girder, truss
~ **à treillis en croix**: lattice beam, lattice girder

~ **appuyée**: supported beam, supported girder
~**-caisson**: box beam, box girder
~**-cloison**: wall beam
~ **composée**: built-up beam, built-up girder
~ **composée mixte**: flitch beam
~ **console**: cantilever beam
~ **d'égale résistance**: beam of constant strength, beam of uniform strength
~ **de contreventement**: bracing member
~ **de fuseau d'empennage**: tail boom
~ **de queue**: tail boom
~ **de ripage**: conveyor beam
~ **de rive**: edge beam, edge girder
~ **éclissée**: fish beam
~ **en double T**: parallel-flanged beam
~ **en encorbellement**: cantilever beam
~ **en H**: universal beam
~ **en porte-à-faux**: cantilever beam
~ **encastrée**: built-in beam, encastré beam, fixed beam
~ **faîtière**: ridge beam
~ **fléchie**: beam in flexure
~ **lamellée-collée**: laminated beam
~ **maîtresse**: principal [girder], principal beam; (de plancher) binding joist
~ **métallique**: steel girder
~ **métallique enrobée**: composite beam, composite beam
~ **oscillante**: walking beam
~ **reconstituée soudée**: welded plate girder
~ **roulante**: small travelling crane
~ **sur appuis élastiques**: elastically-supported girder
~ **sur appuis encastrés**: end-fixed beam
~ **sur appuis libres**: simple beam
~ **suspendue**: drop-in girder
~ **transversale**: cross beam, cross girder
~ **triangulée**: lattice beam, lattice girder
~ **tubulaire**: box beam
à ~s et poteaux: post-and-beam, trabeated

poutrelle *f* : small beam, small girder; hot-rolled section
~ **à faces inclinées**: sloping-flange beam [section]
~ **en acier**: steel joist
~ **en I**: rolled steel joist
~ **en treillis**: open-web steel joist
~ **en U**: channel section
~ **longitudinale**: stringer
~ **reconstituée soudée**: welded-plate beam

pouvoir *m* : power
~ **absorbant**: absorbency, absorptivity
~ **adhésif**: adhesive power
~ **agglutinant**: caking power
~ **antidétonant**: antiknock value
~ **calorifique** ▶ PC: calorific power, calorific content, calorific value, caloricity, heat[ing] value
~ **calorifique inférieur** ▶ PCI: net calorific value
~ **calorifique supérieur** ▶ PCS: gross calorific value
~ **colorant**: colouring power, staining power; (du noir de carbone) tinting strength
~ **couvrant**: (de peinture) covering power, spreading power
~ **d'absorption**: absorptivity
~ **d'arrêt**: (nucl) stopping power
~ **d'émission**: emissivity
~ **de coupure**: (él) breaking capacity GB, interrupting capacity NA
~ **de coupure en court-circuit**: short-circuit breaking capacity
~ **de fermeture**: (él) making capacity
~ **de fermeture en court-circuit**: short-circuit making capacity
~ **dissolvant**: solvent power
~ **émissif**: emissive power, emissivity
~ **isolant**: insulating property
~ **lubrifiant**: lubricity
~ **masquant**: (de peinture) hiding power
~ **nominal**: rating
~ **perforant**: (d'un projectile) armour-piercing power
~ **résolvant**: (phot) resolving power
~ **séparateur**: (microscopie) resolution
~ **siccativant**: drying power

pouzzolane *f* : pozzolana

PP → **petit pas**

ppm → **parties par million**

praticable: (route, terrain) trafficable

pratique: convenient, handy, practical; hands-on

préallumage: pre-ignition

préamplificateeur *m* : preamplifier, head amplifier, first-stage amplifier
~ **correcteur**: amplifier equalizer

pré-ARN messager: premessenger RNA

préassemblage *m* : blind assembly, trial assembly

prébroyage *m* : coarse breaking

précâblé: prewired

préchauffage *m* : heating up, pre-heating

précipitation *f* : (chim) precipitation; (météo) precipitation, rainfall
~ **moyenne annuelle**: mean annual rainfall

précipité *m* : precipitate

précision *f* : precision, accuracy
~ **de positionnement**: positioning accuracy
~ **de repérage**: tracking accuracy
~ **des mesures**: measuring accuracy
~ **étendue**: (inf) extended precision
~ **multiple**: (inf) multiple precision
~**s**: precise details, full particulars

préconcasseur *m* : primary crusher

précondition *f* : (IA) precondition
~ **la plus faible**: weakest precondition

préconiser: to recommend

précontrainte *f* : prestress[ing], initial stress
~ **fractionnée**: multistage stressing
~ **par câble ancré**: post tensioning
~ **par fil adhérent**: pretensioning
~ **par prétension**: pretensioning
~ **postérieure**: post tensioning

précraquage *m* : primary cracking

précuisson *f* : (plast) precure

prédalle *f* : shuttering [floor] slab

prédéclenchement *m* : pretrigger

prédécoupage *m* : (explosifs) presplitting, presplit blasting

prédégrillage *m* : coarse screening

prédicat *m* : (IA) predicate

prédiffusé: (circuit imprimé, puce) semicustom

prédormant *m* : (constr) subframe

préemballé: prepack[ed]

préenregistré: prerecorded; (sur bande) pretaped

préfabrication *f* : prefabrication
~ **du béton**: precasting
~ **foraine**: site prefabrication

préfabriqué: prefabricated; (béton) precast

préférentiel: preferential; (réglementation) preferred

préfiltration *f* : primary filtration

préfiltre *m* : primary filter

préfocalisé: prefocused

préforme *f* : preform

préhension *f* : gripping

préimprégné: pre-impregnated, prepreg

prélart *m* : tarpaulin

prélèvement *m* : picking (from stock), taking (of sample), sample (taken); withdrawing, withdrawal (from bank account)
~ **d'échantillon**: sampling
~ **de courant**: current drain
~ **sur les stocks**: stockdraw

préliminaire *adj* : preliminary; ~**s** *f* : (graph) preliminary matter

prémaquette *f* : (graph) rough layout

premier: first; (nombre) prime; → aussi **première**
~ **entré dernier sorti**: first in last out
~ **entré premier sorti**: first in first out
~ **étage**: first floor GB, second story NA
~ **filtre**: preliminary filter
~ **méridien**: prime meridian
~ **montage**: (cin, tv) rough cut
~ **mouvement**: (inf) first transaction
~ **temps**: initial stage
~ **vantail**: (de porte) active leaf, swing leaf
~ **vol**: maiden fligth
~**s secours**: (à un blessé) first aid

première: first
~ **coupe**: roughing cut
~ **de couverture**: outside front cover, first cover
~ **étape**: initial stage
~ **page**: title page
~ **page de couverture**: outside front cover

~ **page de texte**: first editorial page
~ **passe**: (sdge) bottom layer, root bead
~ **tête**: (de rivet) die head
de ~ génération: (inf) first-generation, grandfather
de ~ mise en œuvre: unused
de ~ qualité: premium, premier, top grade

prémisse *f* : (IA) premise

prémoulé: preformed (sealant, joint filler)

prendre: to take; (saisir) to grip, to pick up; (adhésif, ciment, plâtre) to set
~ **appui sur**: to rest on
~ **beaucoup de temps**: to be time consuming
~ **comme hypothèse**: to assume
~ **de la vitesse**: to pick up speed
~ **des voyageurs**: to pick up passengers
~ **du jeu**: to become loose, to work loose
~ **en charge**: to take over
~ **en remorque**: to take in tow
~ **implicitement une valeur**: (inf) to default
~ **l'écoute**: to tune in
~ **la demande**: (tél) to accept a call
~ **la relève**: to take over
~ **le large**: to put out to sea
~ **un corps mort**: to moor to a buoy
~ **un poste**: (mar) to berth
~ **une photo**: to take a picture, to shoot a picture

prépaiement *m* : prepayment
à ~: (tél) coin [operated]

préparateur *m* : laboratory technician

préparation *f* : preparation; conditioning; (d'un minerai) dressing; (usinage) setting up
~ **de la pâte**: (pap) stock preparation
~ **des bords**: (sdge) edge preparation
~ **du charbon**: coal dressing
~ **du sable**: (fonderie) sand conditioning, sand cutting

préparer: to prepare, to plan; (charbon, minerai) to dress
~ **pour le froid**: to winterize

prépeint: (produits sidérurgiques) ready primed

préposé *m* : employee, officer, attendant, operator (of a machine); (droit) agent
~ **à la recette**: (mine) deckman

~ **à la cage**: (mine) cagetender
~ **des douanes**: customs officer
~ **des postes**: postman, post office clerk

préréglé: preset

prescriptions *f* : instructions, regulations, specifications
~ **de qualité**: quality requirements
~ **générales**: general requirements

prescrit: prescribed, stipulated, specified

préséance *f* : precedence, priority, seniority

présence *f* : presence, occurrence; (du personnel) attendance
~ **d'un signal**: signal condition
~ **de minéraux**: occurrence of minerals

présentation *f* : presentation; display; preview, launch (of new product); (aéro, usinage) approach
~ **au sol**: (aéro) roll-out
~ **des données**: (à l'écran) data display
~ **des résultats**: reporting of test results
~ **du clavier**: keyboard layout
~ **en vrac**: jumble display
~ **horizontale**: comic strip format (microfilm)
~ **sous vitrine**: closed display
~ **verticale**: portrait presentation; cine format (microfiche)

présenter: (un document) to produce; (un projet) to present, to submit; (une pièce à une autre) to offer up
~ **des défauts**: to be defective, to be faulty

présentoir *m* : counter display, display unit, merchandiser
~ **au sol**: floor stand
~ **de caisse de sortie**: checkout stand
~ **de gondole**: shelf display
~ **frigorifique**: refrigerated display case

présérie *f* : pre-production, pilot production, pilot run

préservatif *m* : preservative

président *m* : president, chairman
~ **directeur général ▶ PDG**: chairman and managing director

présonorisation *f* : (cin, tv) playback [recording]

presse *f* : presse; (outil à main) clamp
~ **à baiancier**: fly press
~ **à balles**: baling press
~ **à barillet**: rotary press
~ **à bâti en col de cygne**: open-front press, gap press
~ **à blocs**: (plast) block press GB, baking press NA
~ **à bobine**: (graph) web machine, web press
~ **à charnière horizontale**: book-type press
~ **à cingler**: shingling press, crocodile press GB, [alligator] squeezer NA
~ **à cintrer**: bending press
~ **à col de cygne**: gap press
~ **à colonnes**: column press
~ **à copier**: copy press
~ **à découper**: cutting press
~ **à découper les flans**: blanking press
~ **à double piston**: double-ram press GB, double-force press NA
~ **à dresser**: straightening press
~ **à ébarber**: trimming press
~ **à emballer**: packing press; (pap) bundling press
~ **à emboutir**: flanging press; (à étirer) drawing press
~ **à encoller**: size press
~ **à endosser**: (graph) backing machine, backing press, backer
~ **à épreuves**: proof press
~ **à estamper**: stamping press
~ **à étirer**: drawing press
~ **à excentrique**: eccentric press
~ **à filer**: extrusion press; (plast) ram extruder GB, stuffer NA
~ **à filer les métaux**: metal extrusion press
~ **à genouillère**: toggle press, knuckle joint press, knee press
~ **à injection**: injection moulding machine
~ **à main**: (menuiserie) screw clamp, C-clamp
~ **à mandrin**: arbor press
~ **à manivelle**: crank press
~ **à marquer**: blocking machine GB, stamping press NA
~ **à matricer**: die press
~ **à montants ouverts**: gap press
~ **à mouler**: moulding press
~ **à piston descendant**: downstroke press
~ **à piston ascendant**: bottom-ram press, upstroke press
~ **à plastifier**: laminating press, laminator
~ **à plat**: flat-bed press
~ **à plateaux**: daylight press, platen press
~ **à plateaux multiples**: multidaylight press, multiple-platen press, multi-platen press
~ **à plier**: bending press
~ **à refouler**: upsetting press
~ **à retiration**: perfecting press
~ **à rogner**: cutting press
~ **à tourelle revolver**: dial-feed press GB, rotary press NA
~ **à vis**: screw press; (d'établi) screw clamp
~ **blanchet contre blanchet**: blanket-to-blanket press
~ **d'établi**: bench press
~ **descendante**: downstroke press
~ **dresseuse**: straightening press
~ **humide**: (pap) couch press, wet press
~ **mécanique**: power press
~ **montante**: (pap) reverse[d] press
~ **plieuse**: bending press; press brake
~ **recto-verso**: perfecting press, perfector [press]
~ **rotative**: (graph) rotary press, web-fed printing press
~ **transfert**: multiple press, transfer press

presse-bouton *adj* : pushbutton; finger-tip (dispenser)

presse-étoupe *m* : stuffing box, packing box, packer, [packing] gland
~ **de câble**: cable [sealing] gland, cable seal
~ **de lanterne**: lantern gland (on process pump)

pressier *m* : press operator

pression *f* : pressure; (machine à mouler) squeeze
~ **à débit nul**: zero-flow pressure
~ **à exercer sur les touches**: key pressure
~ **à l'échappement**: exhaust pressure
~ **acoustique**: sound pressure
~ **antagoniste**: adverse pressure
~ **atmosphérique**: air pressure
~ **atmosphérique normale**: standard [atmospheric] pressure
~ **au puits**: (pétr) bottomhole pressure
~ **aux appuis**: (constr) bearing pressure
~ **barométrique**: air pressure (standard)
~ **capillaire**: capillary pressure
~ **cinétique**: kinetic pressure
~ **continue sur la touche**: sustained pressure of key

~ **d'admission**: intake pressure; (aéro) boost pressure
~ **d'air dynamique**: ram air pressure
~ **d'alimentation**: supply pressure
~ **d'éclatement**: burst pressure
~ **d'écrasement**: collapse pressure
~ **d'enclenchement**: (de compresseur) cut-in pressure
~ **d'épreuve**: (de chaudière) proof pressure, test pressure
~ **d'étreinte**: (mécanique des sols) cell pressure
~ **d'exploitation**: operating pressure, working pressure
~ **d'ouverture**: (d'une soupape) cracking pressure
~ **d'utilisation**: working pressure
~ **dans la chaudière**: boiler pressure
~ **de calcul**: design pressure
~ **de choc**: impact pressure
~ **de colonne d'eau**: water-gauge pressure
~ **de débit nul**: (pompe) stalled pressure
~ **de début d'écoulement**: cracking pressure
~ **de décharge**: blowoff pressure
~ **de démarrage**: breakaway pressure
~ **de fluage**: yield pressure
~ **de fonctionnement**: working pressure, operating pressure
~ **de fuite**: leak-off pressure
~ **de gavage**: boost pressure
~ **de gisement**: rock pressure
~ **de gonflage**: inflation pressure; (autom) tyre pressure
~ **[de l'eau] interstitielle**: pore-water pressure
~ **de marche**: working pressure
~ **de refoulement**: delivery pressure, discharge pressure; (vide) backing pressure
~ **de régime**: rated pressure
~ **de service**: working pressure, operating pressure
~ **de suralimentation**: boost pressure
~ **de sustentation**: (véhicule à coussin d'air) lifting pressure
~ **de timbrage**: stamp pressure, [boiler] test pressure
~ **du vent**: (constr) wind pressure; (des tuyères) blast pressure
~ **due au choc**: impact pressure, shock pressure
~ **dynamique**: impact air pressure
~ **effective moyenne**: mean effective pressure
~ **en écoulement naturel**: open-flow pressure
~ **gazométrique**: pressure thrown by gasholder GB, throw NA
~ **géostatique**: geostatic pressure,

overburden pressure
~ **interstitielle**: pore pressure
~ **linéaire**: (d'un cylindre) nip pressure
~ **manométrique**: gauge pressure
~ **motrice**: actuating pressure
~ **moyenne effective**: mean effective pressure
~ **moyenne effective au frein**: brake mean effective pressure
~ **sonore**: sound pressure
~ **sous-atmosphérique**: subatmospheric pressure
~ **statique**: static head; (de puits) closed-in pressure, shut-in pressure
~ **sur l'aube**: blade pressure
~ **sur les appuis**: (constr) bearing pressure
~ **sustentatrice**: (coussin d'air) lifting pressure
~/**volume** ▶ PV: pressure-volume
à ~: pressure-operated; (capteur) pressure-sensitive

pressostat m : pressure switch, pressure controller
~ **combiné haute pression-basse pression**: dual-pressure controller
~ **de sécurité haute pression**: high-pressure safety cutout
~ **H/B pression**: high/low pressure controller

pressuriser: to pressurize

prestataire m **de services**: provider of services, service firm

prestation f : service

présupposés m : (IA) bias

prêt: ready
~ **à clicher**: camera ready
~ **à décoller**: ready for takeoff
~ **à envoyer**: clear to send
~ **à être exploité**: operable
~ **à être expédié**: ready for shipping
~ **à imprimer**: camera ready
~ **à l'emploi**: (mélange) ready-mixed; (machine) ready to run; (programme) precanned
~ **à monter**: in kit form
~ **à mouiller**: premixed
~ **à reproduire**: camera ready

prétraitement m : pretreatment

preuve f : proof
~ **de [correction de] programme**: program proving, program-correctness proof
~ **de performance**: track record

~ **de terminaison**: (inf) termination proof

ayant fait ses ~s: (produit) [well] proven; (personne) having a good track record

évaporisation *f*: preflashing

évision *f*: prediction, projection, forecast, forecasting
~ **des crues**: flood forecasting
~**s météorologiques**: weather forecast, weather report
faire des ~s: to forecast, to predict

évu: anticipated; (au plan, au calendrier) planned, scheduled

image *m*: (chaudière, évaporateur) carry-over

imaire: primary; (pièce d'un ensemble) basic

imitif: primitive, original; (roche) primitive; (méthode, matériel) primitive, crude

incipe *m*: principle
~ **d'Archimède**: Archimedes' principle
~ **de résolution**: (IA) resolution principle
~ **directeur**: guiding principle

ioritaire: priority, prioritized, overriding; (inf) hot (job); (route) major

iorité *f*: priority, precedence, seniority
~ **à droite**: give way (to vehicles on the right)
~ **de passage**: right of way (on road)
à ~ absolue: non-overridable
avoir la ~: to take precedence, to override; (véhicule) to be on the major road

ise *f*: taking; (saisie) hold, grip; (adhésif, béton) setting, set; (de branchement) connection; (dérivation) tap[ping]; (prélèvement) offtake, take-off point; (engrenage) mesh; (tél) jack; (él) tap, tapping [point]
~ **accélérée**: flash set, grab set, quick set
~ **additive**: (de transformateur) plus tapping
~ **constante**: constant mesh
~ **continue**: constant mesh
~ **d'air**: air inlet, air intake; air hole, air scoop, louvre
~ **d'air du carburateur**: carburet[t]or air intake

~ **d'air dynamique**: (aéro) rammming intake
~ **d'air frais**: (clim) outside air intake
~ **d'air variable**: variable-geometry inlet, variable-geometry intake
~ **d'antenne**: aerial tap, antenna pickup
~ **d'appel**: (tél) call pick-up
~ **d'eau**: (d'ouvrage hydraulique) [water] intake
~ **d'eau pour incendie**: fire hydrant, fire plug
~ **d'échantillon**: sample outlet; sampling valve, sampler; (prélèvement) sampling
~ **d'échantillon de pétrole**: thiefing
~ **d'effet**: effectivity
~ **d'incendie**: fire hydrant, fire plug
~ **de batterie**: battery tap
~ **de contact**: (inf) handshake; (aéro) touchdown
~ **de courant**: outlet, power point; (de tramway) current collector
~ **de courant [femelle]**: female connector; (fixe) [power] socket
~ **de courant [mâle]**: power plug, cord connector
~ **de courant murale**: wall outlet, convenience outlet
~ **de décision**: decision making
~ **de force**: power take-off
~ **de masse**: earth connection, earth system GB, ground connection, ground system NA
~ **de mouvement**: (pour un appareil) drive
~ **de mouvement de l'arbre d'entraînement**: shaft drive
~ **de pression**: pressure tapping; (pour manomètre) pressure point
~ **de son**: sound recording
~ **de tachymètre**: tachometer drive
~ **de terrain**: (aéro) approach flight
~ **de terre**: earth connection, earth system, earth electrode GB, ground connection, ground system NA
~ **de terre à piquet**: earthing rod
~ **de terre multiple**: ground mat
~ **de transformateur**: transformer tap
~ **de vidange**: drain connector
~ **de vue**: (phot) shot; (cin, tv) shooting, shot, take
~ **de vue à distance**: long shot
~ **de vue panoramique**: panning shot
~ **de vue en extérieur**: exterior shot
~ **de vue rapprochée**: close shot
~ **directe**: direct drive; (autom) top gear
~ **en charge**: (sur canalisation) wet connection; (inf) handling, takeover
~ **intermédiaire**: tapping point
~ **lumière**: lighting outlet

~ **mâle**: male plug
~ **médiane**: midpoint tapping, midpoint connection GB, center tap [connection] NA
~ **multiple**: multiple terminal connector, connection block
~ **ombilicale**: umbilical cord
à ~ **lente**: slow-setting
à ~ **rapide**: rapid-curing
à ~ **semi-rapide**: medium-curing
à ~**s**: (él) tapped
à ~**s arrière**: back-connected
à ~**s préinstallées**: (tél) jacked
en ~: (méc) engaged, in gear, in mesh, meshed
en ~ **directe**: (autom) in top gear
être en ~ **avec**: (méc) to mesh with
mettre en ~: (méc) to engage

prisme *m* : (géom, opt) prism
~ **à réflexion totale**: total-reflexion prism
~ **d'éboulement**: failure wedge, sliding wedge
~ **de cisaillement**: shearing wedge
~ **de glissement**: failure wedge, sliding wedge
~ **droit**: right prism
~ **redresseur**: erecting prism

prisonnier *m* : (goujon) set pin, set bolt; (plast) insert (in moulding)

privilégier: to give preference, to give priority (to a requirement)

prix *m* : price
~ **à la frontière**: border price
~ **au consommateur**: consumer price
~ **catalogue**: list price
~ **d'achat**: purchase price
~ **d'une ligne pour 1 million de lecteurs**: milline rate
~ **de casse**: break-up price
~ **de gros**: wholesale price
~ **de revient**: cost
~ **de revient de la production**: manufacturing cost
~ **départ usine**: price ex works
~ **du marché libre**: (pétr) spot price
~ **du pétrole à la production**: field price
~ **forfaitaire**: fixed price
~ **global**: bulk price
~ **rendu**: delivered price, gate price
~ **unitaire**: price each
à ~ **coûtant**: at cost price
à ~ **réduit**: cut-price

probabilité *f* : probability
~ **de dépassement**: (tél) excess probability
~ **de destruction**: (mil) kill probability

problème *m* : problem
~ **décidable**: decidable problem
~ **pouvant être résolu**: solvable problem

procaryote *m* : procaryote, prokaryote; *adj* : procaryotic, prokaryotic

procédé *m* : process
~ **chaux-soude**: (eau) lime soda process
~ **de fabrication**: manufacturing process
~ **de rétreinte**: (f.o.) collapse process
~ **discontinu**: batch process
~ **par contact anaérobie**: anaerobic contact process
~ **par voie humide**: wet process
~ **par voie sèche**: dry process
~ **roulé-soudé**: spiral-strip welding

procédure *f* : procedure
~ **de départ**: (inf) logout
~ **d'entrée**: (inf) login
~ **d'échantillonnage**: sampling scheme

procès-verbal *m* : (official) report; (d'une réunion) minutes
~ **d'essai**: test report

processeur *m* : (inf) processor
~ **banalisé**: general-purpose processor
~ **central**: central processing unit, central processor
~ **d'arrière-plan**: back-end processor
~ **d'écran**: display processor
~ **de fond**: back-end processor
~ **de gestion de réseau**: network processor
~ **de traitement de texte**: word processor
~ **dorsal**: back-end processor
~ **frontal**: front-end processor
~ **matriciel**: array processor
~ **nodal**: nodal processor, node processor
~ **périphérique**: peripheral processor
~ **pipeline**: pipeline processor
~ **vectoriel**: array processor

processus *m* : process
~ **adaptatif**: adaptative process
~ **auto-adaptatif**: self-adapting process
~ **autodidacte**: self-learning process
~ **cognitif**: (IA) cognitive process
~ **d'échantillonnage**: sampling process
~ **de réglage**: control process
~ **itératif**: iterative process
~ **suspendu**: blocked process

oche: close, near
~ **infrarouge**: near infra-red

oducteur *m* : producer; *adj* :
producing, productive

oduction *f* : production, output;
(rendement) yield
~ **combinée de chaleur et d'électricité**: combined heat and power
generation, cogeneration (of heat and
power)
~ **commerciale**: commercial yield
~ **de chaleur**: heat generation
~ **de courant**: current generation
~ **de vapeur**: steam generation, steam
raising
~ **déficitaire**: underproduction
~ **en grande quantité**: quantity production
~ **en série**: mass production
~ **horaire**: hourly output
~ **journalière**: daily output

oductique *f* : computer-integrated
manufacturing

oduire: to produce, to yield; (en usine)
to manufacture, to roll out, to turn out
~ **de l'électricité**: to generate
electricity
~ **de la vapeur**: to raise steam

oduit *m* : (gén, maths) product;
(agricole) produce; → aussi **produits**
~ **chimique**: chemical
~ **d'addition**: addition agent, additive
~ **d'alimentation**: (de base) feedstock
~ **d'apport**: (sdge) filler [material]
~ **d'étanchéité**: sealing compound
~ **de base**: feedstock
~ **de calage**: (emballage) cushioning
material
~ **de calfeutrage**: caulking compound
~ **de conservation**: (du bois) preservative
~ **de distillation directe**: straight-run
product
~ **de filiation**: daughter product
~ **de fluxage**: (bitume) flux
~ **de grande consommation**:
consumer product
~ **de marque**: branded product
~ **de remplacement**: substitute
~ **de transcription**: (gg/bm)
transcription product, transcript
~ **dérivé du pétrole**: petroleum
product
~ **désémulsionnant**: emulsion
breaking agent
~ **digéré**: (biomasse) digest
~ **final**: end product

~ **fini**: finished product
~ **gain/largeur de bande**: gain/bandwidth product
~ **génique**: gene product
~ **lessiviel**: detergent
~ **moulé**: casting
~ **moussant**: foamer
~ **obtenu**: (pétr) process product
~ **passé**: (criblage) riddlings,
screenings, undersize
~ **pétrolier**: petroleum product, oil
product
~ **pharmaceutique**: pharmaceutical
~ **phytosanitaire**: pesticide, plant-
protection product
~ **recyclé**: recycle stock
~ **réfractaire**: refractory
~ **scalaire**: dot product
~ **semi-fini**: semifinished product
~ **semi-manufacturé**: semifinished
product
~ **spécial**: special

produits *m* : products
~ **creux**: (céram) hollow ware
~ **de combustion**: flue gas
~ **de tête**: (distillation) head products,
heads, overhead products
~ **en vrac**: loose goods
~ **hydrocarbonés**: bituminous
materials
~ **manufacturés**: manufactured goods
~ **noirs**: black oils
~ **plats**: (métall) flats
~ **réfractaires façonnés**: shaped
refractory products
~ **résineux**: naval stores NA
~ **surcuits**: (céram) overburns
~ **textiles**: soft goods

profane *m* : layman

profession *f* : occupation

profil *m* : profile, contour, outline;
(profilé) section GB, shape NA
~ **à âme évidée**: castellated section
~ **à gradient d'indice**: graded-index
profile
~ **composé**: built-up shape
~ **conjugué**: mating profile
~ **creux**: hollow section
~ **creux de construction**: structural
hollow section
~ **d'aile**: aerofoil profile, aerofoil
section GB, airfoil profile NA
~ **d'étanchéité**: weather strip
~ **d'indice de réfraction**: refractive-
index profile
~ **d'ozonité**: ozone distribution
~ **d'une came**: cam profile
~ **de filetage**: thread profile
~ **de la dent**: tooth contour

~ **de laminage**: rolled steel section GB, rolled shape NA
~ **de référence**: master profile
~ **de voilure**: aerofoil profile, aerofoil section GB, airfoil profile NA
~ **du sol**: soil profile
~ **en long**: longitudinal section; (d'un cours d'eau) stream profile
~ **en travers**: cross section
~ **en U**: channel section, rolled-steel channel
~ **étalon**: master profile
~ **filé à la presse**: press-drawn metal section
~ **hydrique**: moisture content profile
~ **léger**: light section
~ **porosimétrique**: (du sol) soil profile
~ **régularisé**: (du sol) graded profile
~ **renforcé**: heavy section GB, heavy shape NA
~ **renversé**: reverse profile
~ **sismique vertical** ► **PSV**: vertical seismic profiling
~ **transversal**: cross profile

profilage m : profiling, shaping; stream-lining

profilé m : section GB, shape NA; adj : shaped; (caréné) streamlined
~ **à boudin**: beaded section
~ **à chaud**: hot-rolled section
~ **d'acier**: rolled steel section, rolled shape
~ **[de filage]**: extrusion
~ **en acier**: steel section, steel shape; (constr) structural shape
~ **en U**: channel section
~ **en Z**: Z section
~ **filé**: extruded section
~ **léger**: light section
~ **oméga**: hat section
~ **stratifié**: laminated section

profiler: to profile, to shape; to extrude; (caréner) to streamline

profileuse f : road grader

profilomètre m : profile meter

profondeur f : depth
~ **d'abord**: (IA) depth first
~ **d'aile**: (aéro) wing chord
~ **d'une liste**: (IA) depth of a list
~ **de demi-exposition**: half-value depth
~ **de fiche**: (d'un pieu) driving depth
~ **de foyer**: depth of focus
~ **de havée**: depth of cut (mining)
~ **de la passe**: cutting depth
~ **de rugosité**: peak-to-valley height

~ **du col de cygne**: throat depth
~ **du creux**: (d'une dent) dedundum
~ **moyenne de rugosité**: peak-to-mean-line height
~ **océanique**: ocean depth

progiciel m : [software] package
~ **de bureautique**: office automation package
~ **de comptabilité**: accounting package

programmable: programmable; (clavier soft
~ **par l'utilisateur**: field-programmable, user-definable

programmateur m : programmer (device)
~ **de travaux**: job scheduler

programmathèque f : program library

programmation f : programming
~ **à longue échéance**: forward planning
~ **à trajectoire continue**: (rob) continuous-path programming
~ **chaînée**: threading
~ **de mémoire morte**: ROM burning
~ **des travaux**: job scheduling
~ **en ligne**: (rob) on-line programming
~ **en logique concurrente**: concurre logic programming
~ **hors ligne**: (rob) off-line programming
~ **littérale**: literate programming
~ **optimale**: optimum programming
~ **orientée objet**: object-oriented programming
~ **par contraintes**: (IA) programming by constraints
~ **point à point**: (rob) point-to-point programming
~ **simultanée**: concurrent programming
~ **structurée**: structured programming

programme m : programme GB, program, schedule NA; (inf) program
~ **annexe**: support program
~ **banalisé**: general program
~ **chargeur**: loader
~ **d'analyse**: trace program
~ **d'assemblage**: assembly program
~ **d'exécution des travaux**: work schedule
~ **de chargement**: loader
~ **de contrôle**: checking program
~ **de déverminage**: debugger
~ **de fabrication**: production programme, production schedule

~ **de gestion de périphérique**: device driver
~ **de gestion des entrée/sorties**: input/output driver
~ **de gestion des fichiers**: file handler
~ **de mise au point**: debugger
~ **de série**: canned program
~ **de servitude**: service program, service routine
~ **de validation de données**: data-vet program
~ **en bibliothèque**: library program
~ **gestionnaire**: handler
~ **mémorisé**: stored program
~ **non résident**: transient program, non-resident program
~ **objet**: object program, target program
~ **portable**: canned program
~ **radiodiffusé**: broadcast
~ **récupérateur de place**: (inf) garbage collector
~ **résident**: resident program
~ **source**: source program
~ **superviseur**: supervisor
~ **utilitaire**: utility program

programmer: to program, to blow, to burn

programmeur m : programmer (a person)

progresser: to progress; (avancer) to advance, to gain ground
faire ~: (inf) to increment

progressif: progressive, step-by-step; sequential (test, sampling)

progression f : progress, advance; [gradual] increase, stepping; (maths) progression
~ **du compteur**: counter advance
~ **géométrique**: geometric progression

projecteur m : (d'éclairage) floodlight; (mil) searchlight; (phot) projector
~ **à lentille**: lens spotlight
~ **arrière**: back-up
~ **chercheur**: spotlight
~ **convergent**: intensive projector, spotlight
~ **d'appoint**: booster light; (cin) fill[-in] light, filler light
~ **de piste**: runway floodlight
~ **de profil**: shadowgraph
~ **divergent**: extensive projector
~ **extensif**: extensive projector
~ **intensif**: intensive projector, spotlight

~ **orientable**: (autom) spotlight
~ **ponctuel**: spotlight

projectile m : projectile, missile

projection f : projection; (lancement) throwing (of sparks), splashing (of water); (cin) screening; (dessin, cartographie) projection
~ **à l'arc**: arc spraying
~ **à la flamme**: flame spraying
~ **américaine**: third-angle projection
~ **cartographique**: map projection
~ **conforme**: conformal projection
~ **de béton**: shotcreting
~ **équivalente**: equal area projection
~ **frontale directe**: (cin) direct front projection
~ **horizontale**: horizontal projection
~ **longitudinale**: (mar) sheer plan
~ **orthomorphique**: orthomorphic projection
~ **par transparence**: background projection, rear projection
~ **perspective**: perspective projection
~ **transversale**: (mar) body plan

projet m : project, plan, scheme, design; (document) draft
~ **d'ordre du jour**: draft agenda
~ **de contrat**: draft agreement
~ **définitif**: final draft
à l'état de ~: in the planning stage

projeter: to plan; (lancer) to project, to throw (a liquid); (un film) to screen; (de la peinture, du mortier) to spray [on]

projeteur m : planner; designing engineer, designer

prolog m : (IA) prolog

prolongateur m : extension cord, extension lead

prolongement m : lengthening, extension, prolongation, continuation

promontoire m : promontory, headland

promoteur m : (constr) developer, promoter; (chim) promoter; (gg/bm) promoter [site]
~ **divergent**: divergent promoter
~ **interne**: internal promoter

propagation f : propagation; (d'une onde) propagation, travel; (d'un incendie) spread[ing]
~ **dans l'atmmosphère**: atmospheric propagation

~ **de la flamme**: flame spread
~ **des fissures**: crack growth
~ **des ondes**: wave propagation
~ **d'erreur**: error propagation
~ **en cascade**: ripple effect
~ **par réflexions successives**: [multi] hop propagation
~ **sur deux fréquences**: dual-frequency propagation
~ **transhorizon**: beyond-the-horizon propagation

propagule f: propagule, propagulum

propane m : propane

propanier m : propane carrier

propène m : propene, propylene

propergol m : (astron) propellant
~ **à ozone**: ozone propellant
~ **solide**: powder propellant, solid propellant
~ **liquide**: liquid propellant

prophage m : prophage
~ **défectif**: defective prophage

prophase f : prophase
~ **précoce**: early prophase

prophylaxie f : prophylaxis

proportion f : proportion, ratio
~ **d'eau**: (à la sortie du puits) water cut
~ **d'huile**: (d'une peinture) oil length
~ **de pièces tolérées dans le lot**: lot tolerance percent defective
~ **directe**: direct ratio
~ **eau/ciment**: (béton) water/cement ratio
~ **en volume**: proportion by volume
~ **gaz-pétrole**: gas/oil ratio
~ **inverse**: inverse ratio

proportionnel: proportionate

proportionnellement à: in direct ratio to

propre: clean; (particulier) own, inherent, specific
~ **à un fabricant**: proprietary (product, item)
~ **à un matériel**: (inf) equipment specific
~ **à une installation**: site specific

propriété f : ownership, property; (caractéristique) property; → aussi **propriétés**
~ **à admettre**: design property
~ **admise**: design property

~ **immobilière**: real estate, realty
~ **industrielle**: patent rights
~ **minière**: mineral rights
~ **privée**: private property

propriétés f : properties
~ **thermiques**: thermal performance (of a building)

propulser: to propel, to power

propulseur m : (aéro, astron) engine, power plant, propulsion unit, propeller; (mar, astron) thruster; adj : propellant, propellent
~ **arrière**: stern thruster
~ **auxiliaire**: booster, booster rocket
~ **d'étrave**: bow thruster
~ **plasmique**: plasma engine
~ **orientable**: steerable thruster

propulsion f : propulsion, propelling, drive, driving
~ **à réaction**: jet propulsion
~ **arrière**: rear-wheel drive
~ **diesel-électrique**: diesel-electric drive GB, oil-electric drive NA
~ **par réaction**: jet propulsion
~ **photonique**: photon propulsion
~ **plasmique**: plasma propulsion
à ~ **mécanique**: mechanically-powered
à ~ **nucléaire**: nuclear-powered (rocket, submarine)

proscrit: prohibited

prosome m : prosome

prospection f : (ressources minérales) prospecting, exploration; (commerciale) canvassing
~ **pétrolière**: oil prospecting

protecteur m : protector; (méc) guard, shield; adj : protective
~ **anti-bruit**: ear protector
~ **contre les éclaboussures d'huile**: oil splash guard
~ **d'oreilles**: earmuff
~ **de contact**: shroud (of contact)
~ **de filetage**: thread protector
~ **de meule**: wheel guard
~ **de tubage**: (pétr) casing protector
~ **individuel de l'œil**: personal eye protector

protection f : protection; safeguard; (matérielle) shield[ing], coating, cover (inf) protection, protect
~ **à l'extraction**: (inf) fetch protect
~ **à maximum de courant**: over-current protection

~ à maximum de fréquence: over-frequency protection

~ à maximum de tension: over-voltage protection

~ à minimum de courant: under-current protection

~ à minimum de tension: under-voltage protection

~ aérienne: (mil) air cover

~ ampèremétrique: current protection

~ antirouille: rust proofing

~ aval: (él) load side protection

~ cathodique: cathodic protection

~ contre l'écriture: write protection

~ contre la lecture: read protection

~ contre les coupures de phase: open-phase protection

~ contre les courts-circuits: short-circuit protection

~ contre les défauts à la terre: earth protection GB, ground protection NA

~ contre les défauts d'isolement: leakage protection

~ contre les inversions de phase: phase-reversal protection

~ contre les surcharges: overload protection

~ contre les surintensités: surge protection

~ de la nature: nature conservation

~ de réserve: backup protection

~ des eaux: water pollution control

~ du sol contre l'érosion: soil conservation

~ par courant porteur: carrier-current protection

~ par défaut: failsafe principle

~ par disjoncteur: circuit-breaker pro-tection

~ par mot de passe: password protection

~ par pilote: pilot protection

~ thermique: heat shield

~s: protective gear

de ~: protective; (él) current limiting

otégé: protected; (matériellement) guarded, shielded; (câble) shielded; (appareillage électrique) enclosed; (information) classified

~ contre l'écriture: write protected

~ contre les jets d'eau: hoseproof

~ contre les poussières: dustproof

~ contre les contacts accidentels: (él) partially enclosed

~ contre les projections d'eau: splash proof

~ contre les baisses de tension: brownout proof

~ des intempéries: weatherproof

~ en cas de défaut: failsafe

protège-câble *m* : cable guard

protège-conducteur *m* : (chariot élévateur) overhead guard

protège-fil *m* : wire guard

protège-oreille *m* : ear protector, ear muff

protéine *f* : protein
~ à caractère basique: basic protein
~ bactériocide: bacteriocidal protein
~ CAP: catabolite activator protein, CAP protein
~ de déroulement: [DNA-]unwinding protein

protéinique, protéique: proteinic, pro-teinaceous

protéolyse *f* : proteolysis

protocole *m* : protocol
~ de communication synchrone et binaire: binary synchronous commu-nications protocol
~ de contrôle de liaison de don-nées: data link control protocol
~ de liaison: link protocol
~ de transfert: handshake
~ de transfert de fichier: file transfer protocol
~ en couches: layer protocol

proton *m* : proton
~ de recul: recoil proton

protoplasme *m* : protoplasm

prototype *m* : prototype

protoxyde *m* : protoxide

protozoaire *m* : protozoan, protozoon

protubérance *f* : (astron) prominence

proue *f* : bow, prow

provirus *m* : provirus

provitamine *f* : provitamin

PS → **polarisation spontanée, poten-tiel spontané, parallèle-série**

pseudo-aléatoire: pseudorandom

pseudogène *m* : pseudogene

psophomètre *m* : (tcm) circuit noise

meter, noise measuring set, noise [level] meter

PSV → **pilotage sans visibilité, profil sismique vertical**

psychromètre *m* : psychrometer
~ **à fronde**: sling psychrometer

psychrophile: psychrophilic

public *m, adj* : public
~-**voyageurs**: travelling public

publication *f* : publication; publishing
~ **anticipée**: advance publication
~ **assistée par ordinateur** ▶ **PAO**: desktop publishing

publicitaire *m* : advertising man, publicity man; *adj* : advertising

publicité *f* : publicity, advertising
~ **collective**: association advertising
~ **institutionnelle**: corporate advertising
~ **lumineuse animée**: electric spectacular
~ **radiophonique**: radio commercial
~ **rédactionnelle**: editorial publicity
~ **télévisée**: tv commercial
~-**presse**: press advertising

publipostage *m* : mailing, mailshot

puce *f* : (inf) chip
~ **électronique**: silicon chip
~-**images**: imager chip
~-**parole**: talking chip

puddlage *m* : puddling

puisage *m* : drawing of water; (mar) bailing

puisard *m* : (constr) dry well, sink, soakaway; (mar) well; (méc) sump
~ **d'assèchement**: (mar) bilge well
~ **de carter**: crankcase sump

puissance *f* : (maths) power; (méc) [horse] power; (d'une machine) output, capacity
~ **à la poulie**: belt horse power
~ **à vide**: no-load power
~ **absorbée**: (él) consumed power, [power] consumption, [power] input (to a machine), [power] drain, [power] demand, power requirement
~ **absorbée nominale**: rated input
~ **apparente rayonnée** ▶ **PAR**: effective radiated power

~ **appelée par le réseau**: (él) syste demand, system load
~ **au décollage**: take-off power
~ **au frein**: brake [horse] power
~ **au mortier balistique** ▶ **PMB**: (explosif) weight strength
~ **au primaire**: (transformateur) primary power
~ **brute**: gross installed capacity
~ **calorifique**: heating power, heatii value
~ **connectée**: (él) connected load
~ **continue**: d.c. power
~ **crête**: peak power
~ **d'attaque**: (éon) input power
~ **d'attaque de grille**: grid input po
~ **d'émission**: radiating power
~ **d'entraînement**: drive power
~ **d'excitation**: driving power
~ **d'une lentille**: focal power
~ **de base**: prime power
~ **de coupure**: power breaking capacity
~ **de court-circuit**: short-circuit po
~ **de crête**: peak power; peak envelope power
~ **de fermeture**: power making capacity
~ **de feu**: (mil) fire power
~ **de freinage**: braking power
~ **de grossissement**: magnifying power
~ **de levier**: leverage
~ **de pointe**: peak power; peak envelope power
~ **de pompage**: pump[ing] power
~ **de régime**: (moteur) service ratii
~ **de rupture**: breaking capacity
~ **de sortie**: power output, delivere power
~ **[de sortie] de l'onde porteuse**: carrier output
~ **de traction**: tractive power
~ **débitée**: output power, power ou
~ **disponible**: available power
~ **du moteur**: motor output
~ **du signal**: strength of signal
~ **effective**: actual power
~ **émise**: radiated power
~ **en surcharge**: overload capacity
~ **en watts**: wattage
~ **équivalente de bruit**: noise equivalent power
~ **fiscale**: (autom) taxable horsepo
~ **fournie**: delivered power, power output
~ **frigorifique**: refrigerating capacit
~ **indiquée**: indicated power
~ **inférieure à 1 cv**: fractional horsepower
~ **informatique**: computer power
~ **installée**: (él) generating capacit

GB, station capacity NA; installed capacity, installed load, installed power, [customer] connected load
~ **intermittente**: short-time rating
~ **massique**: (d'un moteur) power-to-weight ratio, power/mass ratio
~ **maximale de laser**: peak lasing power
~ **mécanique fournie**: output power
~ **moyenne au frein**: brake mean effective power
~ **nominale**: power rating, rated capacity
~ **[nominale] du moteur**: motor rating
~ **perturbatrice**: disturbance power
~ **produite brute**: gross output (of power station)
~ **quadratique moyenne**: mean square power
~ **reçue par l'antenne**: aerial input
~ **réelle**: actual power, effective power, actual output, effective output
~ **requise**: power demand
~ **résiduelle**: after-power (of reactor)
~ **restituée**: output power
~ **sur l'arbre**: shaft horse power
~ **temporaire**: short-time rating
~ **thermique**: heat load
~ **[uni]horaire**: one-hour rating
~ **utile**: operating power, output [power], power output

puits *m* : well; (forage) hole, well; (mine) pit, shaft
~ **à câbles**: (tél) cable pit, manhole
~ **à ciel ouvert**: open well
~ **à écoulement naturel**: [natural] flowing well
~ **à la limite d'un gisement**: edge well
~ **à massif filtrant**: gravel-packed well
~ **à terre**: onshore well
~ **absorbant**: inverted well
~ **artésien**: artesian well
~ **aux chaînes**: (mar) chain locker
~ **citerne**: lined well
~ **creusé**: dug well
~ **creusé par lançage**: jetted well
~ **cuvelé**: lined well
~ **d'accès**: (tél) manhole
~ **d'aérage**: air shaft, ventilating shaft
~ **d'ascenseur**: lift shaft
~ **d'éclairage**: light well
~ **d'entrée d'air**: (mine) downcast shaft, intake shaft
~ **d'essai**: test well
~ **d'exhaure**: (mine) water shaft, pumping shaft
~ **d'exploration**: exploration well, prospect well
~ **d'extraction**: (mine) hoisting shaft, winding shaft
~ **d'huile**: oil well

~ **d'intervention**: relief well
~ **de chaleur**: heat sink
~ **de découverte**: discovery well
~ **de données**: data sink
~ **de gaz**: gas well, gasser
~ **de gaz en éruption**: roarer
~ **de mine**: mine shaft
~ **de perte**: absorbing well
~ **de pétrole**: oil well, petroleum well
~ **de potentiel**: (nucl) potential well
~ **de recherche**: trial pit, test pit
~ **de retour d'air**: (mine) upcast shaft, upshaft
~ **de secours**: relief well
~ **de tirage**: (tél) manhole
~ **de ventilation**: airshaft
~ **de visite**: inspection pit
~ **dévié**: deviated well, deflected well, offset well
~ **en débit**: flowing well
~ **en éruption**: flowing well
~ **en éruption non contrôlée**: wild well
~ **en grappe**: clusterized wells
~ **en pompage**: pumping well
~ **épuisé**: depleted well
~ **éruptif**: blowing well, flowing well, gusher
~ **foncé**: dug well
~ **foré**: bored well, drilled well
~ **foré au câble**: cable-tool well
~ **fou**: wild well
~ **improductif**: non-producing well, duster
~ **intercalaire**: infill well
~ **jaillissant**: spouter
~ **maçonné**: masonry shaft
~ **marginal**: marginal well, stripper well
~ **marin**: offshore well
~ **non cuvelé**: open hole
~ **non productif**: dry well
~ **non tubé**: uncased well
~ **pompé**: pumping well, pumper
~ **ponctuel**: well point
~ **producteur**: output well, producing well, producer
~ **productif**: production well, barreler
~ **produisant du gaz**: gasser
~ **rentable**: commercial well
~ **sec**: dry hole, dry well, duster
~ **stérile**: dead well
~ **témoin**: observation well
~ **thermique**: heat sink
~ **thermométrique**: thermometer well
~ **tubé**: cased well

pulpe *f* : pulp

pulsation *f* : pulsation
~ **angulaire**: angular frequency GB, angular velocity NA

pulsatoire: pulsating, pulsatory

pulsé: pulsed, pulsating, pulsatory

pulsoréacteur *m* : pulsejet engine, pulsojet

pultrusion *f* : pultrusion

pulvérisateur *m* : spray can, sprayer; atomizer, vaporizer
~ **à dos**: knapsack sprayer

pulvérisation *f* : (d'un liquide) spraying; (assainissement) spray irrigation
~ **d'eaux résiduaires**: sewage spray irrigation
~ **d'huile**: oil spray[ing]

pulvérisé: pulverized, powdered; sprayed, spray-on

pulvériser: to pulverize; (un liquide) to spray
~ **finement**: to atomize, to vaporize

pulvérulent *m* : powder product; *adj* : pulverulent; (sol) cohesionless, granular

punaise *f* : [thumb] tack

pupinisation *f* : coil loading, cable loading

pupinisé: coil loaded

pupitrage *m* : keyboarding

pupitre *m* : desk, stand, console
~ **de commande**: control desk, control console, operator console
~ **de l'opérateur**: operator console
~ **de poursuite**: (mil) tracking console
~ **de régie**: control desk (radio, tv)
~ **principal de régie**: master control board

pupitreur *m* : console operator

pur: pure; unblended, unmixed; (métal) unalloyed; (ciment, plâtre) neat

purge *f* : bleeding, drain[ing]
~ **d'air**: air bleed, air release, [air] vent, venting
~ **rapide**: blow down

purger: to bleed, to blow down, to blow off
~ **l'air d'un système**: to vent a system

purgeur *m* : vent valve, pet cock; separator, trap; (moteur diesel) water separator; (inf) scrubber
~ **à flotteur**: float trap
~ **d'air**: air release valve, air relief valve, air valve, vent valve
~ **de gaz**: gas purger
~ **de vapeur**: steam trap, steam separator

purification *f* : purification, purifying; (pétr) scrubbing

purifier: to purify; (un gaz, un solvant) to scrub
~ **par lavage**: to edulcorate

purin *m* : liquid manure

putréfié: rotten

PV → **petite vitesse, pression-volume**

PVT → **pression-volume-température**

pylône *m* : (structure) mast, pylon, tower; trestle (for ropeway cable)
~ **d'ancrage**: anchor tower
~ **d'antenne**: antenna tower, radio mast
~ **en acier**: steel tower
~ **en treillis**: lattice tower

pyrite *f* : pyrite

pyrolyse *f* : pyrolysis
~ **éclair**: fast pyrolysis

pyromètre *m* : pyrometer
~ **à disparition de filament**: disappearing-filament pyrometer
~ **à radiation totale**: total-radiation pyrometer
~ **à résistance**: resistance pyrometer
~ **optique**: optical pyrometer

pyrostat *m* : firestat, pyrostat

pyrotechnicien *m* : pyrotechnist

pyrotechnie *f* : pyrotechnics

QCM → questionnaire à choix multiple

quadrant *m* : quadrant

quadratique: quadratic; (él) rms

quadrature *f* : quadrature
en ~: in quadrature

quadrichromie *f* : four-colour printing

quadricône *m* : (forage) cross-roller bit

quadricylindre *m* : four-cylinder engine
~ **à plat**: flat four

quadrilatéral: quadrilateral, four-sided

quadrilatère *m* : quadrilateral,
quadrangle
~ **articulé**: (méc) four-bar linkage

quadrillage *m* : square pattern, check
pattern, checks, squares;
(cartographie) grid; (urbanisme) grid
layout, chequer-board layout GB,
checker-board layout NA
~ **modulaire**: modular grid
~ **perspectif**: perspective grid

quadrillé: checkered, squared; (papier)
square-ruled

quadrimoteur *m* : four-engine plane;
adj : four-engined

quadripale: (hélice, rotor) four-bladed

quadriphonie *f* : quadraphony,
quadrophony

quadriphonique: quadraphonic,
quadrophonic

quadripolaire: quadripolar

quadripôle *m* : quadripole

quadrivalence *f* : quadrivalency GB,
quadrivalence NA, tetravalency GB,
tetravalence NA

quadruple *m* : quadruple; *adj* : fourfold

quadrupler: to multiply by four; to
quadruple, to increase fourfold

quai *m* : (chdef) platform; (dans port)
quay, wharf
~ **à marée**: tidal wharf
~ **d'arrivée**: arrival platform GB, in-
track platform NA
~ **de chargement**: (port) loading dock;
(d'une usine) loading platform, loading
bay
~ **de départ**: departure platform GB,
out-track platform NA
~ **de transbordement**: transfer
platform
à ~: (mar) alongside

q-aire: (inf) q-ary

qualification *f* : qualification
~ **du travail**: job evaluation
~ **professionnelle**: professional
qualification

qualifié: qualified; (ouvrier) skilled

qualitatif: qualitative

qualité *f* : quality, grade
~ **commerciale**: commercial grade
~ **courrier**: letter quality
~ **de l'exécution**: good workmanship
~ **en l'état de livraison**: delivery
quality
~ **marchande**: commercial grade
~ **moyenne après contrôle**: average
outgoing quality
~ **moyenne après inspection**: average outgoing quality
~ **moyenne d'une fabrication**: process average
~ **ordinaire**: regular grade
~ **pseudo-courrier**: (imprimante)
near-letter quality
de ~ **inférieure**: inferior, inferior-
quality, low-grade
de ~ **supérieure**: superior, superior-
quality, high-grade, prime-quality
de ~ **téléphonique**: voice-grade

quantificateur *m* : quantifier, quantizer

quantification *f* : quantification, quantization, quantizing
~ **spatiale**: space quantization

quantifié: quantified, quantized

quantique: quantum

quantitatif: quantitative, quantitive

quantité *f* : quantity
~ **de mouvement**: momentum, kinetic quantity
~ **de produit passant par un pipe-line**: pipeline run
~ **de réglage**: control quantity
~ **de vent**: (haut-fourneau) blast volume
~ **maximale admissible QMA**: maximum permissible quantity
~ **traitée**: throughput

quantum *m* : quantum

quark *m* : quark

quart *m* : quarter, fourth [part]; (mar) watch
~ **d'onde**: quarter wave
~ **de cercle**: quadrant
~-**de-rond**: (moulure) quarter-round bead, quadrant
~ **de tour**: quarter turn

quartage *m* : quartering (of a sample)

quarte *f* : (él) quad
~ **en étoile**: spiral four, star quad
~-**étoile**: spiral-four quad, star quad
~ **pilote**: tracer quad

quartet *m* : (inf) nibble

quartier *m* : quarter, fourth part; (urbanisme) part of a town; district GB, neighborhood NA; (mine) district GB, section NA
~ **commercial**: commercial area GB, downtown NA
~ **d'habitation**: residential area, residential part GB, uptown NA
~ **général**: (mil) headquarters
~ **insalubre**: slum
~ **tournant**: (escalier) quarterpace [landing]
~**s d'habitation**: (pétr) accommodation quarters

quartile *m* : quartile

quartz *m* : quartz; [quartz] crystal
~ **piézo-électrique**: piezoelectric crystal
à ~: crystal-controlled, piezoelectric

quasi: quasi, near
~ **visible**: near visible
~ **parabolique**: near parabolic

quaterpolymère *m* : quaterpolymer

quatrième: fourth
~ **cordon**: (autom) oil land (of piston)
~ **de couverture**: outside back cover
~ **étage**: fourth floor GB, fifth floor NA
~ **[page] de couverture**: outside back cover

questionnaire *m* : questionnaire
~ **à choix multiple ▶ QCM**: multiple choice form

queue *f* : tail; (file d'attente) queue GB, line NA; (d'outil) shank
~ **cylindrique**: parallel shank, straight shank
~ **cylindrique lisse**: plain shank
~ **de bande**: trailer (of tape)
~ **de composant**: (éon) component lead
~ **de distillation**: tail end, bottoms
~ **de pignon**: pinion shaft
~ **de plaque d'accumulateur**: plate lug
~ **de poisson**: fishtail bit
~ **de poussée**: thrust decay
~ **de rotule**: ball pin GB, ball stud NA
~ **de soupape**: valve rod, valve stem
~ **de touche**: keystem
~ **polyA**: polyadenylation end, polyA region, polyA tail
à ~ **lourde**: (mar) tail-heavy

queue-d'aronde *f* : dovetail

queue-de-cochon *f* : pigtail

queue-de-morue *f* : flat [paint] brush

queue-de-rat *f* : (fonderie, lime) rat tail

queusot *m* : pumping tube, exhaust tube (of bulb)

quille *f* : (mar) keel
~ **à bulbe**: bulb keel
~ **massive**: bar keel

quincaillerie *f* : hardware, ironmongery; hardware shop, ironmonger's shop

quinconce, en ~: in alternate rows, staggered (over severall rows), zigzag

quinquennal: five-year

quintupler: to multiply by five; to increase fivefold

quotidien *m* : daily paper; *adj* : daily

quotient *m* : quotient
~ **énergétique**: energy ratio
~ **nutritif**: nutritive quotient

r → **rayon**

rabat *m* : flap

rabattable: hinged, dropdown; (siège) inclinable

rabattement *m* : folding down, dropping down
~ **de collerette**: (de tube) flanging
~ **de nappe**: ground water drainage

rabattre: to turn down, to fold back; (un bord de tôle, une collerette de tube) to flange, to bead a flange; (un clou) to burr
~ **par sertissage**: to crimp over
~ **un bord**: to crease an edge
~ **un clou**: to burr a nail
~ **un rivet**: to close a rivet

rabot *m* : plane; (mine) plough GB, plow NA
~ **à charbon**: coal plough
~ **à moulures**: moulding plane

rabotage *m* : (du bois) planing, surfacing; (mine) ploughing GB, plowing NA

raboté: planed, surfaced
~ **deux côtés**: dressed two edges
~ **deux faces**: dressed two sides
~ **et bouveté**: dressed and matched

raboteuse *f* : planing machine, planer

rabouter: to join end to end

raccord *m* : joint; matching (of pattern); (de tuyauterie) connecting piece, connector, fitting, adapter, coupling

~ **à braser par capillarité**: capillary solder fitting
~ **à brides**: flanged coupling
~ **à collerette**: flanged joint
~ **à contact**: butt joint
~ **à culotte**: wye fitting
~ **à emboîtement**: socket joint; socket fitting
~ **à épaulement intérieur**: no-go nipple
~ **à grand rayon**: long-sweep fitting
~ **à joint collé**: solvent-welded socket fitting
~ **à piège**: choke joint
~ **à souder**: welding fitting
~ **articulé**: swivel fitting
~ **auto-obturant**: self-sealing coupling
~ **banjo**: banjo union
~ **conique**: increaser, reducer
~ **d'étanchéité**: seal nipple
~ **de câble**: cable joint; cable socket
~ **de charge**: charging connection
~ **de flexible**: hose coupling
~ **de graissage**: grease nipple, lubricating nipple
~ **de prélèvement**: take-off connection
~ **de réduction**: pipe reducer, reducing nipple
~ **de sécurité**: safety coupling
~ **de traversée de cloison**: bulkhead connector
~ **de tuyau**: pipe fitting
~ **de tuyau flexible**: hose coupling
~ **de tuyauterie**: pipe connection
~ **double mâle**: nipple
~ **droit**: [close] nipple
~ **en col de cygne**: gooseneck coupling
~ **en trois pièces**: union [fitting]
~ **en Y**: Y-connector
~ **fileté**: screw connection, screwed coupling, coupler, union nut
~ **flexible**: flexible connection coupling
~ **graisseur**: grease nipple
~ **mécanique**: mechanical coupling
~ **orientable**: swivel fitting, swivel coupling
~ **par collure**: cemented splice
~ **pompier**: quick-acting coupling
~ **progressif**: (guide d'ondes) taper
~ **rapide**: quick-acting coupling
~ **simple**: close nipple
~ **torique**: circular union
~ **torsadé**: twist[ed] joint
~ **tournant**: swivel joint, rotating joint; swivel fitting
~ **union**: union [fitting]
~ **union orientable**: swivel union
~ **union simple**: straight union
~ **vissé**: screw connection; screwed fitting

raccordé: connected
~ **en clientèle**: field-connected

raccordement *m* : connection, connecting; joint, junction; (courbe entre deux droites) easement, transition
~ **à sec**: dry connection
~ **d'aile**: (aéro) wing fillet
~ **d'équipement terminal**: interconnection
~ **de bornier**: connector strip
~ **de câble**: cable termination
~ **de câbles**: cable connection
~ **ligne réseau à ligne réseau**: trunk-to-trunk connection
~ **ligne réseau à ligne intérieure**: trunk-to-line connection
~ **par bande adhésive**: tape slice
~ **sous pression**: (transport de l'eau) wet connection
à ~ **arrière**: back-connected
à ~ **fixe**: hardwired

raccorder: to connect [up]; (brancher) to hook (into); (une bande) to splice; (un câble) to terminate

raccorderie *f* : fittings

raccourcir: to shorten, to cut off
~ **le tir**: to shorten the range

raccrocher: (tél) to hang up, to put down the receiver, to ring off

race *f* : (humaine) race; (d'élevage) breed
~ **à viande**: meat breed
~ **croisée**: crossbreed
~ **laitière**: dairy breed

racémique: racemic

rachis m: rachis, rhachis

rachitisme *m* : rickets; (bot) rachitis

racine *f* : (maths, engrenage, soudure) root
~ **adventive**: adventitious root
~ **aérienne**: aerial root
~ **carrée**: square root
~ **comestible**: edible root
~ **cubique**: cube root
~ **pivotante**: tap root
~ **tuberculeuse**: tuberous root

racle *f* : scraper; (d'enduction) coating knife, doctor knife, doctor [blade]
~ **pneumatique**: floating knife

raclette *f* : scraper; (en caoutchouc) squeegee; (de convoyeur) flight
~ **de mouleur**: strickle
~ **pour tubes de chaudière**: tube scraper

racleur *m* : scraper; (de canalisation) go-devil, pig
~ **d'huile**: (segment de piston) oil wiper, scraper ring

raclures *f* : scrapings

radar *m* : radar
~ **à balayage latéral**: side-looking radar
~ **à émission continue**: continuous-wave radar
~ **à impulsions**: pulse radar
~ **à impulsions synchronisées**: coherent-pulse radar
~ **à ondes entretenues**: continuous-wave radar
~ **à ouverture synthétique**: synthetic-aperture radar
~ **à rayons infrarouges**: infrared radar
~ **à visualisaton couleur**: colour-display radar
~ **d'acquisition**: acquisition radar
~ **d'alerte**: warning radar
~ **d'altimétrie**: height-finder radar
~ **d'approche**: approach radar, forward area warning radar
~ **d'approche de précision**: precision approach radar
~ **d'autoguidage**: homing radar
~ **de bord**: (aéro) airborne radar; (mar) ship's radar
~ **de conduite de tir**: fire-control radar
~ **de contrôle d'approche**: approach-control radar
~ **de poursuite**: tracking radar
~ **de recherche**: search radar
~ **de repérage**: locator radar
~ **de sitométrie**: height-finding radar
~ **de surveillance**: surveillance radar
~ **de tir**: fire-control radar
~ **de veille**: search radar, surveillance radar
~ **directeur de tir**: fire-control radar
~ **diversité**: diversity radar
~ **météorologique**: weather radar
~ **panoramique**: plan position indicator
~ **portatif**: hand radar
~ **routier**: radar detector
~ **transhorizon**: over-the-horizon radar

radariste *m* : radar operator

rade *f*: (mar) roadstead, roads
~ **fermée**: sheltered roadstead
~ **ouverte**: open roadstead

radeau *m*: raft
~ **de sauvetage**: life raft
~ **pneumatique**: inflatable raft

radiale *f*: radial road

radiamètre *m*: radiation meter

radiateur *m*: radiator; (de chauffage) heater; (de refroidissement) cooler
~ **à accumulation**: storage heater
~ **à ailettes**: gilled radiator, ribbed radiator
~ **à circulation d'huile**: oil-filled radiator
~ **à convection**: convector heater
~ **à infrarouge**: infrared heater
~ **à nervures**: gilled radiator, ribbed radiator
~ **alvéolaire**: honeycomb radiator, cellular radiator
~ **d'huile**: oil cooler
~ **de refroidissement**: heat sink
~ **en nid d'abeilles**: honeycomb radiator
~ **intégral**: black body
~ **oléo-électrique**: oil-filled heater, oil-filled radiator
~ **soufflant**: fan heater

radiation *f*: radiation
~ **actinique**: actinic radiation
~ **cosmique**: cosmic radiation
~ **du corps noir**: black-body radiation
~ **ionisante**: ionizing radiation
~ **neutronique**: neutron radiation
~ **non ionisante**: non-ionizing radiation
~ **thermique**: heat radiation, thermal radiation

radical *m*: (chim, plast) group, radical
~ **libre**: free radical
~ **méthyle**: methyl group

radicelle *f*: radicel, rootlet

radicule *f*: radicle

radier *m*: [foundation] raft; (de bassin, de barrage) apron; (d'égout) invert; (d'un souterrain) bottom slab
~ **en voûte inversée**: inverted-arch foundation raft
~ **fondé sur pieux**: pile-supported raft
~ **général**: raft foundation, foundation raft
~ **nervuré**: beam-and-slab foundation

radio *f*: radio, wireless; *m*: radio operator

radioactivité *f*: radioactivity
~ **naturelle**: background radioactivity

radioamateur *m*: ham

radiobalise *f*: radio beacon

radioborne *f*: marker beacon, radio marker

radiocarbone *m*: radiocarbon

radiocassette *f*: radio cassette

radiochromatographie *f*: radiochromatography
~ **sur papier**: paper radiochromatography

radiocommande *f*: radio control

radiocompas *m*: radio compass

radiodiffuser: to broadcast [by radio]
~ **en direct**: to broadcast live

radiodiffusion *f*: radio broadcasting, broadcast[ing]
~ **par satellite**: satellite broadcasting

radioécologie *f*: radioecology

radioélément *m*: radioelement

radiofréquence *f*: high frequency, radio frequency

radiogénique: radiogenic

radiogoniomètre *m*: [radio] direction finder
~ **automatique**: automatic direction finder

radiogramme *m*: (radiographie) radiogram, radiograph; (tcm) radiogram, radiotelegram

radiographie *f*: radiography, X-ray examination

radiographier: to radiograph, to X-ray

radioguidage *m*: radioguidance, homing

radioguidé: radio-controlled

radioimmunoessai *m*: radioimmuno-assay

radio-isotope *m* : radioisotope

radiolaire *m* : radiolarian

radiolésion *f* : radiation injury

radiolocaliseur *m* : radio localizer

radiologie *f* : radiology

radiologue *m* : radiologist

radiomacrographie *f* : X-ray macro-graphy

radiométallographie *f* : X-ray metal-lography

radiométrie *f* : radiometry

radionavigant *m* : (aéro, mar) radio officer, radio operator

radionucléide *m* : radionuclide

radiophare *m* : [radio] beacon
~ **d'alignement**: radio range beacon
~ **d'alignement de piste ▶ RAP**: localizer beacon
~ **d'approche**: approach beacon
~ **omnidirectionnel**: non-directional beacon

radioralliement *m* : (aéro) [radio] homing

radiosensible: radiosensitive

radiosonde *f* : radio altimeter

radiotélégraphie *f* : radiotelegraphy, wireless telegraphy

radiotélémètre *m* : radio range finder

radiotéléphone *m* : radiotelephone, radiophone, wireless telephone

radiotéléphonie *f* : radio telephony, wireless telephony

radiotélescope *m* : radiotelescope

radôme *m* : radome

radoub *m* : graving, repairs to the hull

rafale *f* : (de vent) gust; (d'artillerie) burst
~ **d'erreurs**: (inf) error burst

rafistolage *m* : makeshift repair, patching up

raffinage *m* : refining; (pap) beating
~ **à façon**: refining on account
~ **en phase vapeur**: vapour-phase refining
~ **en zones**: zone refining
~ **poussé**: (pap) hard beating

raffinat *m* : raffinate

raffiné: refined; (pap) beaten

raffinerie *f* : refinery

rafraîchir: to cool; (inf) to refresh
~ **le bout d'un câble**: to trim a cable
~ **le profil des bandages**: to retread the tyre
~ **une rainure**: to recut a groove

rafraîchissement *m* : cooling; (inf) refresh
~ **de l'affichage**: screen update
~ **des locaux**: space cooling
~ **par ruissellement**: shower cooling
~ **pour le confort**: comfort cooling

rage *f* : rabies

ragréer: to clean down (masonry), to clean up (joints in a wall)

raguer: to chafe, to rub; (ancre) to drag

raid *m* : raid
~ **aérien**: air raid
~ **de bombardement**: bombing raid

raideur *f* : stiffness; (d'une pente, d'une onde) steepness; (d'une corde) tightness

raidir: (renforcer) to stiffen, strengthen (a structure); (contreficher, haubanner) to stay, to brace (a frame); (une corde) to tighten

raidissement *m* : stiffening, strength-ening; bracing, staying; tightening

raidisseur *m* : stiffener; tightener
~ **de fil**: wire stretcher

raie *f* : (spectrométrie) line; (poisson) skate
~ **atmosphérique**: air line (of spectrum)
~ **brillante**: bright line
~ **d'absorption**: absorption line
~ **d'émission**: emission line
~ **de spectre**: spectrum line, spectral line
~ **laser**: laser line

~ **spectrale**: spectrum line, spectral line

ifort *m* : horseradish

il *m* : rail; (chemin de fer) railways, railway industry; → aussi **rails**
~ **à crémaillère**: rack rail
~ **à double champignon**: bullhead rail
~ **à gorge**: channel rail, grooved rail, tram rail
~ **à ornière**: channel rail, grooved rail, tram rail
~ **à patin**: flange rail, flat-bottom rail
~ **atteint d'usure ondulatoire**: corrugated rail
~ **conducteur**: conductor rail, contact rail, live rail, third rail
~-**crémaillère**: rack rail
~ **d'alimentation**: conductor rail, live rail, third rail
~ **de contact**: conductor rail, contact rail, live rail, third rail
~ **de lancement**: launching rail
~ **de prise de courant**: collector rail
~ **de roulement**: running rail, runner
~ **de tête**: (de cloison) top rail
~ **de translation**: crane rail
~ **denté**: rack rail
~ **fixe**: (d'aiguillage) main rail
~-**frein**: retarder
~ **haut**: (de cloison) top rail
~ **mobile de l'aiguille**: switch rail, point rail
~ **plat**: flat-headed rail
~ **Vignoles**: flange rail, flat-bottom rail

ils *m* : rails
~ **longs**: long welded rails
~ **soudés**: long welded rails
~ **soudés en barres longues**: continuous welded rails, ribbon rails
sur ~: on track; rail-mounted, track-mounted

inurage *m* : grooving, slotting

inure *f* : channel, groove, slot
~ **d'arrêt**: detent groove
~ **d'échappement**: (plast) flash groove
~ **d'étanchéité**: (constr) water check
~ **d'induit**: armature slot
~ **de clavette**: keyway, key groove, key slot
~ **de détente des contraintes**: stress [relieving] groove
~ **de graissage**: oil groove
~ **en T**: T slot
~ **et languette**: tongue and groove
~ **hélicoïdale**: spiral flute

raisin *m* : grapes, grape; → aussi **raisins**
~ **de cuve**: wine grapes
~ **de table**: dessert grapes

raisins *m* : grapes
~ **de Corinthe**: currants
~ **de Smyrne**: sultanas
~ **secs**: raisins

raison *f* : reason, motive; (maths) ratio
~ **directe**: direct ratio
~ **géométrique**: geometrical ratio
~ **inverse**: inverse ratio
en ~ **directe de**: directly proportional to
en ~ **inversement proportionnelle**: in inverse ratio, inversely

raisonnement *m* : (IA) reasoning
~ **causal**: causal reasoning
~ **par défaut**: default reasoning
~ **non monotone**: nonmonotonic reasoning

ralenti *m* : slow motion, slow running; (de moteur) idle running, idling
~ **accéléré**: high idle, fast idling
~ **de fermeture d'un moule**: inching
~ **normal**: low idle, slow idling
au ~: (moteur) idle; (cin) in slow motion
mettre au ~: (une machine) to slow down

ralentir: to slow down, to decelerate; (la production) to run down
~ **la marche**: to reduce speed

ralentissement *m* : slowing down, deceleration

ralentisseur *m* : (autom) retarder; (nucl) moderator; (sur chaussée) speed ramp, speed bump, sleeping policeman, dead policeman
~ **de l'étincelle**: spark retarder
~ **de neutrons**: neutron moderator
~ **sur échappement**: exhaust brake, exhaust retarder
~ **sur moteur**: engine retarder

rallonge *f* : extension piece, lengthening piece
~ **d'arbre**: extension shaft
~ **de flèche**: boom extension

rallumage *m* : relight[ing]; (haut-fourneau) restarting
~ **en vol**: (astron) re-light

ramasse-miettes *m* : (inf) garbage collector

ramasse-pâte *m* : (pap) catchall, save-all, stuff catcher

rambarde *f* : guard rail, hand rail

rame *f* : (de bateau) oar; (chdef) set of wagons, made-up train; (de papier) ream; (text) stenter; (pétr) stand, string (of drillpipes)
~ **à turbine à gaz** ▶ **RTG**: gas-turbine train
~ **de métro**: tube train
~ **réversible**: pull-and-push train, push-pull train
~ **sécheuse**: stenter drier
~ **triple**: (pétr): thribble

ramification *f* : branching

ramollissement *m* : softening; (moulage de plastique) melting

ramonage *m* : (de cheminée) sweeping; (de tubes) cleaning; (de canalisations) pigging

rampe *f* : (plan incliné) ramp, incline, gradient; (d'escalier) banisters, stair rail, hand rail
~ **à gaz**: burner rail, line burner
~ **à huile**: oil manifold, oil distributor
~ **au néon**: neon strip light
~ **brute**: uncompensated gradient
~ **d'alimentation**: (en carburant) fuel manifold
~ **d'allumage**: ignition harness
~ **d'arrosage**: sprinkler line
~ **d'éclairage**: strip light
~ **d'une came**: cam profile
~ **de distribution**: supply duct
~ **de graissage**: oil gallery, oil manifold
~ **de lancement**: launching ramp, launcher
~ **de lubrification**: oil spray pipe
~ **de pulvérisation**: spraying bar
~ **de réglage**: (autom) metering helix (fuel injection)
~ **maxi admissible**: maximum per-missible gradient
~ **montante**: upgrade

rance: rancid

rancissement *m* : rancidity, rancidness

rang *m* : row, line; (maths, inf, mil) rank; (degré de houillification) rank (of coal)

rangée *f* : row, tier
~ **de contrôle**: check row

rangement *m* : storage; (meuble) storage unit

ranger: to put away; (classer) to order
~ **en mémoire**: (inf) to store

RAO → **registre d'adresse opérande**

RAP → **récupération assistée du pétrole**

râpe *f* : rasp; (de cuisine) grater; (de raisin) stalk
~ **à fromage**: cheese grater
~ **à muscade**: nutmeg grater

rapidité *f* : fastness, speed; (d'une pente) steepness
~ **de modulation**: modulation rate, line digit rate

rappel *m* : recall; (méc) return, retraction
~ **du dernier numéro composé**: last number recall
~**-transfert**: (inf) roll-in roll-out

rapport *m* : (maths) ratio; (document) report
~ **bruit/brouillage**: noise-to-interference ratio
~ **cadmique**: cadmium ratio
~ **crête-creux**: peak/valley ratio
~ **d'allongement**: aspect ratio (of aerofoil)
~ **d'armure**: (tissage) pattern repeat
~ **d'aspect**: (nucl) aspect ratio
~ **d'engrenage**: gear ratio
~ **d'étirage**: draw ratio
~ **d'impulsion**: pulse ratio
~ **d'incident**: failure report
~ **de battage**: (de pieux) driving recor
~ **de compression**: compression rati
~ **de conduite**: contact ratio (of gear teeth)
~ **de couple conique**: (autom) final drive ratio
~ **de démultiplication**: gear ratio
~ **de fatigue**: endurance ratio
~ **de forage**: driller's log
~ **de format**: (tv) aspect ratio
~ **de la poussée à la traînée**: lift/drag ratio
~ **de la largeur à la hauteur**: (tv) aspect ratio
~ **de la flèche à la portée**: (constr) rise/span ratio
~ **de la largeur à la hauteur**: width-to height ratio
~ **de multiplication**: gear ratio, step-up ratio, speed increasing ratio
~ **de pont**: axle ratio
~ **de réduction**: (méc) step-down ratio; (phot) reduction ratio

~ de sondage: logbook, drill log

~ de surmultiplication: overdrive ratio

~ de transformation: transformer ratio; (du nombre de spires) transformer-turns ratio

~ de transmission: drive ratio, speed ratio

~ des bases: (gg/bm) base [pair] ratio

~ des contraintes: stress ratio

~ des dimensions: aspect ratio

~ des fréquences signal/image: signal-to-image ratio

~ du minimum au maximum: (d'une onde) peak-to-valley ratio

~ du nombre de spires: turns ratio

~ en chaîne: (tissage) warp pattern

~ en trame: (tissage) weft pattern

~ énergétique net: net energy ratio

~ géométrique: geometrical ratio

~ largeur/hauteur: (tv) aspect ratio (of image)

~ longueur/largeur: (coussin d'air) length/beam ratio

~ longueur sur largeur: aspect ratio

~ molaire: mole ratio

~ portance/traînée: lift/drag ratio

~ porteuse/bruit: carrier-to-noise ratio

~ réducteur: step-down ratio

~ signal/brouillage: signal-to-interference ratio

~ signal/bruit: signal-to-noise, S/N ratio

~ signal utile/signal brouilleur: wanted-to-unwanted signal ratio

~ signal vocal/bruit: speech-to-noise ratio

~ volumétrique: bulk factor

~ volumétrique des vides: void ratio

•pporté: built up, added, inserted; detachable, loose

•pporter: to add [on]; to build up; (méc) to insert

~ par soudure: to weld on

•pporteur *m* : protractor

•RN → **acide ribonucléique ribosomique**

•réfié: (gaz) rarefied, thin

•s, à ~: flush; (capacité) struck

à ~ bords: (remplissage) level

à ~ de: flush with, level with

•sage *m* : (de dentures) shaving

•sant: (angle, incidence, tir) grazing

rase-mottes *m* : hedgehopping

rassembler: (des données) to collect, to gather

rassis: stale

raté *m* : failure

~ d'allumage: misfire

~ de blocage: arc-through

~ de commutation: commutation failure

râtelier *m* : rack; (filature) creel

~ à outils: tool rack

~ à pots: can creel

rater: to fail; (moteur, tir) to misfire

~ un test: to fail a test

raticide *m* : rodenticide, rat poison

ratière *f* : (text) dobby

rattacher: to fasten, to tie up; (à un réseau) to connect, to link [up]

~ les bouts: (filature) to piece up the broken ends

rattrapage *m* : correction, compensation, adjustment; (modification après-coup) retrofit, retrofitting

~ avant livraison: retrofit before delivery

~ de l'usure: taking up of wear, compensation for wear

~ de jeu par ressort: spring take-up

~ du jeu: take-up (of play, of backlash)

~ sur site: field retrofit

à ~ automatique du jeu: self-adjusting

à ~ d'usure: adjustable for wear

rattraper: (une insuffisance) to make up (for); (méc) to retrofit

~ l'usure: to take up the wear, to compensate for wear, to adjust for wear

~ le jeu: to take up the slack

ravalement *m* : (d'un mur) facelift; (selon le mode): cleaning, scraping, brushing, painting, repointing, roughcasting, washing

ravinement *m* : gullying, gully erosion, washout (of embankment)

ravitaillement *m* : supply; (en combustible, en carburant) refuelling

~ en carburant moteur en marche: hot refuelling

~ en vol: flight refuelling, air refueling
~ par avion: air supply

ravitailleur *m* : supply ship, supply vessel, storeship, supply vehicle
~ de sous-marin: tender, parent ship
~ en munitions: ammunition ship

rayer: (une surface) to score, to scratch; (supprimer) to cross out, to delete; (du papier) to rule, to line

rayon *m* : (géom) radius; (par extension) circle; (de lumière) ray; (de roue) spoke; (de magasin) department, counter; (étagère) shelf
~ à fond de filet: root radius
~ canal: canal ray
~ cathodique: cathode ray
~ d'action: scope; [operating] range; (d'une entreprise) area covered; (campagne publicitaire) coverage; (mar) cruising radius, steaming range; (tcm) transmitting range
~ d'évitage: swinging radius
~ d'excentrique: throw (of eccentric)
~ de braquage: (autom) turning radius
~ de courbure: bending radius, curve radius
~ de manivelle: crank radius
~ de miel: honeycomb
~ de raccordement: blending radius
~ de rotation: turning radius
~ de rotation de la flèche: boom swing [radius] (of crane)
~ de vilebrequin: crankshaft throw
~ de virage: turning radius
~ direct: surface ray
~ dur: hard ray
~ gamma: gamma ray
~ hélicoïdal: helical ray
~ incident: incident ray
~ indirect: space ray
~ ligneux: wood ray
~ lumineux: light ray
~ médullaire: pith ray
~ métallique: (de roue) wire spoke
~ mou: soft ray
~ périphérique: (de pale) tip radius
~ réfléchi: reflected ray
~ positif: positive ray
~ primitif: (d'une denture) pitch radius
~ réfracté: broken ray, refracted ray
~ solaire: solar ray
~ ultraviolet: ultraviolet ray
~ X: X-ray

rayonnant: radiating

rayonne: rayon
~ de viscose: viscose rayon

rayonnement *m* : radiation
~ d'antenne: antenna radiation, aeri radiation
~ dans l'infrarouge lointain: far-infrared radiation
~ de corps noir: black body radiatio
~ de freinage: (nucl) bremsstrahlun(
~ de fuite: leakage radiation
~ diffusé: scattered radiation
~ gamma: gamma radiation
~ infrarouge: infrared radiation
~ infrarouge court: short-wave infrared radiation
~ infrarouge long: long-wave infrar(radiation
~ parasite: spurious radiation
~ rétrodiffusé: backscattered radiation
~ solaire: solar radiation
~ thermique: heat radiation, therma(radiation
par ~: radiative

rayonner: to radiate, to emit rays

rayure *f* : (dessin) stripe; (défaut) mark, scratch, score
~ d'outil: tool mark
~s: (de fusil) rifling; (défaut) scratchir

RAZ → remise à zéro

raz de marée *m* : tidal wave

RCP → réseau à commutation par paquets

réa *m* : pulley sheave, pulley wheel
~ plein: disc sheave

réactance *f* : reactance
~ électronique: valve reactor
~ inductive: inductive reactance

réacteur *m* : (nucl) reactor; (aéro) jet engine; (digesteur, fermenteur) digester [reactor]
~ à eau pressurisée ▶ REP: pressurized-water reactor
~ à combustible en suspension: slurry reactor
~ à combustible fluidisé: fluidized reactor
~ à dérive spectrale: spectral-shift reactor
~ à double flux: bypass engine, turbofan [engine], fan jet [engine]
~ à double corps: two-shaft engine, twin-spool engine
~ à eau bouillante: boiling-water reactor
~ à eau légère: light-water reactor

~ **à eau lourde**: heavy-water reactor
~ **à flux forcé**: entrained-flow reactor
~ **à gaz-graphite**: gas-graphite reactor
~ **à haute température**: high-temperature reactor
~ **à l'uranium enrichi**: enriched-uranium reactor
~ **à lit entraîné**: entrained-bed reactor
~ **à lit fluidisé**: fluidized-bed reactor
~ **à lit ruisselant**: trickle-bed reactor
~ **à neutrons rapides**: fast-neutron reactor
~ **à neutrons thermiques**: thermal-neutron reactor
~ **à puissance constante**: flat-rated [jet] engine
~ **à refroidissement au gaz**: gas-cooled reactor, gas reactor
~ **à sels fondus**: molten-salt reactor
~ **à spectre réglable**: spectral-shift reactor
~ **à tubes**: (méthanisation) tube-wall reactor
~ **convertisseur**: converter reactor
~ **de dissolution**: (liquéfaction du charbon) dissolver
~ **de gazéification**: gasifying reactor
~ **de méthanisation**: methanator
~ **étagé**: stepped reactor
~ **modéré à l'eau lourde**: heavy-water moderated reactor
~ **piscine**: pool reactor
~ **préfabriqué**: package reactor
~ **propre**: cold clean reactor
~ **réduit**: [jet] engine at idle
~ **surgénérateur**: breeder reactor
~ **surrégénérateur**: power-breeder reactor

éactif *m* : reagent; *adj* : reactive; feedback
~ **d'attaque**: etchant, etching agent

éaction *f* : respond, response; (chim, phys) reaction; (aéro) jet propulsion; (régulation) feedback (positive)
~ **auto-entretenue**: self-sustaining reaction
~ **aux appuis**: reaction of the supports
~ **croisée**: cross-reaction
~ **d'ancrage**: anchor pull
~ **d'échange catalytique**: catalytic exchange reaction
~ **d'induit**: armature reaction
~ **de greffon contre hôte**: graft versus host reaction
~ **due au couple**: torque reaction
~ **élastique**: spring back
~ **en chaîne**: chain reaction
~ **inverse**: back reaction
~ **lymphocitaire**: lymphocyte reaction
~ **positive**: positive feedback

~ **réversible**: reversible reaction
~ **secondaire**: by-reaction, side reaction

réalésage *m* : rebore

réalimentation *f* : (d'un réservoir) recharge
~ **artificielle**: artificial recharge

réalisable: feasible, workable

réalisation *f* : development, performance; (d'un plan) implementation; (d'une machine) building, construction
~ **d'un montage expérimental**: (inf) breadboarding
~ **technnique**: engineering achievement

réalisé: built
~ **à la demande**: custom-made, custom-built, built to order
~ **par matériel**: (inf) hardware based

réaliser: (un projet) to carry out, to implement; (une machine) to build, to construct
~ **un montage expérimental**: (inf) to breadboard
~ **une inversion**: (inf) to negate
~ **une liaison**: to link; (en câble) to span

réamorcer: (inf) to reboot

réapprovisionnement *m* : replenishment

réapprovisonner: to reorder (supplies), to replenish (stocks)

réarmement *m* : (d'un instrument) reset

réarrangement *m* : rearrangement
~ **chromosomique**: chromosome rearrangement
~ **génétique**: gene rearrangement
~ **moléculaire**: molecular rearrangement

rebobinage *m* : re-reeling; (de bande magnétique) rewind
~ **rapide**: fast rewind

rebobiner: to rewind, to take up

reboisement *m* : reafforestation, reforestation

rebond *m* : rebound (of suspension)

rebondir: to bounce; (contacts) to chatter

rebondissement *m* : bounce, rebound
~ **de contact**: contact bounce, contact chatter
~ **d'une touche**: keybounce
~ **de soupape**: valve bounce

rebord *m* : [raised] edge, lip, bead (of rim); (de tuyau) flange, ledge

rebouchage *m* : filling in (of large cavity); (de tranchée) backfill, refill; (avant peinture) stopping

rebuts *m* : scrap, spoilage, rejects, wasters

récapituler: to recap[itulate], to summarize

recéper: to cut off the head of a pile, to strike off a pile

récépissé *m* : receipt

récepteur *m* : (télégraphique, téléphonique, radio) receiver, set; (tél) handset; *adj* : receiving, recipient; (méc) driven
~ **à balayage**: scanner receiver
~ **[à détection par] cristal**: crystal set, crystal receiver
~ **à deux fréquences**: dual receiver
~ **à éclateur**: spark-gap receiver
~ **à étincelles**: spark-gap receiver
~ **à exploration**: scanner receiver
~ **à porteuses séparées**: split-carrier receiver
~ **d'appel de personnes**: page receiver, pager
~ **d'informations**: information sink
~ **de cartes**: card stacker
~ **de contrôle**: monitoring receiver
~ **de papier**: paper stacker
~ **de télévision**: television receiver, television set
~ **direct**: straight receiver
~ **en diversité**: diversity receiver
~ **en diversité de fréquence**: multicarrier receiver
~ **en diversité d'espace**: space-diversity receiver
~ **trichrome**: colour [television] receiver

réception *f* : (de marchandises) receipt, reception, acceptance; (solaire) collection; (tcm) receiving, reception
~ **au casque**: headphone reception
~ **brouillée**: noisy reception
~ **de stations éloignées**: long-distance reception
~ **des appels**: call acceptance
~ **en cavité**: (solaire) cavity collection
~ **en diversité**: diversity reception
~ **en usine**: acceptance at works
~ **lointaine**: long-distance reception
~ **par hétérodyne**: beat reception, heterodyne reception
~ **provisoire**: provisional acceptance
~ **seulement**: (tcm) receive only
~ **sur cadre**: loop reception
de ~: receive, receiving; (essais) acceptance

réceptionnaire *m* : receiving agent, receiving clerk

récessif: recessive
~ **autosomique**: autosomal recessive

récessivité *f* : recessiveness

recette *f* : (de marchandises) acceptance, taking over; (de teinture) formula; (de cuisine) recipe
~ **de métier**: trick of the trade
~ **de puits**: (mine) shaft station
~ **du fond**: (mine) pit bottom, filling station
~ **du jour**: (mine) pithead, bank [head], banks

receveur *m* : (mine) bankman; (d'autobus) conductor; (de matériel génétique): recipient
~ **de douche**: shower tray GB, shower receptor NA

recevoir: to receive; (des marchandises) to accept; (méc) to house
~ **une charge**: to absorb a load
~ **une force**: to take up a force

rechange *m* : replacement, change
de ~: (de remplacement) duplicate; (de secours) standby; (solution, moyen) alternate; (pièce) spare

rechapage *m* : (de pneu) retread

recharge *f* : refill; (él) recharge; (métall) hard facing

rechargeable: refillable; rechargeable

rechargement *m* : (métall) surfacing
~ **au plasma**: plasma surfacing
~ **dur**: hardfacing

réchauffage *m* : heating, reheating, warming up
~ **préliminaire**: preheating

chauffe *f*: (aéro) reheat; (postcombustion) afterburning

chauffement *m*: warming up, reheating

chauffer: to heat, to warm up
~ **à cœur**: (métall) to soak
~ **d'avance**: to preheat

chauffeur *m*: heater, preheater
~ **à condensation**: condenser heater
~ **à galets**: pebble heater
~ **aval**: after heater
~ **d'admission**: intake [air] heater, preheater
~ **d'air**: air heater
~ **d'huile**: oil heater
~ **de carter**: crankcase heater

chemisage *m*: (moteur) relining

cherche *f*: (scientifique) research; (de personne) paging
~ **appliquée**: industrial research
~ **arborescente**: (inf) tree search
~ **d'informations**: (inf) information retrieval
~ **d'un poste libre**: extension hunting
~ **de ligne[s] libre[s]**: line hunting
~ **de pannes**: trouble-shooting
~ **de personnes par haut-parleur**: loudspeaker paging
~ **des dérangements**: fault finding, trouble shooting, trouble hunting
~ **des fuites**: leak detection
~ **des pannes**: trouble shooting, trouble hunting, fault finding
~ **dichotomique**: binary search
~ **documentaire**: desk research; document retrieval, information retrieval
~ **en chaîne**: (inf) chaining search
~ **en largeur d'abord**: (inf) breadth first search
~ **et développement**: research and development
~ **et remplacement**: (inf) search and replace
~ **et sauvetage**: search and rescue
~ **et substitution**: (inf) search and replace
~ **expérimentale**: experimental research
~ **fondamentale**: basic research
~ **minière**: prospecting, prospection
~ **multichemin**: (inf) multiway search
~ **multiniveau**: level hunting
~ **opérationnelle**: operational research
~ **par chaînage**: (inf) chaining search
~ **par mot-clé**: keyword search

~ **pétrolifère**: oil prospecting
~ **phytotechnique**: plant research
~ **sous contrat**: contract research
~ **sur plusieurs niveaux**: level hunting

récif *m*: reef
~ **sous-marin**: submerged reef

récipient *m*: container, vessel, receiver
~ **alimentaire**: food container
~ **d'air**: air tank GB, air receiver NA
~ **de stockage**: storage container
~~**dose**: unit-dose container
~ **gradué**: graduated vessel
~~**jauge**: metering tank
~ **métallique**: metal container
~ **sous pression**: pressure vessel GB, accumulator NA
~ **sous pression non soumis à l'action des flammes**: unfired pressure vessel

réciproque *f*: converse; *adj*: reciprocal, mutual; (maths, logique) converse; (fonction, rapport) inverse; (mouvement) reversible

recirculer: to recirculate

reclassement *m*: regrading

récolte *f*: harvesting, reaping; harvest, crop
~ **sur pied**: standing crop

recombinaison *f*: recombination
~ **génétique**: genetic recombination
~ **homologue**: homologous recombination
~ **illégitime**: illegitimate recombination
~ **intrachromosomique**: intrachromosomal recombination
~ **intracistronique**: intracistronic recombination
~ **mitotique**: mitotic recombination
~ **somatique**: somatic recombination
~ **spécifique d'une site**: site-specific recombination

recombinant *m*: recombinant

recombinase *f*: recombinase

reconditionnement *m*: reconditioning; (pétr) workover (of a well)

reconditionner: to recondition; (pétr) to work over (a well)

reconfigurer: to reconfigure

reconnaissance f : (exploration) reconnaissance, survey; (mil) reconnaissance, scouting, reconnoitring; (inf)
recognition
~ aérienne: air reconnaissance, aerial
reconnaissance
~ de caractères: character recognition
~ de la parole: speech recognition
~ des caractères magnétiques:
magnetic character recognition
~ des formes: pattern recognition
~ du sol: soil survey
~ optique de caractères ► ROC:
optical character recognition

recoupe f : (mine) cross heading, cross
work

recoupement m : (vérification)
countercheck, cross check[ing]

recouvrance f : (métall) recovery
~ en fluage: creep recovery

recouvrement m : covering; lap, overlap,
lapping, overlapping; (inf) overlay
~ d'about: butt lap
~ de soudure: weld overlay
~ décoratif: decorative overlay
~ des armatures: (béton) lap length
~ du tiroir: slide valve lap
~ horizontal: (d'une faille inverse)
heave
~ latéral: side lap
~ longitudinal: end lap
~ négatif: (du tiroir) slide valve
underlap
~ positif: (du tiroir) slide valve overlap

recouvrir: to cover [over], to cover [in]; to
lap, to overlap
~ de planches: to board, to plank

recroisement m : (avec l'un des parents)
back crossing

rectangle m : rectangle, oblong; adj :
right-angled

rectangulaire: rectangular, oblong

rectificateur m : (distillation) rectifier;
(pétr) stripper

rectification f : correction, amendment;
(usinage) grinding; (tracé d'une route)
straightening; (pétr) stripping
~ avec arrosage: wet grinding
~ centreless: centreless grinding
~ cylindrique [extérieure]: plain
grinding
~ des surfaces planes: face grinding

~ en enfilade: throughfeed grinding
GB, thrufeed grinding NA
~ en plongée: infeed grinding, plung
grinding
~ par reproduction: copy grinding
~ plane: surface grinding
~ suit: correction to follow

rectifier: (une erreur) to correct, to
rectify, to put right an error; (usinage
to grind; (chim) to rectify
~ à la cote: to grind to size
~ conique: to grind taper

rectifieuse f : grinder
~ en plongée: infeed grinder

rectiligne: straight, linear, rectilinear,
rectilineal

rectitude f : straightness

recto m : (d'une page) first side; (de
carte) face

reçu m : receipt GB, check NA

recueillir: (un liquide, des données) to
collect, to gather

recuire: (métall) to anneal, to reheat

recuit m : (métall) anneal[ing]; (de
matériaux composites) afterbake;
(plast) postcure; adj : annealed
~ après démoulage: after-annealing
~ au bleu: blue-annealed
~ au chalumeau: flame annealing
~ blanc: white annealing; bright
annealed
~ brillant: bright annealing
~ d'adoucissement: soft annealing
~ d'homogénéisation: homogenizin
~ de détente: stress relief annealing
stress relieving
~ de mise en solution: solution
anneal
~ de surface: skin annealing
~ en caisse: close annealing, box
annealing
~ en vase clos: close annealing, pot
annealing

recul m : (mouvement) backward motio
backing; (de fusil) kick; (de canon)
recoil; (d'hélice) slip
~ du vent: backing of the wind

reculer: move backward; (autom) to
reverse, to back

récupérable: recoverable, salvageable
retrievable

récupérateur *m* : regenerator; (de canon) recuperator
~ **de chaleur**: regenerator
~ **de ferraille**: scrap dealer

récupération *f* : salvage, recovery, reclaiming (from waste); (inf) retrieval
~ **assistée du pétrole ▶ RAP**: enhanced oil recovery
~ **d'erreur par retraitement**: backward error recovery
~ **d'erreur sans voie de retour**: forward error recovery
~ **d'espace en mémoire**: garbage collection
~ **de bloc**: (inf) block retrieval
~ **de la chaleur perdue**: waste heat recovery
~ **des erreurs à l'écriture**: write error recovery
~ **des erreurs à la volée**: on-the-fly error recovery
~ **des positions inutilisées**: (inf) garbage collection
~ **du solvant**: solvent recovery
~ **en cascade de l'énergie**: energy cascading
de ~: reclaimed (oil); regenerating (chamber)
par ~: regenerative (braking)

récupéré: salvaged, reclaimed, recovered, retrieved

récupérer: to reclaim, to recover, to retrieve; (une pièce défectueuse) to rework; (inf) to undelete
~ **l'huile**: to deoil

récurage *m* : cleaning (of well)

récursivité *f* : (inf, IA) recursion

recyclage *m* : recycle, recycling, recirculation; rerun, reprocessing; (du personnel) retraining
~ **des gaz d'échappement**: exhaust-gas recirculation
~ **des gaz de combustion**: flue-gas recirculation

rédacteur *m* : (d'un document) writer; (journalisme) editor; (publicité) copywriter
~ **de programme**: program writer
~ **technique**: technical writer

redémarrage *m* : restart

redéposition *f* : (geol) redeposition

redevance *f* : dues, fees; (de location) rental; (de brevet) royalty

redistiller: to rerun

redondance *f* : redundancy

rédox: redox

redressement *m* : straightening; unbending, trueing; (él) rectification; (opt) erecting; (d'un bateau) righting
~ **d'erreur**: error recovery
~ **d'une seule alternance**: half-wave rectification
~ **de l'image**: image erecting
~ **des deux alternances**: full-wave rectification
~ **économique**: economic recovery

redresser: to straighten [out], to straighten [up]; (un flasque, une roue) to true [up]; (une tige) to unbend; (aéro) to flatten out, to pull out (after a dive); (un bateau) to right; (él) to rectify; (opt) to erect
~ **la barre**: to right the helm

redresseur *m* : (él) rectifier; (de turbine) stator
~ **à arc**: arc rectifier
~ **à cathode chaude**: hot-cathode rectifier
~ **à contacts**: mechanical rectifier
~ **à cuve métallique**: metal-tank rectifier
~ **à deux alternances**: full-wave rectifier
~ **à diode**: diode rectifier
~ **à jonction**: junction rectifier
~ **à lame vibrante**: vibrating rectifier
~ **à montage en étoile**: star rectifier
~ **à oxyde de cuivre**: copper-oxide rectifier
~ **à sec**: dry rectifier
~ **à semi-conducteurs**: dry rectifier
~ **à thyristors**: silicon-controlled rectifier
~ **à tube[s]**: valve rectifier, tube rectifier
~ **à une alternance**: half-wave rectifier
~ **à vapeur de mercure**: mercury-vapour rectifier, mercury arc rectifier
~ **au germanium**: germanium rectifier
~ **au sélénium**: selenium rectifier
~ **au silicium**: silicon rectifier
~ **cuproxyde**: copper-oxide rectifier
~ **d'image**: (opt) image erector
~ **de charge**: charging rectifier
~ **de courant**: current rectifier
~ **demi-onde**: half-wave rectifier
~ **en pont**: bridge retifier
~ **mécanique**: mechanical rectifier
~ **monoanodique**: single-anode rectifier

~ **oxymétal**: copper-oxide rectifier
~ **pleine onde**: full-wave rectifier
~ **sec**: dry plate rectifier
~ **simple alternance**: half-wave rectifier
~ **thyristorisé**: silicon-controlled rectifier

réductase *f* : reductase

réducteur *m* : (chim) reducer, reducing agent; (méc) reduction gear GB, gear reducer NA; (raccord de tuyauterie) taper piece, adapter; *adj* : reducing
~ **à satellites**: epicyclic reducing gear
~ **à vis tangente**: worm reduction gear
~ **de bruit**: noise reducer
~ **de pression**: pressure reducing valve
~ **de viscosité**: viscosity breaker, vis-breaker
~ **de vitesse**: speed reducer; reduction gearbox

réduction *f* : (chim, reprographie) reduction; (par engrenage) gearing down, demultiplication; (d'une valeur nominale) derating; (sur tuyauterie) reducing coupling, reducing piece, reducer GB, adapter bushing, decreaser NA
~ **à l'étirage**: (métall) draw down
~ **chromatique**: chromatic reduction
~ **d'échelle**: scaling down
~ **d'écho**: echo control
~ **de charge**: (engin de levage) derating
~ **de la poussière**: dust abatement
~ **de la viscosité**: viscosity breaking, visbreaking
~ **de passe**: (laminage) draught of pass
~ **de puissance**: back-off; (par sécurité) power cutback
~ **de section**: (laminage) draught of pass
~ **de tension**: stepping down of voltage
~ **des données**: data reduction
~ **par l'hydrogène**: hydrogen reduction

réduire: to reduce, to cut down, to decrease, to lessen, to lower; (par évaporation) to evaporate down; (par laminage) to roll down
~ **de moitié**: to reduce to half
~ **en cendres**: to reduce to ashes
~ **en poudre**: to powder
~ **l'échelle**: to scale down
~ **la pression**: to reduce the pressure
~ **la viscosité**: to thin down

~ **le débit d'un puits**: (pétr) to beam back
~ **les gaz**: (aéro) to throttle down, to throttle back
~ **par ébullition**: to boil down
~ **par évaporation**: to evaporate down

réémetteur *m* : transmitting relay, relay transmitter

réenclenchement *m* : reset; (commutation) reclosing
~ **manuel**: hand reset
~ **réussi**: successful reclosing
~ **automatique multiple**: multiple-shot reclosing
à ~ **automatique**: self-reset

réenregistrement *m* : re-recording

réextraction *f* : (nucl) backwashing, stripping

refaire: to do again, to remake; to do up, to renew, to renovate
~ **le plein**: to refill
~ **le réglage**: to readjust, to reset
~ **le revêtement**: (d'une rue) to resurface
~ **les peintures**: to redecorate
~ **les portées**: to rebed, to reseat

réfection *f* : remaking, rebuilding, repair[ing]
~ **d'une pièce**: (méc) rework
~ **de rue**: street repair

refendage *m* : slitting

refente *f* : (d'une bobine) slitting; (de feuilles) guillotining

référence *f* : reference; (de nomenclature) part number; (sur un plan) item number
~ **croisée**: cross reference
~ **en bas de page**: footnote, footer
~ **topographique**: map reference

réfléchir: to reflect, to throw back (light, heat), to reverberate (a sound)

réflectance *f* : reflectance
~ **dans le bleu**: blue reflectance

réflecteur *m* : reflector; *adj* : reflecting
~ **d'antenne**: aerial reflector
~ **désaxé**: off-axis reflector
~ **et affût**: (radar) reflector and carriage
~ **excentré**: offset reflector
~ **parabolique**: parabolic reflector; (de son) sound dish concentrator
~ **plan**: planar reflector

eflet *m* : reflection
~ **d'une huile**: bloom

eflex *m* : reflex camera
~ **à deux objectifs**: twin-lens reflex [camera]
~ **mono-objectif**: single-lens reflex [camera]

réflexion *f* : reflection, reflexion
~ **fantôme**: ghost reflection
~ **par le sol**: ground reflection, ground return
~ **spéculaire**: specular reflection
~**s mutuelles**: interreflection

efluer: to flow back; (marée) to ebb

eflux *m* : backflow; (distillation) reflux; (marée) ebb tide
~ **repompé**: pump back reflux

efonte *f* : (d'un projet, d'une entreprise) reorganization, reshaping; (métall) remelting, recasting

eformage *m* : (pétr) reforming
~ **catalytique**: catalytic reforming

eformat *m* : reformate, reformate gasoline

éforme *f* : (de matériel) scrapping
~ **agraire**: land reform

efoulement *m* : backflow; (d'une pompe, d'un compresseur) delivery, discharge; (dans cheminée) down-draught GB, downdraft NA; (méc) heading, jumping [up], upset[ting]
~ **de gaz**: (arme à feu) blow back
~ **en montant**: (maçonnerie) jointing
~ **latéral**: bulging
~ **sous pression**: pressure delivery

efouler: to drive back, to press back, to force back; (pompe) to deliver, to discharge; (à la forge) to jump up; (à la presse) to upend, to upset; (du carton, avant pliage) to crease; (marée) to ebb, to be on the ebb
~ **un rivet**: to close a rivet, to clench a rivet
~ **un train**: to back a train

efouloir *m* : jumping hammer, jumper

éfractaire: refractory, fire-, heat resisting

efracter: to refract

réfraction *f* : (tir) refraction; (opt) refraction, bending (of rays)
~ **normale**: standard refraction

réfractomètre *m* : refractometer
~ **à immersion**: dipping refractometer

réfrigérant *m* : coolant, cooling agent; cooling plant, cooler; *adj* : cooling
~ **à eau**: water cooler
~ **à ruissellement**: trickling cooling plant
~ **atmosphérique**: cooling tower
~ **d'huile**: oil cooler
~ **de gaz**: gas cooler
~ **intermédiaire**: intercooler

réfrigérateur *m* : cooler; (pour aliments) refrigerator, fridge
~ **à absorption**: absorption refrigerator
~ **à compression**: compression refrigerator
~ **du jour**: service refrigerator

réfrigération *f* : cooling; (d'aliments) refrigeration GB, chilling NA
~ **à absorption**: absorption refrigeration
~ **à passage unique**: once-through cooling
~ **à ruissellement**: surface cooling
~ **complémentaire**: aftercooling
~ **des locaux**: room cooling
~ **par air**: air cooling
~ **par compression**: compression refrigeration

réfrigérer: to cool; (des aliments) to refrigerate GB, to chill NA

réfringence *f* : refrigence, refringency

refroidi: cooled, chilled
~ **par air**: air-cooled
~ **par l'huile**: oil-cooled
~ **par ventilateur**: fan-cooled

refroidissement *m* : cooling, refrigeration, chilling
~ **à air**: air cooling
~ **canalisé**: ducted cooling
~ **d'ambiance**: environment cooling
~ **de la chemise**: jacket cooling
~ **intermédiaire**: intercooling
~ **par air**: air cooling
~ **par aspersion**: spray cooling
~ **par détente directe**: direct-expansion refrigeration
~ **par diffusion**: diffusion cooling
~ **par évaporation**: evaporative cooling

~ **par film fluide**: film cooling
~ **par injection**: jet cooling
~ **par l'enveloppe**: jacket cooling
~ **par récupération**: regenerative cooling
~ **par ruissellement**: shower cooling, spray cooling
~ **pelliculaire**: film cooling
~ **rapide**: (métall) quenching
à ~ **naturel**: self-cooled
à ~ **par air**: air-cooled

refroidisseur m : cooler; adj : cooling
~ **à ruissellement**: spray cooler
~ **à ventilation forcée**: mechanical cooling tower
~ **aval**: aftercooler
~ **complémentaire**: aftercooler
~ **d'eau à tirage naturel**: natural cooling tower
~ **d'eau atmosphérique**: [water] cooling tower
~ **d'eau**: cooling tower, water cooler
~ **d'huile**: oil cooler
~ **de sortie**: aftercooler
~ **en cascade**: cascade cooler
~ **final**: aftercooler
~ **immergé**: submerged cooler
~ **intermédiaire**: intercooler

refroidissoir m : (métall) cooling bank, cooling bed, hot bank, hot bed

refus m : refusal; (contrôle de la qualité) rejection; (de fabrication) reject, misrun; (fonderie) cold lap
~ **d'épuration**: screenings
~ **d'un crible**: oversize [material]
~ **de crible**: tailings
~ **de tamis**: screenings
~ **définitif**: final rejection
à ~: (battage, serrage de vis) home

refuser: (pieu) to refuse
~ **l'encre**: to repel the ink

regain m : second crop, second growth, aftercrop, aftergrowth

régalage m : levelling GB, leveling NA (of ground)

regard m : inspection cover, inspection hole, peep hole, sight glass, sight hole; (géol) upthrow side (of fault)
~ **avec chute**: drop manhole
~ **de curage**: flushing manhole
~ **de lampe**: lamphole
~ **de nettoyage**: cleaning hole
~ **de visite**: hand hole, inspection hole
~ **en avant**: (inf) lookahead
en ~: opposite (page)

regarnir: (les paliers) to rebush; (un presse-étoupe) to repack; (d'antifriction, de régule): to rebabbit

regarnissage m : rebushing, repacking, relining
~ **de joints**: (maçonnerie) repointing
~ **de la voie**: (chdef) reballasting

régénérateur m : regenerator, regenerating plant; regenerator circuit, regenerative repeater; adj : regenerating, regenerative
~ **à absorption**: absorbent regenerator

régénération f : regeneration; (d'une matière) reclaiming, reconditioning; (inf) refresh; (phot) replenishment (of bath)
~ **à contre-courant**: backflow regeneration
~ **d'impulsions**: pulse regeneration
~ **de bas en haut**: backflow regeneration
~ **de l'écran**: screen refresh
~ **de signal**: signal regeneration
à ~: regenerable

régénérer: to reclaim, to reprocess; (le signal) to regenerate, to reshape
~ **la mémoire**: (inf) to refresh the memory

régie f : (travail) day labour; (tv) control room
~ **centrale**: master control room
~ **du son**: audio control room

régime m : (d'une machine) operating conditions, working conditions; (d'un moteur) speed; (d'un fluide) rate of flow; (d'un fleuve) flow; (alim) diet, ration; (de bananes) bunch
~ **alimentaire**: diet
~ **constant**: steady running, steady running, operation at constant load
~ **continu**: permanent duty
~ **d'essai**: test conditions
~ **d'utilisation**: [power] rating
~ **de charge**: charging load, charging rate
~ **de charge en n heures**: n-hour rate
~ **de chauffe**: rate of heating
~ **de fonctionnement**: operating conditions, working conditions
~ **désodé**: salt-free diet
~ **équilibré**: balanced diet
~ **établi**: steady state
~ **impulsif**: impulsive conditions
~ **lacté**: milk diet
~ **lent**: slow running
~ **nominal**: rating (of a machine)

~ **permanent**: steady state; (d'un fluide) steady flow; (d'une machine) continuous rating, continuous duty
~ **pulsatoire**: surging
~ **quart-horaire**: quarter-hourly rating
~ **semi-permanent**: pseudo-steady state
~ **stable**: steady running conditions, steady running, even running
~ **stationnaire**: steady state
~ **temporaire**: short-time rating
~ **torrentiel**: torrential flow
~ **transitoire**: transient state
~ **unihoraire**: one-hour rating
~ **vert**: (élevage) soiling
de ~: operational, working (speed)
en ~ **constant**: at constant load
en ~ **établi**: under steady conditions
en ~ **permanent**: under steady conditions

région *f* : region, area; (gg/bm) region
~ **agricole**: agricultural area, farming area
~ **cidricole**: cider-producing region
~ **d'induction**: near-field region, near region
~ **de proportionalité**: proportional region
~ **de rayonnement lointain**: far-field region
~ **de transmission**: coverage
~ **desservie en automatique**: automated area
~ **éloignée**: remote area
~ **hétéroduplex**: heteroduplex region
~ **inexploitée**: frontier area
~ **minière**: mining area, mining district
~ **montagneuse**: highlands
~ **pélagique**: pelagic zone
~ **polyA**: polyA region, polyA tail, polydenylation end

registre *m* : (méc) damper; (document) register, book; (inf, graph) register
~ **à décalage**: shift register
~ **à guillotine**: sliding damper
~ **à rôle fixe**: dedicated register
~ **accumulateur**: accumulator register
~ **banalisé**: general register
~ **d'adresse**: address register
~ **d'adresse opérande ▶ RAO**: operand address register
~ **d'index**: index register
~ **de l'adresse courante**: current-address register
~ **de l'instruction courante**: current-instruction register
~ **de mémoire**: storage register
~ **de réglage**: throttle [valve]
~ **de vapeur**: throttle [valve]
~ **de vent au cubilot**: (fonderie) blast gate

~ **en boucle**: circulating register
~ **qualificateur**: qualifier register
~ **tampon**: buffer register
~ **vectoriel**: array register
faire le ~: to bring into register

réglable: adjustable, controllable, variable

réglage *m* : adjustment, setting; (radio, tv) control; (de moteur) timing, tuning
~ **à chaud**: hot adjustment
~ **à réaction**: feedback control
~ **à zéro**: zero adjustment, zero setting
~ **adaptatif**: adaptive control
~ **approximatif**: coarse adjustment; (de moteur) coarse tuning
~ **automatique de volume**: automatic volume control
~ **d'accord**: tuning control
~ **d'allumage**: timing
~ **de la distribution**: valve timing, valve setting
~ **de la position**: positioning
~ **de la puissance**: (du son) loudness control
~ **de luminosité**: brightness control
~ **de pas**: pitch setting
~ **de phase**: phase control
~ **de précision**: fine adjustment, fine control
~ **des soupapes**: valve setting, valve timing
~ **du carburateur**: carburet[t]er setting, carburet[t]or setting
~ **du plan horizontal**: (aéro) tail trim
~ **du tir**: fire adjustment
~ **en hauteur**: vertical adjustment
~ **en phase**: phase adjustment
~ **fin**: fine adjustment, precision adjustment, slow-motion adjustment, trimming
~ **grossier**: coarse adjustment
~ **micrométrique**: fine adjustment
~ **par impulsions**: pulse control
~ **par laminage**: throttling
~ **par tout ou rien**: on-off control, open-and-shut action, snap-action control
~ **précis**: fine control, fine adjustment, slow-motion adjustment
~ **primaire**: coarse adjustment
~ **silencieux**: quiet tuning
~ **sous tension**: hot adjustment
~ **unique**: single-dial control, one-knob control; single-control tuning
~ **vertical**: vertical adjustment
à ~ **continu**: infinitely variable

règle *f* : (règlement) rule; (instrument) ruler; → aussi **règles**
~ **à araser**: screed

~ **à calcul**: slide rule
~ **de copiage**: profiling bar
~ **de la main gauche**: lefthand rule
~ **[de précision]**: straight edge
~ **de production**: (IA) production rule
~ **des phases**: phase rule
~ **des trois doigts**: three-finger rule
~ **du point central**: midpoint rule
~ **empirique**: rule of thumb
~ **étalon**: (usinage) length rod, measuring rod, reference rod
~ **graduée**: measuring rule, graduated rule
~ **sinus**: sine bar

réglé: adjusted, set; (pap) ruled
~ **en usine**: preset

règlement *m* : regulations, rules

réglementation *f* : rules, regulations
~ **de la circulation**: traffic control
~ **des hauteurs de construction**: height zoning
~ **du travail**: labour regulations

régler: to adjust, to set; (un moteur) to time, to tune; (un récepteur) to tune
~ **de nouveau**: to reset
~ **l'allumage**: to adjust the ignition, to time the ignition
~ **le tir**: to adjust fire
~ **sur**: to tune in to
~ **vers le bas**: to adjust downward
~ **vers le haut**: to adjust upward

règles *f* : rules, regulations
~ **de déontologie**: standards of professional practice, code of professional conduct
~ **de l'art**: good practice, code of practice
~ **de vol à vue**: visual flight rules
~ **de vol aux instruments**: instrument flight rules

réglette *f* : small rule; (él) strip; (graph) reglet; ; (pap) deckle board
~ **à bornes**: terminal strip
~ **de distribution**: fanning strip
~ **de jacks**: jack strip
~ **de raccordement**: mounting strip, connecting strip
~ **de répartition**: fanning strip

régleur *m* : setter, adjuster (person)
~ **de carde**: card setter
~ **de guide d'ondes**: waveguide tuner

réglisse f: liquorice

règne *m*, ~ **animal**: animal kingdom

~ **végétal**: plant kingdom
~ **minéral**: mineral kingdom

régression *f* : (maths) regression; (bio) retrogression

régulariser: to control, to regulate
~ **la pente**: to grade
~ **un fleuve**: to regulate a river

régulateur *m* : regulator, controller, governor; (chdef) traffic controller; (bio) regulator
~ **à action continue**: graduating controller
~ **à boules**: [fly]ball governor
~ **à dépression**: vacuum governor
~ **à étranglement**: throttling governor
~ **à fil pilote**: pilot-wire regulator
~ **à force centrifuge**: [fly]ball governor
~ **à venturi**: venturi governor
~ **barométrique**: barostat control
~ **centrifuge**: [fly]ball governor
~ **continu**: graduating controller
~ **d'avance à l'allumage**: advance control
~ **d'hélice**: propeller governor
~ **de croissance des plantes**: plant growth regulator
~ **de débit**: flow regulator
~ **de glissement**: slip regulator
~ **de pression**: pressure controller, pressure regulator; unloader valve
~ **de sécurité**: overspeed governor
~ **de tirage**: damper
~ **de vitesse**: speed controller, speed governor
~ **par tout ou rien**: on-off controller
~ **pilote**: master controller

régulation *f* : [automatic] control
~ **autogène**: (gg/bm) autogenous regulation
~ **avec action anticipatrice**: feed-forward control
~ **avec zone d'insensibilité**: neutral-zone control
~ **de la circulation**: traffic control
~ **de la traduction**: (gg/bm) translational control
~ **de la température**: temperature control
~ **de la vitesse**: speed control
~ **de procédé**: process control
~ **des processus industriels**: process control
~ **du débit**: flow control
~ **en cascade**: cascade control
~ **par l'amont**: upstream control
~ **par variation de tension**: variable-voltage control
~ **positive**: (gg/bm) positive control

~ **relâchée**: (gg/bm) relaxed control
~ **précise**: close control
~ **thermique**: temperature control
à ~ **automatique**: self-regulating

régule *m* : (méc) babbit, white metal; (chim) regulus

régulé: babbit-lined

réguler: to babbit
~ **les coussinets**: to line the bearings

régulier: regular; (marche) smooth; (surface, mouvement) even, smooth; (surface, pente) even; (rythme, vitesse) steady

réhabilitation *f* : (constr) renovation
~ **de logements**: home improvement

réimpression *f* : reprint

reine-claude *f* : greengage

réinitialiser: (inf) to reboot

rejet *m* : (refus) reject; (évacuation) discharge, disposal, dumping; (géol) throw (of fault); → aussi **rejets**
~ **accidentel d'hydrocarbures**: accidental spillage of oil
~ **d'effluents**: discharge of sewage, discharge of waste
~ **dans l'atmosphère**: discharge into the atmosphere
~ **des eaux usées**: wastewater disposal, sewage disposal
~ **en puits profonds**: deep-well disposal
~ **en rivière**: discharge into river
~ **horizontal**: (d'une faille normale) heave
~ **thermique**: heat exhaust, thermal discharge

rejets *m* : waste
~ **de concassage**: crusher waste
~ **industriels**: industrial waste
~ **thermiques**: waste heat

rejointoiement *m* : repointing

relâché: loose, slack; (gg/bm) relaxed (replication)

relâchement *m* : loosening, release, slackening
~ **d'un relais**: drop-out
~ **des contraintes**: stress relaxation

relâcher: to loosen, to slacken, to ease off; (pression, frein) to release

relais *m* : relay
~ **à action différée**: time-lag relay, time-delay relay, time relay
~ **à action instantanée**: instantaneous relay
~ **à action lente**: slow-operating relay
~ **à aimant plongeur**: solenoid relay
~ **à cadre mobile**: moving-coil relay
~ **à collage**: holding relay
~ **à crans d'arrêt**: notching relay
~ **à deux directions**: throwover relay
~ **à deux enroulements**: double-wound relay
~ **à deux seuils**: two-step relay
~ **à double effet**: two-step relay
~ **à fermeture retardée**: time-delay relay
~ **à fiches**: plug-in relay
~ **à manque de tension**: no-voltage relay
~ **à maximum**: over relay, surge relay, overcurrent relay
~ **à maximum de courant**: overload relay, overcurrent relay
~ **à maximum de tension**: overvoltage relay
~ **à maximum et à minimum**: over and under relay
~ **à minimum**: under relay
~ **à minimum de courant**: undercurrent relay
~ **à minimum de tension**: undervoltage relay
~ **à ouverture retardée**: time-delay relay
~ **à palette**: armature relay
~ **à plongeur**: plunger relay, solenoid relay
~ **à relâchement différé**: slow-release relay
~ **à retard inverse**: inverse timelag relay
~ **à retard dépendant**: inverse timelag relay
~ **à retenue**: biased relay
~ **à séquence de phases**: phase-rotation relay, phase-sequence relay
~ **à solénoïde**: plunger relay, solenoid relay
~ **à temps non-spécifié**: non-specified time relay
~ **à temps spécifié**: specified time relay
~ **à tension de défaut**: (protection) fault-voltage relay
~ **à tension nulle**: no-volt relay
~ **à verrouillage**: latching relay
~ **ampèremétrique**: current relay
~ **approche-précision**: coarse-fine relay
~ **asservi**: slave relay
~ **avertisseur**: alarm relay

~ **balance**: balanced-beam relay
~ **basculant**: throwover relay
~ **commutateur**: centre-zero relay
~ **contacteur**: making relay
~ **d'alarme**: alarm relay
~ **d'amorçage**: (explosifs) booster
~ **de commande**: control relay
~ **de commutation**: changeover relay, switching relay
~ **de coupure**: cutoff relay
~ **de déclenchement**: release relay
~ **de délestage**: relief relay
~ **de libération**: release relay
~ **de maintien**: holding relay
~ **de pilotage**: control relay
~ **de protection de mise à la terre**: ground [fault] relay
~ **de puissance**: power relay
~ **de réception**: receive relay
~ **de signalisation**: signal relay, annunciator relay
~ **de sonnerie**: ring relay
~ **de verrouillage**: interlocking relay
~ **direct**: primary relay
~ **en dérivation**: shunt relay
~ **enfichable**: plug-in relay
~ **étanche**: sealed relay
~ **indifférent**: neutral relay
~ **indirect**: secondary relay
~ **instantané**: instantaneous relay
~ **intégrateur d'impulsions**: notching relay
~ **inverseur**: changeover relay
~ **non polarisé**: neutral relay
~ **non protégé**: open relay
~ **palpeur**: system sensitive relay
~ **par courant de défaut**: (protection) fault-current relay
~ **pilote**: control relay
~ **polarisé**: biased relay
~ **primaire**: primary relay, initiating relay
~ **protégé**: enclosed relay
~ **radioélectrique**: radiorepeater
~ **rupteur**: breaker relay, breaking relay
~ **temporisé**: time-lag relay, time-delay relay, time relay, timing relay
~ **thermique**: temperature relay, thermal relay
~ **totalisateur**: integrating relay

relance f : (d'un moteur) restart; (inf) reactivation (of a program)
~ **à froid**: cold restart

relation f : (maths, IA) relation
~ **d'ordre**: ordering relation
~ **de co-ensemble**: coset relation
~ **de congruence**: congruence relation

relativité f : relativity

relaxation f : relaxation
~ **des contraintes**: stress relaxation, stress relief, stress relieving
~ **spin-réseau**: spin-lattice relaxation

relecture f : read back, playback

relevage m : raising, lifting; (assainissement) pumping (sewage treatment)
~ **à câble**: (grue) rope luffing
~ **aval**: downstream pumping
~ **de flèche**: (de grue) luffing, derricking
~ **de l'outil**: (usinage) tool pickup, tool relief

relevé m : (topographie) survey; (repérage sur diagramme) plotting; (statistiques) return; adj : up, high, raised, turned up; (alim) spicy
~ **biologique**: biological survey
~ **d'architecture**: measured drawing
~ **d'exploitation**: management report
~ **de compte**: bank statement
~ **de compteur**: meter reading
~ **de terrain**: survey, plotting
~ **hydrographique**: hydrographic survey
~ **topographique**: survey
faire le ~: (du terrain) to survey; (sur diagramme) to plot

relèvement m : raising, picking up; (navigation) [compass] bearing; (rail, road) banking
~ **au compas**: compass bearing
~ **de position**: (navigation) bearing, fix
~ **radiogoniométrique**: radio bearing, radio fix
faire un ~: to take a bearing

relever: to lift up, to pick up, to set upright, to right; (accroître) to raise
~ **un bord**: to flange
~ **un point**: to take a bearing
~ **un navire**: to raise a ship, to refloat a ship
~ **un terrain**: to survey a piece of land
~ **un virage**: to bank a road

relicte f : (bio, géol) relict

relief m : relief (geog)
en ~: (carte, plan) raised relief, three-dimensional; (graph) embossed

relier: to join, to link [up], to connect; (un livre) to bind
~ **par cavalier**: to jump

~ **par fibres optiques**: to fibre wire
~ **par réseau**: to net

relique *f* : (bio, géol) relict

reliure *f* : [book]binding
~ **à chaud**: thermal binding
~ **à anneaux plastique**: plastic-comb binding
~ **à feuillets mobiles**: loose-leaf binder
~ **amateur**: library binding
~ **en surjet**: oversewing, overcast binding, whipping
~ **en toile**: cloth binding
~ **hélicoïdale**: spiral binding
~ **par collage**: thermoplastic binding, adhesive binding
~ **pleine**: full binding
~ **pleine toile**: cloth case, cloth boards
~ **sans couture**: thermobinding, thermoplastic binding, adhesive binding
~ **spirale**: spiral binding

émanence *f* : remanence; (opt) persistence [of vision]; (radar, ct) afterglow

émanent: remanent, residual; (inf) non-volatile (memory)

emaniement *m* : change, alteration, modification
~ **asymétrique**: (gg/bm) unequal crossing-over
~ **chromosomique**: chromosomal change, chromosomal mutation

emblai *m* : fill, landfill; made ground; (de tranchée) backfill; (mine) pack; (route, chdef) embankment
~ **de terre**: earth fill
~ **déversé**: dumped fill
~ **en vrac**: dumped fill

mblayage *m* : (de tranchée) backfilling

mblayer: to fill (soil), to fill up a trench; (mine) to stow (old works)

mblayeur *m* : (mine) packer

mblayeuse *f* : (génie civil) backfiller, backfilling machine, trench filler; (mine) stowing machine, packing machine

mbourrage *m* : padding; (ameublement) padding, stuffing, upholstery
~ **de la fouille**: padding of ditch

remédier à: to remedy, to cure, to put right (a defect)

remettage *m* : (tissage) draw, drawing-in

remettre: to put back; (des marchandises) to deliver, to hand over
~ **à l'état initial**: to restore; (instrument) to reset
~ **à la cote**: to resize
~ **à plus tard**: to put back, to put off, to postpone
~ **à zéro**: to zero, to zeroize; (régulation) to clear
~ **au point**: (radio) to retune
~ **en action**: to reactivate
~ **en état**: to recondition
~ **en marche**: to restart
~ **en place**: to replace
~ **en service**: to restore (utilities); to recommission (a ship); (mil) to demoth
~ **en solution**: to pass back into solution
~ **les gaz**: to reapply the throttle

remisage *m* : storage (in a shed), putting in a shed; (autom) garaging

remise *f* : putting back; (de marchandises, de documents) delivery, handing over; (sur un prix) rebate; (constr) shed, outhouse
~ **à neuf**: doing up, refurbishing
~ **à plus tard**: postponement
~ **à zéro ▶ RAZ**: reset [to zero], clear, clearing
~ **au bac**: return to tank
~ **des clés**: handing over (of property)
~ **du matériel au client**: hand over (to customer)
~ **en état**: restoring; making good; reconditioning
~ **en forme du signal**: signal reshaping
~ **en marche**: restarting
~ **en phase**: rephasing
~ **en production**: (d'un puits) recompletion
~ **en service**: restarting

remontée *f* : (pente) rise, climb; (mouvement) upward movement, climbing; (mine) hoisting, bringing up; (de l'information) feedback; (de peinture) bleed-through, strike-through
~ **d'étain**: tin sweat
~ **de boue**: migration of mud to the surface
~ **de colorant**: bleeding
~ **de pression**: pressure buildup
~ **du piston**: ascent of piston
~ **mécanique**: ski-lift

remonter: to go up again; (une machine) to put together again, to re-assemble; (une montre) to wind [up]
~ **à l'écran**: (inf) to scroll up
~ **le minerai**: to hoist the ore
~ **un cours d'eau**: to go upstream
~ **un train de tiges**: (forage) to pull out

remorquage *m* : towing; (droits) towage, towing charge
~ **de banderoles**: (aéro) banner towing

remorque *f* : (câble) tow line, tow rope, tow; (derrière véhicule) trailer

remorquer: (un navire, une voiture) to tow
~ **à couple**: to tow abreast
~ **en arbalète**: to tow astern
~ **en flèche**: to tow ahead

remorqueur *m* : tug
~ **de sauvetage**: salvage tug

remous *m* : eddy, swirl; (d'un navire) wash, backwash; (turbulence durant le vol) bump
~ **d'air**: (aéro, derrière une voiture) slipstream
~ **de l'hélice**: propeller wash

remplaçable: replaceable, changeable

remplacé: replaced, superseded

remplacement *m* : replacement; substitution
~ **prématuré**: part-life exchange
de ~: (matière, produit) substitute; (solution) alternate

remplacer: to replace; to substitute

remplir: to fill [up], to refill
~ **à refus**: to brim
~ **les blancs**: (d'un questionnaire) to fill in the blanks
~ **un questionnaire**: to fill in a form, to fill up a form
~ **une condition**: to fulfil a condition, to meet a condition, to meet a requirement

remplissage *m* : (de récipient) filling [up]; (gg/bm) filling in; (d'un filon) infilling; (inf) padding, stuffing
~ **binaire**: bit stuffing
~ **d'une zone graphique**: (inf) area fill
~ **de câble**: cable fill
~ **de polygones**: (inf) polygon fill

~ **de printemps**: (d'un réservoir) spring filling
~ **par gravité**: gravity filling
~ **sous pression**: pressure filling

remplisseuse *f* : filling machine, filler

remploi *m* : reuse

renard *m* : (défaut) piping

renardage *m* : channeling, piping

renaturation *f* : (bio) renaturation

rendement *m* : efficiency, performance, productivity, rating, output, yield
~ **à l'antenne**: aerial efficiency
~ **anodique**: anode efficiency, plate efficiency
~ **calorifique**: heat efficiency
~ **cellulaire de lyse**: burst size
~ **de rayonnement**: radiation efficiency
~ **des plaques**: plate efficiency
~ **du cubilot**: melting rate of cupola
~ **du lit de fusion**: (métall) burden yield
~ **en coke**: coke yield
~ **en surface**: coverage; (peinture) spreading rate
~ **énergétique**: energy efficiency [ratio]; (tuyère) energy conversion efficiency
~ **global**: overall efficiency
~ **horaire**: hourly output, output per hour
~ **individuel**: output per man
~ **journalier moyen**: average daily output
~ **mécanique**: mechanical efficiency [ratio]
~ **par homme-poste**: output per man-shift
~ **par ouvrier-poste**: output per man-shift
~ **pondéral**: weight yield, yield by weight
~ **quantique**: quantum yield, quantum efficiency
~ **réel**: actual performance
~ **thermique**: thermal efficiency
~ **total en virus**: burst size
~ **volumétrique**: (d'une pompe, d'un compresseur) volumetric efficiency

rendez-vous *m* : appointment; (astron) rendez-vous

rendre: to give back, to return; (production) to yield
~ **étanche**: to make watertight

~ **inactif**: to inactivate
~ **indéchiffrable**: to scramble (a message)
~ **mat**: to flatten (paint)
~ **rugueux**: to roughen

rendu *m* : (marchandises) return; (reproduction) rendering; *adj* : delivered [free]
~ **à bord**: delivered on board
~ **chantier**: delivered free on site
~ **des couleurs**: colour rendering, reproduction of colours
~ **étanche à**: sealed against
~ **franco à bord**: [delivered] free on board
~ **radiométrique**: radiometric restitution
~ **usine**: free factory

renflement *m* : bulging, swelling

renflouage *m*, **renflouement** *m* : (d'un navire) refloating

renfoncement *m* : recess, cavity, indent; (défaut) dent; (graph) indent, indention, indentation
~ **inverse**: hanging indention

renforçateur *m* : (chim) booster; (phot) intensifier, intensifying agent
~ **de goût**: intensifier, enhancer

renforcé: (papier, carton) reinforced; (matériel) heavy duty; (contrôle) tightened

renforcement *m* : reinforcement, strengthening; (constr) bracing, stiffening; (contrôle) tightening; (phot) intensification
~ **du niveau de signal**: signal enhancement

renforcer: to reinforce, to strengthen; (constr) to brace, to stiffen; (la puissance) to beef up (equipment)

renfort *m* : (mil) reinforcement; stiffener, strengthening piece
~ **de tenon**: tusk, haunch
de ~: booster, extra, additional

reniflard *m* : vent pipe, breather pipe, breather valve, breather, air valve, air vent, snifter valve, vent
~ **de carter**: crankcase breather

renouvelable: renewable (energy)

renouvellement *m* : change, replacement, renewal

~ **d'air**: (clim) air change

rénovation *f* : renovation, modernization, restoration
~ **urbaine**: urban renewal

renseignement *m* : item of information, piece of information; ~**s**: information; (mil) intelligence

rentabilité *f* : profitability, economics

rentable: profitable, cost effective, economical

rentrage *m* : (tissage) draw, drawing in

rentrant: retractable; (angle) reflex, reentrant

rentré *m* : (graph) indent; *adj* : retracted

rentrée *f* : return; retraction; (après vacances) re-opening, restart; (astron) re-entry
~ **atmosphérique**: re-entry into the atmosphere
~ **d'un pilier**: tumbling in, tumbling home
~ **dans la marge**: (graph) hanging indent
~ **des murailles**: (d'un navire) tumble home, tumbling home
~ **du train d'atterrissage**: landing gear retraction

renversé: inverse, inverted; (de base en haut) upside down

renversement *m* : inversion; turning upside down, overturning; (de mouvement) reversal, reversing
~ **d'aérage**: (mine) reversal of ventilation
~ **de la marée**: turn of the tide
~ **de la charge**: load reversal
~ **de polarité**: reversal of polarity

renverser: to invert; to turn upside down, to overturn; (la marche, le courant) to reverse; (un liquide) to upset, to spill; **se** ~: to tip over, to turn over

renvidage *m* : (filature) winding motion, winding on (of cops)
~ **croisé**: criss-cross winding

renvider: (filature) to wind on (rove on bobbin)

renvideur *m* : mule frame

renvoi *m* : (de marchandises) return, sending back; (de personnel) dismissal; (dans un texte) cross reference
~ **automatique d'appel**: (tél) call forwarding
~ **d'angle**: angular gear, bevel gear
~ **d'angle à arbres perpendiculaires**: right-angle drive gear unit
~ **d'huile**: oil deflector, oil thrower
~ **d'organigramme**: connector, connection box
~ **de couplage**: coupling bellcrank
~ **de mouvement**: countergearing, counter motion
~ **de page**: page out
~ **de sonnette**: bell crank
~**s**: countershafting
de ~: return, guide, idler (pulley); tail (conveyor station)

renvoyer: (des marchandises) to send back, to return; (du personnel) to dismiss; (un son, la lumière) to reflect
~ **à une date ultérieure**: to postpone
~ **le mouvement**: (méc) to counter the motion

réoxygénation *f* : (eau) reaeration

REP → **réacteur à eau pressurisée**

répandeuse *f* : spreader

répandre: (étaler) to spread; (un liquide) to spill

réparateur *m* : repairer, service engineer
~ **en carrosserie**: panel beater
~~**-mécanicien**: motor mechanic

réparation *f* : repair; (de machine) service, servicing
~ **courante**: routine repair
~ **d'un mésappariement de bases**: (gg/bm) mismatch repair
~ **de carrosserie**: panel beating
~ **de fortune**: makeshift repair
~ **de l'ADN**: DNA repair
~ **et entretien**: repair and maintenance
~ **fidèle de l'ADN**: DNA error-free repair
~ **improvisée**: emergency repair
~ **infidèle de l'ADN**: DNA error-prone repair
~ **mutagène de l'ADN**: DNA mutagenic repair
~ **par recombinaison**: recombination repair
~ **provisoire**: temporary repair
en ~: under repair

réparer: to repair, to mend, to service, to fix [up]

répartir: (étaler) to spread; (des charges) to distribute; (diviser) to apportion, to allot, to distribute
~ **en zones**: to zone

répartiteur *m* : (tél) distributing frame
~ **à sorties multiples**: splitter
~ **d'entrée**: main [distribution] frame
~ **de charge**: load dispatcher
~ **intermédiaire**: intermediate distribution frame
~ **manuel**: patchboard, patch panel
~ **mixte**: combined distribution frame
~ **principal**: main [distribution] frame

répartition *f* : distribution
~ **de la charge**: load distribution; load sharing
~ **des forces**: stress distribution
~ **des frais**: cost allocation
~ **des groupes**: group allocation
~ **du trafic**: (él) load distribution
~ **granulométrique**: particle size distribution
~ **par grosseur**: size consist
~ **par sources**: (de l'énergie) energy mix
~ **spectrale**: spectral distribution

repasser: (une lame) to sharpen, to whet; (une bande) to playback, to replay; (un programme) to rerun
~ **la main (à)**: to return control (to)
faire ~ **des produits**: (sur une machine) to pass back

repêchage *m* : (forage) fishing, grappling

repérage *m* : (d'un endroit, d'une panne) locating, localization; (sur une pièce) marking; (de pièces entre elles) setting, lining up; (graph) register
~ **au radar**: radar locating, radar positioning
~ **couleur**: colour coding
~ **de l'objectif**: target acquisition
~ **des bornes**: terminal marking
~ **des câbles**: cable localizing
~ **par les lueurs**: flash ranging
~ **photoélectrique**: photoelectric detection
~ **ponctuel**: pinpointing

repère *m* : mark, guide mark, line-up mark, adjustment mark; (sur plan) item number
~ **d'assemblage**: assembly mark
~ **de calage**: setting mark
~ **de crue**: flood level mark
~ **de fichier**: file mark

~ **de fin**: (inf) trailer label
~ **de montage**: assembly mark, line-up mark
~ **de nivellement**: bench mark
~ **de réglage de l'allumage**: timing mark
~ **lumineux**: [light] spot
~ **terrestre**: landmark
~ **topographique**: bench mark, landmark

érer: to mark, to locate (from a mark), to set (by guide marks, by reference marks); (graph) to register; to identify, to locate
~ **depuis**: to mark off

ertoire *m* : directory; index, list
~ **à onglets**: thumb index
~ **central**: (inf) root directory
~ **des fichiers**: file directory

éteur *m* : repeater
~ **à courant porteur**: carrier repeater
~ **d'extrémité**: (de ligne) terminal repeater
~ **de ligne**: intermediate repeater
~ **de station principale**: main repeater
~ **immergé**: submerged repeater
~ **optique**: (f.o.) optical repeater
~-**régénérateur** ▶ RR: regenerative repeater
~ **sous-marin**: submerged repeater
~ **terminal**: terminal repeater

étiteur *m* : (instrument) repeater, indicator
~ **d'angle de barre**: (mar) helm indicator, rudder-angle indicator

étition *f* : repetition, recurrence; (gg/bm) repeat sequence
~ **directe**: direct repeat sequence, DR sequence
~ **inversée**: inverted repeat sequence, IR sequence
~ **terminale longue**: long terminal repeat

iquage *m* : (graph) overprinting; (phot) spotting; (tv) re-recording; (construction routière) paving repair; (bio) subculture, subculturing; (bot) planting out, pricking out

lanifier: to reschedule
~ **vers l'amont**: to reschedule in
~ **vers l'aval**: to reschedule out

li *m* : crease, fold; (fonderie) cold lap; (tôlerie) welt
~ **de laminage**: rolling lap

réplication *f* : (gg/bm) replication
~ **de l'ADN**: replication of DNA, DNA replication
~ **non régulée**: relaxed replication control
~ **semi-conservatrice**: semiconservative replication

réplicombinase *f* : replicombinase

réplicon *m* : replicon

repliement *m* : (mil, mine) withdrawal
~ **du chantier**: clearance of building site

réplique *f* : (gg/bm) replica

repliure *f* : (de laminage) lap

répondeur *m* : (tél) [telephone] answering machine
~-**enregistreur**: answering-and-recording equipment
~ **téléphonique**: answerer, [telephone] answering machine
~ **vocal**: audio response unit

répondre: to answer, to reply; (tcm) to answer; (réagir) to respond

réponse *f* : answer, reply; (réaction) response
~ **automatique**: (tcm) automatic answerback
~ **constante**: flat response
~ **en bande de base**: baseband response
~ **en fréquence**: frequency response
~ **en phase**: phase response
~ **immunitaire**: immune response
~ **impulsionnelle**: pulse response
~ **linéaire à amplitude constante**: flat-amplitude response
~ **mains libres**: automatic answerback
~ **uniforme**: flat response

report *m* : (comptabilité) carry forward, amount carried forward; (inf) carry; (de force, de charge) transfer; (sur graphique) plotting
~ **avec regard en avant**: carry lookahead
~ **circulaire**: end-around carry
~ **de la charge**: load transfer
~ **en boucle**: end-around carry
~ **en cascade**: ripple-through carry, cascaded carry
~ **négatif circulaire**: end-around borrow
~ **photographique**: phototransfer

reporter: (comptabilité) to carry forward; (transférer) to transfer
~ **à plus tard**: to postpone
~ **une force**: to transmit a force

repos *m* : rest; rest position, neutral position, off position; (escalier) landing
~ **de poutre**: beam pocket
au ~: at rest, non-operated

repose *f* : fitting, remounting

repoussage *m* : chasing
~ **au tour**: spinning, floturning

repousser: (le courant, l'encre, l'eau) to repel; (métal) to beat out
~ **au tour**: to spin

reprendre: to take back; (le travail) to resume, to start again; (une charge) to take up (a load); (usinage) to rework
~ **au stock**: to withdraw from stock
~ **au tas**: to reclaim
~ **en sous-œuvre**: to underpin

représentation *f* : representation
~ **de caractères**: character representation
~ **de la connaissance**: (IA) knowledge representation
~ **discrète**: discrete representation

répresseur *m* : (bio) repressor

reprise *f* : taking back; (au stock) withdrawal (from stock); (du jeu) take up; (de coulée) cold lap; (inf) rerun, rerun point, restart; (autom) pick-up, acceleration; (usinage) second operation, rework; (à la vente) buy back, trade-in; (circuit de climatisation) return (of air)
~ **à chaud**: warm restart
~ **à froid**: (inf) hard restart
~ **à l'envers**: (sdge) sealing run, backing run
~ **après coupure de l'alimentation**: (inf) power-fail recovery
~ **au tas**: reclaiming from stock pile
~ **automatique**: (inf) warm restart
~ **d'humidité**: moisture regain
~ **d'une pièce**: (à l'usinage) rework
~ **de bétonnage**: construction joint
~ **des piliers**: (mine) drawing back the pillars
~ **élastique**: elastic recovery
~ **en sous-œuvre**: underpinning
~ **sur erreur**: (inf) error recovery
~ **sur incident**: (inf) failure recovery

reproducteur *m* : breeding animal, breeeder; *adj* : reproductive

reproduction *f* : reproduction; (par bande) playback; (usinage) profiling (de documents) reproduction, duplition; (imitation) copy; (élevage) breeding; (bio) multiplication
~ **asexuée**: asexual reproduction
~ **interdite**: all rights reserved
~ **par rétrocroisement**: back breed
~ **sexuée**: sexual reproduction
~ **sonore**: sound reproduction
~ **végétative**: vegetative reproducti

reproduire: to reproduce, to copy; (rep graphie) to reproduce, to duplicate

reprographie *f* : reprographics, reprog raphy

requin *m* : shark

RER → **réseau express régional**

réseau *m* : network, system; (tcm) network, net; (él) mains; (d'antenne array; (opt, spectrographie) grating; (cristal) lattice
~ **à commutation automatique**: automatic-switching network
~ **à déphasage**: phase-shift networ
~ **à grande distance**: wide-area network
~ **à neutre à la terre**: earthed-neut system
~ **à neutre isolé**: isolated-neutral system, grounded-neutral system
~ **à valeur ajoutée ► RVA**: value-added network
~ **accessible au public**: open netw
~ **adaptateur**: matching network
~ **additionneur**: summing network
~ **aérien**: (él, tél) aerial network, overhead network, overhead syster (aéro) airline network
~ **arborescent**: branch line system, (inf) tree network
~ **bancaire**: banking network
~ **bouclé**: (él) ringed network, ring [main] system
~ **cible**: target system
~ **conformateur**: signal-shaping network
~ **cristallin**: crystal lattice, space lattice
~ **cubique à faces centrées**: face-centred cubic lattice
~ **cubique centré**: body-centred cu lattice
~ **d'adduction d'eau**: water supply system

~ **d'adaptation**: matching network
~ **d'antennes**: aerial array GB, antenna array NA
~ **d'assainissement**: sewer system
~ **d'égouts**: sewer network, sewer system
~ **d'énergie électrique**: power grid
~ **d'équilibrage**: balancing network, balance
~ **d'incendie à eau sous pression**: wet pipe system
~ **d'irrigation avec eaux de crues**: inundation irrigation system
~ **d'irrigation par aspersion**: sprinkler irrigation system
~ **de base**: backbone network
~ **de bord**: (mar) ship system; (aéro) aircraft system
~ **de câbles**: cable system
~ **de collecte**: collecting systems GB, gathering system NA
~ **de commutation par paquets**: packet-switching network
~ **de contraintes**: shear pattern
~ **de diffraction**: diffraction grating
~ **de distribution**: (él) grid [network], distribution grid; (vente) distribution network
~ **de distribution d'électricité**: electricity grid
~ **de lignes aériennes**: aerial network
~ **de téléconduite**: telecontrol configuration
~ **de transmission**: communication network
~ **de transport**: transport network, transport system; (él) transmission grid, grid system
~ **déphaseur**: phase-changing network, phase-shift network
~ **dipole**: two-terminal network
~ **dorsal**: (inf) backbone network, bearer network
~ **électrique**: mains
~ **en anneau**: ring network
~ **en boucle**: loop network; (télécommande) multipoint ring configuration
~ **en delta**: delta network
~ **en échelle[s]**: ladder network
~ **en étoile**: star network; (télécommande) multiple point-to-point configuration
~ **en pi**: pi network
~ **en treillis**: lattice network
~ **équilibreur**: balance
~ **express régional ▶ RER**: regional express railroad
~ **ferré**: trackage
~ **ferroviaire**: rail network
~ **fluvial**: river system
~ **fondamental**: basic network
~ **gravitaire**: (adduction) gravity system

~ **informatique**: information network
~ **interurbain**: intertoll network
~ **local**: local area network
~ **local domestique ▶ RLD**: home area network
~ **local restreint**: small area network
~ **logique**: logic array
~ **logique programmable par l'utilisateur**: field-programmable logic array
~ **maillé**: mesh[ed] network, mesh[ed] system, grid network, grid system, lattice network
~ **mixte**: combined network
~ **modérateur**: moderator lattice
~ **national**: (él) national grid
~ **non maillé**: tree [system]
~ **numérique intégré ▶ RNI**: integrated digital network
~ **ouvert**: open network
~ **passe-tout**: allpass network
~ **ponté**: bridge network
~ **public commuté**: public switched network
~ **public de [transmission de données]**: public data network
~ **ramifié**: branch system, arterial system
~ **routier**: road network, road system
~ **sans connexion**: connectionless network
~ **séparatif**: separate sewer[age] system
~ **sommateur**: summing network
~ **spécialisé**: dedicated network
~ **téléphonique commuté ▶ RTC**: switched telephone network
~ **unitaire**: combined sewer[age] system

réserve f : reserve; (grap, teinture) resist;
→ aussi **réserves**
~ **anti-acide**: acid resist
~ **colloïdale**: colloid resist
~ **de puissance**: reserve power
~ **génétique**: genetic reserve
~ **semi-active**: warm standby
~ **tournante**: (él) spinning reserve
de ~: backup, standby

réserves f : reserves
~ **certaines**: proven reserves
~ **prospectées**: explored reserves

réservoir m : (récipient) tank; (hydr) reservoir, (with dam) artificial lake
~ **à ciel ouvert**: open-air reservoir
~ **à dépression**: vacuum tank
~ **à essence**: petrol tank GB, gas tank NA
~ **à surface libre**: open tank
~ **à toit bombé**: dome-roof tank
~ **amortisseur**: surge tank, dampener

~ **compensateur**: balance reservoir
~ **d'air**: air vessel; (de compresseur) air receiver
~ **d'alimentation**: feed tank, supply tank
~ **d'égalisation de pression**: surge tank
~ **d'emmagasinage**: storage tank, accumulator tank
~ **d'équilibre**: balancing reservoir, equalizing reservoir
~ **d'expansion**: surge tank
~ **de carburant**: fuel tank
~ **de charge**: working tank
~ **de chasse [d'eau]**: cistern, flush tank
~ **de compensation [de pression]**: surge tank
~ **de décompression**: blowdown tank
~ **de détente**: blow-off tank, let-down vessel
~ **de produits chimiques**: (traitement de l'eau) chemical tank
~ **de recette**: receiving tank, rundown tank
~ **de régularisation**: detention reservoir, regulating reservoir
~ **de réserve**: reserve tank
~ **de retenue**: impounding reservoir
~ **de secours**: auxiliary tank
~ **de stockage**: storage tank
~ **de vapeur**: (de chaudière) steam drum
~ **en bout d'aile**: wing-tip tank, tip tank
~ **en charge**: working tank, header tank, gravity [feed] tank
~ **enterré**: underground tank; underground reservoir
~ **incorporé**: built-in tank
~ **intermédiaire**: surge tank
~ **jaugeur**: measuring tank
~ **largable**: jettison tank
~ **souple**: bladder tank, flexible tank
~ **sous pression**: pressure tank
~ **souterrain**: underground reservoir
~ **structural**: integral tank
~ **supérieur**: (autom) header tank
~ **tampon**: floating tank, surge tank

résidu *m* : residue, residuum; (déchets) waste; → aussi **résidus**
~ **anodique**: (galvanoplastie) anode scrap
~ **au fond du réservoir**: tank bottoms
~ **au rouge**: (analyse de l'eau) fixed solids
~ **court**: short residue
~ **de distillation poussée**: short residue
~ **fixe**: fixed solids

résidus: (de distillation) tailings; [tower] bottoms
~ **après calcination**: fixed solids
~ **de dégrillage**: (eau) screenings
~ **de distillation du pétrole brut**: crude bottoms
~ **agricoles**: agricultural waste
~ **d'extraction minière**: mine tailings
~ **de calcination**: calx
~ **de stockage**: tank bottoms

résilience *f* : resilience; (non fragilité d'un métal) toughness
~ **au choc**: impact resistance, impact strength, impact value
~ **d'une éprouvette entaillée**: notch toughness
~ **en flexion**: impact bending strength

résine *f* : resin
~ **acétal**: acetal resin
~ **acétonique**: acetone resin
~ **aldéhydique**: aldehyde resin
~ **alkyde**: alkyd resin
~ **aminique**: amino resin
~ **carboxylique**: carboxylic resin
~ **cétonique**: ketone resin
~-**ciment**: resin cement
~ **coumaronique**: cumar gum
~ **de coulée**: casting resin
~ **de lignine**: lignin resin
~ **de mélamine**: melamine resin
~ **de polyester non saturé**: unsaturated polyester resin
~ **de polyuréthane**: polyurethane resin
~ **échangeuse d'ions**: ion-exchange resin
~ **époxy[de]**: epoxy resin
~-**gomme**: gum resin
~ **mélamine-formaldéhyde**: melamine-formaldehyde resin
~ **naturelle**: gum resin
~ **oléosoluble**: oil-soluble resin
~ **phénol-formol ▶ RPF**: phenolformaldehyde resin
~ **phénolique**: phenolic resin
~ **polyester**: polyester resin
~ **polyvinylique**: polyvinyl resin
~ **silicone**: silicone resin
~ **stratifiés**: layup resin
~ **thermodurcissable**: heat-setting resin, thermosetting resin
~ **urée-formaldéhyde**: ureaformaldehyde resin
~ **vinylique**: vinyl resin
~ **xylénique**: xylenol resin

résistance *f* : (él) resistance, resistor; (méc, phys) strength; (mécanique de fluides) drag
~ **à admettre**: design strength

~ **à curseur**: sliding-contact resistor
~ **à l'arrachage**: (pap) resistance to picking
~ **à l'arrachement**: pullout strength
~ **à l'avancement**: (aéro) head resistance; (aéro, mar) drag
~ **à l'éclatement**: burst resistance, bursting strength
~ **à l'écoulement**: flow resistance
~ **à l'écrasement**: crushing strength; (hydr) collapse resistance
~ **à l'état humide**: wet strength
~ **à l'état mouillé**: wet strength
~ **à l'usure**: wear resistance
~ **à plots**: step-by-step resistor
~ **à queue de cochon**: pigtail resistor
~ **à sec**: dry strength
~ **à un solvant**: solvent resistance
~ **agglomérée**: composite resistor
~ **à la corrosion**: corrosion resistance
~ **à la déchirure**: tear strength
~ **à la fatigue**: fatigue strength
~ **à la fatigue en compression**: compression fatigue strength
~ **à la fissuration**: cracking resistance
~ **à la flamme**: flame retardation
~ **à la flexion**: bending strength GB, flexural strength NA
~ **à la grille**: grid resistance
~ **à la lumière**: light fastness
~ **à la perforation**: puncture strength
~ **à la rupture**: breaking strength, ultimate strength
~ **à la rupture transversale**: (caoutchouc) cross-breaking: strength
~ **à la séparation**: cohesion strength
~ **à la torsion**: torsional strength
~ **à la traction**: tensile strength
~ **à la traction de barreaux entaillés**: notch tensile strength
~ **anodique**: anode resistance GB, plate resistance NA
~ **atmosphérique**: air resistance
~ **au battage**: (d'un pieu) penetration resistance
~ **au choc**: impact resistance, impact strength, toughness
~ **au cisaillement**: shear strength
~ **au claquage**: (él) puncture strength
~ **au délaminage**: (plast) interlaminate strength
~ **au feu**: fire resistance; refractoriness
~ **au flambage**: buckling strength
~ **au fluage**: creep strength
~ **au frottement**: abrasion resistance; (carton, papier, enduit) scuff resistance
~ **au glissement**: sliding friction
~ **au mouvement**: stiffness (of a mechanism)
~ **au poinçonnement**: punching strength

~ **au rayonnement**: radiation hardness
~ **au roulement**: rolling resistance, rolling friction
~ **aux acides**: acid resistance
~ **aux bornes**: terminal resistance
~ **aux courts-circuits**: short-circuit strength
~ **aux solvants**: solvent resistance
~ **ballast**: ballast resistor
~ **bobinée**: wire-wound resistor
~ **boudinée**: spiral resistor
~ **chutrice**: pulldown resistor
~ **commutatrice**: load-shifting resistor
~ **compensatrice**: balancing resistance
~ **coupée**: open resistor
~ **d'accrochage**: bond strength
~ **d'étouffement**: quench resistance
~ **d'isolement**: (d'un diélectrique) insulating strength
~ **d'un appareil de chauffage**: [heating] element
~ **de frottement**: frictional resistance
~ **de chauffage**: heating resistor
~ **de fuite**: leakage resistance, bleeder [resistor]
~ **de fuite de grille**: grid leak resistor, grid resistor
~ **de masse**: earthing resistance GB, grounding resistance NA
~ **de plaque**: anode resistance GB, plate resistance NA
~ **de polarisation de grille**: grid-bias resistor
~ **de terre**: earth[ing] resistance GB, ground[ing] resistance NA
~ **décapée**: etched resistor
~ **déposée**: deposited resistor
~ **du tranchant**: (d'un couteau) edge-holding property
~ **du vent**: wind drag
~ **dynamique**: dynamic strength
~ **en court-circuit**: short-circuit resistance
~ **en dérivation**: bleeder resistor, shunt resistor
~ **en épingle à cheveux**: pin resistor
~ **en fatigue**: fatigue strength
~ **en série**: series resistor
~ **enrobée**: coated resistor
~ **envisagée**: design strength
~ **équivalente de bruit**: noise equivalent resistance
~ **étalon**: reference resistor
~ **fractionnée**: split resistor
~ **graduelle**: step-by-step resistance
~ **hydraulique**: flow resistance
~ **interne**: (d'un tube électronique) anode resistance GB, plate resistance NA
~ **mécanique**: mechanical strength

~ **naturelle**: inherent strength
~ **non linéaire** ▶ **RNL**: non-linear resistance
~ **obtenue par évaporation**: evaporated resistor
~ **pelliculaire**: film resistor
~ **régulatrice**: ballast resistor, bleeder resistor
~ **série**: series resistor
~ **variable**: variable resistance; varistor
~ **vive**: resilience

résistant: strong, tough, resistant
~ **à l'humidité**: moisture-proof
~ **à l'usure**: hard-wearing, resistant to wear
~ **à la flamme**: fire retardant
~ **à la chaleur**: heat resistant, heatproof
~ **à la lumière**: light-proof
~ **au claquage**: puncture-proof
~ **au vieillissement**: non-ageing
~ **aux acides**: acid-proof, acid resistant
~ **aux intempéries**: weatherproof
~ **aux maculations**: mar resistant
~ **aux tremblements de terre**: quake-proof

résister (à): to resist, to withstand
~ **à un effort**: to take a stress
~ **aux chocs**: to absord shockloads

résolution *f* : (maths, chim, phot) resolution
~ **d'un cointégrat**: (gg/bm) cointe-grate resolution
~ **des conflits**: (IA) conflict resolution
~ **en énergie**: energy resolution
~ **en vapeur**: resolution into steam

résonance *f* : resonance
~ **d'amplitude**: amplitude resonance
~ **magnétique nucléaire** ▶ **RMN**: nuclear magnetic resonance
~ **paramagnétique électronique** ▶ **RPE**: electron paramagnetic resonance
~ **propre**: natural resonance

résonateur *m* : cavity, resonator
~ **à couplage optique**: optically-coupled cavity
~ **d'échos**: echo box

résorcine *f* : resorcin[e], resorcinol

résorcinol *m* : resorcin[e], resorcinol

respiration *f* : breathing (of transformer, of tank)

responsabilité *f* : liability (for defects)
~ **produit**: product liability

responsable *m* : (d'un service) manager; *adj* : liable
~ **de la sécurité**: safety officer
~ **des contrôles**: chief inspector

ressaut *m* : (arch) projection, offset, setoff; (méc) shoulder, swell (of cam)
~ **hydraulique**: (de retenue, de canal) jump

resserrement *m* : contracting, constriction, narrowing

ressort *m* : spring
~ **à air comprimé**: pneumatic spring
~ **à boudin**: helical spring, spiral spring, coil spring
~ **à déclic**: catch spring
~ **à flexiblité constante**: single-rate spring
~ **à lames**: laminated spring, leaf spring
~ **à pincette**: hairpin spring
~ **à volute**: conical spring, volute spring
~ **acier-caoutchouc**: steel-rubber spring
~ **amortisseur**: buffer spring, shock-absorbing spring
~ **annulaire**: garter spring
~ **antagoniste**: opposing spring, antagonistic spring
~ **anti-bruit**: anti-rattle spring
~ **bague**: spring ring, spring collar
~ **compensateur**: compensating spring, equalizer spring
~ **contacteur**: make spring
~ **cruciforme**: cross spring
~ **d'arrêt**: check spring, retaining spring
~ **d'enclenchement**: click spring
~ **d'interruption**: break spring
~ **de choc**: buffer spring
~ **de contact**: contact spring, make spring
~ **de desserrage**: release spring
~ **de détente**: release spring
~ **de liaison**: connecting spring
~ **de maintien**: retaining spring
~ **de rappel**: release spring, retracting spring, return spring, opposing spring, pull-off spring, pull-back spring, restoring spring
~ **de rattrapage du jeu**: backlash spring, take-up spring
~ **de recul**: recoil spring
~ **de retenue**: retaining spring
~ **de tension**: tension spring
~ **de traction**: draw spring, pull spring

~ en épingle à cheveux: hairpin spring
~ en spirale: coil spring, helical spring, spiral spring
~ en spirale conique: conical spring, volute spring
~ faible: light spring
~ feuilleté: laminated spring, leaf spring
~ hélicoïdal: helical spring, coil spring, spiral spring
~ hydraulique: oil spring
~ lyre: spring clip
~ mobile: moving spring
~ moteur: actuating spring
~ pneumatique: air spring
~ progressif: graduating spring
~ spirale: spiral spring, helical spring, coil spring
~ spirale plat: flat spiral spring
~ suspendu sous essieu: underslung spring
~ travaillant à la traction: tension spring
à ~: spring-loaded, spring-actuated, snap-action
à ~s: (autom) sprung (suspension)
sans ~s: (autom) unsprung (suspension)

ressource *f* : resource
~ consommable: consumable resource
~ réutilisable: (d'énérgie) reusable resource
~s hydriques: water ressources
~s terrestres: earth resources

ressuage *m* : (métall) sweat; (béton) bleed[ing]; (plast) exudation; (peinture) strike through; (essai) penetrant testing
~ fluorescent: fluorescent penetrant inspection

ressuyage *m* : (drainage) drying

restauration *f* : restoring, restoration; restaurant industry, catering; (des données) recovery
~ d'une façade: facelift
~ rapide: fast food

restaurer: (un fichier) to restore, to undelete

reste *m* : remainder, rest; residue

restituer: (inf) to undelete; to unscramble (a message)

restituteur *m* : plotting machine, plotting instrument, plotter

restitution *f* : (topogr) plotting
~ de données: data retrieval

restriction *f* : (gg/bm) restriction
~ enzymatique: enzyme restriction

résultante *f* : (maths) resultant

résultat *m* : result, effect; **~s**: (d'une analyse, d'une enquête) data; (d'un traitement informatique) output data
~ atteint: performance
~ déformé: biased result
~ final: net result
~ influencé: biased result
~ obtenu: performance

résumé *m* : summary, abstract

résumer: to sum up, to summarize, to abstract

resurchauffe *f* : (turbine) re-superheating

rétablir: (le courant, les communications) to restore; **se ~**: (aéro) to straighten out, to pull out (of a dive)
~ l'alimentation: to restore supply
~ le niveau: to top up

rétablissement *m* : (él) recovery; (aéro) pullout

retard *m* : delay, time lag
~ à l'admission: admission lag, retarded admission
~ à l'allumage: retarded ignition, late ignition
~ à la fermeture: (de l'admission) late cutoff; (él) making delay, closing delay
~ angulaire: angle of lag
~ d'allumage: late spark
~ de clivage: (gg/bm) cleavage delay
~ de fabrication: backlog
~ de phase: phase lag, phase delay
~ dépendant: inverse time lag
~ indépendant: definite time lag
~ inverse: inverse timelag
~ linéaire: first order lag, linear lag
en ~: late; lagging; (horloge) slow
être en ~ de phase: to lag in phase

retardateur *m* : (chim, nucl); *adj* : retarding, delaying
~ de développement: (phot) development restrainer
~ de prise: (ciment) cement-setting retarder

retardement *m* : time lag, delayed action
à ~: (bombe, fusible) delayed-action

retarder: to delay, to retard, to lag;
(horloge) to lose time, to be slow

retassure *f* : (métall) shrink[age] cavity,
contraction cavity, shrink hole
~ **en forme de canal:** pipe [hole]
~ **ouverte:** sink [hole]

retenir: to keep, to retain, to hold back
~ **l'eau:** (hydro) to impound water

retenue *f* : (maths) carry [over]; (inf)
borrow
~ **d'eau:** artificial lake, réservoir,
impounded water
~ **en cascade:** cascaded carry
de ~: (clapet, soupape) check, non-
return; (mur) retaining

réticoleucyte *m* : reticoleucyte

réticulation *f* : cross linking, reticulation

réticule *m* : cross wires, cross hairs,
graticule

réticulé: reticulate[d], reticular; (polymère) cross-linked; (bot) cancellate[d],
cancellous

réticulum *m* : reticulum
~ **endoplasmique:** endoplasmic
reticulum

retirage *m* : (graph) reprint

retiration *f* : (graph) perfecting, backing
up

retirer: to remove, to withdraw, to take
out
~ **d'une file d'attente:** to dequeue
~ **de service:** to deinstall
~ **progressivement:** to phase out

retombée *f* : (conséquence) repercus-
sion; (d'un relais) drop-out; (d'une
voûte) springing
~ **radioactive:** [radioactive] fallout
~ **technologique:** spinoff

retordage *m* : (filature) doubling, twisting

retordeur *m* : doubler, twister (operator)

retordoir *m* : doubling frame, twister
(machine)
~ **à anneaux:** ring twister

retors *m* : twisted yarn; *adj* : twisted
~ **flammé:** flake twist
~ **simple:** doubled

retouche *f* : slight alteration; (peinture,
finition) touching up; (graph, phot)
retouching

retour *m* : return; (mouvement) return
motion, back motion; → aussi **retours**
~ **à la ligne:** new line; (traitement de
texte) word wrap, wraparound; (imprimante) line feed
~ **à la ligne automatique:** soft return
~ **à la masse:** earth connection GB,
ground connection NA
~ **à vide:** (transport) empty return;
(machine) idle return
~ **à zéro:** return to zero
~ **arrière:** (dactylographie) backspace;
(IA) backtracking
~ **au repos:** (d'un sélecteur) homing
~ **automatique:** (d'un instrument)
automatic reset
~ **d'allumage:** arc-back, backfire
~ **d'appel:** (tél) ring back
~ **d'arc:** arc-back, back arcing
~ **d'eau:** (lavage de filtre) backwash
~ **dans l'atmosphère:** (astron) reentry
~ **de chariot:** carriage return
~ **de courant:** reverse current
~ **de flamme:** flashback
~ **de fluide:** backflow
~ **de manivelle:** kickback
~ **de spot:** kickback, flyback, retrace
~ **en arrière:** kickback
~ **horizontal:** (du spot) line flyback
~ **par la terre:** earth return GB, ground
return NA
~ **par la masse:** earth return GB,
ground return NA
~ **sur terre:** (astron) reentry
~ **vertical:** (du spot) vertical retrace
de ~: (transmission par courroie)
return, tail (pulley); (transport) home,
homeward
en ~: (arch) on the return
en ~ d'équerre: at right angles

retourner: to return; to turn over

retours *m* : (écoulement en retour)
backflows
~ **de fabrication:** scrap returns, works
scrap (for re-use)

retrait *m* : removal, withdrawal;
shrinkage, contraction; (dans une
surface) recess
~ **au moulage:** moulding shrinkage
~ **au séchage:** drying shrinkage
~ **de cuisson:** firing shrinkage

~ **ultérieur**: aftershrinkage
en ~: recessed, sunk, set back (from);
(graph) indented (line)

retraiter: to reprocess, to rework

retransmettre: to rebroadcast, to
retransmit

rétréci: shrunk, contracted, narrow

rétrécir: to shrink, to contract

rétrécissement *m* : constriction, narrowing, contracting; (tissu) shrinking

rétreint *m* : contraction of area, narrowing, tapering; (de chambre de
combustion) throat

rétreinte *f* : contraction of area,
narrowing, tapering
~ **à froid**: (métall) cold reduction

rétroaction *f* : [positive] feedback

rétrochargeuse *f* : back loader

rétrocroisement *m* : backcross

rétrodiffusion *f* : backscatter[ing]
~ **bêta**: beta backscatter

rétrodonation *f* : back donation

rétrofusée *f* : retrorocket

rétrogradation *f* : (autom) changing
down GB, downshift NA; (bio)
retrogradation

rétrograder: to change down GB, to
downshift, to shift down NA

rétroprojecteur *m* : overhead projector

rétroréfléchissant: retro-reflective

rétrorégulation *f* : (gg/bm) retrore-
gulation, feedback regulation
~ **de la traduction**: translational
feedback regulation

rétrotechnique *f* : reverse engineering

rétrotransposon *m* : retrotransposon

rétrovirus *m* : retrovirus

rétroviseur *m* : (autom) rear mirror
~ **extérieur**: wing mirror

~ **jour et nuit**: anti-dazzle mirror,
dipping mirror

réunion *f* : meeting
~ **d'affaires**: business meeting
~ **de chantier**: site meeting

réunisseur *m* : (filature) lap doubler

réunisseuse *f* : doubling frame, doubler
~ **de rubans**: (d'étirage, de carde)
sliver lap machine, sliver lapper

réusiner: to rework

révélateur *m* : (chim) indicator; (phot)
developer

revendeur *m* : dealer, merchant

revendication *f* : (d'un brevet) claim

revenu *m* : (métall) tempering
~ **à bain d'huile**: oil temper
~ **de détente**: stress relief tempering
~ **élastique**: elastic recovery

réverbérant: reverberant, reverberative

réverbération *f* : (lumière, chaleur)
reverberation, reflection; (son) echo
sound

revers *m* : reverse side, back

réversion *f* : (bio) reversion
~ **vraie**: back mutation

révertant *m* : reverse mutant, revertant

revêtement *m* : coat, coating; (intérieur,
extérieur) facing; (intérieur) lining;
(aéro, constr) skin; (de canalisation)
wrapping; (électrolytique) deposit;
(gainage) sheathing; (de câble)
serving
~ **anti-adhésif**: non-stick finish
(saucepan)
~ **au pistolet à flamme**: flame-spray
coating
~ **au rouleau**: roll coating
~ **au trempé**: dip coating
~ **bicouche**: double coating
~ **bitumineux**: (de chaussée) blacktop
~ **calorifuge**: lagging
~ **chimique**: (galvanoplastie)
electroless plating, chemical plating
~ **d'extrados**: (aéro) wing top skin
~ **d'intrados**: (aéro) wing bottom skin
~ **de briques**: (constr) brick veneer
~ **de jute**: jute serving (of cable)
~ **de pont**: decking, deck covering

~ **de puits**: (mine) walling, shaft lining; (pétr) well casing
~ **de sol**: floor covering, flooring
~ **de sol coulé**: jointless flooring, seamless flooring
~ **de sol sans joint**: jointless flooring, seamless flooring
~ **de tunnel**: tunnel lining
~ **électrolytique**: plating
~ **électrolytique par immersion**: dip plating
~ **en bain fluidisé**: fluidized-bed coating
~ **en jute**: (de câble) burlap serving, jute serving; (de canalisation) burlap wrapping, jute wrapping
~ **en planches**: boarding
~ **en usine**: mill-applied coating
~ **extérieur**: outer skin, outer facing; (d'un câble) serving
~ **extrados**: wing top skin
~ **fin**: thin coating
~ **galvano-plastique**: electrodeposit coating
~ **hydrocarboné**: (de chaussée) bituminous layer, bituminous carpet, blacktop
~ **intérieur**: inner lining
~ **métallique**: cladding; (métall) metal coating
~ **multicouche**: (f.o.) composite [protective] coating, multiple coating, multilayer coating
~ **par métallisation**: sprayed coating
~ **par projection**: spray coating
~ **pelliculaire**: skin coat
~ **porteur**: (constr) stressed skin
~ **primaire**: (f.o.) primary coating, primary buffer
~ **protecteur**: protective coating
~ **réfractaire**: refractory lining
~ **rigide**: (de chaussée) rigid pavement
~ **simple**: (f.o.) single-layer coating
~ **routier**: road metal, road surfacing, topping
~ **secondaire**: (gainage) buffer coating, buffering
~ **souple**: (f.o.) soft coating; (routier) flexible pavement
~ **travaillant**: (constr) stressed skin

revêtir: to face, to coat; (intérieurement) to line; (une canalisation) to wrap

revêtu: coated, faced, lined; wrapped

révision *f* : review; (réparation) overhaul
~ **de prix**: (prévue dans contrat) price variation, price escalation
~ **du quatrième degré**: (aéro) major overhaul

~ **du troisième degré**: (aéro) minor overhaul
~ **générale**: complete overhaul
~ **mineure**: minor overhaul

révolution *f* : revolution, rev, rotation
de ~: revolving (surface)

revue *f* : (scientifique, technique) journal
~ **de presse**: press review
~ **professionnelle**: trade journal, trade paper

rez-de-chaussée ▶ **RC** *m* : groundfloor GB, first floor, street floor NA

Rh + → **Rhésus positif**

Rh− → **Rhésus négatif**

rhabdomancie *f* : dowsing

rhabillage *m* : (de meule) dressing

rhéoépaississement *m* : shear thickening

rhéomètre *m* : rheometer

rhéostat *m* : rheostat, variable resistor
~ **à commande par servo-moteur**: motor-controlled rheostat
~ **à curseur**: slider rheostat, slide-wire rheostat
~ **d'absorption**: load rheostat
~ **d'excitation**: field rheostat
~ **de chauffage**: filament rheostat
~ **de démarrage**: motor rheostat, starting rheostat

rhéotaxie *f* : rheotaxis

Rhésus, ~ négatif ▶ Rh−: Rhesus negative
~ **positif ▶ Rh +**: Rhesus positive

rhizobium *m* : rhizobium

rhodié: rhodium plated

rhum *m* : rum

rhumbatron *m* : rhumbatron

ria *f* : (géol) ria

riblons *m* : (métall) [iron] scrap, [steel] scrap

riboflavine *f* : rhiboflavin[e]

ribonucléase *f* : ribonuclease

ribonucléoprotéine ► RNP *f* : ribonu-
cleoprotein

ribose *m* : ribose

ribosome *m* : ribosome

richesse *f* : (d'un mélange) richness;
(d'un minerai) content; (isotopes)
abundance ratio

ricin *m* : castor-oil plant; castor bean

ricochet *m* : (de projectile) ricochet,
rebound

ridage *m* : (mar) tightening (of shrouds);
crinkling (of paint)

ride *f* : (défaut de surface) wrinkle; (géol)
fold, ripple

rideau *m* : curtain; (text) curtain GB,
drape NA
~ **d'air**: air curtain
~ **d'antennes**: aerial curtain, aerial
array, antenna array
~ **d'étanchéité**: (constr) cutoff
~ **d'incendie**: fire screen
~ **de fumée**: smoke screen
~ **de palplanches métalliques**: steel
sheet piling
~ **métallique**: roll-up door
~ **métallique à lames**: roller shutter

ridelle *f* : rack (on truck)
~ **de côté**: side rack

ridoir *m* : stretching screw

rigide: rigid, stiff; (essieu) fixed;
(système) inflexible

rigidité *f* : rigidity, stiffness; (d'un
système) inflexibility
~ **à la torsion**: torsional stiffness,
torsional rigidity
~ **cadavérique**: rigor mortis
~ **d'un joint**: joint strength
~ **de flexion**: flexural rigidity
~ **en torsion**: torsional rigidity,
torsional stiffness
~ **diélectrique**: dielectric strength,
electric strength
~ **magnétique**: magnetic rigidity

rigole *f* : ditch, channel; (lavage de
minerai) launder; (de chaussée)
channel GB, kennel NA
~ **d'assèchement**: drainage ditch,
drainage channel
~ **de chargement**: (mine) loading
trough

~ **de coulée**: pouring spout, launder,
runner
~ **de transport**: (mine) conveyor
trough

rigoureux: (conditions) exacting,
stringent; (climat) severe, rigorous

rinçage *m* : rinse, rinsing

rincer: to rinse; (méc) to flush

rinceur *m* : (pap) shower pipe

ringard *m* : poking bar, poker, clinkering
tool, clinker bar

ripage *m* : skidding, sliding along, shifting
(without lifting)

ripeur *m* : skid
~ **à câble**: rope skid

ris *m* : (mar) reef; (d'agneau, de veau)
sweetbread

risque *m* : hazard, risk; (assurance) risk
~ **d'incendie**: fire hazard
~ **du client**: consumer's risk
~ **du fabricant**: producer's risk
~ **du métier**: occupational hazard
~ **pour la santé**: health hazard
~ **sanitaire**: health hazard

rive *f* : (de fleuve) bank; (d'une planche)
edge
~ **amincie**: feather edge
~ **cachée**: concealed edge
~ **latérale] de toit**: verge
de ~: (colonne, poutre) end

river: to rivet; (un clou) to clinch

riverain *m* : resident (of a road); *adj* :
riverside, waterside, riparian

rivet *m* : rivet
~ **à cisaillement simple**: rivet in
single shear
~ **à fût droit**: straight-shank rivet
~ **à tête bombée**: button-head rivet
~ **à tête cylindrique**: cheese-head
rivet
~ **à tête [en] goutte de suif**: button-
head rivet
~ **à tête fraisée**: countersunk rivet
~ **à tête noyée**: flush rivet, flush
countersunk rivet
~ **à tête perdue**: flush rivet, flush
countersunk rivet
~ **à tête ronde**: cup head rivet
~ **à tête tronconique**: pan-head rivet

~ **aveugle**: pop rivet
~ **bifurqué**: slotted rivet
~ **bouterollé**: snaphead rivet, snapped rivet
~ **creux**: hollow rivet, tubular rivet
~ **d'assemblage**: tack rivet
~ **d'attente**: temporary rivet
~ **de montage**: dummy rivet, tacking rivet
~ **explosif**: pop rivet
~ **monofrappe**: single-shot rivet
~ **noyé**: countersunk rivet
~ **plein**: solid rivet
~ **posé sur chantier**: field rivet

rivetage m : riveting; → aussi **rivure**
~ **à clins**: lap riveting
~ **à joint plat**: butt riveting
~ **à recouvrement**: lap riveting
~ **au Cé**: squeeze riveting
~ **au marteau**: hammer riveting
~ **au monofrappe**: single-shot riveting
~ **au multifrappe**: multishot riveting
~ **double**: two-row riveting
~ **en quinconce**: zigzag riveting, staggered riveting
~ **enligné**: chain riveting
~ **parallèle**: chain riveting
~ **sur rondelle**: collar riveting

riveteuse f : riveter (machine)
~ **pneumatique**: rivet gun

riveur m : riveter (operator)

rivière f : [small] river
~ **à marée**: tidal river
~ **côtière**: coastal river
~ **régularisée**: graded river

rivoir m : riveting hammer

rivure f : rivet(ed) joint, riveted seam; rivet head; riveting; → aussi **rivetage**
~ **à chaîne**: chain-riveted joint; chain riveting
~ **affleurée**: flush-riveted joint; flush riveting
~ **écrasée**: battered head
~ **étanche**: tight-riveted joint; close riveting
~ **noyée**: flush-riveted joint; flush riveting
~ **simple**: single-riveted joint; single riveting

riz m : rice
~ **à grains longs**: long grain rice
~ **au lait**: rice pudding
~ **blanc**: milled rice
~ **décortiqué**: husked rice
~ **glacé**: polished rice
~ **gonflé**: puffed rice

rizerie f : rice processing factory

riziculture f : rice growing

rizière f : rice field, paddy field

RLD → **réseau local domestique**

RMN → **résonance magnétique nucléaire**

RNA → **ARN**

RNI → **réseau numérique intégré**

RNL → **résistance non linéaire**

robinet m : valve (operated from outside); tap, cock GB, faucet, spigot NA
~ **à bec courbe**: bib tap, bibcock
~ **à boisseau**: plug cock, plug valve
~ **à bride[s]**: flanged cock
~ **à cache-entrée**: lockshield valve
~ **à clapet**: flapper valve
~ **à clé**: key valve
~ **à débit constant**: constant-flow valve
~ **à flotteur**: float valve, ball cock
~ **à papillon**: butterfly valve
~ **à passage intégral**: full-way valve, full-bore valve
~ **à passage direct**: one-way cock, single-way cock
~ **à piston**: piston valve
~ **à pointeau**: cone valve, needle valve
~ **à poussoir**: pushbutton tap
~ **à raccord**: union cock
~ **à soupape**: globe valve
~ **à tournant**: plug valve, plug cock
~ **à tournant sphérique**: ball valve
~ **à trois voies**: cross valve
~ **à une voie**: one-way cock
~ **à vanne**: sluice valve, gate valve
~ **à vis extérieure**: rising-stem valve, rising-spindle valve
~ **à vis intérieure**: non-rising stem valve, non-rising spindle valve
~ **chef**: master tap
~ **d'alimentation**: feed cock
~ **d'arrêt**: shut-off valve, stopcock, shut-off cock
~ **d'arrivée**: feed cock
~ **d'échantillonnage**: sample cock
~ **d'équerre**: angle valve
~ **d'étranglement**: throttle valve
~ **d'évacuation d'air**: vent cock
~ **d'immeuble**: service valve
~ **d'incendie**: fire cock
~ **d'incendie armé**: fire hose station
~ **d'isolement**: cut-off tap, shut-off valve
~ **de barrage**: stopcock, shut-off cock

~ **de compagnie**: corporation cock
~ **de décharge**: delivery cock
~ **de décompression**: [compression] relief cock
~ **de fermeture**: stop cock, shut-off valve, shut-off cock
~ **de jauge**: gauge cock
~ **de laminage**: throttle valve
~ **de niveau**: gauge cock
~ **de prise**: sampling cock
~ **de puisage**: drawoff tap
~ **de purge**: blow-down cock, blow-off cock, bleed[ing] cock, bleed valve, waste cock, petcock; (d'air) air cock, vent cock
~ **de réglage**: regulating valve
~ **de trop-plein**: overflow cock
~ **de vidange**: drain cock, drain tap, drain valve
~ **détendeur**: expansion valve
~ **droit**: globe cock, globe valve
~ **électromagnétique**: magnetic valve
~ **général**: master tap, master valve
~ **graisseur**: grease cock
~ **mélangeur**: mixing tap, mixing cock
~ **motorisé**: motorized valve
~ **purgeur**: bleeder cock, bleed[ing] valve, blow-down cock, blow-off cock, petcock
~ **purgeur d'air**: air cock, air vent
~ **sous trottoir**: service valve GB, curb cock, curb shut-off NA
~ **sphérique**: ball valve
~ **thermostatique**: thermostatically-controlled valve
~-**vanne**: gate valve, slide gate, sluice valve
~-**vanne à sièges obliques**: wedge valve
~-**vanne à sièges parallèles**: double disc valve

binetterie f : valves, line fittings
~ **et raccords**: valves and fittings, cocks and fittings

bot m : robot
~ **à apprentissage**: playback robot
~ **à coordonnées cartésiennes**: cartesian-coordinate robot
~ **à coordonnées cylindriques**: cylindrical-coordinate robot
~ **à coordonnées sphériques**: spherical-coordinate robot
~ **à mémoire**: playback robot
~ **à séquence limitée**: fixed-sequence robot
~ **à séquence variable**: variable-sequence robot
~ **de cuisine**: food processor
~ **de transfert**: pick-and-place robot
~ **portique**: gantry robot

~ **programmable par apprentissage**: playback robot
~ **séquentiel**: sequence robot

roboticien m : robot engineer, roboteer

robotique f : robotics

ROC → reconnaissance optique de caractères

rocade f : bypass (road)

roche f : rock
~ **aquifère**: water-bearing rock
~ **asphaltique**: asphalt rock
~ **couverture**: cap rock, roof rock
~ **cristalline**: crystalline rock
~ **de fond**: bedrock
~ **en place**: solid rock, rock in situ
~ **encaissante**: wall rock
~ **fissurée**: seamy rock
~ **gazéifère**: gas rock
~ **guide**: key rock
~ **ignée**: igneous rock
~ **litée**: layered rock
~ **magasin**: reservoir rock
~ **mère**: parent rock, source rock, mother rock
~ **métamorphique**: metamorphic rock
~ **pétrolifère**: oil rock, oil-bearing rock
~ **repère**: key rock
~ **réservoir**: reservoir rock
~ **saine**: sound rock
~ **stratifiée**: bedded rock
~ **vive**: solid rock
~**s de recouvrement**: burden

rocher m : rock, boulder

rochet m : ratchet

rocou m : annat[t]o, arnotto

rodage m : (par abrasion) grinding, lapping; (en fonctionnement) run-in, running in GB, break-in NA; (inf) shakedown, smoke period
~ **des soupapes**: valve grinding

roder: (une machine) to break in, to run in; (à la pierre) to hone; (polir) to lap; (une soupape) to grind; (un palier) to bed in
~ **une soupape**: to grind a valve, to reseat a valve

rodoir m : grinding tool, lapping tool

rognage m : trimming (to size)
~ **à fleur**: (graph) flush trimming, flushing
~ **à vif**: (graph) flush trimming, flushing

rogner: to trim, to cut shorter; (une image) to crop
~ **à fleur**: to cut flush, to trim flsuh
~ **les tranches**: (graph) to cut the edges (of a book)

rognon *m* : (alim) kidney

rognures *f* : clippings, cuttings, trimmings; (de métal) shavings

rogue *f* : hard roe, salted roe

romarin *m* : rosemary

rompre: to break [off]
~ **la charge**: (transport) to break bulk
~ **un circuit**: to break a circuit, to open a circuit

rompu *m* : (m-o) bed gap; *adj* : broken

ronce *f* : curly grain (of wood)
~ **artificielle**: barbed wire
~ **de noyer**: burr walnut

rond *m, adj* : round
~ **à béton**: [round] reinforcing bar
~ **à béton lisse**: plain reinforcing bar
~ **à haute adhérence**: round deformed bar
~-**point**: roundabout GB, traffic circle NA

rondelle *f* : (méc) washer; (s.c.) [slice] wafer
~ **à collerette**: flanged washer
~ **à crans**: toothed washer, stop washer
~ **à entaille**: slot washer
~ **à ergot**: tab washer
~ **à languette**: tab washer
~ **à ressort**: spring washer
~ **à ressort ondulée**: crinkled spring washer
~ **Belleville**: cup washer
~ **biaise**: tapered washer
~ **brute**: non-machined washer
~ **chambrée**: recessed washer
~ **d'appui**: thrust washer
~ **d'arrêt**: lock washer, stop washer
~ **d'arrêt d'écrou**: nut lock, nut retainer
~ **d'écartement**: distance washer, spacing washer, distance ring, shim washer
~ **d'entrefer**: anti-stick washer
~ **d'épaisseur**: distance washer, spacing washer, thickening washer, shim washer
~ **d'étanchéité**: seal ring, sealing washer

~ **de blocage**: lockwasher
~ **de butée**: thrust washer
~ **de calage**: shim washer
~ **de centrage**: pilot washer, alignment washer
~ **de contre-rivure**: rivet washer, tailing washer
~ **de fibre**: fibre washer
~ **de forme**: saddle washer
~ **de poussée**: thrust washer
~ **de réglage**: shim washer
~ **de rivure**: rivet plate
~ **de sécurité**: lockwasher
~ **élastique**: spring washer
~ **en C**: open washer, slip washer, C washer
~ **en feutre**: felt ring
~ **entretoise**: distance washer, spacing washer, shim washer
~ **étalonnée**: calibrated washer
~ **éventail**: serrated lockwasher, star washer, tooth lockwasher
~ **fendue**: slot washer, split washer
~ **folle**: loose washer
~-**frein**: lockwasher
~-**frein à ergot**: tab washer
~ **fusible**: (de chaudière) fusible plug
~ **Grower**: [helical] spring washer
~ **indesserrable**: shakeproof washer
~ **indicatrice de charge ▶ RIC**: load indicating washer
~ **lamellée**: peel-off washer
~ **obturatrice**: blind washer
~ **ondulée**: crinkled washer
~ **ordinaire**: plain washer
~ **ouverte**: C-washer, open washer, split washer
~ **plate**: plain washer

rondeur *f* : round, roundness

ronflement *m* : hum
~ **de combustion**: (astron) chugging (of rocket)
~ **de secteur**: mains hum
~ **induit**: hum pick-up

ronfleur *m* : buzzer

rongeur *m* : rodent

roofing *m* : roofing felt

roquette *f* : rocket

rosace *f* : rose
~ **de plafond**: ceiling rose
~ **isolante**: wall block
~ **des vents**: compass card

rosette *f* : rivet washer, rivet plate

rotation *f* : rotation, turning, pivoting, swivelling; (rapide) spinning; (astron) spin; (transports) turnaround
~ **à droite**: righthand rotation, clockwise rotation, dextrorotation
~ **à gauche**: lefthand rotation, anticlockwise rotation, laevorotation GB, levorotation NA
~ **antagoniste**: counterrotation
~ **antagoniste de l'antenne**: antenna despin
~ **dans le sens des aiguilles d'une montre**: clockwise rotation
~ **de phase**: phase rotation, rotation sequence
~ **des stocks**: inventory turnover
~ **du pneu sur la jante**: creep of tyre on rim
~ **du vent vers la gauche**: backing
~ **en sens inverse des aiguilles d'une montre**: anticlockwise rotation
~ **libre**: (d'une hélice, d'un rotor) windmilling
~ **rapide**: spinning
à ~ **à droite**: dextrorotary, dextrogyrate, dextrogyrous
à ~ **à gauche**: laevorotary, laevogyrate, laevogyrous GB, levorotatory, levogyrate, levogyrous NA
en ~: rotating, revolving

rotationnel: rotational

rotative *f* : rotary press

rotifère *m* : rotifer; *adj* : rotiferal, rotiferous

rotogravure *f* : rotogravure

rotonde *f* : (arch) rotunda
~ **à locomotives**: roundhouse, engine shed

rotondité *f* : roundness

rotor *m* : (aéro, él) rotor; (de pompe centrifuge, de compresseur) rotor, impeller [wheel], runner; (de centrifugeuse) bowl; → aussi **rotors**
~ **à balourd**: weighted rotor
~ **à enroulement**: wound rotor
~ **à pales tronquées**: cropped rotor
~ **à réaction**: jet rotor
~ **à volet fluide**: jet-flapped rotor
~ **anti-couple**: tail rotor, anti-torque rotor
~ **arrière**: tail rotor
~ **bobiné**: wound rotor
~ **caréné**: enclosed rotor
~ **d'hélicoplane**: paddle wheel rotor

~ **de compresseur axial**: spool
~ **de la magnéto**: magneto inductor
~ **de queue**: tail rotor
~ **de soufflante**: impeller of blower
~ **de turbine**: turbine wheel
~ **en tandem**: tandem rotor
~ **flexible**: flexible rotor
~ **non caréné**: open rotor
~ **primaire**: impeller, inner runner
~ **secondaire**: outer runner
~ **soufflé**: jet-flapped rotor
à ~ **bloqué**: locked-rotor (test)

rotors *m* : rotors
~ **contrarotatifs**: eggbeater rotors
~ **engrenants**: meshing rotors
à ~ **en tandem**: tandem-rotor (helicopter)

rotule *f* : knee joint, knuckle [joint], swivel joint; ball and socket joint, ball joint
~ **de barre d'accouplement**: track rod end GB, tie rod end NA
~ **de vérin**: jacking pad
~ **lisse**: spherical plain bearing

rouage *m* : wheels, wheelwork, train of wheels, works

roue *f* : wheel; pulley; (d'engrenage) gear[wheel]; (de pompe, de turbine) impeller; → aussi **roues**
~ **à aubes**: paddle wheel
~ **à augets**: bucket wheel, scoop wheel
~ **à boudin**: flanged wheel
~ **à cames**: cam wheel, wiper wheel
~ **à centre plein**: plate wheel, solid wheel
~ **à chaîne**: chain wheel, sprocket wheel, chain pulley
~ **à cliquet**: click wheel, ratchet wheel
~ **à courroie**: belt pulley
~ **à dents hélicoïdales**: screw wheel
~ **à denture droite**: spur wheel
~ **à denture intérieure**: internal gear
~ **à denture extérieure**: external gear
~ **à deux ouïes**: double-entry impeller
~ **à ergots**: pin wheel
~ **à godets**: scoop wheel, bucket wheel, overshot wheel
~ **à gorge**: grooved wheel, double-flanged wheel
~ **à lamelles**: flap wheel
~ **à lanterne**: lantern wheel
~ **à manivelle**: crank wheel
~ **à mentonnet**: flange[d] wheel
~ **à palettes**: paddle wheel
~ **à picots**: pin wheel
~ **à rayons**: spoke wheel
~ **à rayons métalliques**: wire wheel
~ **à rochet**: click wheel, ratchet wheel

~ **à segments dentés**: segment wheel
~ **à vis sans fin**: worm wheel
~ **à voile ajouré**: perforated-disc wheel
~ **à voile plein**: solid-disc wheel
~ **amovible**: (m-o) change gear
~ **avant**: front wheel; (aero) nose wheel
~ **axiale**: axial-flow impeller
~ **bandagée**: tyred wheel
~ **calée**: fast wheel, fixed wheel
~ **carrée**: (défaut) flat wheel
~ **concourante**: non-crossed gear
~ **conique**: mitre wheel, bevel wheel, angular wheel
~ **conique [à denture] oblique**: skew bevel gear
~ **conique [à denture] droite**: straight bevel gear
~ **conjuguée**: mating gear
~ **cylindrique droite**: spur gear
~ **d'angle**: bevel wheel, mitre wheel, angular wheel
~ **d'arpenteur**: measuring wheel
~ **d'arrêt**: (par encliquetage) click wheel
~ **d'atterrisseur avant**: nosewheel
~ **d'encliquetage**: click wheel, ratchet wheel
~ **d'engrenage**: gearwheel, gear
~ **d'engrenage parallèle**: non-crossed gear
~ **d'entraînement**: driving wheel, driver
~ **d'impression**: (imprimante) character wheel
~ **de chaîne de distribution**: camshaft sprocket
~ **de champ**: face wheel, face gear, contrate gear
~ **de changement de vitesse**: [speed] change gear
~ **de chant**: face wheel, face gear, contrate gear
~ **de commande**: driving wheel, driver
~ **de gouvernail**: steering wheel
~ **de réaction**: guide wheel
~ **de roulement**: running wheel
~ **de secours**: spare wheel
~ **de transmission**: driving wheel
~ **de turbine**: turbine wheel, turbine rotor, turbine runner [wheel]
~ **de vis sans fin**: worm wheel
~ **dandinante**: wobble wheel
~ **dentée**: gearwheel, cog[wheel]
~ **dentée conique**: bevel gear, mitre gear
~ **dentée intérieure**: annular gear
~ **déportée**: corrected gear
~ **directrice**: (autom) steering [road] wheel
~ **directrice d'entrée**: (de

compresseur) guide-vane rotor
~ **droite**: spur gear, spur wheel
~ **du gouvernail**: steering wheel
~ **en corindon**: corundum wheel
~ **en dessous**: undershot waterwheel
~ **en une seule pièce**: solid wheel
~ **étalon**: master gear
~ **fermée**: shrouded impeller
~ **fixe**: fast wheel, fixed wheel
~ **fixe de turbine**: turbine guide wheel
~ **folle**: loose wheel, idle wheel, idler
~ **génératrice**: generating gear
~ **hélicocentrifuge**: mixed-flow impeller
~ **hélicoïdale**: screw wheel, spiral wheel
~ **hydraulique**: water wheel
~ **intermédiaire**: idler gear
~ **libre**: freewheel
~ **menante**: driving wheel, driver
~ **menée**: driven wheel
~ **mobile**: (de pompe) impeller
~ **moletée**: thumbwheel
~ **monobloc**: solid wheel
~ **montée sur billes**: ballbearing wheel
~ **motrice**: drive wheel, driving wheel; driving gear, driver; (de locomotive) traction wheel; (de pompe centrifuge) impeller
~ **non déportée**: standard gear
~ **-pelle**: bucket wheel
~ **pelleteuse**: bucket wheel
~ **phonique**: phonic wheel
~ **pivotante**: caster [wheel], castor [wheel]
~ **pleine**: solid wheel, spokeless wheel, plate wheel
~ **polaire**: magnet wheel, pole wheel
~ **-pompe**: impeller
~ **radiale**: radial-flow impeller
~ **sans boudin**: flangeless wheel
~ **satellite**: planet wheel, planet gear
~ **semi-axiale**: mixed-flow impeller
~ **tirée**: trailing wheel
~ **-turbine**: turbine wheel
~ **voilée**: buckled wheel
en ~ libre: freewheeling, coasting

roues *f*: wheels
~ **diabolo**: twin wheels
~ **jumelées**: (autom) dual wheel, twin wheels
~ **parallèles**: zero-angled wheels
~ **rentrées**: (aéro) wheels up
~ **sorties**: (aéro) wheels down
sur ~: wheel-type, wheeled

rouet *m*: (de poulie) sheave, pulley wheel; (de puits) kerb GB, curb NA; (de serrure) scutcheon
~ **d'antenne**: aerial winch

~ **de pompe**: pump impeller
~ **sonar**: sonar winch

ɔuge: red
~ **à polir**: [jeweller's] rouge, crocus
~ **blanc**: (métall) bright red, white heat
~ **cerise clair**: (métall) bright cherry red heat
~ **d'Angleterre**: polishing rouge, [jeweller's] rouge, crocus
~ **naissant**: (métall) incipient red heat
~ **sombre naissant**: (métall) dark red heat
~ **vert bleu** ▶ RVB: red green blue

ɔuille f: rust

ɔuillé: rusted, rusty

ɔulage m : rolling; haulage, hauling; (tuilage) curl (plast)
~ **des bords**: beading, edge forming
~ **des sols**: rolling of soils
à ~ **direct**: roll-on roll-off (container carrier)

ɔuleau m : roll, roller; (de machine à écrire) platen
~ **à bombé variable**: compensating-crown roll, controlled-crown roll
~ **à dresser**: (métall) mangle roll, levelling roll
~ **anti-plis**: (plast) stretcher bar GB, expander NA
~ **aspirant**: suction roll
~ **calandreur**: calender roller
~ **compresseur**: (de machine) press roll; (g.c.) road roller
~ **coucheur**: (pap) couch roll
~ **cylindrique**: straight roller
~ **d'amenée**: feeding roller
~ **d'appel**: take-up roll
~ **d'entraînement**: (d'imprimante) tractor
~ **d'entrée**: leading-in roll, feeding roller
~ **de calandre**: [calander] bowl
~ **de fond**: (métall) sink roll
~ **de renvoi**: return idler
~ **de retour**: return idler
~ **de sortie**: delivery roller
~ **de soutien**: backing roll; (de courroie transporteuse) idler
~ **de tête**: (pap) breast roll
~ **débiteur**: take-off roll
~ **déplisseur**: spread roll, spreader, expanding roller
~ **dérouleur**: take-off roll
~ **dévideur**: take-off roll
~ **dresseur**: straightening roll
~ **égoutteur**: (pap) dandy roll
~ **embarqueur**: leading-in roll

~ **encreur**: ink roller
~ **enducteur**: applicator roll
~ **entraîneur**: feed roller, pinch roll, take-up roller
~ **essoreur**: squeeze roll, wringer roll
~ **exprimeur**: squeeze roll
~ **fou**: loose roller GB, dancer roll NA
~ **parallèle**: straight roller (of bearing)
~ **pinceur**: nip roll, pinch roll, squeeze roller
~ **porteur**: carrying idler (of belt conveyor)
~ **presseur**: nip roll
~ **spiralé**: wormed roll

roulement m : (mouvement) rolling [motion]; (méc) [antifriction] bearing
~ **à aiguilles**: needle [roller] bearing
~ **à billes**: ball bearing
~ **à double rangée de billes**: double-row ball bearing
~ **à l'atterrissage**: (aéro) landing run
~ **à rotule**: self-aligning bearing
~ **à rouleaux**: roller bearing
~ **à rouleaux cylindriques**: straight-roller bearing, cylindrical-roller bearing, parallel roller bearing
~ **à rouleaux coniques**: angular roller bearing, tapered roller bearing, conical roller bearing
~ **à segments**: slipper bearing
~ **à tonnelets**: spherical-roller bearing
~ **à vide**: no-load running
~ **au décollage**: (aéro) take-off run
~ **au sol**: (aéro) taxiing
~ **axial**: linear bearing
~-**butée**: fixed bearing
~ **coulissant**: floating bearing
~ **de butée**: thrust bearing
~ **de centrage**: pilot bearing
~ **de guidage**: locating bearing
~ **de la fusée**: (autom) steering knuckle bearing
~ **orientable**: self-aligning bearing
~ **pilote**: pilot bearing
~ **radial à rotule sur billes**: self-aligning radial ball bearing

rouler: to roll; (autom) to run; (mar) to roll
~ **à l'arrivée**: (aéro) to taxi in
~ **à la molette**: to bead (a flange)
~ **au débrayé**: (autom) to coast
~ **au départ**: (aéro) to taxi out
~ **au sol**: (aéro) to taxi
~ **par inertie**: (autom) to coast
~ **par la vitesse acquise**: (autom) to coast
~ **plus vite que le moteur**: to overrun

roulette f: caster, castor
~ **à pivotement libre**: swivel castor

roulis *m* : (aéro, rob) roll, rolling

roussir: to singe (accidental damage)

routage *m* : (tél) routing; (tri postal) bundling up (according to destination)
~ **automatique des messages**: automatic message routing

route *f* : road, highway GB, hiway NA; (navigation) course; → aussi **voie**
~ **à chaussée unique**: two-way road
~ **à deux chaussées séparées**: dual carriageway GB, divided highway NA
~ **à deux sens**: two-way road
~ **à péage**: toll road GB, turnpike [road], pike [road] NA
~ **à sens unique**: one-way road
~ **aérienne**: air route, air lane, airway, skyway
~ **au compas**: steered course, compass course
~ **ballastée**: ballast road
~ **carrossable**: carriage road
~ **commerciale**: trade route
~ **d'acheminement du pétrole**: oil-trade route
~ **de ceinture**: perimeter road, orbital road, ring road GB, belt [highway], beltway NA
~ **de grande circulation**: main road
~ **de grande communication**: A-road, main road GB; highway NA
~ **de navigation**: shipping lane
~ **empierrée**: metalled road
~ **en déblai**: sunken road, road cutting
~ **en remblai**: embanked road
~ **en terre**: dirt road
~ **encaissée**: sunken road
~ **maritime**: sea lane, sea route
~ **nationale**: main road, trunk road
~ **parcourue**: (transport de marchandises) haul
~ **praticable**: passable road
~ **principale**: main road
~ **prioritaire**: major road
~ **secondaire**: B-road
~ **sur digue**: causeway
~ **terrestre**: overland route
~ **touristique**: parkway
~ **vraie**: true course
en ~: (mar) underway; (mach) running
faire ~ vers: to make for
mettre en ~: (une machine) to start

routier *m* : [long-distance] lorry driver GB, trucker, teamster NA

routine *f* : (inf) routine
~ **externe**: external routine

RPE → **résonance paramagnétique électronique**

RPF → **résine phénol-formol**

RR → **répéteur-régenérateur**

RSG → **rayonnement solaire global**

RTC → **réseau téléphonique commuté**

ruban *m* : (text) ribbon; (d'étirage, de carde) sliver; (courroie de frein, d'embrayage) band, strap; (bande) tape; (câble) flat cable
~ **à masquer**: masking tape
~ **abrasif**: abrasive band
~ **adhésif**: adhesive tape
~ **alvéolé**: (f.o.) cellular ribbon, honeycomb ribbon
~ **cache**: masking tape
~ **correcteur**: (par enlèvement) lift-off tape
~ **d'acier**: steel strip, steel band; (mesurage) tape measure
~ **d'avertissement**: warning marker
~ **de blindage**: screen tape
~ **de tirage**: (tél) fish[ing] wire
~ **émerisé**: linisher
~ **en fibre de verre**: glass tape
~ **étiré**: (filature) drawn sliver
~ **gommé**: gummed tape
~ **isolant**: electrical tape, insulating tape
~ **monofrappe**: single-strike ribbon
~ **perforé**: perforated tape, punched tape
~ **serre-tête**: headband

rubané: (structure) banded

rubis *m* : ruby; (de montre) jewel

rubrique *f* : heading (of section), section item

ruche *f* : beehive, hive

rue *f* : street; (graph) gutter, river [of white]
~ **à sens unique**: one-way street

rugosité *f* : roughness, unevenness; pulled surface (of laminated plastic)
~ **de surface**: surface roughness
~ **moyenne arithmétique**: centre-line average height

rugueux: (surface) rough

ruine *f* : failure (of structure); → aussi **rupture**
~ **par compression**: compression failure

ruisellement *m* : (hydrologie) runoff; (mode de refroidissement) spray, trickling
  ~ souterrain: groundwater runoff

rupteur *m* : breaking switch, breaker, normally closed contactor
  ~ de fin de course: limit switch, overtravel switch
  ~ thermique: thermal switch

rupture *f* : break, breakage; breaking (of emulsion); (diélectrique) breakdown, rupture
  ~ à nerf: fibrous fracture
  ~ brusque: quick break, snap action
  ~ chromosomique: chromosome break, chromosomal break
  ~ dans l'air: air break
  ~ dans le plan de collage: glue failure
  ~ de bande: tape break
  ~ de base: (d'un talus) toe failure
  ~ de charge: (transport) break of bulk, break of load; transshipment of cargo
  ~ de contrat: breach of contract
  ~ de contrôle: (inf) control break, control change
  ~ de fil: thread break
  ~ de gaine: (nucl) burst can, burst slug, failed fuel element
  ~ de nappe: (de pneu) ply break
  ~ de séquence: (inf) jump
  ~ de stock: out-of-stock condition, stockout

  ~ de tuyau: pipe burst
  ~ diélectrique: dielectric breakdown
  ~ ductile: ductile failure
  ~ en coupelle: cup-and-cone fracture
  ~ fragile: (métall) brittle failure, brittle fracture
  ~ multiple: (él) multiple break
  ~ par décohésion: separation rupture
  ~ par fatigue: endurance failure, fatigue failure
  ~ par surcharge: overload failure
  ~ par traction: tension failure
  ~ thermique: thermal breakdown
  à ~ brusque: snap-action
  à ~ lente: (él) slow-break (switch)
  en ~ de stock: out of stock
  en ~ de synchronisme: out of step

rustine *f* : patch (for bicycle inner tube)

rutabaga *m* : swede, Swedish turnip, rutabaga

RVA → **réseau à valeur ajoutée**

RVB → **rouge vert bleu**

rythme *m* : beat; (de production) pace, rate; (inf) clock cycle
  ~ numérique: digit time
  ~ trait-point: dash-dot rythm

rythmeur *m* : master clock, interval timer

S

S: (tuyauterie) double bend

sablage *m* : (fonderie) sand dressing; (métall) abrasive blasting; (de chaussée) sand spreading, sanding
~ **humide**: wet blasting

sable *m* : sand
~ **à gaz**: gas sand
~ **à saupoudrer**: (fonderie) parting sand
~ **argileux**: fat sand
~ **aurifère**: gold sand
~ **bien perméable**: open sand
~ **boulant**: loose sand, running sand
~ **de carrière**: pit sand
~ **de concassage**: crushed sand
~ **de laitier**: slag sand
~ **de moulage**: facing sand, moulding sand
~ **de remplissage**: (fonderie) back sand, bedding sand, body sand
~ **éolien**: blown sand
~ **étuvé**: baked sand, dry sand
~ **fin de moulage**: facing sand
~ **gazéifère**: gas sand
~ **gras**: strong sand, fat sand
~ **graveleux**: coarse sand
~ **grossier**: coarse sand, grit
~ **isolant**: parting sand
~ **maigre**: lean sand
~ **mordant**: sharp sand
~ **mouvant**: quicksand
~ **neuf**: fresh sand
~ **non consolidé**: loose sand
~ **ouvert**: open sand
~ **perméable**: open sand
~ **pétrolifère**: oil sand
~ **poreux**: open sand
~ **productif**: (pétr) producing sand
~ **vert**: green sand

sablé *m* : (alim) shortbread

sabler: to sand; (une route) to sand, to grit; (nettoyage) to sand blast

sableuse *f* : sand spreader; (métall) sand blasting machine, blaster

sablière *f* : sand pit; (chdef) sand box; (constr) wall plate, roof plate
~ **basse**: bottom plate (of partition); sole plate (of framed structure)
~ **haute**: head plate

sablon *m* : fine sand

sabord *m* : (mar) port, porthole, scuttle
~ **d'aération**: air port
~ **d'évacuation**: freeing port
~ **de batterie**: gun port
~ **de coupée**: gangway port
~ **de lancement de torpille**: port of torpedo tube

sabordage *m*, **sabordement** *m* : scuttling

sabot *m* : shoe; (de projectile) sabot; (baignoire) slipper bath; (d'animal) hoof
~ **à bille**: (forage) float shoe
~ **d'ancrage**: anchor shoe
~ **d'arrêt**: scotch
~ **d'attaque**: (forage) spudding shoe
~ **de cimentation**: cementing shoe, set shoe
~ **de frein**: brake shoe
~ **de pare-chocs**: overrider
~ **de pieu**: drive shoe, pile shoe
~ **de pilotis**: pile shoe
~ **de prise de courant**: contact shoe
~ **de surforage**: washover shoe
~ **de tubage**: casing shoe

sabrage *f* : curvature (of tape)

sac *m* : bag, sack; (biologie) sac
~ **à dos**: knapsack GB, backpack NA
~ **à soufflet**: gusset bag
~ **embryonnaire**: embryo sac
~ **familial**: party bag
~-**filet**: mesh bag
~ **gonflable**: (autom) air bag (car safety); (moulage) inflatable airbag
~ **pollinique**: pollen sac
~ **postal**: mailbag
en ~ **de cuisson**: boil-in-bag

saccharase *f* : saccharase

saccharate *m* : saccharate

saccharimètre *m* : saccharimetre GB, saccharimeter NA, saccharometer

saccharin: saccharine

saccharine *f* : saccharin

saccharomyces *m* : saccharomyces

saccharose *m* : saccharose

sacherie *f* : sacks; bag making; bag plant

sachet *m* : sachet, pouch, small bag
~ **à trou de suspension**: peg top bag
~ **coussin**: pillow bag
~ **de cuisson**: boil-in-bag pouch

SAD → **système d'aide à la décision**

safran *m* : saffron
~ **des Indes**: turmeric

sagou *m* : sago

saignée *f* : cut (in a part), groove, kerf; (dans mur) chase

saignement *m* : (peinture) strike-through

saillant *m* : (mil) salient; *adj* : projecting; (angle) salient

saillie *f* : projection, protusion; (sur arbre) shoulder
~ **de dent**: tooth addendum

sain: healthy, sound

saindoux *m* : lard GB, hog fat NA

saisie *f* : (inf) entry, keying-in; (de marchandises, de navire) seizure
~ **à distance**: remote data entry
~ **à la source**: on-site data capture
~ **des données**: data capture, data acquisition
~ **sur clavier**: keyboarding

saison *f* : season
~ **creuse**: slack season, off season
~ **des pluies**: rainy season

saisonnier: seasonal

salade *f* : salad
~ **composée**: mixed salad
~ **de chou**: coleslaw
~ **russe**: mixed vegetable salad

salage *m* : salting; (poisson) cure
~ **léger**: light cure

salaire *m* : salary; (de travailleur manuel) wages, pay
~ **aux pièces**: piece wage[s]
~ **de base**: basic wage

salaison *f* : salting; curing (of fish, of bacon); (produits) salt provisions

salé: salted; (goût) salty
~ **à sec**: dry salted
~ **en saumure**: pickled in brine

saler: to salt; to cure, to pickle (in brine)

saleté *f* : dirt, impurity
~ **abrasive**: grit

salinomètre *m* : salinometer, salimeter, salometer

salir: to dirty, to soil

salissure *f* : dirty mark, soil

salive *f* : saliva

salle *f* : [large] room
~ **d'exposition**: showroom
~ **d'hôpital**: hospital ward
~ **d'informatique**: computer room
~ **de commande**: control room (of power station)
~ **de métrologie**: standards room
~ **de régie**: control room (cinema, tv)
~ **de théâtre**: auditorium
~ **de traite**: milking parlour
~ **des gabarits de traçage**: mould[ing] loft
~ **des machines**: plant room, machine room; (mar) engine room
~ **des ordinateurs**: machine room, computer room
~ **des pas perdus**: concourse
~ **des pompes**: pump room
~ **insonorisée**: soundproof room
~ **réverbérante**: reverberation room, live room
en ~: indoor

salmonelle *f* : salmonella

salmonellose *f* : salmonellosis

salmoniculture *f* : salmon farming

salmonidé *m* : salmonid, salmonoid

salon *m* : (logement) lounge, drawing room; (exposition commerciale) [trade] exhibition, [trade] show
~ **de l'auto[mobile]**: motor show
~ **nautique**: boat show

salsifis *m* : salsify, vegetable oyster, oyster plant

saltation *f* : saltation

salubre: salubrious, healthy

salubrité *f* : salubrity, salubriousness, healthiness
~ **publique**: public health

salve *f* : (mil) salvo, volley; (inf, éon) burst
~ **d'essai**: trial salvo
~ **de neutrons**: neutron burst
~ **de réglage**: ranging salvo

sangle *f* : webbing, belt, strap
~ **d'amarrage**: lashing strap
~ **de sûreté**: (d'un ouvrier) belly band

sanglier *m* : wild boar

sans, ~ **alcool**: (boisson) non alcoholic, soft
~ **amorce**: (bande magnétique) leaderless
~ **apprêt**: (pap) raw
~ **arête**: (poisson) boneless
~ **attente**: no-delay, demand (operating)
~ **azote**: nitrogen free
~ **brouillage**: interference-free
~ **bruit**: noiseless
~ **cendres**: ashless
~ **charge**: no-load
~ **collisions**: (plasma, ondes) collisionless
~ **composants**: (c.i.) leadless
~ **contraste**: (phot) flat
~ **cordon**: cordless
~ **courant**: currentless, dead
~ **danger**: safe
~ **dégagement de gaz**: non-gassing
~ **déport**: (engrenage) standard
~ **discontinuité**: stepless
~ **distorsion**: (tél) distortion-free, distortionless
~ **diversité**: non-diversity
~ **eau**: (charbon) moisture-free
~ **écran**: (inf) blind
~ **effet**: ineffective
~ **empattement**: (graph) sans serif
~ **engrenage**: gearless
~ **enregistrement**: blank
~ **entraîneur**: (nucl) carrier-free
~ **entretien**: maintenance-free
~ **erreur**: error-free
~ **fiche**: (appareil électrique) cordless
~ **fil**: cordless, leadless
~ **fin**: non-stop, endless
~ **flamme**: flameless
~ **frais** ▶ **S.F.**: free, no-charge

~ **garniture**: packless
~ **inertie**: inertialess
~ **information**: blank
~ **interrupteur**: non-switch
~ **jeu ni serrage**: (ajustage) snug
~ **justification**: (graph) jagged
~ **maintien**: no-hold; non-locking (key)
~ **mouvement**: motionless
~ **objet** ▶ **S/O**: not applicable
~ **odeur**: odourless GB, odorless NA
~ **pépin**: seedless
~ **perforation**: punchless
~ **perturbation**: clear (line)
~ **plomb**: (carburant) unleaded
~ **propulsion**: unpowered
~ **recul**: recoilless
~ **récupération**: (graissage) once-through
~ **recyclage**: once-through
~ **relief**: (phot) flat
~ **reprise**: (usinage) at one traverse
~ **retour au repos**: non-homing
~ **soudure**: seamless
~ **soufflures**: non-porous (weld)
~ **surveillance**: non-attended
~ **tension**: dead
~ **visibilité**: blind (flying, road)

sape *f* : (mil) sapping; sap, trench

sapeur *m* : army engineer, sapper

sapide: palatable, sapid, savoury GB, savory NA

sapidité *f* : sapidity, sapidness

sapin *m* : fir tree; (bois) deal
~ **argenté**: silver fir
~ **blanc**: white fir
~ **de Norvège**: Norway spruce
~ **du Canada**: hemlock
~ **rouge du Nord**: redwood

sapine *f* : hoist tower; fir plank, deal board

sapropel, **sapropèle** *m* : sapropel

saprophyte *m* : saprophyte; *adj* : saprophytic

sarcoplasme *m* : sarcoplasm[a]

sardine *f* : sardine

sarrasin *m* : buckwheat

sarriette *f* : savory

sas *m* : (d'écluse) lock chamber; (de séparation) lock
~ **d'aérage**: air lock
~ **d'air**: air lock

sasser: (de la farine) to sift, to bolt; (mar) to go through a lock

satelliser *m* : to launch a satellite into orbit

satellite *m* : satellite; (méc) planet gear, planet wheel
~ **à double rotation**: dual-spin satellite
~ **à radiophare**: beacon satellite
~**-ballon**: balloon satellite
~ **d'étude du milieu**: environmental satellite
~ **d'exploration des ressources terrestres**: earth resources satellite
~ **d'observation**: observation satellite
~ **d'observation de la terre**: earth observation satellite
~ **de navigation**: navigation satellite
~ **de reconnaissance des ressources de la terre**: earth resources survey satellite
~ **de réserve**: backup satellite
~ **de télécommunications**: [tele]communications satellite
~ **en exploitation**: operational satellite, working satellite
~**-espion**: spy satellite
~ **habité**: manned satellite
~ **lunaire**: moon-orbiting satellite
~ **maritime**: maritime satellite
~ **météorologique**: weather satellite
~ **non habité**: unmanned satellite
~ **opérationnel**: operational satellite, working satellite
~**-relais**: relay satellite
~**-relais entre points fixes**: point-to-point relay satellite
~ **polyvalent**: general purpose satellite
~ **sur orbite**: orbiting satellite
~ **sur orbite terrestre**: earth-orbiting satellite
~ **utilitaire**: application satellite

satinage *m* : (text) satining; (phot) silk finish; (pap, plast) supercalendering

satineuse *f* : glazing calender

satisfaire: to satisfy, to meet (a demand, a requirement); to comply with (a condition)

saturation *f* : saturation; (d'un transistor) bottoming
~ **d'écran d'affichage**: display overload
~ **en eau**: water saturation

saturé: saturated; (éon) filled, slot-bound
~ **d'eau**: (sol) waterlogged

saturnisme *m* : lead poisoning, saturnism

sauce *f* : (alim) sauce
~ **béchamel**: white sauce, bechamel sauce
~ **blanche**: white sauce, bechamel sauce
~ **courte**: thick sauce
~ **de couchage**: (pap) coating slip

sauge *f* : sage

saumâtre: briny

saumon *m* : (poisson) salmon; (métall) ingot (small, non-ferrous); (de lest) kentledge; (aéro) tip [fairing]
~ **américain**: sockeye salmon, red salmon
~ **d'aile**: wing tip
~ **de dérive**: vertical stabilizer tip
~ **de pale**: blade tip cap
~ **de plan fixe horizontal**: horizontal stabilizer tip
~ **rose**: pink salmon
~ **rouge**: red salmon, sockeye salmon
~ **royal**: chinook salmon, king salmon, quinnat salmon

saumure *f* : brine
~ **froide**: chilled brine
en ~ **épicée**: spice cured

saurer: to cure (herring)

saut *m* : jump
~ **chromosomique**: chromosome jumping
~ **conditionnel**: (inf) conditional jump
~ **d'indice**: step index
~ **de défaut**: (inf) defect skipping
~ **de ligne**: line skip; (imprimante) line feed
~ **de page**: page skip, page break
~ **de papier**: paper throw, slew
~ **de température**: sudden rise in temperature
~ **de tension**: voltage surge
~ **inconditionnel**: unconditional jump
~ **radial**: (engrenage) radial tooth-to-tooth composite error
~ **tangentiel**: (engrenage) tangential tooth-to-tooth composite error
~ **thermique**: (lac) thermocline

sautage *m* : (mine) blasting, blast firing, shotfiring; (mil) blowing up
~ **en pochées**: (mine) chambering, springing
~ **par mines pochées**: (mine) chambering, springing
~ **par pans**: (mine) bench blasting

saut-de-mouton *m* : flyover GB, overpass NA

saut-de-ski *m* : (barrage) ski jump, spillway

saute *f* : sudden change; jump, sudden rise (in temperature)
~ **de vent**: change of wind direction

sauter: (omettre) to skip; (changer) to change [suddenly]; (explosif) to blow up, to explode, to go off
~ **en parachute**: to bail out
faire ~: to blast, to blow up
faire ~ un plomb: (él) to blow a fuse

sauterelle *f* : (outil) bevel rule, bevel square; (aéro) snap fastener; (manutention) apron conveyor, stacker, portable [belt] conveyor, mobile [belt] conveyor; (mar) swing derrick
~ **graduée**: bevel protractor

sautillement *m* : (de flamme) flutter; (tv, radar) jitter

sauvegarde *f* : safeguard, safety; (mar) lifeline
de ~: (inf) backup

sauvegarder: to safeguard; (inf) to backup

sauvetage *m* : lifesaving, rescue; (d'un navire) salvage
~ **air-mer**: air-sea rescue
~ **d'un marqueur**: (gg/bm) marker rescue
~ **d'un plasmide**: plasmid rescue

savoir-faire *m* : know-how

savon *m* : soap
~ **de Marseille**: household soap
~ **en paillettes**: soap flakes
~ **métallique**: metallic soap
~ **mou**: soft soap
~ **noir**: soft soap

savoureux: savoury, tasty

S/B → **signal/bruit**

scalaire: scalar

scanner, scanneur *m* : scanner
~ **de code barres**: bar code scanner

scaphandre *m* : diving suit
~ **autonome**: aqualung
~ **spatial**: space suit

scarole *f* : broad-leaved endive

scellement *m* : (d'étanchéité) seal; (constr) fixing into masonry; (dans béton, dans mortier) bedding
~ **à queue de carpe**: anchor bolt
~ **au coulis**: grouting
~ **au mortier clair**: grouting
~ **hermétique**: hermetic seal
~ **rigide**: gasket seal
~ **thermique**: heat seal
~**s**: masonry fixings

sceller: to seal; (fixer) to fasten down, to fix (in masonry); to bed (in concrete, mortar)

scheidage *m* : (charbon) bucking, cobbing

schéma *m* : diagram; (configuration) arrangement, layout, pattern; (grandes lignes) outline
~ **à deux disjoncteurs par départ**: two-breaker arrangement
~ **d'écoulement**: flow pattern
~ **d'implantation des puits**: well pattern
~ **d'installation**: plant layout
~ **de câblage**: wiring diagram, connection diagram
~ **de déroulement du procédé**: process flowsheet
~ **de fabrication**: flow chart, flow diagram, flow sheet
~ **de fonctionnement**: flow sheet, flow diagram, flow chart
~ **de graissage**: lubricating diagram
~ **de montage**: construction diagram; (él) connection diagram, connection layout, hookup, circuit diagram
~ **de principe**: skeleton diagram, simplified diagram; (de fabrication) flow chart, flow diagram, flow sheet
~ **de production**: process flow sheet, process diagram
~ **de tir**: blasting pattern
~ **de traitement**: [process] flow sheet
~ **des connexions**: circuit diagram, connection diagram, wiring diagram
~ **des connexions intérieures**: unit wiring diagram
~ **directeur**: master plan (town planning)
~ **en pavés**: block diagram
~ **équivalent**: equivalent diagram
~ **synoptique**: block diagram, mimic diagram

schématique: schematic, diagrammatic, skeletal

schiste *m* : schist
~ **alunifère**: alum shale
~ **ardoisier**: slate
~ **argileux**: shale
~ **bitumineux**: oil shale, kerogen shale
~ **gazéifère**: gas shale
~ **kérobitumineux**: kerosene shale, pyroschist
~**s de flottation**: [colliery] sailings, tailings

schlamm *m* : (mine) slurry, sludge
~**s fins**: slimes

schnorchel, schnorkel *m* : snorkel

sciage *m* : sawing; (bois scié) sawn timber, converted timber
~ **en plot**: plain sawing, slash sawing

scissiparité *f* : scissiparity

scie *f* : saw
~ **à chaîne**: chain saw
~ **à chantourner**: (mécanique) jigsaw; (à main) fretsaw
~ **à cloche**: hole cutter, hole saw, annular bit
~ **à découper**: coping saw
~ **à dos**: back saw, mitre saw
~ **à guichet**: keyhole saw, compass saw
~ **à métaux**: hacksaw
~ **à plusieurs lames**: gang saw
~ **à refendre**: crosscut saw, ripsaw
~ **à ruban**: band saw, belt saw
~ **alternative**: reciprocating saw
~ **circulaire**: circular saw GB, buzz saw NA
~ **circulaire avec table**: bench saw
~ **circulaire oscillante**: swing saw, drunken saw
~ **circulaire portative**: builder's saw
~**-cloche**: crown saw
~ **cylindrique**: annular saw, crown saw, cylinder saw
~ **d'entrée**: keyhole saw
~ **de long**: pit saw
~ **égoïne**: hand saw
~ **en couronne**: annular saw, crown saw
~ **hélicoïdale**: wire saw
~ **mécanique**: power saw
~ **montée**: span saw
~ **multiple**: gang saw
~ **sauteuse**: jigsaw
~ **tronçonneuse**: chain saw

science *f* : science

scientifique *m* : scientist; *adj* : scientific

scierie *f* : sawmill

scintigraphie *f* : scintiscanning

scintillateur *m* : scintillator

scintillation *f* : scintillation

scintillement *m* : scintillation; (tv) flicker, flutter

sciure *f* : sawdust

sclérenchyme *m* : sclerenchyma

scléroprotéine *f* : scleroprotein

scorbut *m* : scurvy

scories *f* : slag, cinders, scoria
~ **débordées**: boilings
~ **de déphosphoration**: basic slag
~ **volcaniques**: scoria, volcanic slag

scorification *f* : (gazogène) slagging

scrutation *f* : (inf) polling
~ **par appel**: rollcall polling
~ **par passage de témoin**: hub polling

sculptures *f* : (de pneu) tread, tyre pattern

SE → **système d'exploitation, système expert**

S/E → **sortie/entrée**

sec: dry
~ **à l'air**: air dry
~ **absolu**: bone dry
~ **au toucher**: touch dry
~ **hors-poisse**: tack-free
être à ~: (cours d'eau) to run dry

sécante *f* : secant

séchage *m* : drying
~ **à l'air**: air drying; (du bois) air seasoning, natural seasoning
~ **à l'air chaud**: (du bois) cure
~ **à cœur**: through drying GB, thru drying NA
~ **éclair**: flash drying
~ **en étuve**: kiln drying, hot air drying
~ **instantané**: flash drying
~ **par atomisation**: spray drying
~ **par centrifugation**: centrifugal drying
~ **par pulvérisation**: spray drying
~ **rapide**: rapid curing

~ **sous presse**: press drying
~ **ultra rapide**: flash drying

séché: dried
 ~ **au soleil**: (fruits) sundried

sécheresse *f* : (état sec) dryness;
(météo) drought

sécherie *f* : drying room; (pap) dryer
section, dry end

sécheur *m* : dryer, drier
 ~ **à bandes transporteuses**: belt drier
 ~ **à courant ascendant**: fly stream
dryer
 ~ **à festons**: festoon drier
 ~ **à repassage partiel du produit**:
ring drier
 ~ **à tunnel**: tunnel drier
 ~ **à vapeur**: steam drier
 ~ **de vapeur**: water separator, water
trap
 ~ **par contact**: contact drier
 ~ **par fluidisation**: flash drier
 ~ **pulvérisateur**: spray drier
 ~ **rapide**: flash drier

séchoir *m* : dryer, drier; (pap) drying loft
 ~ **à disques**: disc drier
 ~ **à festons**: festoon drier
 ~ **à plateaux**: disc drier
 ~ **à plis supportés**: festoon drier
 ~ **à tambour rotatif**: spin dryer
 ~ **à tapis roulant**: belt dryer
 ~~**tunnel**: tunnel dryer, tunnel drier

second *f* : second; *m* : (adjoint) second
in command, assistant; *adj* : second
 ~ **étage**: second floor GB, third floor
NA
 ~ **œuvre**: (constr) finishings
 de ~ **choix**: inferior, low-quality, low-
grade

secondaire *m* : (de transformateur)
secondary winding; (géol) secondary
ear; *adj* : secondary, auxiliary; minor,
subsidiary; (égout, ligne de chdef)
branch

secours *m* : aid, help, assistance;
emergency services; (mil) relief
 ~ **manuel**: (inf) cold standby
 ~ **semi-automatique**: warm standby
 de ~: (de réserve) spare, backup,
standby; emergency

secousse *f* : shake, shaking; jerk; (moulage) jolt; (cahot) bump
 ~ **sismique**: earth tremor
 ~ **tellurique**: earth tremor

à ~: (moulage) jar[ring]; (convoyeur)
shaking, vibrating

secret *m* : secret; secrecy
 ~ **de fabrication**: trade secret
 ~ **professionnel**: professional secrecy

secrétariat *m* : (d'une entreprise) sec-
retary's office; (d'une organisation)
secretariat
 ~ **téléphonique**: telephone answering
service

secteur *m* : (de cercle) sector, quadrant;
(él) mains [supply]; (d'activités, de
connaissances) field; (type d'industrie)
sector, industry; (zone) area
 ~ **à courant continu**: d.c. mains, d.c.
network
 ~ **bancaire**: banking
 ~ **crénelé**: notched quadrant, notched
sector
 ~ **d'activité**: branch
 ~ **de changement de vitesse**: gate
quadrant
 ~ **de collecteur**: commutator segment
 ~ **de direction**: (autom) steering
quadrant; (mar) rudder quadrant
 ~ **de tir**: firing area
 ~ **de trame**: (tv) subframe
 ~ **de vis sans fin**: worm segment
 ~ **denté**: notched quadrant, notched
sector
 ~ **en circuit**: mains on
 ~ **privé**: private sector

section *f* : (maths) section; (coupe) cross
section; (de tuyau, de rail) length; (de
fleuve) reach
 ~ **à raccord progressif**: (guide
d'ondes) tapered section
 ~ **d'épuisement**: stripper
 ~ **de block**: (chdef) block section
 ~ **de groupe primaire**: (tél) group
section
 ~ **de groupe secondaire**: (tél)
supergroup section
 ~ **de groupe tertiaire**: (tél) master-
group section
 ~ **de passage**: opening area (of
valve), valve area, flow area
 ~ **de pupinisation**: loading coil
section
 ~ **de rectification**: (isotopes) rectifier
 ~ **efficace**: (nucl) cross section
 ~ **efficace d'absorption**: absorption
cross section
 ~ **en torsade**: (guide d'ondes) twist
 ~ **hors bordé**: (mar) outer section
 ~ **sur membrure**: (mar) inner section
 ~ **transversale**: cross section

sectionner: to divide [into sections]; to cut off, to sever; (él) to isolate

sectionneur *m* : isolating switch, isolator GB, disconnecting switch, disconnect NA
~ **de coupure en charge**: load break switch
~ **de ligne**: feeder disconnector
~ **de mise à la terre**: earthing switch, earthing disconnector, ground disconnect

sectoriel: sector-based; (inf) application specific, industry specific

sectorisation *f* : sectoring, sectorizing
~ **logicielle**: soft sectoring, soft sectorising
~ **matérielle**: hard sectoring, hard sectorizing

sécurité *f* : security; (physique) safety, safety feature, safety device
~ **à niveaux multiples**: multilevel security
~ **d'exploitation**: operational reliability
~ **de fonctionnement**: reliability
~ **de l'emploi**: job security
~ **du matériel**: (inf) hardware security
~ **intrinsèque**: inherent safety
~ **primaire**: (autom) active safety
~ **routière**: road safety
~ **secondaire**: (autom) passive safety, passive restraint
à ~ **intégrée**: failsafe
de ~: (de secours) backup, standby

SED → **système d'exploitation à disques**

sédimentaire: (roche) sedimentary; (matière) sedimental

sédimentation *f* : deposition, settling; (géol) sedimentation

segment *m* : (de cercle) segment; (de piston) ring; (de frein) shoe; (gg/bm) segment
~ **[à extrémités] à recouvrement**: stepped piston ring
~ **à répétitions**: (gg/bm) repeat
~ **comprimé**: (de frein) leading shoe
~ **coupe-feu**: fire ring
~ **d'appariement**: (gg/bm) pairing segment
~ **d'arrêt**: (sur roulement) locating snap ring
~ **d'étanchéité**: compression ring
~ **de collecteur**: commutator segment
~ **de compression**: compression ring

~ **de feu**: compression ring
~ **de frein**: brake shoe (of drum brake)
~ **de liaison**: (gg/bm) linker
~ **de piston**: piston ring
~ **de recouvrement**: (inf) overlay
~ **de restriction**: restriction segment
~ **déflecteur**: (lubrification) thrower ring
~ **gommé**: stuck ring
~ **intermédiaire**: (gg/bm) spacer, hinge
~ **inversé**: inverted segment, inversion segment
~ **primaire**: leading shoe
~ **racleur**: oil control ring, oil scraper ring, oil wiper, oil ring, wiper ring
~ **secondaire**: trailing shoe
~ **tendu**: trailing shoe
~ **trapézoïdal**: keystone ring

segmenter: to separate, to divide, to split, to partition, to section, to breakdown (into sections)

seiche *f* : (animal) cuttlefish; (eau d'un réservoir ou d'un lac) seiche

seigle *m* : rye

séisme *m* : earthquake

séismique → **sismique**

sel *m* : salt
~ **à bétail**: cattle lick
~ **ammoniac**: sal amonniac
~ **d'Angleterre**: Epsom salt
~ **de cuisine**: cooking salt, kitchen salt, common salt
~ **de magnésie**: magnesium sulphate GB, magnesium sulfate NA
~ **de mer**: sea salt
~ **de table**: table salt
~ **fondu**: molten salt
~ **gemme**: rock salt
~ **lixiviable**: leachable salt
~ **nutritif**: nutrient
~ **tampon**: buffer salt

sélecteur *m* : selector
~ **à mouvement double**: two-motion selector
~ **à mouvement unique**: uniselector
~ **d'amplitude**: pulse amplitude selector, pulse height selector
~ **de coïncidences**: coincidence selector
~ **de forme**: pulse shape selector
~ **de temps**: time selector
~ **pas à pas**: stepping switch, step-by-step selector
~ **progressif**: step-by-step selector

sélection f : selection
　~ **au cadran**: (tél) dialling GB, dialing NA
　~ **automatique**: through dialling GB, thru dialing NA
　~ **clonale**: clonal selection
　~ **d'hybride**: hybrid selection
　~ **directe**: through dialling GB, thru dialing NA
　~ **disruptive**: disruptive selection
　~ **en lignée**: pure selection
　~ **en mélange**: bulk selection
　~ **massale**: mass selection
　~ **pas à pas**: step-by-step selection
　~ **sur collatéraux**: sib selection

sélectivité f : selectivity; (d'un filtre) discrimination; (tv) image response
　~ **sous surintensité**: over-current discrimination

self f : inductance coil, inductor, choke
　~ **à curseur**: sliding coil
　~ **d'accord**: tuning coil
　~ **de filtrage**: filter choke, smoothing choke, smoothing coil

self-induction f : self-induction
　~ **d'ouverture**: self-induction on opening
　~ **de fermeture**: self-induction on closure

selle f : saddle
　~ **de raccordement**: pipe saddle, branch connection saddle
　~ **de rail**: bearing plate, tie plate
　~ **de renforcement**: (sur tuyauterie) reinforcing saddle, welding saddle

sellerie f : (autom) upholstery

sellette f : (de peintre) cradle
　~ **d'attelage**: fifth wheel coupler

semailles f : sowing

sémantique f : semantics; adj : semantic
　~ **algébrique**: algebraic semantics
　~ **dénotationnelle**: denotational semantics

semelle f : sole; (de machine) base plate, bedplate; (de poutre) flange; (fondations) footing
　~ **à boue**: (forage) mudsill
　~ **d'ancrage**: stay block
　~ **de cloison**: partition bottom plate, partition sole plate
　~ **de derrick**: sill
　~ **de frein**: (chdef) brake shoe
　~ **en gradins**: stepped footing
　~ **filante**: (sous mur) continuous footing, strip footing
　~ **isolée**: (sous poteau) pad foundation
　~ **unique**: (fondations de plate-forme) mat

semence f : (clou) tack, sprig [nail], brad; (nucl) seed; (bot) seed, grain; (poisson) milt; (animal) sperm, semen
　~ **cristalline**: crystal seed

semer f : to sow

semestriel: half-yearly, semi-annual, six-monthly

semi-chenillé: half-track

semi-conducteur m : semiconductor
　~ **à bande interdite**: gap semiconductor
　~ **à zone de déplétion totale**: totally depleted zone semicondctor
　~ **dégénéré**: degenerate semiconductor
　~ **extrinsèque**: extrinsic semiconductor
　à ~s: [all] solid-state

semi-conserve f : semi-preserve

semicteur m : semiconductor detector

semi-duplex: half duplex

semi-horaire: half hourly

semi-précoce: (bot) medium early

semi-remorque m : articulated lorry, artic; f : trailer (of articulated vehicle), semitrailer

semis m : sowing; seedling
　~ **naturel**: self-sown seedlings

semi-tardif: (bot) medium late

semoir m : seeder, sowing machine

semoule f : semolina
　~ **au lait**: semolina pudding
　~ **de riz**: ground rice

sens m : direction; (de rotation, de filetage) hand
　~ **contraire**: opposite direction
　~ **de conduction**: conducting direction
　~ **de fabrication**: machine direction
　~ **de liaison**: (inf) flow direction
　~ **de non conduction**: non-conducting direction

~ **descendant**: (astron) down direction

~ **direct**: (d'une jonction) forward direction

~ **du poil**: (tissu) nap

~ **émission**: transmit direction

~ **espace-terre**: down direction

~ **horaire**: clockwise direction

~ **interdit**: (rue) no entry

~ **inverse**: opposite direction

~ **inverse des aiguilles d'une montre**: anticlockwise direction

~ **inverse**: opposite direction

~ **machine**: (pap) machine direction, making direction

~ **non conducteur**: inverse direction

~ **passant**: (éon) conducting direction

~ **transversal**: cross direction

~ **travers**: cross direction

~ **trigonométrique**: counterclockwise direction, inverse clockwise direction

~ **unique**: one-way (traffic)

dans le ~ de fabrication: (plast) lengthwise

dans le ~ des aiguilles d'une montre: clockwise

dans le ~ du bois: with the grain

dans le ~ du commettage: with the lay

dans le ~ du courant: with the current

dans le ~ horaire: clockwise

dans le ~ ordinateur-terminal: (inf) outbound

dans le ~ ouest-est: east going

de ~ négatif: negative going

en ~ anti-horaire: anticlockwise

en ~ inverse des aiguilles d'une montre: anticlockwise, counter-clockwise

nsation *f* : feeling, sense

~ **de chaleur**: feeling of warmth

~ **musculaire**: [artificial] feel (on feel simulator)

nseur *m* : sensor

nsibilité *f* : sensitiveness; (d'un instrument) sensitivity; (phot) speed (of film)

~ **à l'amorce**: (explosif) initiation sensitivity, sensitivity to initiation

~ **à l'entaille**: notch sensitivity

~ **chromatique**: colour sensitivity

~ **de détection d'un défaut**: detection sensitivity

~ **spectrale**: spectral sensitivity

~ **thermique**: thermal response

nsible: sensitive

~ **aux dérangements**: (inf) fault intolerant

peu ~: (instrument) sluggish

séparateur *m* : separator; catchpot, trap; (de feuilles) burster; (entre parties d'un programme) delimiter; *adj* : separating, separative

~ **à chicanes**: baffle separator

~ **centrifuge**: centrifugal separator, centrifuge, spinner

~ **d'eau**: water trap, water separator

~ **d'essence**: petrol separator, petrol trap GB, gasoline interceptor, gasoline separator, gasoline trap NA

~ **d'huile**: oil separator, oil interceptor

~ **d'isotopes**: isotope separator

~ **de bandes de fréquences**: splitter

~ **de faisceau**: beam splitter

~ **de gaz**: gas trap, gas separator

~ **de goudron**: tar extractor

~ **de graisse**: grease trap, grease interceptor

~ **de groupes**: (de données) group separator

~ **de phase**: phase splitter

~ **de poussière**: dust extractor, dust separator, dust catcher, deduster

~ **de zones**: (inf) limiter

~ **instantané**: flash drum

séparation *f* : separation, parting; (f.o.) spacing; (constr) partition

~ **des câbles**: clearance between cables

~ **des contacts**: contact parting, contact separation

~ **des isotopes**: isotope separation

~ **des produits de tête**: (pétr) topping

~ **du propane**: depropanization

~ **entre faisceaux**: beam separation

~ **et évaluation**: (IA) branch and bound

~ **isotopique**: isotope separation

~ **par centrifugation**: centrifugal separation

séparer: to separate, to part; (les feuilles d'un imprimé en continu) to burst

~ **par distillation**: to distill out

~ **par filtration**: to filter out

~ **par fusion**: to melt out

séquençage *m* : sequencing

~ **des gènes**: gene sequencing

séquence *f* : sequence; block (polymer molecule); (gg/bm) sequence, box

~ **amplifiée**: amplified sequence

~ **binaire**: bit string

~ **CAAT**: CAAT sequence, CAAT box

~ **codante**: coding sequence

~ **consensus**: consensus sequence

~ **d'ADN**: DNA sequence

~ **d'appel**: calling sequence

~ **d'échappement**: escape sequence

~ **d'erreurs**: error burst
~ **d'insertion**: insertion sequence
~ **de Hogness**: Hogness box
~ **de liaison**: linker
~ **de phases**: phase sequence
~ **de reconnaissance**: recognition sequence
~ **de tête**: leader [sequence], leader region
~ **des bases**: base sequence
~ **directrice**: leader sequence
~ **encadrante**: flanking sequence
~ **finie**: finite sequence
~ **guide**: leader [sequence]
~ **hautement répétée**: highly repeated sequence
~ **Hogness**: Hogness box
~ **homéotique**: homeobox
~ **homologue**: homologous sequence
~ **hôte**: host sequence
~ **initiale**: leader [sequence]
~ **non codante**: intervening sequence, non coding sequence
~ **non traduite**: untranslated sequence
~ **palindromique**: palindromic sequence, palindrome
~ **peptidique**: peptide sequence
~ **pétrographique**: rock sequence
~ **polyA**: polyA region, polyA tail, polydenylation end, polydenylation sequence
~ **Pribnow**: Pribnow box
~ **recouvrante**: overlapping sequence
~ **remorque**: trailer [sequence]
~ **répétée directe**: direct repeat sequence
~ **répétée en tandem**: tandem repeat sequence
~ **répétée indirecte**: indirect repeat sequence
~ **répétitive inversée**: inverted repeat sequence
~ **stimulatrice**: enhancer
~ **TATA**: TATA box
~ **unique**: unique sequence

séquenceur m : sequencer

séquestrant m : complexing agent

SER → **surface équivalente radar**

série f : series
~ **aromatique**: aromatic series
~ **chronologique**: time series
~ **d'allèles**: allelic series
~ **d'impulsions**: chain of pulses, pulse train
~ **d'ondes**: wave train
~ **d'outils**: gang of tools
~ **de chiffres**: digit string
~ **paraffinique**: paraffin series

~ **temporelle**: time series
~~**parallèle** ▶ **S/P**: series-parallel, serial-parallel
de ~: serial (number); mass produce‹ production (aircraft); standard, stock (design); precanned (program)
en ~: in sequence; (él) in series

sérine f : serine

seringue f : syringe; (horticulture) sprayer

sérique: serumal

sérologie f : serology

serpentage m : (aero) snaking

serpentement m : (mouvement) snakin‹ weaving (route, ligne) winding

serpentin m : [pipe] coil, [tube] coil
~ **à vapeur**: steam coil
~ **de chauffage**: heating coil, calorifi‹
~ **de digesteur**: digester coil
~ **de refroidissement**: cooling coil, spiral condenser
~ **désurchauffeur**: desuperheating coil (of condenser)
~ **plat**: pancake coil
~ **réfrigérant**: cooling coil

serrage m : (d'une vis) tightening; (entr‹ rouleaux) squeezing; (par un boulon‹ une pince) grip[ping]; (montage sur m-o) chucking, clamping; (du béton) compacting; (fonderie) packing, ramming (of sand)
~ **à la main**: (d'une vis) finger tight fastening
~ **des freins**: brake application
~ **maxi**: maximum interference (between gear teeth)
~ **par frottement**: friction grip

serré: tight; compact; close (grain, texture); (graph) close set, close spaced
~ **à refus**: (écrou) jam tight

serre f : greenhouse
~ **chaude**: hothouse

serre-câble m : (câble métallique) bulldog grip, cable clip, wire rope cli‹ (él) cable clamp, cleat

serre-fils m : binding post, binding screw; (tél) connecting terminal, connector

erre-flan *m* : blank holder

erre-joint *m* : (men) cramp, C-clamp, holdfast

erre-tête *m* : headband
~ **antibruit**: earmuffs

erre-tube *m* : chain tongs, pipe grip, tube clamp; tube wrench, pipe wrench, stillson wrench

errer: to tighten; (tasser) to pack, to ram; (en appuyant) to squeeze; (sur m-o) to mount; (un rivet) to clench; (dans une pince) to grip
~ **en quinconce**: to tighten alternatively on left and right, to tighten in staggered sequence
~ **entre pointes**: (sur un tour) to mount between centres
~ **les freins**: to apply the brakes, to put on the brakes
~ **les outils**: (sur un tour) to clamp the tools

errure *f* : lock (on door)
~ **à barillet**: cylinder lock
~ **à broche**: pin lock
~ **à combinaison[s]**: combination lock
~ **à double tour**: double lock
~ **à gorges**: tumbler lock
~ **à pêne dormant**: deadlock
~ **à pompe**: Bramah lock
~ **à ressort**: latch lock
~ **coup de poing**: panic lock
~ **encastrée**: mortise lock
~ **forée**: pin lock
~ **incrochetable**: burglar-proof lock
~ **lardée**: mortise lock
~ **mortaisée**: mortise lock

errurerie *f* : locksmith's trade; (métallerie) metalwork, ironwork

ertir: to crimp

ertissage *m* : crimping, crimp [connection]

ertisseuse *f* : crimper; can sealing machine

érum *m* : serum
~ **à faible titre**: low serum
~ **anticancéreux**: cancer serum
~ **physiologique**: saline [solution]

erveur *m* : (inf) server, host [system]
~ **de communications**: communications server
~ **de données**: on-line data service

service *m* : (de gestion) department; (d'une machine) running, working, duty; (élevage) service
~ **après vente**: after-sale service, after-sale support, product support
~ **automatique**: (tél) dial service
~ **client[èle]**: customer service
~ **consommateurs**: customer service
~ **continu**: continuous running, continuous duty
~ **d'entretien**: (de locaux) janitor service
~ **d'intérêt public**: utility
~ **d'utilité publique**: utility
~ **de jour**: day shift
~ **de reliure**: bindery
~ **de transmission de données**: data service
~ **de voierie**: refuse collection GB, garbage collection NA
~ **destinataire**: (inf) terminating department
~ **émetteur**: (inf) originating department
~ **en parallèle**: parallel working, parallel running
~ **informatique**: information department
~ **intensif**: heavy duty
~ **intermittent**: intermittent duty
~ **mobile**: mobile service
~ **modéré**: light duty
~ **mondial**: worldwide service
~ **nominal continu**: continuous rating
~ **offert aux usagers**: user facility
~ **permanent**: permanent duty
~ **public**: [public] utility
~ **publicité**: advertising department
~ **rapide**: (tél) demand working, demand operating
~ **régulier**: (de transport) scheduled service
~ **technique**: engineering department
~ **unihoraire**: one-hour duty
de ~: on duty; working (load, conditions)
en ~: (machine) in use, in operation; (installation, usine) on stream

servitude *f* : (droit) easement; (aéro) ancillary equipment; → aussi **servitudes**
~ **de passage**: right-of-way

servitudes *f* : public utility services
~ **au sol**: ground auxiliary equipment, ground handling services
~ **avion**: ancillary systems
~ **passagers**: cabin services

servo-assisté: power-assisted (control)

servocommande *f* : [servo-]actuator; booster engine, booster control, booster unit, booster; powered control

servofrein *m* : brake servo, power-assisted brake, power brake

servomécanisme *m* : servomechanism
~ **par tout ou rien**: on-off servo[mechanism] GB, bang bang servo NA

servomoteur *m* : servomotor; actuator, booster motor
~ **à fraction de tour**: part-turn [valve] actuator
~ **de barre**: (mar) steering engine
~ **de mise en action**: (rob) actuator

sésame *m* : sesame, ben[n]e, til, gingili, gingelli, gingelly

seston *m* : seston

seuil *m* : threshold; (de déversoir) sill
~ **cadmium**: cadmium cutoff
~ **d'écoulement**: yield [threshold] value
~ **d'équilibre**: break-even threshold
~ **de déclenchement d'alarme**: alarm-on threshold
~ **de gustation**: taste threshold
~ **de fluage**: yield [threshold] value
~ **de réapprovisionnement**: critical stock level, reorder level
~ **de réglage silencieux**: muting threshold
~ **de rentabilité**: economic threshold, break-even point
~ **de réponse**: reaction point
~ **de sensation**: limen
~ **de sensibilité**: sensitivity threshold
~ **de toxicité**: toxic threshold
~ **voisin du zéro**: null-zone threshold

seuillage *m* : thresholding

sève *f* : sap

sexduction *f* : sexduction

sexué: sexed

SGBD → **système de gestion de bases de données**

SGEDDO → **système de gestion électronique de documents sur disques optiques**

shunt *m* : (él) bridge, bypass, shunt
~ **ampèremétrique**: ammeter shunt
~ **magnétique**: keeper

shuntage *m* : bridging, bypass
~ **par dérivation**: field shunting

shunter: to shunt, to bypass

SI: (inf) IF
~ **et seulement SI**: if and only if
~ **nécessaire**: as required

SIC → **système d'information et de communication**

siccamètre *m* : drying meter

siccatif *m* : siccative, drying agent, [paint] dryer, [paint] drier

siccativité *f* : drying quality (of paint)

siccité *f* : dry content, dryness
~ **absolue**: absolute dryness

Sida → **syndrome immuno-déficitaire acquis**

sidérurgie *f* : iron and steel industry

sidérurgiste *m* : iron and steel metallurgist

siège *m* : seat; (d'une entreprise) headquarters
~ **à dossier réglable**: reclining seat
~ **amovible**: (méc) renewable seat
~ **baquet**: bucket seat
~ **de soupape**: valve seat
~ **de soupape rapporté**: valve seat insert
~ **éjectable**: (aéro) ejection seat, ejector seat
~ **social**: head office

sifflement *m* : hiss

sifflet *m* : whistle
~ **déviateur**: (forage) whipstock
en ~: bevelled, splayed, slantwise

SIG → **système intégré de gestion**

sigle *m* : initials

signal *m* : signal
~ **à éclats**: flashing signal
~ **à front négatif**: negative-going signal
~ **à spectre étalé**: spread-spectrum signal
~ **analogique**: analog signal
~ **audible**: audible signal
~ **audio**: audio signal
~ **brouilleur**: interference tone, unwanted signal

~ **bruit** ► **S/B**: signal-to-noise
~ **chrominance**: colour signal
~ **clignotant**: flash[ing] signal
~ **d'appel**: call[ing] signal
~ **d'arrêt d'émission**: stop send signal
~ **d'attaque**: driving signal
~ **d'autorisation**: enabling signal
~ **d'écho**: echo signal
~ **d'essai**: test signal
~ **d'initiation**: (gg/bm) initiation signal, start signal, promoter, promotor
~ **d'interdiction**: inhibiting signal
~ **d'invitation à transmettre**: proceed-to-send signal
~ **d'occupation**: engaged signal GB, busy signal NA
~ **de cantonnement**: (chdef) block signal
~ **de commande**: control signal
~ **de conversation**: speech signal
~ **de décrochage**: off-hook signal
~ **de détresse**: distress signal; (de véhicule) hazard warning signal
~ **de fin de communication**: clear forward signal, on-hook signal
~ **de libération**: clearing signal
~ **de libération en arrière**: clear-back signal
~ **de ligne libre**: dial tone
~ **de manœuvre**: (tél) dial tone
~ **de mesure**: test signal
~ **de neutralisation d'alarme**: alarm-inhibit signal
~ **de parole**: speech signal
~ **de raccrochage**: on-hook signal
~ **de réponse**: off-hook signal
~ **de statut**: status signal
~ **de terminaison**: (gg/bm) terminating signal, terminator, stop signal
~ **de validation**: enabling signal
~ **de voie fermée**: (chdef) on signal, stop signal
~ **de voie libre**: (chdef) off signal, clear signal
~ **discret**: discrete signal
~ **en escalier**: staircase signal
~ **entrant**: incoming signal
~ **étalon**: standard signal
~ **faible**: small signal
~ **fantôme**: phantom signal
~ **horaire**: time signal
~ **image couleur**: colour-picture signal
~ **lumineux**: light signal; (circulation routière) traffic light
~ **lumineux d'occupation**: busy flash signal
~ **multisalve**: multiburst signal
~ **numérique**: digital signal
~ **optique**: visual signal
~ **parasite**: spurious signal; (sur écran) blip

~ **prêt**: ready signal
~ **sonore**: beep
~ **stop**: (gg/bm) stop signal
~ **transmis par les ondes**: ground wave signal
~ **transmis par onde ionosphérique**: sky-wave signal
~ **unipolaire**: unipolar signal
~ **utile**: wanted signal
~ **vers l'arrière**: backward signal
~ **visible**: visible signal

signaleur m : (mil) signaller

signalisation f : (éon) signalling; (visuelle) signs, indications
~ **dans la bande**: in-band signalling
~ **de dérangement**: fault reporting
~ **des erreurs**: error reporting
~ **lumineuse**: indicator lights, warning lights
~ **monofréquence**: one-frequency signalling
~ **routière horizontale**: markings (on road)
~ **routière verticale**: road signs
~ **sonore**: audible warning

signe m : sign
~ **algébrique**: algebraical sign
~ **contraire**: opposite sign
~ **de correction**: proof reader's mark, correction mark
~ **de ponctuation**: punctuation mark
~ **moins**: minus sign, negative sign
~ **plus**: plus sign, positive sign

silencieux m : (autom) silencer GB, muffler NA; muting device; (sur arme à feu) silencer; (gg/bm) silencer; *adj*: (engrenage, accord) noise-free, low-noise

silex m : flint

silhouette f : silhouette, outline, profile; (de tir) figure target

silice f : silica
~ **fondue**: fused quartz

silicone f : silicone

silicium m : silicon
~ **monocristallin**: single-crystal silicon

silionne f : textile glass multiflament products, glass silk

sillage m : (mar) wash, wake; (aéro) track, slipstream
~ **des pales**: blade tracking

sillon *m* : (de disque) groove; (agriculture) furrow; (jardinage) drill
~ **de sortie**: lead-out groove

silo *m* : (de stockage) bin, bunker; (pour céréales) silo, GB, elevator NA
~ **à ciment**: cement bin
~ **de lancement**: (missile) launching silo
~ **doseur**: measuring bunker

simili *f* : halftone [engraving]; → aussi **similigravure**
~ **découpée**: outlined halftone engraving
~ **détourée**: outlined halftone engraving

simili *m* : (cliché) halftone block; *adj* : imitation, artificial
~ **détouré**: outline[d] halftone, cut-out halftone, block-out halftone
~ **deux tons**: duotone, duplex halftone
~ **et trait combinés**: line-halftone combination plate, composite block

similibois *m* : artificial wood

similicuir *m* : artificial leather, imitation leather, leather cloth, leatherette

similigravure *f* : halftone engraving, process engraving
~ **deux tons**: duotone engraving, duplex halftone engraving
~ **en creux**: deep-etched halftone engraving
~ **grand creux**: deep-etched halftone engraving

similipierre *f* : artificial stone, imitation stone, cast stone, patent stone

similor *m* : pinchbeck

simple: simple, easy, straightforward; plain; single
~ **brin**: (gg/bm) single strand
~ **face**: one-sided; (disquette) single-sided
à ~ **effet**: single-acting

simplex: (tcm) simplex, either way

simulateur *m* : simulator
~ **de vol**: flight simulator

simulation *f* : simulation
~ **en temps réel**: real-time simulation
~ **musculaire**: artificial feel

simultanéité *f* : coincidence, concurrency
en ~: concurrent, concurrently

sinus *m* : sine

sinusoïdal: sinusoidal, sine

sinusoïde *f* : sine curve

siphon *m* : (pour transvaser) siphon, syphon; (sur tuyau) seal, trap; (d'appareil sanitaire) stench trap, air trap
~ **à garde d'eau**: water-seal trap
~ **de fermeture hydraulique**: liquid seal
~ **dessableur**: sand trap
~ **noyé**: inverted siphon
~ **disconnecteur**: interceptor

siphonner: to siphon [off]

sirène *f* : hooter

sirop *m* : syrup; (boisson) [non-alcoholi] cordial, squash GB
~ **d'érable**: maple syrup
~ **de fruit**: fruit syrup
~ **de grenadine**: pomegranate syrup
~ **de sucre**: golden syrup

sismique *f* : seismic exploration; *adj* : seismic
~-réflexion: reflection shooting, reflexion shooting
~-réfraction: refraction shooting

sismographe *m* : seismograph

sismologie *f* : seismology

sismosondage *m* : well shooting, well velocity survey

site *m* : (lieu) site; (artillerie, topographi) sight; (ggbm) site
~ **COS**: COS site
~ **d'addition du chapeau**: cap addition site
~ **d'attachement du ribosome**: ribosome binding site
~ **d'épissage**: splicing site
~ **d'initiation**: initiation site, originati site
~ **d'initiation de la transcription**: transcription initiation site
~ **de coupure**: cleavage site
~ **de fixation du ribosome**: ribosom binding site
~ **de reconnaissance**: recognition s
~ **de restriction**: restriction site
~ **initiateur**: intiator [site]
~ **négatif**: (tir) depression
~ **positif**: (tir) elevation
~ **promoteur**: promoter site

M → sous-marin

nectique: smectic

O → sans objet

ciété *f*: company
~ **pétrolière**: oil company
~ **de service**: (inf) software house

cle *m* : base; mounting plate; (de colonne) plinth; (d'appareil) stand
~ **d'interrupteur**: switch base
~ **d'un compteur**: meter base
~ **de boîtier**: housing base
~ **de prise de courant**: receptacle, socket outlet

ie *f*: (text) silk; (d'outil, de lame) tang, fang
~ **de coton**: cotton staple
~ **de manivelle**: [crank]pin
~ **de vilebrequin**: crankshaft pin
~ **grège**: raw silk

ja *m* : soya bean GB, soybean NA

l *m* : ground, soil; (d'un bâtiment) floor; (chim) sol
~**-air**: ground-to-air
~ **cimenté**: cement floor
~ **cohérent**: cohesive soil
~ **d'apport**: made-up soil
~ **de fondation**: supporting soil, subgrade
~ **détrempé**: waterlogged soil
~ **gorgé d'eau**: waterlogged soil
~ **humifère**: muck [soil]
~ **marécageux**: boggy soil, marshy soil
~ **meuble**: loose ground
~ **naturel**: natural foundation, undisturbed soil
~ **non remanié**: undisturbed soil
~ **organique**: muck, organic soil
~ **pulvérulent**: cohesionless soil, granular soil
~ **sablonneux**: sandy soil
~**-sol**: ground-to-ground
~ **soumis aux actions saisonnières**: active layer
~ **stérile**: dead soil
~ **vivant**: topsoil, vegetable soil
au ~: (tcm) earth-based, ground-based; (aéro) ground (staff)

laire: solar

le *f*: (métall) furnace floor, hearth, bottom (of cupola); (de machine) soleplate, bedplate, baseplate; (mine) floor
~ **du four**: (céram) kiln floor

soleil *m* : sun

solénoïde *m* : solenoid
~ **de blocage**: (aéro) snubber

solidaire de: integral with, solid with

solidarisé: positively connected

solide *m* : solid; *adj* : (état) solid; (robuste) robust, sturdy, strong

solidification *f*: solidification, solidifying

solidité *f*: solidity; (d'un matériau) strength; (d'une couleur) fastness
~ **à la lumière**: light fastness, fastness to light
~ **des teintures**: colour fastness of dyes

solifluxion *f*: solifluction, solifluxion

solin *m* : (de ciment, de mortier) fillet; (de toiture) flashing

solive *f*: joist
~ **de plancher**: floor joist, common joist
~ **de remplissage**: intermediate joist
~ **de rive**: end joist
~ **passante**: bridging joist

sollicitation *f*: stress, loading
~ **de traction**: tensile stress
~ **cyclique**: cycle loading
~ **de torsion**: torsional stress
~ **due au vent**: wind load

sollicité: under load

solliciter: to stress; (un aimant) to attract

soluble: soluble; (problème) solvable
~ **dans l'acétone**: acetone-soluble
~ **dans l'alcool**: alcohol-soluble
~ **dans l'eau**: water-soluble

soluté *m* : solute

solution *f*: solution
~ **amorce**: starter solution
~ **aqueuse**: aqueous solution
~ **contrôlée**: (reprographie) stock solution
~ **d'attaque**: etchant
~ **d'entretien**: (du révélateur) replenisher
~ **de continuité**: break
~ **de nivellement**: levelling solution
~ **de rechange**: alternative solution
~ **de remplacement**: alternative solution

~ **diluée**: dilute[d] solution
~ **entraînée**: (galvanoplastie) drag-out
~ **étendue**: weak solution
~ **mercurielle**: (galvanoplastie) blue dip
~ **mère**: stock solution
~ **normale**: standard solution
~ **saline de tampon phosphate ▶ STP**: phosphate buffer saline
~ **solide**: solid solution
~ **tampon**: buffer solution
~ **titrée**: standard solution

solvant *m* : solvent
~ **donneur**: donor solvent
~ **naphta**: solvent naphtha

solvatation *f* : solvation

solvate *m* : solvate

soma *m* : soma

somaclone *m* : somaclone

somatocyte *m* : somatic cell

sommaire *m* : summary; *adj* : summary, brief

sommateur *m* : (inf) summer, summing integrator; *adj* : summing

sommation *f* : summation

somme *f* : sum, total
~ **de contrôle**: checksum
~ **factorielle**: factorial sum
~ **forfaitaire**: lump sum, all-in charge, fixed amount
~ **générale**: general total

sommet *m* : top; (d'un triangle) apex; (de voûte) crown; (d'une montagne) summit, top; (d'un filetage) crest
~ **de dent d'engrenage**: tooth tip

sommier *m* : (de machine) bed; (constr) summer; (de porte) lintel, summer
~ **d'un arc**: springer
~ **de citerne**: tank cradle
~ **de grille**: fire bar bearer, grate bearer

son *m* : sound
~ **aigu**: high-pitched sound
~ **aérien**: airborne sound
~ **grave**: low-pitched sound, deep sound
~ **pur**: (sans distorsion) clean tone
~ **résultant**: summation tone
~**s aigus**: trebles

sonal *m* : jingle

sonar *m* : sonar

sondage *m* : (mar) sounding; (forage) [well] boring, test boring, test drilling, trial bore hole
~ **à injection**: wash boring, wash drilling
~ **à la corde**: churn drilling
~ **au câble**: cable boring
~ **au hasard**: coyote hole, gopher ho
~ **d'exploration**: trial boring
~ **d'exploration secondaire**: new-pool test
~ **d'opinion**: public opinion poll
~ **dévié**: crooked hole
~ **en contre-haut**: topside sounding
~ **en contrebas**: bottomside soundin
~ **improductif**: unproductive boring
~ **non tubé**: open-hole drilling
~ **par fusée**: rocket sounding
~ **par satellite**: satellite sounding
~ **par ultra-sons**: echo ranging, ech sounding
~ **percutant**: churn drilling
~ **plein d'eau**: hole full of water
~ **plein d'huile**: hole full of oil
~ **stérile**: barren well

sonde *f* : probe, sensor; sonde; trans-ducer; (tube de Pitot) probe; (mar) [sounding] lead, sounding line; (pétr) borer
~ **à résistivité**: resistivity probe
~ **à thermistance**: thermistance sensor
~ **d'ADN**: DNA probe
~ **de détection**: sensing probe
~ **de réservoir**: tank probe
~ **percutante**: cable drill, churn drill
~ **spatiale**: space probe
~ **thermométrique**: temperature probe

sonder *m* : (mar) to sound, to take soundings; (pétr) to make borings

sondeur *m* : driller, well borer
~ **acoustique**: echo sounder

sondeuse: drill, borer
~ **à battage**: percussion drill
~ **à la grenaille**: shot drill
~ **à percussion**: percussion drill

sonnage *m* : sounding (of metal, to test for cracks)

sonnerie *f* : ring[ing]; (tél) bell, ringing
~ **automatique**: keyless ringing
~ **cadencée**: interrupted ringing

~ **d'alarme**: alarm bell
~ **électrique**: electric bell
~ **intermittente**: non-continuous ringing
~ **non automatique**: manual ringing
~ **rythmée**: interrupted ringing

sonnette *f* : bell; (constr, pétr) pile driver
~ **de battage**: pile driver

sonomètre *m* : noise meter, sonometer, sound level meter

sonorisation *f* : public address system

sonothèque *f* : sound library

sorbet *m* : (glace) sorbet, water ice; sherbet NA; (oriental) sherbet

sorbitol *m* : sorbitol

sorgho *m* : sorghum
~ **sucré**: sorg[h]o

sortance *f* : (inf) fan-out

sortie *f* : exit, way out; (d'une machine) delivery end; (de tuyau) outlet; (quantité) pipe output; (inf) output; (de stocks) withdrawal (from stock), issue (of stores)
~ **d'imprimante**: printout
~ **d'ordinateur**: computer output
~ **d'usine**: (véhicule, avion) roll-out
~ **de fils**: lead-out connection
~ **de réacteur**: downstream end of reactor
~ **de secours**: emergency exit, fire exit
~ **de stock**: withdrawal from stocks
~ **de train d'atterrissage**: extension of landing gear
~ **du filet**: thread runout
~ **du réservoir**: tank outlet
~ **[du signal] vidéo**: video output
~ **en temps réel**: real-time output
~ **entrée** ▶ **S/E**: output/input
~ **finale**: end output
~ **imprimée**: (inf) hard copy, printout
~ **microfilm**: computer output on microfilm
~ **noyée**: submerged outlet
~ **pour imprimante**: printer port
~ **sur erreur**: error exit
~ **[sur] papier**: hard copy
à ~**[s] axiale[s]**: axial-leaded
de ~: (transport) outbound, outward; (amplificateur) final

sortir: to go out, to exit; (vérin) to extend
~ **d'une boucle**: to break out

~ **d'une file d'attente**: (inf) to de-queue
~ **de la mémoire**: (inf) to bring from memory
~ **des informations**: to output
~ **du système**: to log off, to log out
~ **en pyramide**: to fan out
~ **le train d'atterrissage**: to extend the landing gear
~ **sur imprimante**: to print out
faire ~: (en appuyant) to press out

soubassement *m* : (constr) base (of building), underlying soil; (de machine) baseplate

souche *f* : (d'arbre) stump; (de carnet) counterfoil; (de cheminée) chimney stack (above roof level); (bio) strain
~ **cellulaire**: cell strain
~ **transduite**: transductant strain
~ **transformée**: transformant strain
~ **tueuse**: killer strain

soudabilité *f* : weldability

soudage *m* : (autogène) welding, (hétérogène) soldering; (plast) bonding, sealing; (défaut de fonderie) sticking; → aussi **soudure**
~ **à arc non protégé**: unshielded [metal] arc welding
~ **à chaud**: heat seal
~ **à électrode de charbon enrobée**: shielded carbon-arc welding
~ **à électrode de charbon nue**: unshielded carbon-arc welding
~ **à froid**: cold seal
~ **à l'acétylène**: acetylene welding
~ **à l'arc à l'argon**: argon-arc welding
~ **à l'arc au tungstène**: tungsten arc welding
~ **à l'arc avec fil électrode**: metal arc welding
~ **à l'arc contrôlé**: controlled arc welding
~ **à l'arc de carbone**: carbon-arc welding
~ **à l'arc en atmosphère inerte**: inert gas [shielded] arc welding
~ **à l'arc métallique**: metal arc welding
~ **à l'arc métallique avec électrode enrobée**: stick welding, manual metal arc welding
~ **à l'arc métallique avec électrode nue**: bare metal arc welding
~ **à l'arc sous flux**: submerged-arc welding
~ **à l'arc sous argon**: argon-arc welding
~ **à la flamme**: flame welding

~ **à la forge**: forge welding
~ **à la molette**: seam welding
~ **à pas de pélerin**: pilger welding, step-back welding
~ **à plat**: downhand welding
~ **aluminothermique**: thermit[e] welding
~ **au chalumeau**: flame welding, torch welding
~ **au gaz chaud**: hot-gas welding
~ **au plafond**: overhead welding
~ **au plomb**: lead burning
~ **autogène du plomb**: lead burning
~ **aux gaz**: gas welding
~ **avec électrodes en parallèle**: parallel welding
~ **continu**: seam welding
~ **de charpente**: structural welding
~ **de goujons**: stud welding
~ **de pointage**: tack welding
~ **de rechargement**: surfacing, hardfacing
~ **discontinu**: chain welding
~ **électrique à l'arc**: electric arc welding
~ **en atmosphère inerte**: gas-shielded welding
~ **en bouchon**: plug welding
~ **en descendant**: downhand welding
~ **en plusieurs passes**: multirun welding, multilayer welding
~ **en position**: position welding
~ **en position verticale en descendant**: vertical down welding
~ **en position verticale en montant**: vertical up welding
~ **en remontant**: uphill welding
~ **en spirale**: spiral welding
~ **hyperbare**: hyperbaric welding
~ **MAG**: metal active gas welding, MAG welding
~ **MIG**: metal electrode inert gas welding, MIG welding
~ **multipoint**: multispot welding
~ **oxhydrique**: oxyhydrogen welding
~ **par bombardement électronique**: electron beam welding
~ **par bossages**: projection welding
~ **par écrasement**: mash welding
~ **par étincelage**: flash welding
~ **par friction avec rotation excentrée**: orbital friction welding
~ **par fusion**: fusion welding
~ **par impulsion**: impulse sealing
~ **par percussion**: percussion welding
~ **par plasma d'arc**: arc plasma welding
~ **par points**: spot welding, tack welding, stitch welding
~ **par points multiples**: multiple spot welding
~ **par pression**: pressure welding

~ **par procédé Unionmelt**: unionmelt process welding
~ **par pulsations**: pulsation welding
~ **par rapprochement**: butt welding
~ **par recouvrement**: lap welding
~ **par refoulement**: upset welding
~ **par résistance**: resistance welding
~ **par rotation**: spin welding
~ **par solvant**: solvent welding
~ **sous argon**: argon welding
~ **sous l'eau**: underwater welding
~ **sous vide**: vacuum welding
~ **sur entaille**: slot welding
~ **[thermique] en continu**: band sealing
~ **TIG**: tungsten inert gas welding, TIG welding
~ **ultrasonique**: ultrasonic welding

soude *f* : soda (sodium hydroxyde)
~ **caustique**: caustic soda

soudé: welded, fabricated

souder: (métall) to solder, to weld; (plast) to bond, to seal

soudeur *m* : welder

soudo-brasage *m* : braze welding, brazing

soudure *f* : soldered joint, weld, welded seam; → aussi **soudage**
~ **à bords droits**: square butt weld
~ **à bords relevés**: double-flanged weld
~ **à clin**: lap weld
~ **à cordon longitudinal**: bead weld
~ **à franc-bord**: butt weld
~ **à gueule de loup**: cleft weld
~ **à l'arc à l'air libre**: open arc welding
~ **à l'étain**: soldering, soft solder; sweated joint (on pipe)
~ **à la molette**: seam weld, continuous weld
~ **à la vague**: flow solder
~ **à niveau**: flush weld
~ **à nœud**: wipe[d] joint (on pipe)
~ **à pas de pélerin**: step-back weld
~ **à passes multiples**: multirun weld, multilayer weld
~ **à plat**: flush weld, flat weld
~ **à plusieurs passes**: multirun layer weld
~ **à recouvrement**: lap weld
~ **affleurée**: flush weld
~ **alternée**: taggered weld
~ **amenée en position**: positioned weld
~ **arasée**: flush weld
~ **autogène**: weld

~ **autogène sur plomb**: lead burning
~ **bord à bord**: butt weld
~ **bout à bout**: butt weld
~ **bout à bout sur chanfrein en X**: double-Vee butt weld
~ **bout à bout sans chanfrein**: square butt weld
~ **bout à bout avec chanfrein en double U**: double-U butt weld
~ **brûlée**: burnt weld
~ **circulaire**: girth seam weld
~ **continue**: seam [weld]
~ **continue à couvre-joint**: bridge seam weld
~ **d'angle**: corner weld, fillet weld
~ **d'agrafage**: tack weld, temporary weld
~ **d'épinglage**: tack weld, temporary weld
~ **de chantier**: field weld
~ **de fils croisés**: cross-wire weld
~ **de montage**: erection weld
~ **de pointage**: tack weld
~ **de raccordement**: tie-in weld
~ **de reprise**: backing run
~ **de rive**: edge weld
~ **de soutien**: back[ing] weld
~ **demi-montante**: inclined weld
~ **discontinue**: intermittent weld
~ **discontinue à la molette**: intermittent seam welding
~ **discontinue alternée**: staggered weld, staggered seam
~ **en angle extérieur**: corner weld
~ **en arrière**: backward weld
~ **en bouchon**: plug weld
~ **en congé**: concave fillet weld
~ **en corniche**: horizontal vertical weld
~ **en double J**: double J weld
~ **en hélice**: spiral weld
~ **en K**: double-bevel weld
~ **en plafond**: overhead weld
~ **en plusieurs passes**: multirun weld
~ **en position**: positioned weld
~ **en X**: double-V weld
~ **forte**: hard solder
~ **indirecte**: solder
~ **longitudinale**: straight seam
~ **matée**: caulk[ed] weld
~ **montante**: uphand weld
~ **oxydée**: burnt weld
~ **par points**: spot weld, tack weld
~ **par rapprochement**: butt weld
~ **renforcée**: reinforced weld
~ **renforcée à l'envers**: weld with root reinforcement
~ **saine**: sound weld
~ **sans soutien**: weld without backing strip
~ **sans surépaisseur**: flush weld
~ **sèche**: dry joint
~ **sous vide**: vacuum sealing

~ **sur bords droits**: square butt weld
~ **sur l'envers**: back weld
~ **tendre**: soft solder
~ **verticale descendante**: downhand weld
~ **verticale montante**: uphand weld, upslope weld
faire une ~: to run a weld

soufflage *m* : (plast) blow moulding, blowing; (haut-fourneau) blow, blast
~ **d'air**: (congélation) air blast
~ **d'arc**: arc blowout, arc quenching, arc suppression
~ **de feuilles**: film blowing
~ **des noyaux**: core blowing
~ **du verre**: glass blowing
~ **magnétique**: magnetic blowout

soufflante *f* : blower, fan
~ **aval**: aft fan
~ **canalisée**: ducted fan
~ **carénée**: ducted fan
~ **de suralimentation**: supercharger
~ **de sustentation**: lift fan
~ **de turbine**: turbine blower

souffle *m* : (d'explosion) blast; (d'hélice) slipstream, wash, wake; (bruit) hiss, tube noise
~ **d'amplificateur**: amplifier noise
~ **d'antenne**: aerial noise
~ **de porteuse**: carrier noise
~ **des réacteurs**: jet wash

soufflé: blown (asphalt, bitumen, glass, plast); (aéro) in the slipstream, in the wash
~~-**soufflé**: (verre) blow-blow

souffler: (métall) to blow; (un arc) to extinguish
~ **un fusible**: to blow a fuse

soufflerie *f* : blowing engine, blower, blowing machine
~ **à piston**: piston blowing machine, piston blower
~ **aérodynamique**: wind tunnel
~ **[aérodynamique] à veine guidée**: closed-throat wind tunnel
~ **[aérodynamique] à veine libre**: open-jet wind tunnel

soufflet *m* : bellows; (de protection) boot, bellows seal; (de sac) gusset
~ **pare-poussière**: dust boot
~ **protecteur**: dust boot

soufflette *f* : air gun

souffleur *m* : blower

~ **d'arc**: arc breaker, spark extinguisher, spark quencher
~ **de verre**: glass blower

soufflure *f* : (de coulée) flaw (in casting), gas pocket, blow hole; (soudure) air pocket, air hole; (peinture) blister
~ **d'hydrogène**: hydrogen blister
~ **due au dégazage**: gas pore

soufre *m* : sulphur GB, sulfur NA
~ **brut**: brimstone
~ **en canons**: stick sulphur, roll sulphur
~ **en fleur[s]**: flowers of sulphur

souillé: soiled, contaminated

souillure *f* : soil; (chim) contamination, impurity; (text) spot, stain

soulager: to lighten, to relieve the strain, to take off the strain

soulèvement *m* : lifting, raising; (géol) uplift, upthrust; (du sol) heaving, bulge
~ **du fond de fouille**: bottom heave
~ **du grain**: (bois) raising of the grain

souligner: to underline, to underscore

soumis à: subject[ed] to
~ **à la flexion**: under bending load
~ **à la flamme**: (produits métalliques): fired

soumission *f* : tender GB, bid NA
~ **cachetée**: sealed tender
~ **de travaux**: (inf) job entry
~ **de travaux à distance**: (inf) remote batch entry

soumissionnaire *m* : tenderer GB, bidder NA

soupape *f* : valve (stem-operated, lift-type); → aussi **clapet, robinet, vanne**
~ **à bille**: ball valve GB, globe valve NA, spherical valve
~ **à boulet**: ball valve GB, globe valve NA, spherical valve
~ **à bride[s]**: flanged valve
~ **à chemise**: sleeve valve
~ **à clapet [articulé]**: flap valve, clack valve
~ **à double plateau**: double-disc valve
~ **à flotteur**: float-operated valve, float valve
~ **à gradins**: step valve
~ **à papillon**: throttle valve
~ **à pointeau**: needle valve
~ **casse-vide**: vacuum breaker

~ **champignon**: mushroom valve, poppet valve
~ **conique**: mitre valve
~ **contre les surpressions**: release valve
~ **d'admission**: inlet valve, intake valve, induction valve
~ **d'arrêt**: check valve, stop valve
~ **d'aspiration**: suction valve
~ **d'échappement**: exhaust valve, eduction valve
~ **d'étranglement**: choker valve, throttle valve
~ **d'évacuation**: outlet valve
~ **de commande**: governing valve
~ **de contre-pression**: backpressure valve
~ **de décharge**: overflow valve, spill valve; [pressure] relief valve, unloading valve, unloader [valve]
~ **de décompression**: pressure relief valve
~ **de détente**: expansion valve
~ **de purge**: blow-off valve, bleed valve
~ **de réduction**: reducing valve
~ **de refoulement**: outlet valve, delivery valve
~ **de respiration**: vent valve
~ **de retenue**: backpressure valve
~ **de sûreté**: safety valve; [pressure] relief valve
~ **de surpression**: overpressure valve
~ **électrique**: current rectifying valve, rectifier
~ **en bascule**: valve on the rock
~ **en champignon**: poppet valve, mushroom valve
~ **en tête**: overhead valve GB, valve-in-head NA
~ **étagée**: step valve
~ **latérale**: side valve
~ **orifice**: (moteur à deux temps) port valve
~ **rodée**: ground-in valve
~ **sphérique**: ball valve GB, globe valve NA, spherical valve
~ **tarée**: calibrated valve

souple: flexible, pliable, soft, supple; flexible, versatile, adaptable

souplesse *f* : flexibility, elasticity, suppleness
~ **d'emploi**: versatility
~ **d'exploitation**: operational flexiblity
~ **d'utilisation**: versatility
~ **de fonctionnement**: flexibility
~ **de marche**: smoothness of operation

souplisseau *m*, **souplisso** *m* : spaghetti

source *f* : (de cours d'eau) spring, head of river; (origine) source
~ **artésienne**: artesian spring
~ **chaude**: heat source
~ **classique**: conventional source (of energy)
~ **d'énergie nouvelle**: new energy source
~ **d'énergie renouvelable**: renewable energy source
~ **de chaleur**: source of heat
~ **de courant**: power pack, power supply, power unit, [current] supply
~ **de données**: data source
~ **de bruit**: noise source
~ **de lumière**: light source
~ **de suintement**: seepage spring
~ **froide**: cold source; (thermodynamique) heat sink
~ **hydro-minérale**: mineral spring
~ **jaillissante**: spouting spring
~ **lumineuse**: light source
~ **optique**: light source, optical source, optical emitter
~ **pérenne**: perennial spring
~ **pneumatique**: air pressure supply, compressed air supply
~ **ponctuelle**: point source (of light)
~ **primaire d'antenne**: aerial feed GB, antenna feed NA
~ **salée**: saline spring
~ **thermale**: hot spring

sourcellerie *f* : dowsing

sourcier *m* : dowser

sourd: (personne) deaf; (son) dull, muffled; (salle) anechoic, dead

sourdine *f* : silencing device, damper, deadener

souris *f* : (inf) mouse

sous, ~ **atmosphère gazeuse**: gas-shielded
~ **carter**: enclosed, guarded
~ **charge constante**: at constant load
~ **crépi**: buried, flush-mounted, flush-recessed
~ **emballage unitaire**: individually packed
~ **écran**: (f.o.) shielded
~ **enduit**: buried, flush-mounted, flush-recessed
~ **forme de tableau**: in tabulated form
~ **l'eau**: underwater
~ **le vent**: leeward
~ **plancher**: underfloor
~ **pression**: under pressure
~ **surveillance constante**: always manned

~ **tension**: alive, live, energized, power on, up
~ **terre**: buried
~ **vide**: vacuum, evacuated

sous-alimentation *f* : malnutrition, underfeeding

sous-arbre *m* : (inf) subtree

sous-bois *m* : undergrowth

sous-calibré: undersized; (projectile) subcalibre GB, subcaliber NA

sous-canal: subchannel

sous-cavage: (mine) undercutting

sous-champ *m* : subfield

sous-classe *f* : subclass

sous-clone *m* : subclone

sous-composant *m* : subcomponent

sous-consommation *f* : underconsumption

sous-continent *m* : subcontinent

sous-couche *f* : (géol) substratum, underlying layer, underlayer; (inf) sublayer; (peinture) undercoat

sous-critique: subcritical

sous-cuisson *f* : undercure; (céram) underfiring

sous-culture *f* : (bio) subculture

sous-dépassement *m* : underflow, undershoot

sous-développé: underdeveloped

sous-dimensionné: undersize, undergauge

sous-diviser: to subdivide

sous-division *f* : subdivision

sous-écran *m* : subscreen

sous-emploi *m* : underemployment

sous-ensemble *m* : sub-unit, subassembly; (maths) subset

~ **orienté**: directed subset
~ **propre**: proper subset

sous-équipé: underequipped, underplanted

sous-espèce *f* : subspecies

sous-exposition *f* : (phot) underexposure

sous-fluvial: under river

sous-genre *m* : subgenus

sous-jacent: subjacent, underlying

sous-langage *m* : sublanguage
~ **de données**: data sublanguage

sous-lisse *f* : (de garde-corps) midrail

sous-marin ▶ **SM** *m* : submarine; *adj* : underwater
~ **de poche**: midget submarine

sous-occupé: (tél) underloaded

sous-œuvre *m* : underpinning
en ~: below grade

sous-oxyde *m* : suboxide

sous-plancher *m* : subfloor

sous-porteuse *f* : subcarrier

sous-pression *f* : uplift

sous-production *f* : underproduction

sous-produit *m* : byproduct

sous-programme *m* : subroutine
~ **emboîté**: nested subroutine
~ **en séquence**: open subroutine
~ **imbriqué**: nested subroutine

sous-refroidissement *m* : subcooling

sous-renvidage *m* : (filature) underwinding

sous-réseau *m* : subnetwork, subnet

sous-sol *m* : subsoil; (de construction) basement, basement flat
en ~: below ground, below grade

sous-station *f* : substation

sous-système *m* : subsystem

sous-tangente *f* : subtangent

sous-tendre: (un arc) to subtend

sous-tension *f* : undervoltage

sous-titre *m* : subtitle, subheading; (film) caption

sous-total *m* : subtotal

soustractif: subtractive

soustraction *f* : (maths) subtraction

sous-traitant *m* : subcontractor

sous-unité *f* : subunit

sous-utilisé: underused; (tél) underloaded

sous-virage *m* : understeer[ing]

sous-vulcanisation *f* : undercure

sous-zone *f* : (tcm) subfield

soutage *m* : (mar) refuelling, bunkering; bunker oil

soute *f* : (aéro) hold, bay; (mar) hold, tank
~ **à bagages**: baggage hold, baggage compartment
~ **à bombes**: bomb bay
~ **à combustible**: bunker
~ **à combustible liquide**: fuel tank
~ **à eau**: water tank
~ **à mazout**: oil tank
~ **à munitions**: magazine, ship powder magazine
~ **à provisions**: issue room
~ **canons**: gun bay
~ **cargo**: cargo compartment
~ **de train**: (aéro) wheel well
~ **électronique**: avionics compartment, avionics bay
~ **sous plancher**: underfloor hold
~s: bunker oil

soutènement *m* : (constr) propping, supporting
~ **des terres**: earth retaining
~ **marchant**: (mine) self-advancing support

soutenir: to support, to prop [up]; (un ouvrage) to [under]prop
~ **la comparaison avec**: to compare favorably with

souterrain *m* : subway, underground passage; *adj* : subsurface, subterranean; buried, underground (cable, pipe)

Southern *m* : Southern blotting

soutien *m* : support, back up, backing
~ **logistique**: logistical support
~ **logistique mutuel**: cross servicing

soutirage *m* : draw[ing] off, drawdown, bleeding off, tapping

soutirer: (vin) to draw off, to rack; (vapeur d'une chaudière) to bleed

S/P → **série-parallèle**

spaghetti *m* : (plast) extruded strings GB, spaghetti NA; (él) harness

spallation *f* : spallation

spath *m* : spar
~ **fluor**: fluor[spar], fluorite NA

spatialiser: to adapt for space, to spatialize

spatio-temporel: space-time

spationaute *m* : astronaut

spationautique *f* : astronautics

spationef *m* : spacecraft

spécial: special; non-standard, purpose-made, tailored

spécialisation *f* : specialization; (IA) specialization, instantiation

spécialisé: specialized, special-purpose; (inf) dedicated; (main d'œuvre) semi-skilled

spécialiste *m* : specialist, expert

spéciation *f* : speciation

spécification *f* : specification, requirement
~ **constructive**: constructive specification
~ **formelle**: formal specification
~ **logicielle**: software specification
~**s**: (de cahier des charges, de norme) specifications

spécificité *f*, ~ **phasique**: phase specificity, phasic specificity
~ **mutagénique**: mutagene specificity

spectre *m* : spectrum
~ **continu**: continuous spectrum
~ **d'absorption**: absorption spectrum
~ **d'émission**: emission spectrum
~ **d'énergie**: energy spectrum
~ **d'octaves**: octave spectrum
~ **de bandes**: band spectrum
~ **de diffraction**: diffraction spectrum
~ **de masse**: mass spectrum
~ **de raies**: line spectrum
~ **de réfraction**: recfraction spectrum
~ **solaire**: solar spectrum

spectrographe *m* : spectrograph
~ **à rayons X**: X-ray spectrograph
~ **de masse**: mass spectograph`
~ **de vitesse**: velocity spectrograph

spectrographie *f* : spectrography
~ **d'émission**: emission spectrography

spectrohéliographe *m* : spectroheliograph

spectromètre *m* : spectrometer
~ **à cristal**: crystal spectrometer
~ **à diffraction**: crystal spectrometer
~ **à protons de recul**: recoil proton spectrometer
~ **à scintillation**: scintillation spectrometer
~ **bêta**: beta-ray spectrometer
~ **de masse**: mass spectrometer
~ **de neutrons à temps de vol**: time-of-flight neutron spectrometer
~ **de rayonnement**: radiation spectrometer
~ **gamma**: gamma-ray spectrometer

spectrométrie *f* : spectrometry
~ **d'absorption atomique dans la flamme**: flame atomic absorption spectrometry

spectrophotomètre *m* : spectrophotometer

spectroscope *m* : spectroscope
~ **à vision directe**: direct-vision spectroscope

spectroscopie *f* : spectroscopy

spéculaire: specular, mirror-like

spermaceti *m* : spermaceti

spermaphyte *m* : spermaphyte, spermotophyte

spermatide *m* : spermatid

spermatocyte *m* : spermatocyte

spermatogénèse *f* : spermatogenesis

spermatogonie *f* : spermatogonium

spermatozoaire *m* : spermatozoon

spermatozoïde *m* : spermatozoid

sperme *m* : sperm, semen

sphaigne *f* : sphagnum, peat moss

sphère *f* : sphere

sphéricité *f* : sphericity

sphérique: spherical; ball-shaped, globe-shaped

spheroïdal: spheroidal

spheroïde *m* : spheroid

spiral *m* : (ressort) involute spring, coil spring
~ **d'horlogerie**: hairspring

spirale *f* : spirale, helix; *adj* : spiral
~ **transporteuse**: spiral conveyor, conveyor worm

spiralé: coiled, spiral; (cylindre) wormed

spire *f* : [single] turn (of spiral); coil (of spring)
~ **coupée**: open coil
~ **d'entrée**: end turn
~ **morte**: (él) dead turn, idle turn
~ **voisine**: adjacent turn

spirille *m* : spirillum

spiritueux *m* : spirits

spit *m* : stud (driven with gun)

spittage *m* : stud driving, stud shooting

s/pl → **sur place**

sporange *m* : spore case, sporangium

spore *f* : spore

sporophyte *m* : sporophyte

sporozoaire *m* : sporozoan

sporuler: to sporulate

spot *m* : (opt,tv) spot; (projecteur) spotlight
~ **de balayage**: scanning spot
~ **lumineux**: light spot (of recording apparatus)
~ **mobile**: flying spot
~ **publicitaire**: commercial, publicity spot

spoule *m* : (inf) spooling

stabilisant *m* : stabilizing agent, stabilizer; *adj* : stabilizing

stabilisateur *m* : (aéro, chim, gén) stabilizer; outrigger; (sur engin de levage) stabilizing jack; *adj* : stabilizing
~ **à ailerons**: fin stabilizer
~ **de cap**: heading hold stabilizer
~ **de tension**: voltage stabilizer
~ **gyroscopique**: gyrostabilizer

stabilisation *f* : stabilization; (métall) stress relief, stress relieving
~ **en roulis**: roll stabilization
~ **des talus**: slope stabilization
~ **gyroscopique**: gyrostabilization
~ **latérale**: (monorail) sway stabilization
~ **par rotation**: spin stabilization
~ **par volant d'inertie**: flywheel stabilization
de ~: stabilizing; steadying; (él) antihunt

stabilité *f* : stability; fastness (of colour); firmness (of rock)
~ **à la lumière**: light fastness
~ **au roulis**: lateral stability
~ **de la couleur**: colour fastness
~ **de marche**: smooth running, even running
~ **dimensionnelle**: dimensional stability
~ **horizontale**: (tv) horizontal hold
~ **latérale**: lateral stability
~ **mutagénique**: mutagene stability
~ **propre**: inherent stability
~ **transversale**: lateral stability
~ **verticale**: (tv) vertical hold

stable: stable; steady; (fonctionnement) even, smooth
~ **à la lumière**: lightproof

stabulation *f* : stall-feeding

stade *m* : stage; (sports) stadium
~ **expérimental**: experimental stage
~ **intermédiaire**: interstage
~ **pré-industriel**: development stage

staff *m* : (constr) staff

stage *m* : course (teaching, training)
~ **de formation**: training course

stagiaire *m*, *f* : trainee

stampe *f* : (mine) interseam sediment,
country rocks (between lodes)

stand *m* : (d'exposition) booth, stand
~ **de ravitaillement**: (course) pit
~ **de tir**: shooting gallery, rifle range

standard *m* : (norme) standard; (tél)
[operator] switchboard; *adj* : standard,
off-the-shelf

standardiser: to standardize

standardiste *m*, *f* : switchboard operator

standolie *f* : stand oil

stannifère: stanniferous, tin-bearing

starter *m* : (autom) choke; (él) starter (of
fluorescent lamp)

stase *f* : stasis

statif *m* : stand (of microscope)
~ **d'arc**: arc stand
~ **d'étincelles fermé**: enclosed spark
stand

station *f* : station
~ **asservie**: (inf) slave station
~ **au sol**: ground station
~ **aval**: down-range station
~ **auxiliaire**: out station
~ **centrale**: master station
~ **collectrice**: gathering station
~ **d'épuration**: sewage works
~ **de commutation**: switching station
~ **de compression**: compressor plant
~ **de convertisseurs**: converter
station
~ **de pompage**: pumping plant,
pumping station
~ **de poursuite**: tracking station
~ **de purification**: (eau) filtration plant
~ **de réception**: receiving station
~ **de relèvement**: (d'eaux usées ou
pluviales) pumping station
~ **de renvoi**: tail station (of conveyor)
~ **de renvoi d'angle**: angle station
~ **de terre**: terrestrial station
~ **de traitement d'eau**: water [treat-
ment] works
~ **de travail**: workstation
~ **destinataire**: recipient

~ **directrice**: (tél) control station
~ **électrique**: generating plant, power
house
~ **émettrice**: sending station, transmitting station
~ **fixe**: land station
~ **maîtresse**: master station
~ **mère**: parent station
~ **météorologique**: weather station
~ **mobile terrestre**: mobile land
station
~ **orbitale**: orbital station
~ **périphérique**: outlying station
~ **réceptrice**: accepting station,
receiving station, recipient
~ **régulatrice**: control station
~ **relais**: relay station, repeater station;
(transport d'un fluide) booster station
~ **secondaire**: out station
~ **service**: filling station, petrol station,
service station GB, gas station NA
~ **sous-directrice**: subcontrol station
~ **spatiale**: space station
~ **spatiale habitée**: manned space
station
~ **spatiale proche de la Terre**: near-
earth space station
~ **surveillée**: attended station,
manned station, staffed station
~ **terrestre**: ground station, land
station
~ **terrienne**: earth station

stationnaire *m* : station ship; *adj* :
stationary, fixed

stationnement *m* : (autom) parking
~ **en bordure de route**: layby
~ **en épi**: angle parking
~ **[bi]latéral**: parallel parking
~ **hors voirie**: off-street parking
~ **interdit**: no parking, no waiting

statistique *f* : statistics; *adj* : statistical
~ **quantique**: quantum statistics

statolimnimètre *m* : static level meter

stator *m* : stator

statoréacteur *m* : ram-jet [engine]

statut *m* : (inf) status

stéarate *m* : stearate

stéarine *f* : stearin

stellarator *m* : stellarator

stencil *m* : (reprographie) stencil

stéréophonie *f* : stereophony

stéréorestituteur *m* : stereo plotter

stéréospécifique: stereospecific

stérile: (infécond) barren, infertile, infecund, sterile; (asepsie) sterile; (mine) barren, unproductive, dead; → aussi **stériles**

stériles *m* : (mine) refuse, inerts, waste rocks, stone dust

stérilisateur *m* : sterilizer

stéroïde *m, adj* : steroid

stérol *m* : sterol
~ **animal**: zoosterol

stigmateur *m* : (microscope électronique) stigmator

stillianalyse *f* : drop analysis

stock *m* : stock GB, inventory NA; → aussi **stocks**
~ **comptable**: book inventory
~ **en début d'exercice**: opening stock
~ **en fin d'exercice**: closing stock
~ **en magasin**: stock in, stock on hand
sur ~: off the shelf

stockage *m* : storage
~ **à ciel ouvert**: open storage
~ **aérien**: overhead storage
~ **de masse**: (inf) mass storage
~ **en réservoir**: tankage
~ **et extraction de l'information**: (inf) storage and retrieval
~ **intermédiaire**: relay storage
~ **optique**: (inf) optical storage
~ **par bullage souterrain de gaz**: gas-bubble storage
~ **par galets**: rock-bed storage
~ **réfrigéré**: chill storage
~ **régulateur**: buffer storage
~ **sur lit de galets**: rock-bed storage
~ **sur lit de pierres**: rock-bed storage
~ **sur roche**: rock-bed storage

stocker: to keep in stock; (inf) to store

stocks *m* : stocks
~ **en mer**: floating stocks
~ **régulateurs**: buffer stocks

stolon *m* : stolon

store *m* : blind (for window)
~ **à l'italienne**: awning blind

~ **à lames verticales**: vertical blind
~ **vénitien**: venetian blind

STP → **solution saline de tampon phosphate**

strate *f* : stratum, layer

stratification *f* : (géol) stratification, bedding; (plast) laminating, lamination
~ **croisée**: cross bedding
~ **lenticulaire**: lensing

stratifié *m* : laminate, plastic laminate, laminated plastic, laminated wood, laminated glass; *adj* : layered, laminated; (géol) stratified, bedded
~ **à couches croisées**: cross laminated
~ **au carbone**: carbon laminate
~~**bois**: laminated wood
~ **croisé**: cross laminated
~ **en planche**: (thermoset) laminated sheet
~ **moulé sans pression**: contact laminate
~~**papier**: laminated paper
~ **parallèle**: parallel laminated
~ **renforcé à la fibre de verre**: glass-fibre laminate
~~**tissu**: laminated fabric GB, laminated cloth NA
~~**verre**: glass fibre laminate

stratifier: (plast) to laminate

stratifil *m* : roving (textile glass)
~ **multifilament**: multiflament roving
~ **torsion zéro**: no-twist roving

stratigraphie *f* : stratigraphy

streptocoque *m* : streptococcus

striction *f* : necking; (métall) reduction of area, reduction of section; (plasma) pinch

strie *f* : score, scratch; (géol) stria; → aussi **stries**
~ **de meulage**: grinding mark
~ **lumineuse**: (tc) trailer

strié: fluted, grooved, ribbed, corrugated (tôle) chequered

stries *f* : scoring, scratches; fluting, grooving, ribbing, corrugations; (géol) striae
~ **de polissage**: polishing scratches

stripage *m* : (nucl) stripping

roboscope *m* : stroboscope

roma *m* : stroma

ructure *f* : structure, organization
~ à étages: multistorey structure
~ à fibres serrées: (f.o.) tight structure
~ à fibres libres: (f.o.) loose structure
~ à ondes lentes: slow-wave structure
~ à rubans: (f.o.) ribbon structure
~ à rubans alvéolés: (f.o.) honeycomb ribbons, cellular ribbon structure
~ algébrique: algebraic structure
~ alvéolaire: honeycomb structure
~ arborescente: tree-like structure
~ cristalline: crystal structure
~ cubique à corps centré: body-
centred cubic structure
~ cubique à faces centrées: face-
centred cubic structure
~ cylindrique rainurée: (f.o.) cylindrical grooved structure
~ de contiguïté: adjacency structure
~ de données statique: static data
structure
~ de mémoire: storage structure
~ dense: dense structure
~ discrète: discrete structure
~ en bilboquet: cup-and-ball structure
~ en coussins: pillow structure
~ en nid d'abeille: honeycomb
structure
~ en surface: (constr) above-grade
structure
~ feuilletée: lamellar structure,
laminated structure
~ fine: (spectrométrie, réacteur
nucléaire) fine structure
~ gonflable: air-supported structure,
inflated structure
~ lamellaire: lamellar structure,
laminated structure
~ maillée: mesh structure, netted
structure
~ réticulée: mesh structure, network
structure, netted structure
~ rubanée: lamellar structure,
laminated structure
~ spatiale: (constr) space deck, space
structure
~ stratifiée: layered structure
~ sur piles: pile-supported structure
~ sur semelle unique: single-mat-
supported structure
~ totalement ordonnée: totally
ordered structure
~ tridimensionnelle: (constr) space
frame

uc *m* : stucco

studio *m* : studio (broadcasting, phot);
(constr) one-room flat

style *m* : (d'appareil enregistreur) stylus

stylicien *m* : designer

stylique *f* : design

stylisme *m* : design

styliste *m* : designer

stylo *m* : pen
~ dosimètre: pocket dosemeter
~ exposimètre: pocket exposure
meter
~ feutre: felt pen

styrène *m* : styrene
~ lié: bound styrene

subdiviser: to subdivide

subdivision *f* : subdivision; (inf) splitting
(of items, of files)
~ des voies: (tcm) subchannelling

subjacent: underlying

subjectile *m* : substrate (painting)

sublimé *m* : sublimate
~ corrosif: corrosive sublimate

submergé: submerged, under water

submersible *m* : submersible; *adj* :
submersible, submergible
~ habité: manned submersible
~ non habité: unmanned submersible

subminiature: subminiature

subsomption *f* : (IA) subsumption

subsonique: subsonic

substance *f* : substance, material
~ abrasive: abradant
~ activatrice: activator
~ adsorbée: adsorbate
~ chimique: chemical
~ dissoute: solute
~ équivalente à l'air: air equivalent
material
~ équivalente au tissu: tissue
equivalent material
~ isolante: insulating material,
insulant

substitution *f* : substitution, replacement
~ d'un acide aminé: amino acid
substitution

~ d'une paire de bases: base pair substitution
~ sur l'ensemble: (inf) global search and replace
de ~: alternate, alternative (energy)

substrat *m* : substrate

substructure *f* : substructure

subtransitoire: subtransient

suburbain: suburban

suc *m* : juice; (de plante) sap
~ gastrique: gastric juice

succédané *m* : (alim) substitute

succession *f* : succession, series, sequence
~ d'impulsions: pulse sequence

succion *f* : sucking, suction

suceur *m* : (d'aspirateur) nozzle

suceuse *f* : suction dredger; suction nozzle (of dredger)

sucrage *m* : sugaring, sweetening

sucrase *f* : sucrase, invertase

sucre *m* : sugar
~ aminé: amino sugar
~ blanc: white sugar
~ brut: raw sugar
~ cristallisé: granulated sugar
~ d'érable: maple sugar
~ d'orge: barley sugar
~ de betterave: beet sugar
~ de cane: cane sugar
~ de maïs: corn sugar
~ de raisin: grape sugar
~ en morceaux: lump sugar, cube sugar
~ en poudre: caster sugar
~ glace: icing sugar; confectioner's sugar, frosting sugar NA
~ inverti: invert sugar
~ non raffiné: unrefined sugar
~ raffiné: refined sugar
~ roux: brown sugar
~ semoule: caster sugar
~ vanillé: vanilla sugar

sucré: sweetened, sugared; (goût) sweet

sucrerie *f* : sugar factory; **~s**: sweetmeat

suffixe *m* : suffix

suie *f* : soot

suif *m* : tallow; (alim) suet

suintement *m* : oozing, seeping, weeping; sweat[ing] (paint)

suite *f* : continuation; (série) successio stream (of data);
~ à donner: action [to be taken]
~ de travaux: (inf) job stream
~ des phases: phase sequence, phase rotation
~ ordonnée: ordered sequence

suiveur *m* : (astron) tracker
~ stellaire: star tracker

suivi *m* : follow-up; monitoring (of proje of development)
~ de la performance: performance monitoring
~ technique: engineering follow-up
faire le ~: to keep track

suivre: to follow; to follow up, to keep track; (une opération, une affaire) to monitor

sulfamide *m* : sulfamide, sulpha drug

sulfatage *m* : (agriculture) sulphating GB, sulfating NA; (viticulture) treatin with copper sulphate

sulfatation *f* : (chim) sulphating GB, sulfating NA

sulfate *m* : sulphate GB, sulfate NA
~ ferreux: ferrous sulphate, coppera green vitriol

sulfateur: sulphating GB, sulfating NA

sulfateuse *f* : sulphate sprayer, vine sprayer

sulfite *m* : sulphite GB, sulfite NA

sulfoné: sulphonated GB, sulfonated N

sulfosel *m* : sulphosalt GB, sulfosalt N

sulfoteneurmètre *m* : sulphur content meter GB, sulfur content meter NA

sulfure *m* : sulphide GB, sulfide NA

sulfureux: sulphurous GB, sulfurous N (pétr) sour

sulfuriser: to sulphurize

superalliage *m* : superalloy

supercalandrage *m* : supercalendering

supercalculateur *m* : supercomputer

supercarburant *m* : premium [grade] fuel; premium gasoline NA

supercentrale *f* : superpower station, main generating station

supercontrôle *m* : quality audit

supercritique: supercritical

superenroulement *m* : (gg/bm) super-helical twist

superficie *f* : area; (en mesures agraires) acreage
~ **couverte**: floor space
~ **irrigable**: irrigation area

superficiel: superficial, surface; near surface; (frottement) skin

superfinition *f* : superfinish

supergène *m* : supergene

super-grand-angulaire: superwide-angle

superhélice *f* : (gg/bm) supercoil, superhelix
~ **d'ADN**: supercoiled DNA

supérieur: superior, upper, higher, top; better
~ **à la moyenne**: higher than average, better than average

superintégration *f* : super large scale integration

superordinateur *m* : supercomputer

superpétrolier *m* : supertanker

superpolissage *m* : mirror finish

superposable: stackable; piggyback

superposé: superposed, superimposed

superposition *f* : superposition, superimposition; stacking (of frequencies)
~ **d'images**: images registration
~ **de couches**: lay-up (reinforced plastics)

~ **des couleurs**: (tc) colour registration
~ **parfaite**: (graphes) perfect matching

superpuce *f* : superchip

super-réaction, à ~: superregenerative

superstructure *f* : superstructure
~ **d'un derrick**: derrick superstructure, derrick headgear

superviseur *m* : supervisor; (inf) supervisor, supervisory program

supervision *f* : supervision

supplanté: superseded

supplémentaire: additional, extra, supplementary

support *m* : stand, support, bracket, holder; (substrat) base (of paper), backing (of carpet); (constr) bearing; (inf, gg/bm) medium
~ **à lecture seule**: read-only medium
~ **antivibratoire**: shock-absorbing mounting
~ **commutateur**: (tél) cradle switch
~ **d'enregistrement magnétique**: magnetic recording medium
~ **d'information**: data medium
~ **d'isolateur**: insulator pin
~ **de bobine**: coil holder
~ **de câble**: fairlead[er]
~ **de câbles**: cable rack
~ **de catalyseur**: catalyst carrier
~ **de circuit intégré**: chip socket
~ **de collier**: clamp block
~ **de combiné**: cradle
~ **de couche**: coating base paper; (carton) base board
~ **de données**: data medium
~ **de l'émulsion**: (phot) base (of film)
~ **de lame**: (pap) doctor holder
~ **de mât de charge**: derrick crutch
~ **de mitrailleuse**: gun platform
~ **de montage**: assembly stand
~ **de moteur**: engine bearer, engine bracket
~ **de palier**: bearing block, bearing support
~ **de ressort**: spring hanger, spring bracket, spring carrier
~ **de revêtement de sol**: subflooring
~ **effaçable**: erasable medium
~ **exploitable sur machine**: machine-readable medium
~ **isolant**: post insulator
~ **libre**: loose support, free support
~ **magnétique**: magnetic medium

~ **mémoire**: storage medium
~ **moteur**: engine bearer
~ **mural**: wall block
~ **non effaçable**: write-once medium
~ **optique**: optical medium
~ **photographique**: photographic medium
~ **porte-outil**: (m-o) toolpost
~ **publicitaire**: advertising medium
~ **vide**: empty medium
~ **vierge**: blank medium, virgin medium

supporter: to support; (un poids) to bear; (une charge) to absorb; (résister à une force) to stand, to withstand
~ **un effort**: to take a stress

supplément *m* : supplement
~ **de prix**: additional charge

suppresseur *m* : suppressor; (gg/bm) suppressor [gene]
~ **d'ambre**: amber suppressor
~ **d'écho**: echo killer, echo supressor
~ **d'étincelles**: spark killer, spark quench, spark quenching device, spark suppressor
~ **de changement de phase**: (gg/bm) frameshift suppressor
~ **de couleur**: colour killer
~ **de polarité de transcription**: transcriptional polarity suppressor
~ **de réponse immune**: immune response suppressor
~ **non-sens**: nonsense suppressor

suppression *f* : suppression; (inf) deletion, removal; (gg/bm) suppression
~ **d'écho**: echo suppression
~ **de la poussière**: dust control
~ **de la porteuse**: carrier suppression
~ **de lignes**: (tv) horizontal blanking
~ **de trame**: vertical blanking
~ **des crêtes**: peak clipping
~ **des zéros**: (inf) zero suppression
~ **du faisceau**: (tc) blanking
~ **du retour du spot**: flyback blanking
~ **extragénique**: extragenic suppression
~ **intergénique**: intergenic suppression
~ **intragénique**: intragenic suppression
~ **progressive**: fade out
à ~ **de zéro**: (appareil de mesure) suppressed-zero

supprimer: to suppress; to remove; (effacer) to delete, to cross out, to edit out

supraconducteur *m* : superconductor: *adj* : superconducting

supraconduction *f* : superconduction

supraconductivité *f* : superconductivity

sur: on, upon
~ **le champ**: immediately, without delay
~ **mesure**: tailored
~ **place** ▶ **s/pl**: on the spot, on site

surabondant: (structure) redundant

suraccélération *f* : (astron) jerk

suraffinage *m* : over-refining

suralésé: oversize (engine cylinder)

suralimentation *f* : boost; (de moteur) supercharging, turbocharging
~ **au décollage**: take-off boost

suralimenté: blown, pressure charged; (moteur) supercharged, turbo charged

suralimenter: to boost; (un moteur) to supercharge

suramplificateur *m* : booster amplifier

surbaissé: flattened, depressed; dropped; (autom) drop-frame (chassis), low-bed (trailer)

surbau *m* : coaming

surbrillance *f* : (inf) highlighting

surcapacité *f* : surplus capacity

surcharge *f* : overload; excess load; (constr) imposed load, live load, mobile load; (accumulateur) overcharge; (commerce) additional charge
~ **de neige**: snow load
~ **de vent**: wind load
~ **mobile**: live load
~ **permise**: permissible overload
~ **roulante**: live load

surchauffe *f* : overheating; superheat, superheating

surchauffer: to overheat; (métall) to burn; (vapeur) to superheat

surchauffeur *m* : superheater

surcompresseur *m* : supercharger
~ **de gaz**: gas booster

~ **à soufflerie**: blower-type supercharger

~ **en carter**: crankcase supercharger

surconsommation *f*: overconsumption

surcorrection *f*: overcorrection

surcote *f*: oversize

surcouplé: overcoupled

surcourse *f*: overtravel

surcritique: supercritical

surcuisson *f*: overcure

surcuits *m*: (céram) overburns

surdessication *f*: (du bois) excessive drying

surdimensionné: oversize

surdimensionnement *m*: overdesign

surécartement *m*: (chdef) gauge allowance; gauge widening

surélévation *f*: heightening, raising (of a building)

surélevé: raised; elevated

suremballage *m*: exterior packaging, overwrap
~ **de vente**: pack

surempoisonnement *m* **xénon**: xenon build-up

surenroulement *m*: (de l'ADN) super-coiling

surensemble *m*: superset

surépaisseur *f*: extra thickness; (de soudure) reinforcement
~ **d'usinage**: machining allowance
~ **de corrosion**: corrosion allowance
~ **de coulée**: boss (on casting)
~ **de rectification**: grinding allowance
~ **de retrait**: contraction allowance
~ **en bordure**: (peinture) fat edge
~ **pour usinage**: tooling allowance

suréquipé: (en matériel) overplanted, overequipped

sûreté *f*: safety, security
~ **de fonctionnement**: dependability
à ~ **intégrée**: failsafe

surexploitation: (d'une mine) overworking; (captage de l'eau) exhaustion, overdraft, overpumping

surexposition *f*: (phot) overexposure

surfaçage *m*: surfacing, surface grinding, finish machining
~ **partiel**: spotfacing

surface *f*: surface; (superficie) area
~ **à coller**: adherend
~ **active**: (d'engrenage) tooth surface
~ **active de captage**: collector area
~ **alaire**: wing area
~ **alaire totale**: gross wing area
~ **captante**: collector area
~ **d'appui**: bearing area, bearing surface
~ **d'ouverture**: opening surface (of mould)
~ **de captation**: absorption area (of antenna)
~ **de chauffe**: heating surface
~ **de contact**: mating surface
~ **de convection**: convective surface
~ **de glissement**: (entre deux cristaux) slip plane
~ **de joint**: opening surface (of mould)
~ **de plancher**: floor space
~ **de révolution**: surface of revolution
~ **de roulement**: (d'un pneu) tread; (d'un rail) wheel tread
~ **de séparation**: boundary surface, interface
~ **effective**: (d'une antenne) absorption area
~ **équivalente d'antenne**: antenna effective area
~ **équivalente radar** ▶ SER: radar cross-section
~ **évaporatoire**: evaporative surface
~ **gauchie**: warped surface
~ **lisse**: smooth surface
~ **piézométrique**: piezometric surface
~ **plane**: even surface
~ **portante**: bearing area, bearing surface
~ **primitive**: (d'engrenage) pitch surface
~ **réfléchissante**: light reflecting surface; (radar) echo area
~ **rugueuse**: rough surface
~ **terrestre**: earth's surface
~ **unie**: even surface, smooth surface
~ **utile**: useful surface, working surface; effective cross section; (m-o) clamping surface; (échangeur de chaleur) exchange surface
~**s couvertes**: (d'un port) warehouses
à la ~: (mine) above ground
à ~ **libre**: open (tank, channel)
en ~: (constr) above ground GB, above grade NA
faire ~: (sous-marin) to surface

surfacer: to surface, to dress the surface, to plane the surface, to face

surfaceuse *f* : planing machine, dressing machine, surfacing machine, surfacer

surfacique: per unit of area

surfactant *m* : surfactant

surfactif *m* : surface-active agent, surfactant

surfin: superfine

surfondu: supercooled, undercooled

surforage *m* : washover

surfusion *f* : supercooling, undercooling

surgélation *f* : deep freezing GB, quick freezing NA

surgelé: deep-frozen, quick-frozen

surgénérateur *m* : (nucl) breeder [reactor]
  ~ rapide: fast breeder

surgénération *f* : breeding

surgraissant: superfatting

surhausser: (une construction) to raise, to heighten; (un rail) to cant; (un virage) to bank

surimpression *f* : surprint, overprinting; (phot) superimposition

surintensité *f* : overcurrent

surlongueur *f* : overlength

surmontoir *m* : header card; (de bouteille) crowner

surmoulage *m* : duplicate moulding

surmultiplication *f* : (autom) overdrive

surnageant: floating on the surface, supernatant

surnombre *m* : supernumerary
  en ~: supernumerary, redundant, excess

suroscillation *f* : overswing, overshoot

suroxyde *m* : superoxyde

surpeuplement *m* : overcrowding

surplatine *f* (de microscope) superstage

surplomb *m* : overhang
  en ~: overhanging

surplus *m* : surplus, excess [quantity]
  en ~: supernumerary, surplus, in excess

surpresseur *m* : booster, booster pump

surpression *f* : additional pressure, overpressure, excess pressure, surge pressure; boost pressure

surproduction *f* : overproduction

surrection *f* : (géol) uplift (of the earth surface)

surréfrigération: superchilling

surrefroidissement *m* : excessive cooling, overcooling

surrégénérateur *m* : (impropre) →
  surgénérateur

sursaturation *f* : supersaturation
  ~ de couleur: (tc) colour overload

sursaturer: to supersaturate

sursoufflage *m* : afterblow

surteinture *f* : cross dye, cross dyeing

surtension *f* : (effort) straining, over-stress; (él) overvoltage, excess voltage
  ~ atmosphérique: lightning surge
  ~ de choc: surge voltage
  ~ de manœuvre: switching surge
  ~ entre phases: phase-to-phase over voltage
  ~ phase-terre: phase-to-earth overvoltage
  ~ transitoire: surge [voltage]

surveillance *f* : supervision, watching, monitoring; (de machine) monitoring, attendance
  de ~: supervisory
  sous ~: attended, monitored

surveillant *m* : supervisor, shopwalker; attendant
  ~ de la voie: trackman, trackwalker
  ~ de machine: machine minder GB, machine tender NA

surveillé: attended, manned, staffed

survie *f*: survival

survirer: to oversteer

survitesse *f*: overspeed

survol *m*: overflight, flight over; (lecture rapide) browsing

survolter: to boost, to step up

survolteur *m*: step-up transformer, positive booster
~-dévolteur: positive-negative booster

survulcanisation *f*: overcure (of rubber)

susceptibilité *f*: susceptibility, sensitiveness
~ **à l'effacement**: erasability
~ **à la corrosion**: corrodibility
~ **au plomb**: lead susceptibility
~ **magnétique**: magnetizability

sus-jacent: overlying

suspendu: hanging, suspended; (autom) suspended, sprung
~ **à la cardan**: gimbal-mounted
~ **par ressort**: spring-mounted, sprung
~ **sur coussin**: (véhicule) cushion-borne
~ **sur ressorts**: sprung
non ~: (autom) unsprung

suspension *f*: suspension; (luminaire) pendant, pendent; (dans le temps) stoppage, interruption, hold-up
~ **à barre de torsion**: torsion bar suspension
~ **à bras tirés**: trailing arm suspension
~ **à contrepoids**: cord pendant, cord lamp
~ **à la cardan**: gimbal suspension, gimbal mounting, gimbals
~ **à ressorts**: springing
~ **à roues avant indépendantes**: independent front-wheel suspension
~ **à tirage**: cord lamp, cord pendant
~ **aqueuse**: aqueous suspension
~ **auto-amortie**: automatically damped suspension
~ **colloïdale**: colloidal suspension
~ **d'exécution**: (inf) abort
~ **élastique**: flexible suspension, spring suspension, springing
~ **par barres de torsion**: torsion bar suspension
~ **pendulaire**: pendulum suspension; banking suspension (of turbotrain)
~ **pneumatique**: air suspension

~ **sous l'essieu**: underslung suspension
en ~: (chim) in suspension, suspended (in liquid)

suspente *f*: suspending rope; (de parachute) rigging line, suspension line; (de pont) suspending rod

sustentation *f*: (aéro) lift, lifting
~ **aérostatique**: static lift
~ **du rotor**: translational lift
~ **et guidage**: (aérotrain) lift and guidance
~ **magnétique**: magnetic levitation, maglev

sylviculture *f*: forestry, sylviculture, silviculture

symbiose *f*: symbiosis

symbiot *m*: symbiont

symbole *m*: symbol, [conventional] sign
~ **de terminaison**: terminator
~ **initial**: start symbol
~ **monétaire**: currency sign
~ **non terminal**: non-terminal symbol

symétrie *f*: symmetry; (él) balance
~ **par rapport à un plan**: plane symmetry
~ **par rapport à la terre**: balance-to-earth
~ **spéculaire**: mirror symmetry
sans ~: unsymmetrical

symétrique: symmetrical; (él) balanced, push-pull
~ **par rapport à un point**: symmetrical about a point

synapse *f*: (entre chromosomes) synapsis

synchrocyclotron *m*: synchrocyclotron

synchromètre *m*: synchrometer

synchrone: synchronous

synchronisateur *m*: synchronizer; (autom) synchromesh device; (inf) timer clock

synchronisation *f*: synchronization, synchronizing; phasing; (éon) clocking
~ **brute**: coarse synchronization
~ **d'image**: image lock
~ **de lignes**: horizontal synchronization
~ **de réseau**: network timing
~ **des phases**: phase locking

~ en moteur: motor synchronization
~ horizontale: horizontal synchronization

synchroniser: to synchronize; to bring into step

synchroniseur *m* : synchronizer; (autom) synchromesh

synchronisme *m* : synchronism
~ vertical: (tc) vertical hold
en ~: in synchronism, in time, in step
hors de ~: out of synchronism, out of step

synchrotron *m* : synchrotron
~ à anneau de stockage: storage ring synchrotron
~ à électrons: electron synchrotron
~ à focalisation intense: strong focusing synchrotron
~ à gradient alterné: alternating gradient synchrotron
~ à particules lourdes: heavy particle synchrotron

synclinal *m* : (pli synclinal) syncline; *adj* : synclinal

synderme *m* : leatherfibre board

syndicat *m* : (d'ouvriers) trade union, union
~ patronal: employers' federation
~ professionnel: trade association

syndrome *m* : syndrome
~ d'immunodéficience acquise ▶ SIDA: acquired immunodeficiency syndrome, AIDS

synérèse *f* : syn[a]eresis

synergie *f* : synergy, synergism

synoptique *m* : block diagram, mimic diagram

syntaxe *f* : syntax

syntaxeur *m* : (rob) syntaxer

synthèse *f* : synthesis
~ additive: additive colour mixing
~ de la parole: speech synthesis
~ de prédicats: predicate synthesis
~ de réparation: (gg/bm) repair synthesis
~ enzymatique: enzyme synthesis
~ soustractive: substractive colour mixing
de ~: synthetic (oil, fuel), man-made (fabric)

faire la ~: to sum up, to summarize, to recap

synthétique: synthetic; (fibres textiles) man-made

synthétiseur *m* : synthesizer
~ d'ADN: DNA synthesizer
~ de parole: speech synthesizer

syntonisation *f* : tuning, tuning control
~ d'antenne: aerial tuning GB, antenna tuning NA
~ de la trame: (tc) vertical hold
~ décalée: stagger tuning

syntoniseur *m* : tuning device, tuner

système *m* : system
~ à accès multiple: multiaccess system
~ à base fixe: fixed-radix system
~ à cartes perforées: peek-a-boo system
~ à circuit ouvert: open-loop system
~ à courant porteur: carrier system
~ à énergie totale: total-energy system
~ à gain direct: (chauffage) direct-gain system
~ à isolation totale: complete-isolation system
~ à marqueur: marker system
~ à neutre à la terre: grounded-neutral system
~ à ponts multiples: multidecking system
~ à rétroaction: feedback system
~ à surpression: plenum system (air conditioning)
~ à temps partagé: time-sharing system
~ à usagers multiples: multiuser system
~ à utilisation intégrale de l'énergie: total-energy system
~ acellulaire: cell-free system
~ algébrique: algebra system
~ assisté par ordinateur: computer-aided system
~ auto-organisé: self-organizing system
~ autocommandé: adaptive control system
~ base longue: long-baseline system
~ bi-énergétique: bi-energy system
~ bibloc: split system (air conditioning)
~ bivalent: dual system
~ constructif: building sytem
~ crossbar: Xbar system
~ d'aide: help system

~ **d'aide à la décision** ▶ SAD: decision support system
~ **d'alarme**: alarm device
~ **d'alimentation**: (du moule) gate system, gating
~ **d'antennes**: antenna array, antenna arrangement
~ **d'arrêt d'urgence**: emergency shutdown system, safety shutdown system
~ **d'atterrissage aux instruments**: instrument landing system
~ **d'atterrissage tous temps**: all-weather landing system
~ **d'autonomie respiratoire**: (plongée, astron) life-support system
~ **d'engrenages**: train of gears
~ **d'entraînement de bande magnétique**: tape drive
~ **d'exploitation** ▶ SE: (inf) operating system
~ **d'exploitation à bande**: tape operating system
~ **d'exploitation à disques** ▶ SED: disk operating system
~ **d'exploitation de base**: basic operating system
~ **d'exploitation multispectral**: multispectral scanner system
~ **de balayage**: sweeper
~ **de bureautique intégré**: integrated office system
~ **de chauffe**: furnace
~ **de chicanes**: baffling
~ **de commande**: control system
~ **de copiage**: tracer control
~ **de couplage**: coupler
~ **de courroies**: belting
~ **de fabrication à la chaîne**: flowline system
~ **de fabrication souple**: flexible manufacturing system
~ **de fabrication flexible**: flexible manufacturing system, flexible work system
~ **de gestion objet**: object management system
~ **de gestion de bases de données** ▶ SGDB: data base management system
~ **de gestion de fichiers**: file management system
~ **de gestion de réseau**: network management system
~ **de noyage en pluie**: sprinkler system
~ **de numération**: number [representation] system
~ **de poursuite**: tracking system
~ **de protection contre les surintensités**: surge protection [system]

~ **de sécurité**: (autom) occupant restraint
~ **de traitement de messages**: message handling system
~ **de transfert électronique de fonds**: electronic funds transfer system
~ **de transmission à fibres optiques**: fiber optics transmission system
~ **de verrouillage**: interlock system
~ **de visualisation**: visual display
~ **de visualisation centralisée des pannes**: centralized fault display system
~ **décimal**: decimal system
~ **dégénéré**: degenerate system
~ **distribué**: distributed system
~ **doublé**: duplicated system
~ **éliminateur de parasites**: noise trap
~ **en câble**: cable system
~ **en temps d'exécution**: run-time system
~ **en temps réel**: real-time system
~ **énergétique**: energy system
~ **expert** ▶ SE: expert system
~ **fluidique**: fluid control
~ **fourni par l'abonné**: interconnect system
~ **immunitaire**: immune system
~ **indéterminé**: indeterminate system
~ **intégré de gestion** ▶ SIG: management information system
~ **métrique**: metric system
~ **monoclinique**: (cristal) oblique system
~ **national de télécommunications par satellite**: domestic satellite system
~ **multi-experts**: (IA) multi-expert system
~ **multiprocesseur**: multiprocessing system
~ **nerveux**: nervous system
~ **numérique**: digital system; number system
~ **orienteur**: tracking system
~ **ouvert**: open system
~ **pas à pas**: step-by-step system
~ **passif**: (chauffage) direct-gain system
~ **pilote**: control system
~ **polyphasé**: polyphase system
~ **quantifié**: quantized system
~ **téléphonique sur fil**: hardwire system
~ **tout à relais**: all-relay system
~ **transactionnel**: transaction driven system
~ **vasculaire**: vascular system

systémique *f* : systems engineering; *adj* : systemic

T → Té

TA → titre alcalimétrique

table *f* : table; (de cylindre) body, barrel, face; (de m-o) bed
~ **à mouvements croisés**: (m-o) compound table
~ **à rouleaux**: roller table
~ **à secousses**: oscillating table, vibrator table, vibrating table
~ **coffrante**: (bétonnage) casting table
~ **d'écoute**: (tél) monitor's desk
~ **d'essai**: (tél) test board
~ **d'évacuation**: exit table
~ **de contingence**: (inf) contingency table
~ **de conversion**: conversion table, conversion chart
~ **de correspondance**: correspondence table
~ **de coulée**: casting slab, casting table
~ **de décision**: (inf) decision table
~ **de décompression**: (plongée) decompression table
~ **de fabrication**: (pap) wire end, wire part
~ **de laboratoire**: laboratory bench
~ **de mesures**: (tcm) test board, test deck
~ **de mixage**: sound mixer
~ **de moulage**: moulding table, moulder's bench
~ **de numérisation**: digitizing table
~ **de plongée**: diving table
~ **de rotation**: turntable
~ **de roulement d'un rail**: rail tread
~ **de sortie**: delivery table
~ **de tir**: (mil) firing table, range table
~ **de tiroir**: valve face
~ **de transfert à billes**: ball table
~ **de vérité**: truth table
~ **des matières**: [table of] contents
~ **développée**: expanded table
~ **orientable**: swivelling table
~ **radiale**: (m-o) swing aside table
~ **sinus**: sine table
~ **traçante**: plotting table, plotting board, [table] plotter, flatbed plotter
~ **vibrante**: oscillating table, vibrating table, vibrator table

tableau *m* : (panneau) board; (graphique) table, chart; (él) panel, switchboard; (inf) array
~ **à blocs débrochables**: drawout switchboard
~ **à double entrée**: double-entry table
~ **à feuilles mobiles**: flip chart
~ **à fiches**: plugboard
~ **à plusieurs dimensions**: multidimensional array
~ **à trois dimensions**: three dimensional array
~ **commutateur**: operator switchboard
~ **comparatif**: comparison chart
~ **d'affichage**: notice board GB, bulletin board NA
~ **d'avancement des travaux**: progress chart
~ **d'enclenchement**: sequence chart
~ **de bord**: instrument board, instrument panel; (autom) dash[board]
~ **de commande**: control panel, control board, operator control panel
~ **de commande optique ▶ TCO**: visual control panel
~ **de connexions**: patch panel, patch board, plugboard
~ **de contrôle**: test board
~ **de dépannage**: fault finding chart
~ **de distribution**: switchboard
~ **de graissage**: lubricating chart, oil chart
~ **de jacks**: jack panel, jack field
~ **de portes**: (inf) gate array
~ **de service**: duty chart
~ **extensible**: flexible array
~ **généalogique**: genealogical table
~ **général**: main panel
~ **indicateur**: indicator panel, indicator board, annunciator
~ **indicateur de cabine**: (d'ascenseur) car indicator
~ **interurbain**: trunk switchboard
~ **irrégulier**: ragged array
~ **logique**: logic array
~ **logique libre**: uncommited logic array
~ **logique programmable par l'usager**: field-programmable logic array

~ **noir**: (IA) blackboard
~ **récapitualtif**: summary chart
~ **sous tension**: live-front switchboard
~ **synoptique**: block diagram

tablette *f* : small shelf; (de potage) cube; (de chocolat) bar
~ **à bornes**: terminal strip, terminal board
~ **à câbles**: cable rack
~ **arrière**: (autom) parcel shelf

tableur *m* : spreadsheet

tablier *m* : apron; (de pont) deck
~ **à rouleaux**: (laminage) roller bed, roller table
~ **de dégivrage**: deicing mat
~ **de tour**: lathe apron
~ **du chariot**: (m-o) saddle apron

tabulateur *m* : tabulator, tab

tabulatrice *f* : tabulator (machine)

tabuler: to tabulate

TAC → **titre alcalimétrique complet**

tache *f* : mark, stain, spot
~ **cathodique**: cathode spot
~ **d'exploration**: scanning spot
~ **d'humidité**: mould stain
~ **de charge**: (plast) filler speck
~ **germinale**: germinal spot
~ **ionique**: ion spot, ion burn
~ **lumineuse**: (phot) flare [spot], light spot
~ **noire**: dark spot
~ **solaire**: sunspot
~**s d'humidité**: mildew

tâche *f* : task; (chemin critique) activity
~ **désignée**: assignment
~ **fictive**: dummy activity
~ **prioritaire**: (inf) override task, foreground task

tachéomètre *m* : tacheometer, tachymeter

tachygraphe *m* : tachograph

tachymètre *m* : tachometer
~ **étalon**: master tachometer

tactile: tactile, touch sensitive

tactique *f* : tactics; *adj* : tactical

TAE → **tête automatique d'extinction**

taillage *f* : cutting
~ **par avance oblique**: skew feed cutting
~ **par fraise en bout**: end milling, end mill cutting
~ **par fraise-mère**: hobbing
~ **par reproduction**: copy milling

taillant *m* : (d'outil) cutting edge; (de forage) tool drill bit, tool bit, bit
~ **à molettes**: roller bit
~ **amovible**: detachable bit, jack bit
~ **en couronne**: X bit, six-point bit
~ **en croix**: star bit, cross bit, X bit

taille *f* : (coupe) cutting; (grandeur) size; (mine) face
~ **courante**: stock size
~ **croisée**: (d'une lime) double cut
~ **de l'échantillon**: sample size
~ **des métaux**: metal cutting
~ **des particules**: particle size
~ **douce**: (d'une lime) smooth cut
~ **effective** ► **TE**: (granulométrie) effective size
~ **en activité**: working face
~ **montante**: rise face
~ **par avance axiale**: axial feed cutting
~ **par grand front aligné**: longwall mining
~ **rabattante**: retreating face
~ **superfine**: dead smooth cut

taillé: cut
~ **dans la masse**: cut from the solid
~ **mat**: (verre) mat cut

tailler: (le verre, la pierre) to cut; (les engrenages) to hob

tain *m* : (de miroir) silver

talc *m* : (méc) French chalk; (pharmacie) talcum powder

talkie-walkie *m* : walkie-talkie

talochage *m* : floating (of plaster)

talon *m* : heel; (de pneu) bead; (de carnet à souches, de chéquier) counterfoil, stub
~ **d'une aube**: blade root, blade shank
~ **de clavette**: key head, gib head
~ **de lame**: rear end of blade
~ **de lisse**: stringer cap

talquer: to dust (with French chalk)

talus *m* : embankment, bank, slope
~ **continental**: continental slope
~ **d'éboulis**: (géol) scree, talus

~ **d'équilibre**: angle of repose
~ **de remblai**: embankment slope
~ **en déblai**: cutting slope, excavation slope

taluter: to slope, to bank

taluteuse f : sloper

talweg m : thalweg

tambour m : drum; spool (of reel or small winch); (constr) revolving door
~ **à câble**: cable drum, rope drum
~ **à picots**: sprocket drum
~ **alimentateur**: payoff drum
~ **chargeur**: (arm) drum magazine
~ **cribleur**: screening drum
~ **culbuteur**: tumbling barrel, tumbling drum, tumbler
~ **d'enroulement**: cable drum, cable reel; (de tuyau) hose reel
~ **d'extraction**: (mine) hoist drum
~ **de câble**: winding drum, cable drum, cable reel
~ **de forage**: (au câble) bull wheel
~ **de frein**: brake drum
~ **de levage**: (forage au câble) calf wheel
~ **de manœuvre**: hoisting drum
~ **de mouflage**: closing drum
~ **de pagination**: paging drum
~ **de renvoi**: tail drum
~ **de suspension**: (manutention) holding drum
~ **de treuil**: hoist[ing] drum, winch reel
~ **de triage**: sorting drum, sizing drum
~ **denté**: sprocket [drum]
~ **dérouleur**: payout drum
~ **enregistreur**: drum chart recorder, recording drum
~ **enrouleur**: take-up drum
~ **laveur**: drum washer
~ **magnétique**: magnetic drum
~ **malaxeur**: mixing drum
~ **mélangeur**: mixing drum
~ **mélangeur rotatif**: tumbling mixer
~ **perforé**: sieve drum
~ **tamiseur**: screening drum

tamis m : riddle, screen, sieve
~ **à bande**: band screen, belt screen
~ **à mailles**: mesh sieve
~ **à panier**: (eau) band screen, belt screen
~ **à secousses**: oscillating screen, shaking screen, vibrating screen
~ **à toile métallique**: wire mesh screen
~ **d'égouttage**: dewatering screen
~ **de crin**: hair sieve
~ **en cascade**: cascade strainer
~ **filtrant**: filter sieve, filter screen

~ **métallique**: gauze strainer, wire screen
~ **moléculaire**: molecular sieve
~ **rotatif**: drum screen, revolving screen
~ **vibrant**: oscillating screen, shaking screen, shaker, vibrating screen

tamisage m : screening, sieving, sifting

tamisat m : screened material; undersize material

tamiser: to screen, to sieve, to sift; (un liquide) to strain

tampon m : (d'obturation) plug, stopper; (d'égout) manhole cover, manhole lid; (de scellement) plug; (de mesure) plug gauge GB, plug gage NA; (chdef, chim, inf) buffer; (cachet) stamp
~ **à ressort**: spring buffer
~ **à capacité variable**: (inf) elastic buffer
~ **à cône**: taper plug gauge
~ **amortisseur**: bumper, shock absorber
~ **bague**: ring gauge
~ **conique**: taper plug gauge
~ **cylindrique**: cylindrical plug gauge
~ **d'attelage**: (chdef) coupling buffer
~ **d'entrée**: (inf) input buffer
~ **de choc**: bumper, buffer
~ **de pression**: (moule) pressure pad
~ **de regard**: manhole cover
~ **de vapeur**: vapour lock
~ **de vérification**: inspection stamp
~ **de visite**: access eye
~ **du tapis roulant**: conveyor buffer stock
~ **en caoutchouc**: rubber stamp
~ **entre-n'entre pas**: GO-NO-GO plug gauge
~ **étalon**: master plug
~ **fileté**: screw plug gauge, internal thread gauge
~ **graisseur**: oil pad, pad lubricator
~ **hermétique**: cleanout cap
~ **hydraulique**: hydraulic buffer
~ **lisse**: cylindrical plug gauge, plain plug gauge
~ **riche**: high buffer

tamponnage m : (chim) buffer action, buffering

tamponnement m : (inf) buffering; (scellement dans mur) plugging; (de trains, de véhicules) end-on collision

tamponner: to buffer; (obturer un trou, un tuyau) to stop; (sceller dans maçonnerie) to plug

tamponnoir *m* : plugging chisel, plugging drill, wall drill, wall bit

tangage *m* : (mar, aéro) pitching

tangente *f* : tangent

tangentiel: tangential

tangerine *f* : tangerine

tanguer: to pitch

tan[n]in *m* : tannin

TAO → **traduction assistée par ordinateur**

tapioca *m* : tapioca

tapis *m* : (text) carpet; (de route) mat, carpet
~ **à billes**: ball mat
~ **aiguilleté**: needled carpet
~ **bitumineux**: asphalt mat, bituminous surfacing
~ **cellulaire**: lawn (of bacteria)
~ **contact**: tread mat (door control)
~ **de sol**: (tcm) ground system
~ **d'usure**: wearing surface
~ **hydrocarboné**: blacktop, bituminous surfacing
~ **isolant**: insulating mat
~ **roulant**: conveyor belt, endless belt; (de chaîne de fabrication) erecting track
~ **végétal**: vegetable blanket

tapure *f* : (métall) shrinkage crack, contraction crack
~ **de trempe superficielle**: quenching crack

taquage *m* : (graph) jogging, knocking up

taque *f* : cast iron plate; (de cheminée) fireback
~ **d'assise**: (de machine) baseplate, bedplate, floor plate, sole plate
~ **de fixation**: clamping plate

taquet *m* : (méc) stopper, block; (men) angle block; (mar) cleat; (de métier à tisser) picker
~ **d'arrêt**: stop block, scotch, retaining lug
~ **d'embrayage**: engaging dog
~ **d'enclenchement**: locking tappet
~ **d'entraînement**: catch, driver
~ **de tabulation**: tabulator stop, tab stop

taqueuse *f* : (graph) [paper] jogger

tarage *m* : calibration (of spring), setting (of spring, valve); (commerce) allowance for tare, taring

taraud *m* : [screw] tap
~ **aléseur**: reaming tap
~ **amorceur**: entering tap
~ **conique**: taper tap
~ **de repêchage**: (forage) fishing tap
~ **ébaucheur**: entering tap
~ **finisseur**: bottoming tap, finishing tap
~ **mère**: master tap

taraudage *m* : tapping, threading, screwing (of nut); inside thread, internal thread

tarauder: to tap, to thread, to screw (internally)

taraudeuse *f* : (mach) tapping machine, tapper, screwing machine, thread cutter, screw cutter

tare *f* : empty weight, tare; hereditary defect

tarer: (un ressort) to set (a spring)

taret *m* : marine borer, shipworm, teredo

tarière *f* : auger; earth auger, pole digger, post hole digger, post hole auger, post hole borer
~ **à cuiller**: spoon auger

tarif *m* : price list, schedule of prices; (utilitaires, douanes) tariff; (transports) fare
~ **à deux composantes**: binomial tarif, two-part tariff
~ **à forfait**: flat-rate tarif
~ **à tranches**: multirate tariff
~ **binôme**: two-part tarif, binomial tariff
~ **de base**: base rate
~ **de pointe**: maximum demand tariff
~ **dégressif**: sliding rate, sliding scale tariff
~ **douanier**: customs tariff
~ **en vigueur**: rate in force
~ **fixe**: flat rate
~ **forfaitaire**: contract rate, fixed charge, fixed rate, flat rate
~ **gros consommateur**: bulk supply tariff
~ **heures creuses**: offpeak tariff
~ **hors pointe**: offpeak tariff
~ **journalier**: day rate
~ **par kilomètre**: fare per kilometre

~ par tranches dégressives: block rate
~ pour usage domestique: household rate
~ préférentiel: preferential rate
~ réduit: cheap rate, reduced rate
~ uniforme: flat rate, single tariff
à ~s multiples: multirate (meter)

tarification *f* : pricing, rate structure, price structure; (transports) fare system

tarir: to run dry, to dry up

tarissement *m* : depletion, recession (of river)
~ non influencé: tail recession
~ saisonnier: seasonal depletion

tartre *m* : boiler scale; (vin) tartar

tartrifuge *m* : boiler compound

tas *m* : heap, pile, stack, stockpile
~ à dresser: straightening block
~ à river: dolly
~ de décharge: delivery pile
~-étampe: swage block
~ fusionable: (inf) mergeable heap

tasseau *m* : (men) cleat, strip, batten
~ de clouage: nailing strip

tassement *m* : compressing, packing; (du sol, des fondations) settlement, settling, subsidence; (sol remblayé): consolidation; (inf) compacting, compaction
~ de terrain: land subsidence
~ des données: packing of data
~ différentiel: differential settlement, unequal settlement

tasser: to compact, to pack; (de la terre) to ram, to pack, to tamp
se ~: (fondations) to settle

tâte-ferraille *m* : junk feeler

taud *m* : awning
~ d'embarcation: boat cover
~ de cale: canopy

taudis *m* : slum

taupe *f* : mole

taureau *m* : bull; steer NA

taurillon *m* : bull calf, young bull

taux *m* : rate, amount, ratio, proportion
~ d'allongement: (laminage) reduction capacity (of roll)
~ d'amplitude: peak-to-valley ratio
~ d'échantillonnage: sample fraction, sampling rate
~ d'émanation dans l'air: air measurement
~ d'encapsulage: (f.o.) packing rate
~ d'enrichissement: (nucl) enrichment factor
~ d'enroulement: turns ratio
~ d'épuisement: (nucl) burn-up fraction
~ d'erreurs: error rate
~ d'erreur binaire ▶ TEB: bit error rate
~ d'erreurs sur les bits ▶ TEB: bit error rate
~ d'étirage: (laminage) reduction capacity (of roll)
~ d'expansion: expansion ratio
~ d'harmoniques: harmonic factor
~ d'humidité: moisture content (of air)
~ d'insuccès: (inf) miss rate
~ d'ondes stationnaires: standing-wave ratio
~ d'ondulation: ripple ratio
~ d'ondulation de crête: peak ripple factor
~ d'utilisation: (inf) fill, operating ratio, utilization
~ de cendres: ash content
~ de cisaillement: shear rate
~ de combustion: (nucl) burn-up ratio
~ de compression: compression ratio
~ de croissance: growth rate
~ de défaillance: failure rate
~ de descente: rate of sink
~ de détente: expansion ratio
~ de dilution: (d'un réacteur à double flux) bypass ratio
~ de disponibilité: operating ratio
~ de disponibilité en énergie: energy availability factor
~ de fusion: melt rate
~ de la rampe: grade percent
~ de mélange: mixture ratio
~ de modulation: modulation depth, modulation factor
~ de modulation du faisceau: beam modulation percent
~ de panne prévu: estimated failure rate
~ de pannes en vol: rate of in-flight failures
~ de pénétration: (forage) rate of penetration
~ de pollen: pollen count
~ de porosité: voids ratio
~ de production: rate of production
~ de recombinaison: (gg/bm) recom-

bination frequency, recombination fraction
~ **de récupération**: recovery factor, recovery rate
~ **de refus**: percent denial
~ **de rendement énergétique**: energy efficiency ratio
~ **de réussite**: (inf) hit rate, success rate
~ **de roulis**: rate of roll
~ **de saturation**: load factor (of traffic)
~ **de succès**: (inf) hit rate, success rate
~ **de survie**: survival fraction
~ **de travail**: working stress
~ **de travail de sécurité**: safe working load
~ **de virage**: (aéro) rate of turn
~ **moyen d'occupation**: mean occupancy
~ **réel**: actual ratio

ʀable: (tél) chargeable

ʀe *f*: (impôt) tax; (tél) charge
~ **à la valeur ajoutée** ▶ **TVA**: value added tax
~**s d'atterrissage**: (aéro) landing fees

ʀimètre *m*: (mar) pelorus

ʀinomie *f* → **taxonomie**

ʀiphone *m*: public phone box, pay phone, public telephone

ʀonomie *f*: taxonomy, hierarchy
~ **croisée**: (IA) tangled taxonomy, tangled hierarchy

ʀ. → **tonnage brut**

ʀO → **tableau de commande optique**

ʀT → **traitement de texte**

ʀ. → **taille effective**

m: Tee
~ **à bride**: flanged Tee
~ **à trois brides**: all-flanged Tee
~ **de branchement d'abonné**: (tél) service Tee
~ **de raccordement**: T connection
~ **double**: [pipe] cross
~ **mâle et femelle**: service Tee
~ **oblique**: Y branch, Y fitting
~ **réducteur**: unequal Tee

ʀB → **taux d'erreurs sur les bits**

ʀC → **tonne d'équivalent charbon**

technicien *m*: technician, engineer
~ **de maintenance**: customer engineer, service engineer, field engineer

technicité *f*: technicality

technico-commercial *m*: (ingénieur ~) sales engineer

technique *f*: technique; procedure, practice, method; engineering; *adj*: technical
~ **connexe**: allied process
~ **de la circulation**: traffic engineering
~ **de la production**: production engineering
~ **de la vapeur**: steam engineering
~ **de pointe**: state-of-the art technique, leading technique
~ **des courants forts**: electric power engineering
~ **des instruments de mesure**: instrumentation
~ **des mesures**: measuring engineering
~ **des ouvrages en terre**: soil engineering, earthworks engineering
~ **des terrassements**: earthwork engineering
~ **des ultrasons**: ultrasonics
~ **du froid**: refrigeration engineering
~ **immunologique**: immunological technique
~ **par élimination du signal**: (ultrasons) opacity technique
~ **recommandée**: recommended practice
~ **routière**: road engineering
~ **sanitaire**: sanitary engineering

technologie *f*: technology
~ **de pointe**: state-of-the-art technology
~ **éprouvée**: proven technology
~ **poussée**: advanced technology

TEF → **transistor à effet de champ**

téflon *m*: teflon

tégument *m*: integument

teint: dyed
~ **à la cuve**: vat-dyed
~ **en écheveaux**: dyed in the hank
~ **en fibre**: dyed in the raw
~ **en pièce**: piece-dyed

teinte *f*: tint, colour, hue
~ **dégradée**: shaded colour
~ **en aplat**: flat tint, flat colour, solid tint, solid colour

~ **plate**: plain colour
~ **unie**: plain colour

teinture *f* : dye; (pour bois) stain
~ **à l'alcool**: spirit stain
~ **au foulard**: pad dyeing
~ **au plongé**: tub-dip process
~ **de tournesol**: litmus solution
~ **défectueuse**: off-colour
~ **en autoclave**: kettle dyeing
~ **en bobines**: package dyeing
~ **et apprêt**: dyeing and finishing
~ **sur ensouple**: beam dyeing

teinturerie *f* : dyeing; dye works, dyehouse

télé: tele, remote

téléachats *m* : armchair shopping, home shopping

téléaffichage *m* : remote display

téléassistance *f* : remote support

téléavertisseur *m* : paging device, pager

télébande *f* : teletape

téléboutique *f* : [tele]phone shop

télécarte *f* : phone card GB, dial card NA

téléchargement *m* : remote loading, teleloading

télécommande *f* : remote control, telecontrol

télécommunication *f* : [tele]communi-cation
~ **optique**: optical communication, optical fiber communication
~ **par fibres optiques**: optical commu-nication, optical fiber communication
~ **par satellite**: satellite communication, satcom
~**s spatiales**: space communications

télécomposition *f* : teletypesetting

téléconduite *f* : telecontrol

téléconférence *f* : teleconferencing

télécopie *f* : facsimile
~ **contrastée**: document facsimile
~ **nuancée**: picture facsimile

télécopieur *m* : facsimile machine, facsimile transceiver

télécran *m* : telescreen

télédétecteur *m* : remote sensor

télédétection *f* : remote sensing

télédiagnostic *m* : remote diagnostic

télédiaphonie *f* : far-end crosstalk

télédistribution *f* : cable television, cablecasting

télé-écriture *f* : telewriting

télé-enseignement *m* : educational television

télé-enregistrement *m* : telerecording

téléfilm *m* : television film

télégestion *f* : remote management

télégraphie *f* : telegraphy
~ **harmonique**: voice-frequency telegraphy
~ **intrabande**: simultaneous telegraphy and telephony
~ **par courants porteurs**: carrier [current] telegraphy
~ **par décomposition des signes**: mosaic telegraphy
~ **par déplacement de fréquence**: frequency-shift telegraphy
~ **simplex**: simplex telegraphy
~ **supra-acoustique**: superaudio telegraphy
~ **unidirectionnelle**: simplex telegraphy

télégraphier: to cable, to wire

télégraphiste *m* : telegraph operator

téléguidage *m* : guidance
~ **par faisceau**: beam-riding guidar

téléguidé: guided (missile)

téléimpression *f* : remote printing

téléimprimeur *m* : teleprinter GB, teletypewriter NA

téléindicateur *m* : remote indicator

téléinformatique *f* : teleprocessing

télélogiciel *m* : telesoftware

télémaintenance *f* : remote maintenan

télémanipulateur *m* : remote manipulator, teleoperator

télématique *f* : compunications, tele[infor]matics

télémesure *f* : telemetry; telemetering

télémètre *m* : telemeter; distance finder, distance meter; (mil) rangefinder, ranger
~ **à laser**: laser rangefinder, laser ranger
~ **radar**: radar ranging system

télémétrie *f* : telemetry; (mil) range finding

téléobjectif *m* : telephotolens

téléopérateur *m* : teleoperator

téléphone *m* : telephone, set
~ **à clavier**: press-button telephone, pushbutton telephone
~ **à haut-parleur**: speaker telephone, speakerphone
~ **à prépaiement**: pay phone
~ **cellulaire**: cellular phone
~ **d'abonné**: subscriber's set
~ **de voiture**: car phone
~ **intérieur**: interphone, intercom
~ **public**: coin box, public telephone
~ **rouge**: hot line (US to Kremlin)
~ **sans fil**: cordless telephone
~ **vert**: hot line (Elysée to Kremlin)

téléphonie *f* : telephony
~ **à courants porteurs**: carrier-current telephony, carrier telephony
~ **par câble**: cable telephony
~ **par fil**: line telephony, wire telephony
~ **sans fil**: wireless telephony, radio telephony

téléphonique: telephone, voice-grade

téléphoniste *m, f* : [telephone] operator

télérelais *m* : distance relay

téléréunion *f* : telemeeting, conference call

télésaisie *f* : remote data entry

télescope *m* : telescope
~ **à réflexion**: reflecting telescope
~ **à réfraction**: refracting telescope
~ **électronique**: electron telescope

téléscripteur *m* : telewriter

télésignalisation *f* : remote signalling

télésimilographie *f* : similography

télésoumission *f* : remote entry
~ **de travaux**: remote job entry

téléspectateur *m* : [television] viewer

télésurveillance *f* : telemonitoring

téletexte *m* : teletext

télétraitement *m* : remote processing, telecomputing, teleprocessing
~ **par lots**: remote batch processing

télétravail *m* : electronic cottage [industry], telecommuting, work at home, remote work

télétravailleur *m* : telecommuter

téléviseur *m* : television receiver, television set

télévision *f* : television
~ **à accès conditionnel**: pay television
~ **à antenne collective ▶ TAC**: community antenna television
~ **à péage**: pay television
~ **câblée**: cable television
~ **en circuit fermé**: closed-circuit television
~ **par câble**: cable television
~ **par satellite artificiel**: satellite television
~ **payante**: pay television

télex *m* : telex

tellurien: tellurian

tellurohmmètre *m* : earth resistance meter, ground resistance meter

telluromètre *m* : tellurometer

tellurure *m* : telluride

télomère *m* : telomer

télophase *f* : telophase

témoin *m* : indicator; telltale
~ **clignotant**: flashing warning light
~ **d'usure**: abrasion indicator (on tyre)
~ **[lumineux]**: indicator [light], pilot lamp, signal lamp, warning light

température *f* : temperature
~ **ambiante**: air temperature, room temperature
~ **ambiante extérieure**: outside ambient temperature
~ **boule humide**: wet-bulb temperature
~ **boule sèche**: dry-bulb temperature
~ **critique**: critical temperature; (métall) transformation temperature
~ **cryogénique**: very low temperature
~ **d'auto-allumage**: self-ignition temperature
~ **de bruit**: noise temperature
~ **de couleur**: colour temperature
~ **de fluage**: flow temperature
~ **de fluidité**: flow temperature
~ **de fonctionnement**: operating temperature
~ **de fusion**: melting temperature
~ **de solidification**: transformation temperature
~ **de sortie des gaz**: exhaust gas temperature
~ **de souffle**: noise temperature
~ **de stockage**: storing temperature
~ **du rouge**: red heat
~ **du sang**: blood heat
~ **élevée**: high temperature
~ **établie**: steady temperature
~ **extérieure**: outdoor temperature
~ **fictive extérieure**: (clim) soil-air temperature
~ **hibernale**: winter temperature
~ **humide**: wet-bulb temperature
~ **inférieure à 0**: subzero temperature
~ **sèche**: dry-bulb temperature

temporaire: temporary, provisional; short-time (measure, rating); (inf) soft (error)

temporisateur *m* : [automatic] time switch, timer

temporisation *f* : timing, [time] delay, delayed action
~ **de déclenchement**: trip delay
~ **de protection**: guard timer

temporisé: delayed, timed, slow-acting

temporisateur *m* : time-delay unit, timer
~ **thermique**: thermal timer

temps *m* : time; (durée) period; (météorologie) weather; (de moteur) cycle, stroke
~ **à vide**: (d'une machine) off-load period
~ **au plus tôt**: earliest occurence time
~ **bloc**: (aéro) chock-to-chock time, ramp-to-ramp time

~ **cale à cale**: (aéro) chock-to-chock time, ramp-to-ramp time
~ **couvert**: heavy sky
~ **d'accélération**: acceleration time
~ **d'accès à l'information**: retrieval time
~ **d'amorçage**: (pompe) suction time priming time
~ **d'antenne**: air time
~ **d'arrêt**: dwell; (de machine) downtime, fault time
~ **d'arrêt du moteur**: (après coupure des gaz) run-down time
~ **d'aspiration**: induction stroke, suction stroke
~ **d'assemblage avant pression**: closed asssembly time
~ **d'attente**: waiting time, idle time, standby time
~ **d'échappement**: exhaust stroke
~ **d'émission**: air time
~ **d'escale**: (aéro) turnaround time
~ **d'établissement**: build-up time, ris time; (d'ensemble de mesure) settling time
~ **d'établissement d'impulsion**: pulse rise time
~ **d'établissement de communication**: (tél) connection time
~ **d'établissement de la poussée**: (aéro) thrust rise time
~ **d'étape**: takeoff to touchdown time
~ **d'exécution**: (d'une instruction) operation time
~ **d'exploitation**: operating time, productive time, run time
~ **d'explosion**: firing stroke
~ **d'exposition**: (phot) shutter speed
~ **d'indisponibilité**: downtime, out-o service time, unavailability time, unavailable time
~ **d'inutilisation**: dead time, ineffective time, lost time
~ **d'utilisation**: running time
~ **de basculement**: switching time
~ **de blocage**: (éon) off period, blocking period (of gas-filled tube)
~ **de chevauchement**: bridging time (of contact)
~ **de commutation**: switching time, transit time
~ **de compression**: compression stroke
~ **de conduction**: on period, conduc ing period (of gas-filled tube)
~ **de confinement**: (plasma) confine ment time
~ **de contact**: (traitement de l'eau) contact period
~ **de cuisson**: firing time
~ **de décroissance**: fall time, trailing edge pulse time

~ **de démarrage**: warm-up time, start time
~ **de descente d'une impulsion**: decay time, pulse fall time
~ **de détente**: expansion stroke
~ **de disjonction**: tripping time
~ **de disponibilité**: up time
~ **de fermeture**: (d'un contact) make time
~ **de fonctionnement**: operating time, up time, running time; (d'un avion) time since new
~ **de lancement**: lead time
~ **de latence**: (d'un détecteur) latency time
~ **de libération**: clearing time
~ **de maintien**: hold[ing] time
~ **de mise au repos**: (d'un contact) release time
~ **de mise en température**: heatup time
~ **de mise en route**: start-up time, set-up time
~ **de mise sous tension**: power-on time
~ **de montage**: (m-o) setting up time
~ **de montée**: building-up time, build-up time, rise time; (aéro) time of climb, time-to-climb
~ **de montée d'une impulsion**: pulse rise time
~ **de montée d'une onde**: wavefront time
~ **de montée en régime**: start time
~ **de montée en vitesse**: acceleration time
~ **de passage**: flow time
~ **de préchauffage**: warm-up time
~ **de présence**: attendance time
~ **de prise**: setting time
~ **de propagation**: (d'un signal) delay time
~ **de propagation dans l'ionosphère**: ionospheric time delay
~ **de propagation de groupe**: envelope delay
~ **de propagation de phase**: phase delay
~ **de propagation différentiel**: differential delay
~ **de propagation en boucle**: loop delay
~ **de relaxation**: relaxation time
~ **de réparation moyen**: mean time to repair
~ **de réponse ouvert-fermé**: off-on response time
~ **de repos**: idle period; (d'une came) dwell
~ **de résidence**: retention time
~ **de restitution**: (dispositif de mesure) recovery time

~ **de rétention**: detention time, retention time
~ **de rétention des matières solides**: (épuration) solids retention time
~ **de séjour**: (chim) residence time; (de l'eau dans un bassin) detention time, retention period
~ **de sensibilité**: (ionisation) sensitive time
~ **de service**: up time
~ **de silence**: (tél) silent gap (in conversation)
~ **de stabilisation**: (d'un appareil) warm-up time
~ **de survie 50%**: median lethal time
~ **de traitement**: turnaround time
~ **de transit**: transit time
~ **de travail**: actuated time
~ **de vie de l'énergie**: (plasma) energy loss time
~ **de virement**: changeover time (of relay)
~ **de vol**: (aéro) airborne time, takeoff-to-touchdown time
~ **de vol cale à cale**: block-to-block time
~ **écoulé**: elapsed time
~ **effectif de maintenance**: active maintenance time
~ **effectif de réparation**: active repair time
~ **entre révisions**: time between overhauls
~ **hors service**: downtime
~ **inexploitable**: inoperable time
~ **légal**: standard time
~ **létal moyen ▶ TLM**: median lethal time
~ **machine**: machine time, running time
~ **maximum d'utilisation**: usable life; pot life
~ **mort**: idle time, non-productive time, unproductive time, lost time; (pour réparations) downtime; (d'un système de mesure) dead time; (tél) [silent] gap, interval (in conversation)
~ **moteur**: power stroke, working stroke
~ **moyen**: mean time
~ **moyen de Greenwich**: Greenwich mean time
~ **moyen du bord**: ship's mean time
~ **moyen entre défaillances**: mean time between failures
~ **moyen entre déposes**: mean time between removals
~ **moyen entre deux défaillances**: mean time to failure
~ **moyen entre pannes**: mean time between failures
~ **moyen entre reprises**: mean time between restarts

~ **passé**: clock hours
~ **passé au dépannage**: time to repair
~ **perdu**: lost time; (de machine) downtime
~ **réel**: real time
~ **sol à sol**: floor-to-floor time
~ **solaire moyen**: mean solar time
~ **universel**: universal time
~ **utile**: operating time, productive time
~ **utilisable**: up time, operable time
en ~ **partagé**: time-sharing
en ~ **réel**: real-time

ténacité *f* : (métall) toughness

tenaille[s] *f* : tongs, dogs, pincers

tendance *f* : tendency
~ **à piquer**: (aéro) nose heaviness

tendeur *m* : tension device, tightener, tensioner, stretcher, slack adjuster; straining screw, stretching screw
~ **à chape**: clevis-end turnbuckle
~ **à lanterne**: turnbuckle
~ **à vis**: turnscrew, straining screw, screw tightener, turnbuckle
~ **à vis pivotant**: swivelling turnbuckle
~ **d'un câble**: rope take-up
~ **de chaîne**: chain adjuster
~ **de courroie**: belt tightener, belt stretcher, belt tensioner, stretcher pulley
~ **de fil**: wire stretcher, wire strainer
~ **de hauban**: stay tightener, slack puller, turnbuckle

tendre: to stretch, to tighten, to take up the slack; *adj* : soft (stone, solder)

tendu: in tension; (chaîne, courroie) tight, taut
~ **à fond**: dead tight

teneur *f* : content, amount, ratio, proportion, percentage; (d'un minerai) grade
~ **en alcool**: alcoholic strength
~ **en cendres**: ash content, percentage of ashes
~ **en ciment**: cement factor
~ **en eau**: water content
~ **en fines**: fines content
~ **en GC**: (gg/bm) GC ratio, GC value, GC proportion
~ **en humidité**: moisture content
~ **en paraffine**: wax content (of oil)
~ **en vides**: void ratio
~ **maximale eau-ciment**: maximum water/cement ratio
~ **moyenne**: average grade (of ore)
~ **payante**: payable grade (of ore)

à ~ **réduite en sucre**: sugar-reduced, low-sugar

teneurmètre *m* : content meter

ténia *m* : tape worm

tenir: to hold
~ **[à jour]**: to keep up to date; (inf) to maintain (a file)
~ **la pression**: to hold the pressure
~ **son cap**: to steer one's course

tenon *m* : (men) tenon; (méc) lug, stud, tenon
~ **à rotule**: spherical eye (of cylinder rod end)
~ **d'assemblage**: assembly stud
~ **de guidage**: guide lug, guide pin
~ **de recul**: (arme) recoil shoulder
~ **de repérage**: guide peg
~ **passant**: through tenon GB, thru tenon NA
~ **simple**: plain eye (of cylinder rod end)

tenseur *m* : tensor
~ **des déformations**: strain tensor
~ **des rotations**: rotation tensor

tension *f* : (méc) traction, strain, [tensile] stress; (él) voltage; (de vapeur) tension; (d'un ressort) set
~ **à haute fréquence**: high-frequency voltage
~ **à vide**: open-circuit voltage, offload voltage
~ **active**: active voltage
~ **additionnelle**: boosting voltage, boost
~ **alternative**: a.c. voltage
~ **and compression**: traction and compression
~ **anodique**: anode voltage GB, plate voltage NA
~ **aux arêtes**: edge stress
~ **aux balais**: brush voltage
~ **aux bornes**: terminal voltage
~ **circonférentielle**: hoop stress
~ **composée**: line-to-line voltage, phase-to-phase voltage
~ **continue**: d.c. voltage
~ **d'adhérence**: bonding stress (of concrete)
~ **d'alimentation**: incoming voltage, mains voltage, line voltage, battery voltage
~ **d'allumage**: striking voltage
~ **d'amorçage**: sparkover voltage, flashover voltage, breakdown voltage
~ **d'amorçage au choc**: impulse sparkover voltage, impulse flashover voltage

~ **d'appel**: (tél) pull-in voltage, ring voltage
~ **d'émission**: transmitting voltage
~ **d'enclenchement**: closing voltage, pull-in voltage, tripping voltage
~ **d'équilibrage**: phase-balance voltage
~ **d'ondulation**: ripple voltage
~ **d'oscillation**: oscillating voltage
~ **d'ouverture**: (de relais) drop-out voltage
~ **d'utilisation**: service voltage
~ **de bain**: (galvanoplastie) tank voltage, cell voltage
~ **de blocage**: sticking voltage
~ **de chauffage**: filament voltage, heater voltage
~ **de choc**: surge voltage, impulse voltage
~ **de chocs de manœuvre**: switching impulse voltage
~ **de chute**: (relais) drop-away voltage, drop-out voltage
~ **de cisaillement**: shear stress
~ **de claquage**: breakdown voltage
~ **de collage**: (de relais) tripping voltage, cut-in voltage
~ **de contournement**: breakdown voltage, sparkover voltage, flashover voltage
~ **de coupure**: cut-off voltage
~ **de crête**: peak voltage
~ **de déclenchement**: tripping voltage
~ **de décrochage**: drop-out voltage
~ **de désamorçage**: breakdown voltage
~ **de filament**: heater voltage, filament voltage
~ **de fonctionnement**: operating voltage, working voltage
~ **de grille**: grid voltage
~ **de marche**: operating voltage, running voltage, working voltage
~ **de marche à vide**: no-load voltage, open-circuit voltage
~ **de pénétration**: punch-through voltage, reach-through voltage
~ **de perçage**: punch-through voltage, reach-through voltage
~ **de perforation**: puncture voltage
~ **de plaque**: anode voltage, plate voltage
~ **de pointe**: peak voltage
~ **de polarisation**: bias voltage
~ **de polarisation de grille**: grid-bias voltage
~ **de réaction**: reaction stress
~ **de régime**: nominal voltage, rated voltage, service voltage
~ **de réseau**: supply voltage, mains voltage, line voltage
~ **de rétablissement**: recovery voltage
~ **de rupture**: (méc) breaking stress, ultimate stress, ultimate tensile

strength; (él) interrupting voltage, breakdown voltage
~ **de secteur**: supply voltage, mains voltage, line voltage
~ **de service**: operating voltage, running voltage, working voltage
~ **de sortie**: output voltage; load voltage
~ **de sortie nulle**: zero output voltage
~ **de suppression du faisceau**: (tc) blanking voltage GB, blackout voltage NA
~ **de tenue au choc**: impulse withstand voltage
~ **de tenue à fréquence industrielle**: power frequency withstand voltage
~ **de torsion**: torsional stress
~ **de vapeur**: vapour pressure, vapour tension
~ **delta**: mesh voltage
~ **directe**: forward voltage
~ **disruptive**: [dielectric] breakdown voltage, disruptive voltage
~ **efficace**: effective voltage, root mean square voltage, rms voltage
~ **en circuit fermé**: closed-circuit voltage, on-load voltage, working voltage
~ **en circuit ouvert**: open-circuit voltage
~ **en triangle**: mesh voltage
~ **entre phases**: phase-to-phase voltage, line-to-line voltage
~ **étoilée**: line-to-neutral voltage
~ **excessive**: overstrain
~ **induite**: induced voltage
~ **interfaciale**: interfacial tension
~ **inverse**: inverse voltage, reverse voltage
~ **moyenne**: mean voltage
~ **nominale**: rated voltage, nominal voltage
~ **nulle**: zero voltage
~ **parasite**: spurious external voltage
~ **perturbatrice**: disturbing voltage, interfering voltage
~ **phase-terre**: phase-to-earth voltage
~ **quantique**: quantum voltage
~ **réglable**: variable voltage
~ **résiduelle**: (méc) residual stress; (él) residual voltage
~ **secteur**: line voltage, mains voltage
~ **simple**: line-to-neutral voltage, phase-to-neutral voltage
~ **sinusoïdale**: sine voltage
~ **superficielle**: surface tension
~ **transversale**: transverse voltage
~ **triphasée**: three-phase voltage
à ~ **nulle**: no-volt[age]
mettre sous ~: to switch on, to apply the voltage
sous ~: live

tensionneur *m* : tensioner

tenue *f* : holding, keeping; performance, resistance, strength
~ **à la corrosion**: resistance to corrosion
~ **à la lumière**: light fastness
~ **aux intempéries**: weathering
~ **aux rayonnements**: radiation hardness
~ **d'archives**: record keeping
~ **de fichier**: file maintenance
~ **de la mer**: sea keeping
~ **de la mousse**: (brasserie) head retention
~ **de route**: road holding, roadability
~ **de route en virage**: cornering ability
~ **de stocks**: stock control GB, inventory control NA
~ **en côte**: (autom) [hill] climbing ability
~ **en fatigue**: fatigue strength

tepb → **tonne d'équivalent pétrole brut**

térébenthine *f* : turpentine

terme *m* : (maths) term
~ **du premier ordre**: first-order term
~ **somme**: sum term

terminaison *f* : termination
~ **adaptée**: matched termination
~ **de bus**: bus termination
~ **de câble**: cable termination
~ **de chaîne**: (gg/bm) chain termination
~ **de ligne**: line terminal, line termination

terminal *m* : (inf, de pipeline) terminal; (aéro) city terminal; *adj* : terminal, end
~ **à écran de visualisation**: visual display terminal
~ **bancaire**: bank[ing] terminal, teller terminal
~ **d'affichage à clavier**: keyboard display terminal
~ **d'application**: application terminal
~ **d'arrivée**: receiving terminal
~ **d'éclatement**: (pipeline) offshore terminal
~ **d'impression**: hard copy terminal
~ **de déchargement**: discharge terminal
~ **de départ**: loading terminal
~ **de dialoque**: conversational terminal
~ **de distribution**: distribution terminal
~ **de données**: data terminal equipment
~ **de guichet**: teller terminal
~ **de paiement électronique** ► TPE:

bank card terminal, credit card terminal
~ **de télépaiement**: home banking terminal
~ **domestique**: home terminal
~ **émetteur**: data source; sender terminal
~ **émetteur-récepteur**: sender-receiver terminal
~ **intelligent**: smart terminal, intelligent terminal
~ **virtuel de réseau**: network virtual terminal
~ **transférase**: (impropre) → **transférase terminale**

terminase *f* : terminase

terminateur: (gg/bm) termination sequence, terminator
~ **de chaîne**: chain terminator

terminer: to complete, to finish; to terminate; (inf) to log off

terpolymère *m* : terpolymer

terrain *m* : ground, land, soil; (forage) ground, formation
~ **à bâtir**: building land, building plot GB, lot NA
~ **accidenté**: hilly ground
~ **amendé**: improved land, reclaimed land
~ **boulant**: quick ground, running ground; (forage) caving formation
~ **coulant**: running ground
~ **d'atterrissage**: airstrip
~ **d'aviation**: airfield
~ **d'épandage**: sewage farm
~ **de couverture**: overburden
~ **de fondation**: subgrade
~ **de recouvrement**: (mine) capping, hanging wall
~ **ébouleux**: loose ground, loose soil caving formation
~ **élevé**: high ground
~ **en pente**: sloping ground
~ **ferme**: solid ground, solid soil, firm ground, firm soil
~ **gazonné**: (aéro) semi-prepared airfield, semi-prepared airstrip
~ **houiller**: coal measure
~ **inégal**: rough ground
~ **inexploité**: undeveloped land
~ **marécageux**: marshy land
~ **meuble**: loose earth, loose ground
~ **naturel**: natural subgrade, natural grade, natural foundation; undisturbed earth, undisturbed soil
~ **plat**: level ground
~ **praticable**: trafficable ground

~ **remblayé**: filled ground, made ground
~ **repris sur la mer**: reclaimed land
~ **sous-jacent**: underlying soil
~ **vague**: waste ground
~ **viabilisé**: land with all services GB, serviced land, improved land NA
~**s de couverture**: cap rock, overburden
sur le ~: in situ, in the field

terrasse *f* : (géol) terrace; (constr) patio
~ **de déviation**: (ouvrage hydraulique) diversion terrace
~ **en gradins**: bench terrace

terrassement *m* : digging, earthmoving, muck shifting, earthworks, grading
~ **général**: rough grading
~**s en découverte**: surface earthworks

terrassier *m* : (entrepreneur) earthworks contractor; (ouvrier) navvy, digger

terre *f* : earth, soil, land; (planète) earth, globe; (él) earth GB, ground NA; →
aussi **terres**
~ **à diatomées**: diatomaceous earth, kieselguhr
~ **à foulon**: fuller's earth
~ **accidentelle**: (él) earth contact, ground contact
~ **activée à l'acide**: (raffinage) acid-treated clay
~ **agricole**: farm land, agricultural land
~ **argileuse**: loam
~ **cuite**: [baked] clay, burnt clay, fired clay GB, terra cotta NA
~ **d'emprunt**: borrowed earth
~ **de diatomées**: diatomaceous earth, kieselguhr
~ **défectueuse**: (él) earth fault, ground fault
~ **en place**: undisturbed earth
~**-espace**: earth-to-space
~**-navire**: land-ship
~ **ferme**: (mar) dry land
~ **franche**: dead earth, dead ground
~ **grasse**: heavy soil
~ **humifère**: muck soil
~ **lourde**: heavy soil
~**-navire**: land-ship
~ **non remuée**: undisturbed earth
~ **parfaite**: dead earth, dead ground
~ **rare**: rare earth
~ **reliée au neutre**: ground to neutral
~ **remaniée**: remoulded soil
~**-satellite**: earth-to-satellite
~ **saturée**: waterlogged land
~ **végétale**: topsoil, vegetable soil
à ~: (mar) ashore, onshore; ground-based

à la ~: earth-connected, ground-connected
par ~: on the floor, on the ground; (transport) overland, by land

terreau *m* : leaf mould, garden mould

terre-plein *m* : earth platform; (de port) general storage area
~ **axial**: (route) central reservation GB, median strip NA
~ **central**: (route) central reservation GB, median strip NA

terres *f* : lands
~ **de couverture**: [over]burden
~ **inondables**: washlands
~ **vierges**: virgin lands

terrestre: land, earth, earth's; ground-based, land-based, shore-based; surface (station)

terri[l]: spoil heap, slag heap, tailing dump, waste dump, colliery tip

territoire *m* : territory, area
~ **aérien**: air space

tertiaire *m* : (drainage, irrigation) distributary; *adj* : tertiary

test *m* : test; ~**s**: tests, testing
~ **automatique**: self-test
~ **bilatéral**: two-sided test
~ **cis-trans**: cis-trans test
~ **clientèle**: (inf) beta test
~ **d'allélisme [cis-trans]**: cis-trans test of functional allelism
~ **d'endurance**: (inf) shakedown test
~ **d'occupation**: (tél) engaged test GB, busy test NA
~ **de complémentation**: complementation test
~ **de conformité**: conformance test
~ **de descendance**: progeny test
~ **de fiabilité**: confidence check
~ **de performance**: (inf) benchmark
~ **en aveugle**: blind test
~ **en boîte blanche**: white-box test
~ **en boîte noire**: black-box test
~ **en clientèle**: (inf) beta test
~ **en double aveugle**: double blind test
~ **en laboratoire**: (inf) alpha test
~ **intégré**: built-in test, self-test
~ **nucléaire**: nuclear test
~ **pi**: pi benchmark
~**s assistés par ordinateur**: computer-aided testing

tétanos *m* : tetanus

tête *f* : head; top, crown; → aussi **têtes**
~ **à 6 pans**: hexagon head
~ **à diviser**: (m-o) index head
~**-à-tête**: head to head
~ **automatique d'extinction** ▶ TAE:
sprinkler head
~**-bêche**: head to tail, head to foot
~ **basse**: head down (display,
instrument)
~ **bombée**: button head, raised head
~ **bouterollée**: (de rivet) snap head
~ **carrée**: square head
~ **chercheuse**: homing head
~ **conique**: cone head
~ **creuse**: socket head
~ **cubique**: square head
~ **cylindrique**: cheese head
~ **d'allumeur**: distributor cap
~ **d'écoulement**: (pétr) flow head
~ **d'écriture**: write head
~ **d'effacement**: erase head
~ **d'enregistrement**: record head
~ **d'épingle**: pin head
~ **d'éruption**: (pétr) flow head
~ **d'injection**: (pétr) swivel
~ **de bielle**: top end, crank end, lower
end, big end (of connecting rod)
~ **de câble**: cable head, cable
termination; shipping seal, pothead,
sealed end
~ **de chape**: yoke end
~ **de cheval**: (m-o) adjustment plate
~ **de colonne de production**: tubing
head
~ **de dent**: addendum
~ **de distillation**: first running, light
ends
~ **de filière**: die head
~ **de forage**: drilling head
~ **de fraisage**: cutter head
~ **de gicleur**: nozzle tip
~ **de lecture**: read head; playback
head
~ **de lecture-écriture**: read-write head
~ **de ligne**: (chdef) railhead
~ **de mât**: masthead
~ **de mise en production**: (forage)
wellhead assembly
~ **de nouage**: (filature) knotter
~ **de piston**: piston crown, piston head
~ **de pont**: bridgehead
~ **de pose**: (de rivet) die head
~ **de production**: (forage) tree
~ **de puits**: wellhead
~ **de puits de production**: production
wellhead
~ **de soupape**: valve disc
~ **de touche**: key head, key button
~ **de tubage**: casing head
~ **de visée**: gunsight head
~ **du brûleur**: burner tip
~ **fendue**: slot[ted] head

~ **flottante**: flying head
~ **fraisée**: countersunk head
~ **fraisée noyée**: flush countersunk
head
~ **goutte de suif**: raised oval head,
button head, mushroom head
~ **hexagonale**: hexagon head
~ **inclinable**: tilting head
~ **inerte**: (mil) dummy head
~ **motrice**: power unit
~ **motrice auxiliaire**: (de transporteur)
tail-end drive
~ **noyée**: countersunk head
~ **nucléaire**: nuclear warhead
~ **orientable**: swivelling head
~ **pointe de diamant**: conical head,
pointed head
~ **pivotante**: swivelling head
~ **porte-fraise**: cutter head, milling
head
~ **porte-meule**: grinding head
~ **porte-outil**: toolhead
~ **porte-pièce**: work head
~ **rainurée**: slotted head
~ **ronde**: round head; (de rivet) snap
head
~ **ronde mince** ▶ TRM: small cup
head
~ **rotor principale** ▶ TRP: main rotor
head
~ **semi-perforante**: (mil) semi-piercing
head
la ~ en bas: upside down

têtes *f* : (lavage des minerais) heads
~ **de puits groupées**: wellhead cluster

tétine *f* : boot (over electrical
component), cable sleeve

téton *m* : dowel [pin] (to lock two parts);
centre point (of centre bit)
~ **d'aiguille d'injecteur**: pintle
~ **d'entraînement**: drive pin
~ **de centrage**: locating spigot
~ **de signalisation de fusion**: [fusible]
striker pin

tétrachlorure *m* : tetrachloride

tétrade *f* : tetrad

tétraèdre *m* : tetrahedron
~ **régulier**: regular tetrahedron

tétraédrique: tetrahedral

tétramère *m* : tetramer; *adj* : tetramerous

tétraphonique: quadraphonic,
quadrophonic

tétrapolaire: quadripolar, quadripole

tétravalent: quadrivalent, tetravalent

tétrode *f* : tetrode

texte *m* : text, copy
~ **constant**: (traitement de texte)
boiler plate
~ **en clair**: plain text
~ **plein**: close matter, solid matter,
solid type, solid matter
~ **publicitaire**: advertising copy
~ **rédactionnel**: editorial matter

textile *m* : textile; textile industry; *adj* :
textile

texture *f* : texture
~ **alvéolaire**: cell texture
~ **cellulaire**: cell texture
~ **homogène**: even texture

texturé: texturized

TFR → **transformation de Fourier
rapide**

thalassotoque: catadromous

thalle *m* : thallus

théodolite *m* : theodolite; transit NA
~ **à boussole**: transit compass

théorème *m* : theorem
~ **de réciprocité**: reciprocity theorem
~ **des intervalles**: gap theorem

théorie *f* : theory
~ **à plusieurs groupes**: multigroup
theory
~ **clonale**: clonal selection theory
~ **de la chiasmatypie**: chiasmatype
theory
~ **des automates**: automata theory
~ **des files d'attente**: queueing theory
~ **des jeux**: game theory
~ **des probabilités**: probability theory
~ **des quanta**: quantum theory
~ **des systèmes**: systems theory
~ **du flou**: fuzzy theory
~ **sélective**: (gg/bm) clonal selection
theory

théorique: theoretical; design, calculated

thérapeutique *f* : therapeutics; *adj* :
therapeutic

thérapie *f* : therapy
~ **génique**: gene therapy

thermion *m* : thermion

thermique: thermal

thermistance *f* : thermistor

thermite *f* : thermit

thermochimie *f* : thermochemistry

thermocline *f* : thermocline

thermocompresseur *m* : thermocom-
pressor

thermoconducteur: heat conducting

thermocontact *m* : thermal switch

thermoconvection *f* : thermoconvection

thermocouple *m* : thermocouple

thermodurci: thermoset

thermodurcissable: heat setting,
thermosetting

thermodynamique *f* : thermodynamics;
adj : thermodynamic

thermoélectrique: thermoelectric[al]

thermoélectronique: thermionic

thermoémission *f* : thermoemission

thermoforage *m* : (pétr) jet piercing

thermoformage *m* : thermoforming
~ **par emboutissage**: stretch thermoforming
~ **par glissement**: slip thermoforming
~ **sous vide au drapé**: drape vacuum
thermoforming
~ **sous vide avec assistance
pneumatique**: air-assisted vacuum
thermoforming

thermogène: heat generating

thermogénèse *f* : thermogenesis

thermographe *m* : recording thermometer

thermographie *f* : thermal imaging,
thermography

thermogravimétrie ▶ TG *f* : thermo-
gravimetry

thermoïonique: thermionic

thermolabile: thermolabile

thermoluminescence *f*: thermoluminescence

thermolyse *f*: thermolysis

thermomètre *m* : thermometer
~ **à bilame**: bimetallic thermometer
~ **à boule humide**: wet-bulb thermometer
~ **à boule sèche**: dry-bulb thermometer
~ **à boule mouillée**: wet-bulb thermometer
~ **à dilatation de gaz**: gas-expansion thermometer
~ **à dilatation de liquide**: liquid-expansion thermometer
~ **à échelle linéaire**: linear thermometer
~ **à échelle protégée**: enclosed-scale thermometer
~ **à gaz**: gas thermometer
~ **à maximum et minimum**: maximum and minimum thermometer
~ **à résistance**: resistance thermometer
~ **à tension de vapeur**: vapour-pressure thermometer
~ **avertisseur**: alarm thermometer
~ **centésimal**: Celsius thermometer
~ **enregistreur**: recording thermometer
~-**fronde**: sling thermometer
~ **humide**: wet-bulb thermometer
~ **mouillé**: wet-bulb thermometer
~ **sec**: dry-bulb thermometer
~ **sur tige**: solid-stem thermometer

thermonucléaire: thermonuclear

thermophone *m* : thermophone

thermopile *f*: thermopile

thermoplastique: thermoplastic

thermoplongeur *m* : immersion heater

thermopompe *f*: heat pump

thermopropulseur *m* : thermal jet engine

thermopropulsion *f*: thermopropulsion

thermorégulation *f*: thermocontrol, heat regulation

thermorétractable: thermoshrinkable, heat shrinkable

thermorupteur *m* : thermal switch

thermoscellage *m* : heat sealing

thermosensible: heat sensitive

thermosiphon *m* : thermosiphon, thermosyphon

thermosonde *f*: temperature probe

thermosoudable: heat-sealing

thermosoudage *m* : heat sealing

thermosphère *f*: thermosphere

thermostable: thermostable, all-temperature, heat-resisting

thermostat *m* : thermostat
~ **à bulbe et capillaire**: remote-bulb thermostat
~ **d'ambiance**: comfort thermostat, room thermostat

thermoventilateur *m* : fan heater

THF → **très haute fréquence**

thiamine *f*: thiamin[e]

thiazole *m* : thiazol[e]

thioalcool *m* : thioalcohol, thiol

thiofène *m* : thiofuran, thiophen[e]

thiol *m* : thialcohol, thiol

thiophène *m* : thiofuran, thiophen[e]

thio-urée *f*: thiourea

thixotropie *f*: thixotropy

thon *m* : tuna, tunny

thorié: thoriated

thréonine *f*: threonine

thrombine *f*: thrombin

thrombocyte *m* : thrombocyte

thrombokinase *f*: thrombokinase

thromboplastine *f*: thromboplastin

THT → très haute tension

thymidine f : thymidine
~-kinase ▶ TK: thymidine-kinase

thymine f : thymine

thymoindépendant: thymus independent

thymus m : thymus

thyratron m : thyratron

thyristor m : thyristor, silicon-controlled rectifier
~ blocable: turn-off thyristor
~ diode: diode thrysitor
~ N: N-gate thyristor
~ P: P-gate thyristor
~ triode: triode thyristor

thyroglobuline f : thyroïd-binding globuline

thyroïde f : thyroid [gland]; adj : thyroid

thyroxine f : thyroxin[e]

tiède: lukewarm, tepid

tierce f : triplex cable

tiers m : third; third party
~ médian: middle third
~-point: three-square file, triangular file

tige f : rod; (méc) spindle (of valve), stem (of thermometer, of valve); (forage) drillpipe; (bot) stem
~ d'accord: (magnétron) tuning rod
~ d'ancrage: anchor rod, anchor stud, anchor tie
~ d'attaque: actuating arm
~ d'éjecteur: (moulage) ejector pin GB, knockout pin NA
~ d'entraînement: (pétr) kelly
~ d'isolateur: insulator pin
~ de butée réglable: adjustable stop pin
~ de céréale: stalk
~ de changement de marche: reversing rod
~ de commande: control rod
~ de contact: (él) contact pin, contact rod; (usinage) copy spindle
~ de culbuteur: push rod
~ de fleuret: drill rod
~ de forage: (mine) drill rod; (pétr) drillpipe
~ de forage lourde: heavywall drillpipe, heavyweight drillpipe

~ de forage refoulée: upset drillpipe
~ de graminée: culm
~ de jauge: dipstick
~ de manœuvre: valve rod
~ de mise à la terre: earth rod GB, ground rod NA
~ de paratonnerre: lightning rod
~ de piston: piston rod
~ de pompage: (pétr) sucker rod
~ de poussoir: [valve] pushrod
~ de réglage: adjusting rod, adjusting spindle
~ de rivet: rivet shank
~ de soupape: valve rod, valve spindle, valve stem
~ de suspension: hanger rod; (d'un ressort à lame): spring hanger
~ de tiroir: slide [valve] rod
~ de traction: pull rod
~ du parallélogramme: parallel rod
~ faussée: bent rod
~ filetée: dowel screw, screw spindle, threaded rod; stud bolt, set screw
~ filetée à bout rentré: cup point setscrew
~ filetée à 6 pans creux: hexagon socket setscrew
~ fixe: non-rising stem (of gate valve)
~ mince: reduced shank (on screw)
~ montante: rising stem (of gate valve)
~ nue: (forage) open-ended drillpipe
~ pleine: rod
~ polie: polished rod
~ porte-foret: boring bar
~ voleuse: thief rod

tilde f : tilde

tilleul m : lime tree; (infusion) lime blossom tea

timbrage m : (de chaudière) stamping, testing; design pressure

timbre m : stamp
~ d'une chaudière: [boiler] test plate; proof pressure, test pressure; maximum allowable working pressure
~ dateur: date stamp
~ humide: rubber stamp

timon m : (mar) tiller
~ de manœuvre: tiller (of hand truck)

timonerie f : (méc) linkage, rods; (mar) wheelhouse; (aéro, autom) steering gear
~ de commande: control linkage
~ de direction: steering linkage
~ de frein[s]: brake gear, brake linkage

timonier *m* : helmsman, steersman

tin *m* : (mar) block, [boat] chock
 ~ **de cale sèche**: keel block

tir *m* : (mil) fire, firing, shooting; (à la poudre) blasting; (local) rifle range, shooting gallery
 ~ **à blanc**: practice fire with blank ammunition
 ~ **à départs successifs**: rotation firing
 ~ **à l'air comprimé**: air blasting
 ~ **à la fourchette**: bracketing fire
 ~ **au but**: precision firing
 ~ **au canon**: gunnery
 ~ **au charbon**: coal blasting
 ~ **au fusil**: rifle shooting
 ~ **au jugé**: guess firing
 ~ **avec bouchon**: breaking [in] shot, buster shot, opening shot
 ~ **coup par coup**: single-shot fire, shot-by-shot firing
 ~ **courbe**: curved fire
 ~ **d'accord**: calibration fire
 ~ **d'appui**: supporting fire
 ~ **d'échantillonnage**: sample shot
 ~ **d'encadrement**: bracketing fire
 ~ **d'entraînement**: practice firing
 ~ **d'exercice**: practice firing
 ~ **d'instruction**: practice firing
 ~ **de batterie**: battery fire
 ~ **de combat**: combat firing
 ~ **de cratère**: crater cut
 ~ **de mines**: blasting, shotfiring
 ~ **de réflexion**: reflection shooting
 ~ **de réfraction**: refraction shooting
 ~ **de réglage**: adjustment fire
 ~ **déporté**: offset shot
 ~ **en chasse**: (mar) bow fire
 ~ **en éventail**: (prospection sismique) fan shooting
 ~ **en plusieurs rangées**: multiple-row blasting
 ~ **en rafales**: burst firing
 ~ **en retraite**: (mar) stern fire
 ~ **en salve**: salvo fire, salvo firing
 ~ **en station**: stationary fire
 ~ **encadrant**: bracketing fire
 ~ **fauchant**: traversing fire
 ~ **périmétrique**: smooth [wall] blasting, perimeter blasting
 ~ **raté**: misfire
 ~ **sur cible**: target shooting
 ~ **sur cible à éclipse**: fire at vanishing target
 ~ **sur cible mobile**: fire at moving target
 ~ **sur cible remorquée**: towed target firing

tirage *m* : (traction) pull, pulling; (appel d'air) draught GB, draft NA; (inf) hard copy; (phot) printing, print; (journalisme) circulation (of a periodical)
 ~ **à la poudre**: blasting
 ~ **à part**: offprint
 ~ **d'un câble dans une conduite**: duct rodding
 ~ **de câble[s]**: rodding, cable pulling
 ~ **des cristaux**: crystal pulling
 ~ **en feuille**: (caoutchouc) sheeting process
 ~ **forcé**: forced draught, artificial draught
 ~ **image par image**: step printing
 ~ **induit**: induced draught
 ~ **par contact**: (phot) contact copy, contact printing
 faire un ~: to print

tirant *m* : (constr) brace, truss rod, tie rod, tie bolt, stay wire; (méc) stay, stay rod, stay bar, brace rod
 ~ **d'air**: (de navire) airdraught; (de pont) headroom; (plate-forme de forage) air gap
 ~ **d'assemblage**: tie bolt
 ~ **d'eau**: draught GB, draft NA
 ~ **d'eau aux hélices**: draught over propellers
 ~ **d'eau en charge**: laden draught, loaded draught
 ~ **d'eau lège**: light draught
 ~ **de coffrage**: form tie
 ~ **de fixation**: stay rod
 ~ **de frein[s]**: brake rod
 ~ **de radiateur**: radiator stay

tiré: trailing (wheel)
 ~ **à part** *m* : offprint; separate NA

tire-bouchon *m* : corkscrew

tire-clou *m* : nail claw, nail puller

tire-douille *m* : bushing puller, bush puller

tire-fond *m* : coach screw; lag bolt, lag screw; hook ring, eye bolt; (chdef) sleeper screw GB, screw spike NA

tirer: to pull; to tug, to haul; (faire feu) to fire, to shoot; (imprimer) print
 ~ **à la poudre**: to blast
 ~ **à la fourchette**: to straddle
 ~ **au hasard**: to fire at random
 ~ **tous azimuths**: to fire all round
 ~ **un trait à la règle**: to rule
 ~ **une épreuve**: (graph) to pull a proof

tiret *m* : (graph) dash; ~**s**: broken line

tirette *f* : pull cord, pull handle, pull knob
~ **de volet d'air**: (autom) choke pull

tireur *m* : shooter, firer, gunner;
launching plane; firing ship
~ **d'élite**: marksman
~ **isolé**: sniper

tireuse *f* : (phot) printer
~ **optique**: projection printer

tiroir *m* : (de meuble) drawer; (méc) slide
valve; (él) plug-in unit
~ **à déplacement parallèle**: parallel
slide valve
~ **à double orifice**: double-ported
valve
~ **à excentrique**: eccentric slide valve
~**-caisse**: till
~ **cylindrique**: piston valve, spool
valve
~ **d'approche**: inching valve
~ **d'étranglement**: throttle slide valve
~ **de détente**: expansion slide valve,
cut-off [slide] valve
~ **en D**: D-valve, D-slide valve
~ **et chemise**: spool and sleeve
~ **tournant**: rotary valve

tissage *m* : weaving
~ **mécanique**: power loom weaving
~ **par lames**: frame weaving

tisserand *m* : weaver

tisseur *m* : weaver
~ **en écru**: grey cloth weaver

tissu *m* : cloth, fabric, material; (bio)
tissue
~ **à poils**: pile fabric
~ **adipeux**: adipose tissue, fatty tissue
~ **cicatriciel**: scar tissue
~ **conjonctif**: connective tissue
~ **croisé**: twilled fabric
~ **d'ameublement**: furnishing fabric
~ **de soie**: silk fabric
~ **de verre imprégné**: bonded-glass
cloth
~ **doublé**: backed fabric
~ **double face**: reversible cloth
~ **enduit**: bonded fabric, coated fabric
~ **éponge**: terry towelling
~ **extensible**: stretch fabric
~ **fibreux**: fibrous tissue
~ **filtrant**: filter cloth
~ **mélangé**: mixed-fibre fabric, union
[cloth]
~ **métallique**: wire gauze
~ **métis**: union (linen-cotton)
~ **mi-laine**: union (wool-cotton)
~ **mi-soie**: union (silk-cotton)

~ **non tissé**: non-woven fabric
~ **osseux**: bone tissue, bony tissue
~ **peigné**: worsted cloth
~ **sali normalisé**: standard soiled
fabric
~ **stratifil**: woven roving fabric
~ **urbain**: urban fabric
~ **velouté**: pile fabric

titrage *m* : (chim) titre, titration; (graph)
lettering
~ **du fil**: yarn count
~ **par extraction**: extracting titration
~ **potentiométrique**: potentiometric
titration

titre *m* : (d'une solution) titre GB, titer
NA; (d'un alliage) content; (d'un fil)
count; (graph) title (of book), heading
(of chapter), headline (of newspaper)
~ **alcalimétrique ▶ TA**: (eau)
phenolphtalein alkalinity
~ **alcalimétrique complet ▶ TAC**:
(eau) methyl-orange alkalinity
~ **courant**: (de journal) running
head[line]; (en haut de chaque page)
running title
~ **courant en bas de page**: running
foot
~ **encadré**: boxhead, box heading
~ **universel de paiement ▶ TUP**:
bank card

titrer: (chim) to titrate, to determine the
strength (of a solution); (un minerai) to
assay; (un fil) to size

titulaire *m* : holder
~ **d'un brevet**: patentee
~ **d'une licence**: licence holder
~ **de permis**: permit holder

TK → **thymidine-kinase**

TL50 → **temps létal 50**

TLE → **transfert linéique d'énergie**

TLM → **temps létal moyen**

toboggan *m* : chute; (route) flyover,
overpass
~ **de secours**: (aéro) emergency
chute, escape chute, escape slide

toc *m* : dog, stop, catch
~ **d'entraînement**: catch, driving pin,
driving dog, driver
~ **de tour**: catch plate, driver

tocophérol *m* : tocopherol

toile *f* : canvas, cloth; (de tamis vibrant) deck; (plast) flash [fin]
~ **à calquer**: tracing cloth
~ **à polir**: crocus cloth
~ **à sacs**: sacking, hessian GB, burlap NA
~ **à sangles**: webbing
~ **à voiles**: canvas, sailcloth, duck
~ **caoutchoutée**: rubberized cloth
~ **cirée**: oilcloth, American cloth
~ **d'architecte**: tracing cloth
~ **d'emballage**: hessian GB, burlap NA
~ **de fabrication**: (pap) [machine] wire
~ **de jute**: jute sacking
~ **de pignon**: pinion web
~ **de roue**: wheel centre, wheel disc
~ **émeri**: emery cloth
~ **filtrante**: filter cloth; filter gauze GB, filter gaze NA
~ **métallique**: metal gauze, wire gauze
~ **métis[se]**: union cloth (linen-cotton)
~ **sans fin**: (pap) endless wire

toit *m* : (constr) roof; (autom) roof panel GB, top NA; (mine) top, roof, top wall, hanging wall (of lode)
~ **à deux égouts**: ridge roof, span roof, double-pitched roof
~ **à deux pentes**: double-pitched roof, ridge roof, span roof
~ **à deux versants**: ridge roof, span roof, double-pitched roof
~ **à pignon**: gable roof
~ **à redans**: sawtooth roof
~ **à redents**: sawtooth roof
~ **à un égout**: single-pitch roof, pent roof, shed roof
~ **à un seul versant**: single-pitch roof, pent roof, shed roof
~ **brisé**: double-pitched roof
~ **chaud**: hot roof
~ **en appentis**: lean-to roof
~ **en croupe**: hip roof
~ **en pente**: pitched roof
~ **en shed**: sawtooth roof
~ **en V**: butterfly roof
~ **en voile mince**: shell roof
~ **flottant**: (de réservoir) floating roof, floating cover
~ **monopente**: single-pitch roof
~ **ouvrant**: (autom) sunroof
~ **respirant**: (de réservoir) breather roof
~ **solarium**: sunroof

toiture *f* : roofing, roof
~ **accessible**: trafficable roof
~**-terrasse**: flat roof

tokamak *m* : tokamak

tôlage *m* : sheeting; (de wagon) metal panelling

tôle *f* : sheet iron, sheet metal; (de circuit magnétique, de transformateur) lamination
~ **à bords tombés**: flanged sheet
~ **à émailler**: enamelling sheet
~ **à poli spéculaire**: high mirror-finished sheet
~ **à relief**: floor plate, checkered plate
~ **cintrée**: curved sheet
~ **d'acier**: steel sheet
~ **d'aluminium**: aluminium sheet
~ **d'appui**: (laminage) dummy sheet
~ **d'emboutissage**: stamping sheet
~ **d'induit**: armature lamination, armature stamping
~ **de blindage**: armoured plate
~ **de bordé**: (mar) shell plate
~ **de carrosserie**: (autom) body sheet
~ **de chicane**: baffle plate, impact plate
~ **de cuivre**: copper sheet
~ **de deuxième choix**: mender
~ **de noyau**: (él) core plate, core sheet, lamination, punching, stamping
~ **de premier choix**: prime sheet
~ **de renfort**: stiffening plate
~ **de transformateur**: transformer lamination
~ **doublée**: plated sheet
~ **du stator**: stator lamination
~ **électrique**: electric sheet
~ **émaillée**: enamelled iron
~ **emboutie**: pressed sheet
~ **étamée**: tinned sheet
~ **feuilletée**: laminated iron
~ **forte**: plate (thick metal sheet), heavy plate
~**-frein**: locking plate
~ **galvanisée**: galvanized iron
~ **gaufrée**: wafer plate, wafered sheet, checkered plate
~ **laminée**: rolled plate, laminated plate
~ **magnétique**: electric sheet
~ **mince**: [light-gauge] sheet
~ **moyenne**: jobbing plate, jobbing sheet, light plate
~ **ondulée**: corrugated iron, corrugated sheet
~ **plaquée**: clad sheet
~ **plastifiée**: plastic-coated sheet
~ **pliée**: profile[d] sheet, bent sheet, brake-formed sheet, formed sheet, pressbraked sheet
~ **plombée**: terne plate
~ **pour carrosserie automobile**: autobody sheet
~ **pour chaudières**: boiler plate
~ **pour construction navale**: ship plate

~ **pour transformateurs**: electric sheet, transformer sheet, transformer plate
~ **prélaquée**: organic-coated sheet
~ **profilée**: bent sheet, profile[d] sheet
~ **statorique**: stator lamination
~ **stratifiée**: laminated plate
~ **striée**: channeled plate; chequered plate GB, checkered plate NA
~ **triplex**: three-ply plate
~ **vernie**: japanned iron

tolérance *f* : allowance, tolerance; → aussi **tolérances**
~ **de conicité**: cone tolerance
~ **de pointe**: peaking allowance
~ **en moins**: minus tolerance
~ **en plus**: plus tolerance
~ **étroite**: exacting tolerance
~ **nulle**: zero allowance
~ **plus stricte**: improved tolerance
~ **serrée**: close tolerance
~ **sévère**: exacting tolerance
~ **sur longueur**: length tolerance

tolérancement *m* : tolerancing

tolérances *f* : tolerances, limits
~ **et ajustements**: limits and fits
~ **maximale et minimale**: plus and minus limits

toléré: allowed

tôlerie *f* (lieu de fabrication) sheet-iron works, boiler-plate works; sheet iron goods, steel plate goods; sheet metal work

tôlier *m* : sheet-iron merchant; sheet-iron worker

toluène *m* : toluene

tombac *m* : pinchbeck

tomber: to fall, to drop
~ **en panne**: to breakdown, to fail, to go down; (inf) to bomb, to crash
~ **un bord**: to crease an edge; (d'une tôle) to flange

tombereau *m* : (chdef) open goods wagon
~ **automoteur**: dumper

tomographie *f* : tomography

tonalité *f* : (tél) tone
~ **d'appel**: ringing tone, signalling tone
~ **d'envoi**: dial tone
~ **d'essai**: test tone

~ **d'invitation à transmettre**: go-ahead tone
~ **d'occupation**: engaged tone GB, busy tone NA, [audible] busy signal
~ **de mesure**: test tone
~ **de retour d'appel**: ring back tone, ringing tone GB, audible ringing signal NA
~ **de signalisation**: signalling tone

tondeuse *f* : (text) shearing machine; (jardinage) lawn mower

tonnage *m* : tonnage, tunnage
~ **brut ▶ t.br.**: gross tonnage
~ **de jauge**: register[ed] tonnage, register
~ **désarmé**: idle shipping
~ **en service**: active tonnage
~ **kilométrique**: ton/kilometre

tonne *f* : ton; (fret maritime) measurement ton, shipping ton
~ **américaine**: short ton (2000 lbs, 907,185 kg)
~ **d'acier liquide**: ton hot metal
~ **d'encombrement**: measurement ton
~ **d'équivalent charbon ▶ TEC**: ton coal equivalent
~ **d'équivalent pétrole ▶ TEP**: ton oil equivalent
~ **d'équivalent pétrole brut ▶ TEPB**: ton of crude oil equivalent
~ **de déplacement**: displacement ton
~ **de jauge**: register ton
~ **de mer**: measurement ton
~ **de registre**: register ton
~ **forte**: long ton (1016 kg)
~-**kilomètre**: ton/kilometre
~ **métrique**: tonne
~**s de port en lourd**: gross registered tonnage

tonneau *m* : (récipient) barrel, cask; (aéro) roll (aerobatics)
~ **de dessablage**: tumbling barrel, rumbler
faire un ~: (autom) to turn over; (aéro) to roll over

tonnelage *m* : barrel cleaning, tumbling, rumbling

tonnelet *m* : (récipient) keg; (méc) spherical roller (of roller bearing)

top *m* : (radio) time signal; (tv) signal, pulse
~ **d'écho**: (radar) pip, blip
~ **de synchronisation**: synchronizing signal

TOP → **tube à ondes progressives**

topinambour *m* : Jerusalem artichoke

topographie *f* : topography; lie of the land, land forms; (inf) mapping
  ~ **d'entrée-sortie**: input-output mapping
  ~ **mémoire**: memory mapping

topologie *f* : topology
  ~ **de réseau**: network topology

torchage *m* : (pétr) burning off

torche *f* : (él) torch; (pétr) [gas] flare, flare bleeder
  ~ **à plasma**: plasma torch
  ~ **à plasma à arc transféré**: transferred-arc plasma torch
  ~ **à plasma à arc interne**: non-transferred arc plasma torch
  ~ **électrique**: electric torch GB, flashlight NA

torchère *f* : (pétr) [gas] flare, flare bleeder

tore *m* : (arch) torus, tore; (géométrie) torus; (méc) doughnut GB, donut NA; (él) toroidal core; (inf) core
  ~ **de ferrite**: ferrite core
  ~ **enroulé**: tape-wound core
  ~ **magnétique**: magnetic core
  ~ **trapu**: (nucl) fat torus

torique: toric, doughnut-shaped GB, donut-shaped NA, ring-shaped

toroïdal: toroidal, doughnut GB, donut NA, ring

toron *m* : strand (of cable)
  ~ **central**: core strand
  ~ **plat**: flattened strand
  ~ **simple**: single strand
  ~ **triangulaire**: flattened strand

toronnage *m* : stranding; lay (of wire rope)
  ~ **à droite**: right lay
  ~ **à gauche**: left lay
  ~ **normal**: regular

toronneuse *f* : stranding machine

torpille *f* : (mil, moulage) torpedo

torpilleur *m* : torpedo boat

torréfaction *f* : roasting (of coffee)

torsade *f* : twisted cord, twist[ed] joint
  ~ **binomiale**: binomial twist GB, step twist NA

torsadé: spiral[ly] wound; twisted (conductor, cord)

torsiomètre *m* : torsion meter, torque-meter; (filature) twist tester

torsion *f* : (méc) torsion; (text) twist
  ~ **à droite**: (filature) righthand twist, Z twist
  ~ **à gauche**: reverse torsion; (filature) lefthand twist, S twist
  ~ **droite**: open band HtexGB
  ~ **en S**: (filature) lefthand twist, S twist
  ~ **en Z**: (filature) righthand twist, Z twist
  ~ **floche**: soft twist
  ~ **forte**: hard twist
  ~ **zéro**: no-twist
  à ~ **zéro**: torsion-free

total *m* : total; *adj* : total, complete
  ~ **de contrôle**: control total, hash total
  ~ **général**: final total, grand
  ~ **horizontal**: cross-foot total
  ~ **partiel**: subtotal

totalisateur *m* : totalizer, totalizator; adding machine GB, totalizer NA; *adj* : adding, integrating, totalizing, summation
  ~ **de débit**: integrating flowmeter

totalisation *f* : totalizing, summation

totaliser: to total up, to add up, to totalize

totipotence *f* : totipotency

touche *f* : (de clavier) key; (él) press button, push button, button
  ~ **à répétition**: repeat key
  ~ **câblée**: hard key
  ~ **d'appel**: call key, ringing key
  ~ **d'effacement**: erase key
  ~ **d'éjection**: eject button
  ~ **d'envoi**: (inf) return key
  ~ **d'interruption**: break key
  ~ **de changement**: shift key
  ~ **de commande**: control key
  ~ **de conversation**: speaking key
  ~ **de défilement**: roll key
  ~ **de fonction**: function key
  ~ **de libération**: release key; release button
  ~ **de service**: action switch
  ~ **de tabulation**: tab key
  ~ **du palpeur**: tracing stylus
  ~ **début d'écran**: home key

~ **directionnelle**: arrow key
~ **fléchée**: arrow key
~ **inopérante**: invalid key
~ **majuscules**: Caps Lock key
~ **muette**: blank key, unlabelled key
~ **pause**: pause button
~ **piano**: piano-key button
~ **position 1**: home key
~ **programmable**: soft key
~ **retour de chariot**: [carriage] return key
~ **SOS**: help key
~ **spéciale**: hot key

toucher: to touch, to feel; *m* : handle (of fabric)

toupie *f* : (men) shaper, spindle moulding machine
~ **à béton**: truck mixer
~ **à bois**: wood shaper
~ **à rainurer**: routing machine, router
~ **de gyroscope**: spinner

toupilleuse *f* : spindle moulding machine, spindling machine, spindle moulder, routing machine, router

tour *m* : turn, revolution; (m-o) lathe; → aussi **tour** *f*
~ **à banc rompu**: gap lathe
~ **à charioter**: sliding lathe, slide lathe
~ **à copier**: copying lathe
~ **à décolleter**: screw cutting lathe
~ **à dégrossir**: roughing lathe
~ **à détalonner**: backing-off lathe, relieving lathe
~ **à diamanter**: diamond turning lathe
~ **à fileter**: screw cutting lathe, thread cutting lathe, threader
~ **à gabarit**: copying lathe
~ **à mandrin**: chuck[ing] lathe
~ **à plateau**: face lathe, surface lathe
~ **à pointes**: centre lathe
~ **à profiler**: copying lathe
~ **à repousser**: chasing lathe
~ **à reproduire**: copying lathe
~ **à surfacer**: surface lathe, facing lathe
~ **à tablier**: apron lathe
~ **à tourelle**: turret lathe
~ **à tronçonner**: parting-off lathe
~ **alésoir**: boring and turning mill
~ **automatique à mandrin**: chucker
~ **d'outilleur**: toolroom lathe
~ **de main**: trick of the trade, knack
~ **de spire**: turn (of thread)
~ **en l'air**: face lathe
~ **parallèle**: centre lathe, sliding lathe, slide lathe
~ **revolver**: capstan lathe, turret lathe
~ **simple**: standard lathe, plain lathe

~ **universel d'outillage**: toolroom lathe
~**s-minute** ▶ **tr/mn**: revolutions per minute
~**s-seconde** ▶ **tr/s**: revolutions per second

tour *f* : tower
~ **à ruissellement**: trickling tower
~ **atmosphérique**: atmospheric tower
~ **d'absorption**: absorption column, absorption tower, absorber
~ **d'arrosage**: spray tower, trickling tower
~ **d'égouttage**: drainer
~ **d'épuration**: wash tower, tower purifier
~ **d'évaporation**: evaporator tower
~ **d'extinction**: (du coke) quenching tower
~ **d'extraction du propane**: depropanizing tower
~ **de blanchiment**: (pap) bleaching tower
~ **de bureaux**: office tower
~ **de contrôle**: control tower
~ **de cuvelage**: caisson
~ **de dégazage**: degassing tower
~ **de forage**: (pétr) derrick, [oil] rig, well rig
~ **de forage mobile**: skid rig
~ **de forage protégée**: enclosed derrick
~ **de fractionnement**: fractionating tower, fractionator
~ **de lancement**: launching rail
~ **de lavage**: wash tower
~ **de lavage à pulvérisation**: tower scrubber
~ **de montage**: (astron) servicing tower
~ **de rectification**: stripping tower
~ **de réfrigération**: cooling tower
~ **de refroidissement**: cooling tower
~ **de ruissellement**: spray tower
~ **de traitement à la vapeur**: steaming tower, tower steamer
~ **garnie**: packed tower

touraillage *m* : kilning (of malt)

touraille *f* : malt[ing] kiln, malt drying kiln

tourbe *f* : peat

tourbière *f* : peat bog

tourbillon *m* : swirl, whirl, eddy, vortex
~ **libre**: free vortex
~ **localisé**: confined eddy
~ **mobile**: swirl
~ **stationnaire**: stationary vortex

tourelle *f* : turret; (mil) gun turret
~ **bitubes**: double gun turret
~ **d'objectifs**: lens turret
~ **de veille**: conning tower
~ **revolver**: (de tour) turret
~ **tous azimuts**: 360 traverse turret
~ **triple**: three-gun turret
~ **universelle**: (cin) pan-and-tilt mechanism

touret *m* : (dévidoir) cable drum, cable reel, wire reel; (petit tour) small lathe
~ **à polir**: polishing lathe, buffer

tourie *f* : carboy

tourillon *m* : pivot, swivel pin, joint pin; (d'arbre) journal; (de roue) spindle; (de canon) trunnion
~ **d'essieu**: axle spindle
~ **de crosse**: crosshead center
~ **de crosse de piston**: piston pin
~ **de cylindre**: [roll] neck
~ **de manivelle**: wrist pin, crankpin
~ **de palier principal**: main bearing journal
~ **de vilebrequin**: crankshaft journal
~ **sphérique**: ball journal
~ **trèfle**: wobbler

tournage *m* : (usinage) turning, lathework; (cin) shooting
~ **avec arrosage**: wet turning
~ **bombé**: spherical turning
~ **conique**: taper turning
~ **cylindrique**: straight turning

tournant *m* : (de robinet) plug; (virage) bend, turn (in road); *adj* : rotating, revolving, swivelling
~ **cylindrique**: parallel plug
~ **sans visibilité**: blind corner

tourne-à-gauche *m* : saw set, saw wrench

tourner: to turn, to rotate; (pivoter) to swing, to swivel; (usinage) to turn; (fonctionner) to work, to run; (cin) to shoot (a film)
~ **24 h sur 24**: to work non-stop
~ **à vide**: (machine) to run idle, to idle
~ **bien rond**: (galet) to run true
~ **conique**: to turn taper
~ **cylindrique**: to turn straight
~ **droit**: to turn straight
~ **en autorotation**: (aéro) to windmill
~ **en cercle**: to circle
~ **en survitesse**: to over-rev
~ **fou**: to turn freely
~ **rond**: to run true; (moteur) to run smoothly

~ **sur une boucle**: (inf) to go into a loop, to loop

tourneur *m* : turner

tournevis *m* : screwdriver

tourniquet *m* : (compteur) turnstile; (présentoir) revolving stand

tournure *f* : turning chip; **~s**: turnings

tourteau *m* : cake (of coke, animal feed); (méc) centre boss (of wheel)
~ **circulaire**: circular face mill cutter
~ **d'assemblage**: shaft coupling
~ **d'entraînement**: chain sprocket
~ **de filtre**: filter cake
~ **de graines oléagineuses**: oilcake

tous, ~ **azimuts**: all-round, omnidirectional; → aussi **tout**, **toutes**
~ **circuits occupés**: (tél) all trunks busy
~ **courants**: ac-dc, universal
~ **les deux jours**: every other day
~ **temps**: all-weather

tout, ~ **monté**: preassembled; → aussi **tous**, **toutes**
~ **électrique**: all electric
~ **numérique**: all digital
~ **ou rien**: on-of; high-low; hit or miss, bang bang
~ **terrain**: (autom) cross-country

tout-à-l'égout *m* : main drainage

toute-épice f: allspice

toutes, ~ **ondes**: all-wave, all-channel (radio); multirange (receiver)
~ **taxes comprises** ▶ **TTC**: all taxes included, inclusive of all taxes

tout-venant: non-graded, ungraded, unsorted; all-in (aggregate, ballast); unscreened, run of mine (coal)
~ **de concassage**: crusher run, ungraded

toxicité *f* : toxicity

toxicomanie *f* : drug addiction

toxicose *f* : toxicosis

toxine *f* : toxin
~ **animale**: zootoxin

toxique *m* : toxicant; *adj* : toxic, poisonous

TR → méthode température/retrait

tr/mn → tours/minute

tr/s → tours/seconde

traçage *m* : tracing; (de repère sur une pièce) scribing, marking out, marking off; (sur une carte, un graphique) plotting, marking; (de route) laying out
~ **et balayage simultanés**: track while scan

trace *f* : trace; (d'outil, de moule) mark; → aussi **traces**
~ **d'écoulement**: flow line
~ **de joint**: (coffrage) joint mark
~ **de la carotte**: gate mark

tracé *m* : tracing; (trace) setting out, marking out; (d'une courbe) plotting; (lignes, contour) design; (d'une route) alignment; (d'une ville, d'un réseau) layout
~ **de circuit**: circuit layout

tracer: to trace; (méc) to scribe, to mark off, to mark out (a component)
~ **la route**: (mar) to lay the course, to set the course
~ **un itinéraire**: to map a course
~ **une courbe**: to plot a curve

traces *f* : showings
~ **d'écoulement**: (fonderie) run marks
~ **d'huile pendant forage**: drilling shows
~ **de coupe**: (plast) sheeter lines

traceur *m* : plotter; (marqueur) tracer
~ **à plat**: flat-bed plotter
~ **à tambour**: drum plotter
~ **de circuits imprimés**: pc board generator
~ **de courbes**: [curve] plotter, graph plotter, X-Y plotter
~ **incrementiel**: incremental plotter
~ **pyrotechnique**: tracer flare
~ **radioactif**: radioactive tracer
~ **stable**: stable tracer

tracter: (autom) to tow

tracteur *m* : tractor
~ **à chenilles**: crawler tractor, caterpillar tractor, tracklaying tractor
~ **à grue latérale**: sideboom tractor, [pipe] laying cat, pipe layer
~ **agricole**: farm tractor
~ **attelé**: towing tractor
~ **automobile**: truck tractor
~ **caterpillar à grue**: boom cat

~ **chenillé**: crawler tractor, caterpillar tractor, tracklaying tractor
~ **chenillé à flèche latérale**: sideboom tractor, [pipe] laying cat, pipe layer
~ **de manœuvre**: shunting tractor
~ **de manutention**: yard jockey tractor, yard mule tractor, yard spotter
~ **de remorquage**: tow tractor
~ **de semi-remorque**: truck tractor, tractor unit
~**-porteur**: dromadory tractor
~ **pour transport exceptionnel**: float tractor
~ **pousseur**: pusher tractor, pusher, pushloader
~ **routier**: road tractor
~ **semi-porteur**: truck tractor
~ **sur chenilles**: caterpillar tractor, crawler [tractor], tracklaying tractor

tractif: (force) tractive; (route, hélice) traction, tractor

traction *f* : traction, pull[ing]; drive; (méc) tension; (par chaîne, par câble) haul; (chdef) locomotive department
~ **arrière**: (autom) rear drive
~ **au crochet**: drawbar pull
~ **avant**: (autom) front-wheel drive, front-wheel drive car
~ **de bobineuse**: reel tension
~ **double**: (chdef) double heading
~ **électrique**: electric traction
~ **[électrique] par troisième rail**: third-rail system
~ **magnétique**: magnetic pull
~ **par câble tête-et-queue**: main-and-tail rope haulage
~ **par crémaillère**: rack-and-pinion drive
~ **par trolley**: [overhead] trolley system
~ **pure**: direct tension
~ **sur chenilles**: caterpillar traction, crawler traction
~ **sur l'ancrage**: anchor pull
de ~: pulling, tractive; (force, résistance) tensile

tractopelle *f* : tractor loader, tractor shovel

tractus *m* : tract
~ **germinal**: germ track
~ **nucléolaire**: nucleolar track

traduction *f* : translation
~ **assistée par ordinateur ▶ TAO**: computer-aided translation, machine-aided translation
~ **automatique**: machine translation, mechanical translation

~ **génétique**: genetic translation
~ **ininterrompue**: (gg/bm) read-through translation
~ **machine**: machine translation, mechanical translation

trafic m : (transport, tél) traffic
~ **à manutention horizontale**: roll-on/roll-off traffic
~ **à transroulage direct**: roll-on/roll-off traffic
~ **aérien**: air traffic
~ **aérien interne**: domestic air service
~ **brut remorqué**: gross traffic hauled
~ **d'arrivée**: incoming traffic, terminating traffic
~ **d'origine**: originating traffic
~ **de banlieue**: commuter traffic
~ **de débordement**: (tél) overflow
~ **de départ**: outgoing traffic, outward traffic, outbound traffic, originating traffic
~ **de transit**: through traffic GB, thru traffic NA
~ **dense**: high volume of traffic
~ **écoulé**: handled traffic, traffic carried
~ **en containers**: container traffic
~ **en émission**: outgoing traffic
~ **en instance**: waiting traffic
~ **en réception**: incoming traffic
~ **en transit**: through traffic GB, thru traffic NA, external-external traffic
~ **entrant**: inward traffic, inbound traffic
~ **externe-externe**: external-external traffic, through traffic GB, thru traffic NA
~ **externe-interne**: terminating traffic
~ **ferroviaire**: railway traffic GB, railroad traffic NA
~ **habitation-travail**: commuter traffic
~ **intense**: high-density traffic
~ **interne-externe**: originating traffic
~ **interurbain**: long distance traffic, trunk traffic
~ **réel**: live traffic
~ **routier**: road traffic
~ **simulé**: artificial traffic
~ **sortant**: outgoing traffic, outward traffic, outbound traffic
~ **total écoulé**: aggregate traffic flow
~ **voyageurs**: passenger traffic
à ~ **élevé**: busy (tel, road)
à ~ **intense**: high-usage

train m : (chdef) train; (suite, série) string, line, series, stream; (autom) axle system, axle assembly; (de laminoir) train, rolls, mill
~ **à bandes**: strip mill
~ **à barres**: bar mill
~ **à blooms**: blooming mill
~ **à brames**: slabbing mill

~ **à chaud**: hot mill
~ **à fil**: wire mill
~ **à lévitation**: magnetic levitation tra
~ **aéroglisseur**: hovercraft train, hovertrain
~ **arrière**: rear axle [assembly], back axle [assembly]
~ **arrivant**: incoming train
~ **autocouchette[s]** ► TAC: motorai
~ **avant**: (autom) front axle [assembl (aéro) nose gear
~ **avant orientable**: steerable nose gear
~ **baladeur**: sliding gear, changeove train
~ **bas**: (aéro) landing gear down
~ **binaire**: bit stream
~ **bis**: relief train
~ **d'atterrissage**: undercarriage, landing gear
~ **d'atterrissage à bogie**: bogie landing gear
~ **d'atterrissage à diabolo**: castor landing gear
~ **d'atterrissage principal**: main undercarriage, main landing gear
~ **d'atterrissage rentré**: retracted landing gear
~ **d'atterrissage rentré et verrouillé** undercarriage up and locked
~ **d'atterrissage tricycle**: tricycle landing gear
~ **d'écrouissage**: skin pass rolling m
~ **d'engrenages**: gear train, gear set
~ **d'impulsions**: pulse group, pulse string, pulse train, pulse stream
~ **d'ondes**: wave train
~ **de bateaux**: towed convoy
~ **de bits**: bit stream
~ **de dédoublement**: relief train
~ **de données**: data stream
~ **de grande ligne**: main line train
~ **de laminage**: rolling train
~ **de pneus**: set of tyres
~ **de quatre tiges**: (forage) quad
~ **de ripage**: conveyor plant
~ **de roues**: (autom) set of wheels, wheel set; (méc) gear wheel train
~ **de roues d'entraînement**: driving train
~ **de rouleaux**: (laminoir) roller table, roller bed
~ **de tiges**: (forage) drill string, drill-pipe string
~ **de travaux**: job stream
~ **descendant**: down train
~ **direct**: through train, non-stop trair direct train
~ **double duo**: double two-high mill
~ **drapeau**: prestige train, crack train
~ **duo**: two-high [rolling] mill
~ **épicycloïdal**: planetary gear train

~ **finisseur**: finishing mill
~ **haut**: landing gear up
~ **montant**: up train
~ **omnibus**: stopping train GB, accommodation train NA
~**-poste**: mail train
~ **réducteur**: speed reducing gear train
~ **remorqué**: (de bateaux) towed convoy
~ **rentré et verrouillé**: landing gear up and locked
~ **reversible**: pull-and-push train
~ **routier**: road train; tractive unit, tractor trailer unit
~ **sorti**: landing gear extended
~ **sorti et verrouillé**: landing gear down and locked
~ **supplémentaire**: relief train
~ **tricycle**: tricycle [landing] gear
~ **vertébré**: articulated train, articulated unit

traînage *m* : hauling; (mine) haulage; (radio) stretching, tonal distortion; (tc) tailing, hangover, after-image, streaking
~ **au câble**: rope haulage
~ **lumineux**: afterglow
~ **magnétique**: magnetic after-effect, magnetic creep, magnetic viscosity
~ **par câble tête-et-queue**: main-and-tail rope haulage
~ **par chaîne**: chain haulage

traîneau *m* : skid
~ **à roulettes**: live skid

traînée *f* : trail; (force) drag
~ **atmosphérique**: air drag
~ **d'aile**: wing drag
~ **de captation**: (coussin d'air) ram drag
~ **de condensation**: vapour trail, condensation trail, contrail
~ **de frottement**: skin friction drag
~ **de profil**: profile drag
~ **induite**: induced drag

trait *m* : line; (alphabet Morse) dash
~ **d'union**: hyphen
~ **de repère**: bench mark, match mark
~ **de scie**: [saw] kerf
~ **discontinu**: dashed line, broken line
~ **épais**: heavy line
~ **gras**: heavy line
~ **mixte**: dot-and-dash line
~ **plein**: solid line, unbroken line, continuous line
~ **repère**: gauge mark (on specimen)
~**-simili combiné**: [line-halftone] combination plate, composite block

traite *f* : milking

traitement *m* : processing, treatment; (inf) processing, handling; cure, curing (polymerization and/or crosslinking)
~ **à distance**: téléprocessing
~ **à la vapeur**: steam curing
~ **à la demande**: demand processing
~ **à la soude caustique**: caustic treatment
~ **à surface libre**: open-tank treatment
~ **anodique**: anodizing
~ **au plombite**: (raffinage) doctor treatment
~ **automatique des données**: automatic data processing
~ **aux ultrasons**: sonication
~ **aval**: downstream processing
~ **complémentaire**: after-treatment
~ **contre la rouille**: rustproofing
~ **d'aspect**: cosmetic treatment
~ **de détensionnement**: (métall) stress relieving
~ **de détente**: (métall) stress relieving, stress relief treatment
~ **de données** ▶ TD: data handling, data processing
~ **de fond**: (inf) background processing
~ **de l'image**: image processing, picture processing
~ **de l'information** ▶ TI: information processing
~ **de liste**: list processing
~ **de minerai**: ore dressing GB, beneficiation NA
~ **de stabilisation**: stress relieving
~ **de surface**: surface dressing
~ **de surface des métaux**: metal finishing
~ **de texte** ▶ TdT: word processing, text processing
~ **des images**: image processing
~ **des messages**: message handling
~ **des ordures ménagères**: refuse disposal
~ **des signaux**: signal procesing
~ **différé**: (inf) batch processing
~ **distribué**: distributed processing
~ **distribué ouvert**: open distributed processing
~ **doux**: light treatment
~ **en aval**: downstream processing
~ **en continu**: non-stop processing
~ **en ligne directe**: in-line processing
~ **en parallèle**: parallel running
~ **en temps réel**: real-time processing
~ **en temps partagé**: time sharing
~ **final**: (de combustible irradié) tail-end processing
~ **immédiat**: demand processing
~ **initial**: pretreatment; (de combustible irradié) head-end processing
~ **insuffisant**: undertreating

~ **multitâches**: (inf) multitasking
~ **non prioritaire**: background processing
~ **par lots**: batch processing
~ **par lots à distance**: remote batch processing
~ **par pile**: stack processing
~ **par voie sèche**: dry processing
~ **par voie humide**: wet processing
~ **physique de l'eau**: physical water treatment
~ **pipeline**: (inf) pipeline processing, pipelining
~ **postérieur**: after-treatment
~ **préalable**: pretreatment
~ **préparatoire**: pretreatment
~ **prioritaire**: (inf) foreground processing
~ **secondaire**: downstream processing
~ **sonique**: sonication
~ **superficiel**: surface dressing
~ **sur ordinateur**: computer processing
~ **thermique**: heat treatment
~ **thermique de détente [des tensions]**: stress relief heat treatment
~ **thermique des boues**: (épuration) heat treatment of sludge
~ **thermique localisé**: heat spotting
~ **ultérieur**: post-treatment
en ~ libre: (inf) open-shop
en ~ spécialisé: (inf) closed-shop

traiter: to treat, to process; (inf) to handle, to process; (plast) to cure
~ **à la silicone**: to siliconize
~ **à nouveau**: to reprocess
~ **les appels**: to handle the calls

trajectographie f : flight path analysis

trajectoire f : path, course; (de projectile) trajectory
~ **d'atterrissage**: glide path
~ **d'outil**: tool path
~ **de collision**: collision course
~ **de croissance**: growth path
~ **de vol**: flight path
~ **ionique**: ion path
~ **rasante**: low trajectory
~ **rectiligne**: straight course
~ **tendue**: flat trajectory

trajet m : path; (transports) journey, trip
~ **à vide**: empty trip
~ **ascendant**: up-path, uplink, earth-to-space path
~ **comportant une réflexion**: (ultrasons) double traverse
~ **dans le plan du grand cercle**: great-circle path

~ **de câble**: cable path
~ **de glissement**: contact wipe
~ **de signalisation**: signal[l]ing path
~ **descendant**: down path, downlink, space-to-earth path
~ **direct**: through path GB, thru path NA
~ **du courant**: current path
~ **espace-terre**: space-to-earth path
~ **libre moyen**: mean free path
~ **montant**: up-path, uplink, earth-to-space path
~ **optique**: optical path
~ **orthodromique**: great-circle path
~ **satellite-terre**: downlink, space-to-earth path
~ **simple**: (ultrasons) single traverse
~ **suivi**: path followed
~ **terre/espace**: up-path (of satellite)
~ **terre/satellite**: uplink

trame f : (tissage) weft, filling; (grille) grid (of drawing, of map), layout grid; (inf) frame; (tv) picture, frame, field
~ **d'information**: information frame
~ **d'un cliché**: (graph) screen
~ **de justification**: justification frame
~ **de l'image**: (tv) picture frame
~ **de service**: service frame
~ **de signalisation**: signal[l]ing frame
~ **de soie**: silk screen
~ **de contact**: (graph) contact screen
~ **hélio**: gravure screen
~ **primaire**: colour field, color frame

tramway m : tramway, tram GB, street-car, car NA

tranchant m : (d'outil) cutting edge; adj : cutting, sharp
~ **affilé**: fine edge
~ **de couteau**: knife edge

tranche f : slice; (de marbre, de pierre) slab; (partie, section) bracket, range, group, section, increment; (de travaux) stage; (de livre) [cut] edge; (outil) set, chisel; (de poisson) cutlet, steak
~ **à froid**: cold set chisel
~ **d'âge**: age group
~ **d'un tableau**: section of a switchboard, panel of a switchboard, stack
~ **de couplage**: coupling panel
~ **de silicium**: silicon wafer
~ **de temps**: time slice, time slot
~ **dorée**: gilt edge
~ **granulométrique**: size class

tranchée f : ditch, trench, open cut; (chdef) cutting
~ **d'égout**: sewer trench

~ **d'étanchéité**: cutoff trench
~ **de niveau**: level cutting
~ **parafouille**: cutoff trench
~ **pour tuyaux**: pipe trench

trancheuse *f* : ditcher, trenching machine, trencher
~ **à roue**: wheel ditcher

transaction *f* : (commerce) transaction, compromise, trade-off; (inf) transaction, movement

transactionnel: (inf) transaction-driven

transbordement *m* : transfer, tranship[ping], transship[ping]

transcodage *m* : transcoding

transcodeur *m* : transcoder, code converter

transconductance *f* : mutual conductance

transcontinental: transcontinental, cross-continent

transcriptase *f* : transcriptase
~ **inverse**: reverse transcriptase

transcription *f* : transcription
~ **génétique**: genetic transcription
~ **ininterrompue**: (gg/bm) transcriptional readthrough
~ **inverse**: reverse transcription
~ **reverse**: reverse transcription

transcrit *m* : (gg/bm) transcription product, transcript; *adj* : transcribed

transducteur *m* : transducer
~ **émetteur-récepteur**: transmitter-receiver transducer
~-**émetteur**: transmitter transducer
~-**récepteur**: receiver transducer

transduction *f* : (gg/bm) transduction
~ **abortive**: abortive transduction
~ **localisée**: specialized transduction, restricted transduction

transfection *f* : transfection

transférabilité *f* : (de logiciel) transportability

transférable: (inf) portable, transportable

transférase *f* : transferase
~ **terminale**: terminal transferase

transférer: to transfer; (déplacer) to move, to relocate
~ **vers un périphérique**: (inf) to download

transfert *m* : move, relocation; (usinage) transfer; (inf) movement, offloading (of information); (gg/bm) transfer
~ **automatique sur panne secteur**: automatic power failure transfer
~ **d'ADN**: Southern blotting
~ **de charge**: load transfer
~ **de connaissances**: (IA) knowledge transfer
~ **de fichier**: file transfer
~ **de Northern**: Northern blot[ting]
~ **de plages**: (gg/bm) plaque lift
~ **de Southern**: Southern blot[ting]
~ **de technologie**: transfer of technology
~ **différé**: spool
~ **en mémoire centrale**: roll-in
~ **en mémoire de sauvegarde**: roll-out
~ **génétique**: gene transfer
~ **linéique d'énergie** ► **TLE**: linear energy transfer

transformateur *m* : (él) transformer; (profession) converter, processor
~ **à air**: air-cooled transformer
~ **à bain d'huile**: oil-immersed transformer, oil transformer
~ **à barre transversale**: crossbar transformer, bar-and-post transformer
~ **à bobinage divisé**: split-winding transformer
~ **à champ tournant**: rotary-field transformer
~ **à circuit magnétique fermé**: closed-core transformer
~ **à circulation d'air forcé**: air-blast transformer
~ **à colonnes**: core-type transformer
~ **à courant constant**: constant-current transformer
~ **à dispersion**: leak transformer
~ **à entrefer**: air-gap transformer
~ **à flux équilibré**: core-balance transformer
~ **à fuites**: leak[age] transformer
~ **à l'air libre**: open-air transformer
~ **à neutre à la terre**: ground[ing] transformer
~ **à noyau**: core transformer
~ **à point milieu**: centre-tap transformer
~ **à prises**: tapped transformer
~ **à rapport variable**: variable transformer
~ **à refroidissement par air**: air-blast transformer

~ **à refroidissement naturel**: self-cooled transformer
~ **à tige et barre**: crossbar transformer, bar-and-post transformer
~ **abaisseur**: step-down transformer
~ **au quartz**: quartz-insulated transformer
~ **automatique**: autotransformer
~ **blindé**: armoured transformer GB, armored transformer NA
~ **compensateur**: balancing transformer
~ **cuirassé**: shell-type transformer
~ **d'adaptation**: matching transformer
~ **d'alimentation**: power transformer
~ **d'alimentation [secteur]**: mains transformer
~ **d'entrée**: input transformer
~ **d'impédance**: impedance transformer
~ **d'impulsions**: pulse transformer
~ **d'intensité**: current transformer
~ **d'intensité à primaire unifilaire**: single-turn current transformer
~ **d'intérieur**: indoor transformer
~ **dans l'air**: air-cooled transformer
~ **dans l'huile**: oil-immersed transformer, oil transformer
~ **dans le quartz**: quartz-insulated transformer
~ **de couplage**: bypass transformer, coupling transformer
~ **de courant**: current transformer
~ **de ligne**: line transformer
~ **de mesure**: instrument transformer
~ **de mode**: mode transformer, mode changer, mode converter
~ **de point neutre**: neutral point transformer
~ **de potentiel**: potential transformer
~ **de prédicat**: predicate transformer
~ **de puissance**: power transformer
~ **de sonnerie**: bell transformer, ringing transformer
~ **de traversée**: bushing transformer
~ **dévolteur**: negative booster transformer
~ **différentiel**: hybrid transformer, hybrid circuit, balance transformer
~ **élévateur**: booster transformer, step-up transformer
~ **en bouton de porte**: doorknob transformer
~ **extérieur**: open air transformer
~ **haute tension/moyenne tension**: HV/MV transformer
~ **hermétique**: sealed transformer
~ **secteur**: power transformer
~ **sonde**: probe transformer
~ **suceur**: draining transformer, negative boosting transformer
~ **survolteur**: booster transformer,

step-up transformer
~ **symétrique-dissymétrique**: balanced-unbalanced transformer, balun
~ **symétriseur**: line-balancing transformer
~ **toroïdal**: ring transformer

transformation *f*: (industrie) processing, transforming; (maths) transform[ation]; (d'un bâtiment) remodelling; (gg/bm) transformation
~ **de Fourier**: Fourier transform
~ **de Fourier rapide** ▶ **TFR**: fast Fourier transform
~ **des métaux**: metal working
~ **du papier**: paper converting
~ **en ondes carrées**: squaring
~ **génétique**: genetic transformation

transformée *f*: transform

transformer: to transform, to process; (métall) to convert, to roll down

transfrontière: transborder

transfusion *f* **sanguine**: blood transfusion

transgénique: transgenic

transistor *m*: transistor; (récepteur) transistor radio
~ **à champ accélérateur**: drift transistor
~ **à champ interne**: drift transistor
~ **à effet de champ** ▶ **TEC**: field-effect transistor
~ **à effet de champ à couche mince**: thin-film field-effect transistor
~ **à effet de champ à enrichissement**: enhancement mode field-effect transistor
~ **à effet de champ à grille isolée**: insulated-gate field effect transistor
~ **à effet de champ à jonction**: junction field-effect transistor
~ **à jonction[s]**: junction transistor
~ **à jonction[s] par diffusion**: diffused-junction transistor
~ **au silicium**: silicon transistor
~ **avec émetteur à la masse**: grounded-emitter transistor
~ **bilatéral**: bidirectional transistor
~ **bipolaire**: bipolar transistor
~ **bipolaire à jonctions**: bipolar junction transistor
~ **de commutation**: switching transistor
~ **MOS à effet de champ**: metal-oxide field-effect transistor

~ **unijonction**: unijunction transistor
à ~**s**: solid-state, transistor[ized]

transistorisé: [all] solid state, transis-
torized

transit *m* : (transport) transit; (tcm) trunk-
to-trunk connection
en ~: (marchandises) in transit; (trafic)
through GB, thru NA; (tcm) trunk[ing]

transition *f* : transition
~ **progressive**: taper
~ **vitreuse**: glass transition

transitoire *m* : (él) transient; *adj* :
temporary, short-lived; (él) transient
(current, voltage, wave)
~ **d'ouverture d'un contact**: contact
transient
~ **de fermeture d'un contact**: contact
transient
~ **accidentel**: accidental transient
~ **de fonctionnement**: operational
transient

translatable: (inf) relocatable

translation *f* : (m-o) traverse; (grue)
travel[ling]; (inf) relocation
~ **d'exploration**: scanning traverse

translecture *f* : (gg/bm) readthrough

translocation *f* : (gg/bm) translocation
~ **acentrique-dicentrique**: acentric-
dicentric translocation
~ **insertionnelle**: insertional
translocation
~ **robertsonnienne**: Robertsonian
translocation

translucide: translucent, translucid

transmanche: cross-Channel

transmetteur *m* : transmitter; *adj* :
transmitting, sending
~ **d'ordres**: (mar) [rudder] telegraph
~ **de données**: data transmitter
~ **de jaugeur**: fuel level transmitter
~ **et récepteur**: transceiver

transmettre: (radio, tv) to broadcast;
(information, document) to pass on, to
send on; (son, tcm) to transmit;
(chaleur) to conduct, to transfer
~ **le mouvement**: to drive

transmission *f* : (méc) power transmission, drive, [line] shafting; transmission

GB, drive line NA; (tcm) transmission,
communication; (de chaleur) transfer;
(gg/bm) transmission, conduction; ~**s**:
(mar, mil) signals
~ **à arbre creux**: quill drive
~ **à cardan**: universal-joint drive,
Cardan drive
~ **à circuit ouvert**: open-circuit
transmission
~ **à convertisseur[s] de couple**:
torque converter drive, converter
transmission
~ **à courroie**: strap drive, belt drive
~ **à double bande latérale**: double-
sideband transmission
~ **à friction**: friction drive
~ **à l'alternat**: non-simultaneous
transmission
~ **à vis sans fin**: worm drive
~ **arrière**: (autom) rear-wheel drive
~ **asynchrone**: asynchronous
transmission
~ **automatique d'images**: automatic
picture transmission
~ **autosomique**: autosomal transmission
~ **bidirectionnelle**: duplex [trans-
mission]
~ **bidirectionnelle à l'alternat**: half-
duplex [transmission]
~ **bidirectionnelle simultanée**: full-
duplex [transmission]
~ **binaire synchrone**: binary synchronous transmission
~ **de données**: data communication,
data transmission
~ **de données vocales**: data-in-voice
transmission
~ **de données numériques**: digital-
data transmission
~ **de données infravocales**: data-
under-voice transmission
~ **de la parole**: speech communication
~ **de la chaleur**: heat transfer
~ **de mouvement**: conveying of
movement, drive
~ **de signaux**: signal[l]ing
~ **de signaux vocaux**: speech
communication
~ **discontinue**: stepped drive
~ **en bande de base**: baseband transmission
~ **en différé**: recorded broadcast
~ **en direct**: live broadcast
~ **en diversité**: diversity transmission
~ **flexible**: flexible shafting
~ **hydraulique**: fluid drive, fluid transmission
~ **hypoïde**: hypoid drive
~ **indirecte du bruit**: flanking
~ **intermédiaire**: countershafting,
countermotion

~ **isochrone par rafales**: burst isochronous transmission
~ **manuelle**: keyboard transmission
~ **numérique**: digital transmission
~ **par arbre[s]**: shaft drive, shafting
~ **par arbre creux**: quill drive
~ **par balancier**: beam drive
~ **par biellettes**: link drive
~ **par câble**: rope drive
~ **par chaîne**: chain drive
~ **par corde**: string drive
~ **par courants porteurs**: carrier transmission
~ **par courroie[s]**: belt transmission, belting
~ **par courroie trapézoïdale**: V-belt drive
~ **par double courant**: double-current transmission, double-current working
~ **par engrenages**: gearing
~ **par fermeture de circuit**: open-circuit working
~ **par fil**: wire communication
~ **par fibres optiques**: optical transmission
~ **par friction**: friction drive, non-positive drive
~ **par manivelle**: crank gear, crank mechanism
~ **par ouverture de circuit**: closed-circuit working
~ **par paquets**: batch transmission
~ **par rupture de circuit**: closed-circuit working
~ **primaire**: main drive
~ **principale**: main shafting
~ **rigide**: rigid transmission; rod transmission, rodding
~ **secondaire**: countermotion, countershafting
~ **sens montant**: uplink transmission
~ **sens terre/satellite**: uplink transmission
~ **série**: serial transmission
~ **sur le trajet montant**: uplink transmission
~ **synchrone**: synchronous transmission
~ **synchrone par courroie**: synchronous belt drive
~ **Terre-espace**: earth-space transmission
~ **unidirectionnelle**: simplex transmission

transocéanique: seagoing (barge); transoceanic, [under]sea (cable)

transpalette *m* : pallet truck
~ **à conducteur assis**: rider pallet truck
~ **à conducteur porté**: rider pallet truck

transparence *f* : transparency; (cin) back projection; (feuille imprimée) show-through
~ **acoustique**: acoustic transparency

transparent *m* : (graph) overlay; transparency (for overhead projection); (conditionnement) blister; *adj* : transparent, clear:
~ **en acétate**: acetate overlay
~ **pour rétroprojecteur**: foil

transpercé: pierced, punctured

transpercement *m* : piercing through, running through; (graph) strike through (of ink)
~ **de colle**: glue penetration, bleed-through

transplantation *f* : transplantation; (greffe d'organe) transplant

transpondeur *m* : transponder

transport *m* : transport, transportation, conveyance, conveying, carriage; (par roulage) haulage, hauling; (par eau) shipping; (mil) troop ship, transport ship; (d'électricité) transmission; → aussi **transports**
~ **à grande distance**: long haul
~ **autonome**: non-guided transport
~ **d'énergie [électrique]**: power transmission
~ **de force**: [high-voltage] power transmission
~ **de matériel**: store ship
~ **de troupes**: (déplacement) troop transportation; (navire, train) troop transport
~ **direct**: through transit
~ **en commun**: public transport, public transit
~ **en commun individualisé**: personal rapid transit
~ **en commun personnalisé**: personal rapid transit
~ **fluvial**: river transport
~ **gigogne**: piggyback transport
~ **maritime**: sea transport
~ **par avion**: air transport
~ **par canalisation**: pipage
~ **par eau**: shipment, water transport
~ **par fer**: rail transport
~ **par fer de remorques routières**: piggyback service, trailers on flat cars
~ **par pipeline**: pipelining
~ **par voie d'eau**: [inland] water transport
~ **pneumatique**: air conveying, airveyor

~ **routier**: road transport, road haulage
~ **terrestre**: ground transport, inland transportation
~ **terrestre à grande vitesse**: high-speed ground transportation
~ **urbain continu**: non-stop urban transportation, non-stop rapid transit system

transportable: mov[e]able; portable, transportable; (inf) luggable

transporter: to transport; (des voyageurs, des marchandises) to carry, to convey; (par route) to haul

transporteur *m* : (entreprise) carrier, transporter, haulier; (mécanique) conveyor
~ **à augets**: bucket conveyor
~ **à bande**: conveyor belt, belt conveyor
~ **à câble**: ropeway
~ **à chaîne**: chain conveyor
~ **à courroie**: band conveyor, belt conveyor
~ **à courroie en auge**: troughed belt conveyor
~ **à godets**: bucket conveyor
~ **à lattes**: slat conveyor
~ **à palettes métalliques**: apron conveyor
~ **à rouleaux**: roller conveyor
~ **à rouleaux en coude**: curved roller conveyor
~ **à secousses**: oscillating conveyor, vibrating conveyor, jigger conveyor
~ **à tablier articulé**: apron conveyor
~ **à toile sans fin**: band conveyor
~ **à vis**: screw conveyor, spiral conveyor, worm conveyor
~ **aérien**: overhead conveyor, aerial conveyor
~ **aérien par câble**: aerial ropeway, cableway; telpher, telfer
~ **en spirale**: spiral conveyor, worm conveyor
~ **hélicoïdal**: worm conveyor, spiral conveyor
~ **mixte**: combination carrier, oil-bulk-ore ship
~ **navette**: shuttle belt conveyor
~ **pneumatique**: air conveyor
~ **public**: common carrier
~ **régional**: (aéro) third-level carrier
~ **routier**: road haulier GB, trucker NA

ansports *m* : transports
~ **en commun**: public transport, mass transportation
~ **routiers**: road haulage GB, trucking industry NA

transposase *f* : transposase

transposée *f* : (de matrice) transpose

transposer: to transpose

transposition *f* : transposition
~ **réplicative**: replicative transposition

transposon *m* : jumping gene, mobile element, transposon

transroulage *m* : roll-on/roll-off system

transsonique: transonic

transvaser: to pour into another container, to decant

transversal: cross, transverse, transversal; (transports) cross-country

transversale *f* : (géom) transversal; (route) crossroad

transversion *f* : transversion

trapèze *m* : trapezium GB, trapezoid NA
~ **irrégulier**: trapezoid GB, trapezium NA
en ~: keystone (distortion)

trapézoèdre: trapezohedron

trapézoïdal: keystone-shaped; (courroie, glissière) V-

trappe *f* : trap door, flap door, hatch
~ **de ramonage**: soot door; cleaning eye GB, cleanout NA
~ **de remplissage**: (aéro) refueling panel
~ **de soute à bombes**: bomb door, bomb hatch
~ **de train d'atterrissage**: landing gear door

travail *m* : (tâche) work, job; (phys) work; (contact, relais) make; → aussi **travaux**
~ **à brigades relevées**: shiftwork
~ **à distance**: safe clearance working
~ **à façon**: special work
~ **à forfait**: job work
~ **à l'entreprise**: contract work
~ **à la tâche**: job work
~ **à la compression**: compressive stress
~ **à la grue**: cranage
~ **à la demande**: job
~ **à la journée**: day work
~ **à la sollicitation**: stress

~ **à la barre**: (usinage) bar work
~ **à mi-temps**: part-time work
~ **à plein temps**: full-time work
~ **à temps partiel**: part-time work
~ **au cisaillement**: shear stress
~ **au jour**: (mine) above-ground work, surface work
~ **au tour**: lathework, turning
~ **aux explosifs**: [shot] blasting
~ **aux pièces**: piece work
~ **avant repos**: (él) make before break
~ **continu**: (d'une machine) continuous running
~ **de reprise**: second operation work
~ **de terrain**: field work
~ **des eaux**: action of water (erosion)
~ **en équipes**: shiftwork
~ **en l'air**: (usinage) chucking work
~ **en série**: production work, mass production
~ **en sollicitation**: stress
~ **manual**: [manual] labour
~ **mécanique**: mechanical work
~ **posté**: shiftwork
~ **prioritaire**: hot job, rush job
~ **sous tension**: (él) live working
~ **sur le terrain**: field work
~ **urgent**: hot job, rush job
~ **utile**: effective work
de ~: (inf) scratch (memory, tape, disc)

travaillant: load-carrying, stress-bearing
~ **à la compression**: in compression
~ **à son compte**: self-employed
~ **en traction**: in tension

travailler: to work; (méc) to be stressed; (bois) to warp, to shrink
~ **en bascule**: (inf) to rock, to alternate
~ **en multitraitement**: to multiprocess
faire ~: to stress

travailleur m : worker
~ **à domicile**: homeworker
~ **de fond**: underground workman
~ **indépendant**: (inf) cottage worker
~ **manuel**: manual worker

travaux m : works; (mine) works, workings; → aussi **travail**
~ **à flanc de coteau**: hillside work
~ **à prix coûtant plus %**: cost-plus work
~ **agricoles**: farm work
~ **de déblaiement**: excavation [work]
~ **de menuiserie**: mill work
~ **de sauvetage**: rescue work
~ **de terrassement**: earthworks, earth moving
~ **de ville**: (graph) jobbing [work], job printing
~ **de voirie**: road works GB, street work NA

~ **en régie**: contract work; (constr) day-rate work
~ **en sous-œuvre**: (neufs) below-grade work; (en reprise) underpinning
~ **en sous-sol**: below-grade work
~ **en surface**: above-grade work
~ **forestiers**: lumbering
~ **neufs**: new work
~ **préparatoires**: (mine) deadworks
~ **prévus**: scheduled work
~ **publics**: public works
~ **sous tension**: live-line working
pour ~ **durs**: heavy-duty

travée f : (constr) span, bay; (d'un atelier) bay; (rangée) row, tier; (tél) line up, rack suite, suite of rows
~ **centrale**: centre span, middle bay, middle span
~ **contiguë au mur**: tail bay
~ **continue**: unsupported span
~ **extrême**: end span
~ **mobile**: (de pont) draw span
~ **tournante**: (de pont) swing span
à ~**s continues**: continuous (structure)

travelage m : (chdef) sleepers, sleeper spacing

travelling m : (cin) dolly shot, tracking
~ **arrière**: dolly out, track out
~ **avant**: dolly in, track in

travers m : (mar) breadth, beam
à ~: through GB, thru NA
en ~: across, athwart, cross[wise], transversely
par le ~: (mar) broadside, abeam, on the beam, athwartships

travers-banc m : crosscut

traversant: passing, through GB, thru NA

traverse f : cross bar, cross piece, cross member; (constr) cross beam, cross girder; (au-dessus d'une ouverture) head beam; (m-o) tie bar; (chdef) sleeper GB, tie NA
~ **d'imposte**: transom [bar]
~ **de poteau**: cross arm
~ **haute**: top rail (of window, of door)
~ **jumelée**: (chdef) twin sleeper, twin tie
~ **porte-broches**: (filature) spindle rai

traversé par le courant: current-carrying, live

traversée f : (franchissement) crossing; (él) bushing
~ **à conducteur démontable**: draw-lead bushing

~ **aérienne**: (d'une ligne) overhead crossing, aerial crossing
~ **condensateur**: capacitor bushing
~ **d'extérieur**: outdoor bushing
~ **d'extérieur-intérieur**: outdoor-indoor bushing
~ **d'intérieur**: indoor bushing
~ **d'un arbre**: (graphe) tree walking
~ **de chemin de fer**: rail[way] crossing
~ **de cloison**: bulkhead fitting, bulkhead passage
~ **de cours d'eau**: river crossing
~ **de l'antenne**: antenna lead-in
~ **murale**: wall bushing
~ **sous-fluviale**: under-river crossing
de ~: cross over; (él) lead-through GB, lead-thru NA, leading-in

traverser: to cross; to go through, to come through

trayeuse *f* : milking machine

TRC → **tube à rayons cathodiques**

trébuchet *m* : small precision balance, assay balance, pharmaceutical balance

tréfilage *m* : [wire] drawing

tréfilé: (métal) drawn; (plast) extruded

tréfilerie *f* : drawing mill, wire mill, wireworks

trèfle *m* : (agriculture) clover; (arch) trefoil; (de laminoir) wobble[r]; (ouvrage de croisement) cloverleaf
~ **cathodique**: cathodic eye, tuning eye

tréfonds *m* : subsoil, below-formation level

tréhalose *m* : trehalose

treillage *m* : wire netting, wire fencing, chicken wire

treillis *m* : lattice
~ **complémenté**: (inf) complemented lattice
~ **distributif**: (inf) distributive lattice
~ **métallique**: meshing, wire netting
~ **soudé**: welded wire mesh, welded wire fabric
~ **soudé pour béton armé**: mesh reinforcement, reinforcement mat, steel fabric mat
~ **spatial**: space lattice
~ **tridimensionnel**: space lattice
en ~: (constr) trussed

trématode *m* : trematode

tremblement *m* : shaking, wobble; (vacillement) flicker, flutter; (aéro) buffeting
~ **de l'image**: picture bounce
~ **de terre**: earth tremor, earthquake

trembleur *m* : (él) trembler; (tél) buzzer

trémie *f* : hopper, bunker; boot (of hopper); (constr) opening (in floor)
~ **à sas**: lock hopper
~ **d'attente**: loading hopper
~ **d'escalier**: stair opening
~ **de pesage**: weighing hopper
~ **de réception**: receiver
~ **de trop-plein**: spill bin
~ **doseuse**: metering bin
~-**magasin**: receiving bin, receiver
~ **peseuse**: weighing hopper
~ **roulante**: travel[l]ing hopper

trempabilité *f* : (métall) hardenability

trempage *m* : steeping, soaking; (pap) wetting

trempant: (métall) hardenable, hardening

trempe *f* : (dans un liquide) soaking, wetting, steeping; (métall) quench[ing], hardening; (verre) tempering; (brasserie) mashing
~ **à cœur**: through hardening, full hardening
~ **à l'eau**: water quenching
~ **à l'huile**: oil hardening
~ **au chalumeau**: flame hardening, torch hardening
~ **bainitique**: austempering
~ **bêta**: beta quench
~ **en bout**: end quenching
~ **en coquille**: chill hardening, chilling
~ **et revenu**: hardening and tempering
~ **étagée**: step hardening
~ **inverse**: inverse chill
~ **locale**: selective hardening
~ **martensitique**: martempering
~ **par immersion**: immersion hardening
~ **par induction**: induction hardening
~ **périphérique**: contour hardening
~ **superficielle**: surface hardening

trempé: (métall) hard, hardened; (verre) tempered
~ **plongé**: (électrode, s.c.) dip coated

tremper: to soak, to steep; (dans un bain) to dip, to plunge; (métall) to quench, to harden

~ **en coquille**: to chill
faire ~: to soak

trépan *m* : (forage) [drill] bit
~ **à biseau**: chisel bit
~ **à boue**: mud bit
~ **à cônes**: roller bit, cone bit
~ **à couronne**: crown bit
~ **à couteaux amovibles**: removable-cutter bit
~ **à disques**: rotary disc bit
~ **à doigts**: blue demon bit
~ **à doigts multiples**: multiple-blade bit
~ **à effacement**: collapsible bit
~ **à jet [hydraulique]**: jet bit
~ **à lames**: blade [drag] bit, drag bit
~ **à molettes**: crushing bit, rock bit, roller bit
~ **à quatre lames**: four-way [drag] bit
~ **à redans**: step bit
~ **à trois lames**: three-way bit
~ **aléseur**: reaming bit, reamer bit
~**-bêche**: spud bit
~**-carottier**: core bit
~ **d'attaque**: spud[ding] bit
~ **en croix**: star bit, cross bit, X bit
~ **pilote**: pilot bit
~ **tranchant**: chisel bit

trépied *m* : tripod, tripod stand
~ **à coulisse**: adjustable tripod

très, ~ grande précision: pinpoint accuracy
~ **gros plan ► TGP**: big close up
~ **haute fréquence ► THF**: very high frequency
~ **rapide**: superspeed

trésaillures *f* : (céramique) D cracks, D lines, D cracking

tresse *f* : braid
~ **d'amiante**: asbestos cord, asbestos braid
~ **de garniture**: packing
~ **de masse**: earth strap GB, ground strap NA
~ **de métallisation**: bonding strip
~ **de mise à la masse**: earthing strip, bonding strip
~ **métallique**: metal braid
sous ~: (él) braided (wire)

tréteau *m* : trestle; stand (for conveyor)

treuil *m* : winch, windlass
~ **à bras**: hand winch
~ **à chaîne**: chain hoist
~ **à manivelle**: crab winch, crab windlass, crank winch
~ **d'antenne**: aerial winch
~ **d'ascenseur**: winding gear
~ **d'enroulement**: cable winch, reeling winch
~ **d'extraction**: mine hoist, shaft hoist
~ **de levage**: hoisting winch, [hoist] drawworks
~ **roulant**: travel[l]ing crab

tri *m* : sort[ing]
~ **à bulle**: bubble sort
~ **arborescent par sélection**: tree selection sort
~ **ascendant**: forward sort
~ **bulle**: bubble sort
~ **de groupage**: bucket sort
~ **décroissant**: backward sort
~ **par caractéristiques**: property sort
~ **par clé**: key sorting
~ **par comparaison et comptage**: comparison counting sort
~ **par échange et fusion**: merge-exchange sort
~ **par fusion**: merging sort
~ **par insertion directe**: straight insertion sort
~ **par interclassement**: collating sort
~ **par segmentation**: quick sort
~ **par sélection directe**: straight-selection sort
~ **préalable**: screening
~ **sur bande magnétique**: tape sort
~ **vertical**: heap sort

triage *m* : classification, sorting; (chdef) shunting GB, marshalling NA; (du charbon) picking; (du minerai) separation
~ **par dimension**: sizing, grading
~ **par qualité**: grading
~ **par voie humide**: wet separation (of ores)

triangle *m* : triangle; (él) delta
~ **de signalisation**: warning triangle
~ **équilatéral**: equilateral triangle
~ **isocèle**: isosceles triangle
~ **quelconque**: oblique triangle, ordinary triangle
~ **rectangle**: right-angled triangle
~ **scalène**: scalene triangle

triangulaire: triangle, triangular

trialcool *m* : triol, trihydric alcohool

triangulation *f* : (topographie) triangulation; (constr) lacing
~ **de train**: (aéro) landing gear bracing

triaxial: three-axis, triaxial

tri-benne *m* : three-way tipper

tribord *m* : starboard [side]
~ **amures**: on the starboard tack
à ~: on the starboard side, to starboard
par ~ devant: on the starboard bow

tributaire: tributary
~ **de l'application**: implementation dependent
~ **de la distance**: distance sensitive
~ **du type d'unité**: device dependent

trichite *f* : whisker

trichloréthylène *m* : trichloroethylene

trichrome *m* : trichromatic, trichromic, tricolour[ed], tricolor[ed]

trichromie *f* three-colour printing, trichromatic process

tricône *m* : roller [cone] bit, rock bit

tricot *m* : knitting; knitwear
~ **à mailles jetées**: warp knitting

tridimensionnel: three-dimensional; (constr) space (structure, frame)

trièdre *m* : trihedron; *adj* : trihedral
~ **de référence**: (aéro) pitch roll and yaw axes

trier: to sort; (du minerai) to separate; (du charbon) to dress; (chdef) to shunt GB, to marshall NA
~ **selon la qualité**: to grade
~ **selon les dimensions**: to size

triergol *m* : tripropellant

trieur *m* : grader; (mine) picker, separator
~ **de cellules**: (gg/bm) cell sorter
~ **de documents**: document sorter

trieuse *f* : sorting machine, sorter; separating machine, separator, cleaner
~ **de cartes**: card sorter
~**-lectrice**: sorter-reader

triglycéride *m* : triglyceride

trigonométrie *f* : trigonometry

trillion *m* : trillion GB, quintillion NA

trim *m* : (aéro) trim

~ **de profondeur**: tailplane trim
~ **de stabilisateur**: stabilator trim, stabilizer trim

trimère *m* : trimer

tringle *f* : rod
~ **de clouage**: nailing strip
~ **de commande**: control rod
~ **de poussée**: (autom) radius arm
~ **de rappel**: (frein) release rod
~ **de talon**: (de pneu) bead wire
~ **de traction**: pull rod

tringlerie *f* : linkage, rods
~ **d'accélération**: throttle control linkage
~ **de direction**: steering linkage
~ **des gaz**: throttle control linkage
~ **du carburateur**: throttle control linkage
~ **du papillon des gaz**: throttle control linkage

trinitrotoluène ▶ TNT *m* : trinitrotoluene

triode *f* : triode
~**-phare**: lighthouse triode

triol *m* : triol

triphasé: three-phase, triphase

triple: treble, triple, threefold
à ~ rang de rivets: treble-riveted

tripler: to treble, to triple, to increase threefold, to multiply threefold

triplet *m* : (gg/bm) triplet
~ **d'initiation**: initiation codon
~ **de fin de chaîne**: chain terminating codon
~ **non-sens**: nonsense triplet, nonsense codon

triplex: three-layer (paper, board, glass)

triploïde *m*, *adj* : triploid

tripolaire: three-pole

tritiation *f* : tritiation

tritureuse *f* : pulverizing mixer, pulvimixer

trivalent: trivalent, tervalent

TRM → tête ronde mince

trois: three

à ~ **brins**: (fil) three-ply
à ~ **couches**: three-ply
à ~ **pôles**: three-pole
à ~ **portes**: (inf) triported
à ~ **voies**: (robinet) three-way; (route) three-lane

troisième: third
~ **balai**: third brush
~ **de couverture**: (graph) inside back cover
~ **fil**: (tél) sleeve [wire]
~ **rail**: (chdef) third rail

tromblon *m* : grenade launcher (on rifle)

trommel *m* : revolving screen, rotary screen, trommel

trompette *f* : (autom) rear axle tube

tronc *m* : trunk
~ **de prisme**: truncated prism, prism frustum
~ **de pyramide**: truncated pyramid, pyramid frustum

troncature *f* : (cristal) truncation; (de filetage) flat of thread

tronçon *m* : section, length, run (of cable, of pipe); (pièce écourtée) stub, end; (de canal, de cours d'eau) reach
~ **d'adaptation**: matching section
~ **de câble**: cable section; cable stub
~ **de rebut**: waste end
~ **droit**: straight section

tronconique: truncated

tronçonnage *m* : cutting into sections, cutting into lengths, parting off
~--**dissolution**: (nucl) chop and leach

tronçonner: to cut of; (m-o) to part off

tronçonneuse *f* : chain saw, motor saw, power saw; (m-o) cross-cut circular saw
~ **à meule**: abrasive cutter

tronqué: (géom) truncated; (message, information) mutilated, mute

tronquer: to truncate; to cut off, to chop off (a section)

trophoblaste *m* : trophoblast

tropicalisé: tropicalized

tropisme *m* : tropism

troposphère *f* : troposphere

trop-plein *m* : overflow

trottoir *m* : footpath, pavement GB, sidewalk NA
~ **roulant**: moving sidewalk, moving pavement, moving walkway, passenger conveyor

trou *m* : hole
~ **à découvert**: open hole
~ **à l'avancement**: pilot bore hole
~ **à la reprise**: (autom) flat spot (of engine)
~ **borgne**: blind hole
~ **conique**: taper[ed] hole
~ **cylindrique**: parallel hole
~ **d'air**: (aéro) air pocket
~ **d'écoulement**: weep hole; waste (of sink, of washbasin)
~ **d'épingle**: pinhole
~ **d'homme**: manhole
~ **d'injection**: grout hole
~ **d'inspection**: hand hole
~ **d'usinage**: tooling hole
~ **dans la carburation**: flat spot
~ **dans la frappe**: (graph) print holiday
~ **de bouchon**: (expl) cut hole
~ **de centrage**: positioning hole, centre hole
~ **de côté**: (explosifs) rib hole, trimmer
~ **de coulée**: (de moule) running gate, runner, [pouring] gate, sprue; (de haut fourneau) tap hole
~ **de dégagement**: clearance hole, backoff hole; (mine) easer [hole], relief hole, reliever
~ **de dégraissage**: (mine) easer [hole], relief hole, reliever
~ **de fabrication**: tooling hole
~ **de faible diamètre**: slim hole
~ **de fixation**: mounting hole
~ **de forage**: borehole, wellbore
~ **de front**: (mine) breast hole
~ **de goupille**: pinhole
~ **de graissage**: oil hole
~ **de guidage**: pilot hole
~ **de logement**: locating hole
~ **de mine**: borehole, blasthole, shothole, drill hole, block hole
~ **de nable**: (mar) plug hole
~ **de passage**: (boulons et vis) clearance hole
~ **de piétage**: locating hole
~ **de poing**: hand hole
~ **de positionnement**: press pilot hole
~ **de prise d'échantillon**: thief hole
~ **de purge**: bleed hole
~ **de rat**: (tige carrée) rat hole
~ **de regard**: peep hole, sight hole
~ **de relevage**: (explosifs) lifter [hole]

~ **de serrure**: keyhole
~ **de sondage**: borehole
~ **de souris**: (forage) mouse hole
~ **de tir**: shot hole
~ **de toit**: (mine) top hole, backhole
~ **de visite**: hand hole, manhole
~ **débouchant**: through hole GB, thru hole NA
~ **découvert**: open hole
~ **détrompeur**: locating hole
~ **dévié**: (forage) side-tracked hole
~ **embouti**: stamped hole
~ **fraisé**: recessed hole
~ **incliné**: angle hole, incline[d] hole, slant hole
~ **long**: slotted hole
~ **non tubé**: (forage) open hole, uncased hole
~ **nu**: (forage) open hole
~ **ovalisé**: out-of-round hole
~ **ponctuel**: pinhole
~ **sec**: (forage) dry hole, unproductive hole
~ **taraudé**: threaded hole
~ **technique**: (forage) rig-service hole
~ **traversant**: through hole
~ **tubé**: (forage) cased hole, lined borehole

trouble *m* : cloud (in liquid); haze (in plastic material); *adj* : cloudy, muddy, turbid
~ **superficiel**: bloom[ing], surface haze

troupeau *m* : herd
~ **de vaches laitières**: dairy herd, herd of dairy cattle

trousse *f* : (d'outils) kit, case; (fonderie) strickle; (de puits) drum curb
~ **à outils**: tool kit, tool roll, tool bag
~ **coupante**: cutting shoe
~ **de dépannage**: repair kit, repair outfit
~ **de première urgence**: firstaid kit, firstaid box
~ **de réparation**: repair outfit, repair kit

trousseau *m* : (fonderie) strickle board, sweep [board]

trucage *m* → **truquage**

truelle *f* : trowel

truffe *f* : truffle

truie *f* : sow
~ **pleine**: sow in farrow

truite *f* : trout

~ **arc-en-ciel**: rainbow trout
~ **saumonée**: salmon trout

trumeau *m* : pier (between two openings in wall); (façade légère) pier panel

truquage *m* : (cin) special effects

trusquin *m* : scribing block, scriber, marking gauge

trusquinage *m* : marking, scribing

trutticulture *f* : trout farming

trypsine *f* : trypsin

tryptophane *m* : tryptophan[e]

TTC → **toutes taxes comprises**

tubage *m* : tubing; (pétr) casing
~ **de puits**: well casing
~ **en diamètre réduit**: slim hole casing
~ **forable**: drillable casing
~ **perdu**: liner
~ **perforé**: perforated casing
~ **sans perforation[s]**: blank casing, blank liner

tube *m* : tube; (éon) tube, valve; (él) conduit; (de canon) barrel; ~**s**: tubing
~ **à ailettes**: fin[ned] tube, gilled tube
~ **à blocage rapide**: (éon) sharp cut-off tube
~ **à champs croisés**: (éon) cross-field tube
~ **à charge d'espace**: space charge controlled tube
~ **à collerette rabattue**: bordered pipe
~ **à décharge**: gas [discharge] tube
~ **à déviation du faisceau**: beam-deflection tube
~ **à disques scellés**: disc-seal tube
~ **à extrémités lisses**: plain-end tube
~ **à faisceau linéaire**: o-type tube
~ **à faisceaux électroniques dirigés**: beam-deflection tube
~ **à fenêtre arrière**: rear-window tube
~ **à fibres optiques**: optic-fiber tube
~ **à flamme**: (turbopropulseur) flame tube
~ **à focalisation linéaire**: o-type tube
~ **à gaz**: gas-filled tube, gas tube
~ **à grille**: grid tube
~ **à grille-écran**: screen-grid tube
~ **à image**: picture tube
~ **à masque**: shadow mask tube
~ **à mémoire**: memory tube, storage tube
~ **à onde régressive**: backward wave tube

~ **à ondes progressives** ▶ TOP: travel[l]ing wave tube
~ **à pénétration**: barrier tube
~ **à pente variable**: exponential tube
~ **à rayons cathodiques** ▶ TRC: cathode ray tube
~ **à rayons cathodiques à double canon**: double-gun cathode ray tube
~ **à rayons cathodiques à faisceau divisé**: split-beam cathode ray tube
~ **à rayons cathodiques à plusieurs canons**: multiple-gun cathode ray tube
~ **à vide**: vacuum tube
~ **à vide entretenu**: pumped tube
~ **à vide poussé**: high-vacuum tube, hard tube
~ **amplificateur**: amplifier tube
~ **analyseur**: camera tube, scanner tube
~ **analyseur à mémoire**: storage camera tube
~ **au néon**: neon tube
~ **bigrille**: two-grid tube
~ **blindé**: steel-armoured conduit
~ **bouilleur**: boiling tube
~ **broyeur**: tube mill
~ **capillaire**: capillary tube
~ **carottier**: core barrel
~ **cathodique** ▶ TC: cathode ray tube
~ **compteur**: counter tube
~ **compteur à autocoupure**: self-quenched counter tube
~ **compteur à cathode chaude**: hot-cathode stepping tube
~ **compteur à circulation de gaz**: gas-flow counter tube
~ **compteur à fission**: fission counter tube
~ **compteur à protons de recul**: recoil proton counter tube
~ **convertisseur d'image**: image converter tube
~ **coudé**: bent tube, angle tube
~ **couleur**: colour tube
~ **crépiné**: (pétr) slotted pipe
~ **d'aérage**: air tube (ventilation)
~ **d'attaque**: (éon) driver tube
~ **d'étambot**: (mar) stern tube
~ **d'immersion**: well (of thermocouple)
~ **de cuvelage**: casing pipe
~ **de fonçage**: drive pipe
~ **de fumée**: (de chaudière) smoke tube, fire tube
~ **de mise à l'air libre**: vent pipe
~ **de petite section**: small-bore tube
~ **de pilotage**: (pétr) drive pipe
~ **de Pitot**: Pitot tube
~ **de prélèvement**: sample tube
~ **de prise de vues**: camera tube
~ **de production**: (pétr) tubing
~ **de puissance**: power tube

~ **de puissance à faisceau électronique**: beam [power] tube
~ **de réaction**: (autom) torque tube
~ **de récupération**: (pétr) salvage pipe
~ **de remplissage**: filler neck, filler tube
~ **de torsion**: torque tube
~ **de type O**: O-type tube
~ **de visée**: sight tube
~ **dégorgeoir**: (pétr): mud-return line
~ **déphaseur**: phase-shifter tube
~ **doseur**: measuring tube
~ **du gicleur**: nozzle tube
~ **dur**: hard tube
~ **ébauche en verre de silice**: (f.o.) fused silica tubing
~ **émetteur**: transmitting tube
~ **en quartz**: silica tube
~ **entretoise**: tubular spacer
~ **épanoui**: bell-mouthed tube, flared tube
~ **équipé**: tube assembly
~ **filtrant**: (chim) filter tube; (constr) perforated casing
~ **filtre**: (forage) screen pipe
~ **-foyer**: (de chaudière) fire tube
~ **-gland**: acorn tube
~ **-image**: picture tube
~ **-image couleurs à trois canons**: three-gun colour picture tube
~ **imparfaitement vidé**: gassy tube
~ **indicateur à néon**: neon indicator tube
~ **laminé**: rolled tube
~ **lance-torpilles**: torpedo tube
~ **lisse**: plain tube (of heat exchanger)
~ **mal vidé**: leaky tube
~ **-mémoire**: storage tube
~ **métallique souple**: flexible conduit
~ **multifaisceau**: multibeam tube
~ **ombré**: dark trace
~ **ondulé**: corrugated tube
~ **-phare**: lighthouse tube
~ **photomultiplicateur**: photomultiplier tube, multiplier phototube
~ **plongeur**: dip tube
~ **plongeur capillaire**: (aérosol) capillary dip tube
~ **pollinique**: pollen tube
~ **protecteur**: (él) conduit
~ **-rallonge**: extension tube
~ **redresseur**: rectifier tube
~ **redresseur à cathode liquide**: pool rectifier tube
~ **régulateur**: (de tension) ballast tube
~ **-relais**: trigger tube
~ **sans soudure**: seamless tube
~ **soudé en spirale**: spiral-weld[ed] tube
~ **soudé par rapprochement**: butt-weld[ed] pipe

~ **soudé par recouvrement**: lap-welded tube
~ **souple**: flexible tube; (conditionnement) squeeze tube
~ **sous vide**: evacuated tube
~**-tirant**: stay tube
~ **transformateur de standard**: (tv) double-mode storage tube
~ **transporteur**: tube conveyor
~ **trigrille**: three-grid tube

tuber: to tube; to case (a well)

tubercule *m* : tuber

tuberculisation *f* : (rouille) tuberculation

tubéreux: tuberose, tuberous

tubulure *f* : tubing, pipe; (de Té) branch; (autom) manifold
~ **à bride**: flanged branch
~ **à emboîtement**: bell branch
~ **d'admission**: inlet manifold
~ **d'alimentation**: feed pipe, supply pipe
~ **d'échappement**: exhaust manifold
~ **de remplissage**: filler neck
~ **oblique**: skew branch
~**s de chauffe**: boiler surfaces

tuer: to kill
~ **un puits**: to kill a well

tuf *m* : (calcaire) tufa; (volcanique) tuff

tuf[f]eau *m* : tufa

tuilage *m* : curl (defect in plastic material)

tuile *f* : tile
~ **à double recouvrement**: double-lap tile
~ **à emboîtement**: interlocking tile
~ **d'argile**: clay tile
~ **de chenille**: track link, track shoe, crawler pad
~ **en terre cuite**: clay tile
~ **faîtière**: ridge tile
~ **flamande**: pantile
~ **panne**: pantile
~ **plate**: plain tile

tulipe *f* : (de tuyau) socket GB, bell NA
~ **d'aspiration**: (de pompe) bellmouth, suction bell
~ **d'impression**: print element, thimble (of printer)
en ~: bell-shaped

tumbler *m* : toggle switch, tumbler switch

tumeur *f* : tumour GB, tumor NA

tunnel *m* : tunnel
~ **de câbles**: cable subway
~ **de l'arbre d'hélice**: propeller shaft tunnel
~ **de la transmission**: transmission tunnel
~ **de refrigération**: cooling tunnel, tunnel cooler
~ **de rétraction**: (emballage) shrink tunnel
~ **de séchage**: tunnel drier
~ **de ventilateur**: (autom) radiator cowl
~ **hydrodynamique**: water tunnel
~ **routier**: road tunnel
~ **sous la Manche**: Channel tunnel
~ **sous-fluvial**: under-river tunnel

tunnelier *m* : mole

TUP → **titre universel de paiement**

tuple *m* : (IA) tuple

turbidimètre *m* : turbidimeter

turbine *f* : turbine; (de pompe centrifuge) impeller
~ **à action**: impulse turbine
~ **à action et réaction**: impulse reaction turbine
~ **à air dynamique**: ram air turbine
~ **à aubes orientables**: adjustable blade turbine
~ **à contre-pression**: back-pressure turbine
~ **à écoulement axial**: axial-flow turbine
~ **à écoulement inverse**: contra-flow turbine
~ **à écoulement radial**: radial-flow turbine
~ **à engrenages**: geared turbine
~ **à étages**: multistage turbine
~ **à étages de vitesse**: velocity-stage turbine
~ **à gaz**: gas turbine
~ **à gaz à circuit fermé**: closed-cycle gas turbine
~ **à gaz en cycle ouvert**: once-through gas turbine
~ **à plateau**: disc turbine
~ **à réaction**: reaction turbine
~ **à réaction nulle**: limit turbine
~ **axiale**: axial-flow turbine
~ **bulbe**: bulb turbine
~ **bulbe à rotor périphérique**: bulb-and-rim turbine
~ **centrifuge**: outward-flow turbine
~ **centripète**: inward-flow turbine
~ **d'hélicoptère**: turboshaft engine
~ **de marche arrière**: (mar) astern turbine

~ **de marche avant**: (mar) ahead turbine
~ **éolienne**: wind turbine
~**-hélice**: propeller-type turbine
~ **hélicoïdale**: axial-flow turbine
~ **hydraulique**: water turbine
~ **libre**: free turbine
~ **limite**: limit turbine
~ **motrice**: power turbine
~ **multi-rotors**: compound turbine
~ **parallèle**: axial-flow turbine

turboalternateur *m* : turbo-alternator, turbogenerator

turbocarottage *m* : turbocoring

turbocombustible *m* : turbine fuel

turbocompressé: turbocharged

turbocompresseur *m* : turbocompressor; (exhaust-driven) turbocharger
~ **de suralimentation**: turbocharger, turbo-supercharger
à ~: turbocharged

turboconvertisseur *m* : turboconverter

turbodétendeur *m* : turbine reducer

turboélectrique: turbo-electric

turboforage *m* : turbodrilling

turboforeuse *f* : turbodrill

turbogénérateur *m* : turbogenerator
~ **à rotor périphérique**: rim generator turbine

turbogénératrice *f* : turbogenerator
~ **à rotor périphérique**: rim generator turbine

turbo-hélice *f* : turbo-prop

turbomoteur *m* : turbine engine, turboshaft engine, turbo-motor

turbopompe *f* : turbine pump, turbine-driven pump, turbopump

turbopropulseur *m* : turbopropeller, turboprop [engine]

turboréacteur *m* : turbojet engine
~ **à double flux**: bypass turbojet
~ **à écoulement axial**: axial-flow turbojet
~ **à simple corps**: single-spool turbojet
~ **double corps**: twin-spool turbojet

turboréfrigérateur *m* : turbine cooler unit

turbosoufflante *f* : turboblower
~ **de suralimentation**: turbocharger

turbo-statoréacteur *m* : turbo-ramjet

turbosuralimentation *f* : turbosupercharging, turbocharging

turbot *m* : turbot

turbotrain *m* : turbotrain

turboventilateur *m* : turbofan

turbulence *f* : turbulence
~ **en air limpide**: clear-air turbulence

tuyau *m* : pipe
~ **à bout uni**: (d'un emboîtement) spigot pipe
~ **à bride**: flange pipe
~ **à collerette**: flange pipe
~ **à emboîtement**: bell-and-socket pipe
~ **aérien**: overhead pipe
~ **articulé**: swing pipe
~ **centrifugé**: spun pipe
~ **coudé**: angle pipe
~ **d'admission**: induction pipe
~ **d'air**: air tube (ventilation)
~ **d'alimentation**: feed pipe, supply pipe, delivery hose
~ **d'alimentation vertical**: stand pipe
~ **d'amenée**: feed pipe; (hydro) head pipe
~ **d'arrivée**: feed pipe
~ **d'arrosage**: water hose, garden hose
~ **d'échappement**: exhaust pipe
~ **d'écoulement**: outlet pipe
~ **d'évacuation**: discharge pipe; (plomberie sanitaire) waste pipe
~ **d'exhaure**: (mine) dewatering pipe
~ **d'incendie**: fire-fighting hose, fire hose
~ **d'incendie non aplatissable**: non-collapsible fire-fighting hose
~ **d'injection**: delivery pipe (to injector)
~ **de branchement**: branch pipe
~ **de cheminée**: [chimney] flue
~ **de départ**: outgoing pipe
~ **de descente pluviale**: downpipe GB, downcomer NA, conductor
~ **de mise à l'air libre**: vent pipe
~ **de prise**: intake pipe, inlet pipe
~ **de purge**: drain pipe
~ **de rallonge**: extension pipe
~ **de retour au réservoir**: (moteur diesel) leakage pipe

~ **de trop-plein**: overflow pipe
~ **de vidange**: blow-down pipe, drain pipe
~ **écrasé**: collapsed pipe
~ **en caoutchouc**: rubber hose
~ **en charge**: pressure pipe
~ **en grès**: clay pipe
~ **flexible**: hose
~ **flexible spiralé**: coiled pipe
~ **immergé**: submerged pipe
~ **muni de ses raccords**: pipe assembly
~ **purgeur**: blow-off pipe
~ **raccordé**: connected pipe
~ **revêtu d'un enduit**: coated pipe
~ **soudé en spirale**: spiral welded pipe

tuyauterie f : pipework, piping, line [of pipes], pipe run
~ **de mise à l'air libre**: vent line
~ **de mise sous vide**: evacuation line
~ **de refoulement**: pressure line
~ **de retour**: return line
~ **piégée**: trapped piping
~ **suspendue**: overhead piping system

tuyauteur m : pipe man, pipe fitter

tuyère f : nozzle; (de réacteur) jet pipe; (métall) tuyere, twyer
~ **à noyau central**: plug nozzle, centrebody nozzle

~ **à turbulence**: swirl nozzle
~ **convergente-divergente**: convergent-divergent nozzle
~ **d'échappement**: exhaust nozzle
~ **d'éjection des gaz**: jet pipe propelling nozzle
~ **de mise en rotation**: spin thruster
~ **de propulsion**: (aéro) thrust nozzle, thruster
~ **multivolet**: multi-flap nozzle
~ **orientable**: swivelling nozzle
~ **porte-vent**: (métall) blowpipe
~ **propulsive**: propelling nozzle
~ **rotative**: thrust-vectoring nozzle

tympan m : spandrel (between arches)

type m : type, design, grade
~ **pseudo-sauvage**: pseudowild type

typhon m : typhoon

typique: true to type, representative

typographie f : (style, disposition des caractères) typography; (impression en relief) letterpress printing
~ **indirecte**: letterset

tyrosinase f : tyrosinase

tyrosine f : tyrosin[e]

U: (plomberie) return bend
  en ~: hairpin

u.a. → **unité astronomique**

ubiquiste: ubiquitous

UCT → **unité centrale de traitement**

UHT → ultra haute température

ULM → **ultra léger motorisé**

ultra: ultra, super
  ~ blanc: (tv) whiter-than-white
  ~ haute fréquence: ultrahigh
  frequency
  ~ haute température ▶ UHT: ultra-
  high temperature
  ~ Léger Motorisé ▶ ULM: ultra light
  motorized
  ~ noir: blacker-than-black
  ~ rapide: superquick-acting,
  superspeed

ultracentrifugation *f* : ultracentrifugation

ultracentrifugeur *m* : high-speed
  centrifuge

ultracentrifugeuse *f* : high-speed
  centrifuge

ultrafiltration *f* : ultrafiltration

ultrafiltre *m* : ultrafilter

ultramicrofiche ▶ UMF *f* : ultramicrofiche, ultrafiche

ultramicroscope *m* : ultramicroscope

ultrason *m* : ultrasound; → aussi
  ultrasons

ultrasonique: ultrasonic

ultrasonore: ultrasonic

ultrasons *m* : ultrasonics; (moins
  souvent) supersonic waves, super-
  sonics
  par ~: ultrasonic (testing)

ultravide *m* : ultra-high vacuum

ultraviolet *m, adj* : ultraviolet
  ~ lointain: far ultraviolet
  ~ proche: near ultraviolet

unaire: unary

uni: (surface) smooth, level; (tissu) plain,
  self-coloured

uniaxe: uniaxial

unicellulaire: unicellular

unidimensionnel: unidimensional

unidirectionnel: one-way, unidirectional;
  (tcm) simplex

unificateur *m* : (IA) unified terme

unification *f* : (IA) unification

unifilaire: one-wire, single-wire

uniforme: uniform; (marche de machine)
  even

uniformiser: to standardize, to com-
  monize (components)

uniformité *f* : uniformity; (de résultats)
  consistency

unihoraire: one-hour (current, duty,
  rating)

unilatéral: one-sided

unimodal: monomode, single-mode

union *f* : (inf) OR operation; (plomb)
  union fitting, union joint
  ~ à siège rapporté: inserted-seat
  union

unipolaire: one-pole, single-pole,
  unipolar
  ~ à deux directions: single-pole
  double-throw
  ~ à une direction: single-pole single-
  throw

unique: single, sole; one-shot, one-off

unisexué: unisexual

unitaire: unit, per unit

unité f : unit; (usine) plant; (marine de
guerre) vessel
~ à cartouche: (inf) cartridge drive
~ à cassette: (inf) cassette drive
~ à réponse vocale: audio-response
unit
~ arithmétique et logique ▶ UAL:
arithmetic and logic unit
~ astronomique ▶ u.a.: astronomical
unit
~ avionique: avionics package
~ cartographique: (gg/bm) map unit,
cross[ing]-over unit
~ centrale: mainframe [computer]
~ centrale de traitement ▶ UCT:
central processing unit
~ collective: major item
~ combattante: fighting unit, combat
unit
~ d'affichage: visual display unit
~ d'angle: unit of angle
~ d'anticipation: (inf) lookahead unit
~ d'appel automatique: automatic
calling unit
~ d'énergie: unit of energy
~ de bande magnétique: magnetic
tape unit, tape drive, tape transport
~ de chaleur: unit of heat, thermal unit
~ de codage: (gg/bm) coding unit,
coding triplet, codon
~ de commande: control[ling] unit
~ de contrôle: controller, control unit;
(contrôle de la qualité) inspection unit
~ de craquage catalytique: catalyst
cracker, cat cracker
~ de dégazolinage: stripper plant
~ de disque: disk unit
~ de disque souple: floppy-disk drive
~ de disque fixe: fixed disk unit
~ de distance: (gg/bm) cross[ing]-over
unit, map unit
~ de fabrication: manufacturing plant
~ de forage mobile: portable drilling
machine, mobile drilling unit, portable
rig
~ de longueur: unit of length
~ de mesure: unit of measurement
~ de radioralliement: (aéro) homer
~ de ravitaillement en vol: air
refuelling group
~ de rayonnement: radiation unit
~ de recombinaison: (gg/bm)
recombination unit
~ de réplication: replication unit,
replicon
~ de répone vocale: audio response
unit

~ de sortie: output unit
~ de transcription: (gg/bm) transcription unit, transcripton
~ graphique: (gg/bm) cross[ing]-over
unit, map unit
~ motrice: [motive] power unit, power
plant, propulsion unit
~ périphérique: peripheral unit
~ périphérique d'entrée: input device
~ périphérique de sortie: output unit
~ pilote: pilot plant
~ répétée en tandem: tandem repeat
unit
~ secondaire: subunit

univalent: monovalent, univalent

univariant: monovariant, univariant

universel: general-purpose, multipurpose, multifunctional, versatile; (él) all-
mains

univocal: speech-plus-simplex

uracile m : uracil

uranium m : uranium
~ appauvri: depleted uranium

uranyle m : uranyl

urbain: urban, town; (tél) local

urbanisme m : town planning, urban
planning, city planning
~ prospectif: long-term urban
planning

urbaniste m : town planner

urée f : urea

uréthanne m : urethane

urgence f : emergency

urine f : urine

usage m : use, custom
~ commun: joint use
~ courant: common practice
~ domestique: domestic use
~ final: end use
~ prévu: planned use
à ~ domestique: for home use
à ~ général: (mil, aéro) utility
à ~ spécial: special-purpose
à ~s multiples: flexible, versatile,
multipurpose

usagé: used, not new; worn

usager *m* : user, consumer; (tél, él)
customer
~ **de la route**: road user
~ **de réseau**: network user

usé: worn [out]; spent (oil, liquor)

user, s'~: to wear out
~ **par frottement**: to abrade, to scuff

usinabilité *f* : machinability
~ **à chaud**: hot workability

usinable: machin[e]able

usinage *m* : (travail de métaux)
machining, working; (après moulage)
finishing (of plastics)
~ **dans la masse**: bulk machining
~ **électrochimique**: electro-chemical
machining
~ **par électro-érosion**: electroforming
~ **par enlèvement de copeaux**:
cutting
~ **par étincelage**: spark machining,
spark erosion
~ **par jet de plasma**: plasma jet
machining

usine *f* : factory, [production] plant,
facility, mill, works
~ **à gaz**: gasworks GB, gas utility NA
~ **chimique**: chemical plant
~ **d'épuration des eaux**: treatment
plant (for sewage)
~ **d'expérimentation**: pilot plant
~ **d'impression**: printworks
~ **de tissage**: [weaving] mill
~ **électrique**: [electric] power station
~ **foraine**: mobile plant, site factory
~ **hydraulique**: hydroelectric power
station
~ **hydro-électrique**: hydroelectric
plant
~ **marémotrice**: tidal power plant, tidal
power station
~ **pilote**: pilot plant
~ **sidérurgique**: ironworks, steel mill,
steel plant

usiné: machined, worked; bright turned
~ **dans la masse**: machined from solid

usiner: to machine
~ **chimiquement**: to chemi etch
~ **la surface**: to surface

ustensile *m* : (de cuisine) utensil

usure *f* : wear; (par abrasion) abrasive
wear, wearing off
~ **des arêtes de coupe**: dulling of
cutting edge
~ **due au roulement**: rolling wear
~ **en facettes**: flatting
~ **en sillons**: ridging
~ **localisée**: (d'un pneu) bald spot
~ **normale**: fair wear and tear, normal
wear and tear
~ **ondulatoire**: corrugation (of rail)
~ **ondulée**: rippling
~ **par abrasion**: abrasive wear
~ **par frottement**: chafing, scuff[ing]
~ **par grippage**: fretting wear
~ **régulière**: even wear
~ **uniforme**: even wear

utérin: uterine

utérus *m* : uterus, womb

utile: useful; (gain, portée, travail)
effective

utilisable: serviceable, us[e]able,
operable

utilisateur *m* : user
~ **final**: end user, final user
à ~s multiples: multiuser

utilisation *f* : use, usage (of services),
utilization; (inf) application; (él) load
~ **de fenêtres**: (inf) windowing
~ **en cascade de l'énergie**: energy
cascading
~ **finale**: end use
~ **rationnelle**: efficient use

utiliser: to use, to make use of, to
operate
~ **beaucoup de main-d'œuvre**: to be
labour intensive
~ **en commun**: to share
~ **majuscules et minuscules**: to be
case independent
~ **seulement les majuscules ou les
minuscules**: to be case sensitive

utilitaire: utility

utilité *f* : utility, usefulness

UV → **ultraviolet**

V: V, Vee
~ **de visée**: sighting Vee

vacance *f* : (cristal) vacancy

vaccin *m* : vaccine, inoculum
~ **vivant modifié**: modified live vaccine

vaccination *f* : vaccination, inoculation

vacciner: to vaccinate, to inoculate

vache *f* : cow
~ **à lait**: dairy cow, milch cow
~ **à viande**: beef cow
~ **pleine**: cow in calf, cow with calf
~ **tarie**: dry cow
~**s laitières**: dairy cattle, milch cattle

vaciller: to wobble, to flutter; (flamme, lumière) to flicker

vacuole *f* : vacuole

vacuomètre *m* : vacuum meter, vacuum gauge

v.-et-v. → va-et-vient

va-et-vient ▶ **v.-et-v.** *m* : back-and-forth movement, reciprocating motion; (él) two-way switch
~ **du piston**: up-and-down stroke
à ~: oscillating, push-pull; two-way (wiring)

vagabond: (él) stray

vague *f* : wave
~ **centennale**: hundred-year wave

vaigrage *m* : (mar) inside planking, inside plating
~ **de fond**: floor ceiling

vaigre *f* : (mar) inner plank, ceiling plank, ceiling plate

vaisseau *m* : (mar) ship, vessel; (récipient) receptacle, vessel
~ **amiral**: flagship
~ **habité**: manned spacecraft
~ **sanguin**: blood vessel
~ **spatial**: spacecraft

vaisselle *f* : dishes, crockery

valence *f* : valency GB, valence NA
~ **zéro**: null valency

val énerg → valeur energétique

valeur *f* : value; (nominale) rating
~ **à la casse**: scrap value
~ **additive du génotype**: additive genotype value
~ **ajoutée**: value added
~ **antidétonante**: knock rating
~ **assignée**: nominal value
~ **aux limites**: boundary value
~ **brute**: gross value
~ **calorifique brute**: gross calorific value
~ **chromatique**: colour value
~ **commerçante**: market value
~ **comptable**: book value
~ **d'état**: system state variable
~ **d'une division**: scale interval
~ **de consigne**: set point, set value
~ **de crête**: peak value GB, crest value NA
~ **de crête à crête**: peak-to-peak value
~ **de crête à creux**: peak-to-valley value
~ **de crête du courant admissible**: peak withstand curent
~ **de diaphragme**: (phot) lens stop
~ **de facture**: invoice value
~ **de fonctionnement**: operating value
~ **de mise au travail**: pick-up value
~ **de mise au travail de consigne**: must-operate value
~ **de mise au repos**: drop-out value
~ **de pointe**: peak value GB, crest value NA
~ **de progression**: increment
~ **de rebut**: scrap value, junk value
~ **de récupération**: salvage value
~ **de seuil**: threshold value

~ **effective**: actual value
~ **efficace**: effective value; (él) root mean square value
~ **en eau**: water equivalent, water content
~ **en régime permanent**: continuous rating
~ **énergétique ▶ val énerg**: energy content, energy [value]
~ **enregistrée**: measured value
~ **génotypique**: genotype value
~ **implicite**: assumed value
~ **indiquée**: instrument reading, measured value
~ **instantanée**: instantaneous value
~ **limite**: limiting value; boundary value
~ **logique**: logical value
~ **maximale**: peak value
~ **mini**: minimum value; valley (of curve)
~ **moyenne**: mean value
~ **moyenne des écarts**: (stats) mean deviation
~ **nominale**: nominal value, rating
~ **obtenue**: measured quantity, returned value
~ **par défaut**: (IA) default value
~ **pondérée**: weighted value
~ **propre**: eigen value
~ **quadratique moyenne**: root mean square value
~ **réciproque**: inverse value
~ **théorique**: design value

validation *f* : (inf) validation, enable
~ **de compilateur**: compiler validation
~ **des données**: data validation
~**/invalidation**: enable/disable

valine *f* : valine

vallée *f* : valley
~ **en auge**: trough valley
~ **faillée**: rift valley
~ **fluviale**: river valley

valorisation *f* : processing
~ **du charbon**: beneficiation, upgrading of coal, coal conversion

valve *f* : valve; (éon) tube, valve; → aussi **robinet, soupape, distributeur, vanne**
~ **de chambre à air**: tyre valve
~ **de dérivation**: offloading valve
~ **monoanodique**: single-anode valve
~ **pneumatique**: air valve
~ **rotative**: rotary valve

vanille *f* : vanilla

vanilline *f* : vanillin

vannage *m* : gates; gating (of turbine); sluicing (of lock, of barrage)

vanne *f* : gate valve; (d'écluse) sluice, sluice gate, floodgate, gate; → aussi **robinet, soupape, distributeur, valve**
~ **à boisseau**: plug valve
~ **à boisseau sphérique**: ball valve
~ **à coin**: wedge valve
~ **à coin à double opercule**: double-disc wedge valve
~ **à crochet**: (de barrage) hook gate
~ **à opercule**: plug valve
~ **à ouverture progressive**: creeper valve
~ **à pasage direct**: gate valve, straightway valve
~ **à passage intégral**: full-way valve, full-bore valve, full-flow valve
~ **à secteur**: sector gate
~ **à sièges obliques**: wedge gate valve
~ **anti-reflux**: reflux valve
~ **batardeau**: bulkhead gate
~ **de circulation**: circulating valve
~ **de circulation inverse**: reverse circulating valve
~ **de commande**: control valve
~ **de décharge**: dump valve
~ **de déchargement**: (pour pompe) unloader valve
~ **de détente**: relief valve
~ **de manœuvre**: governing valve
~ **de réglage de débit**: flow control valve
~ **de sectionnement**: isolating valve
~ **de sécurité**: safety valve, relief valve
~ **de sécurité sous-marine**: subsea safety valve
~ **équilibrée**: balanced gate
~ **niveleuse**: weir valve GB, float valve NA
~ **registre**: sluice gate
~ **régulatrice**: regulating valve

vapeur *f* : vapour GB, vapor NA
~ **à usage industriel**: process steam
~ **d'admission**: live steam
~ **d'alcool**: alcoholic vapour
~ **d'eau**: (en-dessous du point d'ébullition) water vapour; (en-dessus du point d'ébullition) steam
~ **d'échappement**: dead steam, waste steam, exhaust steam
~ **d'essence**: petrol vapour
~ **d'huile**: oil mist
~ **de réfrigérant**: (solaire) refrigerant vapour
~ **épuisée**: dead steam, waste steam, exhaust steam

~ **humide**: wet steam
~ **industrielle**: process steam
~ **métallique**: metal fog, metal mist
~ **passive**: dead steam
~ **perdue**: dead steam, waste steam
~ **surchauffée**: superheated steam
~ **vive**: live steam
~**s d'essence**: petrol fumes GB, gasolene fumes, gasoline fumes

vapocraqueur m : steam cracker

vaporimètre m : vaporimeter

vaporisateur m : atomizer, vaporizer, sprayer

vaporisation f : atomizatiation, vaporization, vaporizing, spraying
~ **de l'anode**: anode sputtering
~ **éclair**: flash vaporization
~ **instantanée**: flash vaporization

vaporiser: to vaporize; to atomize, to spray; (text) to steam

varech m : kelp, varec

variable f : variable; *adj* : variable, fluctuating, adjustable
~ **aléatoire**: random variable
~ **avec la température**: temperature dependent
~ **d'état**: state variable
~ **dépendante**: dependent variable
~ **indépendante**: independent variable
~ **non réglable**: uncontrollable variable
~ **réglante**: correcting variable

variance f : variance

variant m : (gg/bm) variant

variante f : variant; alternative

variateur m : variator
~ **de couple**: torque variator
~ **de vitesse**: variable speed drive, variable speed unit, variable speed transmission; speed changer, speed controller, speed variator

variation f : variation, change (in pressure, in temperature); correction (of compas)
~ **brusque**: jump
~ **brusque de phase**: phase hit, phase jitter, phase jump
~ **de l'amplitude en fonction du temps**: amplitude/time variation
~ **de la portée**: (grue) luffing, derricking

~ **de phase**: phase change, phase swinging
~ **discrète**: step change
~ **du secteur**: (él) line variation
~ **du zéro**: zero shift
~ **en fonction de la température**: temperature dependence
~ **lente**: drift
~ **par paliers**: stepped variation
~ **progressive**: drift
~ **somaclonale**: somaclonal variation

variété f : (bot) variety
~ **indigène**: home-grown variety

variocoupleur m : variocoupler

variomètre m : variometer

varistance f : varistor

vase m : vessel, receptacle; (lab) jar
~ **clos**: closed vessel; (essais) closed cup
~ **d'expansion**: expansion vessel, expansion tank
~ **de Petri**: Petri dish
~ **gradué**: (lab) measuring cylinder
~ **ouvert**: open cup
~**s communicants**: communicating vessels

vase f : (boue) slime, sludge; (au fond de la mer) mud

vasistas m : fanlight; (ouvrant) night vent, vent sash, ventlight

vastringue f : spokeshave

veau m : (animal) calf; (viande) veal
~ **de boucherie**: veal calf, vealer
~ **en gelée**: jellied veal

vecteur m : (maths, inf, gg/bm) vector; (mil, transmission) carrier
~ **d'énergie**: energy carrier
~ **d'expression**: expression vector
~ **d'insertion**: insertional vector
~ **d'interruption**: interrupt vector
~ **de clonage**: cloning vector, cloning vehicle
~ **de colonnes**: column vector
~ **de départ**: starting vector
~ **de létalité**: suicide vector
~ **de phase**: phasor
~ **de récupération**: retriever vector
~ **de remplacement**: replacement vector
~ **énergétique**: energy carrier
~ **navette**: shuttle vector
~ **par remplacement**: replacement vector

~ **par substitution**: substitution vector
~ **phagique**: phage vector
~ **propre**: eigen vector
~ **recombiné**: recombinant vector
~ **suicide**: suicide vector

vectoriel: vector, vectorial

vedette *f* : motor launch; (mil) patrol boat
~ **rapide**: fast patrol boat

végétal *m* : plant; *adj* : vegetable, plant

végétarien *m, adj* : vegetarian

végétation *f* : vegetation, plants, plant life

véhicule *m* : (transport) vehicle; (chim) vehicle, medium
~ **à chenilles**: track[ed] vehicle
~ **à coussin d'air**: air-cushion vehicle
~ **à effet de surface**: surface-effect vehicle
~ **à effet de sol**: air-cushion vehicle
~ **aérosuspendu**: suction suspended vehicle
~ **amphibie**: amphibious vehicle
~ **articulé**: articulated lorry, artic
~ **autoguidé sur quatre jambes**: agile autonomous vehicle (robot)
~ **automobile**: motor vehicle
~ **blindé**: armoured vehicle GB, armored vehicle NA
~ **blindé de reconnaissance**: scout car
~ **blindé de transport ▶ VBT**: armoured personnel carrier
~ **chenillé**: tracked vehicle
~ **de clonage**: cloning vehicle
~ **de dépannage**: recovery vehicle
~ **de lancement**: launch vehicle
~ **de servitude**: utility vehicle
~ **de transport de troupe ▶ VTT**: personnel carrier
~ **dérouleur**: reel car
~ **isotherme**: insulated vehicle
~ **orbital**: orbiting vehicle
~ **routier à moteur diesel**: diesel engine road vehicle
~ **semi-chenillé**: half-track vehicle
~ **spatial**: space vehicle, spacecraft
~ **sur chenilles**: crawler
~ **sur pneus**: rubber-tyred vehicle
~ **télécommandé**: remotely-controlled vehicle
~ **terrestre**: ground vehicle
~ **thermique**: heat transmission medium
~ **tout terrain ▶ VTT**: crosscountry vehicle GB, off-highway vehicle NA
~ **tracté**: towed vehicle

~ **utilitaire ▶ VU**: commercial vehicle

véhiculer: to transport, to convey

veille *f* : (mar) watch

veilleuse *f* : pilot light, pilot burner; night light
~ **d'allumage**: pilot flame

veine *f* : (anatomie, géol) vein; (de charbon) seam; (de minerai) lode; (de fluide) stream
~ **d'air**: air stream
~ **exploitable économiquement**: workable seam

veiner: to comb (paint)
~ **façon bois**: to grain

veineux: (sang) venous; (bois) grainy; (marbre) veined

veinule *f* : venule, veinlet

vêlage *m* : calving; freshening NA

velours *m* : (tissu) velvet; (de tapis) pile
~ **côtelé**: corduroy

velouté *m* : cream soup; *adj* : (vin) mellow, velvety

venaison *f* : venison

vendange *f* : (saison) grape harvest, wine harvest, vintage; (récolte) harvested grapes

vendu hors commerce: not available in shops, sold directly to the public

vénéneux: poisonous (plant)

venimeux: venomous, poisonous (animal)

venin *m* : venom

vent *m* : wind; (de haut-fourneau) blast
~ **arrière**: down wind
~ **chaud**: (de haut-fourneau) hot blast
~ **contraire**: head wind
~ **de côté**: cross wind
~ **de face**: head-on wind
~ **de la soufflerie**: air, blast GB, wind NA
~ **de mer**: onshore wind
~ **de poupe**: tail wind
~ **de terre**: offshore wind
~ **de travers**: cross wind
~ **debout**: head wind

~ **dominant**: prevailing wind
~ **du large**: onshore wind
~ **latéral**: cross wind
au ~: on the windward side, windward
sous le ~: leeward, on the leeward
side

vente *f* : sale
~ **en reprise**: trade-in
~ **par correspondance**: mail order
[business]
~ **par téléphone**: tele sales
de ~ courante: fast moving

ventilateur *m* : fan; (aération) aerator
~ **à ailettes**: propeller fan
~ **à courroie**: belt fan
~ **à deux ouïes**: double-inlet fan
~ **à une seule ouïe**: single-inlet fan
~ **aspirant**: suction fan, exhausting
fan, exhauster
~ **caréné**: ducted fan
~ **de soufflage**: (centrale thermique)
forced-draught fan
~ **de sustentation**: (aéroglisseur) lift
fan
~ **de tirage**: (centrale thermique)
induced-draught fan
~ **de toit**: roof ventilator, roof aerator
~ **de vide**: vacuum exhauster
~ **extracteur**: extractor fan
~ **foulant**: blower
~ **soufflant**: blower
~ **surpresseur**: booster fan

ventilation *f* : ventilation, venting; (répartition) breakdown
~ **forcée**: (du carter, auto) positive
ventilation
~ **mécanique**: artificial ventilation
~ **naturelle**: self-ventilation
~ **par aspiration**: exhaust ventilation
~ **par extraction**: exhaust ventilation
~/**regroupement**: scatter/gather

ventiler: to vent; (un espace) to aerate;
(dégrouper) to breakdown, to explode;
(des données) to scatter; (répartir) to
distribute, to allocate

ventilo-convecteur *m* : fan-coil unit

ventouse *f* : air hole, air valve;
(chaudière à gaz) balanced flue
terminal; (pour déboucher) suction
cup, plunger

ventre *f* : (de haut-fourneau, d'avion)
belly; (d'une courbe, d'une oscillation)
antinode, loop
~ **d'une onde**: wave antinode, wave
loop

~ **de courant**: current antinode,
current loop
faire ~: (paroi) to bulge

venturi *m* : venturi [tube]

venu, ~ **de construction**: built-in
~ **de fonderie**: cast on
~ **de fonte**: cast in one, cast solid,
cast integral with

venue *f* : coming, arriving
~ **d'eau**: inflow of water, inrush of
water, ingress (of underground water),
water inflow, water influx
~ **d'eau salée**: (dans un puits) salt
water flow
~ **de gaz**: (pétr) gas kick
~ **de gaz naturel**: occurrence of
natural gas
~ **en cours de forage**: drilled show

ver *m* : worm; (larve) grub; (sur viande,
fromage) maggot
~ **à soie**: silkworm
~ **de terre**: earthworm
~ **intestinal**: intestinal worm
~ **parasite**: parasitic worm
~ **solitaire**: tape worm

verdeur *f* : (d'un fruit) unripeness,
tartness, sharpness; (du vin) acidity

véreux: maggoty; (fruit) wormeaten

verglas *m* : black ice

vergue *f* : (mar) yard (of sail)

vérificateur *m* : tester
~ **d'orthographe**: (inf) spelling
checker
~ **de câbles**: cable tester
~ **de pression des pneus**: tyre gauge
~ **de soupapes**: valve tester
~ **des poids et mesures**: inspector of
weights and measures
~ **étalon**: master gauge
~ **mécanique**: (inf) mechanical verifier

vérification *f* : check, test; inspection
(quality control); (comptabilité) audit
~ **automatique**: built-in check
~ **de l'occupation**: (tél) busy test
~ **de la conformité [aux normes]**:
conformance testing
~ **de ligne**: line test
~ **de programme**: program verification
~ **des bilans énergétiques**: energy
auditing
~ **des dimensions**: dimensional
check, dimensional inspection

~ **et validation**: verification and validation
~ **horizontale**: (inf) cross-footing check
~ **interne**: internal audit
~ **par écho**: echo check
~ **périodique**: routine check
~ **séquentielle**: sequence check
~ **visuelle**: sight check

vérifier: to check
~ **et approuver**: to vet
~ **l'étanchéité**: to test for leaks
~ **le faux-rond au comparateur**: to clock for runout

vérin *m* : (pneumatique, hydraulique) cylinder; (de levage, à vis) jack
~ **à billes**: ball screw jack
~ **à simple tige**: single-rod cylinder
~ **à vis**: screw jack, jackscrew
~ **d'aube de guidage d'admission**: (turbine) intake guide vane ram
~ **d'orientation**: (aéro) steering cylinder (of nose landing gear)
~ **de commande**: actuator
~ **de direction assistée**: (autom) power unit, booster
~ **de levage**: lifting cylinder, lifting jack
~ **de réglage**: levelling screw
~ **de rétraction**: retraction jack
~ **pneumatique**: air cylinder

verjus *m* : verjuice

vermicide *m* : vermicide; *adj* : vermicidal

vermiculaire: vermicular

vermifuge *m* : vermifuge; *adj* : vermifugal

vermoulure *f* : wormhole; worm dust

vernier *m* : vernier

vernir: to varnish, to lacquer

vernis *m* : varnish
~ **à l'alcool**: spirit varnish
~ **au copal**: copal varnish
~ **cellulosique**: cellulose varnish, cellulose lacquer
~ **conducteur**: conductive lacquer
~ **couvre-nœuds**: knotting [varnish]
~ **du Japon**: japan
~ **incolore**: clear lacquer
~ **isolant**: insulating lacquer
~ **laque**: shellac
~ **léger**: short oil varnish
~ **maigre**: short oil varnish
~ **marine**: boat varnish
~ **mat [d'apprêt]**: flatting varnish

~ **nitrocellulosique**: nitrocellulose lacquer
~ **pelable**: peel-off coating
~ **transparent**: clear lacquer

vernissage *m* : varnishing
~ **au tampon**: French polish

vernissé: varnished; (céram) glazed
~ **au sel**: salt glazed

verranne *f* : glass staple fibre

verrat *m* : boar

verre *m* : glass; (autom) lens (of head-lamp)
~ **à glace**: plate glass
~ **à pellicule d'or**: gold-film glass
~ **à vitres**: glazing glass, window glass, sheet glass
~ **allant au four**: oven-proof glass
~ **armé**: wire glass
~ **athermique**: heat-absorbing glass
~ **blanc**: clear glass
~ **cannelé**: corrugated glass
~ **clair**: clear glass
~ **composite**: compound glass
~ **coulé**: cast glass
~ **creux**: hollow glassware
~ **de couleur**: coloured glass, stained glass
~ **de montre**: watch glass
~ **de plomb**: lead glass, optical flint
~ **de sécurité**: safety glass
~ **dépoli**: ground glass
~ **dormant**: fixed light
~ **doublé**: flashed glass
~ **dur**: hard glass
~ **en feuilles**: sheet glass
~ **en grains**: glass grains
~ **époxy**: glass epoxy
~ **étiré**: drawn glass
~ **façonné**: figured glass
~ **feuilleté**: laminated glass
~ **filé**: spun glass
~ **flotté**: float glass
~ **fritté**: sintered glass
~ **fumé**: smoked glass
~ **givré**: frosted glass
~ **gradué**: measuring glass
~ **grossissant**: magnifying glass, magnifier
~ **jardinier**: greenhouse glass
~ **moulé**: pressed glass
~ **non transparent**: obscured glass
~ **organique**: synthetic glass
~ **pare-balles**: bulletproof glass, bullet-resisting glass
~ **plat**: window glass
~ **pressé**: pressed glass
~ **rodé**: ground glass

~ **soluble**: water glass
~ **taillé**: cut glass
~ **teinté**: tinted glass
~ **textile**: textile glass
~ **trempé**: tempered glass, toughened glass

verrerie *f* : glassmaking; glassworks; glassware

verrière: *f* : glass roof; (fenêtre) stained glass window; (aéro) canopy

verrou *m* : bolt; (lock) latch
~ **à pêne rond**: barrel bolt
~ **à ressort**: spring bolt, snap bolt, spring catch
~ **de protection**: (inf) security lock, keylock
~ **électrique**: electric lock
~ **électromagnétique**: snubber
~ **glissant**: sliding bolt
~ **mortel**: (inf) deadlock
~ **tournant**: twist lock

verrouillage *m* : locking, locking device, locking mechanism; (blocage, él, éon) clamping, fastening, blocking; (de sécurité, d'interdiction) interlock; (inf) lockout; (relais) latch, latching, latch-up
~ **central des portes**: (autom) centralized door locking
~ **de clavier**: keyboard lock, keyboard lockout
~ **de lame**: (dans disjoncteur) blade latch
~ **de mode**: (inf) mode locking
~ **du différentiel**: differential lock
~ **en position train sorti**: (aéro) downlocking
~ **en position train rentré**: (aéro) uplocking
~ **majuscules**: caps lock
~ **sur le fouillis**: (radar) clutterlock
~ **train rentré**: uplock

verrouillé: locked, clamped, blocked
~ **en phase**: phase locked
~ **mécaniquement**: physically locked

verrouiller: to lock, to interlock, to lock in; (relais) to latch; (une porte) to bolt

vers, ~ **l'extérieur**: outbound
~ **l'arrière**: backward
~ **le bas**: downward
~ **le haut**: upward

versant *m* : (de toit) slope; (de montagne) slope, side, face

verser: to pour; (vider) to tip out; (répandre) to spill
~ **à un dossier**: to add to a file
~ **de l'argent**: to pay

version *f* : version, variant
~ **dépouillée**: (inf) no-frills version
~ **propre à un constructeur**: (inf) implementation
~ **réduite**: scaled-down version, downgraded version
en ~ originale: (cin) undubbed

verso *m* : back (of a page)
au ~: overleaf

vert: green; (céram) unfired; (saveur) sour, tart; (fruit) unripe; (vin) unripened

vert-de-gris *m* : verdigris

vertébré *m*, *adj* : vertebrate

vertical *m* : (astronomie) vertical circle; *adj* : vertical; (debout) erect, [standing] on end, upright

verticale *f* : vertical line, vertical position

verveine *f* : verbena, vervain

vésicule *f* : vesicle; (bot) air cell
~ **aérienne**: (d'un poisson) air bladder
~ **biliaire**: gall bladder

vesou *m* : cane juice

vestiaire *m* : locker; locker room, cloakroom, changing room

vêtements *m* : clothes, clothing
~ **industriels**: protective clothing
~ **de protection contre les radiations**: anticontamination clothing

vétérinaire *m* : veterinary surgeon GB, veterinarian NA; *adj* : veterinary

viabilisé: (terrain à bâtir) serviced

viande *f* : meat
~ **blanche**: white meat
~ **congelée**: frozen meat
~ **crue**: raw meat
~ **désossée mécaniquement**: mechanically boned meat
~ **fraîche**: fresh meat
~ **fraîchement abattue**: fresh-killed meat
~ **frigorifiée**: chilled meat
~ **hachée**: minced meat GB, ground meat NA

~ **noire**: brown meat
~ **rouge**: red meat
~ **saignante**: rare meat, red meat

viaduc *m* : viaduct

vibrant: vibrating, vibratory, vibrative

vibrateur *m* : vibrator
~ **à aiguille**: spud vibrator
~ **à secousses**: jolt vibrator

vibration *f* : vibration

vibratoire: vibratory, vibrant, vibrative

vibrer: to vibrate

vibreur *m* : vibrator; (él) buzzer, trembler, chopper
~ **de palonnier**: (aéro) pedal shaker
~ **sonore**: buzzer

vibrion *m* : vibrio

vibrocarottier *m* : vibrocorer

vibrofonceuse *f* : vibrodriver

vibrolançage *m* : vibrojetting (of piles)

vibromètre *m* : vibrometer

vibropercuteur *m* : vibropercussion driver

vice *m* : defect, fault
~ **caché**: latent defect
~ **de construction**: faulty construction
~ **de fabrication**: manufacturing defect
~ **de matière**: faulty material
~ **propre**: inherent defect

vicié: (air) stale

vidage *m* : (d'un récipient) emptying; (plomberie) waste (of sink, of washbasin); (pour faire le vide) evacuation, exhaustion; (inf) dump; (du poisson) gutting; (de pomme) coring
~ **après changement**: change dump
~ **après modification**: change dump
~ **automatique**: autodump
~ **d'écran**: screen dump
~ **de mémoire**: memory dump, core dump, storage dump
~ **de secours**: rescue dump
~ **dynamique sélectif**: snapshot dump
~ **sélectif**: selective dump

~ **statique**: static dump
~ **sur imprimante**: memory printout

vidange *m* : emptying (of) discharge (into); (d'un réservoir) draining, emptying, pumping down, draw-off; (de chaudière) blow[ing] off; (autom) oil change
~ **de carburant en vol**: fuel dumping
~ **du réservoir de carburant**: (aéro) defuelling
~ **rapide**: (aéro) jettisoning

vidanger: (un réservoir) to empty [out], to drain [off]
~ **les réservoirs**: (astron) to detank, to defuel

vide *m* : space, void, gap; (phys) vacuum (au-dessus du contenu d'un réservoir) ullage; *adj* : empty, void
~ **à fond de dent**: bottom clearance
~ **absolu**: absolute vacuum, perfect vacuum
~ **élevé**: high vacuum
~ **entre strates**: (plast) dry spot
~ **imparfait**: partial vacuum
~ **intergranulaire**: air void
~ **intersticiel**: air void
~ **parfait**: absolute vacuum, perfect vacuum
~ **partiel**: partial vacuum, soft vacuum
~ **peu poussé**: low vacuum
~ **poussé**: high vacuum, hard vacuum
~ **primaire**: first stage vacuum
~ **sanitaire**: (constr) crawl space
~ **sous comble**: roof space
~ **technique**: (constr) service space
~ **très poussé**: very high vacuum
~ **ultra-élevé**: ultrahigh vacuum
~**s d'arrimage**: broken stowage
à ~: unloaded; (poids d'un véhicule) unladen; (él) open-circuit, off-load, no load; (éon) evacuated (tube)
à ~ entretenu: pumped
à ~ imparfait: leaky (tube)
faire le ~: to evacuate, to exhaust

vide-ordures *m* : rubbish chute GB, trash chute, garbage chute NA

vide-vite *m* : dump valve; (aéro) jettison valve, jettison system

vidéo *f* : video
~ **inverse**: reverse video

vidéocassette *f* : videocassette

vidéoconférence *f* → **visioconférence**

vidéodiffusion *f* : videocasting

vidéodisque *m* : videodisk
  ~ **laser**: laser videodisc

vidéofréquence *f* : videofrequency

vidéographie *f* : videography

vidéolecteur *m* : videoreader

vidéologiciel *m* : videoware

vidéophone *m* → **visiophone**

vidéotex *m* : videotex

vider: to empty; (un réservoir) to drain
[off], to run down, to purge, to flush
out; (faire le vide) to evacuate, to
exhaust; (inf) to clear (the memory), to
flush out (a pushup stack); (un
poisson, une volaille) to gut, to clean
out

vie *f* : life
  ~ **embryonnaire**: embryonic life
  ~ **en pot**: pot life; (d'un adhésif)
working life
  ~ **marine**: marine life
  ~ **moyenne**: mean life
  ~ **parasitaire**: parasitic life
  ~ **piscicole**: fish life
  ~ **utile**: useful life, working life, service
life
  ~ **végétale**: plant life

vieillissement *m* : ageing GB, aging NA
  ~ **accéléré**: artificial ageing,
accelerated ageing
  ~ **aux intempéries**: weathering
  ~ **par écrouissage**: strain ageing
  ~ **par refroidissement rapide**:
quench ageing

vient de paraître: just published

vierge: virgin; (support d'enregistrement)
blank, empty, virgin; unrecorded
(cassette, tape); unexposed (film)

vieux: old
  ~ **papiers**: waste paper
  ~ **sable**: (fonderie) floor sand, used
sand; (mélangé de noir de fonderie)
black sand
  ~ **travaux**: (mine) old workings, gob

vigie *f* : (mar) lookout; lookoutman
  ~ **de signaux**: signal cabin

vigile *m* : patrolman, security patrol

vigne: (plante) vine; (vignoble) vineyard

vigneron *m* : wine grower

vignetage *m* : vignetting

vignoble *m* : vineyard

vigueur *f* : force, vigour
  ~ **hybride**: hybrid vigour, heterosis
  en ~: current, in force
  en ~ à partir de: with effect from
  mettre en ~: to put into force, to put
into effect

VIH → **virus de l'immunodéficience
humaine**

vilebrequin *m* : (outil) brace and bit, bit
brace; (arbre) crankshaft
  ~ **à cliquet**: ratchet brace
  ~ **à conscience**: breast drill
  ~ **à rochet**: ratchet brace
  ~ **à roues**: wheel brace
  ~ **et mèche**: stock and bit

ville *f* : town, city
  ~ **câblée**: (pour télédistribution) wired
city
  ~ **champignon**: mushroom town,
boom town
  ~ **nouvelle**: new town
  ~ **dortoir**: dormitory town

vin *m* : wine
  ~ **âpre**: rough wine, harsh wine
  ~ **chaud**: mulled wine
  ~ **de Bordeaux**: claret
  ~ **de Bourgogne**: burgundy [wine]
  ~ **de table**: table wine
  ~ **de Xérès**: sherry
  ~ **doux**: sweet wine
  ~ **du Rhin**: hock
  ~ **en fût**: wine in the cask
  ~ **en perce**: broached wine
  ~ **fin**: vintage wine
  ~ **jeune**: new wine
  ~ **logé**: wine in the cask
  ~ **mousseux**: sparkling wine
  ~ **non mousseux**: still wine
  ~ **nouveau**: new wine
  ~ **ordinaire**: non-vintage table wine
  ~ **pétillant**: semi-sparkling wine
  ~ **sans appellation**: non-vintage wine
  ~ **sec**: dry wine
  ~ **velouté**: smooth wine

vinage *m* : fortifying of wine

vinaigre *m* : vinegar
  ~ **à l'estragon**: tarragon vinegar
  ~ **de bière**: alegar, malt vinegar
  ~ **de cidre**: cidar vinegar
  ~ **de vin**: wine vinegar

vinaigrerie *f* : vinegar factory; vinegar making; vinegar trade

vinaigrette: French dressing

vingt-quatre heures sur 24: [a]round-the-clock

viniculteur *m* : viniculturist

viniculture *f* : viniculture

vinification *f* : wine making, wine production; (processus chimique) vinification
~ **en blanc**: production of white wine

vinyle *m* : vinyl

vinylique: vinyl (resin, plastic)

violet *m* **de gentiane**: gentian violet

virage *m* : (changement de direction) bend, turn (in road); (chim) end point (of a reaction); change (in colour); (phot) toning
~ **à angle droit**: ninety-degree bend
~ **à droite**: (autom) righthand turn; (aéro) right bank
~ **à plat**: (aéro) flat turn
~ **en épingle à cheveux**: hairpin bend
~-**fixage**: (phot) toning and fixing
~ **incliné**: (aéro) banking
~ **sans visibilité**: blind corner
~ **sur l'aile**: banking

virement *m* : turning; (bancaire) transfer
~ **de bord**: (mar) tacking

virer: (changer de direction) to turn, to take a bend; (aéro) to bank; (phot) to tone
~ **au cabestan**: to heave
~ **de bord**: to tack
~ **de bord vent devant**: to go about
~ **de l'arrière**: to heave astern
~ **la chaîne**: to heave in the chain
~ **sur l'aile**: (aéro) to bank

vireur *m* : turning gear

virgule *f* : (ponctuation) comma; (défaut de soudage) hook crack
~ **décimale**: (maths, inf) [decimal] point
~ **fixe**: fixed point
~ **flottante**: floating point
~ **variable**: variable point

virion *m* : virion

virole *f* : fer[r]ule; (pap) shell (of dryer, of roll); (d'assemblage) thimble, thimble joint, thimble coupling
~ **d'extrémité**: (de chaudière) end shell ring
~ **de raccordement**: coupling ring
~ **de tube**: tube ferrule
~ **intérieure**: (aéro) inner shroud (of jet engine)

virologie *f* : virology

virose *f* : virus disease, virosis

virure *f* : (mar) strake
~ **de bouchain**: bilge strake
~ **de placage**: inside strake

virus *m* : virus
~ **à ARN**: RNA virus
~ **assistant**: helper virus
~ **associé au SIDA**: AIDS related virus
~ **auxiliaire**: helper virus
~ **bactérien**: bacterial virus
~ **de l'immunodéficience humaine** ▶ **VIH**: human immunodeficiency virus
~ **défectif**: defective virus
~ **électronique**: electronic virus
~ **filtrant**: filtrable virus
~ **oncogène**: oncogenic virus
~ **pathogène**: pathogenic virus
~ **satellite**: satellite virus

vis *f* : screw
~ **à ailettes**: thumbscrew, wing screw
~ **à broche**: tommy screw
~ **à circulation de billes**: recirculating ball screw
~ **à coin**: (de serrage) wedge screw
~ **à double filet**: double-threaded screw
~ **à embase**: collar screw
~ **à fente**: slotted-head screw
~ **à filet rectangulaire**: square-threaded screw
~ **à filets différentiels**: differential screw
~ **à gauche**: lefthand screw
~ **à métaux**: machine screw
~ **à oreilles**: thumbscrew, wing screw
~ **à pas simple**: single-thread screw
~ **à pas à droite**: righthand screw
~ **à pointeau**: cone-point screw
~ **à pointeau sans tête**: cone-point grub screw
~ **à pression**: set screw
~ **à tôle**: tapping screw, sheet metal screw
~ **à un filet**: single-thread screw
~ **à tête bombée**: button-head screw
~ **à tête creuse**: socket-head screw, socket screw

~ **à tête cruciforme**: cross-slotted screw
~ **à tête cylindrique**: cap screw, cheese-head screw
~ **à tête cylindrique perforée en croix**: capstan screw
~ **à tête en goutte de suif**: button-head screw
~ **à tête fendue**: slotted-head screw
~ **à tête fraisée**: countersunk [head] screw
~ **à tête noyée**: countersunk [head] screw
~ **à tête perdue**: countersunk [head] screw
~ **ailée**: thumbscrew, wing screw
~ **autotaraudeuse**: self-tapping screw
~ **convoyeuse**: spiral conveyor
~ **creuse**: female screw, internal screw
~ **cruciforme**: cross-head screw
~ **d'Archimède**: Archimedean screw
~ **d'arrêt**: stop screw, clamp[ing] screw; (sans tête) set screw
~ **d'assemblage**: mounting screw, connecting screw
~ **de blocage**: clamp[ing] screw, locking screw
~ **de butée**: stop screw, thrust screw
~ **de calage**: levelling screw
~ **de commande de l'avance**: (m-o) feed screw
~ **de fixation**: fastening screw, hold-down screw, anchor screw
~ **de pression**: set screw
~ **de purge**: bleeder screw, bleeding screw, bleeder
~ **de purge d'air**: vent screw
~ **de ralenti**: (autom) slow-running screw
~ **de réglage**: adjusting screw, adjuster [screw]
~ **de réglage de câble**: cable adjuster
~ **de retenue**: securing screw
~ **de serrage**: clamp[ing] screw, press screw; (él) binding screw, terminal screw
~ **de traction**: draw screw
~ **décolletée**: cut-thread screw
~ **différentielle**: differential screw
~ **femelle**: female screw, internal screw
~ **filetée à gauche**: left-hand screw
~ **foirée**: stripped screw
~ **globique**: enveloping worm, hourglass screw
~ **graduée**: graduated screw
~ **imperdable**: captive screw
~ **mâle**: external screw, male screw
~ **mécanique**: machine screw, turned screw
~ **mélangeuse**: mixing worm, mixing screw

~ **mère**: (m-o) lead screw
~ **micrométrique**: micrometer screw
~ **noyée**: countersunk screw
~ **papillon**: thumbscrew, wing screw
~ **platinées**: (autom) contact breaker points
~ **réparation**: oversize screw
~ **sans fin**: worm [screw], endless screw; conveyor worm, screw conveyor
~ **sans tête**: grub screw
~ **sans tête à bout pointu**: cone-point grub screw
~ **transporteuse**: screw conveyor, conveyor screw
~ **transporteuse d'amenée**: feed screw
à ~: screwed, screw-down, screw-on

visa m : (publicité) copy clearance

viscère m : viscus; **~s**: viscera, gut, entrails

viscoréducteur m : viscosity breaker, visbreaker

viscoréduction f : viscosity breaking, visbreaking

viscose f : viscose

viscosimètre m : viscometer, viscosimeter
~ **à [chute de] bille**: falling-ball viscosimeter
~ **à bulle d'air**: bubble-tube viscometer
~ **à disques parallèles**: parallel-plate viscometer
~ **à rotation**: rotational viscometer
~ **capillaire**: capillary viscometer

viscosité f : viscosity
~ **cinématique**: kinematic viscosity
~ **critique**: breakdown viscosity
~ **de grippage**: breakdown viscosity
~ **par flottage**: (bitume) float viscosity
~ **plastique ▶ VP**: plastic viscosity

visée f : (mil) taking aim, aiming

viser: (mil) to point (at), to take aim, to aim; (topographie) to sight, to take a sight; (un document) to initial

viseur m : viewing window; sight gauge; (mil) gunsight; (phot) viewfinder
~ **d'huile**: oil gauge
~ **de lance-bombes**: bombsight
~ **de liquide**: sight glass

visible: visible; (câblage) exposed

visioconférence *f*: videoconference

vision *f*: sight, vision
~ des couleurs: colour vision

visionner: to view, to screen, to look at on a viewer; (cin) to preview

visionneuse *f*: (de documents, de diapositives) viewer
~ de microfiches: microfiche viewer

visiophone *m*: videophone

visite *f*: inspection, examination; survey
~ après sinistre: fire inspection

visqueux: viscous; (fluid) thick; (collant) sticky, tacky
très ~: heavy, heavy-body (oil)

vissage *m*: screwing

vissé: screwed, screwed-in, screw-on, spin-on
~ à fond: screwed home

visualisation *f*: (inf) display
~ à balayage récurrent: raster scanning display

visualiser: (inf) to display

visuel *m*: visual display unit, visual display terminal, display device; *adj*: visual, optical, sight
~ graphique: graphic display

vitamine *f*: vitamin
~ hydrosoluble: water soluble vitamin
~ liposoluble: fat soluble vitamin

vitellin: vitelline

vitellus *m*: (bot) vitellus; (bio) vitellus, yolk
~ formatif: formative yolk

vitesse *f*: speed, velocity; rate, pace; (méc) gear
~ à l'impact: impact speed, impact velocity
~ à vide: no-load speed
~ acquise: impetus, momentum
~ angulaire: angular frequency, angular velocity
~ ascensionnelle: (aéro) climbing rate, rate of climb
~ binaire: bit rate
~ circonférentielle: peripheral speed
~ corrigée: (eau) modified velocity
~ d'autocurage: self-cleaning velocity
~ d'avance: (m-o) feed

~ d'avancement: (forage) drilling rate, rate of penetration
~ d'écoulement: flow rate, rate of flow
~ d'évaporation: evaporation rate
~ d'exécution: processing speed
~ d'exploration: spot speed
~ d'extraction: (mine) rope speed
~ d'impact: impact speed; (aéro) touchdown speed
~ de balayage: (tc) spot speed, sweep rate
~ de basculement: (éon) toggling speed
~ de base: design speed
~ de choc: impact velocity, impact speed
~ de combustion: rate of combustion
~ de commutation: (éon) switching speed
~ de croisière: cruising speed
~ de décantation: (épuration) settling velocity
~ de décrochage: (aéro) stalling speed
~ de défilement de la bande: tape speed
~ de déroulement du papier: chart speed (of recorder)
~ de déversement: (traitement de l'eau) overflow rate
~ de filtration: filtration rate
~ de frappe: (inf) keying speed, key [depression] rate
~ de fusion: melt rate
~ de groupe: (tcm) envelope velocity, group velocity
~ de libération: (astron) escape velocity
~ de manipulation: (tél) key[ing] rate, key[ing] speed
~ de marche: running speed, operating speed
~ de mise en charge: (d'une structure) rate of loading
~ de phase: phase velocity
~ de pompage: pumping speed
~ de propagation: wave velocity
~ de propagation de la flamme: flame velocity
~ de propagation dans le milieu: bulk velocity
~ de réaction: reaction rate
~ de réfrigération: cooling rate
~ de refroidissement: cooling rate
~ de régime: normal running speed, working speed, rated speed
~ de rotation: rotational speed, rotar speed; engine speed
~ de route: (autom) road speed, cruising speed; (mar) sea speed
~ de transfert des données: data transfer rate

~ **de translation**: travel speed
~ **de transmission**: baud rate, transmission rate
~ **de transmission d'une ligne**: (tcm) line speed
~ **de transmission des données**: data signalling rate
~ **de transmission des signaux**: signal[l]ing rate
~ **du son**: speed of sound
~ **en plongée**: (d'un sous-marin) submerged speed
~ **en régime continu**: continuous speed
~ **en régime unihoraire**: one-hour speed, speed at one-hour rating
~ **horaire**: speed per hour
~ **initiale**: initial speed; (d'une balle) muzzle velocity, muzzle speed
~ **laminaire**: laminar velocity
~ **limite de chute**: (d'une particule dans l'eau) fall velocity, terminal velocity
~ **maximale**: top speed
~ **normale**: rated speed
~ **périphérique**: circumferential speed, peripheral speed
~ **régime**: (d'une machine) normal running speed
~ **retardée**: retarded velocity
~ **sur l'eau**: speed over water
~ **surmultipliée**: overdrive
~ **tout terrain**: (autom) crawling speed
~ **unihoraire**: one-hour speed, speed at one-hour rating

viticulteur *m* : vine grower, viticulturist

viticulture *f* : vine growing, viticulture

vitrage *m* : glazing
~ **sans mastic**: dry glazing
~s: cover (of solar exchanger)

vitrail *m* : leaded [glass] window, stained glass window

vitre *f* : [window] pane, pane of glass

vitrer: to glaze

vitreux: (roches, porcelaine) vitreous; (aspect) glassy

vitrier *m* : glazier

vitrifier: to vitrify; (en surface) to glaze; (un plancher) to seal

vitrine *f* : shop window GB, show window NA; (meuble) showcase, display cabinet, glass case

vitriol *m* : vitriol
~ **vert**: green vitriol, ferrous sulphate, copperas

vitrocéramique *f* : glass ceramic, glass ceramic ware

vitrothèque *f* : in-vitro library

vivace: (plante) hardy, perennial

vivarium *m* : vivarium

vivier *m* : fish pond; fish tank

vivipare: viviparous

vivisection *f* : vivisection

vobulateur *m* : wobbulator, sweep frequency generator, sweep unit, sweeper

vobulation *f* **du spot**: (tv) spot wobble

vocation *f* : vocation, aptitude
à ~ **de gestion**: business-oriented
à ~ **industrielle**: industry-oriented
à ~ **scientifique**: scientific-oriented

voie *f* : way, road; (chdef) line, track; (subdivision de la chaussée) lane; (tcm, nucl) channel; (autom) track GB, tread NA (between wheels of same axle); (de robinet) way; (moyen) means; ~s: (chdef) trackage
~ **adjacente**: adjacent channel
~ **aérienne**: air route
~ **auxiliaire**: side channel
~ **avec tampon**: buffer channel
~ **banalisée**: (chdef) track for two-way working
~ **bidirectionnelle**: duplex channel
~ **d'accès**: access road
~ **d'acheminement**: (tél) route
~ **d'aérage**: airway
~ **d'aller**: go channel
~ **d'arrivée**: (gare de triage) inbound track; (tcm) incoming channel
~ **d'attente**: (chdef) holding track
~ **d'eau**: (mar) leak (outwards to inwards)
~ **d'enregistrement**: recording channel
~ **d'entrée**: (gare de triage) inbound track; (nucl) entrance channel
~ **d'évitement**: passing track, turnout
~ **d'image**: picture channel
~ **d'une scie**: set (of saw teeth)
~ **de chemin de fer**: railway track
~ **de circulation**: (route) traffic lane; (aéro) taxiway; (mine) gangway

~ **de communication**: road, thoroughfare
~ **de contournement**: loop line
~ **de conversation**: speaking channel
~ **de départ**: (chdef) outbound track
~ **de dernier choix**: (tél) final route
~ **de fission**: fission channel
~ **de garage**: (chdef) siding
~ **de grue**: crane track
~ **de manœuvre**: (chdef) shunting track
~ **de mesure**: (nucl, tcm) measuring channel
~ **de pilotage**: (nucl) control channel (of a reactor)
~ **de retour**: return channel, reverse channel, backward channel
~ **de roulement**: roller track
~ **de roulement de grue**: craneway
~ **de service**: (tcm) service channel
~ **de signalisation**: signal channel
~ **de sortie**: (chdef) outbound track (of marshalling yard); (tcm) outgoing channel; (nucl) exit channel
~ **de transmission**: transmission channel
~ **dérivée en temps**: time-derived channel
~ **descendante**: (chdef) down line
~ **duplex**: duplex channel
~ **en alignement**: straight track
~ **en courbe**: curved track
~ **en cul-de-sac**: dead-end siding, stub-end track
~ **en déblai**: railway cutting
~ **en service**: (tcm) active channel
~ **en tranchée**: railway cutting
~ **étroite**: narrow-gauge track
~ **express**: expressway
~ **ferrée**: railway GB, railroad NA; railway track, permanent way
~ **humide**: wet process
~ **impaire**: (chdef) down line
~ **large**: (chdef) broad gauge
~ **libre**: clear channel
~ **montante**: (chdef) up line
~ **navigable**: waterway
~ **normale**: (chdef) standard gauge
~ **occupée**: engaged channel
~ **paire**: (chdef) up line
~ **pour grue**: crane way
~ **pour véhicules lents**: crawler lane
~ **primaire**: (tcm) primary route
~ **publique**: public highway
~ **sèche**: dry method, dry process
~ **secondaire**: branch line
~ **sortante**: outgoing channel
~ **superposable**: stackable channel
à ~ **unique**: single-channel
à ~**s multiples**: (chdef) multiple-track; (tcm) multichannel
à **une** ~: one-way; (tcm) single-channel

en ~: (chdef) on track
en ~ **d'exécution**: in progress
faire une ~ **d'eau**: to spring a leak
par ~ **de terre**: overland
par ~ **mécanique**: mechanically
par ~ **orale**: per os, by mouth

voilage m : (de roue) out-of-true, buckling; (de bande magnétique) spoking

voile m : (gauchissement de roue) runout, buckling; (aspect) cloud, cloudiness; (peinture) blooming, blushing; (phot) fog; (constr) stem (of retaining wall)
~ **de bord**: edge fog
~ **de boue**: (eau) sludge blanket
~ **de carde**: card web
~ **de poutre caisson**: box girder diaphragm
~ **de roue**: wheel centre, wheel disc
~ **de verre**: glassfibre mat
~ **mince**: (constr) thin shell, shell [roof]
~ **noir**: (des aviateurs) blackout
~ **plein**: (de roue) solid disc

voile f : sail; (sport) sailing

voilé: not true, out of true, buckled, warped

voilement m : bending, warping, buckling

voiler: (fausser, déformer) to distort, to twist; **se** ~: to buckle, to warp; (vernis) to blush

voilerie f : sail locker; sail loft; sail making

voilier m : sailing boat; sail maker

voilure f : (aéro) wing [unit], wings, aerofoil GB, airfoil NA; (de parachute) canopy; (mar) sails, set of sails; → aussi **voilement**
~ **à grande portance**: high-lift wing
~ **basculante**: tilt wing
~ **fixe**: fixed wing
~ **tournante**: rotary wing

voirie f : system of roads, [public] highways; (administration) highways department, refuse collection; [rubbish] tip, refuse dump

voiture f : (autom) [motor] car GB, automobile NA; (chdef) railway coach, railway carriage GB, railroad car NA
~~**atelier**: travelling workshop
~ **blindée**: armoured car

~ **de compétition**: racing car GB, racer NA
~ **de course**: racing car GB, racer NA
~ **de reportage**: mobile unit
~ **de tourisme**: private car
~ **de voyageurs**: (chdef) [railway] coach, [passenger] carriage GB, passenger car NA
~ **non polluante**: clean car
~ **panoramique**: dome car, observation car
~ **particulière**: private car
~ **piégée**: car bomb
~ **propre**: (non polluante) clean car
~ **publicitaire**: admobile

voix *f* : voice
~ **dans le champ**: voice in
~ **hors champ**: voice off
~ **sur dialogue**: voice over

vol *m* : (aéro) flight, flying; (délit) theft, stealing
~ **à l'étalage**: shoplifting
~ **à voile**: gliding
~ **à vue**: contact flight, contact flying, visual flight
~ **aux instruments**: instrument flying, instrument flight
~ **avec effraction**: burglary, housebreaking
~ **balistique**: coasting (space)
~ **cabré**: steep attitude
~ **d'entraînement**: training flight
~ **d'essai**: test flight, trial flight
~ **de cycle**: cycle stealing
~ **de mise au point**: development flight
~ **de réception**: acceptance flight
~ **de recette**: acceptance flight
~ **en dérapage**: quartering flight
~ **en palier**: level flight
~ **en piqué**: dive
~ **en rase-mottes**: hedgehopping
~ **habité**: manned flight
~ **inertiel**: coasting
~ **intérieur**: domestic flight
~ **non propulsé**: coasting [flight]
~ **non régulier**: unscheduled flight
~ **plané**: gliding flight
~ **propulsé**: powered flight
~ **rectiligne**: straight flight
~ **régulier**: schedule[d] flight
~ **sans escale**: non-stop flight
~ **sans visibilité**: blind flying
~ **spatial**: space flight
~ **stationnaire**: hover flight
~ **sur la lancée**: coasting
~ **sur le dos**: inverted flying, inverted flight
à ~ d'oiseau: as the crow flies, in a straight line
en ~: airborne; in flight

volaille *f* : fowl, poultry

volant *m* : handwheel; flywheel; (de voiture) driving wheel; *adj* : flying, loose; portable, easily moved
~ **à poignées**: capstan wheel
~ **batteur**: (text) beater
~ **cardeur**: carding beater
~ **d'inertie**: flywheel
~ **de direction**: (autom) steering wheel
~ **de gauchissement**: (aéro) aileron control wheel
~ **de réglage**: control handwheel
~ **denté**: cogged flywheel, toothed flywheel
~ **en porte-à-faux**: overhung flywheel
~ **monobranche**: (autom) single-spoke steering wheel
~ **moteur**: engine flywheel
~ **thermique**: thermal wheel

volatile *m* : farmyard bird, fowl; *adj* : volatile

volcan *m* : volcano
~ **en activité**: active volcano
~ **éteint**: extinct volcano

volée *f* : (de projectile) flight; (produits abattus par un tir) blast; (méc) throw (of piston); (de grue) jib
~ **articulée**: hinged jib
~ **d'escalier**: flight of stairs
à la ~: (imprimante) on the fly

voler: (aéro) to fly; (dérober) to steal
~ **à un cap**: to steer (a course)
~ **des cycles**: (inf) to steal cycles

volet *m* : (constr) shutter; (méc, aéro) flap; → aussi **volets**
~ **compensateur**: (aéro) trim[ming] tab
~ **correcteur**: trimming flap
~ **d'aération**: ventilating flap
~ **d'air**: (de démarrage) choke
~ **d'annonciateur**: indicator drop
~ **d'intrados**: (aéro) split flap
~ **de départ**: (autom) choke
~ **fluide**: (aéro) jet flap
~ **hypersustentateur**: wing flap
~ **mécanique**: (constr) roller shutter
~ **roulant**: (constr) roller shutter, roller blind

volets *m* : (aéro) flaps
~ **baissés**: flaps down, flaps lowered
~ **rentrés**: flaps up, flaps retracted
~ **sortis**: flaps extended

volige *f* : roof batten, tile lath, slate lath

voligeage *m* : roof sheathing, roof planking, roof boarding

volontaire: (commande) non-automatic

voltmètre *m* : voltmeter
~ **à affichage numérique**: digital voltmeter
~ **[à courant] alternatif**: a.c. voltmeter
~ **à fil chaud**: hot-wire voltmeter
~ **numérique**: digital voltmeter
~ **thermique**: hot-wire voltmeter

volume *m* : volume; size, mass, bulk
~ **balayé**: (de moteur) swept volume
~ **cylindré**: (de moteur) swept volume
~ **d'emmagasinement pour la régularisation des crues**: flood control storage
~ **de protection**: fire break
~ **de rangement**: storage space
~ **de retenue**: (hydrol) pondage
~ **de trafic**: traffic load
~ **de travail**: work load
~ **des pores** ▶ **VP**: pore volume, pore space
~ **des résidus secs**: (épuration) sludge volume index
~ **intérieur libre**: unobstructed capacity (of container)
~ **sonore**: loudness
de ~ **réduit**: space saving

volute *f* : volute; (méc) volute casing, scroll, case (of pump)
~ **d'admission**: inlet casing, inlet volute
~ **de refoulement**: (pompe) delivery volute, delivery casing, outlet volute, outlet casing

voussoir *m* : arch stone, voussoir

voûte *f* : (arch) vault; (de pont); (foyer de chaudière) arch, dome, roof
~ **d'entrée**: archway
~ **d'un pont de chemin de fer**: railway arch
~ **en berceau**: cradle vault, barrel vault
~ **en plein cintre**: cylindrical vault, semicircular vault, tunnel vault
~ **maîtresse**: centre arch (of bridge)
~ **mince autoportante cylindrique**: barrel shell

voyant *m* : (de signalisation) indicating lamp, indicator lamp, indicator light; (en verre) sight glass
~ **avertisseur**: warning light
~ **de niveau d'huile**: oil-level sight glass

~ **en deux parties**: split light
~ **faceté**: jewel light
~ **lumineux**: indicator light, control light, pilot light

VP → **viscosité plastique, volume des pores**

vrac *m* : bulk
~ **solide**: solid bulk [cargo]
en ~: in bulk, loose

vraquier *m* : bulk carrier

vrillage *m* : twist; (de câble) kink; (d'aube, de pale d'hélice) twist [angle]

vrille *f* : (outil) gimlet; (de fil) kink; (aéro) spin
~ **à plat**: (aéro) flat spin
faire la ~: to spin

vrillé: twisted, kinked; (tuyère) twisted

VTT → **véhicule de transport de troupe, véhicule tout terrain**

VU → **véhicule utilitaire, voie unique**

vue *f* : view; sight; (phot, cin) shot
~ **d'artiste**: artist's impression
~ **d'en haut**: top view
~ **d'ensemble**: general view
~ **de côté**: side view; side elevation
~ **de face**: front view
~ **de profil**: side view
~ **éclatée**: blow-up view
~ **en bout**: end view, end elevation
~ **en coupe**: cross sectional view, sectional view, cross section
~ **en plan**: plan view, ground view, bird's eye view, horizontal projection
~ **fixe**: (vidéo) still
~ **latérale**: side elevation
~ **partielle**: scrap view
~ **partielle à enveloppe arrachée**: cut away view
~ **prise en bascule**: (cin, tv) canted shot
~ **transversale**: sectional view

vulcanisat *m* : vulcanisate

vulcanisateur *m* : vulcanizer

vulcanisation *f* : curing, cure, vulcanization
~ **en vapeur**: steam curing
~ **prématurée**: scorching (rubber defect)

vulcaniser: to cure, to vulcanize

vulgaire: (bot) common

wagon *m* : wag[g]on; (de voyageurs) carriage GB, car GB, NA
~ **à bestiaux**: cattle truck GB, stock car NA
~ **à essieux**: non-bogie wagon
~ **à plate-forme**: flatcar, flat
~ **basculant**: dump car
~ **bon rouleur**: fast runner
~-**citerne**: tank car, tanker
~ **couvert**: box car
~ **de marchandises**: goods truck, wagon, freight car
~ **découvert**: open goods wagon, truck
~ **découvert à bords plats**: flatcar, flat
~ **en dérive**: runaway wagon
~ **fermé**: van, boxcar
~-**foudre**: cask wagon, tun wagon
~-**frein**: brake van GB, caboose NA
~ **frigorifique**: refrigerated van
~-**lit**: sleeping car, sleeper
~ **plat**: platform car
~ **plat surbaissé**: depressed-centre car
~ **porte-automobiles**: automobile car, car carrier
~ **porte-containers**: container car
~-**tombereau**: open goods wagon, gondola car
~-**trémie**: hopper car

wagonnet *m* : [small] truck; (de mine) tram, tub
~ **d'enroulage**: (text) batching truck
~ **porte-poche**: ladle truck

watté: wattful

wattheure *m* : watt-hour

wattmètre *m* : wattmeter

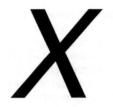

xanthine *f* : xanthine

xanthophylle *f* : xanthophyl[l]

xérès *m* : sherry

xérographie *f* : (nom déposé) xerography

xerophyte *f* : (bot) xerophyte, xerophil[e];
adj: xerophytic, xerophilous

xylème *m* : xylem

xylophage *m* : xylophagan; *adj* :
xylophagous
~ **marin**: marine borer

yaourt *m* : yog[h]urt
 ~ **aromatisé**: flavoured yoghurt
 ~ **maigre**: low-fat yoghurt
 ~ **nature**: plain youghurt

yog[h]ourt → **yaourt**

ypérite *f* : mustard gas

Z

Z: zed GB, zee NA

zéine *f* : zein

zénith *m* : zenith

zéro *m* : nought, zero; (de thermomètre) zero, freezing point
~ **à droite**: trailing zero
~ **à gauche**: leading zero
~ **défauts**: nil defects
~ **en tête**: leading zero
~ **supprimé**: suppressed zero
à ~: off, clear

zeste *m* : peel (of citrus fruit); (pour aromatiser) zest
~ **confit**: candied peel
~ **d'orange confit**: candied orange peel

zigzag *m* : zigzag
en ~: staggered

zinc *m* : zinc
~ **à souder**: spelter solder
~ **commercial**: spelter

zincifère: zinc bearing, zinciferous

zincographie *f* : zincography

zingage *m* : coating with zinc, zinc coating, zincing; (constr) covering of roof with zinc, flashing
~ **au trempé**: galvanizing

zingué: zinc-coated, galvanized

zinguerie *f* : zinc works; zinc trade; zincware

zingueur *m* : zinc smelter; zinc worker; zinc roofer

zonage *m* : zoning
~ **par affectation**: use zoning

zone *f* : zone, area; (inf) field; (géographie) zone, belt
~ **à urbaniser**: development area
~ **abyssale**: abyssal zone
~ **carbonifère**: coal bearing area
~ **côtière**: coastal zone
~ **d'activité intense**: hot area
~ **d'aération**: (eau souterraine) aeration zone
~ **d'aménagement**: development area
~ **d'ascension capillaire**: capillary fringe
~ **d'eau pelliculaire**: pellicular zone
~ **d'élasticité**: elastic range
~ **d'entrée**: (inf) input area
~ **d'influence**: (d'un puits) zone of influence
~ **d'information**: information field, I-field
~ **d'insensibilité**: (régulation) dead band, dead zone
~ **d'oblitération**: cancelling area (of envelope)
~ **d'ombre**: (antenne) shadow area, shadow region
~ **de bombardement**: bombing area
~ **de brouillage**: interference area
~ **de comparaison**: match field
~ **de comptage**: count field
~ **de confort**: (climatisation) comfort zone
~ **de contact entre deux rouleaux**: nip
~ **de couverture**: (tcm) coverage
~ **de déplétion**: depletion layer
~ **de desserte**: aera served, service area
~ **de détente**: flash zone
~ **de diffusion**: coverage (of broadcast)
~ **de données**: data field
~ **de faille**: fault area
~ **de fluctuation de la nappe phréatique**: belt of water-table fluctuation
~ **de grutage**: crane handling area
~ **de haute pression**: (météo) high pressure area
~ **de l'utilisateur**: user area
~ **de largage**: drop[ping] zone
~ **de libre échange**: free trade area
~ **de mémorisation**: storage area
~ **de poser**: landing zone (of helicopter)
~ **de pression**: (de cylindres) nip

~ **de ramollissement**: (plast) melt zone
~ **de rangement**: storage area
~ **de recherche**: research area
~ **de remplissage**: filler field
~ **de silence radar**: blind area, blind spot, dead spot
~ **de silence radio**: silent zone
~ **de tir**: (explosifs) blast area
~ **de transition**: (soudage) heat affected zone; (solaire) depletion layer
~ **de travail**: work[ing] area; (de mémoire principale) work area, workspace
~ **déformable**: (autom) collapsible zone, collapsible section, crumple zone
~ **dénucléarisée**: nuclear free zone
~ **des vents**: wind belt
~ **desservie**: coverage
~ **destinataire**: target field
~ **faillée**: fault area
~ **houillère**: coal belt
~ **industrielle ZI**: industrial estate, industrial park
~ **inondable**: flood plain
~ **interdite**: prohibited area
~ **littorale**: coastal area
~ **morte**: dead spot, dead zone
~ **non desservie**: (aéro) off-line area
~ **non saturée**: (drainage) unsaturated zone
~ **personnel et services**: personnel and utility area
~ **piétonne**: pedestrian area

~ **piétonnière**: pedestrian area
~ **productrice**: (pétrl) pay section, pay zone, producing zone
~ **saturée**: (éon) filled region; (drainage) saturated zone
~ **sous douane**: bonded area
~ **tampon**: buffer zone
~ **tempérée**: temperate zone
~ **trempée**: (métall) chilled zone
~ **verte**: green belt
par ~s: sectionalized

zoné: (structure) banded

zooglée f: zoogloea

zoom *m* : (objectif) zoom lens; (action) zoom[ing]
~ **vers plan général**: zoom-out

zoophyte *m* : zoophyte

zooplancton *m* : zooplankton

zoospore *f* : zoospore

zootechnie *f* : zootechnics, zootechny

zygomorphe: zygomorphic, zygomorphous

zygote *m* : zygote

zymase *f* : zymase

ANNEXES

ANNEXE 1

ELEMENTS CHIMIQUES
ET LEURS SYMBOLES

APPENDIX 1

CHEMIVAL ELEMENTS
AND THEIR SYMBOLS

	Anglais/Américain	**Français (tous masculins)**
Ac	actinium	actinium
Ag	silver	argent
Al	aluminium GB, aluminum NA	aluminium
Am	americium	américium
Ar	argon	argon
As	arsenic	arsenic
At	astatine	astate
Au	gold	or
B	boron	bore
Ba	barium	baryum
Be	beryllium	béryllium
Bi	bismuth	bismuth
Bk	berkelium	berkélium
Br	bromine	brome
C	carbon	carbone
Ca	calcium	calcium
Cd	cadmium	cadmium
Ce	cerium	cérium
Cf	californium	californium
Cl	chlorin[e]	chlore
Cm	curium	curium
Co	cobalt	cobalt
Cr	chromium	chrome
Cs	caesium GB, cesium NA	caesium, césium
Cu	copper	cuivre
Dy	dysprosium	dysprosium
E	einsteinium	einsteinium
Er	erbium	erbium
Eu	europium	europium
F	fluorin[e]	fluor
Fe	iron	fer

Fm	fermium	fermium
Fr	francium	francium
Ga	gallium	gallium
Gd	gadolinum	gadolinum
Ge	germanium	germanium
H	hydrogene	hydrogène
He	helium	hélium
Hf	hafnium	hafnium
Hg	mercury	mercure
Ho	holmium	holmium
I	iodine	iode
In	indium	indium
Ir	iridium	iridium
K	potassium	potassium
Kr	krypton	krypton
La	lanthanum	lanthane
Li	lithium	lithium
Lu	lutecium, lutetium	lutécium
Lw	lawrencium	lawrencium
Mg	magnesium	magnésium
Mn	manganese	magnanese
Mo	molybdenum	molybdène
Mv	mendelevium	mendélévium
N	nitrogen	azote
Na	sodium	sodium
Nb	nodium	nodium
Nd	neodymium	néodyme
Ne	neon	néon
Ni	nickel	nickel
No	nobelium	nobélium
Np	neptunium	neptunium
O	oxygen	oxygène
Os	osmium	osmium
P	phosphorus	phosphore
Pa	protactinium	protactinium
Pb	lead	plomb
Pd	palladium	palladium
Pm	promethium	prométhémum
Po	polonium	polonium
Pr	praseodymium	praséodyme
Pt	platinum	platine
Pu	plutonium	plutonium
Ra	radium	radium
Rb	rubidium	rubidium
Re	rhenium	rhénium
Rh	rhodium	rhodium
Rn	radon	radon
Ru	ruthenium	ruthénium

S	sulphur GB, sulfur NA	soufre
Sb	antimony	antimoine
Sc	scandium	scandium
Se	selenium	sélénium
Si	silicium	silicium
Sm	samarium	samarium
Sn	tin	étain
Sr	strontium	strontium
Ta	tantalum	tantale
Tb	terbium	terbium
Tc	technetium	technétium
Te	tellurium	tellure
Th	thorium	thorium
Tl	thallium	thallium
Ti	titanium	titane
Tm	thulium	thulium
U	uranium	uranium
V	vanadium	vanadium
W	tungsten	tungstène
Xe	xenon	xénon
Y	yttrium	yttrium
Yb	ytterbium	ytterbium
Zn	zinc	zinc
Zr	zirconium	zirconium

ANNEXE 2
VERBES IRREGULIERS COURANTS

APPENDIX 2
COMMON IRREGULAR VERBS

Infinitive Infinitif	Past tense Passé	Past participle Participe passé
rise	arose	arisen
bear	bore	borne
beat	beat	beaten
become	became	become
begin	began	begun
behold	beheld	beheld
bend	bent	bent
bid	bid	bid, bidden
bind	bound	bound
bite	bit	bitten
bleed	bled	bled
blow	blew	blown
break	broke	broken
breed	bred	bred
bring	brought	brought
build	built	built
burn	burnt GB burned NA	burnt GB burned NA
burst	burst	burst
buy	bought	bought
can	could	—
cast	cast	cast
catch	caught	caught
choose	chose	chosen
cleave	cleft, clove	cleft, cloven
cling	clung	clung
come	came	come
cost	cost	cost
creep	crept	crept
cut	cut	cut

deal	dealt	dealt
dig	dug	dug
dive	dived GB	dived
	dove NA	
do	did	done
draw	drew	drawn
dream	dreamt GB	dreamt GB
	dreamed NA	dreamed NA
drink	drank	drunk
dwell	dwelt GB	dwelt GB
	dwelled NA	dwelled NA
eat	ate	eaten
fall	fell	fallen
feed	fed	fed
feel	felt	felt
fight	fought	fought
find	found	found
fling	flung	flung
fly	flew	flown
forbid	forbad[e]	forbidden
forget	forgot	forgotten
freeze	froze	frozen
get	got	got
	got, gotten NA	
give	gave	given
grind	ground	ground
grow	grew	grown
hang	hung	hung
have	had	had
hear	heard	heard
heave	heaved, hove	heaved, hove
hide	hid	hidden
hold	held	held
hurt	hurt	hurt
keep	kept	kept
kneel	knelt GB	knelt GB
	kneeled NA	kneeled NA
knit	knit, knitted	knit, knitted
lean	leant GB	leant GB
	leaned NA	leaned NA
leap	leapt GB	leapt GB
	leaped NA	leaped NA
learn	learnt GB	learnt GB
	learned NA	learned NA
leave	left	left
lend	lent	lent
let	let	let
lie	lay	lain

light	lit, lighted	lit, lighted
lose	lost	lost
make	made	made
mean	meant	meant
meet	met	met
melt	melted	melted, molten
mow	mowed	mown, mowed
pay	paid	paid
prove	proved	proved, proven
put	put	put
read	read	read
rend	rent	rent
ride	rode	ridden
ring	rang	rung
rise	rose	risen
run	ran	run
saw	sawed	sawn, sawed
say	said	said
see	saw	seen
seek	sought	sought
sell	sold	sold
sent	sent	sent
set	set	set
sew	sewed	sewn, sewed
shake	shook	shaken
shed	shed	shed
shine	shone, shined	shone, shined
shoe	shod	shod
shoot	shot	shot
show	showed	shown
shrink	shrank	shrunk
shut	shut	shut
sing	sang	sung
sink	sank	sunk
sit	sat	sat
sleep	slept	slept
slide	slid	slid
sling	slung	slung
lit	slit	slit
smell	smelt GB	smelt GB
	smelled NA	smelled NA
ow	sowed	sown, sowed
peak	spoke	spoken
pell	spelt GB	spelt GB
	spelled NA	spelled NA
pend	spent	spent
pill	spilt GB	spilt GB
	spilled NA	spilled NA

spin	span	spun
split	split	split
spoil	spoilt GB	spoilt GB
	spoiled NA	spoiled NA
spread	spread	spread
spring	sprang, sprung NA	sprung
stand	stood	stood
steal	stole	stolen
stick	stuck	stuck
sting	stung	stung
stride	strode	strid, striddden
strike	struck	struck
string	strung	strung
strive	strove	striven
	strived	strived
swear	swore	sworne
sweep	swept	swept
swim	swam	swum
swing	swung	swung
take	took	taken
teach	taught	taught
tear	tore	torn
tell	told	told
think	thought	thought
throw	threw	thrown
thrust	thrust	thrust
tread	trod	trod, trodden
wear	wore	worn
weave	wove	woven
weep	wept	wept
wet	wet, wetted	wet, wetted
win	won	won
wind	wound	wound
wring	wrung	wrung
write	wrote	written

Imprimé en France. - JOUVE, 18, rue Saint-Denis, 75001 PARIS
N° 212640J. - Dépôt légal : Septembre 1993
N° 118 - ST 80°